KB156530

FIFTH EDITION

최신
투석매뉴얼

Handbook of Dialysis

John T. Daugirdas
Peter G. Blake
Todd S. Ing

옮긴이 **최명진, 김은정, 류지원, 양하나, 이소연** ㅣ 감수 **구자룡**

 Wolters Kluwer

 군자출판사

최신투석매뉴얼 5판
Handbook of **Dialysis,** Fifth Edition

다섯째판 1쇄 인쇄 | 2018년 1월 3일
다섯째판 1쇄 발행 | 2018년 1월 10일

지 은 이	John T. Daugirdas / Peter G. Blake / Todd S. Ing
역 자	김은정, 류지원, 양하나, 이소연, 최명진
감 수	구자룡
발 행 인	장주연
출 판 기 획	김도성
편집디자인	서영국
표지디자인	김재욱
발 행 처	군자출판사(주)

등록 제 4-139호(1991. 6. 24)

본사 (10881) **파주출판단지** 경기도 파주시 회동길 338
(서패동 474-1)

전화 (031) 943-1888 팩스 (031) 955-9545

홈페이지 | www.koonja.co.kr

ISBN 979-11-5955-239-7

정가 45,000원

감수 / 옮긴이

감수

구자룡
고려대학교 의과대학 졸업
고려대학교 대학원 의학박사
미국 UC irvine research fellow
한림대학교 춘천성심병원 신장내과 교수
현 한림대학교 동탄성심병원 신장내과 교수

옮긴이

김은정
강원대학교 의과대학 졸업
한림대학교 강동성심병원 신장내과 전임의
한림대학교 동탄성심병원 신장내과 전임의
현 삼육서울병원 신장내과 과장

류지원
한양대학교 의과대학 졸업
분당 서울대학교병원 신장내과 전임의
한림대학교 춘천성심병원 신장내과 임상조교수
현 제주 한라병원 신장내과 과장

양하나
한림대학교 의과대학 졸업
고려대학교 안암병원 신장내과 전임의
현 성북참노인전문병원 내과 과장

이소연
동아대학교 의과대학 졸업
한림대학교 강동성심병원 신장내과 전임의
현 하워드힐병원 신장내과 과장

최명진
한림대학교 의과대학 졸업
한림대학교 춘천성심병원 신장내과 전임의
현 한림대학교 춘천성심병원 신장내과 조교수

머리말

신장분야에 헌신하고 계신 여러분들께 5번째 "Handbook of Dialysis"를 소개하게 되어 매우 영광스럽습니다. 4번째 편집 이후로 7년이 걸렸습니다. 이 7년이라는 긴 시간은 투석 치료분야의 발전이 느리게, 점진적으로 진행하고 있음을 의미합니다. 우리는 KDIGO와 KDOQI 가이드라인을 참고하여 국제적으로 중요한 내용을 강조하였으며, 영국의 단위와 국제 단위를 모두 표현하려 노력하였습니다.

아직 미국에서 유용하지 않은 온라인 혈액투석여과 편을 유지하고 보완하였습니다. 그리고 본 안내서의 1판, 2판에 있었던 흡착제 투석에 관한 내용이 최근 REDY 시스템의 사용이 줄어들면서 3판과 4판에서는 제외되었었는데, 최근 가정과 투석 센터에서 모두 이용가능한 새로운 흡착제가 부착된 기계가 출시될 것으로 예상되어 이번 판에 다시 복원하여 현대화하였습니다. 투석의 혈관 접근로 편은 3판과 4판에서는 1~2개의 장으로 이루어졌으나, 4개의 장으로 확대하였고 모든 투석 환자 치료에 있어서 혈관 접근로의 중요성을 역설하였습니다. 복막투석 관련하여 접근로 편은, 이 분야에 오래 헌신하고 경험이 많은 외과의에 의해 완전히 새로 쓰여졌습니다. 새로 쓰여진 또 다른 부분은 최근 사용이 증가하고 있는 급성 복막투석과 복막투석의 "응급 시작" 입니다. 혈액투석과 복막투석의 적절도와 관련하여 사용되는 공식을 줄이고, 대신 유추를 통해 주요 개념을 이해하는 데 도움이 되고자 하였습니다. 투석 시간, 빈도, 한외여과율 그리고 "유럽 방식"을 포함한 보완적인 투석 적절도 측정지표에 더 중점을 두었습니다. 각 장을 확장시키고 보완하기 위해, 4판에서 나누어 상세하게 논의되었던 많은 주제를 축소하여 다른 장으로 편입시켰습니다. 우리의 목표는 현재 크기의 책으로 유지하면서 자주 언급되는 임상적인 문제에 중점을 두는 것입니다. 이전의 출판본처럼 우리는 환자에게 최선의 치료를 보장해야 하는 어려운 신장분야에 이제 막 입문하거나 경험하고 있는 의사들에게 유용하게 쓰이도록 하는 목적을 가진, "handbook of dialysis"의 특별한 성격을 유지하려고 노력하고 있습니다.

이 책을 쓰는데 동의해주신 여러 저자들에게 감사를 표합니다. 임상의사와 다른 의료인에게 요구되는 시간이 계속해서 증가함에도 불구하고, 자신들의 통찰력과 경험을 공유하기 위해 귀중한 시간을 흔쾌히 나누어주신 저자들께 깊은 감사를 드립니다. 또한, 아름답고 현대적인 영감을 얻은 표지 디자인을 해주신 Alenksandra Godlevaska에게도 감사드립니다.

John T. Dougirdas
Peter G. Blake
Todd S. Ing

역자서문

인구 노령화와 함께 당뇨병, 고혈압과 같은 동반 질환 증가로 인해 전 세계적으로 만성 신장병 환자 수는 매년 증가하고 있으며 이와 함께 신대체 요법을 시행하는 말기 신부전 환자 수 역시 증가하고 있습니다. 우리나라 역시 예외는 아닙니다. 2017년 대한신장학회 말기 신부전 환자 등록위원회가 보고한 우리나라 신대체 요법의 현황에 따르면 신대체 요법을 받는 전체 환자 수는 93,884명(혈액투석 환자 68,853명, 복막투석 환자 6,842명, 신이식 환자 18,189명)이며, 국내 말기 신부전의 유병률과 발병률은 각각 인구 백만 명 당 1,816명, 311명입니다. 의학 기술의 발달과 함께 하루가 다르게 최신 의학지식이 보고되는 가운데 양질의 투석치료에 대한 요구와 중요성이 대두되고 있습니다.

'Handbook of dialysis'는 1988년 초판이 나온 이후 국내외에서 선풍적 인기를 끌었던 투석 지침서로 7년 만에 'Handbook of dialysis' 5판이 나왔습니다. 투석 치료의 원리부터 실제 임상에서 투석과 관련된 문제에 이르기까지 간결하게 잘 정리되어 있습니다. 특히 2015년 이전에 보고된 KDIGO와 KDOQI 가이드라인의 주요 내용을 포함하여 최근 관심이 높아지고 있는 온라인 혈액투석여과, 가정 내 혈액투석 및 고강도 혈액투석에 대해 다루고 투석 환자의 혈관접근로에 대해 강조하고 있습니다. 본 저서는 원서를 가능한 충실하게 번역하여 실제 임상에서 환자를 보는 임상의사, 간호사, 학생 등이 짧은 시간 동안에 투석에 관한 구체적인 지식을 얻을 수 있도록 하였습니다. 용어는 대한의사협회의 의학용어집 5판 개정집을 따랐고, 일부는 원본의 내용을 정확하게 전달하기 위해 영문을 병기하였습니다.

번역을 시행하는 동안 만성 신질환 환자의 미네랄-뼈질환에 대한 KDIGO 가이드라인과 복막염의 예방과 치료, 복막투석에서 도관 관련 감염에 대한 ISPD 가이드라인이 업데이트되었으나 번역본에는 이를 반영하지 못한 아쉬움이 있습니다. 만성 신질환 환자의 미네랄-뼈질환의 경우 대한신장학회 홈페이지 내 학술자료에 게시된 한글번역본을 참고해 주십시오.

끝으로 이 책이 나오기까지 임상 및 학문적인 활동에 도움을 주신 여러 교수님들과 군자출판사 임직원들께 깊은 감사를 드립니다. 이 책이 투석 환자 진료에 작은 도움이 되기를 바랍니다.

2018년 1월
역자 일동

목차

PART I

만성 신질환 관리
CHRONIC
KIDNEY DISEASE
MANAGEMENT

1 만성 신질환 단계 1-4기에 대한 접근

김은정 역

만성 신질환은 다양한 방법으로 정의될 수 있다. 미국 예방 보건서비스(The US Preventive Health Service)는 추정 사구체 여과율(eGFR/1.73 m²)이 60 ml/min 미만(< 60 ml/min)으로 신기능이 감소되거나 적어도 3개월이상 지속되는 신손상으로 정의하고 있다.

만성 신질환 환자 관리는 다음 사항을 고려해야 한다: 선별검사, 원인 진단, 만성 신질환 중증도 단계 평가: 진행하고 있는 고위험도 환자에서의 감별 및 관리: 만성 신질환 합병증 관리: 이식 혹은 신대체요법 준비

I. 검사, 진단 ,단계

선별검사는 단백질 유무와 신기능 측정에 대한 모니터링을 해야 한다. 선별검사는 만성 신질환 위험인자를 가진 환자에 중점을 두어야 한다. 만성 신질환 위험인자를 가진 환자들은 당뇨병, 고혈압, 심혈관질환, 흡연력, 비만, 60세 이상, 타고난 인종, 만성 신질환 가족력을 지닌 환자를 말한다.

A. 소변 단백 측정

미국 예방 보건서비스는 모든 고위험군에서 선별검사로 소변 단백측정을 권고하고 있다. 미국당뇨협회(ADA)에서는 모든 제2형 당뇨병 환자들은 진단 당시에 그리고 모든 제1형 당뇨병 환자들은 초기 진단 후 5년에 미세알부민뇨 검사를 권고하고 있다.

선별검사는 소변 dipstick 검사로 할 수 있으나 더 믿을만한 검사는 이른 아침에 spot 소변에서 알부민과 크레아티닌 비를 측정하는 것이다. dipstick 검사는 알부민과 잠혈 혹은 백혈구를 검출할 수 있다. dipstick 검사에서 잠혈 혹은 백혈구가 검출된다면 요침전물의 현미경적 분석을 고려해야 한다. 표 1.1은 소변 dipstick 검사의 몇 가지 제한점을 제시하고 있다. 소변 dipstick 검사의 한가지 문제점은 농도만을 측정하기에 희석뇨에서는 위음성이 나타날 수 있다는 것이다. 소변 알부민/크레아티닌 비는 크레아티닌에 대한 알부민의 비율을 봄으로써 이러한 문제점을 해결할 수 있다. 알부민과 크레아티닌은 둘다 희석에 영향을 주어 희석의 효과가 상쇄되는 경향이 있다. 알부민/크레아티닌을 mg/g 혹은 mg/mmol으로 표시하면 정상 알부민뇨는 30 mg/g미만 (< 3 mg/mmol), 미세알부민뇨는 30~300 mg/g (3~30 mg/

| 1.1 | 소변 dipstick 검사의 제한점 |

위음성
낮은 요비중(<1.010)
높은 요염분 농도
산성뇨
비알부민성 단백뇨

위양성
혈액이나 정액으로 오염된 뇨
알칼리뇨
세척제/소독제
조영제
높은 요비중(>1.030)

mmol) 현성 알부민뇨는 300 mg/g이상 (> 30 mg/mmol)으로 정의
할 수 있다. 이러한 한계치(cutoff)는 하루에 mg으로 측정한 알부민뇨
와 대략 일치해서(예를 들면 하루에 30 mg과 300 mg) 크레아티닌은
하루에 1g이 배설된다고 가정한다. 사실 하루에 배설되는 평균 크레아
티닌 양은 실제로 더 많고, 이번 장에서 논의되겠지만 크레아티닌 배
설은 여자보다는 남자 그리고 나이 든 사람에 비해서는 젊은 사람에서
더 많다.

그러나 이러한 소변 알부민/크레아티닌 비의 한계치(cutoff)를 미세조
정하는 것은 임상적으로 중요하지 않다. 소변 알부민 배설 증가 위험
은 지속적이서 하루에 알부민 배설이 30 mg미만에서도 위험성은 증
가할 수 있기 때문이다. 소변 알부민/크레아티닌비는 언제든지 시행할
수 있으나 아침에 검사를 시행하면 민감도를 높일 수 있기 때문에, 이
를 통해 비교적 낮에는 단백뇨가 관찰되나 누워서 자는 동안에는 소실
되는 기립성 단백뇨와 같은 양성 질환을 배제할 수 있다. 소변 알부민/
크레아티닌비 검사가 양성인 경우 급성 신손상을 배제하고 확진하기
위해 3달에 걸쳐서 최소 2번은 반복해야 한다.

B. 신기능 측정

1. 사구체 여과율

보통 ml/min으로 표현하는 사구체 여과율은 시간 당 신장에서 제
거되는 혈청의 용적이다. 사구체 여과율은 체형과 나이에 따라 다
양하며 사구체 여과율의 고정된 수치(isolated value)는 상황에 따
라 평가해야 한다. 이것은 특히 1.73 m²당 체표면적에 대한 사구
체 여과율로 표준화한다. 건강한 사람에서 1.73 m²당 사구체 여과
율(GFR/1.73 m²)은 남자와 여자에서 유사하지만 나이에 따라 감
소한다. 따라서 젊은 성인에서 대략 평균 115 mL/min, 중년에서
는 평균 100 mL/min, 60세, 70세, 80세 환자에서는 각각 90 mL/
min, 80 mL/min, 70 mL/min으로 감소한다.

2. 혈청 크레아티닌

혈청 크레아티닌은 근육에 있는 크레아티닌에서 비교적 일정한 비율로 생성되며 사구체 여과와 요세관 분비로 신장에서 배설된다. 정상 크레아티닌 농도는 여성에서 0.6~1.0 mg/dL (53~88 mcmol/L), 남성에서는 0.8~1.3 mg/dL (70~115 mcmol/L)에 이른다.

혈청 크레아티닌 농도 측정은 신기능 단계를 대략 평가할 수 있는 하나의 방법이다. 왜냐하면 신기능이 떨어짐에 따라 크레아티닌은 계속해서 생산되기 때문에 혈청 수치는 오를 것이다. 혈청 크레아티닌과 신기능 사이의 관계는 비선형적이다. 즉 혈청 크레아티닌이 두배로 증가하는 것은 대략 사구체 여과율이 50% 감소했다는 것을 반영할 것이다. 신기능의 실질적인 손상에도 불구하고 초기에 낮은 수치에서 혈청 크레아티닌이 두배로 증가해도 여전히 혈청 크레아티닌이 '정상 범위'일 수 있다. 혈청 크레아티닌 수치는 근육량, 최근 식이섭취, 특히 익힌 고기, 병용 투여 약제에 영향을 받을 수 있다(예를 들어 cimetidine의 경우, 크레아티닌의 요세관 분비를 억제해서 사구체 여과율에 영향을 주지 않고 혈청 크레아티닌 수치를 약간 증가시킬 수 있다).

간경화와 복수를 가진 환자에서는 혈청 크레아티닌으로 신기능을 평가하기가 특히 어렵다. 극히 낮은 근육량(낮은 크레아티닌 생산율)때문에 크레아티닌 생산률이 매우 낮을 수 있다.

또한 종종 복수가 없는 체중을 표준치로 정하는 것도 어려울 수 있다. 이 환자들에서는 명목상 '정상' 혈청 크레아티닌 0.5~1.0 mg/dL (44~88 mcmol/L) 수치도 중등도 감소에서 심하게 손상된 신기능 감소를 반영할 것이다. 악액질(cachexia)이 없는 환자들에서도 혈청 크레아티닌 수치는 항상 환자의 근육량을 감안하여 해석해야 한다. 예를 들어 혈청 크레아티닌 1.3 mg/dL (115 mcmol/L)인 젊은 80 kg 남성의 경우 크레아티닌 청소율이 94 ml/min이지만 고령인 50 kg 여성은 크레아티닌 청소율이 28 ml/min로 나타날 수 있다(Macgragor and Methven, 2011).

최근까지 혈청 크레아티닌은 다양한 방법으로 측정되었다. 그 중 isotopo dilution mass spectrometry (IDMS)로 결정되는 혈청 크레아티닌 농도는 혈액 내 간섭 물질 때문에 실제 수치에서 상당히 벗어난다. 미국과 다른 여러 나라의 연구소에서는 요즘 IDMS 측정 방법을 표준화시키고 있는데, 이를 통한 크레아티닌의 정상 범위는 다른 방법으로 측정한 값보다 낮은 경향을 보인다.

3. 24시간 소변 수집에 따른 크레아티닌 청소율

시한의(대개 24시간) 소변 수집에 따른 크레아티닌 배설은 크레아티닌 청소율(Ccr)을 계산하는데 사용될 수 있다. 크레아티닌 청소율은 분당 크레아티닌이 제거되는 혈청의 용적이다.

정상 크레아티닌 청소율(Ccr)은 평균 체형인 성인 여성에서 대략

95 ± 20 mL/min이고 평균 체형인 성인 남성에서는 125 ± 25 mL/min이다. 환자들은 일어나자마자 화장실에서 소변을 본 다음 모으는 시작 시간을 기록할 것을 교육받는다. 다음 단계는 하루 종일 소변을 소변 수집용기에 모은다. 다음 날 아침에 환자들은 마지막으로 소변을 모아서 이 시간을 종료 시간으로 기록한다. 수집한 소변량을 분으로 표현된 크레아티닌 수집 시간(시작 시간부터 종료 시간까지)으로 나눔으로써 분당 크레아티닌 청소율을 계산할 수 있다. 소변을 모으는 동안에 혈청 크레아티닌을 측정할 수 있도록 적당한 시점에 혈액을 채취해야만 한다. 크레아티닌 청소율을 계산하기 위해서는 간단하게 분당 크레아티닌 배설률을 혈청 수치로 나누는 것이다. 이것은 신장에 의해 제거되는 크레아티닌의 분당 혈청의 혈액량이다. 예를 들어 만약 크레아티닌 배설률이 1.0 mg/min이고 혈청 크레아티닌 수치가 1 mg/dL 혹은 0.01 mg/ml라면 혈청 100 mL/min이 소변을 모으는 동안 평균 신장에서 크레아티닌이 제거되는 것이다. 적절하게 소변을 모으는 기술적인 방법에도 불구하고 24시간 소변 수집은 간경화와 복수를 가진 환자와 악액질 환자뿐만 아니라 현저하게 비만 환자들에게도 신기능을 평가하는데 매우 유용한 방법이다. 완료한 소변수집에서 크레아티닌은 성별과 체중을 바탕으로 예상되는 하루 크레아티닌 배설률에 근거해 하루에 회복되는 크레아티닌양을 비교함으로써 평가될 수 있다.

따라서 여성에서 약 15~20 mg/kg 제지방체중(lean body weight), 남성에서는 20~25 mg/kg 제지방체중으로 하루 크레아티닌 배설량을 예상할 수 있다. 하루 크레아티닌 배설률의 더 정확한 평가는 Ix (2011)에 의해 개발된 것처럼, 체중, 성별, 나이와 인종을 대입하는 공식을 사용해서도 구할 수 있다. 이것은 부록A에 계산도표(nomogam)로 기술되어 있다. 보통 예상치보다 의미있게 낮은 크레아티닌 배설율은 소변 수집이 제대로 되지 않았음을 의미한다.

크레아티닌은 사구체에서 여과될 뿐만 아니라 콩팥 요세관에서도 제거되기 때문에 크레아티닌 청소율은 사구체 여과율보다 더 크다. GFR/1.73 m^{2}이 매우 낮을때 (e.g., 10~15 mL/min미만) 요세관 분비 때문에 크레아티닌 배설되는 비율은 높다. 사구체 여과율이 낮을때 더 정확하게 사구체 여과율을 평가하기 위해서는 시한의 소변 샘플에서 크레아티닌과 요소량을 모두 측정할 수 있고 소변 수집 동안에 혈청 요소 수치 뿐만 아니라 크레아티닌 수치도 측정할 수 있다. 분당 요소 청소율은 크레아티닌 청소율을 구하는 것과 같은 방법으로 계산할 수 있다. 요소는 사구체에서 여과되지만 일부 요소는 콩팥 요세관(renal tubules)에서 재흡수된다. 따라서 요소는 크레아티닌과 상황이 반대일 수 있다. 즉 요세관 재흡수 때문에 요소 청소율은 사구체 여과율보다 더 낮을 것이다. 반면에 크레아티닌 청소율은 사구체 여과율보다 더 높을 것이다. 사구체 여과율이 10~15 mL/min 미만인 환자에서 요소와 크레아티닌 청소율

을 평균으로 계산하는 것이 사구체 여과율을 평가하는데 좋은 추정
치임을 보여준다.

4. 추정 크레아티닌 청소율

24시간 소변 수집의 부정확성과 불편함을 피하기 위해서 크레아티
닌 청소율을 나이, 체중, 성별, 일부 공식에서는 인종을 공식에 사용
하여 구할 수 있다. 이것을 사용하는 공식중에 하나가 **Cockcroft-
Gault 공식**이다.

Estimated C_{Cr} = (140 − 나이) × (0.85 여자인 경우) ×
$\qquad$ (체중, W, kg) / (72 × 혈청 크레아티닌 mg/dL)

or

Estimated C_{Cr} = (140 − 나이) × (0.85 여자인 경우) ×
$\qquad$ (체중, W, kg) / (0.814 × 혈청 크레아티닌 mc-
$\qquad$ mol/L)

공식에서 W는 체중을 말한다. 이 공식은 침상에서 신기능을 빠르
고 합리적으로 정확하게 평가할 수 있도록 제공한다. 부록 A에서
기술하는 최근에 개발된 공식(Ix, 2011) 또한 사용할 수 있다.
이 Ix 공식은 흑인을 포함한 훨씬 더 많은 개개인들을 포함하
여 개발되었고 유효성이 입증되었다. 또한 현대식으로 IDMS-
calibrated laboratoy 크레아티닌 수치에 근거를 두었다. 두 공식중
어떠한 것도 현저하게 비만한 환자나 악액질 환자들에서 정확하지
않다. 일부에서는 Cockcroft-Gault 공식은 악액질 환자들에서는
실제체중(actual body weight)을, 정상 체중 환자들에서는 **이상
체중(ideal body weight)**, 현저하게 비만 환자들에서는 **보정체중
(adjusted body weight)**을 사용해서 정확도를 높일 수 있다고 제
안했다(Brown 2013). 세부사항들은 부록 B에 있다.

5. 추정 사구체 여과율

a. Modification of Diet in Renal Disease (MDRD) 공식

이 공식은 MDRD 시험으로부터 고안되어 체표면적의 1.73 m^2당 표준
화된 eGFR를 말한다.
새로운 IDMS-표준화한 혈청 크레아티닌 수치를 사용하는 검사실에서
사용하는 MDRD 공식 version은 아래와 같다.

eGFR/1.73 m^2 = 175 × [혈청 크레아티닌] − 1.154 × [나이] − 0.203
$\qquad$ × [0.742 여자인 경우] × [1.210 흑인인 경우]

이 공식에서 "175"는 "186"으로 대체 할 수 있다. MDRD 연구에서 사
용되는 수치와 비교하여 IDMS-표준화한 크레아티닌 수치가 원래 발표

된 공식에서 약간 더 낮은 수치를 나타내기 때문이다. 혈청 크레아티닌은 SI 단위(mcmol/L)로 측정시 공식에 대입하기 전에 mg/dL로 환산하기 위해 혈청 크레아티닌 수치를 88.5로 나눠야 한다.

MDRD GFR 공식은 Cockcroft-Gault 혹은 Ix 크레아티닌 청소율 추정치와는 여러 면에서 다르다. 첫째 MDRD GFR 공식은 콩팥 요세관에서 분비되지 않는 물질인 iothalamate로 측정한 GFR로부터 개발되었고 따라서 크레아티닌 청소율보다는 사구체 여과율을 예측한다. MDRD공식은 신기능의 요세관 분비 요소를 포함하는 크레아티닌 청소율보다 신기능(GFR)이 더 낮은 수치가 될 것이다. 둘째로, MDRD공식은 체형을 표준화해서 체표면적의 eGFR/1.73 m²으로 표현된다. 24시간 소변 샘플로 구한 것이나 Ix 혹은 Cockcroft-Gault 공식으로 구하든 크레아티닌 청소율은 체형으로 보정되지 않은 원래의(raw) 신장 크레아티닌 청소율이다.

b. CKD-EPI GFR 공식

MDRD공식과 유사하지만 이 공식은 더 많은 환자군을 대상으로 하였고 특히 유일하게 경미한 신손상을 가진 환자들에서 유효성이 입증되었다. CKD-EPI GFR 공식은 부록 A에 나열되어 있다. 두 공식의 차이점은 대개 임상적으로 중요하지 않다. 정확한 신기능 단계를 아는 것에 대한 영향이 특히 크지 않은, 주로 60이상의 사구체 여과율을 가진 환자들에서 발생하기 때문이다.

c. Cystatin C 공식

사구체 여과율을 평가하기 위한 다른 방법은 혈청 cystatin C수치를 사용하는 공식을 기반으로 한다. 모든 세포에서 생성되는 cystatin C는 사구체에서 여과되어 재흡수 되지 않는 13kDa 단백질이다. cystatin C 생산률은 근육량이나 육식과 관련이 없어서 일부 연구들에서 cystatin C를 이용한 사구체 여과율은 크레아티닌을 근거로 한 공식들보다 만성 신질환과 관련된 예후와 더 나은 상관관계를 보여준다. 사구체 여과율을 예측하기 위한 여러가지 노력들로 혈청 크레아티닌과 cystatin C 수치를 함께 조합하였다(Levey 2014.). cystatin C를 측정하는 검사실 방법들은 흔히 표준화(이것은 현재 진행중이며 크레아티닌의 IDMS 표준화와 유사하다)되어 있지 않아서 지금 당장은 cystatin C 공식은 널리 쓰이지 않는다.

6. 급성 신손상에서 추정 청소율 문제점

크레아티닌이나 cystatin을 이용한 추정공식은 정상상태(steady-state)를 가정하에 두고 있다. 만일 수술로 양쪽 신장을 모두 제거했다면 혈청 크레아티닌 혹은 cystatin C 수치들은 증가하기 시작하지만 이것은 바로 나타나는 것이 아니라 며칠에 걸쳐서 발생한다. 이러한 이유 때문에 위에서 언급한 신기능을 평가하는 공식들의 어느 것도 신기능이 빠르게 변하는 상황에서는 유용하지 않다. 24시간 소변 수집 방법은 크레아티닌 청소율을 측정하기 위해 사용할 수는 있지만 소변 수집 동안에 시작과 종료시 측정한 혈청 크레아티닌 수치가 필요하다. 그리고 분당 배설률은 계산 결과에서 시간 평균 혈청수치로 나누어야 한다.

C. 신장 초음파와 혈청 전해질

만성 신질환이 진단된 환자들에서 구조적인 비정상과 폐쇄는 없는지 보통 초음파로 신장 영상검사를 해야 하고, 대사성 산증과 기저 신장 질환에 단서를 주는 전해질 장애에 대한 선별검사로 혈청 전해질(Na, K, Cl, HCO₃)을 측정해야 한다.

D. 원인 진단 찾기

만성 신질환의 기저 원인을 확인하는 것은 중요하다. 만성 신질환은 가역적일 수 있다. 예를 들면 양측 신혈관질환 환자나 전립선 비대증 환자에서 만성 방광목폐쇄(chronic bladder neck obstruction)를 가진 환자에서다. 만성 신질환의 원인은 병의 진행 속도를 예측할 수 있는 정보를 제공한다. 신장질환의 여러 원인들은 향후 신장동종이식에서 재발 할 가능성이 많기 때문에 처음에 만성 신질환의 기저 원인을 확인하는 것은 후에 환자 관리 결정에 도움을 줄 것이다.

E. 단계

만성 신질환의 분류기준은 NKF KDOQI가 일반적으로 널리 사용되고 있다. 체표면적으로 표준화한 사구체 여과율에 근거해서 1기(경미한)에서 5기(아주 심한)로 나눈다.

eGFR/1.73 m², 60 mL/min이상인 경미한 두 가지 단계인 1기와 2기는 감소된 사구체 여과율과 별개로 신손상의 증거가 있어야 한다. 신손상은 조직 검사상 병리학적인 이상소견을 말한다. 즉 혈액 혹은 소변 이상 소견(단백뇨 혹은 소변침사이상 소견) 혹은 영상의학적인 이상 소견을 말한다. 더 심한 만성 신질환(3기, 4기, 5기)단계는 각각 GFR 60, 30, 15 미만을 말한다. 추정 사구체 여과율(eGFR/1.73 m²) 45~60 mL/min인 일부 고령 환자들에서는 명확한 신손상이 없거나 신기능의 급격한 감소의 위험이 없거나 사망률이 높지 않을 수 있다. KDIGO는 이를 고려하여 만성 신질환 3기를 두 가지로 구분하였다. 3a, eGFR/1.73 m² 45~59 mL/min; 3b eGFR/1.73 m² 30~44 mL/min. 또한 새로운 분류법은 소변 알부민/크레아티닌비(UACR)를 측정함으로써 단백뇨의 정도를 추가하였다. 알부민뇨에 따른 새로운 분류법은 표 1.2에서 보여주고 있다. 만성 신질환의 진행 및 합병증의 저위험도는 녹색으로 표기하였고 노란색, 오렌지색, 적색으로 갈수록 점차적으로 위험도가 증가함을 보여준다.

II. 만성 신질환과 심혈관질환의 진행 지연

만성 신질환 환자들에서 신손상의 진행에 영향을 미치는 위험인자들은 심혈관질환을 증가시키는 인자들과 매우 유사하다. 조기에 만성 신질환을 확인하는 목적은 사구체 여과율을 유지하고 심혈관질환 발생의 위험

TABLE 1.2	사구체 여과율과 알부민뇨 분류에 따른 만성 신질환의 예후(KDIGO 2012)		
		정상에서 경미한 증가	중등도 증가	심한 증가
eGFR category	eGFR/1.73 m²	<3 mg/mmol <30 mg/g	3-30 mg/mmol 30-300 mg/g	>3 mg/mmol >300 mg/g
1*	≥90	Green	Yellow	Orange
2*	60-89	Green	Yellow	Orange
3a	45-49	Yellow	Orange	Red
3b	30-44	Orange	Red	Red
4	15-29	Red	Red	Red
5	<15 on dialysis	Red	Red	Red

색깔은 다음을 나타낸다.
Green = 신장질환에 대한 다른 증거가 없다면 위험도가 없다. 만성 신질환이 아니다;
Yellow = 중등도 증가된 위험; Orange =고위험; Red = 심한 고위험
* 혈뇨나 구조적이나 병리학적인 이상이 없다면 만성 신질환이 아니다. 신장질환의 어떤 원인들로 진행위험이 다소 높을 수 있다.

을 최소화하는 이러한 위험인자들을 교정하고 완화하려고 하는 것이다. 주요 위험인자들은 흡연, 고혈압, 당뇨병 환자에서의 고혈당(당뇨병이 없는 환자들에서도 마찬가지로), 고지질혈증, 빈혈, 높은 혈청 인수치를 말한다. 단백뇨나 미세알부민뇨도 현저하게 진행 속도와 심혈관계 합병증을 가속화한다. 염증매개자들은 특히 C-반응단백(CRP)은 만성 신질환에서 증가하고 동맥경화증 위험을 증가시키는 것과 연관되어 있다.

A. 금연

흡연은 전통적인 심혈관질환 위험인자이며 금연은 심혈관계 위험을 제한하는데 있어서 중요하다. 흡연이 신장질환의 진행속도를 가속화한다는 증거는 만성 신질환 환자에서 금연의 중요성을 강조하고 있다.

B. 혈압과 단백뇨 조절

만성 신질환 환자들에서 목표 혈압은 변화하고 있다. KDIGO와 KDOQI에서 목표혈압은 당뇨병 유무와 상관없이 또한 단백뇨 정도와 관계없이 모든 신장질환 환자들에서 130/80 mmHg 미만이다. 그러나 2013년에 발표한 JNC8(the Eighth Joint National Committe) 가이드라인에서는 당뇨병과 신장질환을 가지고 있는 60세 미만 환자들에서 140/90 mmHg 미만으로 권고하며 목표 혈압이 약간 완화되었다.

고혈압 유무에 관계없이 단백뇨(spot urineprotein-to-creatinine ratio of ≥ 200 mg/g)가 있는 비당뇨성 만성 신질환 환자들 뿐만 아니라

당뇨병성 만성 신질환 환자들도 진행속도를 늦추기 위해 안지오텐신 전환효소 억제제/안지오텐신 수용체 차단제(ACE-I/ARB)제제를 권고하고 있다. Thiazide계 이뇨제는 혈청 크레아티닌이 1.8 mg/dL (< 160 mcmol/L) 미만일때 경한 만성 신질환에서 선택할 수 있는 이뇨제이다. 혈청 크레아티닌이 1.8 mg/dL (> 160 mcmol/L) 이상일 때 loop 이뇨제(하루에 두 번 복용)가 권고되고 있다. 이러한 상황에서는 thiazide계 이뇨제는 효과가 감소되기 때문이다. 그러나 사구체 여과율이 감소된 환자들에서 thiazide계 이뇨제의 효과 부족에 대해 이의 제기가 되어 왔다. 서방정 thiazide 이뇨제인 chlorthalidone은 체액량 결핍과 관련된 부작용이 있어서 체액량 감소에 있어(Agarwal, 2014) 만성 신질환에서 효과적이다.

안지오텐신 전환효소 억제제/안지오텐신 수용체 차단제(ACE-I/ARB)의 용량은 단백뇨를 최소화할때까지 적정할 수 있다. 그러나 혈압, 칼륨, 크레아티닌은 치료 초기 이후와 각 용량을 변경 후에 모니터링을 해야 한다. 염분 제한과 이뇨제 사용은 안지오텐신 전환효소 억제제/안지오텐신 수용체 차단제(ACE-I/ARB) 치료의 항단백뇨 효과를 증가시킨다. 안지오텐신 전환효소 억제제 혹은 안지오텐신 수용체 차단제는 임산부 특히 임신 초기와 혈관부종 병력이 있는 환자에서는 금기이다. 추정 사구체 여과율 eGFR/1.73 m² of >15 mL/min 이상인 환자에서는 일부 항고혈압제 계열들은 혈장 반감기가 증가할 수 있음에도 드물게 신장배설이 감소하기 때문에 항고혈압제 용량을 줄여야 한다(33장 참고).

C. 베타차단제와 아스피린: 심장보호 효과

베타차단제는 JNC 8에서 더 이상 고혈압 치료의 일차 약제로 권고하지 않아도 만성 신질환 환자들에서 심장보호 효과가 있다. 심근경색 후 아스피린과 베타차단제의 심장보호 효과는 만성 신질환 환자와 정상 신기능을 가진 환자에서 유사하다. 아스피린은 말기 신장질환 환자에서 위장관 출혈과 관련되어 있다. 만성 신질환 단계 1~4기 환자들에서 위험도가 증가하는지는 잘 알려져 있지 않다.

D. 만성 신질환을 가진 당뇨병 환자에서 엄격한 혈당조절

제1형 당뇨병 혹은 제2형 당뇨병 환자를 대상으로 한 연구들에서 엄격한 혈당 조절은 미세혈관질환 및 대혈관질환 진행을 늦출 수 있다고 증명해 왔다. 엄격한 혈당 조절은 또한 만성 신질환을 가진 당뇨병 환자에서 신장질환의 진행 속도를 늦춘다. 가장 최근에 ADA 가이드라인이 제2형 당뇨병 환자에서 당화혈색소 역치는 개별화를 강조했음에도 혈당조절 목표는 당화혈색소 7.0% 미만이어야 한다. KDIGO 가이드라인은 이러한 목표 당화혈색소는 저혈당의 위험 혹은 실질적인 동반 질환을 가진 환자에서 완화해야 한다고 제시하고 있다.

E. 이상지질혈증의 치료(지질 강하 치료)

저밀도 지단백 콜레스테롤(low-density lipoprotein (LDL) choles-terol)과 다른 지질 마커 분자들의 상승된 수치들은 심혈관질환의 전통적인 위험인자이며 만성 신질환이 없는 환자들, 콜레스테롤 수치가 정상 범위에 있는 환자들에서도 스타틴의 심장보호 효과는 여러 연구들에서 언급되어 왔다. 동물실험 데이터는 높은 지질 수치와 콜레스테롤 부하는 사구체 손상을 증가시킬 수 있다고 제시하고 있다. 따라서 만성 신질환 환자에서 지질을 줄이기 위한 스타틴 치료는 심혈관질환의 진행을 막고 위험을 낮춘다. 최근 American College of Cardiology (ACC)와 American Heart Association (AHA) 지질 가이드라인(Goff, 2014; Stone, 2013)에서는 만성 신질환 환자들이 아닌 일반 인구를 대상으로 하여 일차 및 이차 예방법에 대해 스타틴을 사용해야 하는 환자군을 4 그룹으로 나눈다.

1. 임상적으로 동맥경화성 심혈관질환을 가진 환자

2. LDL 콜레스테롤 수치가 190 이상(≥190 mg/dL (4.9 mmol/L)인 환자

3. 40~75세 환자에서 LDL 콜레스테롤 수치가 70~189 mg/dL (1.8 and 4.9 mmol/L)인 심혈관질환이 없는 당뇨병 환자

4. 심혈관질환의 증거가 없는 환자 그리고 LDL 콜레스테롤 수치 70-189 mg/dL (1.8 and 4.9 mmol/L), 그리고 동맥경화성 심혈관질환 10년 위험도 7.5% (≥ 7.5%) 이상인 환자

만성 신질환 환자들은 이론적으로 AHA 위험도 계산기(risk calculator)를 사용해도 같은 방식으로 치료될 수 있다(참고 리스트에 첨부된 스프레드시트 AHA 위험도 계산기 하이퍼링크 참고 Goff [2014]). 63세 이상의 거의 모든 환자들, 만성 신질환이 없는 환자들에서도 수축기 혈압, LDL 콜레스테롤과 고밀도 지단백(HDL)콜레스테롤 수치, 당뇨병 없이 최상의(optimal) 수치로 계산해도 10년 심혈관질환의 위험도가 7.5% 이상을 가질 것이다. 따라서 이 가이드라인들은 스타틴 치료에 대한 다소 엄격한 권고안에 대해 의문을 제기하였다.

2013년 KDIGO 지질 가이드라인은 투석을 하지 않는 eGFR/1.73 m² 60 미만(eGFR/1.73 m² < 60) 이고 50세 이상 모든 만성 신질환 환자들은 스타틴 혹은 스타틴과 에제티미브 조합하여 치료할 것을 권고하고 있다. 신손상의 약간의 증거가 있지만 eGFR/1.73 m² 60 이상인 만성 신질환 단계 1기 혹은 2기인 50세 이상 환자들은 스타틴 치료만을 해야 한다. 왜냐하면 이 그룹에서 스타틴과 에제티미브 조합의 이점에 대한 증거가 강력하지 않기 때문이다. 마지막으로 투석을 하지 않는 젊은 만성 신질환 환자(18-49세)에서 관상동맥질환, 당뇨병, 이전에 허혈성 뇌졸중 병력 혹은 10년 심혈관질환 위험도가 10% 이상인 경우에는 스타틴 치료를 해야 한다. 2013년 KDIGO 지질 가이드라인은 투석 환자에서 일반적으로 스타틴 혹은 스타틴/에제티미브 조합을 시작하지 않지만, 만일 투석을 시작할 때 이미 이 약을 사용하고

있었다면 유지해야 한다고 권고하고 있다.

비투석 만성 신질환 환자에서 이러한 지질 강하제의 이점은 LDL 콜레스테롤 수치에 관계없이 있는 것 같고, 치료 적응증으로 현재 추세는 LDL 콜레스테롤 수치보다는 전반적인 심혈관질환 위험도와 동반질환 여부로 사용하는 것이다. 투석을 하는 단계 5기 만성 신질환 환자들에서 이상지질혈증(dyslipidemia)치료는 38장에서 더 상세히 논의하겠다.

1. 스타틴(Statins): 심장보호 효과

요독증상이 없는 환자들에서 충분히 입증된 스타틴의 심장보호 효과는 투석 환자들에서는 논란이 많지만 효과는 비투석 만성 신질환에서 나타난다. 스타틴 사용은 일부 연구들에서 만성 신질환의 진행을 늦추는 것을 보여주었다(Deedwania, 2014).

a. 신기능에 따른 용량 조절

스타틴은 횡문근융해증과 관련이 있어서, 심한 신손상 환자에서 rosvastatin등의 스타틴 혹은 스타틴과 피브레이트(fibrates)를 병용시 용량 감량이 권고되고 있다(제38장).

2. 에제티미브

에제티미브는 콜레스테롤 재흡수 억제제로써 혈중 LDL 콜레스테롤, 중성지방, apolipoprotein B 농도를 감소시키며 혈중 HDL 콜레스테롤을 증가시킨다. 스타틴과 같이 에제티미브는 의미있는 항동맥경화, 항염증, 항산화 작용들을 나타낸다(Katsiki, 2013). SHARP trial은 비투석 환자와 투석 환자를 대상으로 심바스타틴과 에제티미브(Sharp Collaborative Group,2010)을 조합한 약제를 투여하여 투석하지 않는 만성 신질환 환자에서 에제티미브 사용 권고의 기초를 마련하였다. 그러나 스타틴(simvastatin) 사용이 어느 정도까지 이점이 있는지, 만일 있다면 에제티미브를 추가하는 것이 알려진 치료 이점에 어느 정도 기여하는지는 명확하지 않다.

F. 단백질 제한

만성 신질환의 진행 속도를 늦추기 위한 치료로써 단백질 식이 제한은 여전히 논란이 되고 있다. 동물연구 결과는 고단백질 섭취가 신장에서 조직학적 이상과 단백뇨를 초래한다는 것을 보여준다. 더욱이 단백질 섭취 제한은 진행속도를 늦춘다. 그러나 무작위 임상시험에서는 단백질 제한 효과들이 미미하고 성취하기 어려운 것 같다고 제시하고 있다. 그럼에도 불구하고 증거는 몇몇의 이점을 뒷받침해주고 실제로 메타분석에서 단백질 제한은 만성 신질환 진행 속도를 줄인다고 제시하고 있다. 하나의 합리적인 접근은 만성 신질환을 가진 모든 환자들은 단백질 섭취량을 하루에 약 0.8 g/kg으로 제한하는 것이다. 권고안들은 얼마나 단백질 섭취를 제한해야 이득이 있는지에 관하여 다양한 가이드라인 그룹들에서 차이가 있다. 2000년 KDOQI 가이드라인에서는 추정 사구체 여과율 eGFR/1.73 m²< 25 mL/min 미만인 만성 신질환 환자에서 하루에 0.6 g/kg으로 제한하는 것이 이로울 것이라고 제시했지만 대체로 Canadian, 많은 European과 최근 KDIGO 가이드라인은 신기능이 어느 단계이든지 하루에 단백질 섭취량 0.8 g/kg 미만은 권고하지 않는다. 특히 영양실조인 만성 신질환 환자에서는 단백질을 제한할 때를 판단하여 적용해야 한다. 투석 초기에 영양 실조인 환자들은 영양적으로 충분한 환자들보다 생존률이 더 낮아서 음식 선택을 제한하는 것은 항상 영양 상태를 악화시키는 위험을 따른다. 임상적인 척도이든 혈청 알부민이든 영양실조에 대한 면밀한 추적검사가 필수적이다. 또한 영양사는 영양실조인 환자들을 주의깊게 모니터링해야 한다. 하루에 30~35 kcal/kg 칼로리 섭취를 권고하고 있다. 만성 신질환 단계 4, 5기 환자들에서 영양 상태가 불충분하다는 증거는 투석 치료를 시작하게 되는 하나의 중요한 결정인자이다.

Ⅲ. 만성 신질환에서 합병증 관리

A. 빈혈 교정

빈혈은 만성 신질환 환자들에서 흔하다. 신장질환이 진행됨에 따라 빈혈의 발생률과 유병률은 증가한다. 만성 신질환에서 빈혈의 원인은 여러 가지가 있다. 가장 흔한 원인은 적혈구 생성인자(erythropoietin, EPO)의 결핍, 철결핍과 염증이다. 관찰연구에서는 혈색소 수치가 낮을수록 심혈관질환과 신장질환 합병증의 위험도가 증가, 삶의 질 저하, 사망율이 증가한다고 제시하였다. 그러나 대규모 무작위 임상시험에서는 적혈구 생성 자극제(ESA)를 사용하여 혈색소 13g/dL(130g/L)과 그 이상으로 빈혈을 교정하면 이득이 없거나 심혈관질환 합병증, 뇌경색과(혹은) 사망의 위험도가 증가함을 보여주었다. 또한 빈혈교정은 신기능 진행에 영향을 미치지 않거나 말기 신장질환의 비율이 증가하는 것과 관련이 있다. 최근 연구들은 ESA 고용량 투여시 부작용의 위험이 증가한다는 것과의 연관성을 밝혀냈다. 어느 정도까지 이것이 원인인지 혹은 비교적 높은 혈색소 목표치를 반영하는 것인지는 명확하지 않다. 그리고 ESA 저항성이 나쁜 예후와 알려진 연관성도 명확하지 않다.

빈혈치료의 최신 지견은 철결핍과 염증치료와 함께 가능한 ESA를 저용량으로 사용해서 빈혈의 일부만을 교정할 것을 강조하고 있다.

1. ESA치료시작과 혈색소 목표수치

비투석 만성 신질환 환자에서 빈혈의 진단과 치료는 말기 신장질환과 유사하며 34장에서 상세히 논의된다. KDIGO 가이드라인에서는 EPO 치료는 혈색소 수치가 10 g/dL (100 g/L)미만으로 떨어지면 시작해야 한다고 권고한다. 비록 US FDA는 현재 ESA용량은 혈색소 수치가 11 g/dL(110 g/L)초과시 감량하거나 중단해야 된다고 권고하여도, KDIGO가이드라인은 혈색소 9~11.5 g/dL(90 and 115 g/L)을 유지하도록 권고하고 있다. ESA 치료를 하는 만성 신질환에서 빈혈 치료는 개별화되어야 하며 주요한 목표 중에 하나는 수혈의 요구를 줄여야 하는 것이다. KDIGO 가이드라인에서는 이전에 뇌경색 혹은 암 병력이 있는 만성 신질환 환자에서는 주의해서 사용할 것을 당부한다. 따라서 미국에서 효율적인 혈색소 목표치는 적어도 9~11 g/dL (90~110 g/L) 이다.

혈색소 수치 9 g/dL (90 g/L)는 만성 신질환 환자에서 너무 낮을 수도 있어 논란이 되고 있다. 왜냐하면 이 수치는 수혈빈도를 증가시켜서 수혈한 혈액으로부터 동종감작(allosensitizing) 효과를 신이식 대상 환자에 노출시키기 때문이다.

2. ESA 치료 종류

ESA는 속효성(short-acting)과 지속형(long-acting)이 있다. 1989년에 승인되어 전세계적으로 널리 이용되는 epoetin alfa는 속효성 ESA이다. 정맥주사시 반감기는 약 8시간이며 피하주사시 반감기는 16~24시간이다. 여러가지 다른 속효성 ESA와 바이오시밀러(biosimilars) 제품들이 미국외 시장에서 사용되고 있다. 만성 신질환 환자에서 일반적인 용량은 일주일에 한 번 피하주사시 4,000~6,000 units가 된다. 가장 널리 사용되는 지속형 ESA는 darbepoetin alfa로 정맥주사 혹은 피하주사시 각각 반감기가 약 25~50시간이다.

darbepoetin alfa 적정용량 스케줄은 안정적인 만성 신질환 환자에서 일주일에 한 번(적정 용량은 20~30 mcg) 혹은 2주마다(40~60 mcg) 준다. 정맥주사든 피하주사든 용량은 다르지 않다. 미국 외에는 또 다른 지속형 ESA가 승인되어 판매되어 왔다. 그 중 하나가 Continuous Erythropoietin Receptor Activator (CERA)이며 수용성 polyethylene glycol (PEG) 일부분에 epoetin beta 분자를 첨가한 화합물이다. 반감기는 대략 136시간이다.

CERA는 빈혈 교정에는 2주마다 투여하며 유지기 동안에는 한 달에 한 번 투여한다(적정용량 150 mcg/month).

3. ESA 투여 경로 및 투여횟수

ESA 투여 횟수는 대체로 환자 편의와 효능에 따른 영향을 받는다. 비투석 만성 신질환 환자에서는 지속형 ESA가 선호된다. 왜냐하면 환자가 자가 투여를 할 수 없는 경우 병원 방문이나 투여횟수를 줄일 수 있기 때문이다. 그러나 작용시간이 짧은 ESA도 일주일에 한 번 주사하거나 2주에 한 번 맞아도 상당한 효과가 있다.

4. 저항성 빈혈

체중 당 충분한 용량으로 ESA치료 한 달 후 혈색소 초기 수치에서 증가하지 않으면 ESA 치료 반응 감소로 분류된다. KDIGO Work Group은 이러한 환자에서 ESA 용량 증량은 초기 체중 당 용량에서 두 배 이상을 초과해서는 안된다고 권고하고 있다. 더욱이 KDIGO에서는 초기 체중 당 충분한 용량의 4배 이상 넘지 않도록 최대 용량을 피할 것을 권고한다. 초기 혹은 후천적 ESA 치료반응 감소를 가진 환자에서는 불충분한 ESA 반응에 따른 추가적인 원인을 검사해야 한다.

B. 철결핍 교정

철결핍은 비투석 만성 신질환 환자에서 40%이상 나타나며, 가장 흔한 원인은 ESA 저항성이다. 철결핍의 원인은 여러 가지가 있으나 철분 흡수 감소 때문이다. 즉 검사를 위해 자주 채혈을 하거나 혹은 잠복된 위장관 출혈에 의한 혈액 손실, 영양 섭취 감소가 해당된다.

1. 철결핍 평가

철분 상태(저장철과 체내 이용가능한 철분 수치)는 만성 신질환 환자에서 정기적으로 검사해야 한다. 페리틴은 철분 저장 단백질로 혈청 수치가 저장 철분을 반영한다. 그러나 혈청 페리틴 또한 급성기 반응인자로 만성 신질환 환자에서 가끔 만성 염증을 보여준다. 그러므로 페리틴 수치는 감염된 환자에서는 주의해서 해석해야 한다. 혈청 페리틴 농도가 100 ng/mL 미만시 철결핍을 가장 잘 예측할 수 있으나 상승시 제한된 유용성을 보여준다. 트렌스페린 포화도(TSAT; 혈청철분 × 100 / 총 철분 결합능)는 철분 생체이용률을 측정하는 가장 흔한 방법이다. 트렌스페린 포화도 20% 미만은 만성 신질환에서 낮은 철분 이용률을 보여주는 지표이다. 철결핍은 ESA 치료의 반응을 감소시킬 수 있으며 ESA 치료 없이 철분 치료는 보통 만성 신질환 환자에서는 성공하지 못한다. 따라서 ESA 치료 시작 전에 철분 상태를 평가해야 한다.

2. 철결핍성 빈혈 치료

치료 선택은 만성 신질환 단계에 따라 다르며 경구용과 주사제가 있다. 경구 철분 공급은 비투석 만성 신질환 환자 치료에 있어서 가장 선호되는 방법이며 KDIGO에서도 철결핍 치료의 초기 접근으로 권고하고 있다. 경구 철분 흡수를 향상시키기 위한 전략은 공복에만 복용해야 하며, 장용 코팅(enteric-coated) 제제는 피하고, 인 결합제와 함께 복용하는 것도 피해야 한다. 정주용 철분은 경구용 철분제에 반응이 없거나 지속적인 대량 철분 소실(eg, 만성적인 위장관 출혈)이 있는 환자의 경우에 필요하다. 저분자량 철분치료제가 권고된다. 저분자량 철분치료제는 저분자량 덱스트란,글루콘산 제이철(ferrous gluconate), 철분 수크로우스(iron sucrose), feru-moxytol이 있다. 고분자량 철분 덱스트란은 중증 아나필락시스 위험을 증가시키는 것으로 알려져 있다.

경구 철분 용량은 하루에 원소철(elemental iron) 약 200 mg 투약을 목표로 하며 이것은 하루 3번 ferrous sulfate 325 mg과 동등

용량이다. 제형(pill)마다 원소철 65 mg을 공급하고 있다. 만일 철분 공급 목표치에 1~3달 투여 후에도 도달하지 못하면 정주용 철분 제재를 고려해야 한다. 정주용 철분 제제는 사용기법에 따라 한 번에 고용량을 주거나 저용량을 반복적으로 투여할 수 있다.

정주용 철분 제제의 초기 치료과정은 대략 철분 1,000 mg을 공급하는 것이다. 만일 초기 치료과정이 혈색소 수치를 증가시키지 못하거나 ESA 용량을 줄이지 못하면 반복적으로 투여해야 한다. 철분 평가는 환자가 ESA치료를 받고 있는 동안에 3개월마다 트렌스페린과 페리틴으로 평가하여야 하며 지속적 출혈이 있거나 저장 철분이 고갈되는 상황에서 ESA 치료를 시작하거나 용량을 증가하는 경우에는 더 자주 평가해야 한다.

C. 만성 신질환-미네랄 뼈질환

CKD-MBD 병태생리는 그림 1.1에서 볼 수 있다. 투석 환자에서 혈청 인, 비타민 D, 부갑상샘 호르몬(PTH) 수치 관리는 36장에서 자세하게 논의된다. 여기서는 만성 신질환에 관련된 쟁점들만 논의될 것이다.

1. 고인산혈증

높은 혈청 인수치는 만성 신질환과 말기 신장질환 환자에서 사망률과 심혈관질환 예후를 증가시키는 위험인자이다. 요독 증상이 없는 환자에서도 경한 혈청 인수치 상승은 심혈관계 위험을 증가시키는 것과 연관된다. 고인산혈증은 말기 신장질환에서 혈관 석회화와 좌심실 비대의 위험을 증가시키는 것과 연관된다. 많은 실험적인 신부전 모델에서도 고인산혈증은 신부전의 진행속도를 가속화시킨다. 이 모델에서 고인산혈증은 부갑상샘 호르몬 성장(growth)과 부갑상샘 호르몬 분비를 자극한다.

a. 식이 관리

관리는 유제품, 콜라, 가공된 육류를 포함한 인함유량이 풍부한 음식을 비정상으로 소비하는지에 대한 주의깊은 식이 검토를 해야 한다. 주의 깊은 식이 검토는 인 첨가물을 함유한 음식 소비를 줄이는 목적으로 이루어져야 한다. 인섭취는 하루에 800~1,000 mg (26~32 mmol/day)제한하여야 한다.

b. 혈청 칼슘과 인 목표치

부갑상샘 호르몬을 억제하기 위해 정상치의 상한치로 혈청 칼슘을 유지하려는 과거의 권고안은 혈관 석회화 위험을 최소화하기 위해서 혈청 칼슘을 중간 혹은 하한치로 유지하려는 전략으로 대체되었다. 이와 마찬가지로 혈청 인수치도 정상농도 범위내로 유지되어야 한다.

c. 인 결합제

인 결합제를 사용해야 할 수도 있다. 인 결합제 종류는 36장에서 다룬다. 만성 신질환 환자에서 혈관 석회화 위험을 최소화하기 위해 총 칼슘 섭취를 하루에 약 1,500 mg (37 mmol/day)으로 제한하는 것은 신중해야 한

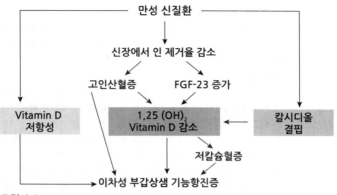

그림 1.1 미네랄 뼈질환(MBD) 병태생리

다(KDOQI 가이드라인은 덜 제한적이어서 하루에 최대 2,000mg [50 mmol/day]을 제시하고 있다). 이것은 칼슘염을 인 결합제로 사용한다 면 세벨라머(sevelamar), 란타늄(lanthanum), 마그네슘 혹은 철분을 함 유한 새로운 인 결합제(36장에서 다루어짐) 중 하나를 함께 사용해야 한 다는 것을 의미한다. 알루미늄이 함유된 인 결합제는 대개 사용해서는 안 된다. 비록 이 분야에서 연구들이 명확하지 않지만 인 결합제 중 하나인 세벨러머는 만성 신질환 환자에서 아마도 혈관 석회화 진행 속도를 안정 화시켜서 예후를 향상시키는 것을 보여주었다. 만일 이로운 효과가 있다 면 세벨러머의 일부 지질 강하 효과 때문일것이라고 주장하였다. 또한 세 벨러머는 추가적인 항염증 효과가 있으며 FGF-23 (fibroblast growth factor 23)를 감소시키는데 작용한다. FGF-23은 만성 신질환에서 두드 러지게 혈중 농도가 증가된 복합체로 이 또한 나쁜 예후와 연관된다. 현 재 활발히 진행중인 연구 분야로 남아있다.

2. 혈청 부갑상샘 호르몬 수치

혈청 부갑상샘 호르몬 수치 조절은 부갑상샘 비대(hypertrophy) 정도를 최소화하고 크고 억제되지 않는 호르몬으로 발전하는 위험 을 최소화하는데 중요하다.
부갑상샘 기능항진증은 뼈질환과 연관되어 있고 부갑상샘 호르몬 또한 많은 여러 기관계에서 부작용을 일으키는 요독으로써 작용할 수도 있다. 부갑상샘 호르몬 조절은 36장에서 상세히 다룬다.

a. 측정 빈도

추정 사구체 여과율(eGFR/1.73 m^2) 40~65 mL/min이고 만성 신질환 진행 위험인자가 거의 없는 고령 환자들에서 반드시 필요하지 않아도, 만 성 신질환에서 뼈대사와 질환에 대해 제시하는 2009년 KDIGO 임상 가이드라인에서는 추정 사구체 여과율(eGFR/1.73 m^2) 60 mL/min미 만인 모든 환자에서 부갑상샘 호르몬 수치 뿐만 아니라 혈청 칼슘과 인수치 측정을 권고하고 있다.

측정 횟수는 추정 사구체 여과율(eGFR/1.73m²) 30과 45~60 mL/min 사이에서는 12개월마다 측정해야 하며 추정 사구체 여과율(eGFR/1.73 m²) 15~30 mL/min에서는 3개월마다 측정해야 한다.

b. 부갑상샘 호르몬 목표 범위

온전한(intact) 부갑상샘 호르몬 측정법은 1990년 이후부터 사용해 왔고 1-84와 7-84 부갑상샘 호르몬 두 가지를 확인한다. 대부분 뼈조직 검사에 관한 연구들은 어느 목표치를 바탕으로 해야 되는지에 이 측정법을 이용해 왔다. 또한 biPTH 혹은 whole PTH로 알려진 Bio-intact 부갑상샘 호르몬은 완전한 1-84 부갑상샘 호르몬 분자에만 반응하는 새로운 측정법으로 이전에 온전한 부갑상샘 호르몬 측정법으로 높게 측정된 부갑상샘 호르몬 수치의 절반으로 나타난다. 어느 측정법이든 만성 신질환에서 부갑상샘 기능항진증의 진단과 치료에 사용할 수 있다. 그러나 부갑상샘 호르몬 목표치 범위는 사용한 측정법에 따라 달라질 것이다. 만성 신질환이 진행할수록 뼈는 부갑상샘 호르몬에 저항성이 생겨 목표 부갑상샘 호르몬 범위는 증가한다. 초기 KDOQI 권고안은 신손상 정도에 따라 다양한 부갑상샘 호르몬 목표 수치를 제시했다. 그러나 측정법에 따라 변이가 심하고 이점이 불확실하여 2009년 KDIGO 가이드라인은 단순하게 비투석 만성 신질환 환자에서 부갑상샘 호르몬 수치를 측정해서 만일 지속적으로 높거나 증가하고 있다면 비타민 D 치료를 해야 한다고 권고하고 있다. 투석하는 환자에서는 목표 부갑상샘 호르몬 수치는 정상치의 2~9배가 이상적이라고 제시하고 있다. 비투석 만성 신질환 환자에서 높은 부갑상샘 호르몬 수치의 가장 우선적인 치료는 비타민 D 치료로 권고하고 있다.

3. 혈청 알칼리 인산 분해효소

알칼리 인산 분해효소는 뼈에 존재하며 뼈 전환율(bone turnover rate)의 표지자이다. 특히 혈청 부갑상샘 호르몬도 함께 상승시 혈청 알칼리 인산 분해효소는 부갑상샘 호르몬이 과활성되어 있어 억제해야 한다는 것을 합리적으로 보여주는 훌륭한 표지자이다. 현재 KDIGO CKD-MBD 가이드라인은 만성 신질환 단계 4기 이상에서는 적어도 매년 혈청 알칼리 인산 분해효소 수치 모니터링을 권고하고 있다.

4. 비타민 D

만성 신질환 환자에서는 부족한 햇빛 노출과 비타민 D를 함유한 식이 섭취가 적어서 25-D 수치는 상당히 낮다. 만성 신질환이 진행할수록 25-D가 1-α-가수분해효소(1-α-hydroxylase)에 의해 1,25-D로 전환되는 비율은 감소한다. 25-D가 충분할때도 혈청 1,25-D수치는 감소하고 부갑상샘 호르몬 억제는 충분하지 못하다. 비타민 D는 다양한 기관에 영향을 미친다. 과도한 비타민 D는 혈관석회화와 신부전을 가속화 시키는 것과 연관될 지라도 대부분의 경우 비타민 D 효과는 이롭다. 1-α-가수분해효소는 다양한 조직에 존재하여 최적의 건강을 위해 25-D와 1, 25-D이 혈중에서 적정 수치로 유지하는 것이 중요하다.

최근에 활성 비타민 D 스테롤(active vitamin D sterol) 투여는 말기 신장질환에서 생존율 향상과 심혈관질환 예후를 향상시키는 것과 관련되어 왔다. 이러한 생존 향상의 메커니즘은 명확하지 않아서 입증하기 위해서는 관찰연구들이 필요하다. 게다가 소규모 무작위시험에서 비타민 D 치료는 단백뇨를 감소시키고 만성 신질환의 진행을 늦춘다고 보여주었다(Palmer and Strippoli, 2013). 또한 비타민 D는 ESA 민감도를 향상시키고 염증을 줄임으로써 빈혈을 감소시킬 수 있다.

a. 만성 신질환에서 혈청 25-D 목표치

혈청 25-D 수치는 적어도 30 ng/mL (75 nmol/L)은 되어야 한다. 낮은 혈청 25-D 수치는 요독증상이 없는 고령 환자에서 심각한 근위축과 관련되어 왔다. 만성 신질환 환자는 보통 혈청에서 25-D 수치가 매우 낮기 때문에 1차 예방으로 만성 신질환 환자는 하루에 콜레칼시페롤(cholecalciferol)을 최소 1,000~2,000 IU를 공급해야 하며 고용량이 필요할 수도 있다. 콜레칼시페롤은 미국에서만 처방전 없이 비타민을 보충하는데 이용할 수 있다.

콜레칼시페롤 보충량은 칼슘 혹은 인의 위장관 흡수에 영향을 주지 않는다. 낮은 혈청 25-D 치료하기 위해서 2003년 KDOQI 뼈질환 가이드라인에서는 콜레칼시페롤보다는 효과가 적은 에르고칼시페롤(ergocalciferol)을 권고하였다. 에르고칼시페롤은 상대적으로 주마다 혹은 달마다 처방하는 대용량으로만 이용할 수 있다. 에르고칼시페롤은 미국에서 조제약으로 이용할 수 있는 장점이 있다.

b. 활성형 비타민 D 치료 시기

만성 신질환의 심한 중증단계에서는 신장에서 25-D가 1, 25-D로 전환되는 것은 차선책이 될 수 있다. 25-D가 충분히 저장되어 있어도 혈청 1, 25-D 수치는 낮을 수 있다. 이 경우에는 부갑상샘 호르몬은 종종 충분히 억제되지 않는다. 충분한 25-D 혈청수치에도 만성 신질환 단계 3, 4기 환자에서 부갑상샘 호르몬은 목표치보다 상한치로 유지되어 활성형 비타민 D 치료를 시작하는데 적응증이 된다. 활성형 비타민 D 종류(calcitriol, paricalcitol, and doxercalciferol) 및 용량은 36장에서 설명하겠다. 말기 신장질환 환자에서 활성형 비타민 D 스테롤을 투여할 때 고칼슘혈증 혹은 고인산혈증 발생시 용량을 감량하거나 중단해야 한다.

5. Cinacalcet

Cinacalcet은 부갑상샘 호르몬의 칼슘수용체에 작용하여 칼슘에 대한 민감도를 증가시키는 칼슘 수용체 작용(calcimimetic) 약제로 부갑상샘 호르몬 분비를 감소시킨다. 주요한 장점중에 하나는 부갑상샘 항진증 환자들과 혈청 칼슘수치 혹은 인수치(부갑상샘 호르몬을 억제하기 위해 활성형 비타민 D 사용 금기인)가 높은 환자에서 사용할 수 있다(활성형 비타민 D 스테롤은 인의 위장관 흡수를 증가시켜서 고인산혈증을 악화시킨다.). Cinacalcet은 만성 신질환 단계 3,4기 환자에서 부갑상샘 호르몬 수치를 낮춘다고 보고되어 왔다. 투석 전 단계환자에서는 부갑상샘 호르몬을 억제하기 위해 활성형 비타민 D 스테롤과 비교하여 cinacalcet의 상대적인 역할은 아직 잘 정의되지 않는다. 미국에서 cinacalcet 제품 라벨은 비투석 환자에서는 적응증이 되지 않음을 명시하고 있으며 2009년 KDIGO CKD-MBD 가이드라인에서도 투석하지 않는 군에서 cinacalcet 사용은 권고하지 않는다.

D. 전해질과 산,염기 합병증

다양한 전해질 이상은 신기능이 감소함에 따라 분명해진다. 가장 중요한 것은 고칼륨혈증이다. 대개는 경하고 보통 신기능이 심하게 손상될 때까지 정상 음이온차를 가질지라도 산증 또한 진행할 수 있다. 급성 고칼륨혈증 치료는 다른 장에서 논의하겠다.

만성적으로 고칼륨혈증은 대개 고칼륨 식이 섭취와 특히 과일과 같은 고칼륨 음식을 폭식한 결과로 나타날 수 있다. 고칼륨혈증은 또한 안지오텐신 전환효소 억제제(ACEI)나 안지오텐신 수용체 차단제(ARB) 혹은 알도스테론과 같은 미네랄로코르티코이드 수용체 길항제를 복용하는 환자에서 더 흔하게 나타난다. 또한 비스테로이드 소염제(NSAID)뿐 아니라 trimethoprim 복용하는 환자에서도 더 흔하다. 섭취한 칼륨 재흡수를 막기 위해 최근 새롭게 개발된 위장관 흡착제가 사용되면서 레닌-안지오텐신 알도스테론계(RAAS) 길항제를 널리 사용할 수 있게 되었다.

만성 대사성 산증은 뼈흡수(resorption)를 증가시키고 또한 만성 신질환의 진행 속도를 증가시키는 것과 연관되어 왔다. 혈중 중탄산염 수치를 22 mmol/L이상을 유지하기 위해서 중탄산염 나트륨(sodium bicarbonate)을 사용하도록 권고하고 있다. 중탄산염 나트륨의 통상 용량은 하루에 kg당 0.5~1.0 mmol이다. 알칼리 치료는 여러 소규모 무작위 연구에서 만성 신질환의 진행 속도를 늦춘다고 보고 되었다.

IV. 투석을 위한 환자 준비

여기에서는 투석 혹은 선제적 신이식 준비도 해당된다. 혈관 혹은 복막투석 통로 확보, 가장 적합한 투석의 형태와 위치(복막투석. 외래 혈액투석실. 가정 혈액투석)선택; 예방 접종; 지속적인 영양 관리 특히 인 조절; 체액량 과다와 고혈압 예방; 다음 장에서 더 상세히 논의하겠다.

References and Suggested Readings

Agarwal R, et al. Chlorthalidone for poorly controlled hypertension in chronic kidney disease: an interventional pilot study. *Am J Nephrol.* 2014;39:171–182.

American Diabetes Association. Executive summary: standards of medical care in diabetes—2012. *Diabetes Care.* 2012;35(suppl 1):S4–S10.

Brown DL, Masselink AJ, Lalla CD. Functional range of creatinine clearance for renal drug dosing: a practical solution to the controversy of which weight to use in the Cockcroft-Gault equation. *Ann Pharmacother.* 2013;47:1039–1044.

Daugirdas JT, ed. *Handbook of Chronic Kidney Disease Management.* Wolters Kluwer; Philadelphia, 2011.

Deedwania PC. Statins in chronic kidney disease: cardiovascular risk and kidney function. *Postgrad Med.* 2014;126:29–36.

Eckardt KU, et al. Evolving importance of kidney disease: from subspecialty to global health burden. *Lancet.* 2013;382:158–169.

Fink HA, et al. Screening for, monitoring, and treatment of chronic kidney disease stages 1 to 3: a systematic review for the U.S. Preventive Services Task Force and for an American College of Physicians Clinical Practice Guideline. *Ann Intern Med.* 2012;156:570–581.

Goff DC Jr, et al. 2013 ACC/AHA Guideline on the Assessment of Cardiovascular Risk: J Am Coll Cardiol. 2014;63;2935–2959. Downloadable CV Risk calculator in Excel format: http://static.heart.org/ahamah/risk/Omnibus_Risk_Estimator.xls. Accessed April 28, 2014.

Ix JH, et al. Equations to estimate creatinine excretion rate: the CKD epidemiology collaboration. *Clin J Am Soc Nephrol.* 2011;6:184–191.

James PA, et al. 2014 evidence-based guideline for the management of high blood pressure in adults: report from the panel members appointed to the Eighth Joint National Committee (JNC 8). *JAMA* 2014;311:507–520.

Katsiki N, et al. Ezetimibe therapy for dyslipidemia: an update. *Curr Pharm Des.* 2013;19:3107–3114.

Kidney Disease: Improving Global Outcomes (KDIGO) Anemia Work Group. KDIGO Clinical Practice Guideline for Anemia in Chronic Kidney Disease. *Kidney Int Suppl.* 2012;2:279–335.

Kidney Disease: Improving Global Outcomes (KDIGO) CKD-MBD Work Group. KDIGO clinical practice guideline for the diagnosis, evaluation, prevention, and treatment of chronic kidney disease-mineral and bone disorder (CKD-MBD). *Kidney Int.* 2009;76(suppl 113):S1–S130.

Kidney Disease: Improving Global Outcomes Lipid Guideline Development Work Group Members. KDIGO Clinical Practice Guideline for Lipid Management in CKD: summary of recommendation statements and clinical approach to the patient. *Kidney Int Suppl.* 2013;3:259–305.

Levey AS, et al. The definition, classification, and prognosis of chronic kidney disease: a KDIGO Controversies Conference report. *Kidney Int.* 2011;80:7–28.

Levey AS, Coresh J. Chronic kidney disease. *Lancet.* 2012;379:165–180

Levey AS, Inker LA, Coresh J. GFR estimation: from physiology to public health. *Am J Kidney Dis.* 2014;63:820–834.

Macgregor MS, Methven S. Assessing kidney function. In: Daugirdas JT, ed. *Handbook of Chronic Kidney Disease Management.* Philadelphia, PA: Wolters Kluwer; 2011:1–18.

National Kidney Foundation (NKF). KDOQI clinical practice guidelines for bone metabolism and disease in chronic kidney disease. *Am J Kidney Dis.* 2003;42(4 suppl 3):S1–S201.

Palmer SC, Strippoli GF. Proteinuria: does vitamin D treatment improve outcomes in CKD? *Nat Rev Nephrol.* 2013;9:638–640.

Ptinopoulou AG, Pikilidou MI, Lasaridis AN. The effect of antihypertensive drugs on chronic kidney disease: a comprehensive review. *Hypertens Res.* 2013;36:91–101.

Sharp Collaborative Group. Study of Heart and Renal Protection (SHARP): randomized trial to assess the effects of lowering low-density lipoprotein cholesterol among 9,438 patients with chronic kidney disease. *Am Heart J.* 2010;160:785–794.

Stone NJ, et al. 2013 ACC/AHA guideline on the treatment of blood cholesterol to reduce atherosclerotic cardiovascular risk in adults: a report of the American College of Cardiology/American Heart Association Task Force on Practice Guidelines. *Circulation.* 2014;129(25 suppl 2):S1–S45.

만성 신질환 단계 4, 5기의 관리: 이식, 투석, 또는 보존적 치료의 준비

김은정 역

환자가 만성 신질환 단계 4기 추정 사구체 여과율이(eGFR/1.73 m²) 30 mL/min미만에 도달하면 환자들은 신장 전문의 치료를 받아야 한다. 이상적으로 환자는 환자 및 가족에 대한 교육, 적절한 신대체요법의 조기 선택, 투석을 고려중이라면 투석 혈관 접근로의 수술 준비를 포함하는 다학제적(multidisciplinary) 투석 전 프로그램이 시행되어야 한다. 이러한 투석 전 프로그램 접근을 통한 장점은 정신적, 물리적으로 준비된 환자에서 계획된 투석 시작을 하는데 있다. 이러한 접근은 투석 시작 후 첫 달내에 입원일수를 줄이고 실질적인 비용을 줄일 수 있다.

I. 투석 종류 선택

A. 환자 교육

신대체요법이 필요한 상태에서 이용할 수 있는 다양한 치료 선택 중 중요한 것 하나가 환자 교육이다. 환자에게 투석의 종류, 선제적 이식, 지속적인 보존적 치료중에 가장 이로운것은 어느 것인가? 몇 가지 경우에 있어서 환자의 심한 쇠약감이나 여러 가지 이유로 인해 투석은 적절한 선택이 아닐 수 있어서 보존적인 관리가 최선의 선택일 수 있다. 이러한 논의는 만성 신질환 단계 4기이면서 단계 5기로 도달하기 전에 시작하는 것이 좋다.

B. 신대체요법의 선택(표 2.1)

1. 선제적 이식(Preemptive transplantation)

이식은 오늘날 투석의 표준 형태보다 생존에 있어 더 우수하다. 그러나 이식은 약물에 대한 환자 순응도에 심각한 문제가 있는 환자에서는 적응증이 되지 않는다. 선제적 이식은 일반적으로 투석을 시작한 후 이식을 할때 보다 높은 성공률을 가지고 있다(Kallab, 2010).

이러한 이유 때문에 이식 실행가능성에 대한 논의와 이식 작업은 투석이 필요하기 전[대개 추정 사구체 여과율(eGFR/1.73 m²) 10 mL/min이상으로 잘 유지될 때](Kupin, 2011)에 미리 시작해야 한다.

TABLE 2.1 신대체요법이 필요한 환자에서 치료 종류의 선택

종류	특징	장점	단점
선제적 이식	투석이 필요하기 전에 생체이식이나 뇌사자 이식	표준 투석보다 상대적으로 환자 생존률 향상, 장기적인 비용 절감	적합한 공여자를 찾기 어려움, 면역억제제의 약제 순응도 요구
가정 혈액투석	낮이나 밤 동안에 일주일에 3-6번 시행. 대개 친척이나 조력자가 필요, 드물게 유급 의료 전문가가 필요	일주일에 3번 이상하거나 8-10시간 시행, 일주일에 3-3.5일 시행시 삶의 질 향상 및 인수치, 혈압 조절 용이, 좌심실 비대 감소	가정이 병원화, 조력자 번아웃, 일부 가정치료에서는 가정 용수 시스템 전환 필요, 노폐물 제거, 고비용
가정 복막투석	밤 동안에 대부분 교환되는 자동 교환기	독립성, 상대적인 간편함	많은 복막투석액의 배송 필요, 고혈당에 노출
센터 야간 혈액투석	센터(의료진 혹은 자가관리)에서 일주일에 주 3회 7-9시간 야간 치료(혹은 드물게 격일 밤)	인, 혈압, 빈혈 조절 향상, 주간(weekly) 투석 시간 증가 가정이 병원화 될 필요가 없음 투석 시간에 수면 가능	투석일 밤에 집에서 센터로 이동, 비교적 고정된 스케줄
센터 혈액투석	의료진 혹은 자가 관리	짧은 투석 시간 의료진이 상주	센터로 내원. 비교적 고정된 스케줄. 아마도 불충분한 투석량
투석 연기	초저단백질 식이 + 케토 유사체 (ketoanalogues), 세심한 수분 조절	동반질환(심부전.당뇨병)이 없는 고령 환자에서 약 1년동안 지연 투석 가능	케토유사체의 지출 비용
완화 치료	투석없이 지속적 관리	투석으로 생명연장을 할 수 없거나 압도적인 동반질환이 있는 환자에게 좋음	잠정적으로는 기대 수명 감소

2. 투석: 가정 대 센터 치료

말기 신질환 치료 중에서 어느 것을 선택하는냐는 지역사회에서 이용가능한 것에 달려있다.

주요한 결정 요인 중에 하나는 정기적인 투석으로 센터에 방문하거나(이 경우에는 혈액투석) 혹은 가정에서(가정 혈액투석 시스템 혹은 복막투석을 이용) 자가 투석을 선호하는지가 될 것이다. 확실히 이동 수단 문제도 중요하다. 환자의 집안사정에 따라 환자를 돌볼 수 있는 가족이 지원해 줄 수 있는지, 투석에 사용되는 용수의 질과 전력과 같은 기술적인 문제도 중요하다.

관찰 연구에서 사망률은 센터 혈액투석 환자보다 가정 혈액투석 환자가 더 낮았다. 때로는 흔한 동반질환을 교정 후에도 그리고 총 투석 횟수가 유사해도 사망률은 크게 낮았다. 이러한 가정 혈액투석의 일부 장점은 환자 표본선정편파(selection bias)때문일 것이다. 가정에서 투석을 책임지는 환자들은 대개 강한 긍정적인 태도, 환자 순응도가 좋고, 확고한 조력자를 갖추고 있으며 생존율을 증가시킬 수 있는 자신들의 권리와 연관된 요인들을 가지고 있다. 센터 혈액투석 사망률은 복막투석과 유사하다. 따라서 센터 투석에 비해 가정투석을 선택하는 것은 주로 예상되는 생존률 향상보다는 환자의 선호도를 바탕으로 해야 한다.

3. 단기 혈액투석("short daily" hemodialysis)

보통 가정에서든 센터든 혈액투석 치료는 주 3회 한 섹션당 대개 3~5시간으로 시행한다.

똑같은 투석 시간을 1주에 5~6회 섹션으로 나눠서 했을때 일부 관찰연구에서는 혈압 조절이 잘 되고 영양상태(체중 증가, 식욕 및 알부민 증가)호전, 빈혈이 잘 교정된다고 보고 하였다. 중간 규모의 무작위 임상시험인 FNH에서만이 주당 6번의 투석 치료를 무작위 할당받았지만 실제로 평균 5번 치료가 이루어진 환자들, 즉 1년동안 투석치료를 더 많이 시행한 환자군에서 좌심실 비대 감소, 신체 기능향상(FNH 임상시험에서 2개의 primary outcome을 의미함), 고혈압 중증도 감소, 약간의 혈청 인조절 향상을 보여 주었다. 혈청 알부민, 영양상태 혹은 빈혈 교정에서 향상은 없었다(FHN Trial Group, 2010).

단기 혈액투석에 관한 세부사항은 16장에서 자세히 논의하겠다.

대개 빈번한 혈액투석(frequent hemodialysis)은 가정에서 이루어지며 드물게 센터 혹은 자가 치료실(self-care units)에서 이루어진다. 단기 혈액투석은 특히 가정에서 치료 가능하고 사용하기 편리한 기계로 인해 인기를 얻고 있다.

4. 장기 야간 혈액투석(Long nocturnal hemodialysis)

단기 혈액투석으로 주당 소비하는 투석 시간은 센터 혈액투석에서 주당 3회로 소비하는 주간 시간보다 대개 비슷하거나 더 많다. 야간 혈액투석은 각 섹션당 일반적으로 7~9시간동안 투석이 이루어지기 때문에 주당 투석 시간이 더 많은 것이 일반적이다. 야간 투석을 센터에서 시행할 때 보통 주 3회이며 한 주간 총 투석 시간은 기존 스케줄인 한 주에 보통 12시간과 비교하여 한 주에 24시간이 될 것이다. 가정에서 이루어지는 야간 투석은 주당 3회, 격일 밤, 혹은 주당 5~6회 이루어져 기존 치료보다 주당 확연히 더 많은 시간을 치료하게 된다. 장기 야간 투석은 16장에서 더 상세히 기술하겠다.

5. 복막투석

복막투석은 간편성, 즉 특수 정수시스템이 필요 없고 장비 준비시간이 단순해서 환자들은 집에서 투석이 가능하다. 혈액투석과 비교하여 복막투석을 선택하는 환자 비율은 미국에서는 약 12%를 차지하며 캐나다에서는 20~30%를 차지한다.

환자가 고려할 수 있는 복막투석은 2가지 형태가 있다. 매일 4~5회 환자가 직접 교환하는 지속적 외래 복막투석(continuous ambulatory peritoneal dialysis (CAPD)과 밤에 환자가 기계에 연결하여 잠자는 동안에 자동적으로 교환이 일어나는 자동 복막투석(automated peritoneal dialysis (APD)이다. 복막투석의 각각 형태에 따른 상대적인 이점은 복막투석 장(chapter)에 기술되어 있다.

복막투석이 선호되는 환자는 다음과 같다.

1. 영아나 아주 어린 소아

2. 심한 심혈관질환을 가진 환자

3. 혈관 접근로를 만들기 어려운 환자(예; 당뇨병)

4. 여행등 자유로움을 원하는 환자

5. 가정 투석을 원하지만 적당한 조력자가 없는 경우

복막투석의 금기는 유착, 섬유화, 악성 종양으로 적절치 못한 복막을 가진 경우이다. 또한 상당한 수의 환자들이 시간이 지남에 따라 복막 이동속도가 증가하게 되어 부적절한 초미세여과(ultrafiltration)를 갖는다. 최근에 이러한 추세는 약화되었지만 당뇨병 환자들은 혈액투석에 비해 복막투석을 할때 사망률이 더 높은 경향이 있다. 복막투석을 중단하는 주된 원인은 반복적인 복막염이며 환자 번아웃(burnout) 또한 하나의 요인이다.

복막투석은 특히 개발도상국에서는 혈액투석보다 비용이 적게 든다. 가정혈액투석 또한 스케줄 조정이 더 자유로울지라도 복막투석은 환자들에게 이동하는데 독립성과 자유를 주고 정해진 센터 혈액투석 스케줄에 제약을 받지 않는다.

복막투석은 환자 스스로 할 수 있는 정신상태가 아니거나 안정적이지 않거나 복막투석 프로그램을 시행할 수 있는 사회와 가족의 지지가 없는 환자에서는 최선의 선택은 아닐 것이다. 일부 환자들은 단순하게 일주일에 세 번 또는 그 이상인 정해진 기간의 혈액투석 스케줄을 선호하는데 그 기간동안 투석을 마칠 수 있고 다른 투석 요법에서 자유로울 수 있기 때문이다. 또한 일부 환자들은 투석실에서 일어나는 사회성을 즐기고 의료진과 다른 환자들과 규칙적인 개인간의 상호관계를 즐긴다.

복막투석에서 지난 수 년간 많은 발전이 있었다. 더 나은 disconnecting system으로 인해(수액주입관과 연결기구가 발전하면서) 복막염 비율이 감소하였다. 또한 자동복막투석(APD)사용으로 청소율이 향상되었다. 새로운 복막투석액은 포도당 분해 산물(glucose degradation products)을 적게 함유한 glucose-based solutions 뿐만 아니라 삼투성 제제로써 아미노산이나 icodextrin을 함유한 복막액을 이용할 수 있게 되었다.

6. 투석 연기

체액 과다가 문제가 되지 않는 일부 환자에서(특히 고령인 환자) 투석은 케토산이 포함된 초저단백질 식이를 처방함으로써 연기할 수 있다(Brunori,2007).

이러한 치료전략으로 조심스럽게 고령환자를 선택하여 평균 1년까지 연기할 수 있다.

7. 완화적 치료

투석 치료를 하는데 있어서 절대적 금기증은 없다. 미국의 일부 주에서는 여러 의학적 문제로 인해 중증이어도 투석을 원하는 사람 누구나 투석을 할 수 있는 합법적인 선례가 있다. 환자가 자신의 생각을 표현할 수 없을 때와 가족끼리 투석으로 인한 생명 유지 장치를 사용할 지에 대한 의견 충돌이 있을때 미국윤리위원회가 도움이 될 것이다.

The U.S. Renal Physicians Association는 어떤 환자에게 투석을 중단할 지와 시작하지 말아야 할 것에 대한 임상 가이드라인을 발행하였다(Renal Physicians Association, 2010). 임상 지침 가이드라인은 성인 환자에 관한 10개의 권고안과 소아 환자에 관한 9가지 권고안으로 구성되어 있다. 가이드라인은 의사 결정 공유, 사전 동의나 거부, 예후 평가, 적응증이 되는 환자에서 투석 기한을 정하여 시도해 볼 것을 강조하고 있다.

성인 환자에 관한 권고안은 표 2.2에 요약되어 있다. 신장 외에 다른 장기에 진행된 질환 또는 악성 종양을 가진 환자들은 가끔 만성 투석에서 제외하였다. 예를 들면 진행성 간질환을 가진 환자들은 복수, 뇌병증, 출혈경향, 저혈압을 가지고 있을 수도 있다. 이렇게 동반된 문제점들은 혈관 접근로를 만드는 것을 어렵게 하고 투석 치료로 중증 저혈압이 발생하거나 동반한 체액과다를 교정할 수 없게 만든다. 이러한 일부 환자에서는 투석이 무익하다. 무익 여부는 투석을 시작하지 않는 합리적인 결정을 할 수 있는 윤리적인 원칙의 문제이다. 반면 일부 환자들은 각 전문분야와 협력하여 말기 신부전을 관리함으로써 체액 제거, 전해질 균형, 영양상태를 향상시켜 다른 장기 기능상실을 완화시키고 삶의 질을 향상시킬 것이다.

C. 고령 환자와 투석

미국 또는 다른 나라에서 가장 빠르게 늘어나는 투석연령군은 '최고령층'(80세 이상의 환자)이다. 이 환자군에서 혈관 접근로를 만드는 것은 어렵지 않으며 어려운 케이스인 경우는 커프가 있는 정맥도관을 성공적으로 사용하고 있다. 시간제약에 문제가 없으며 이러한 환자들은 흔히 치료를 하고 싶어한다. 생활보조제공자(assited-living provider), 은퇴한 지역 사회 직원 또는 지역프로그램등으로부터 교통편의를 받을 수 있다. 치료의 모든 방면에서의 높은 순응도는 높은 동반 이환 상태(심장 및 혈관질환과 암)의 유병을 상쇄하면서 좋은 결과를 성취할 수 있다. 그 결과 투석을 하는 많은 고령환자들은 지속적으로 삶의 질이 향상되고, 다양한 건강지표에서도 좋은 결과를 보여주었다.

D. 청소년에서 투석

혈액투석이나 복막투석이 청소년에 미치는 영향은 중요한 문제일 수 있다. 쟁점은 우울증, 의학적인 규칙에 따른 좌절감, 가족 구성원들간의 대인 갈등, 빈번한 입원에 따른 학교에서의 낮은 출석율, 학교 스포츠에 참가할 수 없기 때문에 동료 집단으로부터 받는 압박감이다. 이러한 쟁점은 무감정(제한된 사회적 상호작용 및 소통의 회피)과 약물

TABLE **2.2**	**Renal Physicians Association Clinical Practice Guidelines(for Adult Patients)**

적절한 투석 시작과 중단에 있어서 의사결정 공유

1. 의사 결정을 공유하기 위해 의사와 환자간에 관계를 발전시킨다
2. 급성 신손상(AKI), 단계 4, 5기 만성 신질환, 말기 신장질환 환자에게 진단, 예후, 모든 치료선택에 대한 충분한 정보를 준다.
3. 급성 신손상, 단계 5기 만성 신질환, 말기 신장질환 환자에게 예후를 평가하고 전반적인 상태에 대해 알려준다
4. 사전의료계획(advance care planning)을 도입한다.
5. 충분히 설명했다면 급성 신손상, 만성 신질환, 말기 신장질환 환자에게 상황에 따라 투석을 포기한다.(투석시작을 보류하거나 투석 중이라면 중단)
6. 예후가 아주 불량한 급성 신손상, 만성 신질환, 말기 신장질환 환자나 투석을 안전하게 할 수 없는 환자들에 대해 투석을 포기할 것을 고려한다.
7. 투석이 필요하지만 불확실한 예후를 가진 환자나 투석을 하는 것에 대해 합의에 도달하지 않은 환자들의 경우 투석기한을 정하여 투석을 고려한다.
8. 투석에 관한 결정에 의견충돌이 있다면 갈등해결을 위해 체계적인 적법 절차 접근법을 확립한다.
9. 환자 중심의 결과를 향상시키기 위해 질병 부담이 있는 급성 신손상, 만성 신질환 또는 말기 신장질환 환자들에게 완화적 치료서비스와 중재서비스를 제공한다.
10. 진단, 예후, 치료 선택과 치료목표에 관하여 의사소통을 위한 체계적인 접근법을 사용한다.

불순응도, 식이요법 실패, 외래내원을 하지 않는 것으로 나타난다. 심리적 지지와 사회 복지사 투입이 중요하다.

II. 투석 접근로 수술 쟁점

혈액투석에서 가장 선호하는 혈관 접근로는 동정맥루(arteriovenous (AV) fistula)이다. 신대체요법 치료가 예상되는 모든 환자에서 양측 팔의 정맥은 가능한 최대한 넓은 범위까지 보존하는게 중요하다. 모든 정맥천자는 가능한 손등에서 채혈해야 한다. PICC (percutaneous intravenous central catheter)라인을 사용하는 것은 가능한 가장 넓은 범위까지 피해야 한다. 이것은 종종 향후 혈관 유출로에 문제가 되기 때문이다. 일부 환자들은 약한(fragile) 정맥을 가지고 있기 때문에 조기에 혈관 접근로를 만드는 것이 중요하다(즉 예상 투석 시작 전 6~9개월). 투석을 시작하기 전에 최소 6개월의 소요시간은 차선책으로 혈관 접근로 초기 동정맥루가 적절하게 기능을 하지 않을 때 두 번째 동정맥루 수술을 할 수 있다. 혈관 접근로에 관한 쟁점들은 이 메뉴얼의 여러 장에서 상세히 논의된다.

복막투석에서 복막 도관은 예상되는 투석 시작시기 최소 2주 전에 만들어야 한다. 과거에는 동정맥루가 복막투석을 선택하는 환자들에서 대비책으로써 권고되었다. 이것은 더 이상 권고되지 않지만 여러 센터에서 행해지고 있다. 긴급 혈액투석 시작이 필요한 상황에서 최근 경향은 복막 도관을 삽입하는 것이다. 복막투석으로 요독증에 대한 초기 조절을 하고 연달아 동정맥루를 수술할 수 있는 시간을 벌어 준다.

III. 투석 시작 시기

A. 요독 증후군

요독증후군은 혈액내의 질소화합물 및 기타 배설물의 증가가 일으키는 독성효과 때문에 나타나는 증상과 징후로 이루어진다.

1. 증상

요독증 환자는 흔히 구역을 호소하고 또한 깨어난 직후에 자주 구토를 하곤 한다. 식욕이 너무 떨어진 나머지 음식생각만으로도 불편함을 느끼게 된다. 흔히 피곤하거나 무력감과 추위를 호소한다. 정신 상태가 변할수 있어서 처음에는 단지 인격의 미세한 변화를 보이다가 결국에는 혼돈(confusion)을 지나 혼수상태에 빠지게 된다.

2. 징후

요독증의 징후는 요즘에는 덜 흔하다. 현재 환자들은 비교적 요독증 초기 단계에서 치료를 받기 때문이다. 그럼에도 불구하고 때로는 심장막 마찰음(pericardial friction rub)이나 심장눌림증(tamponade)을 동반하거나 하지 않는 상태에서 심장막 삼출액(pericardial effusion)이 있는 경우는 요독성 심장막염(uremic pericarditis)을 의미하는데 긴급투석요법을 필요로 하는 상태이다. 발처짐(foot-drop) 또는 손목처짐(wrist-drop)은 요독에 의한 운동신경병증으로 투석을 해야 하는 상태이다. 떨림(tremor), 자세고정못함증(asterixis), 다초점간 대성근경련증(multifocal myoclonus) 또는 경련등은 요독성뇌병증의 징후들이다. 출혈시간의 연장이 일어나는데 수술을 필요로 하는 환자에서 문제가 될 수 있다.

3. 징후와 증상: 요독증과 빈혈

예전에는 오직 요독증 탓으로만 여겨진 많은 증상 및 징후들은 일부 빈혈때문에 나타날 수 있다. 빈혈이 있는 만성 신질환 환자에서 빈혈이 적혈구 생성인자로 교정될 때 피로의 현저한 감소와 함께 안녕감의 증가와 운동내성의 향상을 경험하게 된다. 출혈시간 역시 호전되고 협심증도 호전되는 것을 기대할 수 있다. 인지능력 또한 향상될 수 있다.

4. 요독 증후군과 추정 사구체 여과율(eGFR)의 관계

요독증후군은 추정 사구체 여과율이 8~10 mL/min 미만으로 감소하면 흔히 발생한다. 그러나 무작위 대조시험(RCT)결과를 근거로 한 소위 IDEAL 연구(Cooper,2010)에서 투석(혈액투석 혹은 복막투석)의 조기 시작은 비용증가와 관련이 있지만 삶의 질이나 생존률 향상과는 관련이 없었다. 'IDEAL' 시험에서 MDRD 공식으로 추정한 평균 사구체 여과율(eGFR/1.73 m^2)은 투석을 늦게 시작한 군에서 7.2 mL/min인데 비해서 투석을 조기에 시작한 군에서 9.0 mL/min였다.

투석을 시작하려고 eGFR이 더 낮아질때까지 기다렸기 때문에 늦게 투석을 시작한 군에서 빈번한 교차가 있었다. 이 연구 결과는 추정 사구체 여과율(eGFR/1.73 m^2)이 7 mL/min정도일때 요독증이나 체액과다로 인한 증상은 흔해서 의료제공자들은 환자의 투석 필요성을 인지해야 한다고 강조하고 있다.

B. 장기간에 걸친 투석의 적응증

대개 투석은 추정 사구체 여과율(eGFR/1.73 m^2)이 약 8 mL/min로 감소할 때 성인 환자에서 시작하게 된다. 그러나 투석이 필요한지에 대한 평가는 더 높은 사구체 여과율에 시작해야 하며(아마도 10~12 mL/min정도) 때로는 더 높을수도 있다. 심부전과 경계성 사구체 여과율을 가진 환자에서 체액저류가 치료에 반응하지 않으면 조기에 투석이 필요할 것이다. 상대적으로 투석을 조기에 시작해야 하는 합병증들은 표 2.3에 열거되어 있다.

다른 원인이 없는 심장막염이나 흉막염은 긴급 투석 적응증이다. 특히 빠르게 진행하는 심장막 삼출액의 위험이 있는 심장막염과 심장눌림증이 이에 해당한다. 신경학적 기능부전, 특히 신경병증(자세고정못함증(asterixis)라 불리는) 혹은 요독 신경병증, 또한 응급투석 적응증이

TABLE 2.3	신대체요법을 시작해야 하는 합병증

조절되지 않는 체액과부하/고혈압

식이제한과 약물치료에 반응하지 않는 고칼륨혈증

중탄산염 치료에 반응하지 않는 대사성 산증

식이조절과 인 결합제 치료에도 반응하지 않는 고인산혈증

적혈구 생성인자(erythropoietin)와 철분치료에도 반응하지 않는 빈혈

설명되지 않는 기능감소나 삶의 질 감소

최근 체중감소 혹은 영양상태 악화 특히 구역,구토. 기타 위십이지장염 동반시

긴급 적응증

신경학적 기능장애(eg 신경병증, 뇌병증. 정신적 장애)

설명되지 않는 흉막염이나 심장막염

출혈시간이 지연되는 출혈 경향

된다. 출혈시간이 연장되어 위장출혈이나 기타 출혈을 야기할 수 있다. 대부분의 긴급 투석 적응증은 만성신부전을 가진 환자에서 급성신부전이 동반될 때 나타난다. 급성투석에 관련된 추가사항은 제 10장과 24장에서 논의하겠다.

References and Suggested Readings

Brunori G, et al. Efficacy and safety of a very-low-protein diet when postponing dialysis in the elderly: a prospective randomized multicenter controlled study. *Am J Kidney Dis*. 2007;49:569–580.

Cooper BA, et al. IDEAL Study: a randomized, controlled trial of early versus late initiation of dialysis. *N Engl J Med*. 2010;363:609–619.

Devine PA, Aisling EC. Renal replacement therapy should be tailored to the patient. *Practitioner*. 2014;258:19–22.

FHN Trial Group. In-center hemodialysis six times per week versus three times per week. *N Engl J Med*. 2010;363:2287–2300.

Hussain J, Flemming K, Johnson M. "It's a lot easier to say yes than no"—decision making in end stage kidney disease. *BMJ Support Palliat Care*. 2014;4(suppl 1):A3.

Iyasere O, Brown EA. Determinants of quality of life in advanced kidney disease: time to screen? *Postgrad Med J*. 2014;90:340–347.

Kallab S, et al. Indications for and barriers to preemptive kidney transplantation: a review. *Transplant Proc*. 2010;42:782–784.

Kupin WR. Pre-emptive kidney transplantation. In: Daugirdas JT, ed. *Handbook of Chronic Kidney Disease Management*. Philadelphia, PA: Wolters Kluwer Health, Lippincott Williams & Wilkins; 2011:511–523.

Lo WK, et al. Preparing patients for peritoneal dialysis. *Perit Dial Int*. 2008; 28(suppl 3):S69–S71.

Low J, et al. The experiences of close persons caring for people with chronic kidney disease stage 5 on conservative kidney management: contested discourses of ageing. *Health (London)*. 2014.

Luckett T, et al. Advance care planning for adults with CKD: a systematic integrative review. *Am J Kidney Dis*. 2014;63(5):761–770.

Mehrotra R, et al. Patient education and access of ESRD patients to renal replacement therapies beyond in-center hemodialysis. *Kidney Int*. 2005;68:378–390.

Renal Physicians Association. *Shared Decision Making in the Appropriate Imitation of and Withdrawal from Dialysis*. 2nd ed. Rockville, MD: Renal Physicians Association; 2010.

Shih YC, et al. Impact of initial dialysis modality and modality switches on Medicare expenditures of end-stage renal disease patients. *Kidney Int.* 2005;68:319–329.

Song MK, et al. Randomized controlled trial of SPIRIT: an effective approach to preparing African-American dialysis patients and families for end of life. *Res Nurs Health.* 2009;32:260–273.

Traynor JP, et al. Early initiation of dialysis fails to prolong survival end-stage renal failure. *J Am Soc Nephrol.* 2002;13:2125–2132.

PART II

혈액 기반 치료
BLOOD-BASED
THERAPIES

3 생리학적 원리와 요소 역동학 모형화

김은정 역

투석은 용액 B에 용액 A가 반투막을 통해 접촉하여 용액 A중에 있는 용질의 조성이 변화되는 과정이다. 개념적으로 여러 개의 구멍이 뚫어진 판으로서 반투막을 관찰할 수 있다. 두 용액에서 물 분자와 저분자량 용질은 막구멍을 통해 통과할 수 있고 혼합된다. 그러나 큰 용질(단백질 등)은 반투과 장벽을 통과할 수 없다. 그래서 막 양쪽의 고분자량 용질의 양은 변화가 없게 된다.

I. 용질 운반의 기전

막 구멍을 통해 통과할 수 있는 용질은 두 가지 다른 기전에 의해 운반된다: 확산(diffusion)과 초미세여과(대류; convection)

A. 확산

확산에 의한 용질 이동은 무작위 분자운동의 결과이다. 용질의 분자량이 클수록 반투막을 통과하는 운반율은 느려지게 된다. 높은 속도로 움직이는 작은 분자는 막과 자주 부딪히고 막을 통한 확산운반의 속도도 높을 것이다. 큰 분자는 막 구멍과 크기가 잘 맞더라도 느린 속도로 움직이고 막과 드물게 부딪혀서 막을 통해 천천히 확산된다(그림 3-1).

B. 초미세여과(Ultrafiltration)

반 투과막을 통한 용질 운반의 두 번째 기전은 초미세여과(대류운반)이다. 물 분자는 극히 작아 모든 반투막을 통과할 수 있다. 초미세여과는 정수압력 또는 삼투력에 의해 움직이는 물이 막을 통과해 밀려날 때 발생한다(그림3-1). 막 구멍을 쉽게 통과할 수 있는 용질들은 물을 따라 휩쓸린다('용매끌기(solvent drag)'라는 과정). 막을 통해 밀쳐진 물에 거의 원래 농도의 용질들이 따르게 된다. 유사한 과정은 바람이 불때 낙엽과 먼지를 휘쓸고 가는 바람과 물의 흐름에 따라 작고 큰 물고기가 대양에서 이동하는 물줄기와 같다. 특히 막 구멍보다 더 큰 용질들은 남게 된다. 이러한 큰 용질들에 대해 막(membrane)은 채(sieve)역할을 한다.

1. 정수압에 의한 초미세여과

a. 막압력(Transmembrane pressure)
혈액과 투석액 구획 사이의 정수압력경사의 결과로서 혈액투석동안 물

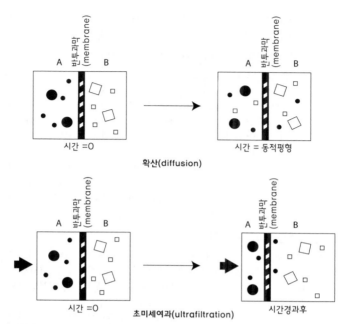

그림 3.1 확산(위)과 초미세여과(아래)의 과정
두 과정 모두에서 저분자량 용질은 반투막을 통과할 수 있지만 더 큰 용질은 남게 된다.

(작은용질과 함께)은 혈액에서 투석기의 투석액으로 이동된다. 초미세여
과의 속도는 막 사이의 총 압력차에 의존한다(혈액구획 압력에서 투석액
구획압력을 빼서 계산).

b. 초미세여과 계수 (K_{UF})

높더라도 물에 대한 투석막의 투과성은 상당히 변할 수 있고 이는 막 두
께와 구멍 크기의 함수이다. 물에 대한 막의 투과성은 초미세여과계수
(Ultrafiltration coefficient) 즉 K_{UF}로 표시된다. K_{UF}는 막을 통과하는
mmHg 압력경사당 막을 통과하여 전달되는 시간 당 액체의 밀리리터
(mililiters) 숫자로 정의된다.

2. 삼투 초미세여과(Osmotic ultrafiltration)

삼투 초미세여과는 제 21장에서 기술된다.

3. 초미세여과의 목적

투석 중 초미세여과는 투석 사이 기간 동안에 섭취한 액체 및 음식
물의 대사에 의해 쌓인 수분을 제거하기 위해 이루어진다. 보통 주
3회 투석 중인 환자는 투석 치료 사이에 1~4 kg의 체중이 증가하고
(대부분은 물) 투석 3~4시간동안 제거하여야 한다. 급성 체액 과부

하 환자는 좀 더 빠른 체액 제거가 필요하다. 그러므로 초미세여과
의 임상적 요구는 일반적으로 0.5~1.2 L/hr에 이른다.

4. 용질 제거를 향상시키기 위한 초미세여과 사용

a. 혈액여과와 혈액투석여과

용질의 확산제거는 그 크기에 좌우되는 반면, 막 구멍 크기 이하의 모든
초미세여과된 용질들은 거의 같은 속도로 제거된다. 이 원리가 혈액여과
(*hemofiltration*)라는 기술의 발전을 이끌었고 많은 양의 초미세여과(과도한
체액을 제거하기 위해 필요이상으로)는 용질을 제거하기 위해 보충액의 주
입과 연결된다.

혈액투석과 혈액여과는 흔히 요소(분자량 60)같은 작은 용질의 제거는 비
슷하지만 이눌린(분자량 5,200) 같이 더 크고 잘 확산되지 않는 용질의 제
거에는 혈액여과가 훨씬 더 효과적이다. 때로는 혈액투석과 혈액여과를 결
합한다. 따라서 이 과정을 혈액투석여과(*hemodiafiltration*)라고 부른다.

C. 단백결합화합물 제거

정상 신장은 단백결합 유기 산 및 염기의 독성을 제거한다. 단백질과
결합하면 단지 소량만이 여과되고 사구체를 우회하게 된다(Sirich,
2013). 그러나 세관주위모세혈관그물에서 이 물질들은 알부민에서
떨어져 근위세관 세포에 흡수된다. 그 다음에 세관내강으로 분비되어
소변으로 배설된다. 다른 단백결합화합물들은(알부민과 작은단백질
에 결합된) 운반단백질과 함께 사구체를 통해 여과된다. 여과된 단백
질이 결합화합물과 함께 근위세관에서 분해 대사된다.

이러한 단백결합 물질의 혈중 농도는 투석 환자에서 두드러지게 상
승하게 된다(Sirich, 2013). 그러나 이 결합물질의 혈중농도와 사망률
과의 관계는 충분히 밝혀지고 있지 않다(Melamed, 2013). 혈액투석
에 의한 단백결합화합물의 제거는 혈장 내 화합물의 '유리' 분획의 백
분율(투석에 노출된 분획)에 의존한다. 또한 제거는 단백질 결합 풀
(protein-bound pool)에 의해 유리 분획이 얼마나 빨리 보충되느냐에
달려있다. 따라서 혈장에서 유리분획이 낮고 단백질에 단단히 결합된
물질은 혈액투석으로 소량만 제거된다.

II. 투석기로부터 용질의 제거

임상에서 그림 3-1에 있는 두 용액을 담고 있는 상자는 혈액과 투석액을
담고 있는 투석기가 된다. 투석액은 나트륨, 칼륨, 칼슘, 마그네슘, 염소,
중탄산염, 포도당이 주입된 고도정제수(purified water)로 구성된다. 요
독증이 있는 혈액에 축적되는 저분자량 노폐물은 투석액에는 없다. 이 때
문에 요독증이 있는 혈액이 투석액에 노출되었을때 혈액에서 투석액으
로 용질의 유출속도는 초기에 투석액에서 혈액으로 역유출(back-flux)보
다 훨씬 더 크다. 결국 혈액과 투석액이 막을 통하여 서로 정적 접촉상태
에 있다면 투석액으로 통과한 노폐물 농도는 혈액 속의 농도와 일치하게

된다. 따라서 노폐물의 순제거는 더 이상 일어나지 않는다. 투석막을 통해 혈액과 투석액 사이를 왔다갔다 계속 이동하지만 운반(transport) 및 역운반(back-transport)의 속도는 동일하다. 임상에서 투석동안 투석액 구획을 지속적으로 신선한 투석액으로 채워주고 투석된 혈액을 투석되지 않은 혈액으로 바꾸어 주면 농도평형은 이루어지지 않고 혈액과 투석액 사이의 농도 경사는 최대화된다. 정상적으로 투석액 흐름은 혈류방향과 반대이다(그림3-2). '역류(countercurrent)'흐름의 목적은 투석기 전체에서 혈액과 투석액 사이의 노폐물 농도 차이를 최대화하는 것이다.

A. 추출비(extraction ratio)

그림 3.3은 투석기와 투석기에 들어가고 나가는 혈액의 혈장 요소질소농도에 있어서 영향을 모식적으로 보여주고 있다. 추출비는 투석기를 통해서 요소(혹은 다른 용질)가 감소되는 분율이다. 그림 3.3을 보면 혈류속도(Q_B) 400 mL/min, 혈청 요소질소농도가 투석기 입구에서 100 mg/dL, 투석기출구에서 40 mg/dL이라면 추출비는 60% (100-40)/100이다.

추출비는 투석기 입구 혈청 요소질소에 영향을 받지 않는다. 똑같은 조건에서 투석기 입구 혈청 요소질소농도가 200 mg/dL이라면 투석기 출구 혈청 요소질소농도가 80 mg/dL되고 투석기 입구 혈청 요소질소농도가 10 mg/dL이라면 투석기 출구 혈청 요소질소농도가 4 mg/dL가 된다.

추출비는 투석기를 통한 혈류속도에 영향을 받는다(그림 3.4). 혈류속도가 400 mL/min에서 200 mL/min으로 감소하였다면 출구 혈청

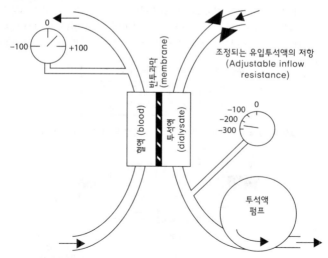

그림 3-2 반대로 흐르는 투석기 내 혈류와 투석액
막을 가로지르는 정수압(그리고 초미세여과)은 유입 투석액의 저항을 달리하여 조정된다.

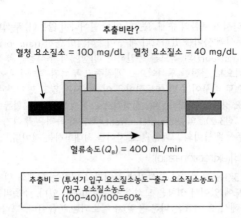

그림 3.3 투석기 입출구 요소 농도에 따른 투석기 추출비

요소질소의 농도는 40 mg/dL에서 12 mg/dL로 감소한다. 혈류속도가 1 mL/min이 감소하였다면 출구 혈청 요소질소 농도는 약 1 mg/dL로 매우 낮다. 혈류속도가 20 L/min으로 아주 빠르다면 출구 혈청 요소질소 농도는 약 97 mg/dL으로 증가하게 된다. 투석기를 통한 혈류속도가 빠를수록 필터를 빨리 통과한다. 투석기 혈액 구획량은 약 100 mL, 혈류속도 400 mL/min로 혈액은 투석기에서 약 15초를 소비하게 된다. 혈류가 200 mL/min로 감소하면 통과시간은 30초로 두 배가 걸린다. 이로 인해 혈액은 깨끗해지는데 더 많은 시간이 걸리고 투석기에서 유출된 혈액에서 혈청 요소질소농도는 겨우 12mg/dL이다. 1 mL/min로 혈류속도가 감소하면 혈액은 투석기에서 100분을 소비하고 출구 혈액은 요소질소농도가 매우 낮게 된다. 반면에 매우 빠른 혈류속도에서는 임상에서 적용되는 것보다 훨씬 더 높은 20,000

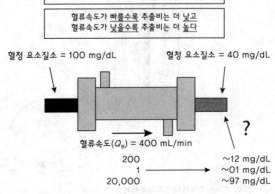

그림 3.4 투석기 출구 혈청 요소질소에 대한 혈류속도 효과

mL/min라면 혈액은 단지 투석기에서 0.3초만 머물게 된다. 여전히 출구 혈청 요소질소농도는 입구보다 더 낮아서 약 97 mg/dL이 된다. 사실상 투석기는 '세탁기'와 같아서 혈액이 세탁기에서 시간을 적게 소비할수록 주어진 혈액량으로부터 제거되는 노폐물의 퍼센트는 더 적다.

B. 청소율 개념

그림 3-5에서처럼 투석기를 통해서 나가는 혈액은 두 가지 방식 중에 하나로 생각할 수 있다. 하나는 전체볼륨과 그 볼륨에서 용질 감소율을 고려할 수 있고 다른 하나는 투석기를 나가는 혈류를 두 stream으로 분리할 수 있다. 즉 첫 번째 stream에서 용질농도는 투석기로 들어오는 농도와 같을 것이고 두 번째 stream에서 모든 요소질소는 제거될 것이다. 합쳐진 출구 stream에서 추출비 혹은 요소질소농도의 60%가 감소되었다고 생각할 수 있으며 혹은 투석기를 통해서 흐르는 액체의 60%는 완전히 요소가 제거된 것으로 생각할 수 있다. 만일 깨끗해진 stream에 원래 그대로의 stream이 섞였다면 요소질소 농도는 혼합된 stream에서 투석기 입구에서 보다 60%가 감소될 것이다. 원래 그대로의 stream과 깨끗해진 stream에서 상대적인 혈류속도는 양적 평형을 이루는 것이 필요하다고 계산할 수 있다. 이 경우에 깨끗해진 stream에 혈류속도가 입구 혈류속도의 60%이다. 만일 투석기 입구 혈류속도가 400 mL/min이면 깨끗해진 stream에 혈류속도는 0.60 × 400 = 240 mL/min이고 원래 그대로의 stream에서 혈류속도는

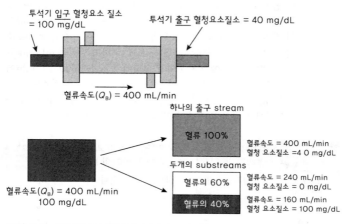

그림 3.5 투석기 청소율 개념. 투석기에서 나오는 혈액은 두가지 방식에서 볼 수 있다. (a) 하나의 출구 stream으로 용질 농도가 60% 감소한다(100 ml/dL에서 40 ml/dL). (b) 두 개의 substream으로 하나의 substream은 용질농도는 변하지 않고 다른 substream에서는 용질은 완전히 제거된다. 깨끗해진 substream에서 혈류속도가 투석기 청소율이고 추출비와 혈류속도를 곱한 값과 동일하다.

160 mL/min가 된다. 따라서 투석기 추출비 60%라는 것은 투석기 청소율 0.6 × 혈류속도(Q_B), 혹은 240 mL/min을 의미한다.
청소율은 대개 'K' or 'K_D'로 축약한다. 유속은 'Q'로, 혈류속도는 Q_B, 투석액 유속 'Q_D'로 축약하여 표현한다.

1. 투석기 혈류속도에 대한 효과

우리는 지금까지 투석기 청소율(K_D)에서 혈류속도 효과(Q_B)를 살펴보았다.

표 3.1에서 보듯이 혈류가 매우 낮을때(50 mL/min) 투석기에서 혈액이 가장 오래 머물기 때문에 혈액은 가장 깨끗해진다. 그래서 출구 혈청 요소질소가 1 mg/dL로 추출비는 99%이다. 그러나 깨끗해진 혈액량을 유속 50 mL/min으로 제한하면 즉, 혈액의 99%가 깨끗해진다고 하더라도 50 mL/min의 99%라는 것은 낮은 수이다. 혈류속도가 증가할 때 혈액은 투석기에서 적은 시간 머물기 때문에 요소는 혈액에서 부분적으로만 제거된다. 그러나 추출비가 혈류속도가 증가함에 따라 감소하더라도 요소질소가 제거된 혈액양은 혈류속도가 증가함에 따라 계속 증가한다. 궁극적으로 혈류속도가 매우 빠를때(20 L/min) 입구 혈청 요소질소의 3%만이 제거되더라도 청소율은 600 mL/min이 된다.

2. 질량 이동 면적 계수(mass transfer area coefficient) K_oA

추출비가 60%로 일정하다고 가정하고 혈류속도가 두 배라면 청소율도 두 배가 된다. 그러나 제거하는 효율은 혈류속도가 높을수록 더 떨어져서 청소율과 혈류속도는 1:1 비율로 증가하지 않는다. 궁극적으로 매우 높은 혈류속도에서 청소율은 정체상태(plateau)가 될 것이다. 무한히 큰 혈류속도와 투석액 유속에서 이론상으로 최대 투석기 청소율(주어진 용질)을 K_oA 라 하며 단위는 mL/min로 표현한다. 표 3.1에서 보듯이 투석기에서 K_oA는 600 mL/min에 가깝다. 또한 K_oA는 물리적인 면을 가지고 있다. 두 개의 상수의 곱이다. K_o는 주어진 용질에 대한 투석기막의 투과성 상수이며 A는 투석기에서 막의 총 유효 표면적이다. 투석기에서 막의 표면적이

TABLE 3.1	추출비와 청소율에서 투석기 혈류속도의 효과 (투석기 입구 혈청 요소질소=100mg/dL)		
혈류속도Q_B (mL/min)	투석기 출구 혈청 요소질소 (mg/dL)	추출비 (ER, %)	K_D (ER×Q_B)
50	1	99	50
200	12	88	176
400	40	60	240
500	48	52	260
20,000	97	3	600

두 배가 될수록 대략 K_oA도 두 배가 될 것이다. 같은 표면적을 가진 두 개의 투석기가 반드시 같은 K_oA를 가지는 것은 아니다. 투석기에서 막의 K_0 상수는 크게 달라질 수 있기 때문이다. K_0는 막이 얇을수록, 다공성일수록, 간격이 넓은 실과 다른 특성을 가진 투석기에서 투석액의 접촉을 최대화함으로써 증가시킬 수 있다.

그림 3.6은 혈류속도(Q_B)(가로축)와 예상 투석기 청소율(K_D)(세로축)의 관계를 보여준다. 각각의 곡선은 다른 투석기 효율을 나타내며 투석기 효율은 투석기 K_oA로 표현한다. 그림 3.6에서 K_oA 수치 범위는 300mL/min에서 1,600 mL/min에 이른다. 오늘날 성인에서 흔히 사용되는 대부분 투석기는 K_oA수치 범위가 800 mL/min에서 1,600 mL/min에 이른다. 이 그림은 혈류가 증가할수록 청소율이 증가한다는 것을 보여준다. 그러나 증가는 평평해지는 경향이 있다. 혈류속도(Q_B)가 낮을때(~200 mL/min) K_oA범위가 800~1,600 mL/min인 투석기는 유사한 청소율을 가진다는 것을 알 수 있다. 이것은 낮은 혈류속도에서는 투석기로 유입하는 혈액에서 거의 모든 요소를 각각 추출하기 때문이다.

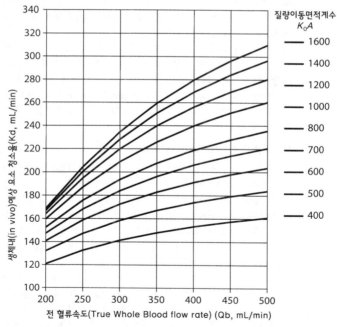

그림 3.6 혈류속도(Q_b)와 투석기 효율 상수인 혈액 수분 요소 청소율(K)의 관계.
각각의 곡선은 다른 K_oA수치를 가지는 다른 투석기를 나타낸다. 이 계산도표를 사용하기 위해서는 가로축에서 혈류속도를 찾아서 해당되는 투석기 K_oA까지 이동한다. 그리고나서 세로축에서 예상되는 투석기 요소 청소율을 읽는다. 이론상 청소율 수치는 생체내 청소율 수치에 더 가깝게 반영하기 위해서 보정해야 한다.

고효율 투석기의 장점은 주로 혈류속도가 높을때 명확해 진다. 얇고 더 효율적인 막을 가진 더 큰 투석기는 투석기 청소율 증가를 최대화하면서 추출비를 높게 유지할 수 있다.

3. 용질제거율 계산

균일한 용액이 투석기를 통해서만 흐르는 경우 주어진 용질의 제거율(mg/min or mmol/min)을 계산할 수 있다. 예를 들면 투석기 입구 혈청 요소질소가 1 mg/mL이고 혈액에서 요소가 240 mL/min으로 제거된다면 환자에서 요소질소는 240 mg/min이 제거되고 있는 것이다.

4. 적혈구 효과(Effect of erythrocyte)

위에 기술된 청소율 개념에서 혈액은 단순한 액체로 다루어졌다. 그러나 실제는 이와 다르다. 적혈구용적율(hematocrit)이 30%일 때 혈류 400 mL/min는 실제로는 혈장유속 280 mL/min이고 적혈구 유속은 120 mL/min이다. 투석기 입구와 출구에서 측정되는 것은 해당 노폐물의 혈장치이다. 요소의 경우 요소가 적혈구 안팎으로 빠르게 확산되기 때문에 적혈구의 존재가 중요한 문제는 아니다. 예를 들어 출구 혈장 요소질소수치가 40 mg/dL라면 적혈구에서 요소의 농도는 그만큼 역시 감소한다.

크레아티닌과 인과 많은 다른 용질의 경우 이 물질들이 혈장과 적혈구 사이에서 빠르게 평형을 유지하지 않기 때문에 문제는 좀 더 복잡하다. 사실 크레아티닌이나 인은 투석기를 통과하는 동안 적혈구에서 거의 제거되지 않는다. mg/min 혹은 mmol/min으로 크레아티닌이나 인의 제거율을 계산할 때 혈류속도 대신 혈장 유속을 사용해야 한다.

5. 혈액수분 효과(Effect of blood water)

언급했듯이 요소는 적혈구와 혈장의 물에 용해되어 있어서 투석기를 통과해서 모두 제거된다. 혈장의 약 93%가 물이고(그 단백질 농도에 의존) 적혈구의 약 72%가 물이다. 그러나 일부 요소는 적혈구의 비수분(nonwater) 부분과 연관이 있기 때문에 일반적으로 요소는 적혈구 용적의 약 86%와 동일한 용적에 용해되어 있다. 1회 투석동안 얼마나 많은 요소가 제거되는지 계산하기 위해 투석기 청소율을 사용할 때 혈액 수분에 대한 보정은 중요하다.

투석기를 통과해서 오직 혈장 구획에서 제거된 크레아티닌과 인과 같은 용질에 대한 제거량은 혈장유속의 약 93%이다. 적혈구 용적율을 증가(20%에서 40%)시키는 것은 혈액 수분 요소청소율을 겨우 조금 감소시키지만, 혈장 유속에서 적혈구 용적률 효과 때문에 크레아티닌이나 인의 청소율에 있어서는 현저한 감소를 보여줄 것이다.

6. 투석액 유속의 효과

요소 청소율(그리고 다른 용질들)은 또한 투석액 유속에도 좌우된다. 더 빠른 투석액 유속은 혈액에서 투석액으로 요소 확산의 효율을 증가시킨다. 그러나 효과는 일반적으로 크지 않다. 일반적으로 투석액 유속은 500 mL/min 이다. 800 mL/min의 유속은 고효율 투석기가 사용되고 혈류속도가 350 mL/min보다 클 때 요소청소율을 약 5~8% 정도 증가시킨다. 반면에 거의 매일, 야간이나 중환자실에서 적용시 투석액 유속은 현저하게 500 mL/min 보다 낮다. 이렇게 감소한 투석액 유속은 투석기 청소율을 감소시킬 수 있다. 적절한 투석액 유속은 혈액 유속의 1.5~2.0배이다. 위에서 언급했듯이 특히 투석액 흐름로(flow path)를 최대한 좋게 만든 일부 새로운 투석기에서도 효율 증가는 꽤 작다.

7. 확산 청소율에 대한 분자량의 효과

큰 분자량을 가진 용질은 용액을 통해 천천히 움직이기 때문에 막을 통해 불완전하게 확산된다.

그 결과 요소보다 큰 분자에 대한 추출비는 요소보다는 더 낮을 것이다. 또한 청소율을 계산하기 위해서 이렇게 더 낮은 추출비는 혈류속도가 아니라 혈장 유속을 곱해야 한다.

8. 매우 큰 분자

베타2 마이크로글로불린(분자량 11,800)과 같은 매우 큰 분자는 표준(저유량) 투석막의 구멍을 전혀 통과할 수 없다. 그러므로 베타2 마이크로글로불린의 투석기 청소율은 0이다. 그러나 '고유량' 막은 이 분자가 통과하기 충분한 크기의 구멍을 갖고 있다. 또한 일부 투석막은 흡착에 의해 베타2 마이크로글로불린을 제거한다.

9. 투석기 효율(efficiency)과 유량(flux)

우리가 투석기 효율을 얘기할 때 주로 작은 용질을 제거하는 투석기 능력을 언급한다. 투석기 효율은 요소에 대한 K_0A로 나타낸다. 투석기 유량은 베타2 마이크로글로불린과 같은 큰 분자를 제거하는 능력을 말한다. 수분 투과성(K_{UF})을 사용할 수 있지만 투석기 유량을 명시하는데 공통적으로 사용하는 단일 측정법은 없다. 대개 고유량 투석기는 mmHg당 15~20 mL/hr보다 큰 수분 투과성을 가질 것이다. 고유량이면서 작고 저효율(K_0A = 400 mL/min)인 투석기(소아용) 또는 요소는 잘 제거하지만 베타2 마이크로글로불린은 제거하지 못하는 저유량 고효율 투석기(K_0A = 1,200 mL/min)가 있다.

III. 환자로부터 용질제거

A. 요소의 중요성

혈액투석 중 용질제거는 요소에 초점을 맞춘다. 요소는 암모니아를 거쳐 아미노산 질소로부터 간에서 만들어지는데 이는 질소 함유 노폐물이 체외로 배출되는 주요한 방법이다. 요소는 분자량이 60 Da인 작은 분자이다. 단지 약간의 독성만을 가지고 있다. 요소 생성은 단백의 분해나 단백질소출현율(protein nitrogen appearance rate, PNA)에 비례하여 일어난다. 안정된 환자에서 PNA는 식이 단백질 섭취에 비례한다. 요소 역동학으로 알려진 수학적 모델을 사용하여 요소 제거율과 생성율 모두를 계산할 수 있다. 요소 제거정도는 투석 적절도에 대한 측정치를 제공해 주며 요소질소생성량으로 식이 단백 섭취량을 추정할 수 있다.

B. 주간 혈청 요소질소 개요(The weekly serum urea nitrogen profile)

투석의 결과로 투석 전 혈청 요소질소(SUN)수치는 전형적으로 약 70% 가량 감소한다. 그러므로 투석 후 SUN수치는 투석 전 값의 30%이다(주3회 투석 일정을 가정하면). 다음 투석 사이 기간동안 SUN은 처음 치료 전에 보였던 것과 거의 동일한 값으로 증가할 것이다. 결과는 톱니모양패턴이다. 시간 평균 혈청 요소질소(time-averaged SUN, TAC)수치는 톱니 곡선아래면적을 시간으로 나누어 수학적으로 계산할 수 있다. 투석 전 SUN과 TAC SUN수치는 모두 요소 생성과 제거사이의 평형을 반영한다. 주어진 투석 치료에 따라 투석 전 SUN과 TAC SUN은 요소질소 생성(g)이 증가하면 오르고 감소하면 떨어질 것이다. 또한 어떤 요소질소 생성율에서 투석 전 SUN과 TAC SUN은 투석량이 감소하면 증가하고 투석량이 증가하면 떨어질 것이다.

C. 투석 전 SUN 또는 TAC SUN 분석의 함정

투석 적절도의 모형화를 위한 초기의 시도들은 투석 전 SUN 또는 TAC SUN에 초점을 맞추었다. 투석 전 SUN 또는 TAC SUN이 적당하게 낮기만 하면 치료는 적절하다고 생각하였다. 그러나 낮은 투석 전 SUN수치 또는 TAC SUN수치가 높은 사망률과 연관된다고 알려졌으며 적절한 투석보다는 부적절한 단백질 섭취를 아주 흔히 반영한다고 알려졌다.

D. 요소제거 지수

1. 요소 감소비(Urea reduction ratio, URR)

투석 적절도의 현재 일차적인 측정법은 치료연관 요소 감소비(URR)이다. 이는 다음과 같이 계산된다 : 투석 전 SUN이 60 mg/dL이고 투석 후 SUN이 18 mg/dL 라고 가정하면 SUN(혹은 요소)치의 상대적 감소는 (60-18)/60 = 42/60 = 0.70이다. 관례적으로 URR은 백분율로 표시되는데 그러면 이 예문에서 URR 값은 70%이다.

SI units: 투석 전 혈청 요소가 21 mmol/L이고 투석 후 혈청 요소 6.4 mmol/L라고 가정하면 SUN(혹은 요소)수치의 상대적 감소는 (21-6.4)/21 = 14.6/21 = 0.70 이다.

2. *Kt/V* urea

Kt/V urea는 National Cooperative Dialysis Study(1985)를 재분석한 Gotch와 Sargent에 의해 대중화되었다. 이 연구에서 요소 *Kt/V* 0.8 미만 값은 높은 이환율 및 치료실패와 연관된 반면에 *Kt/V* 1.0 이상은 좋은 예후와 연관된다는 것을 알게 되었다.

주로 이 연구 때문에 가이드라인 그룹은 주 3회 투석하는 환자에서 *Kt/V*값은 적어도 1.2를 권고하였다.

Kt/V urea는 혈장에서 요소가 제거되는 양을 요소 분포용적으로 나눈 무차원비(dimentionless ratio)이다. *K*는 투석기 혈액 수분 요소청소율(L/hr), *t*는 투석 시간(hr), V는 체수분과 가까운 요소분포용적(L)이다.

$$K \times t = L/hr \times hr = L$$

$$V = L$$

$$(K \times t)/V = L/L = \text{dimentionless ratio}$$

만약 *Kt/V* 1.0이라면 이는 *K* × *t*(투석 기간 동안 청소된 혈액의 총 용적)가 V(요소분포용적)와 일치한다는 것을 의미한다.

3. URR과 *Kt/V*은 어떤 관계인가?

이것을 잘 이해하려면 그림 3.7에서부터 그림 3.14를 생각해 보아야 한다. 수조로 비유해 보면(그림 3.7), 40 L 탱크에서 물고기 한 마리를 제거하기 위해 물 20 L를 빼내서 깨끗한 물 20 L로 보충한

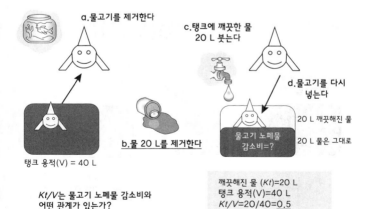

a.물고기를 제거한다

c.탱크에 깨끗한 물 20 L 붓는다

d.물고기를 다시 넣는다

20 L 깨끗해진 물

물고기 노폐물 감소비=?

20 L 물은 그대로

b.물 20 L를 제거한다

탱크 용적(V) = 40 L

*Kt/V*는 물고기 노폐물 감소비와 어떤 관계가 있는가?

깨끗해진 물 (*Kt*)=20 L
탱크 용적(V)=40 L
Kt/V=20/40=<u>0.5</u>

혼합후 :
물고기 노폐물 감소비 50%

그림 3.7 청소하는 동안 제거된 물고기로 수조 모델에서 50% 분획 청소율 물고기 노폐물 감소비 50%는 *Kt/V*와 동일하다.

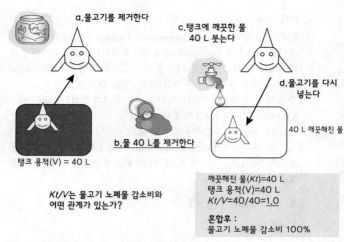

Kt/V는 물고기 노폐물 감소비와
어떤 관계가 있는가?

깨끗해진 물(Kt)=40 L
탱크 용적(V)=40 L
Kt/V=40/40=1.0

혼합후 :
물고기 노폐물 감소비 100%

그림 3.8 청소하는 동안 제거된 물고기로 수조 모델에서 100% 분획 청소율
물고기 노폐물 청소비 100%는 Kt/V와 동일하다..

다면 보충한 깨끗한 물의 양을 Kt라고 생각할 수 있다. 탱크의 용적
은 40 L이므로 Kt/V는 20/40 혹은 0.5가 된다. 물고기 노폐물 감소
비는 깨끗해진 물 20 L과 원래 있던 물 20 L를 섞은 후에 50%가 될
것이다. 이 경우에 Kt/V = 물고기 노폐물 감소비 = 0.5가 된다. 그
림 3.8에서는 탱크를 더 완벽하게 청소하기로 하자. 물고기를 제거

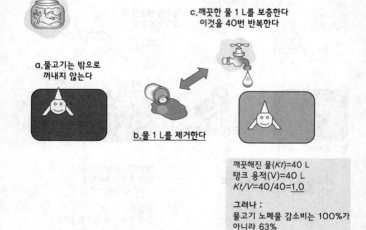

깨끗해진 물(Kt)=40 L
탱크 용적(V)=40 L
Kt/V=40/40=1.0

그러나 :
물고기 노폐물 감소비는 100%가
아니라 63%

그림 3.9 탱크 청소하는 동안 남겨진 물고기로 수조 모델에서 100% 분획 청소율
이 상황에서는 물고기 노폐물 감소비는 단지 63%가 된다

하고 총 용적 40 L를 빼내서 깨끗한 물로 보충한다. 그리고 나서 물고기를 넣는다. 이 경우에 깨끗해진 물은 40 L이며 탱크 용적은 40 L이므로 Kt/V = 40/40 = 1.0이다. 따라서 물고기 노폐물 감소비는 100%이다. 이 모델에서 Kt/V 1.0은 '완벽한' 투석(청소)을 나타내며 더 이상 향상시키는 것은 불가능하다.

그림 3.9에서는 다른 상황을 보여준다. 이 경우에는 탱크에서 물고기를 제거하지 않고 청소하기로 하자. 1 L 컵을 가지고 더러운 물 1 L를 제거하고 깨끗한 물 1 L를 보충한다. 한 번에 적은 양을 제거하는 것은 물고기에 영향을 주지 않고 청소하는 동안에 탱크에 있을 수 있다. 만일 이것을 40번을 하게 되면 총 40 L (40 × 1 L)가 '깨끗해져서' Kt는 40이 될 것이다. 또한 V는 40으로 Kt/V는 다시 40/40 혹은 1.0이 될 것이다. 그러나 이 상황에서 물고기 노폐물 감소비는 100%가 아니라 단지 63%가 될 것이다. 이유는 무엇인가? 1-L 제거/보충 순환에서 탱크에서 물고기 노폐물 농도는 감소되어 연속적인 1-L 제거/보충 순환은 이전 사이클보다 물고기 노폐물을 덜 제거한다. 청소하는 동안에 탱크에서 물고기 노폐물의 점차적인 희석은 효율을 감소시킨다. 이 경우 Kt/V 1.0은 더 이상 완벽한 청소가 아니어서 상당한 물고기 노폐물이 결국에 탱크에 남아 있다.

그림 3.10과 3.11은 이것을 좀 더 일반적인 방식에서 보여주고 있다. 그림 3.10에서는 청소하는 동안에 물고기를 탱크에서 제거한 그림 3.7과 유사한 상황을 보여주고 있다. 여기에서 40 L 탱크와 투석기 출구 혈청 요소질소농도가 항상 0인 완벽한 투석기를 생각해 보자. 탱크에서 처음 요소질소농도는 80 mg/dL이라고 하자. 그림 3.10에서 청소과정은 비연속적이다. 깨끗해진 액체는 분리된 보유탱크(holding tank)에 모으면 청소된 액체의 요소질소농도는 0이다. 만일 이 이상적인 투석기로 20 L가 통과하면 Kt는 20이다. 이렇게 청소된 액체를 근원 탱크(source tank)에 추가하면 요소 감소비(URR)는 50%가 될 것이다. 만일 40 L가 이상적인 투석기를 통과하면 Kt 용적은 40 L이며 완전히 청소된 액체를 근원탱크에 추가하면 요소 감소비(URR)는 100%가 될 것이다. 그림 3.10의 하위패널은 URR과 Kt/V은 관계를 그래프로 보여주고 있으며 단순하게 URR = Kt/V이다. 중간 패널은 투석이 진행함에 따라 근원 탱크에서 투석기로 들어가는 액체에서 요소질소 농도를 보여주고 있다. 입구 SUN 농도는 이 과정이 극히 효율적이어도 투석동안 80 mg/dL로 일정하다.

그림 3.11은 물고기가 탱크에 있을때와 유사한 상황을 보여주고 있다. 이 상황에서는 투석기에서 떠나는 액체의 요소질소 농도는 0이다. 그러나 투석기 출구 액체는 근원 탱크로 다시 되돌아 온다. 이로 인해 투석이 진행됨에 따라 근원탱크에서 요소질소 농도가 계속 희석된다. 중간 패널에서 보여주듯이 시간이 지나면서 투석기 입구 요소질소는 감소한다. 지속적인 액체 반환 시스템은 투석이

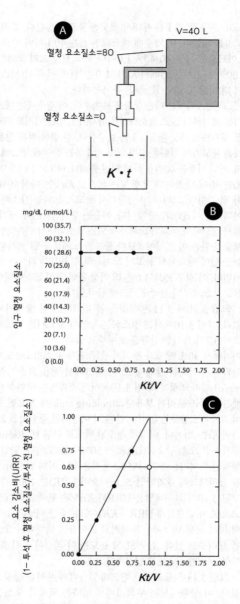

그림 3.10

A : 요소 제거에 대한 고정 용적 모델(요소 생성 없음)에서 투석기로부터의 액체는 보유탱크로 가고 근원 '몸' 탱크와 투석기끝에서만 혼합된다. 위 그림에서 완벽한 투석기라고 가정하면 혈류속도 = 투석기 청소율이 된다.

B : 투석기 입구 SUN(즉 BUN)은 투석동안 내내 일정하다(위 예에서는 80 m/dL).

C : 이 모델에서 Kt/V = URR과 Kt/V = 1.0은 완벽한 투석을 의미한다(모든 독소가 제거됨).

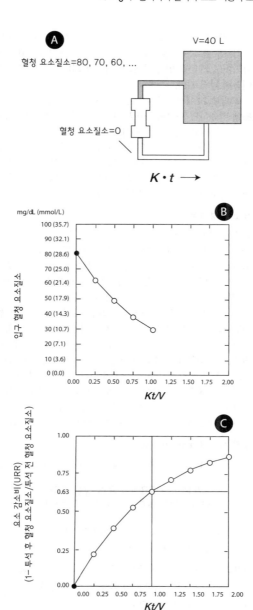

그림 3.11

A : 투석기 출구 액체가 근원 탱크로 투석 동안 내내 지속적으로 돌아오는 또 다른 형태의 고정 용적 모델(fixed-volume model)

B : 입구 혈청 요소질소(inlet SUN)는 투석 효율을 감소시키면서 이제 투석동안 지수곡선 형태로 감소한다.

C : Kt/V = 1.0을 만들면서 전체 탱크 용적(V)이 투석기를 통과하였을때 지속적인 출구반환으로 요소 감소비(URR)는 단지 0.63에 도달한다.

끝날때까지 보유탱크에 액체가 보관되는 경우보다 훨씬 덜 효과적이다. 이 새로운 조정으로 이상적인 투석기를 통해 40 L 전체가 통과되어(Kt/V = 1.0) 출구 SUN이 0이 되더라도 탱크 안에 요소는 여전히 남게 된다.

그림 3.11에서 하위패널은 URR과 Kt/V 관계를 보여준다. 수조에 비유하면 유사하듯이 Kt/V가 1.0일때 URR은 0.63이 될 것이다. 전체 40 L를 두 번(Kt/V = 2.0)과 세 번(Kt/V = 3.0) 순환시키더라도 투석 후 SUN은 여전히 0이 되지 않고, URR도 여전히 100%가 되지 않을 것이다. 이러한 희석 요인 때문에 투석기간이 오래될수록 투석 기간이 지속되면서 작은 분자량 용질을 제거하는데도 점차적으로 효율이 떨어지게 된다.

4. 요소 생성 효과

그림 3.12에서 수조를 청소하는 것으로 되돌아 가보자. 만일 40 L를 제거, 한 번에 1L씩 40회를 빨리 한다면 위에서 언급했듯이 물고기 노폐물 감소비는 63%가 될 것이다. 그러나 만일 탱크를 *천천히* 청소하면 탱크에서 물고기는 계속 노폐물을 생성하게 된다. 만일 '투석' 혹은 수조 청소가 2시간이 걸린다면 물고기 노폐물 감소비는 63%라고 예상할 수 있다. 그러나 2시간 청소하는 동안에 생성된 노폐물이 탱크에 추가되기 때문에 63%대신 감소비는 61.5%가 될 것이다. 마찬가지로 만일 청소가 4시간 혹은 8시간이 걸린다면 Kt/V 1.0일때 각각 노폐물 감소비는 60% 혹은 57%가 될 것이다. 결국 아주 천천히 40 L가 보충된다면, 즉 24시간에 걸쳐서 지속적인 신대체요법을 한다면 하루에 Kt/V 1.0일때 노폐물 감소비가 0% 가까이 된다. 따라서 이것은 URR과 Kt/V가 수학적으로 관련이 있어도 투석 길이(시간)를 고려해야 된다는 것을 의미한다.

5. 용적 제거에 대한 Kt/V 보정

관례상 Kt/V에서 V는 투석 후 값을 기준으로 하고 있다. 흔히 투석

Kt/V vs URR에서 요소 생성 효과
(탱크를 청소하는 동안 노폐물을 생성하는 물고기)

- 1L를 40회 보충한다면 예상 요소 감소비(URR) 63%
- 이것을 빨리 한다면 요소 감소비(URR)=63%
- 2시간 경과 : 요소 감소비(URR) 약 61.5%
- 4시간 경과 : 요소 감소비(URR) 약 60%
- 8시간 경과 : 요소 감소비(URR) 약 57%
- 지속적 신대체요법 : 요소 감소비(URR)=0%

그림 3.12 Kt/V와 URR 관계에서 투석 길이(시간)의 효과
제거과정 동안에 지속적인 물고기 노폐물 생성으로 인해 주어진 Kt/V에 대한 URR은 투석 길이(시간)가 증가할수록 감소한다.

c. 물을 보충하지 않는다

a. 물고기는 밖으로
꺼내지 않는다

b. 물 40 L를 제거한다

최종 탱크 용적(V)=40 L

초기 탱크 용적(V)=80 L

깨끗해진 물(Kt)=40 L
탱크 용적(V)=40 L
Kt/V=40/40=<u>1.0</u>

그러나 :
물고기 노폐물 감소비는 63%
아니라 0%

그림 3.13 Kt/V와 URR 관계에서 용적 감소에 대한 효과
용적 감소에 따라 제거된 요소(혹은 물고기 노폐물)는 URR(요소 감소비)에 반영되지 않을 것이다.
Kt/V는 투석 후 용적V를 기준으로 계산된다.

하는 동안에 일부 체액이 제거되어 투석 후 V는 초기 값보다 몇 리
터가 감소하게 될 것이다. 액체 용적이 감소함에 따라 일부 노폐물
은 제거되고 이러한 제거는 농도 변화를 반영하지 않는다. 이것을
더 잘 이해하기 위해서 그림 3.13이 보여 주는 극단적인 케이스를
생각해 보자.

여기 80 L 용적을 가진 수조가 있다고 가정해 보자. 간단하게 40 L
를 빼서 어느 용액으로도 채우지 않는다고 해 보자. 깨끗해진(Kt)
40 L, 수조의 투석 후 용적은 40 L로 Kt/V는 40/40 = 1.0이다. 그
러나 노폐물 감소비는 0이다. 따라서 용적 감소 과정에서 노폐물
감소비에 반영되지 않은 추가적인 Kt/V를 항상 갖게 된다.

6. 요소 생성과 용적 제거 효과에 따른 정량화

그림 3.14는 요소 생성 및 용적 제거 보정에 따른 Kt/V와 URR 관
계를 도표로 그린 계산도표를 보여준다. 점선은 그림 3.11C에서
보여주는 선과 일치한다. Kt/V 1.0일때 URR 63% 라는 것을 기억
하라. 3.5~4.0시간 투석 치료로 URR은 요소 생성 때문에 약 0.03
이 감소될 것이다. 따라서 요소 생성 때문에 Kt/V 1.0은 전형적으
로 60% 정도의 URR을 반영한다(63% 대신에). 첫 번째 실선곡선
의 오른쪽과 아래에 있는 추가 곡선은 실질적인 체액이 제거될때
URR과 Kt/V 관계를 나타낸다. 두꺼운 검은 선은 체중의 3%가 제

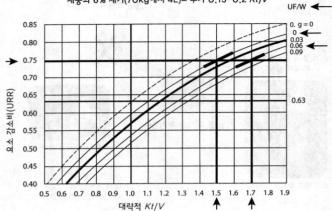

요소 감소비 vs *Kt/V*에서 체액 제거 효과(초미세여과/체중)

체중의 6% 제거(70kg에서 4L)= 추가 0.15-0.2 *Kt/v*

그림 3.14 요소 생성 및 용적 감소 보정

요소 생성과 용적 감소를 고려한 *Kt/V*와 URR의 실제 관계. 요소 생성 때문에 *Kt/V* 1.0은 URR 0.63대신에 0.60에 상응한다. 실제로 체중의 백분율로 얼마만큼의 체액이 제거되었는지에 따라 *Kt/V* 1.0은 URR 값은 낮게는 0.52가 될 수 있고 평균 URR은 0.57이 된다(두꺼운 선은 보통 3%의 UF/W을 의미한다.). 75% URR은 체액 제거가 없는 환자에서 *Kt/V* 1.5에 상응하고 체중의 6%가 제거된 환자에서 *Kt/V* 1.7에 상응한다.

거될 때 관계를 보여주고, 남아있는 2개의 선은 각각 체중의 6% 혹은 9%가 감소될 때 관계를 보여준다. 체중의 3%가 제거될 때(70 kg환자에서 2.1 kg)가 전형적이라고 생각하면 된다. 우리는 두꺼운 검은 등치선에서(곡선) 가로축 1.2에서 위로 이동하고 세로 축에서 왼쪽으로 이동하면 *Kt/V*가 1.2일때 상응하는 URR을 읽을 수 있다. 0.03 등축선에서 1.2의 교차점은 URR 65%와 상응한다. 이 것은 최소 *Kt/V* 1.2를 권고하는 가이드라인이 또한 적어도 URR 65%를 권고하는 이유이다. 그러나 *Kt/V*와 URR관계는 완전히 고정되지 않는다. 만일 투석하는 동안에 체중의 9%가 제거된다면 URR 65%는 농도 변화에 반영되지 않는 노폐물 생성 제거로 인한 추가 0.2 *Kt/V*가 더해져 *Kt/V* 1.4로 해석할 수 있다. 마찬가지로 단지 URR이 58%, 체액 제거율이 9%인 환자에서 *Kt/V*는 1.2 에 도달할 수 있다. URR 75%에 상응하는 그 외 흥미로운 점 또한 그래프에서 보여준다. URR이 75%일때 *Kt/V*는 체액 제거가 체중의 0%, 3%, 6%, 혹은 9%일때 각각 1.5, 1.6, 1.7, 1.8이 될 것이다.

등식은 투석 길이(요소 생성)와 분획 용적 제거를 보정함으로써 대략 URR을 *Kt/V*로 해석하여 발전해 왔다.
보정된 등식(Daugirdas, 1995)은 다음과 같다.

$$Kt/V = -\ln(R - 0.008 \times t) + (4 - 3.5 \times R) \times 0.55 \; UF/V$$

여기서 In은 자연로그, R은 투석 후 / 투석 전 SUN비, t는 투석 길이(시간), UF는 투석 중 제거된 체액 용적(리터), V는 투석 후 요소 분포 용적(리터)이다. 0.008 × t 항(項)은 투석 후 / 투석 전 SUN비 즉 R을 요소 생성으로 보정하며 투석 길이에 대한 함수이다. 비투석일이나 피를 뽑는 날에 0.008 요소 생성항은 더 최적화될 수 있다 (Daugirdas, 2013). 두 번째 보정항(項)은 투석 후 V 감소 때문에 더해진 Kt/V를 말한다.

V를 알지 못하면 인체계측추정표를 사용하거나 아니면 V를 투석 후 체중의 55%로 추정할 수 있다.

이것을 단순화하여 표현하면 아래와 같다.

$$Kt/V = -\ln(R - 0.008 \times t) + (4 - 3.5 \times R) \times UF/W$$

이 등식에 기초한 계산도표가 그림 3.14이다.

따라서 URR과 Kt/V 모두 수학적으로 연계되어 있고 둘다 주로 투석 전 및 투석 후 SUN 수치에 따라 결정된다. 그러나 Kt/V 또한 초미세여과와 요소 생성을 염두에 두어야 한다. 결과를 예측하는데 하나가 다른 것보다 우세해지는 않다.

7. 여러 통 모델, 요소 되돌기, 요소 반동

그림 3.11에서 보여지는 모델은 요소가 체내 하나의 구획에 담겨 있는 것으로 가정한다. 이러한 가정은 그림 3.11B에서 빈 원(hollow circle)으로 보여지듯이 투석 동안 SUN이 단일지수 감소를 보이고 투석이 끝난 후 최소의 반동이 생긴다.

실제로 투석 동안 SUN 개요는 그림 3.11B에서 보여지는 감소에서 벗어나 있는데 흔히 예상보다 낮다(그림 3.15). 즉시 투석을 중단 후 혈청 요소질소(SUN)는 투석 후 요소생성으로 인한 설명할 수 없는 수치로 반동한다(그림 3.15). 이러한 관찰은 요소가 투석 중 어딘가에 격리된다는 것을 의미한다. 요소는 투석 초기 동안에 더 작고 뚜렷한 용적에서 제거되기 때문에 투석 초기 동안에 SUN은 예상보다 더 빨리 떨어진다. 이러한 투석 중 SUN의 예상 밖의 빠른 감소를 **요소 되돌기(inbound)**라 부른다. 투석이 끝날 때 격리된 구획과 접근할 수 있는 구획 사이의 농도차가 발생함에 따라 SUN이 천천히 떨어진다. 투석이 종료되면 격리 공간에서 근위 공간으로 요소가 계속 이동하여 투석 후 **요소 반동(rebound)**을 일으킨다(그림 3.15).

a. 영역 혈류 모델(Regional blood flow model)

투석 중에 요소 격리(sequestration)는 세포에서 요소가 제거되기 힘들기 때문이라고 초기에는 설명했었다. 지금은 투석 중 요소가 조직 특히 근육에 격리된다고 알려지고 있다. 근육은 많은 총 체내 수분과 요소를 함유하고 있지만 심박출량의 일부만을 받고 있다. 요소량에 대해 근조직을 통과하는 혈류의 낮은 비율 때문에 투석 중 조직에서 혈액으로 요소의 이동

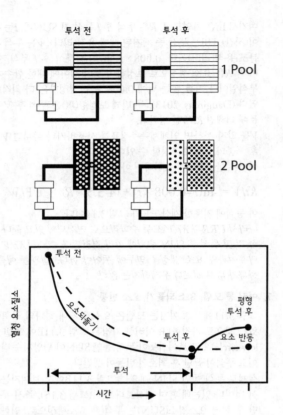

그림 3.15 요소 되돌기와 반동
SUN의 투석 중 감소(요소 되돌기) 및 투석 후 SUN의 증가(반동)에 대한 요소 격리의 효과. 격리가 일어나면 더 작고 뚜렷한 공간으로부터 처음 제거되기 때문에 투석 중 SUN 수치는 예상보다 더 빠르게 감소한다(되돌기). 반면에 투석이 완료되면 격리공간에서 근위 공간으로 요소가 지속적으로 유입되어 반동이 일어난다.

율이 느리고 결국 요소 격리를 만든다.

b. 투석 적절도 측정에 대한 요소 되돌기(inbound) 및 반동(rebound)의 영향
투석 중에 제거된 요소의 양은 투석동안 시간 평균 투석기 입구 요소 농도에 달려있다. 만일 요소 격리가 있다면 시간 평균 농도가 단일 통 모델(single-pool model)에서 투석 전 투석 후 값으로 추정한 것보다 낮을 것이다. 그 결과 단일 통 모델은 요소제거량을 과대평가할 것이다.

c. 평형 Kt/V (eKt/V)의 개념
투석 후 요소는 격리된 조직부위에서 투석 후 반동을 일으키는 혈액으로 거슬러 확산되어 투석 후 요소 반동은 대개 30~60분경에 끝난다.
다. 이때 투석 후 SUN을 측정하여 '실제' 또는 평형 URR (equilibrated

URR)을 계산할 수 있는데 이는 투석 직후 혈액에서 측정한 URR보다 낮다. 평형 URR은 평형 Kt/V로 바꿀 수 있다.

요소 반동의 정도는 체격에 따라 주어진 투석의 강도와 투석속도에 따라 달라진다. 투석 속도는 시간당 Kt/V 단위숫자 또는 시간 t로 나눈 Kt/V로 표현할 수 있다. 요소 모형화를 바탕으로 Tatersall(1996)이 제안했던 것으로부터 수정한 공식은 투석 속도를 바탕으로 반동의 정도를 예측하는 데 사용할 수 있다.

$$eKt/V = spKt/V \times Td/(Td + 30.7)$$

여기에서 eKt/V 와 $spKt/V$ 는 각각 평형과 단일 통 모델을 의미한다. Td는 투석 시간(분으로 계산)을 의미한다. 30.7은 시간 상수이다. 30.7분은 HEMO 연구(Daugirdas,2009,2013) 데이터를 근거로 하고 있어서 Tattersall이 원래 제안한 35분 수치와는 약간 다르다.

이 등식을 이용해서 6시간, 3시간, 또는 2시간에 따른 $spKt/V$ 1.2에 상응하는 eKt/V값을 계산할 수 있다.

spKt/V	t(hr)	spKt/V per hr	Rebound	eKt/V
1.2	6	0.2	0.09	1.11
1.2	3	0.4	0.17	1.03
1.2	2	0.6	0.24	0.96

표에서 보듯이 eKt/V는 특히 단기 투석 동안에 $spKt/V$보다 현저히 낮을 수 있다.

아마도 이런 이유로 인해 European Best Practices 가이드라인은 $spKt/V$보다는 eKt/V로 최소 Kt/V 1.2로 권고하였다.

IV. 혈관 접근로 재순환(ACCESS RECIRCULATION)

동정맥 혈관 접근로를 통과하는 혈류는 평균 약 1 L/min이다. 투석기를 통과하여 이 혈류의 일부분을 정상적으로 보내는 혈액 펌프는 일반적으로 350-500 mL/min의 혈류를 갖도록 정해져 있다. 혈관 접근로를 통한 혈류는 정상적으로 혈액 펌프의 요구량을 넘어서므로, 혈액 펌프로부터 나오는 모든 혈액은 바늘천자부위에서 상류(upstream) 혈관 접근로로부터 나온다. 투석기로 들어가는 혈액의 요소 농도는 상류 혈관 접근로와 같아서 혈관 접근로 재순환은 없다(물론 혈관 접근로 바늘이 다른 바늘에 너무 가까이 놓여지거나 부주의로 인해 바늘 위치가 뒤바뀌어서 정맥 바늘이 혈액을 동맥 바늘의 상류로 보내게 되면 예외가 발생한다).

기능을 상실한 동정맥루와 동정맥 인조혈관에서 혈관 접근로를 통과하는 혈류는 특히 350~500 mL/min 혹은 더 줄어들 수 있다. 이러한 상황에서 투석기를 나가는 일부 혈류는 혈관 접근로를 통해 혈류가 뒤바뀌어 투석기로 다시 들어간다. 그리고 나서 투석기 입구 혈액은 투석기 출구 혈액과 혼합되거나 희석된다. 이러한 현상을 *혈관 접근로 재순환*이라 부른다.

A. 투석 적절도에 대한 재순환의 영향

혈관 접근로 재순환이 일어날 때 투석기로 들어가는 혈액에서 요소 농도는 5~40% 감소하거나 그 이상 감소될 것이다. 투석기에서 제거된 요소량은 청소된 혈액용적×투석기 유입 요소농도와 똑같다. 비록 투석기 청소율은 변함이 없지만 투석기 입구에서 줄어든 요소농도로 인해 요소제거량은 줄어든다. 재순환이 있는 환자에서 투석이 끝날 때 혈액을 투석기 입구 혈액 라인에서 뽑게 된다면 이 혈액의 요소농도는 환자의 상류 혈액보다 더 낮게 될 것이다. 그러므로 실제 투석 후 SUN이 인위적으로 낮게 될 것이다. 결과적으로는 URR과 spKt/V 둘다 과대평가가 될 것이다.

B. 혈액채취 전에 투석 후 혈류를 늦추거나 투석액 흐름을 중단하여 URR 혹은 spKt/V에 혈관 접근로 재순환 영향을 피하기

채혈한 혈액이 환자의 혈액을 반영하도록 하려면 짧은 시간 동안(10~20초) 혈관 접근로 혈류보다 확실히 낮은 혈류속도(예를 들면 100 mL/min 미만)로 혈액 펌프를 느리게 해야 한다. 혈류를 낮추는 것은 투석기 출구에서 입구로 혈액의 역류를 막아서 이제 동맥 바늘로 들어가는 모든 혈액은 상류 혈액이 된다. 느린 혈류기간의 길이는 동맥 바늘끝(tip)과 샘플 포트 사이(일반적으로 대부분의 성인 혈액라인에서 약 9 mL)의 무효 공간에 달려 있다. 100 mL/min 혈류로 10~20초 시간을 두어 대부분의 혈액라인에서 섞이지 않은 혈액기둥이 샘플 포트에 도달하도록 충분히 허용해야 한다. 이러한 이유로 투석 후 혈액은 항상 짧은 느린 혈류기간 후에 채취해야 한다. 단지 투석 끝에 혈액 채취 전에 혈액 펌프를 정지시키는 것은 이러한 문제점을 예방하지 못한다.

입구 혈관라인에 섞여진 혈액은 그 자리에 단순히 '멈춰'있다. 펌프 정지 후 입구 혈관라인에서 혈액채취는 여전히 혼합된 혈액을 반영하게 된다. 이러한 문제를 피할 수 있는 다른 방법은 혈류가 완전한 경사를 이루도록 흘려보내는 동안에 단지 투석 끝에(혹은 투석액 흐름을 우회로로 변경) 3분동안 투석액 흐름을 중단하는 것이다.

3분 후에 투석기를 나가는 혈액에서 SUN 수치는 들어오는 것과 유사하게 되고, 입구 SUN수치는 이제 환자의 혈액에서 SUN 수치를 반영하게 된다(the 2006 National Kidney Foundation's [NKF] Kidney Disease Outcome Quality Initiative [KDOQI] adequacy guidelines 참고).

V. 심폐 재순환

재순환은 넓게는 투석기 출구를 떠난 혈액이 먼저 말초 요소풍부 조직을 통과하지 않고 입구로 돌아올 때마다 발생한다고 정의할 수 있다. 혈관 접근로 재순환에서는 정맥과 동맥바늘 사이의 짧은 혈관 접근로 부위를 통해 재순환이 발생한다. 심폐 재순환은 동맥순환(예를 들면 동정맥 혈관 접근로를 통해)으로부터 투석기에 공급될 때 심장과 폐(거의 무시할 정도의 요소 양을 함유)를 통하여 발생한다. 투석동안 투석기 출구로부터 깨끗해진 혈액은 심장으로 돌아간다. 대동맥에서 깨끗해진 혈액은 나눠진다. 일부는 비혈관 접근로(nonaccess)로 동맥으로 가고 이는 많은 요소를 더하기 위해 조직으로 향한다. 그러나 다른 일부는 말초 모세혈관계(peripheral capillary bed)를 거치지 않고 직접 혈관 접근로를 통하여 투석기로 돌아온다. 정맥통로를 통해 투석기가 공급을 받으면 심폐 재순환은 일어날 수 없다. 동정맥 요소 경사가 여전히 존재하지만 투석기를 떠나는 모든 혈액은 투석기로 다시 돌아오기 전에 말초 모세혈관계를 반드시 통과하게 된다.

A. 투석 적절도에 대한 심폐 재순환의 영향

투석 중 혈관 접근로 또는 정맥 도관통로를 이용하여 요소에 대한 동정맥 농도차가 확립된다. 동정맥 혈관 접근로를 통해 투석기는 동맥의 투석 중 요소질소 농도 곡선을 '따른다(ride)'. 이는 정맥의 투석 중 요소질소 농도 곡선보다 5~10% 낮다. 그러므로 동정맥 혈관 접근로를 통한 투석은 정맥 혈관 통로를 이용한 경우보다 본질적으로 덜 효율적이다(약5~10% 정도). 이 효과는 동정맥 혈관 접근로로 할 수 있는 더 높은 혈류속도와 정맥 도관통로 재순환을 피함으로써 상쇄된다.

VI. 요소 분포 용적의 요소 모형화

요소 모형화는 환자의 뚜렷한 요소공간 즉 V를 결정하는 데 사용될 수 있다. 이것은 '상자안에 얼마나 많은 구슬이 있는가?' 방법을 사용해서 한다. 만일 상자에서 일정 수의 구슬을 제거하는데 또한 농도 변화를 안다면 상자의 크기를 결정할 수 있다. 만일 50개 구슬을 제거하는데 50% 농도가 변한다면 우리는 원래 상자에서 100개 구슬이 있다는 것을 안다. 만일 처음 농도가 10개 구슬/L이라면 우리는 상자의 용적은 10 L로 계산할 수 있다. 만일 50개 구슬을 제거하는데 5%만 농도가 변한다면 우리는 처음에 구슬은 1,000개이며 초기 농도가 10개 구슬/L이면 초기 용적은 100 L라는 것을 알 수 있다.

요소 모형화 프로그램은 처음 얼마나 많은 '구슬'이 있는지 계산해야 한다. 즉 얼마나 많은 요소가 제거되는지이다. 프로그램은 투석기 청소율을 계산한다(투석기 K_0A와 혈류속도와 투석액 유속으로부터). 투석 시간에서부터 전체 투석 섹션 동안에 청소된 혈액 용적(Kt)을 계산할 수 있다. 다음에는 그림 3.15에서 보듯이 단일 통 모델이나 이중 통 모델(double pool model)을 바탕으로 투석동안 요소농도 곡선을 계산할 수 있다. 이것으로 투석동안 평균 요소 농도를 계산할 수 있다. 그러면 제거된 요소양은 간단하게 투석기 청소율 × 시간 × 평균 투석기 입구 요소 농도로 계산할 수 있다. 그 다음에 프로그램에 투석 전 SUN과 투석 후 SUN은 측정되어 실험실 수치를 프로그램에 대입하기 때문에 농도 변화를 알 수 있다. 그래서 이제 프로그램은 얼마나 많은 구슬이 제거되었는지와 더불어 농도 변화를 알 수 있다. 이 정보로 '상자의 크기' 즉 V, 요소 분포 용적을 계산할 수 있다.

대체로 우리는 V가 총 체내 수분용적의 약 90%에 가깝다는 것을 알고 있다. 환자를 추적할 때 타당한지 알기 위해 항상 모형화된 용적을 고려해야 한다. 총 인체 수분은 체중의 약 50~60%라는 것을 알고 있다. V의 인체계측 추정(Watson 또는 Hume Weyers)도 사용될 수 있다(부록 B 참고). 모형화된 용적은 V에 대한 인체계측치의 약 25%내에 속해야 한다.

V의 좀더 강력한 사용은 시간에 따른 모형화 값을 추적하는 것이다. V 값이 치료에 따라 상당한 변이가 있지만, V의 커다란 변화는 혈액채취 기술의 오류, 주어진 투석량($K \times t$)의 기록되지 않은 변화 또는 재순환의 존재를 반영할 수도 있다.

A. V가 보통보다 훨씬 더 작다

이 경우 Kt/V와 마찬가지로 URR은 예상보다 훨씬 더 크다. 모형화 프로그램은 K와 t가 변화되지 않고 보통 V값 보다 작게 계산되기 때문에 높은 Kt/V는 프로그램에서 환자가 수축되었다고 결론을 내린다. 아주 흔하게 V가 약 100% 감소된다면 문제는 투석 후 혈액검체가 투석기 입구가 아니라 출구라인에서 채취된 경우이다.

B. V가 정상보다 훨씬 더 크다

이 경우 URR과 Kt/V는 예상보다 더 낮아서 프로그램은 만일 K와 t가 변화가 없다면 환자는 그렇게 낮은 Kt/V을 설명하기 위해 어떻게든 V가 팽창되었다고 결론을 내린다. 사실 진짜 문제는 K 또는 t가 기록보다 낮은 경우다. 이것을 일으키는 가장 흔한 문제들은 치료방해(충분한 투석기간이 주어지지 않은 경우) 또는 기술적인 문제로 인해 혈류속도가 낮거나(K가 예상보다 더 낮음) 또는 투석기 청소율을 감소시키는 일종의 투석기 성능의 문제가 있는 경우이다.

유입 혈액 요소치가 상류 혈액보다 더 낮아 효과적인 혈관 접근로 청소율을 감소시키기 때문에 재순환 역시 이러한 경우를 보일 수 있다. 주의점 하나: V에 대한 혈관 접근로 재순환의 효과는 혈액이 적절하게 채취되었을 경우에만 (e.g 느린 혈류기간 후에) 나타날 것이다. 투석 후 혼합 혈액이 채취되면 URR은 인위적으로 증가할 것이다. 그러면 재순환에 의해 예상되는 URR의 감소를 보이지 않고, 모형화된 V는 변하지 않을 것이다.

VII. 요소질소 생성률과 nPNA

요소 모형화의 장점 중의 하나는 요소질소 생성율(g)과 nPNA을 추정할 수 있다는 점이다. 이것에 대한 컴퓨터 모형화 프로그램은 그림 3.16에서 보여준다. 위에서 언급했듯이 투석 전과 후 SUN과 투석에 대한 다른 여러 가지 정보로 환자 요소 분포 용적의 초기 평가가 이루어진다. 그리고 나서 프로그램에 요소 생성 수치의 다양한 추정치를 대입하면 각각의 추측에 상응하여 분리된 톱니모양의 weekly SUN 곡선이 만들어진다. g 값

혈액투석에서 nPNA는 어떻게 계산하는가?

• 투석 전 혈청 요소질소에 좌우된다.

• 컴퓨터는 환자 V를 추정해서 nPNA(g) 다른 값에 대해 서 다양한 주간 혈청 요소질소(weekly SUN) profile을 만든다.

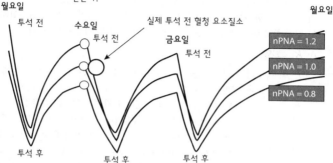

그림 3.16 요소 역동학 모형화 프로그램은 어떻게 PNA 비를 결정하는가. 투석 전과 투석 후 SUN, 투석길이(시간), 용적 감소, 투석기 청소율 추정치로부터 환자 *V*가 추정된다. 그러면 요소 생성 (nPNA)에 꼭 상응하는 다양한 값들을 입력한다. 주마다(weekly) 톱니모양의 SUN 패턴이 만들어 진다. nPNA는 모형화 수치가 그리는 주(week)에 톱니모양이 정점인 요일에 곡선이 생성하는 수치와 실험실 수치가 일치한다고 가정한다.

이 클수록 더 높은 톱니모양의 곡선을 만들 것이다. 그러면 프로그램은 어 느 곡선이 실제 측정된 투석 전 SUN 수치와 일치하는 지를 볼 수 있다. 따라서 이 곡선에 상응하는 g (nPNA도)값은 특정 환자에 대한 추정치로 선택 할 수 있다.

g 또는 nPNA의 임상적 유용성은 다소 논란의 여지가 있다. (일단 혈청 알부민과 크레아티닌이 조절되면) nPNA는 아주 강력한 사 망 예측인자는 아니다. 일반적으로 불량한 영양섭취를 반영하기 때문에 nPNA가 낮을때 예후는 좋지 않다. 낮은 nPNA가 낮은 식이 단백질 섭취 를 반영한다고 가정하기에 앞서 잔여신장 청소유로가 같은 요소 손실의 다른 원인을 적절히 고려했는지 확인해야 한다. 드물게 현저하게 식이가 향상되어 충분히 섭취한 식이 단백질이 합성대사(anabolism)에 사용되기 때문에 환자는 낮은 nPNA를 가질 것이다; 이것은 좋은 경우지만 특이 상 황에서 요소질소는 조직을 구성하게 되어 혈액에서는 '나타나지 않는다.' 마찬가지로 높은 nPNA가 반드시 좋은 것은 아니다. 그것이 조직파괴 즉 과분해대사(hypercatabolism)에 기인 할 수도 있기 때문이다.

Ⅷ. 잔여신기능

잔여신기능은 투석 환자에서 생존율 향상을 보여주었고 특히 복막투석 환자의 경우 복막청소율 향상에 더 크게 기여한다는 것을 보여주었다.

투석 환자에서 잔여신장 청소율은 크레아티닌과 요소 청소율의 평균과 비슷하다. 요소 청소율(Kru)은 근위 세관 요소 재흡수로 인해 사구체여과율(GFR)을 과소평가하는 반면, 크레아티닌 청소율(Krc)은 콩팥 요세관 분비때문에 사구체 여과율을 과대평가한다. 상당한 잔여신기능(Kr)을 가진 말기 신장질환 환자가 더 오래 사는것이 잘 정립되어 있으므로 잔여신기능을 보존하려는 노력과 말기 신부전 신장의 가능한 손상을 최소화하는 것이 중요하다(예 신장독성 약물 회피와 투석 중 저혈압 최소화).

A. K_{ru} 측정

K_{ru}를 측정하기 위해서는 투석 사이 간격의 24시간 동안 소변을 모두 모아야 한다. 일반적으로 환자는 투석센터에 오기 전에 24시간 수집을 시작하며, 그런 다음 소변용기를 센터에 가져오고, SUN 측정을 위한 혈액이 채취된다. 환자가 보통 투석량(일주일에 주 3회)을 받고 수집 간격이 투석 전 24시간이라면 수집 동안 평균 혈청 요소치는 투석 전 SUN의 86% (prior to a midweek session)혹은 90% (prior to a first-of-week session)가 될 것이다(Daugirdas 미발표 관찰). 그렇다면 K_{ru} 계산은 :

$$K_{ru} = \frac{UUN}{SUN} \times 소변유속(mL/min)$$

여기서 UUN은 소변 요소질소(urine urea nitrogen) 농도이다.

UUN과 SUN의 단위는 문제가 되지 않으며 서로 약분되기 때문에 단지 단위가 같으면 된다. 전형적으로, 0-8 mL/min의 K_{ru} 값이 얻어질 것이다.

문제

소변유속이 0.33 mL/min 또는 20 mL/hr이면 24시간동안 480 mL의 소변을 모은다. 소변 요소농도가 약 800 mg/dL (285 mmol/L)이고 수집이 투석 직전 24시간 동안이라고 가정하자. 이 때 투석 전 SUN이 56 mg/dL (20 mmol/L)이면 K_{ru}은 얼마인가?

해설(mg/dL 단위)

우선 24시간 수집간격 동안 추정 평균 SUN을 계산하라. 위에 언급되었듯이 수집기간 동안 추정 평균 SUN은 투석 전 SUN의 90% 즉 0.9×56 mg/dL=50 mg/dL이다. 그러므로 K_{ru}=(800 mg/dL×0.33 mL/min)/50 mg/dL=5.3 mL/min이다.

해설(SI 단위)

우선 24시간 수집간격 동안 추정 평균 SUN을 계산하라. 위에 언급되었듯이 수집기간 동안 추정 평균 SUN은 투석 전 SUN의 90% 혹은 0.9 ×20=18 mmol/L이다. 그러므로 K_{ru}=(0.285 mmol/mL ×0.33 mL/min)/0.018mmol/mL=5.3 mL/min이다.

IX. 표준 *Kt/V* urea

소위 '표준' *Kt/V* urea는 두 가지 갈망에서 발전하였다. 1) 주당(per weekly) 투석횟수에 의존하지 않는 혈액투석 적절도를 측정하고 2) 혈액투석의 최소 용량은 복막투석의 최소 용량과 유사할 것이라는 것을 측정하기 위해서이다.

A. Casino Lopez의 EKRU

크레아티닌 청소율을 계산하는 것과 같은 원리를 이용해 주어진 투석요법에 대한 평형 요소 청소율을 계산할 수 있다. 크레아티닌에 대해 분당 생성률(24시간 소변수집)과 평균 혈장 수치를 안다면 두 가지의 비로 청소율을 계산할 수 있다.

$$Cr_d = \frac{UV}{P}$$

여기서 Crcl은 크레아티닌 청소율이며, *UV*는 소변 유속과 소변 크레아티닌 농도의 곱이다. *P*는 수집동안에 평균 혈장 크레아티닌 농도이다. 시한의 소변 수집에서 우리는 분당(per minute) 얼마나 크레아티닌을 생성되는지를 안다. 그리고 만일 우리가 모으는 동안 혈장 농도를 안다면 혈장에서 정상 상태(steady state)를 유지하기 위해 생성되는 크레아티닌을 제거하기 위해 얼마나 많은 혈장이 청소되는지 안다. 이러한 계산은 Casino와 Lopez(1996)에 의해 혈액투석 및 요소 제거에 적용되었다. 위에서 언급하였고 그림 3.16에서 보여지듯이 정상 상태로 가정하면 요소 모형화 프로그램은 투석스케줄에 관계없이 요소 생성율 수치를 계산할 수 있다. 그러면 같은 모형화 프로그램은 주(week)동안 시간평균 SUN농도(TAC)를 계산할 수 있다. 일단 g와 TAC를 안다면 평형 요소 청소율(EKRU)은 다음과 같은 크레아티닌 청소율과 유사하게 어느 투석 처방이든지 계산할 수 있다.

$$EKRU = \frac{g}{TAC}$$

이 방법으로 sp*Kt/V* 1.2인 주 3회 투석 스케줄에 상응하는 평형 요소 청소율(EKRU)을 계산한다면 평형 요소 청소율(EKRU)은 약 11 mL/min이 된다. 이론적으로 어떤 투석 처방을 하고 g와 TAC를 모형화 프로그램으로 계산한 다음 이를 EKRU로 전환시킬 수 있다. 이 값은 이론적으로 측정된 잔여신장요소 청소율에 더해질 수 있다. 결과적으로 EKRU는 mL/min 또는 L/week로 표현될 수 있다. L/week로 표현될 때 EKRU는 (*K*×*t*)나 그 주동안 청소된 혈장 용적이며 이것은 주간 평형 Kt/V urea을 계산하기 위해 V를 표준화 할 수 있다.

문제

한 환자에서 *V*=35 L, EKRU=11 mL/min이다. 주당 평형 *Kt/V* urea는 얼마인가?

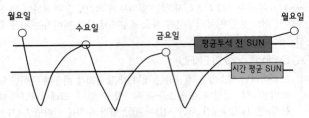

표준 Kt/V란 ?

- 혈액투석과 복막투석 매치를 위해 고안

- g을 시간평균 SUN대신에 평균투석 전 SUN으로 나눈다.
- 동등한 weekly Kt/V는 약 1/3이 더 낮다.

그림 3.17 표준 Kt/V를 계산하는 방법
요소 생성률은 그림 3.16에서 보여지듯이 nPNA에 따라 결정된다. 그래서 이 그림은 평균 투석 전 SUN 수치로 나눈것이다.

해설

11 mL/min×10,080 mL/week를 mL를 L로 바꾸기 위해 1,000으로 나누면 주당 청소된 혈장 용적은 110 L/week이다. 이것이 Kt/V의 K×t이다. V=35 L로 나누면 주당 Kt/V urea=3.14가 얻어진다.

B. 표준 Kt/V urea

EKRU 계량법에서 한 가지 문제점은 주 3회 투석시 spKt/V는 최소 1.2가 주당 평형 Kt/Vurea는 3.14로 해석된다는 점이다. 실질적으로 복막투석 환자에서 요구되는 주당 Kt/Vurea는 대략 2.0 보다 더 높다. 이 문제를 해결하기 위해서 Keshaviah과 later Gotch는 '최고 농도 가설'을 제안했다. 이들은 복막투석과 혈액투석에서 한 가지 차이점은 후자는 요소와 다른 요독물질의 최고 농도가 있다고 추측했다. 또한 주 3회 투석 스케줄동안 평균 최고 요소 농도는 시간평균 농도보다 약 1/3이 높았다. 즉, g를 시간 평균요소로 나누는 대신에 평균 주 투석 전 혈청 요소질소수치(mean weekly predialysis SUN level)로 나눌 것을 제안하였다(그림 3.17). 더 높은 평균 투석 전 수치로 나누는 것은 투석 적절도의 새로운 측정치를 약 1/3정도 낮추게 된다. spKt/V 1.2인 표준 주 3회 혈액투석 요법에서 EKRU 11mL/min과 비교하여 새로운 평형 청소율은 약 7mL/min이다. 새로운 측정법을 사용한 주 평형 Kt/V (Gotch가 제시한 표준 Kt/V)는 2.0으로 복막투석과 유사하다.

1. 격리된 용질과 표준 Kt/V

Depner는 표준 Kt/V를 요소가 아닌 용질을 모형화하는 것으로 지적했다. 표준 Kt/V를 나타내는 용질은 투석으로 쉽게 제거되지만 매우 높은 투석 후 반동으로 크게 격리될 수 있다. 크게 격리된 용질의 평균 투석 전 수치는 시간 평균 수치와 유사하다. 크게 격리된 용질의 제거는 투석 빈도를 증가시킴으로써 두드러지게 향상시킬 수

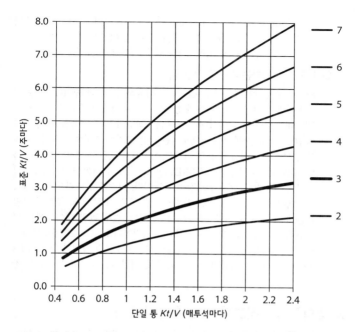

그림 3.18 *Kt/V*(단일 통) 치료 상수로써 표준 *Kt/V*와 주당 투석 치료 횟수(오른쪽 숫자)
이것은 투석기 청소율 220 mL/min이고 *V*가 40 L인 환자를 이용하여 모형화한 표준 *Kt/V*이다. 위에서 보여지는 것처럼 주 3회 투석시 표준 *Kt/V*를 3.0이상 도달하는 것은 어렵다. 투석 시간은 30분에서 450분을 차지한다.

있다. 표준 *Kt/V*와 투석 빈도의 관계를 보면(그림 3.18) 표준 *Kt/V*은 투석 빈도가 주 3회 이상시 단지 3.0이상 증가한다는 것을 명확하게 보여준다.

2. 임상에서 투석과 관련된 표준 *Kt/V* 를 계산

이것은 요소 역동학 모형화 프로그램을 사용해서 구할 수 있다. 공식적인 요소 역동학 모형화 프로그램의 공개출처버전은 http://ureakinetics.org (Daugirdas, 2009)에서 이용할 수 있다. 투석과 관련된 표준 *Kt/V*는 간소화된 공식을 사용해서 계산할 수 있다. 또한 공식은 부록 C에서 설명한 것처럼 FHN group of investigators(Daugirdas, 2010)에 의해 개발되었다.

3. 표준 *Kt/V* urea에 잔여신장 요소 청소율 추가

표준 *Kt/V*urea에 잔여신장 요소 청소율을 직접 추가하는 것은 문제가 많다. 표준 *Kt/V*는 인위적으로 만들었기 때문이다. 일부 사람들은 직접 추가하거나 일부는 그렇지 않다.

표준 *Kt/V*의 투석성분을 계산해야 하고 *V*로 곱해서 한주에 분

(minute)으로 나눠서 mL/min 형식으로 표현해야 한다. 그러면 잔여신장 요소 청소율을 추가할 수 있다. 잔여신장 청소율이 추가된 후에는 주간 수치로 되돌려 전환할 수 있다(Daugirdas,2010).

C. V를 정규화하는데 관련된 논점

Kt를 V로 정규화하는 것은 편리하고 타당하다. 왜냐하면 요소는 총 체수분에 분포되어 있고 요소 생성율은 V와 비례하기 때문이다. 그러나 V는 대개 근육량을 나타내기 때문에 10% 더 많은 근육을 가진 사람이 10% 더 많은 투석이 필요하다는 것은 완전히 명확하지 않다. Kt/V로 투석용량을 정하는 것은 여자와 어린이를 포함한 체구가 작을수록 더 낮은 투석용량을 가져온다(Daugirdas 2014). 대안법은 체표면적으로 투석용량을 $(K \times t)$조정하는 것이다. 이것은 상대적으로 여성과 어린이와 같은 체구가 작은 사람들은 투석을 더 하고 체구가 큰 사람들은 투석을 덜하는 결과를 가져올 것이다. 일부 관찰 데이터에서 체표면적 크기로 접근하는 이 대안법을 지지한다(Lowrie,2015). 이러한 측정법에 대한 논점은 최근 리뷰에서 더 상세히 논의된다(Daugirdas 2014). 표면적을 정규화한 표준 Kt/V를 계산하는 방법은 부록 C를 참고하라.

X. 혈액투석 적절도의 기계-추정된 측정

A. 투석액에 나트륨을 pulsing하고 투석액 전도도 변화를 분석함으로써 투석기 청소율 추정.

요소를 이용해서 투석 적절도를 측정하는 것은 시간낭비이고 바늘 사용, 의료진과 환자에 혈액노출, 혈액 샘플을 처리해서 분석하는데 상당한 노력이 필요하다. 한가지 대안법은 투석액 나트륨을 점차 증가시킴으로써 투석기 온라인의 청소율을 측정하는 것이다. 그리고 나서 투석기로 흐르는 투석액의 전도도를 측정해서 단시간에 걸쳐서 투석기로 나오는 투석액과 이것을 비교하는 것이다. 이러한 많은 기술적인 논점들이 해결되었고 투석기 전도도를 바탕으로 한 청소율은 in vivo에서 투석기 요소 청소율을 잘 반영한다. 이 방법의 장점은 청소율은 투석하는 동안 수차례 계산할 수 있다는 것이다. 한 가지 단점은 전도도에 근거한 청소율은 투석기 청소율에 대해서는 어떤 일이 일어나는지 측정할 수 있지만 환자에서는 알지 못한다. 이 논점의 더 자세한 논의는 Gotch(2004)과 McIntyre(2003)를 보라.

B. 사용한 투석액의 자외선 흡광도(UV absorbance)

기계로 측정한 혈액투석 적절도의 다른 접근법은 사용한 투석액의 자외선 흡광도를 모니터링하는 것이다. 선택파장에서 자외선 흡수는 요산과 다른 분자량이 작은 용질의 투석액 농도와 일치한다. 시간에 따른 사용한 투석액 자외선 흡광도 곡선의 분석은 혈액에서 어떤 일이 일어나는지 잘 반영한다. 또한 초기와 나중에 투석액 자외선 흡광도의 비는 투석 전과 투석 후 SUN을 반영한다. 이것으로 투석의 Kt/V는

투석이 진행됨에 따라 계산할 수 있고 이 정보는 환자에서 어떤 일이
일어나는지를 반영한다(Uhlin 2006).

References and Suggested Readings

Casino FG, Lopez T. The equivalent renal urea clearance. A new parameter to assess dialysis dose. *Nephrol Dial Transplant.* 1996;11:1574–1581.

Daugirdas JT. Simplified equations for monitoring *Kt/V*, PCRn, e*Kt/V*, and e PCRn. *Adv Ren Replace Ther.* 1995;2:295–304.

Daugirdas JT. Dialysis dosing for chronic hemodialysis: beyond *Kt/V*. *Semin Dial.* 2014;27:98–107.

Daugirdas JT, Schneditz D. Overestimation of hemodialysis dose depends on dialysis efficiency by regional blood flow but not by conventional two pool urea kinetic analysis. *ASAIO J.* 1995;41:M719–M724.

Daugirdas JT, et al; for the Hemodialysis Study Group. Factors that affect postdialysis rebound in serum urea concentration, including the rate of dialysis: results from the HEMO Study. *J Am Soc Nephrol.* 2004;15:194–203.

Daugirdas JT, et al. Solute-solver: a Web-based tool for modeling urea kinetics for a broad range of hemodialysis schedules in multiple patients. *Am J Kidney Dis.* 2009;54:798–809.

Daugirdas JT, et al; Frequent Hemodialysis Network Trial Group. Standard *Kt/V* urea: a method of calculation that includes effects of fluid removal and residual kidney clearance. *Kidney Int.* 2010;77:637–644.

Daugirdas JT, et al; FHN Trial Group. Improved equation for estimating single-pool Kt/V at higher dialysis frequencies. Nephrol Dial Transplant. 2013;28:2156–2160.

Depner TA, Daugirdas JT. Equations for normalized protein catabolic rate based on two-point modeling of hemodialysis urea kinetics. *J Am Soc Nephrol.* 1996;7:780–785.

Depner TA, et al. Dialyzer performance in the HEMO study: in vivo K0A and true blood flow determined from a model of cross-dialyzer urea extraction. *ASAIO J.* 2004;50:85–93.

Gotch FA. Evolution of the single-pool urea kinetic model [abstract]. *Semin Dial.* 2001;14(4):252–256.

Gotch FA, et al. Mechanisms determining the ratio of conductivity clearance to urea clearance. *Kidney Int Suppl.* 2004;(89):S3–S24.

Leypoldt JK, Jaber BL, Zimmerman DL. Predicting treatment dose for novel therapies using urea standard *Kt/V*. *Semin Dial.* 2004;17:142–145.

Leypoldt JK, et al. Hemodialyzer mass transfer-area coefficients for urea increase at high dialysate flow rates. The Hemodialysis (HEMO) study. *Kidney Int.* 1997;51:2013–2017.

Lowrie EG, et al. The online measurement of hemodialysis dose (Kt): clinical outcome as a function of body surface area. *Kidney Int.* 2005;68(3):1344–1354.

Melamed ML, et al. Retained organic solutes, patient characteristics and all-cause and cardiovascular mortality in hemodialysis: results from the retained organic solutes and clinical outcomes (ROSCO) investigators. *BMC Nephrol.* 2013;14:134.

McIntyre CW, et al. Assessment of haemodialysis adequacy by ionic dialysance: intra-patient variability of delivered treatment. *Nephrol Dial Transplant.* 2003;18:559–563.

Schneditz D, et al. Cardiopulmonary recirculation during dialysis. *Kidney Int.* 1992;42:1450.

Sirich TL, et al. Numerous protein-bound solutes are cleared by the kidney with high efficiency. *Kidney Int.* 2013;84:585–590.

Tattersall JE, et al. The post-hemodialysis rebound: predicting and quantifying its effect on *Kt/V*. *Kidney Int.* 1996;50:2094–2102.

Uhlin F, et al. Dialysis dose (*Kt/V*) and clearance variation sensitivity using measurement of ultraviolet-absorbance (on-line), blood urea, dialysate urea and ionic dialysance. *Nephrol Dial Transplant.* 2006;21:2225–2231.

Web References

KDOQI Hemodialysis Adequacy guidelines 2006. http://www.kidney.org.

Urea kinetic modeling calculators. http://www.ureakinetics.org.

Urea kinetic modeling channel. http://www.hdcn.com/ch/adeq/.

4

혈액투석 장치

김은정 역

혈액투석 장치는 크게 혈액 회로(blood circuit)와 투석기와 만나는 투석액 회로(dialysate solution circuit)로 나눌 수 있다. 혈액 회로는 혈관 접근로 (vascular access)에서 시작한다. 거기서 부터 혈액은 동맥 혈액라인을 통해서 투석기로 펌프된다. 혈액은 정맥 혈관라인을 통해서 투석기에서 환자에게 되돌아 온다. 이러한 용어들은 종종 정맥혈액을 접근할때만(정맥도관을 사용할 때) 사용된다. 더 정확한 용어는 유입(inflow)혈액라인과 유출(outflow)혈액라인이지만 종종 경우에 따라서는 더 정확한 용어보다는 전통적인 용어가 계속해서 사용되고 있다. 다양한 챔버(chambers), 사이드 포트(side ports), 모니터(monitors)는 유입과 유출 혈액라인에 부착되어 있어서 생리식염수나 헤파린을 주입하거나 압력을 측정하고 공기 유입을 감지하는데 사용된다. 투석액 회로는 투석액 공급 시스템으로 구성된다. 투석액 공급 시스템은 농축된 투석액을 순수한 물과 혼합함으로써 투석액을 일렬(online)로 만든다.

그러면 최종 투석액은 투석기의 투석액 구획을 통해 펌프된다. 투석기의 투석액 구획은 반투과성막에 의해 혈액 구획과 분리된다. 투석액 회로는 투석액의 온도가 적당한지 그리고 용해된 성분이 안전한 농도인지를 확인하는 다양한 모니터를 가지고 있다. 또한 혈액누출 감지기는 만일 혈액제제가 유출 투석액에서 감지되면 투석을 중단 할 목적으로 가지고 있다.

I. 혈액 회로

유입(동맥)혈액라인은 투석기에 혈관 접근로를 연결한다. 그리고 유출(정맥)혈액라인은 투석기에서 혈관 접근로를 역주행한다. 혈액은 펌프(대개 스프링이 장착된 롤러 펌프)에 의해 투석기를 통해서 이동한다. 롤러(roller)는 혈액라인(tubing)의 작은 분절(segment)을 완전히 막았다가 막힌 분절을 앞으로 롤링함으로써 혈액라인(tubing)을 통해 혈액을 이동시킨다(빨대로 우유를 먹는것처럼).

A. 유입 혈액라인: 혈액펌프 근위부
(Inflow blood line: Prepump segment)

혈액펌프 근위부(prepump segment)는 혈액 펌프에 환자의 혈관 접근로를 연결하는 혈액라인의 일부분이다. 이 혈액펌프 근위부는 샘플 포트, 생리식염수 주입 라인으로 구성되어 있으며 어떤 경우는 '펌프

전 압력 모니터가 있다(그림 4.1 P1 참고).

샘플 포트(sampling port)는 라인에서 채혈하는데 사용되며 대개 투석 전과 투석 후 채혈할 수 있는 지점이다. 생리식염수 주입 'T'라인은 투석기 회로를 프라이밍(prime)하는데 사용되며 또한 투석 후 혈액 성분을 린스백(rinse-back)하기 위해 사용된다. 이와 같은 모든 세가지 요소들은(샘플 포트, 모니터, 생리식염수 주입 'T') 혈액라인의 음압부위에 위치하기 때문에 만일 연결이 여기서 중단된다면 공기는 빠르게 혈액라인으로 들어갈 수 있다. 불완전하게 연결되었을 경우 미세기포가 유입되고 투석기의 빈 섬유공간에 갇혀서 투석 효율을 감소시키고 회로에 혈전을 야기할 수 있다.

모든 혈액라인이 이것을 갖추지 않아도 펌프 전 압력모니터(P1)가 있는 혈액라인을 사용할 것을 권고한다. 압력 모니터는 혈액라인에서 직각으로 부착된 작은 관(tubing)을 통해 연결되어 있다. 이 작은 관은 계속해서 공기로 채워지고 반대쪽 끝은 공기 챔버(air chamber)에 붙어 있다. 공기 챔버는 압력 변환기(transducer)에 필터(filter)를 통해 정보교환을 한다. 혈액 펌프는 상당히 빠른 속도의(200~600 ml/min) 혈액을 요구하고 혈관통로 도관이나 '동맥'바늘의 '동맥' 시작(opening) 혈류 저항성 때문에 혈관 접근로와 혈액 펌프의 사이에서 '동맥' 라인의 일부분에서 음압이다(0 이하). 그리고 종종 상당히 그렇다. 음압의 정도는 혈류속도, 혈액점성도(적혈구용적율 증가), 유입 카테터 외경(lumen) 혹은 바늘의 크기와 동맥바늘이나 도관 끝이 혈관 접근로의 내벽의 인접조직에 의해 부분적으로 막히느냐에 있다.

안전하게, P1 모니터의 압력 제한은 환자의 보통 정상 작동범위 위아래로 설정되어 있다. 이것은 대개 자동으로 작동하고 우세한 압력의 위와 아래 범위를 설정하는 것은 기계에 의존한다.

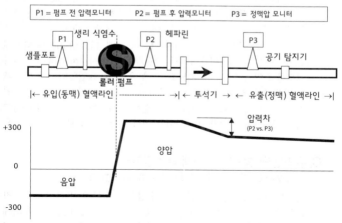

그림 4.1 혈액 회로에서 압력 모니터(P1, P2와 P3)와 압력

설정된 압력 한계선을 초과하였을 때 알람이 울리고 혈액펌프가 정지하게 될 것이다. 예를 들어 펌프 전 압력모니터는 압력이 -50 mmHg 이상 올라가거나 -200 mmHg이하로 떨어지면 알람이 울리도록 설정될 것이다. -50 mmHg에서 압력 제한 경고 알람은 혈액라인이 분리(정맥도관(혹은 동맥 바늘)으로부터 혈액라인의 분리사고)될 때 발생할 것이다. 이 경우 라인이 분리된 이후 유입 저항성은 갑자기 줄게 되어 음압은 -50 mmHg이상 오르게 되고, 경고알람이 울리게 된다.

그러나 이 압력 경고 알람을 라인 분리를 감지하는데만 결코 의존해서는 안된다. 라인이 분리된 후 조차도 압력은 정상범위에 있을 수 있기 때문이다. 예를 들면 라인이 분리된 후 유입라인에서 부분적으로 막히거나 동맥 바늘이 혈관 접근로로부터 빠진다면 바늘에 의해 계속되는 유입저항성은 설정범위에서 계속 압력이 가해진다.; 그러면 알람은 울리지 않을 수 있어서 혈액 펌프는 계속해서 회로안으로 공기를 펌프하게 될 것이다. 혈액펌프 전 압력 알람은 상층부쪽에 상황을 알려준다. 만일 라인이 꼬이거나 혈관 접근로 바늘 내경에 혈전으로 혈류가 막히면 동맥압은 설정 제한압력보다 더 음압이 된다(예 -250 mmHg); 그러면 알람이 작동하여 혈액 펌프는 중단될 것이고 의료진들은 문제의 원인을 조사하여 파악할 수 있게 된다.

B. 롤러 펌프(Roller pump segment)

투석기를 통한 혈류는 롤러 펌프 회전률, 직경, 혈액라인 롤러 펌프 분절 길이의 함수이다. 사실상

$$혈류속도(BFR) = rpm(분당\ 회전수) \times 롤러\ 펌프\ 분절\ 용적(roller\ pump\ segment\ volume)\ (\pi r^2 \times 길이)$$

여기서 BFR은 혈류속도이다. 롤러 펌프(roller pump)는 일반적으로 자가폐쇄형(self-occluding)이다. 즉 완전한 '박출량(stroke volume)'은 롤러의 각 통로로 전달되는 것을 확실히 하기 위해 혈액 펌프 장착물의 크기에 맞춰 조정한다. 시간에 따른 롤러의 각 통로를 따라 펌프 장착물의 반복적인 압축과 이완 때문에 혈액라인(tubing)은 납작해질 수 있다. 이것은 혈액라인의 '박출량'을 감소시켜서 효율적인 혈류속도를 줄일 수 있다. 유사한 효과는 높은(음압) 유입압력이 존재할 때도 발생할 수 있다. 더 딱딱한 혈액라인(tubing)은 이러한 문제점을 최소화하기 위해 시도되었다. 그래서 일부 기계에는 펌프속도와 음압크기에 대한 보정계수가 내장되어 있어서 혈류속도를 보정하는데 사용된다.

C. 유입(동맥) 혈액라인: 혈액 펌프 원위부
Inflow (arterial) blood line: Postpump segment

이것은 헤파린 주입을 위한 'T'로 구성된다. 또한 일부 라인에서는 작은 'T'는 펌프 후 압력모니터와 연결된다(그림 4.1에서 P2). 이 부위에서 압력 지시 눈금값은 항상 양성이다(대기보다). P2 압력은 투석기

혈액 구획에서 평균 압력을 측정하기 위해 P3 정맥압 모니터 지시 눈금값과 합쳐질 수 있다. 일부 기계에서는 투석액 구획에서 측정된 압력과 합쳐져서 이것은 투석동안에 얼마나 초미세여과가 일어나는지 계산하는 데 사용된다.

펌프 후 모니터에서 압력은 정상적으로 꽤 높고 혈류속도, 혈액 점성도, 투석기에서의 하류 저항에 따라 다르다. P2 모니터에서 압력의 갑작스런 상승은 종종 혈액라인과/혹은 투석기가 곧 막히려는 신호이다. 헤파린 라인은 헤파린을 함유한 주사기와 연결된다. 주사기는 기계장치 안에 고정되어 플런저(plunger)를 천천히 밀어서 투석동안에 일정한 속도로 들어간다.

D. 유출(정맥)혈액라인: 공기 걸림기(air trap)와 압력 모니터

유출 혈액라인은 라인에 축적된 공기를 모으고 쉽게 제거하는 정맥 '점적주입챔버'(drip chamber)를 가지고 있다. 소위 '정맥' 압력 모니터(그림 4.1에서 P3)와 공기 감지기(air detector)라 부른다. 정맥압은 응고 상태를 모니터하기 위해 사용된다. 혈액 회로의 초기 응고는 대개 정맥 점적주입챔버에서 처음 발생할 것이다. 응고는 P3와 P2 양쪽 압력의 점진적인 증가를 야기할 것이다. 투석 중 정맥압은 혈류속도, 혈액 점성도, 하류 혈관 접근로(바늘이나 도관)저항의 함수이다. 동정맥 혈관 접근로를 가진 환자에서 투석시마다 정맥압 추이는 하류 혈관 접근로 협착을 예측하는데 사용된다(제 8장 참고). 정맥압은 표준의 낮은 혈류속도로 측정하여 환자의 혈압, 점적주입챔버높이, 바늘 크기를 보정한다(제 8장 참고).

투석 중 정맥압(P3) 모니터에서 압력 차단한계는 또한 평상시 작동하는 압력 근방으로 설정된다. 만일 라인이 갑자기 꼬이면 P3에서 측정된 압력은 이미 설정된 한계를 넘어서 갑자기 증가하여 혈액 펌프는 중단될 것이다. 갑작스런 라인 분리는 더 낮은 알람설정 한계 아래로 P3 압력을 더 낮추고 다시 기계를 차단해서 혈액 손실 정도를 제한하지만 이것이 특히 동정맥루를 혈관 접근로로 사용할때 항상 발생하는 것은 아니다. 정맥도관에서 라인 분리 또한 특히 작동 정맥압이 상당히 낮을때는 정맥 압력 알람을 유발하지 못하기 때문이다. 또한 동정맥 혈관 접근로에서 만일 정맥 바늘이 우연히 혈관 접근로에서 빠졌다면 이것의 유출 압력은 크게 변하지 않을 수 있다. 대부분 유출 저항은 정맥 바늘에 있기 때문이다. 정맥압 알람으로 정맥라인 분리를 감지하는데 의존하지 않는다는 것을 인지하는 것이 중요하다. 라인 분리를 발견하지 못했을때 혈액펌프는 계속 작동하기 때문에 환자들은 출혈로 사망하게 된다(Axley 2012, Ribitsch 2013). 이런 이유로 라인 분리에 대한 고위험 환자군에서(예를 들면 인지기능 결함, 불안한 환자, 혹은 반복적으로 혈관 접근로 부위를 노출되도록 하는 의료진을 방해하는 환자) Redsense sensor (Redsense Medical Inc Chicago IL)와 같은 추가 장치가 잠재적인 라인 분리에서 혈액 누출을 감지하기 위해 사용된다. 또한 주의할 점은 혈관 접근로 바늘 삽입부위와 연결부위에 테이프로 붙이고 혈관 접근로 부위는 의료진 시야에 항상 노출되어야 한다 (Axley 2012).

정맥 공기 걸림기(air trap)와 감지기(detector)는 환자 안전을 위해 매우 중요하다. 챔버는 혈액이 환자에게 되돌아오기 전에 혈액라인으로 들어가는 공기를 가둔다. 대개 농도/공기 감지기는 점적주입챔버의 위쪽에 있다. 공기가 많아지면(결국 혈액 농도가 떨어지면서)알람이 울리게 된다. 그러면 펌프에 전기 공급은 차단되어 투석은 멈춘다. 추가적인 안전장치는 점적주입챔버 아래에 있는 강력한 클램프이다. 환자에게 혈액을 되돌려 주는 혈액라인(tubing)을 통과하고 혈액라인(tubing)에 공기가 있을때 작동한다. 작동될 때 클램프는 닫히면서 딱 소리가 나고 혈액 펌프는 멈추게 된다; 그렇게 함으로써 혈액라인에 존재하는 공기/혈액 혼합물이 환자에게 되돌아오는 것을 막는다.

공기 감지기가 있음에도 미세기포들은 여전히 환자를 통과할 수 있다. 미세기포들은 혈액으로 들어간다; 그러나 어떤 결과를 초래하는지는 대개 알려져 있지 않다. 미세기포형성을 막는 하나의 방법은 정맥 공기 챔버(venous air chamber)에 액체 수위를 높게 하는 것이다. 이미 모세섬유관에 액체로 채워진 투석기의 사용 또한 투석 중 혈액으로 미세기포 방출을 제한하는 것으로 나타났다(Forsberg, 2013).

투석 중 압력 모니터의 해석과 사용에 관한 추가적인 실질적 정보는 제 10장에서 자세히 논의하겠다.

II. 투석액 회로

투석액 회로는 여러 가지 특징적인 구성 요소를 가지고 있다. (a) 독립형 물 정화시스템 (b) 농축물과 정수물이 혼합되어 투석기로 전달되는 비율 조정시스템 (c) 모니터와 알람(monitors and alarms) (d) 초미세여과 조절기 (e) 선진 조절 선택장치(advanced controlled options)으로 이루어져 있다.

A. 물 정화시스템(Water purification system)

환자들은 1회 투석시 약 120~200 L의 수분에 노출된다. 물에 존재하는 모든 작은 분자량 물질들은 투석기를 통과해서 환자 혈액 내로 들어간다. 이러한 이유로 투석에 사용되는 물의 순도를 감시하고 조절하는 것이 매우 중요하다. 미국의료기구협회 The Association for the Advancement of Medical Instrumentation (AAMI)에서는 혈액투석에 사용되는 물의 순도에 대해서 최소한의 기준을 제시하고 있다. 투석 중 물을 정화하는 방법에 대해서는 제5장에서 자세히 논의하겠다.

B. 비율조정시스템(Proportioning system)

투석액을 만드는 기본 원리는 제5장에서 논의하겠다. 투석기계는 정화된 물에 농축된 전해질 용액이나 파우더를 혼합해서 최종 투석액을 투석기로 보낸다. 최종 투석액은 적절한 온도로 보내지고 과도하게 용해된 공기가 없어야 한다. 이를 위해 추가기능이 필요하며 모니터와 알람이 통합적으로 작용해야 한다.

비율조정시스템은 2가지 형태로 이루어 진다. **중앙 전달 장치(central delivery system)**에서는 투석실에서 사용하는 모든 투석액이 하나의 기계에서 농축물과 정수물이 혼합되어 만들어 진다. 최종 투석액은 관을 통해 각각의 투석기계로 펌프에 의해 보내진다. 중앙전달 장치는 장비설치 비용이 저렴하고 인건비를 줄일 수 있는 장점이 있다. 그러나 개개인의 환자에 대한 투석액의 성분을 변경시킬 수 없다. 또한 시스템에서 문제가 생기면 그것으로 인한 합병증에 많은 환자들이 노출된다. 두 번째 형태는 **개별 전달 장치(individual system)**로 각각의 투석기계가 각자 투석액 농축물과 정수물을 조절한다.

C. 가열과 공기 제거(Heating and degassing)

투석액은 투석기로 적절한 온도(보통 35~38℃)로 보내져야 한다. 도시 수돗물로부터 공급되는 물은 실내온도보다 낮아서 가열해야 한다. 가열하는 동안 차가운 물에 녹아있는 공기는 팽창해서 제거된다. 따라서 투석기계는 반드시 사용하기 전에 물에서 공기를 제거해야 한다. 공기는 가열된 물에 음압을 가하여 제거한다.

D. 모니터와 알람(Monitors and alarms)

투석액 회로에서는 환자 안전을 위해 몇몇의 모니터와 알람이 있다.

1. 전도도(conductivity)

만일 물로 농축물을 희석하는 비율조정시스템이 제 기능을 하지 못하면 투석액이 과도하게 희석되거나 농축될 수 있다. 혈액이 심한 고삼투 투석액에 노출되면 고나트륨혈증과 다른 전해질 불균형을 초래할 수 있다. 심한 저삼투 투석액에 혈액이 노출되면 빠른 용혈이 일어나 저나트륨혈증과 고칼륨혈증이 나타날 수 있다. 투석액의 주된 용질은 전해질이기 때문에 투석액 농도는 전기 전도도를 반영할 것이다. 투석액 전도도를 계속 모니터하는 미터기는 모든 비율조정시스템이 가지고 있다.

전도도는 mS (milliSiemens)/cm (centimeter)로 측정된다. Siemen (S)는 ohm과 상호간에 동일하다(Siemen의 대체 용어는 'mho'). 투석액의 정상 전도도 범위는 12~16 mS/cm이다.

만일 전도도가 설정된 범위에서 벗어나 떨어지면 알람이 울리고 투석액을 배액하도록 전환하는 밸브로 인해 투석액이 투석기로 이동하는 것을 막는다.

이 경우에 시스템은 환자들을 보호하기 위해 '우회로로 들어가서' 문제가 해결될때까지 투석은 멈추게 된다. 투석액 전도도가 범위를 벗어나는 원인은 다음과 같다.

a. 농축물 용기가 비어있는 경우

b. 농축물 라인 연결기(connector)전원을 연결하지 않은 경우

c. 물 유입 압력이 낮은 경우

d. 부정확한 농축물

e. 혼합시 챔버 누출

2. 투석액 온도

투석기계 가열부분의 기능장애가 있으면 과도하게 차거나 뜨거운 투석액이 만들어질 수 있다. 차가운 투석액을 사용(35℃ 이하)하는 것은 환자가 의식이 있으면 위험하지 않으나, 의식이 없는 환자에 서는 저체온증을 유발할 수 있다. 의식이 있으면 추위나 떨림을 호소할 것이다. 반면 42℃ 이상으로 높게 가열된 투석액 사용은 혈액에 있는 단백질을 변성시켜 궁극적으로는 용혈을 일으킬 수 있다. 투석 액 회로는 온도 센서를 가지고 있어서 만일 온도가 설정 범위에서 벗어나면 앞에서 논의했듯이 투석액이 배액되도록 전환된다.

3. 우회로 밸브(Bypass valve)

앞에서 언급했듯이 투석액 전도나 온도가 설정 범위를 벗어나면 우회로 밸브가 작동하여 투석기 주변의 투석액이 바로 배액되도록 전환시킨다.

4. 혈액 누출 감지기(Blood leak detector)

작은 혈액 누출은 육안으로는 눈에 띄지 않을것이다. 혈액 누출 감지기는 투석액 유출라인(outflow line)에 위치한다(투석기를 통과한 후에 투석액을 포함하는 라인). 투석기 막을 통해 밖으로 혈액이 누출되면 이 감지기가 혈액을 탐지하여 적절한 경보가 울려서 투석기를 통한 혈액 누출이 자동적으로 멈춘다. 잠정적으로 엄청난 혈액 손실을 막는다.

5. 투석액 유출 압력 모니터

초미세여과율을 직접 조절하는 특수한 펌프와 회로가 없는 기계에 서는 투석액 유출 위치의 압력을 혈액 유출라인의 압력과 같이 사용하여 막압력(TMP)을 계산하고, 그것으로 초미세여과율을 추정할 수 있다.

E. 초미세여과 조절기

고유량/고효율 투석기가 도입되면서 투석으로 정확히 초미세여과율을 조절하는 기계가 필수적이다. 초미세여과를 정확하게 조절할 수 있는 몇 가지 방법이 있다. 관련된 수력학(hydraulics)은 복잡해서 이 책에서는 다루지 않겠다. 정확한 초미세여과(UF)를 조절하는 것은 올바른 투석 기계가 갖춰야 할 사항으로 TMP를 계산하여 초미세여과율(UF rate)을 결정하는 수동적인 방법은 오차를 유발할 수 있는 가능성이 있다.

초미세여과를 조절하는 가장 좋은 방법은 용적측정(volumetric)방법 이다. 이러한 용적 측정 회로는 많은 최신기계에 부착되어 있다. 이러 한 기계들은 투석기의 물 투과성이 매우 높더라도(K_{uf}가 10 mL/hr/

mmHg 이상) 안전하게 사용할 수 있다.

이러한 시스템은 균형 챔버 혹은 이중기어시스템(double-gear sys-tems)으로 투석액 유입을 추적하여 투석액 유출과 조화를 이루도록 한다. 이것은 투석기로 전달된 용액의 용적과 투석기로부터 제거된 용적과 동일하게 하도록 해 준다. 투석액 유출라인에서 분리된 라인은 초미세여과 펌프를 통과해서 초미세여과율을 설정한다. 펌프는 마이크로컴퓨터의 중앙처리장치(microprocessor)에 의해 조절된다. 원하는 초미세여과와 총 초미세여과를 추적해서 적절하게 초미세여과와 펌프 속도를 조정한다. 초미세여과 펌프가 있는 라인은 투석액 유출과 다시 합류해서 양쪽 라인은 계속해서 배액된다.

더 간단하고 오래된 투석기계에서 제거된 체액양은 투석기의 물 투과성(Kuf)과 투석기막을 통해 측정된 압력에 따라 계산된다. 이것은 혈액라인에서(P3 혹은 P2와 P3 평균) 압력 센서와 투석액 유출 라인에서 압력 센서로부터 데이터를 사용한다.

F. 새로운 조절 선택 장치

1. 중탄산염 조절기

다양한 중탄산염 선택으로 3가지 방법(예; 산 농축물, 중탄산염 농축물과 물)을 사용하는 기계들은 중탄산염 농축물의 비율을 바꿀 수 있다. 이러한 기계는 최종 중탄산염 농도를 20~40 mM 범위 이내로 조절할 수 있다. 이러한 다양한 설정은 산증인 환자나 명백한 대사성 알칼리증 환자(높은 혈청 중탄산염 수치) 혹은 호흡성 알칼리증의 발생 위험이 높은 환자에서 유용하다.

대부분의 기계에 구획 표시판에서 보이는 중탄산염 농도는 전도도로부터 추정된다. 따라서 이것은 8m M보다 높은 아세트산염(acetate) 혹은 구연산염(citrate)으로 부터 투석액에 첨가된 염기 함유물이 들어있지 않다. 투석액 중탄산염 뿐만 아니라 잠정적인 총 염기 함유물도 고려해야 하는 이유는 제5장에서 더 상세히 논의하겠다.

안정한 투석액 나트륨 수치를 목표로 하기 위해서 중탄산염 농축물의 배분율이 변할때마다 산 농축물의 배분율에서 상호간의 변화가 일어난다. 그 결과 그 외 전해질들(예; 산 농축물에 있는 칼슘, 마그네슘, 칼륨)에서 미세한 변화가 일어난다.

2. 나트륨 농도 변화

이 선택장치는 간단히 다이얼을 돌려 투석액의 나트륨 농도를 바꿀 수 있다. 나트륨 농도는 일반적으로 '산 농축물'과 물의 희석비율을 조절함으로써 변한다. 이 방법으로 투석액의 나트륨 농도가 변하면 '산 농축물'의 다른 모든 용질들의 농도도 변화될 것이다.

나트륨 농도를 변화시키는 선택장치를 사용하면 환자 개개인마다 필요한 투석액의 나트륨 농도를 맞춰 개별화시킬 수 있고 또한 투석 중이라도 나트륨 농도를 변화시킬 수 있다. 그러나 나트륨 농도를 변화시키는 선택장치는 환자들의 투석 중 잠재적인 나트륨 증가에 노출되어 갈증, 고혈압, 투석간 체액 증가를 야기한다.

3. 초미세여과(ultrafiltration) 조절 프로그램

보통의 경우, 초미세여과는 투석하는 동안 일정한 비율로 일어난다. 그러나 일정한 비율로 체액을 제거하는 것이 최상의 방법이 아닐 수 있는데 나트륨 농도가 투석하는 동안 변화가 있을때 특히 그렇다. 어떤 투석기계는 초기 투석하는 동안 많은 양의 체액을 제거할 수 있게 만들어져 있고, 원하는 형태의 초미세여과 방식의 조절도 가능하다. 이것에 대한 임상적인 이점에 대해서는 아직까지 대조군 연구가 없는 상태이다.

4. 소비된 투석액의 자외선 흡광도 모니터링(online Kt/V)

소비된 투석액에서 작은 분자량을 가진 물질의 농도는 투석기를 지남으로써 소비된 투석액의 자외선 흡광도를 따라가면서 투석하는 내내 모니터 할 수 있다. 최종 곡선은 투석하는 동안에 혈액 요소 농도 변화를 반영하여 온라인 Kt/V를 계산하는데 사용될 수 있다.

5. 온라인 나트륨 청소율 모니터

투석기 요소 청소율의 모니터링 또한 전도도 측정에 근거하여 이루어 진다. 나트륨 청소율은 요소 청소율과 비슷하기 때문에 이것은 투석기 사용 직전과 투석 중에 투석기 요소 청소율을 측정하기 위해서 사용될 수 있다. 이러한 방법으로 기계는 물 비율에 따라 농축물을 변화시킨다. 투석기로 흐르는 투석액의 나트륨 농도에 있어 순간적인 변화를 시작한다.

투석액 유입 라인에 있는 전도도 센서는 작은 변화 정도를 측정한다. 투석액 유출 라인에 위치한 두 번째 전도도 센서는 투석기를 통해 투석액이 통과하는 동안 증가된 나트륨의 펄스('pulse')가 어느 정도까지 희석되는지 측정한다. 이러한 정보를 이용해서 투석기 내에서(in vivo) 진행되는 나트륨 청소율을 계산할 수 있고 이러한 정보는 용적 V와 결합될 수 있다. 용적 V는 인체 측정 데이터 혹은 체성분 분석기, Kt/V를 추정하기 위한 투석지속시간(t)으로 구할 수 있다. 나트륨 청소율은 투석 동안 시간에 맞춰 어느 지점에서든 반복될 수 있다.

6. 혈액 온도 조절 장치

혈액투석은 투석동안에 열획득과 연관된다. 결과적으로 혈관 확장과 혈압 감소를 일으킨다. 투석액 뿐만 아니라 들어오고 나가는 혈액의 온도를 모니터함으로써 열평형을 조절하고 혈역학적인 안정성을 증가시키기 위해 낮은 온도의 투석액을 제공한다.

또한 아래와 같이 혈관 접근로 재순환이나 혈류를 측정하는데도 유용하게 사용할 수 있다.

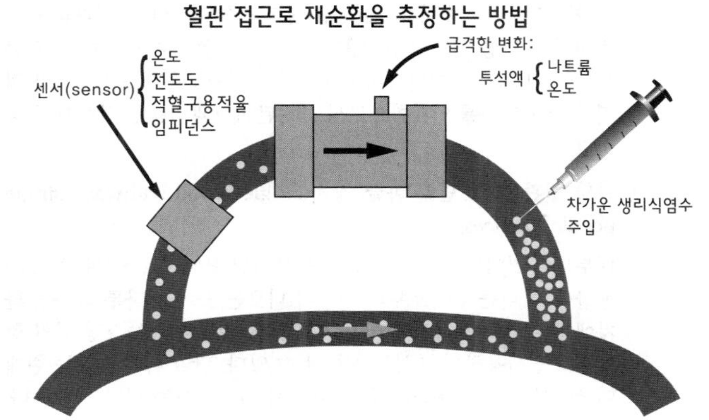

혈관 접근로 재순환을 측정하는 방법

그림 4.2 혈관 접근로 재순환 측정의 원리(Reproduced from Daugirdas JT. Hypertens Dial Clin Nephrol. 1997. Available at: http://www.hdcn.com.)

7. 혈관 접근로 재순환 혹은 혈관 접근로 혈류 측정장치

투석 중에 혈관 접근로 재순환은 투석 효율도를 감소시키고 대개 환자의 혈관 접근로로 필요한 혈류가 전달되지 않을 경우에 발생한 다. 재순환을 측정하는 이 장치는 희석 원리에 의해 이루어진다(그 림 4.2). 투석기를 통과한 혈액조성은 a) 등장성이나 고장성 식염수 5 mL를 주입함으로써 재빨리 변하고 b) 혈액농축을 조장하는 투 석기 초미세여과율의 급격한 변화 또는 c) 급격한 투석액 온도 변화 로 되돌아오는 혈액을 차갑게 할 수 있다.

혈액 유입라인에 부착된 센서는 적혈구용적율(hematocrit), 전도 도 또는 온도 변화를 감지한다. 만일 유출라인의 이상 즉 혈관 접근 로 재순환이 있으면 곧바로 유입라인의 센서가 감지하고 재순환의 정도를 알 수 있다. 혈관 접근로 혈류를 측정하기 위해 혈액라인을 일부러 뒤바꾼다. 즉 유출(정맥)바늘의 혈관 접근로 '하류'에서 유 입(동맥)바늘이 혈액을 끌어온다. 재순환의 정도는 앞의 방법으로 측정한다. 재순환의 정도는 체외 회로와 혈관 접근로에서 혈류의 비에 비례한다. 따라서 재순환 정도가 측정되고 체외 혈류속도를 알면 혈관 접근로 혈류속도도 계산할 수 있다(Krivitski, 1995).

8. 혈액량 모니터

이것은 투석 중 적혈구용적율 또는 혈장 단백질 농도의 변화를 감 지하기 위해 유입 혈액라인에서 작동하는 초음파 또는 광학 센서를 사용한다. 보통 체액 제거 과정 중에 적혈구용적율은 증가하고 증 가된 양은 혈장용적의 감소정도를 반영한다. 이러한 모니터는 투석 하는 동안 한계이상으로 적혈구용적율이 증가하거나 이전 투석동안 확인된 '사고 수치'(crash crit)에 접근할 때 초미세여과율을 감소시켜 투석 중 저혈압 발생을 예상하고 예방할 수 있게 한다. 또한 투석 중에 체액을 제거함에도 불구하고 적혈구용적율의 증가가 적거나 없는 환자를 인지함으로써 잠재된 체액과다를 밝히는 데 유용하다.

9. 단일 혈관 경로('단일 바늘')장치(Single blood pathway "single needle" devices)

대부분의 혈액투석 치료는 두 개의 분리된 혈액경로를 사용하여 시행한다: 하나는 환자로부터 혈액이 나오는 곳이고 다른 하나는 환자에게로 혈액이 다시 들어가는 곳이다. 몇몇 장치는 Y형 단일 혈액경로를 사용하여 투석을 시행할 수 있다. 단일 바늘 장치는 현재 미국에서 거의 사용하지 않기 때문에 이책에서는 다루지 않는다. 그러나 가정투석 특히 가정 야간투석 맥락에서는 증가하고 있다.

III. 투석기(dialyzer)

투석기는 혈액과 투석액 회로가 상호작용이 일어나며 반투막을 가로질러 투석액과 혈액 사이의 분자이동이 일어나는 장소이다. 기본적으로 투석기 겉은 네 개의 출구(port)가 있는 상자나 관모양이다. 두 개의 구멍은 혈액 구획과 연결되고 나머지 두 개는 투석액 구획과 연결된다. 투석기 내막은 두 구획을 분리한다.

A. 구조

속빈섬유(일명 모세관) 투석기에서 혈액은 원통형 외피(일명 *header*) 끝에 있는 챔버(chamber)로 흐른다. 거기에서 부터 혈액은 다발 형태로 단단히 묶인 수천개의 작은 모세관으로 유입된다(그림 4.3). 혈류는 속빈섬유 안쪽으로 흐르고 투석액은 섬유 바깥쪽으로 흐르도록 투석기가 고안되어 있다. 일단 모세관을 통과하면 혈액은 원통형 외피의 다른 끝에 있는 챔버에 수집되어 정맥 라인(tubing)과 정맥 혈관 접근로를 통해서 다시 환자에게로 들어간다.

역사상 평행판 투석기 또한 사용되었고, 혈액과 투석액이 서로 교대로 막 판 사이 공간을 통과한다. 두 가지 형태에서 혈액과 투석액은 투석기의 어느 부분에서든 혈액과 투석액 사이 농도차를 최대화하기 위해 반대 방향으로 이동한다.

1. 투석막(Membranes)

현재 다수의 임상적으로 사용되는 투석기는 합성 중합체 혼합물(blends)로 제조된 막을 이용한다. 막의 종류는 폴리술폰(polysulfone), 폴리에테르술폰(polyethersulfone), 폴리아크릴로니트릴(polyacrylonitrile) (PAN), 폴리아미드(polyamide), 폴리메타크릴산메틸(polymethylmethacrylate) (PMMA)이 해당된다. 일부 제조업체들은 폴리술폰(polysulfone)막을 이용하면서 이들사이에 미

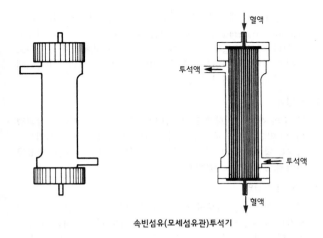

속빈섬유(모세섬유관)투석기

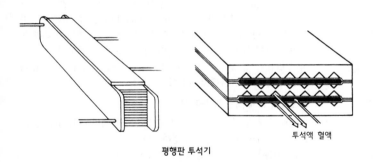

평행판 투석기

그림 4.3 속빈섬유 및 평행판 투석기를 통한 혈액과 투석액 통로

세한 차이점들이 있어 결론적으로 동일한 것으로 간주될 수 없음을 주의해야 한다고 한다. 합성막은 역사상 사용된 셀롤로오스(cellulose)막보다 좀 더 생체적합적이다. 이런 이유로 인해 셀룰로오스를 기본으로 만들어진 막은 저유량막으로 인지되어 사용이 감소하였다. 사실 Cuprophan과 같은 원래 셀롤로오스막은 더 이상 생산되지 않는다.

셀룰로오스막은 수산기(OH group)를 가지고 있는 분자 중합체로 구성되어 있다. 이 수산기가 주된 막의 불충분한 생체적합성의 원인이다. 화학적으로 수산기를 아세트산염으로 대체함으로써 생체적합성을 향상시키기 위한 수많은 시도를 해왔다. 이러한 막은 다음과 같은 화학명으로 알려져 있다. 즉 셀룰로오스 분자에 대체되는 수산기 개수에 따라 cellulose acetate, cellulose diacetate, cellulose triacetate가 있다. 이러한 막은 임상적으로 계속 사용되고 있다. 또 다른 접근법은 막이 형성되는 동안 액체로 된 셀룰로오스에 3차 아미노 화합물을 첨가시켰다. 그 결과 막표면이 변화되어 생체 적합성이 증가하였다.

2. 코팅막

Vit E와 같은 항산화제로 코팅된 막 또한 생체 적합성이 향상되었다. 이 막의 임상적 유용성은 이 장치를 사용하는 환자의 혈액에서 향상된 항산화제 결과를 가져왔으며, 일부 연구에서는 헤파린 요구량이 줄었고 응고도 줄었다.

3. 단백질 손실막

일부 요독 물질은 알부민과 단단히 결합되어 있기 때문에 한 가지 생각은 높은 알부민 투과성을 가진 막을 일부러 사용하는 것이다. 알부민은 이러한 막을 사용하면서 투석 중 소실되지만 알부민과 함께 단백질결합 독소도 체내에서 제거된다.

정규 투석치료에서 이러한 막의 임상적인 유용성은 광범위하지는 않다. 매우 큰 분자량 차수막은(cut off membranes) 큰 고분자를 자유롭게 통과할 수 있지만 여전히 알부민은 상당히 통과하지 못한다. 따라서 혈액에서 자유경쇄(free light chain)를 제거하기 위해 투석이 필요한 경쇄면역글로불린 침착질환(light chain deposition disease)을 가진 환자에서 사용할 수 있다.

4. 용질과 수분에 대한 막 투과성

용질과 수분에 대한 각각의 막투과성은 중합체비(polymer ratio)를 변화시키는 제조과정을 조정하거나(막 구멍크기 분포에 영향을 주는) 혹은 막 두께를 조정함으로써 주로 변화될 수 있다.

5. 투석막 효율과 유량

요소와 같은 작은 분자량의 용질을 제거하는 투석기의 능력은 주로 막표면적에 요소에 대한 막투과성을 곱한 함수이다. 고효율 투석기는 기본적으로 큰 표면적에 의해 요소를 제거할 수 있는 높은 능력을 가진 커다란 투석기이다. 고효율 투석기들은 작거나 큰 구멍(pore)을 가지므로 베타2 마이크로글로불린(분자량 11,800)같은 더 큰 분자량의 용질제거율이 높을 수도 있고 낮을 수도 있다. 고유량 막들은 베타2 마이크로글로불린과 같은 더 큰 분자량의 용질이 통과할 수 있는 큰 구멍들을 가지고 있다. 일반적으로 베타2 마이크로글로불린 청소율은 표준 투석기 상술도표에 공표되지는 않는다. 또한 고유량막은 초여과계수(KUF)가 10 mL/hr/mmHg보다 커서 수분 투과성이 높고, 보통 20 mL/hr/mmHg 이상이다.

B. 투석기 명세표 해설

투석기에 대한 보편적인 정보는 K_{UF} (UF coefficient); 요소, 크레아티닌, 비타민 B_{12}, 인, 가끔 베타2 마이크로글로불린 같은 물질의 청소율; 막표면적; 프라이밍 용적(priming volume); 섬유길이; 섬유두께를 포함한다(표 4-1).

1. K_{UF}.

제3장에서 정의된 것처럼 초미세여과 계수는 막압력(TMP) 1 mmHg에 의해 행해진 단위 시간당 혈장량(mL/hr)이다. 투석막은 K_{UF}와 고분자 청소율에 따라 고유량 혹은 저유량 지수로 분류될 수 있다. 보편적인 분류는 없지만 대체로 K_{UF}가 8.0미만인 투석기는 저유량으로 간주되며, K_{UF}가 20이상이면 고유량으로 간주된다. K_{UF}가 8.0에서 20 mL/h/mmHg인 투석기는 수분에 대한 투과성은 중등도이다 ; 이 범위보다 높은 것은 베타2 마이크로글로불린을 통과할 수 있기 때문에 고유량투석기로 간주된다.

만일 K_{UF}가 2.0이면 시간당 1,000 mL의 수분을 제거하기 위해 500 mmHg의 막압력이 필요하다. 반면에 K_{UF}가 8.0이면 막압력은 단지 125 mmHg가 필요할 것이다. K_{UF}(초미세여과계수)가 클 때 막 압력 설정의 작은 오차가 제거되는 초여과물양의 큰 오차를 초래한다. 이와 같은 이유로 K_{UF}가 6.0보다 더 큰 투석막은(8.0보다 더 큰 경우는 반드시) 정확한 초미세여과를 조절하는 투석기계에만 사용해야 한다.

투석기 회사에서 보고하는 K_{UF} 값들은 보통 시험관내(in vitro) 값이다. 실제로 생체내(in vivo) K_{UF}은 보통 5~30%정도 더 낮다. 일부 회사들은 시험관내 및 '예상되는 생체내' K_{UF} 값을 모두 공표한다. 표 4-1에 나와 있는 숫자들은 대부분 시험관내 값들이다.

2. 청소율

원래 신장처럼 용질제거 효율은 청소율에 의하여 나타낼 수 있다. 투석기를 통해 이동하는 동안 혈액(혈장)량에서 시간당 어떤 용질이 제거되는지로 정의할 수 있다.

청소율은 다음과 같다.

$$K_S = \frac{Q_B(C_{bi} - C_{bo})}{C_{bi}}$$

여기에서 K_S = 용질 청소율 s, C_{bi} = 투석기 유입(동맥)에서 용질의 혈액 농도, C_{bo} = 투석기 유출(정맥)에서 용질의 혈액농도, Q_B = 혈류속도를 말한다.

a. 투석기 질량이동면적계수(K_0A)

K_0A는 mL/min로 표시하고 무한한 혈류속도 및 투석액 속도에서 주어진 용질에 대한 투석기의 최대 이론적 청소율이다. 주어진 어떤 막에 대

하여 막표면적이 매우 커지는 만큼 K_0A의 증가가 감소하더라도 K_0A는 투석기 막표면적에 대해서 비례할 것이다. 요소에 대한 각 투석기 질량이 동면적계수, K_0A는 요소 및 비슷한 분자량의 용질 제거에 대한 투석기 효율의 측정값이다.

K_0A_{urea}값이 500 보다 작은 투석기들은 '저효율 투석'의 경우나 체구가 작은 환자에게만 사용해야 한다. K_0A값이 500에서 800 사이인 투석기는 중증도 효율 투석기로 일반 투석 치료에 유용하다. K_0A 값이 800 보다 큰 투석기들은 상대적인 용어일지라도 '고효율 투석'을 위해 사용된다. 오늘날 일상적으로 사용되는 많은 현대 투석기들은 시험관내 K_0A 값은 1,200~1,600 mL/min이다.

1. 요소 청소율

투석기 제조업자가 제공하는 요소(분자량 60)에 대한 청소율값은 시험관내 값이다. 청소율은 보통 200, 300, 400 mL/min의 혈류속도에서의 값으로 보고된다. 이러한 요소청소율에 대한 명세표 값들은 실제 투석 동안에 얻어진 값들보다 과대평가되어 있으나 투석기를 비교하는데는 유용하다.

b. 크레아티닌 청소율

일부 제조업자들은 크레아티닌(분자량 113) 청소율을 제공한다. 보통 투석기 크레아티닌 청소율은 요소 청소율의 약 80%이고 막이나 투석기 종류에 관계없이 이 두 분자들의 청소율이 거의 항상 같은 비율이기 때문에 임상적으로 유용한 부가정보를 제공하지 못한다.

c. 인 청소율

예후를 향상시키기 위해 고인산혈증 예방에 대한 관심이 점차 증가하기 때문에 일부 투석기 제조업자들은 투석기에 인 청소율을 최대한 활용하기 시작했다. 이것은 가끔 투석기 명세표에 보고된다. 인 제거의 주요한 장애물은 투석 중 조기에 혈청 인수치가 다소 빨리 감소한다는 점이다. 이로 인해, 최적화 막을 이용한 인 제거는 단지 약간의 향상이 예상되었지만, 무시해도 될 정도는 아니었다.

d. 비타민 B_{12}와 베타2 마이크로글로불린 청소율

비타민 B_{12}(분자량 1,355)의 시험관내 청소율은 더 큰 분자량의 용질이 투석막을 얼마나 잘 통과하는지 나타내 주는 지표이다. 최근 투석기 유량을 특징짓는데 비타민 B_{12} 보다 베타2 마이크로글로불린(분자량 11,800)의 청소율을 고려하는 것으로 되어 있다. 베타2 마이크로글로불린의 시험관내 측정이 문제가 있어 보통 보고되지 않는다. 베타2 마이크로글로불린 제거를 증가시키기 위해서 투석기를 매우 투과성있게 만들게 되면 한 가지 문제점은 알부민 손실이 증가하게 된다. 이러한 많은 문제점은 막구멍 크기의 불균일성 때문이다. 고유량 막을 제조하는 새로운 '나노기술' 접근 방식은 상대적으로 베타2 마이크로글로불린 제거율을 증가시키고 알부민 손실은 낮추게 된다.

3. 막표면적

성인 환자에 적합한 막표면적은 보통 0.8~2.5 m^2이다. 소아 환자

		Surface				K_{UF} (mL/h	Urea Cl Q_B =	Urea Cl Q_B =		Priming
Manufacturer	Model		Area (m²)	Membrane	Sterilization	per mm Hg)	200 mL/min	300 mL/min	K_0A (mL/min)	Volume (mL)
ASAHI	PAN	65DX	1.3	Polyacrylonitrile	ETO	29.0	181	231	635	100
		85DX	1.7	Polyacrylonitrile	ETO	38.0	190	251	839	124
		110DX	2.2	Polyacrylonitrile	ETO	49.0	193	260	955	161
	APS	550S	1.1	Polysulfone	Gamma	50.0	180	226	619	66
		650S	1.3	Polysulfone	Gamma	57.0	186	240	731	80
		900S	1.8	Polysulfone	Gamma	68.0	192	258	911	105
		1050S	2.1	Polysulfone	Gamma	75.0	193	261	955	114
	Rexeed	15R	1.5	Polysulfone	Gamma	63.0	196		1,138	82
		18R	1.8	Polysulfone	Gamma	71.0	198		1,367	95
		21R	2.1	Polysulfone	Gamma	74.0	199		1,597	112
		25R	2.5	Polysulfone	Gamma	80.0	199		1,597	128
		25S	2.5	Polysulfone	Gamma	80.0	199		1,597	128
	ViE	13	1.3	Polysulfone-vitamin E	Gamma	37.0	183		670	80
		15	1.5	Polysulfone-vitamin E	Gamma	40.0	187		755	90
		18	1.8	Polysulfone-vitamin E	Gamma	43.0	190		839	105
		21	2.1	Polysulfone-vitamin E	Gamma	45.0	192		911	114
B BraunAvitum	Diacap	LOPS 10	1.0	Polysulfone	Gamma	6.8	176	217	562	58
AG		LOPS 10	1.2	Polysulfone	Gamma	7.9	183	233	670	68
		LOPS 10	1.5	Polysulfone	Gamma	9.8	189	240	809	90
		LOPS 10	1.8	Polysulfone	Gamma	12.3	192	253	911	104

(continued)

TABLE 4.1

투석기와 헤모필터 명세표

Manufacturer	Model		Surface Area (m²)	Membrane	Sterilization	K_{UF} (mL/h per mm Hg)	Urea Cl Q_B = 200 mL/min	Urea Cl Q_B = 300 mL/min	K_oA (mL/min)	Priming Volume (mL)
							Performance			
	LOPS 10		2.0	Polysulfone	Gamma	13.7	194	258	1,005	113
	HIPS 10		1.0	Polysulfone	Gamma	34.0	180	223	619	58
	HIPS 12		1.2	Polysulfone	Gamma	42.0	186	238	731	68
	HIPS 15		1.5	Polysulfone	Gamma	50.0	190	245	839	90
	HIPS 18		1.8	Polysulfone	Gamma	55.0	192	250	911	110
	HIPS 20		2.0	Polysulfone	Gamma	58.0	194	253	1,005	121
	xevonta	Lo 10	1.0	Polysulfone	Gamma	8.0	184	236	680	61
		Lo 12	1.2	Polysulfone	Gamma	9.0	189	249	812	74
		Lo 15	1.5	Polysulfone	Gamma	10.0	194	267	1083	97
		Lo 18	1.8	Polysulfone	Gamma	12.0	196	276	1292	110
		Lo 20	2.0	Polysulfone	Gamma	14.0	198	281	1450	125
		Lo 23	2.3	Polysulfone	Gamma	15.0	199	285	1614	141
		Hi 10	1.0	Polysulfone	Gamma	58.0	186	241	847	61
		Hi 12	1.2	Polysulfone	Gamma	69.0	191	255	1003	74
		Hi 15	1.5	Polysulfone	Gamma	87.0	197	272	1312	97
		Hi 18	1.8	Polysulfone	Gamma	99.0	198	281	1536	110
		Hi 20	2.0	Polysulfone	Gamma	111.0	199	287	1725	125
BAXTER	PSN	120	1.2	Polysynthane	ETO	6.7	180	228	619	75
		140	1.4	Polysynthane	ETO	7.6	184	237	689	84
	CA	110	1.1	Cellulose acetate	ETO or Gamma	5.3	176	215	562	74

130	1.3	Cellulose acetate	ETO or Gamma	5.6	179	229	604	85
150	1.5	Cellulose acetate	ETO or Gamma	7.2	185	238	709	98
170	1.7	Cellulose acetate	ETO or Gamma	7.6	194	247	1,005	110
190	1.9	Cellulose acetate	ETO or Gamma	10.1	198		1,367	133
CA-HP 90	0.9	Cellulose diacetate	ETO	7.3	172	213	515	60
110	1.1	Cellulose diacetate	ETO	7.7	177	227	575	70
130	1.3	Cellulose diacetate	ETO	9.1	186	240	731	80
150	1.5	Cellulose diacetate	ETO	10.2	187	245	755	95
170	1.7	Cellulose diacetate	ETO	10.0	192	259	911	105
210	2.1	Cellulose diacetate	ETO	13.2	194	266	1,005	125
DICEA 90G	0.8	Cellulose diacetate	ETO or Gamma	6.8	173	214	526	60
110G	1.1	Cellulose diacetate	ETO or Gamma	8.4	179	229	604	70
130G	1.3	Cellulose diacetate	ETO or Gamma	10.0	186	239	731	80
150G	1.5	Cellulose diacetate	ETO or Gamma	11.4	189	248	809	95
170G	1.7	Cellulose diacetate	ETO or Gamma	12.5	191	260	873	105
210G	2.1	Cellulose diacetate	ETO or Gamma	15.5	196	268	1,138	125
TRICEA 110G	1.1	Cellulose triacetate	Gamma	25.0	188	259	781	65
150G	1.5	Cellulose triacetate	Gamma	29.0	197	278	1,233	90

(continued)

TABLE 4.1 투석기와 헤모필터 명세표

Manufacturer	Model		Surface Area (m²)	Membrane	Sterilization	K_{UF} (mL/h per mm Hg)	Urea Cl Q_B = 200 mL/min	Urea Cl Q_B = 300 mL/min	K_0A (mL/min)	Priming Volume (mL)
		190G	1.9	Cellulose triacetate	Gamma	37.0	198	284	1,367	115
		210G	2.1	Cellulose triacetate	Gamma	39.0	199	287	1,597	125
	EXELTRA	150	1.5	Cellulose triacetate	Gamma	31.0	193	262	955	95
		170	1.7	Cellulose triacetate	Gamma	34.0	196	268	1,138	105
		190	1.9	Cellulose triacetate	Gamma	36.0	197	273	1,233	115
		210Plus	2.1	Cellulose triacetate	Gamma	47.0	199	297	1,597	125
	SYNTRA	120	1.2	Polyethersulfone	Gamma	58.0	185	238	709	87
		160	1.6	Polyethersulfone	Gamma	73.0	190	253	839	117
BELLCOSORIN	BLS	512	1.3	Polyethersulfone	Gamma or Heat	10.0		226	599	77
		514	1.4	Polyethersulfone	Gamma or Heat	12.0		229	621	85
		517	1.7	Polyethersulfone	Gamma or Heat	17.0		234	662	99
		812	1.2	Polyethersulfone	Gamma or Heat	51.0		241	726	73
		814	1.4	Polyethersulfone	Gamma or Heat	61.0		246	778	85
		816	1.6	Polyethersulfone	Gamma or Heat	68.0		250	824	94
		819	1.9	Polyethersulfone	Gamma or Heat	80.0		255	888	109

Performance

	Line	Model		Material	Sterilization					
FRESENIUS	F	4HPS	0.8	Polysulfone	Steam	6.0	170	190	494	51
		5HPS	1.0	Polysulfone	Steam	10.0	179	217	604	63
		6HPS	1.3	Polysulfone	Steam	13.0	186	237	731	78
		7HPS	1.6	Polysulfone	Steam	16.0	188	240	781	96
		8HPS	1.8	Polysulfone	Steam	18.0		252	849	113
		10HPS	2.1	Polysulfone	Steam	21.0		259	945	132
	Optiflux F	160NR	1.5	Polysulfone	e-Beam	45.0		266	1,064	84
		180A	1.8	Polysulfone	e-Beam	55.0		274	1,239	105
		200A	2.0	Polysulfone	e-Beam	56.0		277	1,321	113
		200NR	2.0	Polysulfone	e-Beam	56.0		277	1,321	113
		250NR	2.5	Polysulfone	e-Beam	107	198	286	1,662	135
	F	50S	1.0	Polysulfone	Steam	30.0	178		589	63
		60S	1.3	Polysulfone	Steam	40.0	185		709	82
		70S	1.6	Polysulfone	Steam	50.0	190		839	98
	FX	40	0.6	Polysulfone	Steam	20.0	170		494	32
		50	1.0	Polysulfone	Steam	33.0	189		809	53
		60	1.4	Polysulfone	Steam	46.0	193		955	74
		80	1.8	Polysulfone	Steam	59.0		276	1,292	95
		100	2.2	Polysulfone	Steam	73.0		278	1,351	116
GAMBRO	Polyflux	14S	1.4	Polyamide blend	Steam	62.0	186	242	731	102
		17S	1.7	Polyamide blend	Steam	71.0	191	254	873	121
		21S	2.1	Polyamide blend	Steam	83.0		267	1,083	152
		24S	2.4	Polyamide blend	Steam	60.0		274	1,239	165
		140H	1.4	Polyamide blend	Steam	52.0	193	261	955	75
		170H	1.7	Polyamide blend	Steam	65.0	195	268	1,065	94
		210H	2.1	Polyamide blend	Steam	78.0		282	1,487	120
		17R	1.7	Polyamide blend	Steam	71.0		254	874	121
		21R	2.1	Polyamide blend	Steam	83.0		267	1,083	152

(continued)

TABLE 4.1 투석기와 헤모필터 명세표

Manufacturer	Model	Surface Area (m²)	Membrane	Sterilization	K_{UF} (mL/h per mm Hg)	Urea Cl Q_B = 200 mL/min	Urea Cl Q_B = 300 mL/min	K_0A (mL/min)	Priming Volume (mL)
	24R	2.4	Polyamide blend	Steam	77.0		274	1,239	165
	14L	1.4	Polyamide blend	Steam	10.0		252	849	81
	17L	1.7	Polyamide blend	Steam	12.5		264	1,027	104
	21L	2.1	Polyamide blend	Steam	15.0		275	1,265	123
	6L/6LR	1.4	Polyamide blend	Steam	8.6		242	736	115
	8L/8LR	1.7	Polyamide blend	Steam	11.3		253	861	125
	10L/10LR	2.1	Polyamide blend	Steam	14.0		263	1,010	156
HOSPAL	Nephral 200 ST	1.1	Polyacrylonitrile	Gamma	33.0	173	216	526	64
	300	1.3	Polyacrylonitrile	Gamma	40.0	181	231	635	81
	400	1.7	Polyacrylonitrile	Gamma	50.0	189	250	809	98
	500	2.2	Polyacrylonitrile	Gamma	65	195		1,065	126
IDEMSA	MHP 120	1.2	Polyethersulfone	Gamma	29.0	180	220	619	71
	140	1.4	Polyethersulfone	Gamma	33.0	182	224	652	81
	160	1.6	Polyethersulfone	Gamma	37.0	186	233	731	88
	180	1.8	Polyethersulfone	Gamma	44.0	193	245	955	104
	200	2.0	Polyethersulfone	Gamma	50.0	195	251	1,065	112
NIPRO[a]	Surelyzer PES 110DH	1.1	Polyethersulfone	Gamma	32	187		755	68
	150DH	1.5	Polyethersulfone	Gamma	43	195	249	1,065	93
	190DH	1.9	Polyethersulfone	Gamma	55	198		1,367	118

Manufacturer	Product	Model	m²	Material	Sterilization	K_{UF}	Cl/K_oA	K_oA	
NIKKISO	FB	150E	1.5	Cellulose triacetate	Gamma	20.5	250	824	90
		150U	1.5	Cellulose triacetate	Gamma	29.8	263	1,010	90
		150UH	1.5	Cellulose triacetate	Gamma	50.1	270	1,145	90
	Surelyzer PES	150DL	1.5	Polyethersulfone	Gamma	16	231	637	90
	FLX	15GW	1.5	Polyester polymer alloy	Gamma	39	193	955	92
		18GW	1.8	Polyester polymer alloy	Gamma	47	197	1,233	108
	FDX	150GW	1.5	Polyester polymer alloy	Gamma	50	190	839	91
		180GW	1.8	Polyester polymer alloy	Gamma	59	193	955	108
NEPHROS	OLpur MD	190	1.9	Polyethersulfone	E-beam	90	283[b]	1,527	140
TORAY		220	2.2	Polyethersulfone	E-beam	105	29[b]	1,976	155
	B1-H		1.0	PMMA	Gamma	9	169	484	73
			1.3	PMMA	Gamma	12	180	619	86
			1.6	PMMA	Gamma	14	187	755	98
	B3		1.0	PMMA	Gamma	7	175	550	61
			1.3	PMMA	Gamma	8.8	184	689	76
			1.6	PMMA	Gamma	8.7	188	781	95
			2.0	PMMA	Gamma	11	193	955	118
	BK-P		1.3	PMMA	Gamma	26	182	652	76
			1.6	PMMA	Gamma	33	189	809	94
			2.1	PMMA	Gamma	41	194	1,005	126
	BS		1.3	Polysulfone	Gamma	47	192	911	81
			1.6	Polysulfone	Gamma	50.0	194	1,005	102
			1.8	Polysulfone	Gamma	52.0	197	1,233	116

Note: Apart from those made of cellulose material in the form of polysynthane and of various acetate salts of cellulose, all of the above filters are fashioned from synthetic material. All the filters above listed consist of hollow fibers. [b]Cl/K_oA data are at Q_b of 10 mL/min; [c]Cl/K_oA data at Q_s = 200 mL/min. Cl, clearance; E-beam, electron-beam; ETO, ethylene oxide; Gamma, gamma irradiation; HD, hemodialysis; HDF, hemodiafiltration; HF, hemofiltration; K_oA, mass transfer area coefficient for urea; K_{UF}, ultrafiltration coefficient; PMMA, polymethylmethacrylate; Q_b, blood flow rate; Q_s, substitution fluid administration rate.

를 위한 소형 투석기는 많은 제조업체에서 이용할 수 있다. 투석기 디자인이나 막의 두께도 중요하지만 보통 더 큰 표면적을 가진 투석기들이 높은 요소청소율을 갖는다. 역사상 표면적은 특히 비대치 셀룰로오스막을 사용하는 투석기에서는 생체적합성 측면에서 중요한 역할을 하였다. 투석기 기능의 이러한 측면은 합성막을 주로 사용하는 현재 투석기에 있어서는 덜 중요하다.

4. 프라이밍 용적(Priming volume)

프라이밍 용적은 보통 60~120 mL이내이고 이것은 막표면적과 관련이 있다. 혈액라인의 프라이밍 용적이 약 100~150 mL인 것을 명심해야 한다.

따라서 총 체외 회로 용적은 160~270 mL가 될 것이다. 혈액라인 (tubing) 세트와 투석기의 총 체외 회로 용적의 값은 소아 혹은 매우 작은 성인 환자를 치료할때 중요하게 고려되어어야 한다.

5. 섬유 길이와 두께

이 정보는 더 이상 임상적 유용성은 없다. 양쪽 계수는 섬유다발을 통한 흐름에 영향을 미치며 결국 투석기 효율에도 영향을 미친다.

6. 멸균 방법

투석기 멸균의 4가지 주요한 방법은 전자 빔(electron-beam), 감마 방사선 조사(γ-irradiation), 증기 가압멸균(steam autoclaving), 산화 에틸렌 가스(ethylene oxide gas)이다. 산화 에틸렌 가스의 사용은 대중성을 잃어버렸다. a) 산화 에틸렌 가스에 알레르기가 있는 환자에서 투석 동안 드물지만 심각한 아나필락시스 반응이 발생하고, b) 환경적 우려 때문이다.

References and Suggested Readings

Axley B, et al. Venous needle dislodgement in patients on hemodialysis. *Nephrol Nursing J.* 2012;39:435–444.

Core Curriculum for the Dialysis Technician 5th Edition. Medical Education Institute, Madison, WI, 2013.

Forsberg U, et al. A high blood level in the venous chamber and a wet-stored dialyzer help to reduce exposure for microemboli during hemodialysis. *Hemodial Int.* 2013;17:612–617.

Krivitski NM. Theory and validation of access flow measurement by dilution technique during hemodialysis. *Kidney Int.* 1995;48:244–250.

Misra M. Core curriculum: The basics of hemodialysis equipment. *Hemodial Int.* 2005;9:30–36.

Ribitsch W, et al. Prevalence of detectable venous pressure drops expected with venous needle dislodgement. *Semin Dial.* 2014;28:in press.

VA Patient Safety Advisory. *Bleeding Episodes During Hemodialysis.* AD09-02. U.S. Veterans Administration Warning System. October 21, 2008. http://www.patientsafety.va.gov/docs/alerts/BleedingEpisodesDuringDialysisAD09-02.pdf. Accessed March 27, 2014.

Web Reference

Dialyzer K_oA calculator. http://www.hdcn.com/calc.htm.

5

투석용수와 투석액

김은정 역

I. 혈액투석 용수

환자들은 1회 투석에 120~200 L의 투석액에 노출된다. 투석액에서 작은 분자량의 오염원들은 혈액으로 직접 들어가서 신장 배설이 없는 체내에 축적될 수 있다. 따라서 환자에게 해가 없으려면 투석액의 화학적 미생물 학적인 순도가 중요하다. 투석액은 정제수(공급수)와 농축 투석액이 필요하다. 전해질을 포함하는 농축 투석액은 투석액의 필요한 조성을 만드는데 필수적이다. 대부분의 농축물은 상업적 출처로 알 수 있으며 순도는 규제 관리의 대상이 된다. 투석실에서 분말에서 농축 투석액을 새로 만들거나 투석액을 준비하는데 필요한 물의 순도는 투석 시설이 관리하고 있다.

A. 투석 환자에서 해로운 물 오염원

공중 위생으로 도시용수 공급에 더해진 일부 물질들은 건강한 사람에서는 문제가 없지만 이러한 물질들이 투석에 사용되는 물에 남아 있다면 신부전 환자에서 해로울 수 있다. 그러므로 모든 도시용수 공급은 투석 환자에게 해로운 물질이 함유할 수 있다는 것을 가정해야 한다. 따라서 모든 투석 시설은 투석액을 준비하여 사용하기 전에 도시 용수를 정수하는 시스템을 갖추어야 한다. 가장 흔한 오염 물질 목록은 아래에 나열되어 있다. 여러 오염 물질의 더 상세한 논의는 참고 문헌을 조회하면 된다.

1. 알루미늄(Aluminum)

알루미늄은 많은 도시 용수 공급자가 응집성 물질로 물에 첨가한다(알루미늄은 걸러지지 않은 부유입자를 제거하기 위해 사용된다). 알루미늄 오염은 뼈질환, 진행하면서 종종 치명적이고 신경학적으로 악화되는 투석 뇌병증 증후군(dialysis encephalopathy syndrome), 빈혈을 일으킨다.

2. 클로라민(Chloramine)

클로라민은 세균 증식을 막기 위해 물에 첨가된다. 클로라민은 용혈성 빈혈을 일으킨다.

3. 불소(Fluoride)

충치를 줄이기 위해 물에 첨가하는 물질이다. 많은 양의 불소는 고갈된 탈이온화기로 물에 녹아 들어가서 심한 가려움증, 오심, 치명적인 심실 세동을 일으킨다.

4. 구리와 아연(Copper and zinc)

금속 배관과 이음쇠(fittings)에서 침출되어 용혈성 빈혈을 일으킨다. 납과 알루미늄도 비슷한 방식으로 물흐름에 침출될 수 있다.

5. 세균과 내독소(endotoxin)

투석액을 준비하는데 사용되는 물과 최종 투석액은 세균과 내독소에 의해 미생물학적으로 오염되기 쉽다. 내독소, 내독소 조각, 여러 다른 세균 생성물이, 짧은 세균성 DNA 조각, 일부는 1,250 Da만큼 작을 수 있어서 투석막을 통과해서 혈류로 들어가 발열 반응이나 여러 부작용을 일으킨다. 정제수(purified water)에서 세균 증식을 억제하기 위한 중요성이 증가하면서 도시 용수에 세균 증식을 억제하기 위해 첨가하는 물질들은 투석 시설의 물 정화 시스템으로 제거된다.

6. 남조류로 인한 독소

남조류에서 기원한 마이크로시스틴(microcystin)과 같은 미생물 생성물에 의한 도시 용수 공급 오염은 혈액투석 환자에서 해롭다는 것이 또한 증명되었다(Carmichael, 2001). 투석 센터는 이러한 독소들이 특히 계절성 조류가 번식하는 지역에서 잠재적으로 존재한다는 것을 인식해야 한다.

B. 투석용수와 투석액의 질 요구기준

1. 투석액 질 기준

International Organization for Standardization (ISO) 국제 표준화 기구는 투석액에 사용되는 물순도와 최종 투석액의 순도에 대해 최소 기준치를 개발하였다.

기준은 미국 국가 표준인 미국 의료기구 협회(the Association for the Advancement of Medical Instrumentation)에 의해 채택되었고, 여러 많은 나라에서 규제 조직을 따르고 있다. 기준은 혈액투석 환자에게 해로운 물질로 알려진 화학물질, 일반 인구집단에서 해로운 물질로 알려진 화학 물질, 세균과 내독소로 알려진 최대 수치를 설정하였다.

현재 권고안은 투석액을 준비하는데 사용되는 투석용수는 **세균 100미만(<100) 집락형성단위 colony-forming units (CFU)/ mL**이고 내독소 0.25미만(<0.25) 내독소 단위 endotoxin units (EU)/mL 이어야 한다. 최종 투석액 최대 수치는 각각 100 CFU/ mL과 0.5 CFU/mL이다. 투석액에서 세균과 내독소 수치가 이 기준 미만에서 유지될 때 발열 반응은 일어나지 않는다.

2. 초순수 투석액(Ultrapure dialysis solution)

투석액에서 발열 반응을 일으키지 않는 낮은 내독소와 내독소 조각 수치는 투석 환자에서 장기간 이환률과 연관되어 만성 염증반응을 일으킬지도 모른다. 관찰 연구에서 소위 '초순수' 투석액(**세균 0.1 CFU/mL 미만과 내독소 0.03 CFU/mL 미만**)사용으로 혈장 C-반응단백(CRP)과 인터루킨-6가 감소하였고, 적혈구 생성인자(erythropoietin) 치료에 대한 빈혈이 호전되었고, 혈장 알부민 수치를 증가시켜서 영양상태가 호전되었으며, 추정 건체중, 중간 팔근육 둘레와 요소 질소 제거율을 향상시켰다. 또한 초순수 투석액은 혈장 베타2 마이크로글로불린과 펜토시딘(pentosidine)(카르보닐기를 함유한 대리표지자)을 감소시키고, 잔여신기능의 점진적인 소실, 심혈관 이환율을 낮추었다(Susantitaphong, 2013).

비록 위에 언급한 이점들이 완전히 입증이 안 되었더라도 많은 기관들은 초순수 투석액을 일반적으로 사용해야 된다고 생각하고 있다. 혈액투석에서 초순수 투석액을 사용하는 것이 상당히 합리적이기 때문에, 온라인 혈액투석여과법(online hemodiafiltration)(제 17장 참고)같은 온라인 대류 치료(online convective therapy)에서는 의무적이다. 온라인 혈액투석여과법은 투석액/대체액에서 혈액으로 세균 생성물 전이(transfer)를 더 증가시킬 수 있기 때문이다.

C. 혈액투석에 사용되는 물의 정화 방법

투석에 사용되는 물을 정화하는 방법은 3가지로 구성된다. 즉 전처리(pretreatment), 일차 정화시스템(primary purification), 사용되는 지점으로 공급시스템(distribution)을 말한다.

1. 전처리

구성요소로는 일정한 온도로 뜨거운 물과 차가운 물을 혼합하는 밸브, 초기 여과(preliminary filtration), 연화(softening), 활성탄을 통한 여과(filtration)가 있다. 이러한 케스케이드는 일차 정화 공정에서 최적 작동을 위한 물을 준비하도록 설계되었다. pH교정(염산 주입)은 가끔 과알칼리성을 교정하기 위해 필요하다. 과알칼리성은 클로린(chlorine)과 클로라민(chloramine)을 제거하는 탄소베드(carbon beds)능력을 방해할 수 있어서, 칼슘과 마그네슘염에 의한 역삼투막의 부착물을 야기할 수 있다.

a. 연수 장치(Water softner)

연수 장치는 레진 베드(resin beds)에 나트륨이 이온결합하여 교환함으로써 물에서 칼슘과 마그네슘을 제거하기 위해 사용된다. 레진은 나트륨 이온을 칼슘과 마그네슘으로 교환할 뿐만 아니라 철분과 망간과 같은 다른 양이온도 교환한다. 연수 장치는 원수(source water)에서 칼슘과 마그네슘에 의한 스케일링으로부터 하류 역삼투막을 보호한다. 이러한 불순물은 역삼투막을 빨리 더럽힐 수 있다. 연수장치 레진은 농축된 염화나트름 용액(brine)을 사용해서 정기적으로 역세척을 하고 자주 재생해야 한다. 역세척되는 동안에 물은 레진을 세척하고 부풀리기 위해 역방향으로 연화제를 끌어들인다. 그러면 농축된 염화나트륨 용액(brine)은 최근 결합한 칼슘과 마그네슘 이온을 나트륨 이온으로 대체하면서 레진을 재생하려고 도입된다.

b. 탄소

활성탄은 역삼투로 제거되지 않는 클로린과 클로라민을 제거하는데 이용된다. 탄소는 또한 물에 있는 다른 작은 유기 화합물을 제거한다. 클로린은 물에서 잠재적으로 암을 유발하는 화합물을 형성하는 유기물과 결합할 수 있다. 결과적으로 이전에 세균증식을 억제하려고 클로린을 사용한 많은 도시들은 클로라민으로 변경하였다. 탄소가 물에서 클로라민을 제거하는 화학반응 동역학은 클로린을 제거하는 것보다는 느려서 클로린을 적절히 제거하는 시스템이 충분히 클로린을 제거하지 못할 것이다. 클로린이나 클로라민은 영구히 하류 역삼투막을 손상시킬 수 있다. 중요한 것은 클로라민은 용혈성 빈혈을 일으킬 수 있어서 물 정화과정에서 극도로 면밀하게 감시해야 한다. 과거에는 일부 도시들은 물 공급시 클로린을 클로라민으로 변경한 것에 대해 투석 센터에 알리지 않았다. 이후 용혈성 빈혈의 급증으로 시스템 전환 과정이 보고 되었다.

클로라민과 이와 관련된 유기물을 제거하기 위한 임상적인 요구 때문에 물 줄기는 연달아서 두 개의 탄소베드(carbon beds)를 통과해야 한다. 상류 작동자('worker')인 탄소베드는 처음에 고갈될 것이다. 하류 연삭기('polisher') 탄소베드는 백업으로 사용된다. 이러한 전략은 상류 탄소베드가 소진되면서 순차적으로 대체하게 해 준다. 소진된 탄소베드 탱크는 가능한한 빨리 교체해야 한다. 클로린과 클로라민 수치를 각각 측정할 수 있어도, 총 클로린(클로린과 클로라민의 총합)을 측정하는 것이 더 간단해서 그 측정한 수치로 소진된 탄소베드를 교체한다. 도시 용수에 클로라민이 함유된 경우, 일차 작동자(worker) 탄소베드에서 배출되는 물에서 총 클로린 수치를 매 투석 전에 확인해야 한다. breakthrough가 있다면 총 클로린 수치는 연삭기(polisher)탄소베드의 하류(downstream)에서 확인해야 한다. 이 지점에 breakthrough가 없다면 하류 연삭기 탄소베드로부터 유출을 면밀하게 모니터링하면서 투석을 계속할 수 있다. 그러나 만일 총 클로린 breakthrough를 연삭기(polisher)베드의 하류에서 발견된다면 투석은 즉시 중단해야 한다.

과립형 활성 탄소베드에서 기능상 중요한 것은 탄소와 물과의 접촉시간이다. 이와 같은 '텅빈 베드의 접촉시간'은 최소 10분이여야 클로린과 클로라민을 확실하게 제거할 수 있다. 정기적인 탄소베드의 역세척(backwash)은 베드를 부풀려서 탄소에서 효율을 감소시키는 채널형성을 막는다. 탄소로 클로라민을 잘 제거하려면 공급수에서 pH를 조정해야 한다. pH를 조정해도 물에 부식억제제나 탄소표면에 도달하는 클로라민 분자들을 막는 다른 물질들이 있다면 탄소는 클로라민을 부적절하게 제거할 것이다.

이러한 상황에서 클로라민 제거를 위한 대체방법으로 아황산수소나트륨 (sodium bisulfate) 주입이 필요할 수도 있다.

2. 일차 정화 과정

일차 정화 과정은 거의 항상 역삼투 과정이다. 필터는 전처리시스템에서 우연히 방출된 탄소입자와 레진비드(resin beads)를 잡기위해서 보통 역삼투막의 위쪽에 놓여있다.

a. 역삼투(Reverse osmosis)

역삼투는 녹아있는 용질을 저지하는 반투과막을 통해서 물을 고압으로 여과(강력한 펌프를 사용해서)하는 방법이다. 역삼투는 포도당 뿐만 아니라 이온성 오염물질과 비이온성 오염물질을 95%이상 제거한다. 게다가 세균과 내독소에 효과적인 장애물을 제공한다. 많은 경우에, 역삼투는 추가적인 정화 없이 투석액을 준비하는데 충분한 양질의 물을 제공한다.

b. 탈이온화(Deionization)

탈이온화는 역삼투에 대안으로 사용되지만, 역삼투 과정 후에 물을 더 정화하려고 훨씬 자주 사용한다. 탈이온화 장치(deionizers)는 비이온화 오염물질, 세균 혹은 내독소를 제거하지는 못한다. 고체상 탈이온화 장치는 양이온과 음이온 레진이 함유되어 있다. 이것은 두 베드(양이온 레진과 음이온 레진) 혹은 양쪽 레진 혼합물을 함유하고 있는 단일베드(single bed)로 되어 있다. 양이온 레진(cationic resins)은 유황기를 함유하고 있어서 이것은 수소이온(hydrogen ion)을 나트륨,칼슘,알루미늄과 같은 다른 양이온으로 교환한다. 음이온 레진(anionic resins)은 알루미늄기를 포함하고 있어서 수산화이온(hydroxyl ion)을 염화물, 인, 불소와 같은 다른 양이온으로 교환한다. 교환 중에 나오는 수소이온과 수산화이온은 물을 생성하기 위해 합쳐져서 약간의 잉여 이온을 포함하는 생산수가 된다.

탈이온화 장치의 기능은 유출수(outflow water)의 전도도를 점검함으로써 모니터하고 있다. 물에 남아있는 이온이 더 적을수록 전도도는 더 낮아진다. 탈이온화 장치 탱크에서 레진이 모든 이용가능한 수소이온과 수산화이온을 물에 있는 양이온과 음이온으로 교환할때 이온을 제거하는 능력은 '소진'된다. 유출수의 전도도는 소진된 후에 증가하여 탱크를 교체해야 한다는 신호를 보낸다. '소진된' 탈이온화 장치 레진은 비활성화 되는 것이 아니라, 계속 사용한다면 레진에 약하게 결합되어 있는 이온들을 빠르게 방출하여 환자에게 잠재적으로 심각한 결과를 초래할 수 있다는 것을 아는 것이 중요하다. 예를 들면, 소진된 탈이온화 장치 탱크를 제거하지 못하게 되면 엄청난 양의 불소가 투석용수로 방출되면서 환자는 사망에 이르게 된다(Arnow, 1994). 이러한 이유로 전도도가 증가하자마자 소진된 탈이온화 장치 탱크를 오프라인으로 바꾸는 것이 중요하다. 모든 이온 교환 탱크는 유출수의 전도도를 지속적으로 모니터하고, 환자로 부터 물이 1 mS/cm(저항성 1 Ω-cm)을 초과하면 물을 다른곳으로 돌릴 수 있는 온라인모니터를 장착해야 한다. 게다가 일부 탱크는 또한 정상적으로 꺼지는 조명을 가지고 있어서 유출 전도도가 증가할 때 켜지거나 정상적으로 켜지는 조명은 전도도 모니터링이 작동을 안하면 다시 켜진다. 만일 조명이 있다면 어떤 형태인지 아는 것이 매우 중요하다.

탈이온화 장치의 레진은 세균 증식에 대한 큰 표면적을 가지고 있다. 클로린과 클로라민과 같은 모든 세균 억제 물질들은 탈이온화 장치에 도달해야 제거되기 때문에 탈이온화 장치 탱크로 흘러가는 물의 세균 오염 수치는 증가하게 된다. 이런 이유로 초미세여과기(ultrafilter)는 대개 탈이온화 장치 탱크에 쌓일 수 있는 세균이나 내독소를 제거하기 위해 초미세여과기전에 탈이온화 장치를 설치한다. 일부 센터는 또한 자외선 조사로 세균을(영양상태 혹은 포자형성 상태) 죽이는 것을 선호한다. 그러나 자외선 조사과정은 세균이 죽기 때문에 물에 지질다당류와 펩티도글리칸 함유물을 증가시킬 수 있다.

3. 정제수 분배과정(Distribution of purified water)

투석액을 준비하는데 필요한 정제수는 오염물질이 없는 투석액을 생산하기 위해 개개의 투석기계로 공급해야 한다. 화학 오염물질은 정제수와 투석액이 접촉하는 모든 구성성분에 비활성 재료(플라스틱)를 사용함으로써 피할 수 있다. 미생물학적인 오염은 정기적인 소독과 적절하게 설계되고, 건설된 파이핑 시스템을 사용함으로써 피할 수 있다. 물 공급 시스템은 여러개의 가지(branches) 혹은 막다른 길 없이 루프(loop)로 구성되어 있다. 공급 시스템이 저장 탱크(이상적으로는 저장탱크 사용은 피해야 한다)를 가지고 있다면 탱크는 필요한 최소 크기로, 꼭 맞는 뚜껑이 있으며 소독하기 쉽도록 설계된다.

물 저장과 공급 시스템은 세균 집락화를 막고 바이오필름(biofilm) 형성을 최소화하기 위해 정기적으로 소독한다. 일단 형성되면 제거하기가 매우 힘들다. 화학물질 살균제를 사용시 소독은 대개 최소 한 달마다 시행한다. 소독 스케줄은 바이오필름이 형성된 이후 바이오필름을 제거하기 위한 것이 아니라 저장과 공급 시스템에서 바이오필름 형성을 최소화하기 위해 설계해야 한다. 공급 시스템은 현재 뜨거운 물이나 오존으로 소독해서 이용할 수 있다. 물과 투석액 배양검사와 내독소 검사는 소독 스케줄이 적절한지를 보기 위해 시행한다.

4. 중탄산염 농축물 혼합과 공급체계

중앙에서 준비된 농축물을 개인 투석기계로 공급하기 위한 용기를 가지고 있다.

개인 투석기계들은 중탄산염 농축물이 특히 세균오염에 민감하기 때문에 자주 소독해야 한다.

D. 안전 기준과 모니터링

물 공급 시스템의 각 부분마다 기능에 대한 세심한 절차와 문서화를 시행해야 한다. ISO와 EBPG (European Best Practices Group)는 환자 안전을 최대화하기 위해 설계된 투석용수를 정화하는 장치 기준을 개발해 왔다. 이것은 물과 투석액의 화학물질 순도 모니터링을 포함하고 있다. 클로라민 수치는 최소한 날마다 확인해야 한다. 급수 (feed water)에서 다른 만성적인 독소 성분이 없는지 정기적으로 확인해야 한다. 물과 투석액은 세균 성장과 내독소가 존재하는지 고민감도 방법을 사용해서 확인해야 한다. 결국 항상 설명되지 않는 용혈성, 발열성 혹은 특이적인 반응에 대한 증거가 있는지 경계하면서 환자 본인들도 모니터해야 한다.

미국에서 의료책임자 Tolkit은 'Conditions for Coverage' 요건을 충족하는데 투석센터를 보조하기 위해 말기 신부전 네트워크 의학자 문위원회 포럼을 준비했다. 이 문서는 물 공급시스템의 다양한 부분에서의 모니터링 뿐만 아니라 응급상황에서 원격경보, 훈련, 계획에 부합하는 요구를 상세히 열거하고 있다.

II. 투석액 준비

A. 비율 조정 기계(proportioning machines)

규모와 배송비를 줄이기 위해서 투석액은 농축된 형태로 제조된다. 기계들은 농축된 형태를 물과 투석기로 배달되기 전에 적당한 비율로 조절한다. 투석기계는 펌프와 편도밸브시스템(one-way valve system)으로 이루어져 있으며 일정량의 투석액 농축물을 일정량의 열을 가한 정제수와 혼합하거나 전도도를 기반으로 한 서보제어장치를 사용해서 농축물과 물을 혼합하여 최종 투석액을 만든다. 이전 장에서 언급했듯 이 최종 투석액의 이온 구성성분은 매우 엄격한 범위로 전도도를 점검한다. 투석액이 목표 전도도 범위로 있는 한 투석액은 투석기를 잘 통과한다. 전도도가 범위를 벗어나는 경우 알람경보가 울려서 투석이 멈추게 된다.

B. 중탄산염 함유 투석액을 위한 이중농도시스템

오늘날 사용되는 거의 모든 투석액은 중탄산염을 함유하고 있어서 용해성에 대한 논란의 여지가 있다. 약 30 mM의 중탄산염 용액을 만들 때 pH는 8.0에 가깝게 될 것이다. 이 pH에서 칼슘과 마그네슘은 투석액에서 침전될 것이다. 확산 농도를 줄이고 또한 투석기계 라인과 통로에 물때가 끼게 한다. 칼슘과 마그네슘 침전을 피하기 위해 중탄산염 함유 투석액 생성 시스템은 두 가지 농축물 성분: '중탄산염' 농축물과 '산' 농축물을 활용한다.

'산' 농축물은 아세트산 또는 구연산과 나트륨, 칼륨(필요한 경우), 칼슘, 마그네슘, 염화물, 덱스트로오스(선택적)를 함유하고 있다. 산농축물의 낮은 pH는 농축된 형태일때도 칼슘과 마그네슘을 용액상태로 유지시켜준다.

특별히 고안된 이중 비율조정 시스템(double proportioning system)은 두 농축물과 정제수를 동시에 혼합하여 투석액을 만들어 공급한다. 혼합 과정 중에 '산' 농축물에 있는 적은 양의 아세트산(acetic acid)(약 2~4 mM)은 '중탄산염' 농축물에 있는 같은 몰의 중탄산염과 반응하여 이산화탄소를 발생시킨다. 이 이산화탄소는 탄산(carbonic acid)을 만들어 최종 중탄산염 함유 용액의 pH를 대략 7.0~7.4 정도로 낮춘다. 이러한 pH 범위내에서 칼슘과 마그네슘은 투석액에 녹아 남아 있다.

다양한 비율 조정 시스템에서 물에 '산' 농축물과 '염기' 농축물 비율은 기계 제조업체에 따라 다르다. 액체 '산' 농축물은 35~45배 농축된 형태로 이용할 수 있다. 이에 상응하는 액체 '중탄산염' 농축물은 또한 다르게 농축된다. 여러 회사 투석기계를 사용하는 센터에서는 주어진 기계의 비율에 맞게 설계된 농축물을 사용하는 것이 중요하다.

많은 투석기계 모니터에서 보여지는 중탄산염 수치가 최종 중탄산염 농도이다. 투석기계는 농축 비율비를 변화시키면서 투석액 중탄산염을 조정한다. 중탄산염 수치는 아세트산나트륨(sodium acetate)의 아세트산염(acetate)을 고려하지 않는다. 아세트산나트륨의 아세트산염은 중탄산나트륨의 같은 몰로 아세트산 반응에서 생산된다. 아세트산염은 동등 몰을 바탕으로 체내에서 대사되어 중탄산염을 생산할 것이다. 따라서 사용된 투석액의 실질적인 염기 함유물은 모니터에서 보여지는 것보다 더 높을 것이다(Kohn, 2012). 그러므로 아세트산을 함유하는 대부분의 액체 산 농축물의 경우, 일반적으로 혼합 후 만들어진 투석액에 있는 아세트산 양은 약 4 mM이다.

C. 건조 농축물

1. 중탄산염

일부 기계에서 건조 중탄산나트륨을 함유한 카틸리지는 액체 '중탄산염'을 대신해서 사용한다. 건조 중탄산염 카틸리지는 세균이 증식하는 문제를 피하고 최종 투석액의 연속적인 오염에 대한 염려를 피할 수 있다.

2. 산(구연산 혹은 이초산나트륨)

아세트산은 액체이기 때문에 건조 '산'농축물은 구연산(citric acid) 혹은 이초산나트륨(sodium diacetate)을 이용해서 만들 수 있다. 구연산계 투석액에서 생성되는 저농도 구연산염(citrate)은 투석막에 인접한 혈장 칼슘과 킬레이트를 형성할 것이다. 이것은 응고를 유발시키고 투석기 청소율을 약간 개선하며 투석기 재사용 횟수를 증가시킨다. 구연산(0.8 mM)과 적은 양의 아세트산(0.3 mM)을 함유하고 있는 건조 산 농축물에서는 혼합한 후에 투석액은 중탄산염이 만들어내는 염기 약 2.7 mEq/L이 더해져 0.8 mM 구연산염(2.4 mEq/L)과 0.3 mM 아세트산염을 함유하게 된다.

이초산나트륨은 아세트산과 아세트산나트륨을 함유한 화합물이다. 이초산나트륨으로 만든 산 농축물은 아세트산을 이용한 농축물

TABLE 5.1	표준 혈액투석 용액의 구성 성분
함유 성분	**농도 (mM)**
나트륨	135-145
칼륨	2-3
칼슘	1.25-1.75 (2.5-3.5 mEq/L)
마그네슘	0.25-0.375 (0.5-0.75 mEq/L)
염소	98-124
아세트산염[a]	3-8
구연산염[a]	0.8-1.0 (2.4-3.0 mEq/L)
중탄산염	25-35
포도당	0-11
pCO_2	40-110 (mm Hg)
pH	7.1-7.3 (units)

[a] 아세트산염(acetate) 혹은 구연산염(citrate)은 '산 농축물'에 아세트산, 이초산나트륨이나 구연산(citric acid) 형태로 추가된다. '중탄산염 농축물'을 혼합할때 이러한 산의 수소이온은 완충계로 CO_2 (i.e 탄산)를 형성하기 위해 중탄산염과 반응한다.

과 비교하였을 때 최종 투석액에서 아세트산염 농도를 전형적으로 두 배 함유하고 있다. 추가적인 중탄산염 생성원으로써 아세트산염 이 상대적으로 고농도(8 mM 까지)로 있다는 것을 고려하는 것이 중요하다(Kohn, 2012).

D. 최종 투석액 구성 성분

전형적인 투석액의 조성은 표 5.1에 나와 있다. 나트륨, 칼륨, 칼슘 농도는 사용하기 전에 다른 '산' 농축물을 선택하거나 충분한 '산' 농축물에 양이온염을 첨가함으로써 조성이 다양해질 수 있다. 게다가, 일부 투석기계는 개인마다 투석하는 동안에 투석액에 나트륨 농도를 다양하게 할 수 있다. -sodium profiling으로 알려져 있다. sodium profiling은 투석 중 저혈압을 감소시키고 일부 환자에서는 투석 후 체액 감소에 따른 기운이 없는 느낌을 향상시킨다.

그러나 평균 투석액 나트륨 수치가 증가할 때마다 갈증이 증가하고 과도한 수분 섭취, 고혈압을 유발할 수 있다(제 12장 참고). 대부분의 투석기계는 비율펌프비(proportioning pump ratio)를 변화시킴으로써 다른 농도는 변화시키지 않고 중탄산염 수치를 다양하게 할 수 있다. 투석액의 중탄산염 수치는 20~40 mM에서 조정할 수 있어서 더 자주 투석해야 되는 환자, 비요독증 환자 투석시(예; 중독치료), 알칼리증 환자 치료시 특히 유용할 수 있다. 투석액의 중탄산염 수치가 변할 때마다 칼슘, 마그네슘, 칼륨농도가 미세하게 변화할 것이다.

E. 투석기계 소독

투석기계는 제조업체 권고안에 따라 소독한다. 투석기계로 물 유입라인은 물 공급시스템과 동시에 소독한다. 지금 투석기계는 투석기계자체에 있는 세균과 내독소 제거 초미세여과기를 이용할 수 있다. 이 필터는 투석액이 투석기를 통과하기 전에 즉시 투석액 흐름을 차단한다. 투석액 초미세여과기는 치료횟수나 작동하는 달에 급수가 매겨지며, 투석기계를 소독할 때 소독된다. 이러한, 초미세여과기가 '초순도 투석액' 준비를 가능하게 한다.

References and Suggested Readings

Arnow PM, et al. An outbreak of fatal fluoride intoxication in a long-term hemodialysis unit. *Ann Intern Med*. 1994;121:339–344.

Association for the Advancement of Medical Instrumentation. *Quality of Dialysis Fluid for Hemodialysis and Related Therapies, ANSI/AAMI/ISO 11663:2009*. Arlington, VA: Association for the Advancement of Medical Instrumentation; 2009.

Association for the Advancement of Medical Instrumentation. *Water for Hemodialysis and Related Therapies, ANSI/AAMI/ISO 13959:2009*. Arlington, VA: Association for the Advancement of Medical Instrumentation; 2009.

Association for the Advancement of Medical Instrumentation. *Water Treatment Equipment for Hemodialysis and Related Therapies, ANSI/AAMI/ISO 26722:2009*. Arlington, VA: Association for the Advancement of Medical Instrumentation; 2009.

Association for the Advancement of Medical Instrumentation. *Guidance for the Preparation and Quality Management of Fluids for Hemodialysis and Related Therapies, ANSI/AAMI/ISO 23500:2011*. Arlington, VA: Association for the Advancement of Medical Instrumentation; 2011.

Canaud B, et al. Microbiologic purity of dialysate: rationale and technical aspects. *Blood Purif*. 2000;18:200–213.

Carmichael WW, et al. Human fatalities from cyanobacteria; chemical and biological evidence for cyanotoxins. *Environ Health Perspect* 2001;109:663–668.

Damasiewicz MJ, Polkinghorne KR, Kerr PG. Water quality in conventional and home haemodialysis. *Nat Rev Nephrol*. 2012;8:725–734.

DeOreo P, et al. Medical Director Toolkit. Developed by the Forum of ESRD Networks' Medical Advisory Council (MAC). 2012. http://esrdnetworks.org/mac-toolkits/download/medical-director-toolkit-2/medical-director-toolkit/at_download/file. Accessed July 27, 2014.

European Renal Association—European Dialysis and Transplantation Association. European best practice guidelines for haemodialysis, section IV—dialysis fluid purity. *Nephrol Dial Transplant*. 2002;17(suppl 7):45–62.

Kohn OF, Kjellstrand CM, Ing TS. Dual-concentrate bicarbonate-based hemodialysis: Know your buffers. *Artif Organs*. 2012;36:765–768.

Ledebo I. Ultrapure dialysis fluid—direct and indirect benefits in dialysis therapy. *Blood Purif*. 2004;22(suppl 2):20–25.

Sam R, et al. Composition and clinical use of hemodialysates. *Hemodial Int*. 2006;10:15–28.

Schindler R, et al. Short bacterial DNA fragments: detection in dialysate and induction of cytokines. *J Am Soc Nephrol*. 2004;15:3207–3214.

Susantitaphong P, Riella C, Jaber BL. Effect of ultrapure dialysate on markers of inflammation, oxidative stress, nutrition and anemia parameters: a meta-analysis. *Nephrol Dial Transplant*. 2013;28:438–446.

Ward DM. Chloramine removal from water used in hemodialysis. *Adv Ren Replac Ther*. 1996;3:337–347.

Ward RA. Ultrapure dialysate. *Semin Dial*. 2004;17:489–497.

Ward RA. Dialysis water as a determinant of the adequacy of dialysis. *Semin Nephrol*. 2005;25:102–110.

6

동정맥루와 인조혈관 ; 기본 사항

김은정 역

I. 도입부: 혈관 접근로 종류

동정맥루(AV fistula)와 인조혈관(Graft)은 유지투석 환자에서 사용되는 혈관 접근로의 가장 흔한 형태이다. 동정맥루는 동맥과 자가정맥을 연결해서 동맥에서 정맥으로 직접 혈액이 흐르게 한다. 코담배갑(snuff box), 팔의 근위부, 팔꿈치, 팔의 원위부에서 문합이 가능한 많이 변이가 있더라도 관습적으로, 문합부는 요골동맥(radial artery)과 요골측피부정맥(cephalic vein)을 손목에서 연결해서 만든다. 동맥과 정맥을 합성 물질인 튜브로 연결하는 것을 제외하고는 동정맥 인조혈관도 유사하다. 가장 흔히 사용되는 연결 물질은 합성 폴리테트라플루오로에틸렌 중합체(polytetrafluoroethylene polymer)이다. 혈관 접근로의 또 다른 형태는 커프가 있는 정맥도관(cuffed venous catheter)이며 다음 장에서 논의될 것이다.

동정맥루 성숙과정은 대개 6~8주가 걸리므로 동정맥루는 즉시 사용할 수가 없다. 성숙되는 동안에 새로 만든 동정맥루로 동맥과 정맥의 혈관 확장으로 인해 혈류가 점차 증가할 것이다. 바늘을 삽입할 정맥이 압력에 견디고 혈관벽이 두꺼워지면서 동정맥루가 강화되고 혈관 찢김(tearing)과 혈관외 유출(extravasation)에 견디게 된다. 정맥의 혈관 확장은 향후 바늘 삽입을 용이하게 해 준다. 동정맥 인조혈관은 대개 수술 후 1~3주내로 동정맥루보다 더 일찍 사용할 수 있다.

동정맥루는 낮은 감염률, 뛰어난 개통률, 전반적으로 향상된 환자 생존률로 인해 인조혈관과 비교해서 가장 선호하는 혈관 접근로이다. 그러나 동정맥루 또한 문제점들을 가지고 있다. 중요한 문제점 중에 하나는 많은 고령 환자를 포함하여 부적합한 혈관을 가지고 있는 환자에서 혈관이 잘 성숙되지 않는다는 점이다. 동정맥 인조혈관은 불충분하게 커지거나 거의 확장되지 않는 혈관을 가진 환자에서 혈관 접근로에 적합한 초기 선택이 될 수 있다. 장기간 사용하게 되면 동정맥 인조혈관의 하류(downstream)로 정맥의 일부 확장이 전형적으로 발생한다. 이처럼 가끔 새롭게 커진 정맥부위를 직접 동맥과 연결하여 동정맥 인조혈관을 동정맥루로 전환할 수도 있다.

A. 신생내막증식증(Neointimal hyperplasia)

기계론적으로 동정맥 인조혈관은 신생내막증식증의 높은 위험으로 인해 동정맥루보다는 덜 바람직한 혈관 접근로 선택이다. 대부분 흔히 이것은 동정맥 인조혈관-정맥문합부의 정맥 부위 하류에서 일어난다. 증식증은 하류 정맥의 내경을 막아서 인조혈관에서 혈류를 좋지 않게 하며 투석바늘을 제거한 후 지혈이 잘 되지 않게 한다(인조혈관내 압력이 증가하기 때문에). 결국 이것은 인조혈관 혈전을 야기한다. 동정맥 인조혈관에서 신생내막증식증이 가속화되는 이유는 인조혈관-정맥 문합부 하류로 와류(turbulance)가 생기기 때문이다. 또한 상대적으로 인조혈관은 딱딱하고 정맥은 더 유연해서 부조화가 생기기 때문이다. 인조혈관을 사용하지 않을 때 조차도 동정맥 인조혈관 하류로 협착(stenosis)이 일어나기 때문에 투석기에서 나가는 활성화된 혈액이 약한 정맥 부위에 주기적인 노출은 이 과정을 가속화시킨다.

동정맥 인조혈관이 성숙한 동정맥루보다 열등한 혈관 접근로 선택이어도 중심정맥도관보다는 우수하다. 동정맥루 혹은 동정맥 인조혈관을 가진 환자들은 정맥도관을 가진 환자들보다 감염이 적고, 이환률이 낮으며, 높은 생존율을 가지고 있다. 최근 중심정맥도관을 가진 환자에서 일부 좋지 않은 결과들은 표본선정편파(selection bias)(정맥도관은 중증 환자에서 사용하는 경향이 있다)임을 보여 주었다. 특히 고령환자에서 정맥도관을 가진 경우 감염 위험도는 상대적으로 낮다는 것이 밝혀졌다(Murea, 2014). 따라서 다음 장에서 상세히 논의되겠지만 어떤 임상 상황에서는 정맥도관을 오래 가지고 있는 것이 혈관 접근로로 유용한 형태일 수 있다.

II. 동정맥루 사용을 증가시키기 위한 가이드라인

미국 NKF/KDOQI와 FFI (Fisula First Initiative)(웹사이트 참고)에서 개발한 가이드라인들은 동정맥루 수술을 활성화시켜서 투석하는 환자에서 적어도 68% 사용을 목표로 하고 있다. 혈액투석을 시작하기 전에 만성 신부전 환자를 신장 전문의에게 조기 의뢰하여 동정맥 혈관 접근로를 만드는 데 시간을 벌 수 있도록 하였다. 이것은 환자가 만성 신질환의 경과에 따라 늦게 투석이 의뢰될때 필요한 중심정맥도관 삽관의 위험을 피할 수 있다.

최근 '응급 복막투석'은 긴급하게 투석이 필요한 환자의 초기 치료 방법으로 지지되었다. 이것은 환자를 장기간 정맥도관 없이 안정화시킬 수 있다. 동정맥루 사용이 증가하는 중요한 요인 중에 하나는 혈관 접근로팀으로 구성된 헌신적이고 숙련된 외과 의사때문이다.

지난 10년간 미국정부가 Fustula first breakthrough intiative (FFBI)의 실행을 후원하면서, 미국의 경우 혈액투석 환자에서 동정맥루 비율은 26%에서 61%로 증가했다. 많은 미국센터와 유럽센터에서는 훨씬 더 높은 90% 이상을 차지한다. 그러나 미국에서 중심정맥도관 사용 비율은 계획한 만큼 감소하지 않았다. 따라서 '동정맥루 우선(fistula first)'에서 '동정맥루 우선 사용하고, 도관은 마지막에 사용하는(fistula first and catheter last)'것으로 초기 목표를 수정하게 되었다.

III. 혈관 보존

투석이 필요할 것으로 예상되는 진행성 만성 신부전 환자에서 양팔의 표재성 정맥과 심부정맥은 혈관 접근로 사용 가능성을 고려하여 보호해야 한다. 따라서 특히 양팔의 요골측피부정맥과 앞팔오금정맥(antecubital vein)에서 상지에 정맥천자와 말초혈관 라인을 잡는 것을 최소화 해야 한다. 가능하다면 손등에서 정맥을 사용해야 한다. 차후 중심정맥도관 협착 위험도 때문에 꼭 필요한 경우가 아니라면 쇄골하 정맥 관삽입을 해서는 안되며, PICC라인과 정중선 도관(midline catheter) 또한 삽입해서는 안된다. 요골동맥(radial a.)과 상완동맥(brachial a.)은 향후 혈관 접근로로 사용하기 위해 보존해야 하며, 심장 중재술과 다른 혈관내 피부를 통한 중재술은 이 혈관을 통해서 시술해서는 안된다. 이식형 심장전기장치(cardiac implantable electronic device CIED)시술시 혈관내 leads 삽입 또한 피해야 한다. 부작용으로 중심정맥 개통율에 영향을 미치고 게다가 장기적으로 감염 위험도를 증가시킬 것이다. 대신에 박동조율기(pacemaker) 혹은 유사한 장치가 필요한 만성 신질환 환자는 심외막과 피하로 lead를 삽입하기 위한 방법을 평가해야 한다.

A. 미국 신장 간호협회에서 '혈관 보존' 프로젝트

이 단체는 웹사이트를 가지고 있어서 영어와 스페인어로 팔 정맥 보존의 중요성을 기술한 환자 중심의 브로셔를 제공하고 있다. 웹사이트는 또한 'Save Veins · No IV / LAB Draws.'이 새겨진 환자 손목 밴드용 공급업체에 대한 사이트와 링크되어 있다.

IV. 동정맥 혈관 접근로 계획

A. 환자교육과 시기

사구체 여과율 30 mL/min per 1.73 m^{2}미만인 환자들은 복막투석과 신이식을 포함한 모든 신대체요법의 방법 선택에 관하여 교육받아야 한다. 혈액투석을 선택하는 경우 동정맥루는 첫 투석이 예상되는 시기에서 최소 6개월 전에는 만들어야 한다. 복막투석으로 시작하려는 환자의 경우에 동정맥루를 만드는 것은 선택적이다. backup 동정맥루는 복막투석을 잠시 중단해야 할 때 중심정맥도관에 관련된 위험을 피하기 위해 가끔 복막투석 환자에서 만들 수 있다. 즉 예를 들면 기능부전 혹은 중증 복막염때문에 도관으로 대체해야 하는 경우다. 그러나 복막염 발생률은 과거보다 현재 현저하게 줄어서 대부분의 센터에서는 더 이상 backup 동정맥루를 만들지 않는다. 향후 생체 공여자(living donor)로 신이식을 계획 중이나 잠깐 동안 투석이 필요한 경우는 영구 동정맥 혈관 접근로 없이 치료할 수 있다. 이러한 환자에서는 환자가 정맥도관의 금기증(심내막염이 선행되는 판막질환)이 아니면 커프가 있는 정맥도관을 6개월 미만 짧은 기간으로 사용하면 충분할 것이다.

B. 투석의 필요성 예측

정확하게 투석시기를 예상하는 것은 쉬운 일은 아니다. 미리 동정맥 혈관 접근로를 만드는 것은 불필요한 자원의 이용일 수 있고, 특히 많은 고령환자는 투석이 필요하기 전에 사망하였다. 신대체요법의 요구를 예측하는데 도움을 주는 하나의 도구를 Tangri(2011, 2013)가 개발하였다. 3년간의 시간에 걸쳐서 말기 신부전으로 진행하는 위험도를 공식으로 예측할 수 있다. Drawz(2013)는 남성 미국 재향 군인회(male US Veterans Affairs) 환자들을 바탕으로 유사한 예측 공식을 개발하였고 1년에 걸쳐서 말기 신부전의 위험도를 예측할 수 있다.

V. 수술 전 평가

A. 환자 병력

철저한 병력 청취가 중요하다. 이전 중심정맥도관이나 정맥내 박동조율기/CIED 삽입, PICC라인 사용 여부, 혈관 수술력을 물어보아야 한다. 울혈성 심부전, 당뇨병, 말초혈관 질환의 병력같은 동반 질환은 혈관 접근로를 만드는데 제약을 가져올 수 있다. 중증 심부전 환자들은 혈관 접근로를 통해 혈액이 순환하는데 필요한 추가적인 심박출량을 견딜 수 없다. 죽상경화증이나 당뇨병으로 인한 중증 혈관 질환 환자 혹은 이전에 주사바늘을 잘못 찔러서 생긴 상처나 동정맥루 실패로 인한 팔 정맥의 광범위한 손상을 가진 환자는 새로운 수술 기법으로 동정맥루를 상지(upper extremity)에 만들려고 해도 동정맥 혈관 접근로에 필요한 적당한 혈관을 가지고 있지 않다.

B. 이학적 검사

상지(겨드랑, 상완, 요골, 척골)에서 박동이 있는 모든 혈관을 평가하고 기록해야 한다. 양측 팔에서 혈압을 측정하고, 양측 팔에서 혈압 차이가 10 mmHg 미만은 정상이고 10~20 mmHg는 경계선상에 있으며 20 mmHg 이상이라면 문제가 있는 것이다. 알렌 검사(Allen test)는 손바닥 동맥활(palmar arch)에서 요골동맥과 척골동맥(ulnar artery) 사이의 곁혈류(collateral flow)를 측정하는 것으로 신체검진이나 도플러 도움을 받아 할 수 있다. 알렌 검사는 맥박산소측정법(pulse oximetry)과 조합하면 민감도를 증가시킬 수 있다(Paul and Feeny, 2003). 알렌 검사 방법의 세부사항은 표 6.1에 있다. 환자는 이전에 중심정맥 혹은 정맥도관 삽입 흔적, 동정맥 혈관 접근로 수술을 포함하여 이전에 팔, 가슴, 목의 수술이나 외상에 대한 흔적을 조사하여야 한다. 팔 부종, 곁정맥, 양쪽 사지의 크기가 다르면 중심 정맥에 대한 평가를 신속히 해야 한다.

C. 영상검사

정맥과 동맥을 평가하기 위한 정기적인 수술전 정맥 지도작성(mapping)은 가장 적합한 정맥을 선택하여 가장 최상의 위치에 혈관 접근

TABLE 6.1
알렌 검사 (손바닥 동맥활 개통성검사)

1. 환자는 손바닥이 위쪽으로 오도록 팔을 쭉 펴서 마주하는 자세를 취한다.
2. 손목에서 양쪽 요골동맥과 척골동맥을 누른다.
3. 동맥을 꽉 누르고 환자에게 손바닥이 창백해지도록 반복적으로 주먹을 쥐었다 펴도록 지시한다.
4. 환자 손이 창백해 지면 척골동맥을 눌렀던 것을 떼고 핑크빛으로 돌아오는지 관찰한다. 그리고 나서 모든 압박을 푼다.
5. 요골동맥에 대해 2-4단계를 반복한다.

해석 : 동맥 압박을 풀자마자 창백했던 손바닥 색깔이 돌아올때 이것은 동맥 개통성을 나타내며 혈류의 적절성을 반영한다. 척골동맥에서 손을 뗀 후에 5초이상 창백함이 지속되는 것은 척골 동맥 혈류가 불충분하다는 양성반응이다. 마찬가지로, 요골 동맥에서 손을 뗀 후에 5초이상 창백함이 지속되는 것은 요골 동맥 혈류가 불충분하다는 양성 반응이다.

로를 만들 수 있도록 도와준다. 영상 검사의 사용으로 가장 기능을 잘 하는 동정맥루 위치의 비율을 증가시켰다.

1. 도플러 초음파

도플러 초음파는 혈류속도 뿐만 아니라 상완 동맥, 요골 동맥, 말초 정맥의 내경을 측정할 수 있어서 혈관 접근로 수술을 위해 적합한 동맥과 정맥을 확인하기 위해 모든 환자에서 실시해야 한다. 도플러 초음파의 제한점은 중심정맥은 영상을 보기 힘들다는 것이다. 정맥은 마취 후 약물투여로 확장되는 경향이 있기 때문에 도플러 초음파는 수술실에서 신경 차단술로 팔을 국소마취한 후에 잘 볼 수 있다. 그러나 정상적인 환경에서는 정맥은 수축되어 제대로 보이지 않는다.

a. 최소 정맥과 동맥 크기

성공적인 동정맥루를 위해 영양동맥(feeding artery)과 표적 정맥(target vein)에 대한 최소 직경은 논란의 여지가 있다. 여러 연구들에서 성공적인 수술적 문합을 위해서는 최소 정맥직경은 약 2.5 mm는 되어야 하며 (Okada and Shenoy, 2014) 최소 동맥직경은 2.0 mm는 되어야 한다고 제시하고 있다.

1.5 mm(양쪽 동맥과 정맥)보다 더 작고 '경계성'(borderline) 크기의 혈관들이 동정맥루 수술에 사용되었으나 이렇게 작은 혈관으로 수술을 할 수 있는 경험있고 숙련된 외과의가 필요하다(Pirozzi, 2010). 더 중요한 것은 혈류를 증가시키기 위해 문합한 후에 동맥과 정맥이 확장되는 능력이다.

b. 정맥 확장 검사

도플러 영상검사 중에 근위부 정맥을 압박대(tourniquet)를 사용해서 혈류를 차단하고 크기 증가를 기록한다. 평균 내경의 50% 증가하는 것은 성공적인 동정맥루 결과를 가져온다(Malovrh, 2002).

c. 동맥 확장 검사

도플러 영상검사 중에 동맥의 파형을 관찰할 수 있다. 동맥의 파형은 높은 말초저항으로 인해 정상적으로는 3상성(triphasic)이다. 2분동안 환자에게 주먹을 꽉 쥐도록 하고 손을 펴게 한다. 그 결과 나타나는 충혈반응(hyperemic response)은 정상적으로 건강한 동맥 확장이 있는 환자에서 3상성 동맥 파형에서 2상성(biphasic) 패턴으로 전환된다.

d. 정맥 지도화(Mapping)

요골측피부정맥계와 척골측피부정맥계 또한 혈관이 끊기는것 없이 연속적인지 협착이 없는지 평가해야 한다. 일부 외과의는 동정맥루 수술에 적합한 정맥을 확장시키고 식별하기 위해 그 위치에 가깝게 압박대를 감고 정맥 지도를 만든다.

2. 정맥 조영술

정맥조영술은 중심정맥을 평가하기 위해 필요하다. 특히 이전에 정맥경유 박동조율기 삽입, 상지부종, 어깨나 가슴벽에 곁정맥(collateral vein)이 있거나 팔다리 양쪽 크기가 다르면 적응증이 된다. 정맥 조영술을 할 때 신독성을 피하기 위해 30cc 혹은 이하의 비이온성, 저삼투성 조영제를 1:4로 희석해서 사용해야 한다. 최대 강도(full-length) 조영제는 대개 정맥 조영술에서는 필요하지 않다. 정맥 조영술만으로 동맥 곁가지(arterial trees)를 평가하기는 어렵다.

3. 동맥 조영술

동맥 조영술은 원하는 혈관 접근로 위치에서 맥박이 심하게 감소하거나 없거나 혹은 양측 팔에서 평균 동맥압이 20 mmHg 이상 차이가 날 때 적응증이 된다.

VI. 상지 동정맥루 가능한 위치
개요 (표 6.2) Okada and Shen (2014)

A. 팔 동정맥루 위치

동정맥루는 동정맥 순환 연결에 따라 고식적(conventional) 혹은 전위된(transposed) 동정맥루로 분류될 수 있다. **고식적 동정맥루(conventional AV fistula)**는 표재성(superficial) 동맥과 정맥을 연결하여 만들어 대개 혈관의 광범위한 이동을 요구하지 않는다.

전위된 동정맥루(transposed AV fistula)는 더 깊은 정맥을 이용해서 주사바늘 천자가 쉽도록 피하에 가깝게 광범위한 정맥을 이동시킨다. 고식적 동정맥루와 비교하여 전위된 동정맥루는 기술적으로 만들기 어렵고 치유 시간이 더 오래 걸린다. 대체로 고식적 동정맥루는 단일단계 수술과정(single-stage surgical produre)으로 만드는 반면에 전위된 동정맥루는 일단법 혹은 이단법 과정(one-stage or two-stage procedure)으로 만들어진다.

상지에서 사용할 수 있는 동정맥루 위치는 최소 9가지가 있다(표

TABLE 6.2	상지에서 동정맥루 수술 위치

고식적 위치
Sunffbox (distal-most site)
Radiocephalic or Brescia-Cimino (radial artery to forearm cephalic vein at the wrist)
Ulnar artery to forearm basilic vein (uncommon)
Brachial artery to upper arm cephalic vein (at the elbow)

전위된 위치
Forearm basilic vein to radial artery at the wrist
Forearm basilic vein to the brachial artery (loop configuration)
Forearm cephalic vein to the brachial artery (loop configuration)
Perforating veins in the proximal forearm to proximal radial artery (Konner modification of the Gracz fistula)

6.2). **해부학적 코담배갑** 동정맥루(anatomical snuffbox)는 긴엄지 (손가락)폄근과 짧은근(*extensor policis longus and brevis*)의 힘줄사이 에 만든 요골동맥-요골측피부정맥루의 원위부 변형(variant)이다.

가장 선호하는 혈관 접근로는 우세하지 않은 팔, 손목에 만드는 고 전적인 **요골동맥-요골측피부정맥** 동정맥루 또는 Brescia-Cimino fistula이다. 또 다른 아래팔 동정맥루인 척골동맥-척골측피부정맥 (**ulnar artery-basilic vein**) 동정맥루는 손목에 요골동맥-요골측피 부정맥 동정맥루를 선택하지 못할 때 고려해야 한다. 위 팔 위치를 고 려하기 전에 몇몇의 다른 전위된 아래 팔 위치를 평가해야 한다. 예를

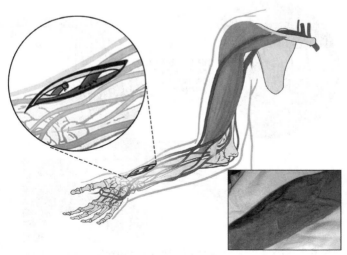

그림 6.1 요골동맥-요골측피부정맥 동정맥루(Radiocephalic AV fistula)

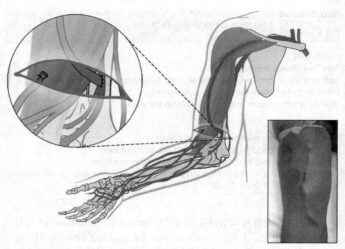

그림 6.2 상완동맥-요골측피부정맥 동정맥루(Brachiocephalic AV fistula)

들면, **아래 팔 요골측피부정맥에서 근위부 요골동맥이나 상완동맥, 그리고 전위된 아래 팔 척골측피부정맥에서 요골 동맥이나 상완동맥**을 말한다. 아래 팔 동정맥루를 만드는 것이 가능하지 않다면(당뇨병 환자나 죽상경화증을 가진 고령환자) **위 팔 상완동맥-요골측피부정맥**

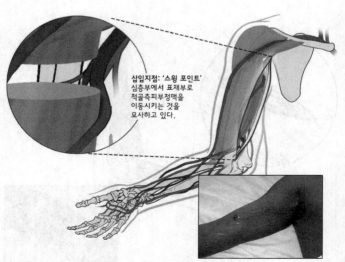

삽입지점: '스윙 포인트'
심층부에서 표재부로
척골측피부정맥을
이동시키는 것을
묘사하고 있다.

그림 6.3 상완동맥-전위된 척골측피부정맥 동정맥루(Transposed basilic vein to brachial artery AV fistula)

동정맥루(그림 6.2) 혹은 **상완동맥-전위된 척골측피부정맥 동정맥루**(그림 6.3)가 잠재적인 선택법이다.

덜 혼하게 사용되는 선택법은 **Gracz fistura**(양쪽 위팔 요골측피부정맥과 척골측피부정맥을 동맥화하는데 관통정맥을 사용함)와 **brachial bidirectional cephalic fistula**(양쪽 아래팔과 위팔 요골측피부정맥을 동맥화함)가 있다.

관통정맥 동정맥루(perforating vein fistula)를 사용하는 경우 원래의 (original) 수술과정을 수정해야 한다고 제시하였다(Konner, 1999). 우세하지 않은 팔의 모든 위치에서 수술을 하지 못할 때 우세한 팔을 사용할 수 있다.

1. 고령 혹은 동반질환을 가진 환자에서 팔꿈치 관통정맥 동정맥루의 초기 선택

고령 혹은 동반질환을 가진 환자에서는 작은 내경과 두꺼운 혈관벽을 가지고 있는 석회화된 요골동맥이 혼히 관찰된다. 이 혈관으로는 동정맥루는 실패하기 쉽다. 소규모 연구에서(Palmes, 2011) 아래 팔 동정맥루는 손목에서 요골동맥과 척골동맥 직경이 2 mm 이상이고 석회화나 부분적인 협착이 관찰되지 않으면 시행할 수 있다. 또한 손목에 압박대를 하여 요골측피부정맥 직경이 최소 2.5 mm은 되어야 한다. 그렇지 않고 관통정맥이 팔꿈치에 있고 상완동맥과 요골측피부정맥이 적합한 직경을 가지고 있다면 Gracz 접근법의 Konner modificaton법을 사용해서 관통정맥 동정맥루를 팔꿈치에 만들 수 있다(위에서 언급했듯이). 혈관 상태가 좋지 않은 고령환자에서 관통정맥 팔꿈치 동정맥루(perforating vein elbow fistula)로 만든 경우 동정맥루 개통률은 24개월간 78%로 인상적이었다.

B. 하지 동정맥루

하지에서 동정맥루는 높은 합병증 비율과 결과가 좋지 않아 드물게 만든다. 그러나 상지에서 모든 가능한 위치에 만들지 못할 경우 선택할 수 있다. 가능한 위치는 표재성 대퇴동맥을 대퇴정맥으로 연결하거나 두덩 정맥(saphenous vein)을 오금동맥(popliteal artery)으로 연결하는 것이다.

C. 속가슴동맥-관상동맥 우회술 후 동측 동정맥루로 인한 steal

현재 널리 보고되어 왔으며 이러한 문제를 피하기 위해서 반대측에 동정맥루를 만들어야 한다(Coskun, 2013).

VII. 동정맥루 수술 과정

동정맥루 수술은 보통 국소마취하에 수술실에서 시행한다. 문합은 동맥측방과 정맥측방(side of artery to side of vein)이나 동맥측방과 정맥 끝(side of artery to end of vein)으로 할 수 있다. 이 두 경우 모두 동맥을 통한 원위부 혈류는 보존된다. 측방-측방 문합시 손에서 원위부 정맥으로 때때로 높은 압력이 전달될 수 있어 정맥 부종과 소위 'red hand syndrome'을 야기할 수 있다. 동맥 측방과 정맥끝 연결 방법은 원위부 정맥을 묶기 때문에 손의 정맥 고혈압을 방지할 수 있다. 수정된 'piggyback SLOT 기술'로 실질적으로 문합한 정맥에서 꼬임이 감소하였고 문합부주위 협착도 감소하는 것을 보여 주었다(Bharat, 2012). 수술 방법에 관한 세부사항은 이 책에서 다루지 않는다. 동정맥루 수술은 나이가 어리고 경험이 적은 혈관 외과의로 밀려나 시행하는 것이 아니라 복잡하고 힘든 시술에도 관심이 있고 경험이 풍부한 외과의가 최선으로 수술해야 하는 것이 중요하다.

A. 수술시 요골동맥 동정맥루 혈류 측정

요골동맥은 정상적으로 20~30 mL/min 혈류속도를 가지고 있어서 문합수술 직후 200~300 mL/min으로 증가한다(Konner, 1999). 아래 팔 동정맥루의 한 연구에서는 문합부 정맥에서 혈류를 수술직후 측정하였고, 혈류속도가 120 mL/min 미만시 매우 동정맥루 수술 실패로 이어질 수 있다고 예측할 수 있었다(Saucy, 2010).

B. 컴퓨터 알고리즘을 사용한 성숙한 동정맥루 혈류 예측

조사자 협력단은 기본적인 환자의 인구통계적 변수와 수술 전 도플러로 혈관 직경과 혈류 측정을 바탕으로 하여 최고 동정맥루 혈류속도를 예측하기 위해 다양한 동정맥루 형태에 대한 알고리즘을 개발하였다(Caroli, 2013). 이 알고리즘은 아직 임상적으로 널리 사용되지는 않는다.

VIII. 수술 전후 관리와 동정맥루 성숙

일부 센터에서 환자들은 동정맥루 수술을 위해 수술 전에 몇 주간 팔 운동을 하면서 준비한다. 이것은 정맥을 확장시키고 2.5 mm이상 내경크기가 커지도록 도와준다. 수술 후 처음에는 수술한 팔을 올려 놓아야 한다. 꽉 끼는 원주형 드레싱은 피해야 한다. 손 운동(예; 고무공이나 부드러운 악력기를 이용하여 꽉 짜기)은 동정맥루 혈류와 압력을 증가시키는 것을 도와주고 동정맥루 성숙에 도움이 된다. 무작위 연구에서는 결코 확인되지 않은 개념이다. 동정맥루를 정맥천자로 사용해서는 안된다. 동정맥루 혈류는 매일(초기에는 더 자주 시행) 문합부에서 떨림(thrill)을 느끼고 쉿소리(bruit)를 들어서 검사한다. 의사, 간호사, 투석 전문의, 잘 알고 있는 환자들에서도 동정맥루 이학적 검사를 시행해야 한다. 동정맥 혈관 접근로의 이학적 검사의 기본 원리는 이 장의 후반부에서 설명할 것이다.

A. 6의 법칙

새로 만든 모든 동정맥루는 성숙하고 있는지 수술 후 4~6주 이내에 검사를 해야 한다. 사용 할 당시에 정맥 내경은 최소 6 mm는 되어야 한다. 성숙한 동정맥루는 '6의 법칙(rule of 6)'을 따라야 한다. 정맥 내경은 6 mm는 되어야 하며, 피부에서 정맥까지 깊이가 6 mm미만, 혈류는 최소 600 mL/min, 천자가 가능한 곳은 정맥 길이가 최소 6 cm은 되어야 한다.

보통 성숙은 수술 후 6주 정도가 되어야 한다.

B. 동정맥루 성숙의 세부사항

경험이 많고 숙련된 검사자는 성숙한 동정맥루와 미성숙한 동정맥루를 임상적으로 구별할 수 있다. 미성숙 혈관 접근로의 천자는 혈관의 침윤이나 압박, 동정맥루의 영구적인 손실과 관련이 있기 때문에 동정맥루는 성숙되어야 한다. 조기 성숙 실패(maturation failure)는 죽상 경화성 동맥, 부적절한 문합 혹은 혈관 손상(예를 들면 이미 존재하는 혈관 석회화나 경화증)으로 인한 동맥이나/과 정맥이 확장되는 능력이 떨어지는 것과 관련이 있다. 해결할 수 있는 한가지 원인은 동정맥루로 유출되는 정맥에 다양한 정맥부분 곁가지가 존재하는지이다. 이 곁가지들은 증가한 정맥흐름을 빼앗아 주요한 정맥유출로 성숙을 유도하는 동정맥루 압력 증가를 줄인다. 종종 곁가지의 묶음술로 성숙 과정을 초래하거나 촉진시킬 수 있다. 만일 동정맥루를 수술 후 6주 이상 천자할 수 없거나 투석 치료를 하지 못한다면 문제 원인을 확인하기 위해 샛길 조영상(fistulogram)을 시행해야 한다.

IX. 새로운 동정맥루에 초기 바늘 천자

이학적 검사로 동정맥루가 적절하게 성숙했다면 다음 단계는 바늘 천자를 시도해 보는 것이다.

A. 초기 바늘 천자일

가능하다면 초기 바늘 천자는 비투석일에 시행해야 한다. 이것은 헤파린 주입으로 인한 잠재적인 합병증을 제거할 수 있다. 바늘 천자 시도가 가능하지 않다면 환자의 주중 투석 치료시 새로운 혈관 접근로에 바늘 천자를 시행하는 것이 최선이다. 주중에 처음 바늘 천자를 시행하는 것은 체액 과다와 오랜 주말 간격 후 투석과 연관된 혈액검사 결과이상과 같은 합병증을 최소화한다.

B. 'Wet 바늘' 기법

바늘을 적절하게 삽입하기 위해서 바늘 위치는 바늘을 혈액펌프에 연결하기 전과 펌프를 시작하기 전에 생리 식염수로 플러시(flush)하여 확인해야 한다. 혈액을 되돌리는 것(blood return)만이 올바른 바늘 위치를 충분히 보여주는 것은 아니다. 적절한 바늘 위치를 확인하는 다른 방법은 'wet' 바늘을 사용하는 것이다. 바늘에서 공기를 제거하고 달려있는 주사기에 식염수로 바늘을 플러시하여 사용한다. 만일 혈관의 침윤이 발생한다면 주위 동정맥루 조직에 생리 식염수를 사용하는 것이 덜 해롭다. wet 바늘은 또한 dry 바늘로 천자하는 경우 바늘에서 공기가 빠지도록 뚜껑을 열면 혈액이 분사되거나 유출되는 위험을 막을 수 있다. 바늘 tubing 뚜껑을 여는 것은 투석팀 의료진, 환자, 주위 환자들에게 혈액노출의 위험을 줄 수 있다.

C. 'backeye' 바늘

backeye가 있는 바늘은 혈관 접근로에서 혈류를 최대화하고, 바늘을 뒤집을 필요를 줄이기 위해 항상 동맥쪽 바늘에 사용해야 한다.

D. 바늘 크기 선택

초기 바늘천자에 바늘 크기를 선택하는 것은 중요하다. 시진과 촉진은 혈관 크기를 바탕으로 어떤 바늘 크기를 결정하느냐에 가장 적합한 검사이다. 바늘 천자할 부위에 보호 뚜껑이 있는(주사바늘 상처를 예방하기 위해) 17G 혹은 16G 바늘을 놓는다. 압박대를 하든 안하든 정맥 크기와 바늘 크기를 비교해 본다. 만일 압박대를 했을때 바늘이 정맥 크기보다 크면(특히 바늘 크기가 너무 크면) 바늘 천자하면서 혈관을 침윤할 수 있다. 바늘 크기는 정맥(압박대를 하지 않고)보다 같거나 작은 것을 사용해야 한다. 이용할 수 있는 가장 작은 바늘 크기인 보통 17G는 전형적으로 초기 바늘 천자시도시 사용된다. 17G 바늘로 공급되는 혈류는 제한이 있다는 것을 기억하는 것이 중요하다.

펌프전 동맥 모니터링은 혈액 펌프 속도가 바늘이 쉽게 제공할 수 있는 혈류를 초과하지 않도록 하기 위해 권고하고 있다. 펌프전 동맥 압력은 -250 mmHg를 초과해서는 안된다. 동정맥루는 17G 바늘 사용을 기본으로 다음 천자시 바늘 크기를 증가시킬지 결정하면 된다. 17G 바늘은 보통 때는 250 mL/min 이상 혈류속도를 공급하지 못할 것이다. 16G 바늘은 350 mL/min이상 혈류속도를 공급하지 못할 것이다. 17G에서부터 점차 바늘 크기를 증가시키는 것은 적절한 혈관 크기와 혈관 접근로 혈류에 달려 있다.

E. 초기 바늘 천자 과정

1. 압박대를 혈관 접근로가 있는 팔에 묶는다.
2. 센터 프로토콜에 따라 혈관 접근로 부위를 소독한다.
3. 바늘에 **생리식염수 8 mL를 채운 10 mL 주사기를 부착한다.** 그러나, 캐뉼라 삽입 직전까지 바늘을 프라임(prime)하지 않는다.
4. 바늘의 나비날개를 잡고 공기가 다 제거될때까지 생리 식염수로 바늘을 프라임한다. 바늘을 닫은채로 고정시킨다. 보호 캡을 제거하고 즉시 캐뉼라를 진입시킨다.
5. 조심스럽게 25도 삽입 각도로 동정맥루에 바늘을 천자한다. **혈액 플래시백(flashback)이** 관찰될때(바늘은 혈액 플래시백을 보기 위해 클램프를 풀어야 될 수도 있다) 피부와 일직선이 되도록 바늘을 수평으로 하고 동정맥루 내경으로 천천히 바늘을 밀어넣는다.
6. 바늘이 혈관내에 있을때 압박대를 풀고 안전하게 바늘을 테이프하여 고정시킨다. 혈액 플래시백이 보이면 10 mL 주사기로 **1~5 mL를 흡입한다.**
7. 생리 식염수로 바늘을 플러시하고 고정시킨다. 주사기는 쉽게 흡입과 플러시가 되어야 한다. 침윤의 징후과 증상을 감시한다. 환자들은 보통 조직에 생리 식염수나 혈액으로 침윤 즉시 날카로운 통증을

경험하게 된다.

8. 정맥도관을 통한 혈액 리턴을 계획하지 않았다면 두 번째 바늘 천자 시 단계 1-7을 반복한다.

F. 혈액리턴(return)시 정맥도관을 사용한 바늘 기법

아직 정맥도관을 가지고 있는 환자에서는 두 개의 바늘을 사용해서 새로 만든 동정맥루로 반드시 투석을 시작하지 않아도 된다. 침윤 위험은 혈액을 리턴하는(투석기 유출) 바늘에서 더 높다. 처음 두 번째 또는 세 번째 투석하는 동안 혈액은 정맥도관을 통해 리턴해 줄 수 있다. 그 다음에는, 투석은 동정맥루에서 두 개를 바늘을 사용해서 시행할 수 있다. 그리고 여러 번 투석이 성공한 후에는 정맥도관을 제거하면 된다.

X. 동정맥 인조혈관

이 장의 첫 머리에서 언급했듯이 동정맥 인조혈관은 동정맥루보다는 덜 선호된다. 주로 장기간 개통률이 낮고 개통성을 유지하기 위해 혈관내 중재술이 필요하기 때문이다. 동정맥 인조혈관은 몇몇의 이점을 가지고 있다. 천자시 큰 표면적, 바늘 천자가 용이, 짧은 성숙기간, 쉬운 수술조작 특징이 있다.

미국에서 수술하는 대부분의 동정맥 인조혈관은 합성 폴리테트라플루오로에틸렌(ePTFE)으로 이루어져 있다. 인조혈관은 외과의의 선호도와 경험에 따라 합성물질이나 생체물질을 선택할 수 있다. 특히 넙다리에 만드는 저온보존된 정맥 인조혈관(cryopreserved vein grafts) 사용은 높은 감염 위험도와 연관되어 있다. 짧은 인조혈관은 긴 인조혈관에 비해 개통성과 수명에 이점이 없다. 첨(Tapered) 인조혈관, 외부에서 지지하는 인조혈관(externally supported grafts) 혹은 고무로 된 인조혈관(elastic grafts)은 표준 PTFE 인조혈관보다 더 좋은 결과를 보여 주지 않았다. 정맥 커프가 있는 PTFE 인조혈관의 원위부 문합부 수정은 정맥 협착을 감소시키고, 인조혈관 개통성을 증가시킬 수 있다. 헤파린이 결합한 물질로 이루어진 새로운 인조혈관은 사용되고 있긴 하지만 장기간 이점은 보여 주지 못했다.

A. 잠재적 동정맥 인조혈관 위치

1. 흔한 위치

인조혈관은 직선모양, 고리모양, 곡선모양으로 넣을 수 있다(그림 6.4). 동정맥 인조혈관 초기에 사용하는 가장 흔한 위치는 손목의 요골동맥으로부터 팔 오금의 척골측피부정맥을 연결하는 직선형 인조혈관; 아래 팔의 상완동맥과 척골측피부정맥을 연결하는 고리형 인조혈관(그림 6.5); 위쪽 팔의 상완동맥에서 겨드랑정맥을 연결하는 위팔 인조혈관이다(그림 6.6). 환자별 특성 및 투석 예상시간에 따라 위치를 정하는데 도움이 된다. 초기에는 우세하지 않은 팔에서 원위부 인조혈관이 선호된다. 이러한 접근법은 향후 동정맥루 위치로 근위부 팔 부위를 보존하는 반면에 원위부 인조혈관은 혈전이 더 자주 생기게 된다.

원위부 인조혈관(예; 요골동맥과 앞팔오금정맥을 연결한 직선형 아래팔 인조혈관)은 때로 향후 동정맥루 형성을 위해 근위부 하류 정맥을 성숙시키기 위해서 사용한다.

2. 흔하지 않은 위치

겨드랑동맥은 상지에서 고리형 인조혈관을 만들때 사용할 수 있다. 인조혈관은 같은 쪽 쇄골하정맥의 협착을 우회하여 팔에서 속목정맥으로 연결할 수 있다. 또한 동정맥 인조혈관은 넙다리부위에도 만들 수 있으나 높은 합병증과 연관이 있다. 다른 부위를 더 이상 사용할 수 없을 때 가슴벽에 겨드랑동맥과 정맥을 연결하는 인조혈관(목걸이형, axilloaxillary graft)이 또 다른 선택법이다.

겨드랑 동맥에서 대퇴정맥 인조혈관을 포함한 다양한 부위가 사용될 수 있으며 환자 개개인과 외과의의 경험과 기술에 달려 있다.

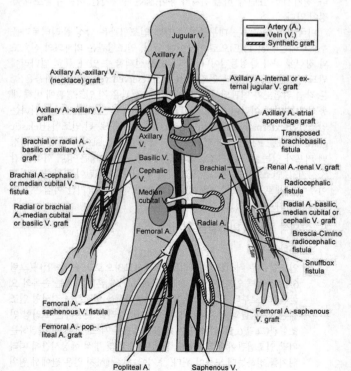

그림 6.4 동정맥 인조혈관 위치의 다양한 형태와 부위

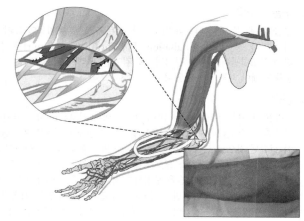

그림 6.5 아래팔 고리형 동정맥 인조혈관(Forearm loop AV graft)

B. 수술적 처치

예방적 항균제는 보통 수술 직전에 투여한다. 문합부는 인조혈관의 끝과 정맥이나 동맥의 측방을 연결하여 자가혈관을 통한 혈류의 방해를 최소화한다. 일부 연구에서는 비관통성 클립은 내피를 통과하는 것을 피함으로써 관습적인 봉합술보다 우수하다고 제시하고 있다. 클립은 그 다음 조영술시 확인을 위해 동맥과 정맥 문합부에 놓아야 한다.

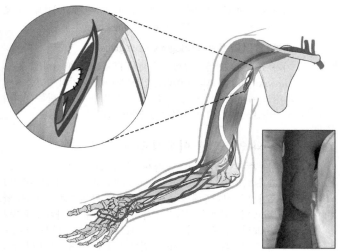

그림 6.6 위팔 동정맥 인조혈관(Upper arm AV graft)

C. 수술 후 관리

수술 후 관리는 동정맥루와 비슷하다. 팔은 수술 후 며칠동안 올려 놓아야 한다. 정맥의 박동(pulsation), 떨림(thrill), 혓소리(bruit)를 평가하여 인조혈관의 기능을 정기적으로 검사한다. 빨리 성숙시키려고 팔운동을 해야 하는 시점은 없다.

D. 성숙

PTFE 인조혈관은 수술 후 적어도 2주 동안은 천자를 해서는 안된다. 부종과 홍반이 없어지고, 인조혈관 접근로가 쉽게 만져지면 인조혈관이 성숙된 것으로 생각한다. 혈종 형성을 막기 위해서 인조혈관과 피하터널이 유착하는데 최소 2~3주가 필요하다. 쉽게 만져지지 않고 부종이 있는 인조혈관 천자술은 부정확한 바늘 삽입을 초래하여 혈종 형성이나 측면 찢김을 야기한다. 팔을 올려도 호전되지 않는 지속적인 팔 부종이 있는 환자는 중심정맥 상태를 평가하기 위해 영상검사를 해야 한다.

1. 조기 사용 인조혈관(Early-use grafts)

몇몇의 조기 사용 인조혈관은 중심정맥도관과 연관된 위험을 피하기 위해 수술직후 혈관 접근로로 도입되었다. 다층의, 자동 밀봉식의 폴리우레탄 인조혈관은 관습적인 PTFE 인조혈관과 견줄만 하며 조기 혈관 접근로로 사용할 수 있다. 수술은 conventional PTFE 인조혈관 수술보다 더 많은 기술이 필요하다. 인조혈관 뒤틀림과 터널내 꼬임의 위험도가 다소 높기 때문이다. 복합 인조혈관(composite graft)은 수술 후 24시간내 천자를 해서는 안된다. 수술 상처주위 부종이 가라앉고, 인조혈관이 쉽게 만져질 때까지는 아니다. 즉시 천자가 가능하고 헤파린이 결합된 폴리카보네이트로 구성된 자동 밀봉식 인조혈관(self-sealing graft)이 개발되었다.

2. 자가 조직 인조혈관(Autologous tissue grafts)

자가 조직으로 만든 인조혈관의 예비사용을 격려해 왔다(Wystry-chowski, 2013). 그러나 이러한 인조혈관이 장기간의 합병증을 어느정도 예방할 수 있는지 그리고 정기적인 투석으로 반복 천자시 누출(leakage)에 얼마나 내성이 있는지는 알려져 있지 않다.

XI. 동정맥루와 인조혈관 이학적 검사

이학적 검사는 동정맥 혈관 접근로 평가의 중요 도구로써, 비침습적이고 비용대비 효과적인 검사이다. 여러 연구에 따르면 이학적 검사는 동정맥 혈관 접근로가 있는 대다수에서 협착 병변을 정확히 발견하고 위치를 알아낼 수 있다고 입증되었다. 이학적 검사는 새로운 인조혈관이나 동정맥루의 수술 후 모니터링 뿐만 아니라 혈관 접근로 기능부전의 평가에 매우 도움이 될 수 있다. 혈관 접근로 기능부전에 관해서는 제8장에서 더 상세히 논의하겠다.

A. 시진

검사는 동정맥 혈관 접근로 부위에만 국한되어서는 안되며 팔, 어깨, 유방, 목과 얼굴의 남은 부분도 검사해야 한다. 어느 부위든 부종을 기록하고 하류 협착을 의심해야 한다. 또한 겹정맥이 있다는 것은 하류 협착을 의미한다. 가슴벽에 어느 흉터든 주의깊게 이전 도관 삽관 부위 증거로 검사해야 한다. 얼굴, 목과 유방의 부종은 대개 중심정맥협착때문이다.

B. 박동과 청진

1. 맥박

보통 동정맥 혈관 접근로는 가벼운 압력 적용으로도 쉽게 눌리는 부드러운 박동을 보여준다. 하류 협착시(유출부 협착) 박동은 커지게 된다(과박동성, 물-망치 형태의 맥박). 종종 물-망치 형태의 맥박 (water-hammer pulse)은 시진상 강한 박동을 볼 수 있다. 이 시나리오와 일치하는 임상 병력은 혈관 접근로에서 바늘을 제거한 후에 자주 지혈이 연장되는 것이다. 물-망치 형태의 맥박과 달리, 아주 약한 맥박(feeble pulse)(편평한 혈관 접근로, 저박동성)은 상류 협착을 가리킨다. 이러한 아주 약한 맥박을 가진 임상병력은 종종 동맥 바늘(바늘을 끌어 당기는 음압)에서 혈액을 흡입하는 능력이 떨어진다. 혈관 접근로는 대개 협착의 상류는 통통('plump')하고, 협착 하류는 편평('flat')하다.

2. 떨림

동정맥 혈관 접근로의 떨림은 손가락으로 검사하면서 느낄 수 있는 윙윙거리는 소리(buzz)이다. 떨림은 연속적이거나 단절될 수 있다. 보통 떨림은 정상적으로 단절되는 동맥 문합부를 제외하고, 연속적인 특성이 있다. 떨림의 질은 문합부에서 가슴벽까지 완전히 평가해야 한다(종종 노쪽피부정맥궁(cephalic arch) 협착은 어깨의 앞부분의 노쪽정맥궁부위에서 단절된 떨림이 있다). 협착이 있다면, 떨림은 끊기게 된다. 수축기 떨림은 협착부위 바로 아래에서 자주 느껴질 수 있다.

3. 청진

청진은 동정맥 혈관 접근로에서 잡음소리(bruit) 질을 평가하기 위해 시행할 수 있다. 떨림의 박동아래, 잡음소리 청진은 연속적인지 단절된 잡음소리에 따라 협착의 발견과 병소 부위를 알 수 있다.

C. Pulse augmentation과 arm elevation tests

혈관 접근로를 빨리 검사하는데 사용하는 두 가지 추가적인 검사가 있다. **pulse augmentation test**는 **유입부** 협착을 평가하는 반면에, **arm elevation test**는 **유출부** 협착을 평가한다.

1. **Pulse augmentation**

   동맥 문합부의 몇 cm에서 혈관 접근로가 완전히 막혔는지와 맥박의 강도를 평가하는데 시행한다. 검사는 손가락으로 누르고 동정맥루 상류부분의 맥박이 강해질 때 정상으로 간주한다. 동정맥루에서 곁가지는 pulse augmentation test를 사용해서 알 수 있다. 손가락을 이용해서 동정맥 혈관 접근로 유출부를 막으면 보통 두 가지 경우가 발생해야 한다.
   (1) 떨림이 소실되어야 한다. (2) 손가락으로 막은 혈관 접근로 상류 부분은 맥박이 강해져야 한다. 만일 떨림이 혈관 접근로를 막은 후 지속된다면 곁유출로(accessory outflow pathway)가 있는지 의심해야 한다. 이 경우, 혈관 접근로 맥박은 예상되는 압력 증가가 곁유출로로 인해 사라지기 때문에 강해지지 않는다. 종종 동정맥루 문합부 쪽으로 손가락을 눌러서 이동시킴으로써 곁가지 위치를 정확하게 알 수 있다. 떨림이 사라지고 맥박이 강해질 경우, 검사자가 누르고 있는 손가락은 곁가지 위치를 막 통과한 것이다. 문합부에서 먼 쪽으로 손가락을 이동시키는 것은 떨림을 다시 느낄수 있다. 이러한 조작으로 곁가지 위치를 확인할 수 있다.

2. **Arm elevation test**

   상지를 올려서 동정맥루의 정상적인 소실을 관찰하는 검사이다. 이 검사는 팔을 올린 후 동정맥루가 팽창되어 있고 소실되지 않을 때 비정상으로 간주한다. 이것은 하류 협착이 있음을 가리킨다.

XI. 동정맥루와 인조혈관 천자 관련 일반적인 쟁점들

A. 피부 준비

모든 천자과정에서 무균기법을 사용해야 한다.

B. 마취

통증에 민감한 환자의 경우 천자하기 30분 전에 피부에 국소 마취연고를 바를 수 있지만, 자주 사용하지 않는다. 대부분의 환자들 특히 새로운 혈관 접근로를 가진 환자들은 바늘 천자 전에 피하조직으로 리도케인 주사를 필요로 한다. 마취제를 주사하는 것은 바늘 조작이 예상될 때 특히 도움이 된다. 정해진 바늘 경로를 가진 환자들은 종종 마취제 없이도 직접 천자에 견딜 수 있고, 일부에서는 마취제 주사가 직접 바늘 천자보다 더 아프다는 것을 알고 있다.

C. 동정맥루에 압박대(tourniquet) 사용

압박대나 혈압기 커프는 동정맥루에 더 쉽게 천자하기 위해 정맥을 확장하고 안정화 시키는데 사용된다. 압박대를 투석 중에는 사용해서는 안된다; 압박대를 적용했을때만 작용하는 동정맥루는 대개 유입부 협착때문이며, 아직 성숙되지 않았다는 것이다. 이러한 동정맥루는 사용하기 전에 더 많은 시간이 필요하거나 혈관 접근로 팀에 의해 재평가가 필요하다.

압박대가 천자시 필요하지 않고, 동정맥루가 팔을 올렸을때 부드럽지 않다면 하류(유출부) 협착 가능성이 있어서 영상 검사를 이용하여 찾아야 한다.

D. 바늘 크기

위에서 언급했듯이, 영구 혈관 접근로를 초기에 사용하는 경우 일부 신장 전문의는 특히 동정맥루의 경우에 작은 바늘 크기(16~17게이지) 사용과 낮은 혈류속도를 권장한다. 성숙한 혈관 접근로의 경우, 고효율 투석에 필요한 혈류속도(> 350 mL/min)를 공급하려면 더 큰 바늘(15-게이지)이 필요하다.

E. 바늘 배치, 공간, 방향

2개의 바늘을 확장된 동정맥루나 인조혈관에 놓아야 한다. 투석기 혈액 입구로 들어오는 바늘은 항상 원위부에 꽂는데, 동정맥(또는 동맥 인조혈관) 문합부에서 적어도 3 cm 이상 떨어지게 한다. 상류 혹은 '동맥' 바늘은 상류(심장쪽)나 하류(손을 향해)쪽에 꽂을 수 있다.

일부 나라에서는, 심장 방향으로 놓는 것이 흔한데 바늘을 뺄 때 남겨진 피부판(flap)이 혈류로 자연스럽게 막힌다는 것이 이론적 근거이다. 하지만 여기에 대해 제시된 대조군 연구는 없었다. 하류(유출부 혹은 '정맥') 바늘은 반드시 재순환을 최소화하기 위해 상류('동맥') 바늘과 약 5 cm 떨어진 근위부에 심장을 향하여 꽂는다. 한 연구는 정맥과 동맥 바늘이 2.5 cm 떨어진 공간에서도 재순환은 발생하지 않는다는 것을 밝혔다(Rothera, 2011). 일부에서는 삽입한 후에 바늘 축을 따라 바늘을 180도 돌린다. 바늘에 의해 혈관 깊은 벽의 잠재적인 손상을 막을 수 있다는 것이다. 이 문제에 대한 체계적인 연구가 아직 없지만, 대개 권고하지 않는다.

1. 유입/유출 바늘 뒤바꿈의 위험도

특별한 간호는 아래 팔 고리모양 인조혈관에 바늘 천자시 필요하다. 이러한 인조혈관의 80% 이상에서 동맥가지(arterial limb)는 안쪽이고(척골쪽), 동맥가지 나머지는 아래팔의 요골쪽이다. 반대 방향으로 바늘을 놓는 것은 투석실 의료진이 인조혈관 특정 부위에서 혈액이 평소와 반대 방향으로 흐른다는 것을 알지 못한다면 생길 수 있다. 반대 방향으로 바늘을 꽂는 것은 근본적으로 재순환의 양(20% 이상)을 증가시켜 투석이 불충분하게 일어나게 한다. 이러한 경우는 다른 센터에서 수술을 하였거나 삽입된 혈관 접근로의 도표를 곧바로 볼 수 없을때 생각했던 것보다 많이 발생한다. 반대 방향으로 바늘을 꽂는 것이 의심시, 혈관 접근로를 일시적으로 막고 막은 손가락 양쪽 혈관을 촉진해 보면 대부분의 경우에서 혈류의 방향을 알 수 있다. 참고로 혈관 수술을 한 외과의로부터 '혈관 지도' 혈관 접근로 지표는 상당히 도움이 될 수 있다.

F. 반복적인 천자

바늘을 삽입하는 방법은 특히 동정맥루에서 혈관 접근로의 장기간 개통성과 생존에 영향을 미친다. '사다리' 방식이나 회전방식은 어느 두 부위에 바늘을 국소적으로 사용하지 않고, 혈관 접근로의 전체길이를 사용한다. 한두 군데 특정부위에 바늘을 삽입하면 동맥류(aneurysm)를 만들면서 혈관벽을 약하게 할 수 있다.

G. Buttonhole 천자법

동정맥루의 경우, 바늘을 천자하는 기술 중 소위 "단추구멍(buttonhole)" 방법이 있다. 이 방법은 항상 동정맥루의 국소 부위에만 돌아가며 천자하는 것이다. 바늘은 이전에 사용된 동일한 바늘자국을 통해 정확하게 삽입해야 한다. 단추구멍 방법이 날카로운 바늘을 사용해서 개발된 이후, 특별한 "무딘(dulled)" 바늘이 단추구멍 트랙의 찢김을 최소화하기 위해 사용되었다. 단추구멍 방법에 초기 열망은 감염 합병증을 증가시키고, 동정맥루 수명을 거의 연장시키는 않는다는 보고로 누그러지게 되었다(MacRae, 2014; Muir, 2014). 단추구멍 방법의 성공정도는 고난이도 기술에 의존하고 있다. 동정맥 인조혈관에서 단추구멍 방법은 보고된 바가 없으므로 추가 연구없이 동정맥 인조혈관에서 시도해서는 안된다.

단추구멍 천자법은 심각한 합병증과 숙기와 관련된 합병증을 막기 위한 기술뿐만 아니라 엄격한 감염관리를 요구한다(Dinwiddie, 2013).

1. 적합한 단추구멍 바늘 천자 과정 단계를 적용한다(피부 소독, 충분한 딱지 제거, 피부 재소독, 적절한 무딘 바늘 사용).

2. 피부 안으로 부드럽게 바늘이 들어가도록 도움을 주는 바늘 날개를 사용한다. 혈관이나 혈관 접근로- 지나친 압력은 천자를 하는 손가락으로 저항을 느끼면서 피드백을 막는다.

3. 항상 일관된 방법으로 단추구멍 바늘천자를 해야 한다. 압박대를 단추구멍 방법에서 사용한다면 항상 사용해야 하며, 그 외에는 단추구멍 통로에서 조직은 일직선이어서는 안된다.

4. 환자를 자가 천자 후보자로 고려할 수 있다. 환자는 자신 특유의 혈관 접근로 천자를 완전히 숙달함으로써 환자에게 권한 부여, 통증을 덜 느끼고 천자를 쉽게 할 수 있는 이점을 가지고 있다.

H. 침윤 예방 및 치료

천자로 인한 침윤은 투석 전, 투석 중 혈액 펌프 가동시, 투석 후 바늘을 제거하는 과정에서 발생할 수 있다. 침윤의 징후와 증상을 면밀하게 감시해야 한다. 바늘 침윤의 빠른 처치가 혈관 접근로 손상을 최소화하는데 도움을 줄 수 있다.

1. 헤파린 주입 후 침윤이 발생한다면 동정맥루가 아닌 바늘 통로에 적절하게 혈전을 관리해야 한다. 어떤 경우에는 그 부위에서 바늘을 제거하

여 다른 부위에 천자를 해야 할 것이다. 즉시 얼음을 적용하면 통증과 침윤 크기를 줄이는데 도움이 될 수 있으며, 출혈시간도 줄일 것이다.

2. 바늘을 테이프로 붙일때 주의를 해야 한다. 바늘을 정맥에 꽂은 후 바늘이 위로 올라오는 것을 피해야 한다. 부적절하게 바늘이 뒤집히거나 테이프를 붙이는 과정에서 침윤이 일어날 수 있다.

3. 동정맥루에 침윤이 된다면 적어도 한 번 투석 치료를 쉬는 것이 좋다. 만일 가능하지 않다면 다음 천자는 침윤 부위의 하류를 사용해야 한다. 환자가 중심정맥도관을 아직 가지고 있다면 정맥도관으로 혈액을 리턴하고, 바늘 하나를 동정맥루를 사용해서 재시작한다. 그리고 나중에 혈관 접근로가 허용되면 두개의 바늘로 더 큰 바늘 크기 , 더 큰 혈류속도로 점차 늘릴 수 있다.

4. 적절한 바늘 제거는 투석 후 침윤을 막는다. 바늘을 제거하기 전에 바늘 부위에 드레싱하는 거즈를 적용한다. 그러나 아직 압력을 적용해서는 안된다. 그 다음에 조심스럽게 바늘을 삽입할 때처럼 대략 동일한 각도로 제거한다. 이것은 환자 피부를 가로질러 바늘이 움직이는 것을 막는다. 바늘 제거시 너무 가파른 각도로 제거하는 것은 바늘 절단면(cutting edge)이 정맥벽 천자를 일으킬 수 있다.

5. 바늘을 완전히 제거할 때까지 천자 부위에 압력을 가해서는 안된다.

6. 천자 손상이 생기자마자 신장 전문의에게 알려야 한다. 몇몇의 경우에 동정맥루를 쉬게 하는 것이 필요하다. 중재술이 요구되는 경우도 있다.

I. 투석 후 지혈

바늘 제거 후 그 부위를 보통 한두 손가락 끝으로 혈류는 막히지 않게 단단하게 누르는 직접적인 압박은 지혈을 하는 최선의 방법이다. 직접적인 압박은 혈관 접근로에 형성되는 혈종을 예방하고, 피부 출구 부위에 출혈을 막는 것이다. 압력은 바늘 부위에 출혈여부를 확인하기 전에 적어도 10분동안 유지해야 한다. 밴드(adhesive bandages)는 완전히 지혈이 될 때까지 사용하지 말아야 한다.

20분 이상 지혈되지 않는 혈관은 혈관 접근로내 압력(intra-access pressure-PIA)이 증가된 것을 가리킨다. 또한, 출혈은 치료 용량의 와파린을 사용하는 환자에서 흔하다.

출혈의 다른 원인은 정맥도관에서 동정맥루로 바꾸는 환자에서 정맥도관에 채운 헤파린이 빠져 나가는 경우이다. 정맥도관은 초기 동정맥루를 테스트로 사용하는 동안에 혈액을 리턴하는데 사용된다.

References and Suggested Readings

Agarwal AK. Central vein stenosis: current concepts. *Adv Chronic Kidney Dis.* 2009;16:360–370.

Agarwal R, McDougal G. Buzz in the axilla: a new physical sign in hemodialysis forearm graft evaluation. *Am J Kidney Dis.* 2001;38:853–857.

Asif A, et al. Early arteriovenous fistula failure: a logical proposal for when and how to intervene. *Clin J Am Soc Nephrol.* 2006;1:332–339.

Asif A, et al. Vascular mapping techniques: advantages and disadvantages. *J Nephrol.* 2007;20:299–303.

Asif A, et al. Accuracy of physical examination in the detection of arteriovenous graft stenosis. *Semin Dial.* 2008;21:85–88.

Beathard GA. An algorithm for the physical examination of early fistula failure. *Semin Dial.* 2005;18:331–335.

Bharat A, Jaenicke M, and Shenoy S. A novel technique of vascular anastomosis to prevent juxta-anastomotic stenosis following arteriovenous fistula creation. *J Vasc Surg.* 2012;55:274–80.

Campos PR, et al. Stenosis in hemodialysis arteriovenous fistula: evaluation and treatment. *Hemodial Int.* 2006;10:152–161.

Campos PR, et al. Accuracy of physical examination and intra-access pressure in the detection of stenosis in hemodialysis arteriovenous fistula. *Semin Dial.* 2008;21:269–273.

Caroli A, et al; for the ARCH project Consortium. Validation of a patient-specific hemodynamic computational model for surgical planning of vascular access in hemodialysis patients. *Kidney Int.* 2013;84:1237–1245.

Chemla ES, et al. Complex bypasses and fistulas for difficult hemodialysis access: a prospective, single-center experience. *Semin Dial.* 2006;19:246–250.

Coskun I, et al. Hemodynamic effects of left upper extremity arteriovenous fistula on ipsilateral internal mammary coronary artery bypass graft. *Thorac Cardiovasc Surg.* 2013;61:663–667.

Crowther MA, et al. Low-intensity warfarin is ineffective for prevention of PTFE graft failure in patients on hemodialysis: a randomized controlled trial. *Clin J Am Soc Nephrol.* 2002;13:2331–2337.

Dember LM, et al; Dialysis Access Consortium (DAC) Study Group. Effect of clopidogrel on early failure of arteriovenous fistulas for hemodialysis: a randomized controlled trial. *JAMA.* 2008;299:2164–2171.

Dinwiddie LC, et al. What nephrologists need to know about vascular access cannulation. *Semin Dial.* 2013;26:315–322.

Drawz PE, et al. A simple tool to predict end-stage renal disease within 1 year in elderly adults with advanced chronic kidney disease. *J Am Geriatr Soc.* 2013;61:762–768.

Feldman L, et al. Effect of arteriovenous hemodialysis shunt location on cardiac events in patients having coronary artery bypass graft using an internal thoracic artery. *J Am Soc Nephrol.* 2013;24:214A (abstract).

Gradzki R, et al. Use of ACE inhibitors is associated with prolonged survival of arteriovenous grafts. *Am J Kidney Dis.* 2001;38:1240–1244.

Hoggard J, et al. ASDIN guidelines for venous access in patients with chronic kidney disease: a position statement from the American Society of Diagnostic and Interventional Nephrology Clinical Practice Committee and the Association for Vascular Access. *Semin Dial.* 2008;21:186–191.

Huijbregts HJ, Blankestijn PJ. Dialysis access—guidelines for current practice. *Eur J Vasc Endovasc Surg.* 2006;31:284–287.

Jaberi A, et al. Arteriovenous fistulas for hemodialysis: application of high-frequency US to assess vein wall morphology for cannulation readiness. *Radiology.* 2011;216:616–624.

Kaufman JS, et al. Randomized controlled trial of clopidogrel plus aspirin to prevent hemodialysis access graft thrombosis. *J Am Soc Nephrol.* 2003;14:2313–2321.

Konner K. A primer on the AV fistula—Achilles' heel, but also Cinderella of haemodialysis. *Nephrol Dial Transplant.* 1999;14:2094–2098.

Lin CC, et al. Effect of far infrared therapy on arteriovenous fistula maturation: an open-label randomized controlled trial. *Am J Kidney Dis.* 2013;62:304–311.

Lok CE, Davidson I. Optimal choice for dialysis access for chronic kidney disease patients: developing a life plan for dialysis access. *Semin Nephrol.* 2012;32:530–537.

Lok CE, et al. Cumulative patency of cotemporary fistulas versus grafts (2000–2010). *Clin J Am Soc Nephrol.* 2013;8:810–818.

MacRae JM, et al. Arteriovenous fistula survival and needling technique: long-term results from a randomized buttonhole trial. *Am J Kidney Dis.* 2014;63:636–642.

Malovrh M. Native arteriovenous fistula: preoperative evaluation. *Am J Kidney Dis.* 2002;39:1218–1225.

Maya ID, et al. Vascular access stenosis: comparison of arteriovenous grafts and fistulas. *Am J Kidney Dis*. 2004;44:859–865.

Moist LM, et al. Optimal hemodialysis vascular access in the elderly patient. Semin Dial. 2012;25:640–648.

Moist LM, et al. Education in vascular access. *Semin Dial*. 2013;26:148–153.

Muir CA, et al. Buttonhole cannulation and clinical outcomes in a home hemodialysis cohort and systematic review. *Clin J Am Soc Nephrol*. 2014;9:110–119.

Murea M, et al. Risk of catheter-related bloodstream infection in elderly patients on hemodialysis. *Clin J Am Soc Nephrol*. 2014;9:764–770.

National Kidney Foundation. 2006 NKF-K/DOQI clinical practice guidelines for vascular access: update 2006. *Am J Kidney Dis*. 2006;48(suppl 1):S177–S277.

Ohira S, Kon T, Imura T. Evaluation of primary failure in native AV-fistulae (early fistula failure). *Hemodial Int*. 2006;10:173–179.

Okada S, Shenoy S. Arteriovenous access for hemodialysis: preoperative assessment and planning. *J Vasc Access*. 2014;15(suppl 7):1–5.

Ortega T, et al. The timely construction of arteriovenous fistulas: a key to reducing morbidity and mortality and to improving cost management. *Nephrol Dial Transplant*. 2005;20:598–603.

Palmes D, et al. Perforating vein fistula is superior to forearm fistula in elderly haemodialysis patients with diabetes and arterial hypertension. *Nephrol Dial Transplant*. 2011;26:3309–3314.

Paul BZS, Feeny CM. Combining the modified Allen's test and pulse oximetry for evaluating ulnar collateral circulation to the hand for radial artery catheterization of the ED patient. *Calif J Emerg Med*. 2003;4:89-91.

Pirozzi N, et al. Microsurgery and preventive haemostasis for autogenous radial–cephalic direct wrist access in adult patients with radial artery internal diameter below 1.6 mm. *Nephrol Dial Transplant*. 2010;25:520–525.

Rothera C, et al. The influence of between-needle cannulation distance on the efficacy of hemodialysis treatments. *Hemodial Int*. 2011;15:546–552.

Saad TF, et al. Cardiovascular implantable device leads in CKD and ESRD patients: review and recommendations for practice. *Semin Dial*. 2013;26:114–123.

Saucy F, et al. Is intra-operative blood flow predictive for early failure of radiocephalic arteriovenous fistula? *Nephrol Dial Transplant*. 2010;25:862–867.

Shenoy S. Surgical anatomy of upper arm: what is needed for AVF planning. *J Vasc Access* 2009;10: 223–232.

Tangri N, et al. A predictive model for progression of chronic kidney disease to kidney failure. *JAMA*. 2011;305:1553–1559.

Tangri N, et al. Validation of the kidney failure risk equation in an International Consortium [abstract SA-OR055]. J Am Soc Nephrol. 2013;24:84A.

Vachharajani TJ. Diagnosis of arteriovenous fistula dysfunction. *Semin Dial*. 2012;25;445–450.

Vachharajani TJ, et al. Re-evaluating the fistula first initiative in octogenarians on hemodialysis. *Clin J Am Soc Nephrol*. 2011;6:1663–1667.

Vaux E. Effect of buttonhole cannulation with a polycarbonate peg on in-center hemodialysis fistula outcomes: a randomized controlled trial. *Am J Kidney Dis*. 2013;62:81–88.

Wystrychowski W, et al. First human use of an allogeneic tissue-engineered vascular graft for hemodialysis access. *J Vasc Surg*. 2014, in press.

Xue JL, et al. The association of initial hemodialysis access type with mortality outcomes in elderly Medicare ESRD patients. *Am J Kidney Dis*. 2003;42:1013–1019.

Web References

American Nephrology Nurses' Association "Save the Vein" project. http://www.annanurse.org/resources/save-the-vein-campaign.

American Society of Diagnostic and Interventional Radiology. http://www.asdin.org/.

Atlas of Dialysis Vascular Access. http://www.theisn.org/hemodialysis/education-bytopic.

Fistula First initiative: http://www.fistulafirst.org.

Physical examination of arteriovenous fistula. http://www.youtube.com/watch?v=m1-C61AOY3Q.

7 정맥도관 통로 ; 기본 사항

김은정 역

I. 개요

정맥도관으로 투석하는 환자들은 혈관 접근로로 투석하는 환자들만큼 잘하지 못한다. 정맥도관을 사용하는 환자들은 감염이 더 자주 발생하며, C-반응-단백(CRP)과 같은 염증 수치가 상승하고, 더 자주 사망에 이르게 된다. 이러한 연관된 위험성들은 도관을 사용하는 다른 환자군도 반영하는 것인지, 혹은 동정맥 혈관 접근로를 실패하여 도관을 넣어야 할 때 발생할 수 있는 일부 위험요인 때문인지, 아니면 완전히 도관 그 자체의 특성때문인지는 분명하지 않다. 아마도 세 가지 모두 중요하다. 도관은 6개월 생존율이 약 60%이고, 교정(revision)까지 포함한다면 1년 생존율이 40%이다. 정맥도관을 통한 불충분한 혈류가 중요한 문제로 남아있다. 400 mL/min(실제로 350 mL/min)이상의 명목상 혈류(nominal flow)를 얻을 수 있는 경우는 매우 드물고, 보통 300 mL/min정도 범위가 한계이다. 따라서, 체구가 큰 환자에서 이러한 도관의 사용은 제약이 있으며, 결과적으로 평균 요소 감소비(URR)나 Kt/V가 낮을 수 있다.

정맥도관은 동정맥 혈관 접근로를 즉시 만들 수 없는 환자에서 장기 혈관 접근로로 사용할 수 있다. 작은 어린이, 혈관질환이 심한 당뇨병 환자, 심한 비만 환자, 수차례 동정맥 통로 사용으로 유용한 혈관 접근로 삽입부위가 없는 환자들이 이에 해당된다. 또 다른 적응증은 적절한 혈압이나 혈관 접근로 혈류를 유지할 수 없는 심근병증 환자의 경우다.

도관은 더 자주 투석하는 환자에서 초기에 선호되는 반면에, 동정맥루나 인조혈관을 사용해서 야간 투석과 짧게 매일 투석하는 환자에서도 최근에 좋은 결과를 가져왔다. 특히, 동반질환과 기대수명이 제한된 일부 고령환자에서 만성투석으로 정맥도관 통로의 잠재적인 접근성에 대한 새로워진 논의가 있었다(Drew and Lok, 2014). 고령환자(75세 이상)에서 정맥도관의 감염률은 상대적으로 낮으며, 젊은 환자에서는 1/3을 차지한다(Murea, 2014).

미국 질병 통제 예방센터(the U.S centers for Disease control)에서 제시한 손씻기와 도관관리 프로토콜을 따르면서 투석 도관 감염률은 현저하게 감소하였다(Petel, 2013).

II. 도관 종류와 디자인

A. 커프있는(cuffed) vs 커프없는(uncuffed) 도관

커프없는 정맥도관을 수주 이상 사용하면 상대적으로 높은 감염률을 야기할 수 있어서 권고되지 않는다. 데이크론(Dacron) 혹은 도관에 붙어있는 펠트커프(felt cuff)는 도관연관 감염과 도관 이동의 빈도를 감소시킨다. 따라서 장기간 정맥도관의 사용이 예상되거나 도관을 유지하면서 환자가 병원에서 퇴원하게 될 때 사용해야 한다.

B. 디자인 쟁점

이중내강 정맥도관은 'double-D'형태이거나 두 개의 단면이 나란히 있는 형태로 사용되고 있다. 같은 축 도관은 현재 드물게 사용된다. 나란히 있는 포트 디자인은 도관의 끝 부분이 두 갈래로 나뉘어져 정맥 부분을 사용할 수 있다. 이것은 더 부드럽고 도관 끝이 유연하고 유입과 유출포트가 분리되어 있어서 아마도 재순환율을 낮출 것이다. 커프가 있는 Tesio 도관(주로 만성투석시 사용)은 두 개로 완전히 분리된 도관으로 이루어져 있으며, 각각은 부드러운 실리콘 물질로 만들어져 하나는 유입로 다른 하나는 유출로를 담당한다.

C. 소독제 주입

일부 투석 도관이나 커프는 세균성장을 억제하기 위해 소독제나 silver-based coatings이 주입되어 있다. 그러나 현재 이러한 도관에서 향상된 결과를 증명한 대규모 연구는 없었다.

III. 급성 투석

A. 적응증

정맥도관들은 흔히 다음과 같은 환자에서 급성 혈관 접근로로 사용된다.(a) 급성 신부전환자; (b) 약물 과다복용이나 중독때문에 혈액투석이나 혈액관류(hemoperfusion)가 필요한 환자; (c) 말기 신부전으로 급히 혈액투석이 필요하나 사용할 수 있는 성숙된 혈관 접근로가 없는 환자; (d) 유지 혈액투석 중 영구 혈관 접근로가 제 기능을 못해 기능을 할 때까지 임시 혈관통로가 필요한 환자; (e) 혈장분리반출술(plasmapheresis)이 필요한 환자; (f) 새로운 복막도관 삽입 전에 복강을 쉽게 하기 위한 복막투석 환자(보통 심한 복막염으로 복막도관의 제거가 필요한 경우; (g) 심한 거부 반응으로 임시 혈액투석이 필요한 신이식 환자.

제24장에서 논의되는 응급 복막투석을 시작하는데 제기되는 관심과 혈관 접근로 수술을 위해 만성 신질환 환자의 조기 의뢰는 혈액투석에서 중심정맥도관에 대한 응급 삽관 필요성을 낮추었다.

B. 삽입 위치

삽입 위치는 오른쪽과 왼쪽 속목정맥, 대퇴정맥, 쇄골하정맥이 해당된다. 다양한 위치에서 선호도에 따른 순서가 표 7.1에 있다. 적합한 삽

| TABLE 7.1 | 여러 가지 임시(비터널식) 혈액투석 도관 삽입 부위가 선호되는 선택적인 요인 |

1. **오른쪽 속목정맥(Rt internal jugular)**
   BMI >28 이상인 중증 침상생활을 하는 환자
   대동맥류(aortic aneurysm)수술후
   재활치료가 필요한 보행가능하거나 거동하는 환자
2. **대퇴정맥**
   BMI <24 미만인 중증 침상생활을 하는 환자
   기관절개술이 있거나 계획하고 있는 환자
   장기간 혈액투석 혈관 접근로가 필요하거나 계획된 환자
   응급 투석을 요하는 환자와 경험이 부족한 시술자나(와) 초음파로 혈관 통로가 없는 경우
3. **왼쪽 속목정맥**
   오른쪽 속목정맥과 대퇴정맥 부위가 금기인 환자
4. **쇄골하정맥**
   속목정맥이 금기인 환자
   우선적으로 오른쪽을 사용해야 하는 환자

입 부위는 **오른쪽 속목정맥(Rt internal jugular vein)이다.** 우심방과 연결된 정맥 통로가 상대적으로 짧고 직선이기 때문이다. 쇄골하 부위는 삽입에 따른 합병증(기흉, 혈흉, 쇄골하동맥 천공, 팔신경얼기(brachial plexus) 손상의 높은 빈도와 중심정맥 협착의 높은 빈도(40%이상) 때문에 일반적으로 피해야 한다. 상대적으로 우심방으로의 통로가 길고 꾸불꾸불하기 때문에, 급성 투석에 **왼쪽 속목정맥** 사용은 적절하지 않다. 차후 만성 투석이 필요하다면, 이상적으로 향후 협착률을 피하기 위해 상지 중심정맥혈관만은 피해야 한다. **대퇴정맥** 접근법은 몇 가지 잠재적인 이점을 가지고 있다. 특히, 경험이 없는 시술자에게는 삽입이 더 간단하다. 비록 대퇴 동맥 천자와 후복막 출혈이 있어도, 기흉, 혈흉이나 팔신경 얼기 손상의 위험도가 없다. 본래 대퇴정맥 접근법은 감염 위험률이 높지만, Cathedia Study Group에서 최근 경험은 감염률과 도관 끝(tip) 집락형성 시간(14일)은 대퇴정맥과 속목정맥 도관이 비슷하다는 것을 알게 되었다(Dugue, 2012). 대퇴정맥 삽입술은 환자의 머리와 가슴을 삽입중에 높게 유지하기 때문에 급성 폐부종 환자에서 초기 혈액투석 치료시 유용하다. 대퇴정맥 도관의 감염 위험은 아마도 위험의 정도가 체지방 분포에 의존하기 때문에 비만 환자에서 증가한다(BMI > 28 kg/m^2). 대퇴정맥 도관을 사용하는 경우, 길이가 충분해야(보통 최소 20 cm) 도관 끝이 하대정맥에 위치하여 혈류를 좋게 하고, 재순환을 최소화한다. 또한 Cathedia Study에서 요소 감소비(URR)나 분획요소청소율(Kt/V)은 대퇴정맥도관과 속목정맥도관에서 유사하다는 것을 보여주었다. EBPG (European Best Practices Group)는 표 7.1에서 보여준 삽입 부위 선호도 순서에 동의하지 않았고, 왼쪽 속목정맥을 두 번째 선호도 순서로 정하여, 대퇴정

맥도관 사용을 자제하도록 권고하고 있다(Vanholder, 2010).

C. 커프없는(Uncuffed) 도관과 커프있는 도관(cuffed catheter)

커프없는 도관의 감염 위험은 첫 주 이후에 크게 증가한다. 이런 이유로, 2006년 KDOQI 혈관 접근로 가이드라인은 투석이 1주 이상 필요하다면 커프가 있는 도관 사용을 권고한다. 또한, 침상생활 환자에서 대퇴부 도관은 5일 이상 길게 두지 않을 것을 권고하고 있다. 특히 대퇴부 도관의 경우, 이러한 권고안들은 도관 끝(tip) 집락 형성 평균 시간은 14일인 Cathetia study 결과에 따르면 너무 엄격할 수도 있다. 일단 투석을 오래할 가능성이 확인되면 커프가 없는 속목정맥 도관을 커프가 있는 도관으로 교체해야 한다. 처음부터 투석을 오래할 가능성이 있는 경우, 가능하다면 오른쪽 속목정맥으로 커프가 있는 도관을 처음부터 삽입해야 한다. 최근 커프가 있는 터널식 대퇴부 도관을 사용하는데 일부 성공을 했다(Hingwala, 2014). 이것은 삽입 후 몇 주 내 제거하기만 하면 돌출된 피부주름과 떨어진 위치에 삽입할 수 있고, 쉽게 제거할 수 있는 이점을 가지고 있다. 복막투석이든 혈액투석이든 커프가 있는 대퇴부 도관을 삽입하는 것이 보다 정확한 혈관 접근로 위치에 시간을 할애하는 것이다.

D. 해부학적 변이와 실시간 초음파 유도 이용

목의 중심정맥은 해부학적으로 다양하며(그림 7.1), 가끔은 그것 중 하나는 없는 경우도 있다. 비전형적이거나 확장성 경동맥(ectatic carotid arteries) 또한 문제이다. 초음파를 가이드로 사용하면서, 속목정맥 천자를 한 번에 성공시키는 비율이 증가하여 경동맥 천자와 혈종도 크게 줄었다(Rabindranath, 2011). 대퇴부 접근법에서 대퇴정맥은 종종 동맥 뒤쪽에 있어서, 이러한 중첩은 샅고랑 인대로부터 아래로 진행하면서 심해진다(Beaudoin, 2011). 여기서 또한, 초음파를 사용하면 합병증을 줄일 수 있다(Clark and Barsuk, 2014).

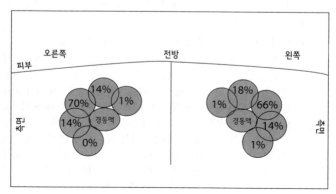

그림 7.1 초음파로 위치를 보았을때 속목정맥의 해부학적 다양성

E. 도관 삽입을 위한 시뮬레이션에 근거한 훈련

투석을 위한 정맥도관 삽입은 신장 펠로우에게는 습득해야 하는 필요한 기술이다. 그러나 많은 프로그램들은 훈련으로 요구되는 수준까지는 자원을 주지 못한다. 시뮬레이션을 바탕으로 한 훈련은 이것을 해결하기 위해 제안되었고, 집중 교육은 향상된 도관 연관 결과를 보여주었다(Clark and Barsuk, 2014).

IV. 삽입 기술

A. 삽입 부위 준비

도관 삽입은 최대 장벽 보호환경에서 무균 수술복과 장갑을 착용하고 무균적으로 시술해야 한다. 피부소독 전에, 선택한 위치에 적합한 정맥이 있는지 확인하기 위해 초음파를 이용해서 삽입부위를 확인하는 것은 도움이 된다. 삽입부위와 주위를 피부소독(surgical scrub)으로 깨끗하게 하고, 적절하게 소독포를 씌워야 한다(커프가 있는 터널식 도관을 삽입시 어깨와 가슴벽을 포함시켜야 한다). 초음파 탐촉자(probe)는 무균싸개로 씌워야 한다.

B. 속목정맥 접근법

초음파 탐촉자를 혈관의 긴축과 평행하게 놓는다. 천자 바늘은 탐촉자 끝에 인접하거나 탐촉자의 단축으로 삽입한다. 그 대신에, 탐촉자는 혈관 장축에 수직으로 놓는다. 이 접근법은 혈관을 더 전형적인 원형의 외형을 볼 수 있게 하지만 바늘을 보는 데는 제약이 있다. 정맥은 전형적으로 탐촉자의 약한 압박에도 찌부러지는 반면, 동맥은 그렇지 않다.

더불어 정맥직경은 발살바 조작(Valsalva maneuver)으로 증가하여, 초음파로 쉽게 관찰할 수 있다. 예를 들면, 속목정맥 천자시 초음파 탐촉자는 평행하고 쇄골 위쪽으로, 복장뼈와 목빗근의 쇄골 머리(clavicular heads) 사이 고랑을 따라 놓는다. 근육을 통과해 도관 삽입을 피하는 것이 중요하다. 이는 환자를 불편하게 하고, 목을 돌릴때 도관 기능부전을 야기하기 때문이다.

1. 21 게이지 바늘을 사용하여 가이드와이어의 초기 삽입

삽입부위를 국소 마취제로 주입한다. 실시간 초음파 유도하에 주사기에 부착된 21 게이지 미세천자 바늘을 정맥으로 삽입한다. 경동맥이 부주의로 천자되어도 작은 바늘은 큰 18게이지 바늘과 비교하여 잠재적인 합병증을 막는다. 18게이지 바늘은 대개 상업적으로 이용가능한 투석도관세트에 들어있다. 직접 보면서, 정맥은 앞정맥벽을 뚫기 전에 부드럽게 진입하는 것을 보게 될 것이다. 주사기를 제거하고, 0.018″가이드와이어(guidewire)를 바늘을 통해 삽입한다. 가이드와이어를 진입시킨다. 가이드와이어의 위치를 투시검사(fluoroscopy)를 사용해서 확인할 수 있다.

2. 가이드와이어로 확장기(dilator) 삽입

바늘을 제거하고 같은 축의 5F 확장기를 가이드와이어를 통과해 진입시킨다. 5F 바깥쪽 확장기는 남겨두고 가이드와이어 3F 안쪽 이행 확장기를 제거한다. 흐름 감지 스위치(flow switch)나 멈춤꼭지(stopcock)가 확장기에 붙어 있어서 공기 색전증 가능성을 막는다.

3. 커프가 없는 도관 삽입

다음 단계는 커프없는 임시 도관을 삽입할 지 커프가 있는 터널식 도관을 삽입하는지에 달려 있다. 임시 도관 삽입시 표준 0.035″가이드와이어를 정맥으로 진입시키고, 가이드와이어는 남겨두고 5F 확장기는 제거한다. 단계적인 방식으로 연조직과 정맥통로를 점차적으로 넓히기 위해 확장기로 크기를 증가시키면서 가이드와이어 안으로 통과시킨다. 확장기는 가이드와이어에서 자유롭게 움직여야 한다. 확장기가 축에서 벗어나 가이드와이어와 충돌하여 정맥이나 종격동을 뚫는것이 가능하기 때문에 확장기를 억지로 진입시켜서는 안된다. 결과적으로, 확장기는 피부에서 정맥으로 통로를 넓힐 때만 필요하므로 확장기 전체를 진입시킬 필요는 없다.

확장기 위치가 의심되거나 통로를 넓힐때 주저되거나 어려움이 있다면 투시검사(fluoroscopy)로 위치를 확인하는데 사용해야 한다. 그리고 나서 마지막으로 임시도관은 가이드와이어를 통해 그 위치로 진입시켜서 확장기와 교체한다. 삽입하는 동안에 투시기(fluoroscope)를 이용할 수 없다면 도관을 고정후에 위치가 올바른지 합병증은 없었는지 흉부 X-ray로 확인해야 한다. 환자가 장기간 투석이 필요할 경우, 속목정맥에 있는 임시도관은 출구 감염이 없다면 안전하게 커프가 있는 터널식 도관으로 바꿀 수 있다.

4. 커프가 있는 도관 삽입

a. 피부 출구 부위와 터널 생성

커프가 있는 터널식 도관을 삽입시 5F 확장기 출구부위에 작은 피부 절개를 하여 측면으로 넓힌다. 그리고 나서 피하조직은 무딘 절개로 노출시키고, 도관밴드가 꼬이지 않기 위해 피하주머니를 만든다. 5F 확장기(dilator) 주위로 연부조직이 없는 것을 확인하고 절개를 더 진행한다. 그리고 나서 도관 출구부위 위치를 정한다. 이것은 4번째 갈비뼈 사이공간(interspace)을 랜드마크기술로 사용하거나 삽입부위에서 중심부 우심방 거리를 측정하기 위해 가이드와이어를 사용해서 도관 길이를 더 정확히 정할 수 있다.

가이드로 이것을 측정함으로써 터널 길이는 결정된다. 도관의 커프는 출구 부위에서 약 1~2cm 터널 내에 있다.

5. 피부 출구 부위를 통한 도관삽입

도관 출구 부위가 확인되면 그 부위에 국소 마취제를 주입한다; 천자는 피부와 평행하게 11번 칼(11 knife blade)을 사용해서 피부를 통해 시행한다. 블레이드의 가장 넓은 지점에 나이프를 삽입한다. 이 절개로 이중내강도관(dual-lumen catheter)을 삽입할 수 있다. 긴 바늘은 출구 부위에서 정맥절개 삽입 부위까지 국소 마취제를 터널 통로를 따라 주입하는데 사용된다. 도관은 터널링 장치 끝에 놓고, 터널링 장치는 출구부위에서부터 피하 삽입부위로 당긴다. 도관의 커프는 터널 안으로 당겨지고, 터널링 장치를 도관에서 제거한다.

6. 심부 조직과 정맥 통로 확장

가이드와이어(Benson or angled glidewire)는 지금 하대정맥 안으로 확장기를 통해 통과한다. 하대정맥에 가이드와이어를 위치시키는 것은 심장 부정맥의 가능성을 줄인다. 또한 대부분 도관 준비상자에 있는 가이드와이어가 사용된다. 그 다음 5F 확장기를 제거하고 단계적으로 연조직과 정맥통로를 점차적으로 확장시키기 위해 확장기 크기를 증가시키면서 가이드와이어를 통과시킨다.

확장기는 가이드와이어에서 자유롭게 움직여야 한다. 확장기가 축을 벗어나서 가이드와이어와 충돌하여 정맥이나 종격동을 뚫는 것이 가능하다. 확장기는 피부에서 정맥으로 통로를 넓힐때만 필요하므로 확장기 전체를 진입시킬 필요는 없다. 확장기 위치가 의심되거나 통로를 넓히는데 주저되거나 어려움이 있다면, 투시기(fluoroscope)로 적절한 위치를 확인해야 한다.

7. 도관 삽입 완성

마지막으로 넓힌 후에, 확장기를 분리제거형 집(peel-away sheath)과 함께 삽입한다. sheath를 삽입하면 sheath가 연조직을 통과함에 따라 저항을 느낄 수 있다. 정맥으로 들어가면 마지막 저항을 느낄 것이다. 그 다음 확장기와 sheath를 제거한다. 도관은 sheath를 사용하지 않고 가이드와이어를 통해 빠져나가서 정맥통로를 통해서 진입한다(sheath 없는 도관 삽입시). 통로로 도관을 진입시키기 위해 약하게 도관을 회전시키는 것이 필요하다. 이 조작은 공기 색전증이 생길 가능성을 감소시키고, 정맥절개술을 작게 해도 되어 시술 후 출혈도 감소시킨다.

다른 방법으로, 분리제거형 집(peel-away sheath)을 사용한다면 sheath를 약간 진입시키고 sheath를 막으면서 확장기를 제거한다. 어려움이 있으면 혈관통로를 이용할 수 있는지 확인하기 위해 가이드와이어를 남겨둔다. sheath를 막기 위해서 엄지손가락과 손가락 사이로 sheath를 꽉 잡아야 한다. 이것은 도관을 삽입하려고 충분한 sheath 길이를 남겨두는 동안에 출혈 또는 공기흡입을 방지한다. 일단 확장기와 가이드와이어를 제거하면 도관은 와이어를 빠져나가서 도관이 꼬이는 것을 피하기 위해 sheath의 열려 있는 공간으로 진입시킨다. 도관은 sheath에 이르게 된다. 도관은 sheath안으로 더 밀어 넣는다. sheath는 피부쪽 아래로 벗겨진다. 도관이 최대로 진입하자마자 sheath는 밖으로 당겨져서, 정맥절개 밖으로 벗겨진다. 이것은 sheath가 더 큰 정맥통로를 만드는 것을 막는다.

8. 도관 커프(catheter cuff) 설치 및 고정

일단 sheath를 완전히 제거하면 도관은 터널 안에서 뒤로 당겨져서 커프는 지금 출구 부위에서부터 대략 1~2 cm에 있다. 이제 도관이 제대로 기능을 하는지 확인해야 한다. 10 mL 주사기로 도관이 혈류 300 mL/min이상을 전달할 수 있는지 막힘없이 빠르게 혈액을 뒤로 당겨 보아야 한다.

목에 정맥절개 삽입 부위는 충분한 혈류를 확인한 후에 적절한 봉합을 사용해서 닫아야 한다. 봉합은 감염 병소로 역할을 하기 때문에 출구 부위에 놓아서는 안된다. 추가적인 봉합은 도관 몸체(hub)에 도관을 고정하기 위해 사용해야 한다. 도관 몸체를 고정시키기 위해서 공기 매듭('air knot')을 사용하는 것은 환자를 편안하게 하고, 피부괴사 가능성을 줄인다. 피하 커프는 궁극적으로 제 위치에 도관을 고정시켜서, 피하조직에 고정시킬 것이다. 국소 항생제 연고는 절개부위나 바늘 천자부위에 바르고 거즈 드레싱으로 덮는다.

C. 대퇴정맥 접근법

커프가 없는 도관이 보통 사용되나, 앞에서 언급했듯이 커프가 있는 도관 또한 삽입할 수 있다. 환자를 등을 대고 편평하게 눕히고, 무릎을 뒤로 약간 구부려 다리를 회전시키고 바깥쪽으로 돌린다. 서혜부를 면도하고 닦아낸 뒤 항균제로 도포한 다음 소독포를 씌운다. 먼저 헤파린이 섞인 식염수나 국소 마취제로 채운 21 게이지 바늘을 사용하여 서혜인대 2~4 cm 밑에 있는 대퇴정맥의 위치를 확인한다. 앞에서 언급했듯이, 실시간 초음파 유도는 성공적인 도관 삽입 방법 기회를 향상시킨다. 적은 양의 국소 마취제를 정맥경련을 막기 위해 정맥주위에 주입한다. 정맥 위치가 확인되면 작은 바늘을 빼고, 18 게이지 바늘을 정맥 내로 삽입한다. 다음은 가이드와이어를 바늘 내강을 통해 정맥 내로 진입시킨다. 정맥 내로 가이드와이어를 삽입 후에는 자유롭게 정맥 앞뒤로 움직이는지 확인하는 것이 중요하다. 만일 가이드와이어가 뻑뻑하다면 엉덩넙다리정맥(iliofemoral vein)의 곁가지로 들어갔을 가능성이 있다. 이 상태에서는 도관삽입을 시도해서는 안된다. 가이드와이어를 완전히 빼고, 정맥내의 바늘 각도를 조정하고(때로는 정맥과 거의 평행하게 바늘축을 아래로 내려 피부 가까이 눕힌다), 다시 가이드와이어를 진입시킨다. 삽입된 가이드와이어가 자유롭게 앞뒤로 움직이는 것을 확인한 후, 18 게이지 바늘을 제거하고 캐뉼라를 재삽입한다. 나머지 과정은 대개 위에서 언급한 목정맥 삽입 과정을 따른다.

V. 삽입과 관련된 합병증

표 7.2에 열거되어 있다. 초기 작은 게이지 탐침 바늘에 의한 동맥천자는 15~20분동안 연속 국소 압박을 해야 한다. 캐뉼라는 절대로 동맥안으로

삽입해서는 안된다. 투석도관이 부주의로 동맥에 삽입될 경우, 투석이 지연되고, 심각한 혈종과 기도 압박을 피하기 위해 수술적 조언을 구해야 한다. 대퇴정맥 삽입시, 동맥천자 혹은 정맥 뒷벽의 부주의한 천자로 인한 후복강 출혈은 심각하고 생명을 위협할 것이다. 많은 양의 기흉이나 혈흉은 대개 수술적으로 흉관을 삽입하여 배액을 해야 한다. 상대정맥이나 심방,심실의 천공은 생명을 위협할 수 있다. 투석 시작 직후 설명되지 않는 흉통, 숨가쁨이나 저혈압으로 진단할 수 있다.

때로 교정하기 위해 수술적 중재술이 필요하다. 감염과 연관된 합병증은 도관삽입 시점에 최소화할 수 있다. 즉 충분한 손씻기, 시술자의 무균가운, 마스크, 장갑, 모자 사용을 확인하고, 환자를 씌우기 위해 전신 무균 소독포를 사용하고, 시술전에 클로로헥시딘 피부 소독제를 사용한다 (O'Grady, 2011).

VI. 정맥도관의 관리와 사용

A. 드레싱

도관을 연결하거나 분리할 때 투석실 의료진과 환자는 수술용 마스크를 착용해야 한다. 얼굴가리개(face shield)는 수술용 마스크 착용없이 사용해서는 안된다. 얼굴가리개는 노출된 도관 몸체(hub)에 직접 착용자의 입김에 초점을 맞추기 때문이다. 내강과 도관 끝은 절대로 공기에 노출시키면 안된다. 도관 연결부위 아래를 깨끗한 상태로 유지하면서 도관 내강은 항상 뚜껑이나 주사기로 막는다. 도관 내강은 무균적으로 유지시킨다. 도관을 통한 투석간 수액 주입은 금지한다.

TABLE 7.2	중심정맥도관 삽입의 합병증

즉각적인 합병증
    동맥천자(속목정맥, 쇄골하정맥, 대퇴정맥)
    기흉(속목정맥, 쇄골하정맥)
    혈흉(속목정맥, 쇄골하정맥)
    부정맥(속목정맥, 쇄골하정맥)
    공기색전(속목정맥, 쇄골하정맥 >> 대퇴정맥)
    심방,심실 천공(속목정맥, 쇄골하정맥)
    심장막 눌림증(속목정맥,쇄골하정맥)
    후복강출혈(대퇴정맥)

지연된 합병증
    혈전(속목정맥, 쇄골하정맥, 대퇴정맥)
    감염(속목정맥, 쇄골하정맥, 대퇴정맥)
    중심정맥협착(쇄골하정맥 >> 속목정맥)
    동정맥루(속목정맥, 쇄골하정맥, 대퇴정맥)

주위조직 손상
    팔신경얼기(속목정맥, 쇄골하정맥)
    되돌이후두신경(속목정맥, 쇄골하정맥)

매 투석 후 도관 몸체 혹은 혈액라인 연결부위를 소독제에 3~5분 충분히 적신후 분리전에 건조시킨다. 클로로헥시딘 성분으로 된 소독제는(0.5% 이상) 포비돈-아이오다인(povidone-idodine)보다 더 좋은 결과를 보여 주었다(Mimoz, 2007; Onder, 2009). 도관의 각 라인을 분리하고 도관 연결부위에 있는 실은 클로로헥시딘으로 소독해야 한다(표 7.3). 도관은 무균 건조 드레싱으로 덮어야 한다. 공기가 통하지 않고 구멍이 없는 투명한 필름 드레싱은 건조 드레싱보다 출구에 균의 군락이 생길 위험이 높기 때문에 피해야 한다. 드레싱의 최선의 방법은 여전히 논란의 문제에 있다. CDC 권고안은 도관 부위를 덮기 위해 무균 거즈 혹은 무균의 투명하고 반투과성 드레싱을 사용하는 것이다(O'Grady, 2011). CDC는 도관 드레싱을 바꾸기 위해 최선의 실전기술을 보여주는 비디오를 포함하여 자료를 제공하고 있다(CDC, 2014).

B. 목에서 투석도관을 제거시 발생할 수 있는 공기 색전증 위험

목정맥 도관제거 후에 치명적인 공기 색전증이 보고 되었다(Boer and Hene, 1999). 이러한 무시할 수 없는 위험 때문에 목에서 정맥도관제거시 특별한 프로토콜을 미리 준비하고 있어야 한다. Boer and Hene (1999)은 다음과 같은 프로토콜을 권고하였다.

1. 제거하려고 예정된 날에는 헤파린을 사용하지 않는다. 만일 헤파린을 이미 사용했다면 프로타민(protamine)을 준다.

2. 도관을 제거하는 동안에 환자의 머리를 낮춘다. 제거하는 동안에 환자에게 기침이나 깊게 숨을 들이쉬지 않도록 교육한다.

3. 순간 공기차단을 만드는 불활성 연고를 충분히 사용해서 공기를 차단하는 드레싱을 한다.

4. 투석 센터를 떠나기 전에 환자를 30분동안 관찰한다.

5. 적어도 24시간 공기 차단 드레싱을 유지한다.

C. 가이드와이어를 이용한 도관 교환

가이드와이어를 이용해서 도관을 교환(기능장애, 감염)하는 이유는 제9장에서 자세히 논의하겠다.

속목정맥에서 도관 교환하는 방법은 다음과 같다; 흉벽과 원래 도관을 소독하고 무균적으로 소독포를 덮는다. 시술자는 무균장갑 2개를 착용해야 한다. 국소마취제를 이전 출구부위와 도관의 커프주위로 주입한다. 양쪽 도관 포트에서 헤파린을 제거하기 위해 흡입한다. 지혈제를 사용하면서 도관 커프가 움직이도록 무딘 절개를 시행한다. 이 시점에서 가이드와이어를 도관 정맥내강으로 진입시켜서 하대정맥을 찾는다. 도관을 부드럽게 당겨서 팔머리 정맥(brachiocephalic vein)에 위치시킨다. 도관의 동맥 포트에 조영제를 주입해서 섬유상피집(fibroepithelial sheath)이 있는지 확인한다. 있다면, 경피적 풍선혈관성형술(percutaneous balloon angioplasty)을 고려해야 하고, 조영제 주입을 sheath 치료 결과를 평가하기 위해 반복해야 한다. 원래 도관은 와이어를 유지한 상태에서 제거해야 한다.

TABLE 7.3	투석시 혈류 감염 예방에 대한 CDC 핵심 인터벤션

1. **국가 건강 안전 네트워크(NHSN)를 이용한 감시와 피드백**

   CDC의 국가 건강 안전 네트워크를 이용하여 혈류감염과 그외 투석시 문제에 대해 매달 감시를 수행한다. 다른 국가 건강 안전 네트워크 센터와 비교하고 비율을 계산한다. 적극적으로 최전선의 임상 의료진과 결과를 공유한다.

2. **손위생 감시**

   매달 손위생 감시를 시행하고 결과를 임상의료진과 공유한다.

3. **도관/혈관 접근로 관리 감시**

   분기별로 혈관 접근로와 도관통로 감시 및 관리를 수행한다. 도관을 연결하고 분리할때, 드레싱을 교체하는 동안 무균처치를 준수하는지 의료진을 평가한다. 결과를 임상 의료진과 공유한다.

4. **의료진 교육과 역량**

   혈관 접근로 관리와 무균처치를 포함하여 감염 관리에 대해 의료진을 훈련시킨다. 고용당시와 6-12개월마다 도관관리와 혈관 접근로와 같은 숙련된 기술에 관한 역량 평가를 수행한다.

5. **환자 교육/업무**

   의료진은 투석실을 떠날 때 혈관 접근로 관리, 손위생, 도관 사용에 관한 위험, 감염을 인식할 수 있는 징후, 혈관 접근로 관리 지침에 관해 모든 환자들에게 감염 예방 수칙에 대한 표준화된 교육을 실시한다.

6. **도관 사용 줄이기**

   영구적인 혈관 접근로 수술과 도관 제거를 위해 장애물을 확인하고 고심함으로써 도관 사용을 줄이기 위한 노력을 한다(eg. 환자교육과 혈관 접근로 코디네이터을 통해서).

7. **피부소독제 클로르헥시딘**

   중심관 삽입과 드레싱을 교환하는 동안 가장 선호되는 피부소독제로, 알코올을 기본으로 하는 클로르헥시딘용액(>0.5%)을 사용한다[a]

8. **도관 몸체 소독**

   마개를 제거한 후와 도관을 연결하기 전에 충분한 소독으로 도관 몸체(hub)를 닦아낸다. 도관을 연결하거나 분리할때마다 수행한다.[b]

9. **항균 연고**

   드레싱을 교환하는 동안 도관 출구부위에 항생제 연고나 povidone-iodine 연고를 바른다.[c]

[a] Povidone-iodine (알코올보다 선호) 혹은 70% 알코올로 클로르헥시딘에 과민반응을 가진 환자들에게 대체가능하다.

[b] 만일 closed needleless 연결 장치를 사용한다면 연결장치는 제조업자의 지침에 따라 소독한다.

[c] CDC는 도관 삽입과 매 투석후에 혈액투석 출구 부위를 povidone-iodine 연고나 bacitracin/gramicidin/polymyxin B 연고를 사용할 것을 권고한다.

현재 미국에서는 Bacitracin/gramicidin/polymyxin B 연고를 이용할 수 없다. 3가지 항생제 연고 (bacitracin/neomycin/polymyxin B)는 이용가능하고 유사한 이점이 있지만 연구들은 혈류 감염과 출구 감염 예방 효과를 완전히 보여주지 못했다. 연구되어 온 다른 연고로는 단독 항생제 연고(eg. mupirocin)가 있다. 그러나 항생제 내성 발전과 투석 환자에서 혈류 감염을 일으킬 수 있는 잠정적 병원체(e.g 그람양성균과 그람음성균)들을 커버 할 수 있는지에 대한 우려가 있다. 또 다른 중요한 고려사항은 일부 도관의 화학적 성분과 항생제 연고와 povidone-iodine 연고 성분이 상호작용할 수 있다는 점이다. 그러므로 어떤 제품을 도관에 사용하기 전에 도관재료와 상호작용이 없는 연고를 확인하기 위해 도관 제조업자에게 먼저 체크해야 한다.

이 시점에서 시술자는 새로운 도관 삽입 전에 바깥쪽 장갑을 벗어야 한다. 이 조작은 이전 도관에서 새로운 도관으로 감염체 전이를 최소화하도록 도와준다. 그 다음 새로운 도관을 와이어를 통해서 우심방으로 진입시킨다. 도관 기능은 앞에서 설명한 것 처럼 평가한다.

D. 목욕과 샤워

절대로 출구 부위를 욕조물에 담가서는 안된다. 샤워는 피해야 하지만, 만약 한다면 새로 드레싱하고 항생제 연고를 바로 바를 수 있는 투석실에 오기 직전에 하는 것이 가장 좋은 방법이다. 샤워는 출구 부위에 트랙(exit-site sinus tract)이 형성된 후에 해야 한다. 최근 quality assurance study는 터널식 중심정맥도관을 가지고 있는 선택된 환자에서 샤워는 하고 드레싱을 하지 않았을 경우 중심정맥도관 감염 위험이 증가하지는 않았다(Lawrence, 2014).염소처리한 수영장에서의 수영은 대개 감염의 우려로 인해 권장하지 않는다.

E. 도관 주입 충전(Catheter locks)

1. 헤파린

매 투석 후에 각 내강의 무효공간(dead space)은 도관 주입구를 통해 헤파린 1,000~5,000 units/mL으로 채운다. 주입액은 도관의 가장 근위부 측면공(side hole)쪽으로 새어나올 것이다. 따라서 고농도 헤파린 사용(5,000 vs. 1,000 units/mL)은 전신적인 항응고작용을 가져올 수 있으나, 한 연구에서 고농도 헤파린은 조직 플라스미노겐 활성제에 대한 요구량을 낮추는 것과 연관되었다. 각 도관의 무효공간은 도관의 제조회사와 길이에 따라 다르다. 헤파린 요구량은 보통 도관의 몸체(hub)에 적혀 있다. 따라서 이러한 정보를 환자차트에 기록하여 투석실 의료진이 쉽게 이용할 수 있도록 하는 것이 중요하다. 필요 이상으로 많은 양의 헤파린 주입은 전신적인 항응고작용으로 출혈 위험이 있는 환자에게는 위험할 수 있기 때문에 피한다. 매 투석전에, 각각의 내강에 있는 헤파린은 흡입하고 헤파린이 섞인 식염수(100 unit/mL)로 도관을 플러시(flush)한 후에 투석을 시작한다.

2. 구연산염 4%

구연산염은 혈액 응고에 결정적인 칼슘과 킬레이트화합물을 만들기 때문에 항응고제로 사용할 수 있다. 2014년에 시행한 메타분석에서 항생제나 소독제를 함유하고 있는 구연산염을 기반으로 둔 주입액은 헤파린 함유 주입액보다 중심 정맥연관 혈류 감염을 감소시키는데 좋은 결과를 가져왔다. 구연산염 자체는 헤파린보다 더 효과적이지만, 주로 고농도(30%)로 사용하는 경우이다. 구연산염 농도가 낮을수록 헤파린과 비교시 이점이 없어 보였다(Zhao, 2014). 구연산염은 도관 주입 충전시 누출되어 꽤 빨리 순환되고, 농도는 세균 성장 억제 수치 이하로 낮아진다(Schilcher, 2014). 2000년 미국에선 투석 도관에 고농도 구연산염 사용으로, 농축된 구연산염이 우연히 좌심방으로 유입하면서, 급격하게 이온화된 칼슘 농도를 낮추어 부정맥, 환자 사망과 연관되었다(Polaschegg and Sodemann, 2003). 저농도 구연산염(4% 구연산염)을 사용하는 것은 신중해야 한다. 이 농도에서 구연산염의 효율은 헤파린과 차이가 없다는 것을 인식해야 한다. 어떤 농도에서든 구연산염 사용은 미국 같은 나라에서는 문제가 된다. 주입액으로써 적은 양을 편리하게 이용할 수 없기 때문이다.

3. 기타 도관 주입 충전

다른 도관 주입액은 헤파린, 구연산염, 에탄올이나 EDTA뿐만 아니라 항생제나 소독제가 있다. 항생제를 함유한 주입액의 사용은 다양한 면에서 추가 비용, 화합물과 관련된 실질적인 문제점과 내성유기체 성장을 촉진시키는 두려움 때문에 아직 주류는 아니다.

반코마이신과 젠타마이신을 포함하는 도관 주입액은 포도알균과 항생제 내성 엔테로박터 확산을 증가시키는 것으로 밝혀졌다(Dixon, 2012). EBPG는 다소 모호한 반면에(Vanholer, 2010), 지금은 CDC도 미국 신장 재단도 항생제를 함유한 주입액의 규칙적인 사용을 권고하지 않는다(Camins, 2013).

도관에서 감염을 방지하기 위한 주입액은 연구가 활발하게 진행중인 영역이다. 목표는 도관 내부를 살균할 뿐만 아니라 바이오 필름 형성을 막는 것이다. 에탄올, 구연산염 혹은 EDTA를 함유하는 주입액은 바이오 필름을 형성하려는데 영향을 끼쳐서 일부 작용한다는 이론적인 이점을 가지고 있다. 글리세릴 트리니트레이트(glyceryl trinitrate), 구연산염과 에탄올을 함유하는 주입액은 도관에서 발견되는 흔한 세균뿐만 아니라 바이오 필름에 대항하여 몇몇의 영향을 끼친다고 보고되었다(Rosenblatt, 2013). 여러 주입액들이 개발되었고 테스트가 여러 진행 단계에 있다. 구연산염, 메틸렌 블루, 메틸 파라벤과 프로필파라벤(C-MB-P)의 혼합물은 중심정맥연관 혈류감염(CLABSI)률을 상당히 줄인다고 보고 되었다(Maki, 2011). 타우롤리딘(taurolidine)과 구연산염을 조합하여 주입하는 것에 관해 일부는 관심을 가졌다. 살균제로써 기능을 하며 바이오필름 형성을 막는 타우롤리딘 사용은 내성 세균의 출현과 연관이 없을 수도 있다(Liu, 2014).

F. 예방적 항균제

전신 항생제는 커프가 있는 도관 삽입 전에 일반적으로 투여하지 않는다.

1. 출구 부위 연고

포도알균 집락화를 낮추기 위해 도관 출구 부위를 무피로신(mupirocin)연고로 치료하는 것은 도관 감염률을 줄이고, 도관 생존율은 증가시키는 것을 보여 주었다(McCann and Moore, 2010; O'Grady, 2011). 그러나 무피로신 내성 유기체의 장기간 출현을 두려워하여 널리 사용되지는 않는다. CDC는 출구 부위 연고를 사용할 것을 권고하지만(표 7.3), 내성 유기체 출현에 매우 우려하고 있다. 2010년 논의에서 European Renal Best Practices 그룹은 삽입부위가 치유될때까지만 출구 부위 연고 사용을 권고하고 있다 (Vanholder, 2010). 중간 전략으로 출구부위 연고는 반복적인 감염이 있는 환자들에게만 국한되어 사용할 수 있다. 연고 사용 전에 연고를 녹이는데 사용하는 매개물이 도관재료인 플라스틱에 반대로 작용하지 않는지 확실히 확인해야 한다.

2. 코의 탈군락화

코에서 포도알균이 자라는 환자에서 코의 탈군락화는 중심정맥도관 혈류감염 비율이 감소한다고 보고되었지만(Abad, 2013), 무피로신 내성에 대한 두려움은 여전히 남아있다(Teo, 2011). 코의 탈군락화가 대체로 전체보다는 일부 환자에서 매력적인 치료 방법이지만, 코의 탈군락화(예를 들면 다제 내성 황색포도알균)는 단기 결과를 향상시키기 위해 전체 투석 센터에 적용해 왔다(Kang, 2012).

References and Suggested Readings

Abad CL, et al. Does the nose know? An update on MRSE decolonization strategies. *Curr Infect Dis Rep.* 2013;15:455–464.

Allon M. Dialysis catheter-related bacteremia: treatment and prophylaxis. *Am J Kidney Dis.* 2004;44:779–791.

Beathard GA. Management of bacteremia associated with tunneled-cuffed hemodialysis catheters. *J Am Soc Nephrol.* 1999;10:1045–1049.

Beaudoin FL, et al. Bedside ultrasonography detects significant femoral vessel overlap: implications for central venous cannulation. *Can J Emerg Med.* 2011;13:245–250.

Bevilacqua JL, et al. Comparison of trisodium citrate and heparin as catheter-locking solution in hemodialysis patients. *J Bras Nefrol.* 2011;33:68–73.

Boer WH, Hené RJ. Lethal air embolism following removal of a double lumen jugular catheter. *Nephrol Dial Transplant.* 1999;14:1850–1852.

Camins BC. Preventions and treatment of hemodialysis-related bloodstream infections. *Semin Dial.* 2013;26:476–481.

Centers for Disease Control. Guidelines of the prevention of intravascular catheter-related infections. 2011. http://www.cdc.gov/hicpac/pdf/guidelines/bsi-guidelines-2011.pdf.

Centers for Disease Control. Training video and print resources for preventing bloodstream and other infections in outpatient hemodialysis patients. Best practices for dialysis staff. 2014. http://www.cdc.gov/dialysis/prevention-tools/training-video.html.

Clark EG, Barsuk JH. Temporary hemodialysis catheters: recent advances. *Kidney Int.* 2014. doi:10.1038/ki.2014.162.

Clase CM, et al. Thrombolysis for restoration of patency to hemodialysis central venous catheters: a systematic review. *J Thromb Thrombolysis.* 2001;11(2):127–136.

Dixon JJ, Steele M, Makanjuola AD. Anti-microbial locks increase the prevalence of Staphylococcus aureus and antibiotic-resistant Enterobacter: observational retrospective cohort study. *Nephrol Dial Transplant.* 2012;27:3575–3581.

Drew DA, Lok CE. Strategies for planning the optimal dialysis access for an individual patient. *Curr Opin Nephrol Hypertens.* 2014;23:314–320.

Dugué AE, et al; for the Cathedia Study Group. Vascular access sites for acute renal replacement in intensive care units. *Clin J Am Soc Nephrol.* 2012;7:70–77.

Frankel A. Temporary access and central venous catheters. *Eur J Vasc Endovasc Surg.* 2006;31:417–422.

Haymond J, et al. Efficacy of low-dose alteplase for treatment of hemodialysis catheter occlusions. *J Vasc Access.* 2005;6:76–82.

Hebert C, Robicsek A. Decolonization therapy in infection control. *Curr Opin Infect Dis.* 2010;23:340–345.

Hingwala J, Bhola C, Lok CE. Using tunneled femoral vein catheters for "urgent start" dialysis patients: a preliminary report. *J Vasc Access.* 2014;15(suppl 7):101–108.

Johnson DW, et al. A randomized controlled trial of topical exit site mupirocin application in patients with tunnelled, cuffed haemodialysis catheters. *Nephrol Dial Transplant.* 2002;17:1802–1807.

Kang YC, et al. Methicillin-resistant Staphylococcus aureus nasal carriage among patients receiving hemodialysis in Taiwan: prevalence rate, molecular characterization and de-colonization. *BMC Infect Dis.* 2012;12:284.

Lawrence JA, et al. Shower and no-dressing technique for tunneled central venous hemodialysis catheters: a quality improvement initiative. *Nephrol Nurs J.* 2014; 41:67–72.

Lee T, Barker J, Allon M. Tunneled catheters in hemodialysis patients: reasons and subsequent outcomes. *Am J Kidney Dis.* 2005;46:501–508.

Little MA, Walshe JJ. A longitudinal study of the repeated use of alteplase as therapy for tunneled hemodialysis dysfunction. *Am J Kidney Dis.* 2002;39:86–91.

Liu H, et al. Preventing catheter-related bacteremia with taurolidine-citrate catheter locks. A systemic review and meta-analysis. *Blood Purif.* 2014;37:179–187.

Lok CE, et al. A patient-focused approach to thrombolytic use in the management of catheter malfunction. *Semin Dial.* 2006;19:381–390.

Maki DG, et al. A novel antimicrobial and antithrombotic lock solution for hemodialysis catheters: A multi-center, controlled, randomized trial. *Crit Care Med.* 2011;39:613–620.

Maya ID, Allon M. Outcomes of tunneled femoral hemodialysis catheters: comparison with internal jugular vein catheters. *Kidney Int.* 2005;68:2886–2889.

Maya ID, et al. Does the heparin lock concentration affect hemodialysis catheter patency? *Clin J Am Soc Nephrol.* 2010;5:1458–1462.

McCann M, Moore ZE. Interventions for preventing infectious complications in haemodialysis patients with central venous catheters. *Cochrane Database Syst Rev.* 2010;(1):CD006894.

Mermel LA, et al. Guidelines for the management of intravascular catheter-related infections. *Clin Infect Dis.* 2001;32:1249–1272.

Mimoz O, et al. Chlorhexidine-based antiseptic solution vs alcohol-based povidone-iodine for central venous catheter care. *Arch Intern Med.* 2007;167: 2066–2067.

Mokrzycki MH, et al. A randomized trial of minidose warfarin for the prevention of late malfunction in tunneled, cuffed hemodialysis catheters. *Kidney Int.* 2001; 59:1935–1942.

Murea M, et al. Risk of catheter-related bloodstream infection in elderly patients on hemodialysis. *Clin J Am Soc Nephrol.* 2014;9:764–770.

O'Grady NP, et al. Guidelines for the prevention of intravascular catheter-related infections. *Am J Infect Control* 2011;39(suppl):S1–S34.

Oliver MJ, et al. Risk of bacteremia from temporary hemodialysis catheters by site of insertion and duration of use: a prospective study. *Kidney Int.* 2000;58:2543–2545.

Onder AM, et al. Chlorhexidine-based antiseptic solutions effectively reduce catheter-related bacteremia. *Pediatr Nephrol.* 2009;224:1741–1747.

Patel PR, et al. Bloodstream infection rates in outpatient hemodialysis facilities participating in a collaborative prevention effort: a quality improvement report. *Am J Kidney Dis.* 62:322–30, 2013.

Polaschegg HD, Sodemann K. Risks related to catheter locking solutions containing concentrated citrate. *Nephrol Dial Transplant.* 2003;18:2688–2690.

Rabindranath KS, et al. Ultrasound use for the placement of haemodialysis catheters. *Cochrane Database Syst Rev.* 2011;(11):CD005279.

Rosenblatt J, et al. Glyceryl trinitrate complements citrate and ethanol in a novel antimicrobial catheter lock solution to eradicate biofilm organisms. *Antimicrob Agents Chemother.* 2013;57:3555–3560.

Schilcher G, et al. Loss of antimicrobial effect of trisodium citrate due to 'lock' spillage from haemodialysis catheters. *Nephrol Dial Transplant.* 2014;29:914–919.

Silva TNV, et al. Approach to prophylactic measures for central venous catheterrelated infections in hemodialysis. A critical review. *Hemodial Int.* 2014;18:15–23.

Teo BW, et al. High prevalence of mupirocin-resistant staphylococci in a dialysis unit where mupirocin and chlorhexidine are routinely used for prevention of catheterrelated infections. *J Med Microbiol.* 2011;60(pt 6):865–867.

Vanholder RM, et al. Diagnosis, prevention, and treatment of haemodialysis catheterrelated bloodstreams infections (CRBSI): a position statement of European Renal Best Practice (ERBP). *Nephrol Dial Transplant.* 2010;3:234–246.

Zhao Y, et al. Citrate versus heparin lock for hemodialysis catheters: a systematic review and meta-analysis of randomized controlled trials. *Am J Kidney Dis.* 2014;63:479–490.

Web References

American Society of Diagnostic and Interventional Nephrology. http://www.asdin.org/.

CDC guidelines for prevention of intravascular catheter-related infections. http://www.cdc.gov/dialysis.

HDCN vascular access channel. http://www.hdcn.com/ch/access/.

KDOQI 2006 access guidelines. http://www.kidney.org/professionals/kdoqi/guideline_upHD_PD_VA/index.htm.

Vascular Access Society guidelines. http://www.vascularaccesssociety.com/guidelines.html.

YouTube link (11 min). https://www.youtube.com/watch?v=_0zhY0JMGCA&feature=youtu.be.

일단 동정맥 혈관 접근로를 사용하고 있다면, 혈관 접근로의 생존을 결정하는 가장 중요한 요인은 협착, 혈전, 감염이다. 대체로 합병증은 동정맥루보다 인조혈관에서 더 흔히 발생한다.

I. 협착

혈관 접근로 협착은 혈전의 조짐이며, 혈관 접근로 혈류를 줄여서 불충분한 투석(underdialysis)을 할 수 있다. 동정맥 인조혈관에서 협착의 가장 흔한 원인은 신생내막증식증이며, 보통 인조혈관-정맥문합부나 바로 원위부에서 발생한다. 동정맥루에서 협착의 위치와 원인은 더 다양한데 동정맥 문합부주위 협착이 흔한 부위이다. 동정맥루 및 인조혈관에서 협착의 흔한 위치는 표 8.1과 8.2에서 보여준다. 혈관 접근로 개통성은 예정된 혈관성형술(angioplasty)시행 후 보다 혈전제거술(thrombectomy) 후가 더 나쁘기 때문에, 현재 KDOQI 가이드라인은 혈역학적으로 심한 협착에 대해 동정맥루와 동정맥 인조혈관의 전향적 모니터링과 감시(surveilance)를 권고하고 있다. 그러나 모든 가이드라인이 정기적인 모니터링을 권고하는 것은 아니지만, 혈관 접근로 감시 프로그램을 유지하는데 종합적이고 임상적인 이점에 관해서는 논쟁의 여지가 있다(Kumbar, 2012; Paulson, 2012). 무작위 대조시험은 감시가 인조혈관에서 결과를 향상시킨다는 것을 일관되게 보여주지 못했다. 동정맥루에서 감시는 혈전 비율을 줄인다고 보여 주었지만, 전반적인 동정맥루 수명을 연장시키지는 못했다.

도플러 초음파검사로 혈관 접근로 협착을 명확하게 시각화하기 전에, 중심정맥 협착일 경우는 정맥조영술 전에 협착을 감지하는데 몇몇의 전략이 있다. 조기 발견 전략은 투석 중 혈관 접근로 압력, 혈류나 재순환을 간접적으로 관찰하는데 있다. 최상의 조기 발견 전략은 동정맥루 대 인조혈관, 아래팔 대 위팔에 위치에 따라 다르다. 기본 원리는 다음과 같다. (a) 혈관 접근로 재순환은 혈관 접근로 혈류가 혈액펌프에 의해 형성된 혈류와 동등하거나 적어질 때까지 감소하지 않는 이상 발생하지 않는다. 따라서, 바늘이 의도치 않게 반대로 삽입되거나 잘못 놓일 때를 제외하고 혈관 접근로 재순환은 혈관 접근로 혈류가 350~500 mL/min 범위로 떨어지

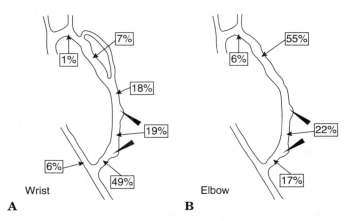

그림 8.1 동정맥루 협착의 흔한 위치. (A) 팔에 만든 동정맥루 (B) 팔꿈치에 만든 동정맥루에서 위치를 보여 주고 있다.

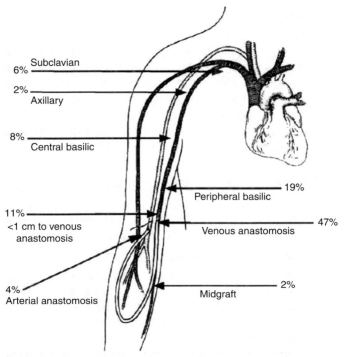

그림 8.2 동정맥 인조혈관 협착의 흔한 위치

지 않는 한 발생하지 않는다. 이 혈류범위에서 동정맥 인조혈관은 이미 혈전 위험이 높아서, 만일 재순환이 발견되면 인조혈관 영상검사를 해서 협착을 교정해야 하는 응급적응증에 해당된다. 반면에 동정맥루에서는 재순환이 존재할 때도(혈류가 350~500 mL/min 범위) 개통성은 유지될 수 있다. 동정맥루의 혈관 접근로 재순환 선별검사의 이점은 혈전 예방면에서는 비교적 적지만, 불충분한 투석(underdialysis)을 예방하는데는 유용하다. 보통 바늘 천자부위에서 발생하는 혈관 접근로 협착은 재순환을 일으키지는 않지만, 혈전이 일어나기 쉬운 정도로 혈관 접근로 혈류를 두드러지게 감소시킬 것이다. 혈관 접근로 혈류가 혈액펌프 혈류 속도 이하로 측정될때 이 부위에서 협착을 의심해야 한다. 그러나 재순환은 발견되지 않는다. (b) 인조혈관과 동정맥루 둘다 흔하게 유입부 협착으로 진행해서, 유입부 협착을 감지하는 전략은 동정맥 혈관 접근로 둘다에서 유용할 것이다. (c) 유출부 협착은 아래팔 동정맥루보다 인조혈관에서 훨씬 더 자주 발생한다. 아래팔 동정맥루에서 신생내막증식증 정도가 덜하고, 곁유출 정맥(accessory outflow vein)들이 종종 주요한 유출부 채널이 막혀도 보상하기 때문이다. 그러나 위팔 동정맥루의 경우, 유출부 협착은 흔하다. 그러므로 유출부 협착을 감지하는 전략은 동정맥 인조혈관과 위팔 동정맥루의 기능을 모니터링하는데 더 유용할 것이다.

A. 이학적 검사

동정맥 혈관 접근로 이학적 검사는 제6장에서 일부 상세히 논의되었다. 표 8.1은 몇몇의 흔한 혈관 접근로 합병증을 이학적 검사에 따른 변화를 보여 준다. 이학적 검사는 단 하나의 유입부 혹은 유출부 혈관 접근로 협착을 감지하는데 꽤 유용할 수 있지만, 유입부와 유출부 협착이 합쳐진 병변을 감지하는데는 덜 효과적이다. 이학적 검사의 정확성은 검사하는 사람이 특별한 훈련을 받았다면 상당히 높다(Coentrao, 2012). 텍사스에 말기 신부전 네트워크(The ESRD of Network of Texas)는 일부 훈련 문서파일과 웹에서 이용할 수 있는 예시들을 지원하고 있다(Beathard, 2012).

B. 매 투석 중 규칙적으로 얻은 정보를 사용해서 혈관 접근로 감시

많은 투석기계들은 체내에서 진행되는 이온 다이알리산스를 측정할 수 있다. 모든 투석기계에서 유출부 정맥압을 모니터링할 수 있다. 시간에 따른 측정결과 추세는 혈관 접근로 협착을 감지하는데 도움이 된다.

1. 이온 다이알리산스(ionic dialysance)

전도도를 이용하여 측정한 이온 다이알리산스는 혈관 접근로 재순환의 구성요소가 될 수 있다. 혈관 접근로 재순환 정도가 증가함에 따라 여러 투석 처방(투석기 K_0A, 혈류속도와 투석액 속도, 헤파린화)이 일정하게 유지된다고 가정하면, 체내에서 실행되는 이온 다이알리산스는 감소할 것이다. 이온 다이알리산스를 측정하는 투석기계는 전형적으로 매 투석시(K) Kt 값(청소율×시간)을 계산하려

TABLE 8.1 혈관 접근로 기능부전시 다양한 형태의 이학적 소견

항목	정상	유입부 협착	유출부 협착	유입 및 유출부 협착	중심부 협착	혈전이 있는 혈관 접근로
맥박	부드럽고 쉽게 압박 가능한 맥박	미미한 맥박 (저맥박)	과맥박 (물-망치 맥박, 성난 맥박)	부드럽고 쉽게 압박 가능한 맥박	다양	없음
떨림	연속적	비연속적 (심한 유출부 협착의 경우 떨림이 없을 수 있음)	고음의 크고 비연속적 (심한 유출부 협착의 경우 떨림이 없음)	비연속적 (대개 없음)	다양	없음
Augmentation Test	정상	불충분	충분	불충분	충분	
Arm Elevation Test (fistula only)	정상적으로 collapse	정상 혹은 강한 collapse	collapse가 없음	collapse가 없음	collapse가 없음	
임상 양상	지혈이 안되거나 바늘천자 어려움이 없음	바늘 천자가 어렵고 동맥압(음압) 증가	지혈 연장과 정맥부 상승		팔과 어깨부종: 유방, 쇄골상, 목과 얼굴 부종	혈관 접근로에서 때로 혈전이 융임됨
혈관 접근로 혈류	정상	감소	감소	감소	다양	없음

고 측정한 청소율을 합친다. 한 케이스에서 동정맥루를 가진 6명의 환자를 대상으로 Kt 값의 20% 가량 지속적인 감소는 혈관 접근로 재순환과 연관되었다(Fontsere, 2011). 또 다른 접근법은 혈류에 대한 이온 다이알리산스비를 따르는 것이다. 한 보고에서 비율이 0.5 이하시(≤0.5) 혈관 접근로 재순환에 높은 민감도와 특이도를 가진다고 하였다(Mohan, 2010).

2. 정맥 유출압

정맥압은 연속적으로 투석시마다 정기적으로 측정한다. 정맥압은 바늘 크기, 적혈구용적률(혈액 점도에 영향을 주는)과 혈류속도의 함수이다. 모든 다른 요인들이 동일한 상태에서 시간에 따른(주에서 달)정맥압의 점차적인 증가는 혈관 접근로 유출부 협착 때문이다(Zasuwa, 2010). 일부 대규모 투석센터 데이타 시스템은 이러한 압력을 추적해서 시간에 따른 경향을 추측할 수 있다. 미국에 있는 한 회사(Vasc-Alert, Lafayette, IN)는 추이 분석 압력데이터로 혈관 접근로를 쉽게 알 수 있는 소프트웨어를 판매하고 있다. 또한, 펌프전 동맥압 경향을 알 수 있어서 혈관 접근로 유입부 협착이 악화시 펌프전 동맥압은 증가할 것이다(음의 방향으로).

혈관 접근로 협착을 감지하기 위해서 투석 중 압력측정의 민감도는 낮은 수치로(200~225 mL/min) 설정한 혈류속도로 투석초기에 측정한 값에 초점을 맞추어야 증가시킬 수 있다. 높은 혈류속도에서는 혈류의 많은 저항은 혈관 접근로가 아니라 바늘에서 나오기 때문이다. 기본 압력수치는 혈관 접근로를 처음 사용할 때 설정해야 한다. 혈관 접근로의 추가적인 평가가 필요한 역치 압력은 바늘의 크기, 혈액 점성도, 여러 다른 요인들에 달려있다.; 15 게이지 바늘에서 시작하는 정맥역치압력은 115~120 mmHg이상이여야 하고; 16 게이지 바늘에서 역치는 150 mmHg 이상은 되어야 한다. 의미가 있으려면 3번의 연속적인 투석 치료에서 이 역치 압력을 초과하여야 한다.

C. 혈관 접근로 혈류속도의 주기적인 측정

어느 정도까지 낮은 혈류속도가 협착을 반영하고, 혈전위험이 증가하는지는 혈관 접근로 종류에 달려있다. 아래팔 동정맥루를 통한 혈류는 보통 평균 500~800 mL/min이고, 인조혈관에서는 약 1,000 mL/min으로 약간 더 높다. 위쪽팔 동정맥루 혹은 인조혈관에서 혈류는 상당히 더 높다. 동정맥루는 200 mL/min까지 낮아도 개통성을 유지하는 반면에, 동정맥 인조혈관은 600~800 mL/min사이부터 혈전이 생기기 시작한다. 이 혈류에서는 종종 투석은 잘 되지만, 혈관 접근로의 혈전에 대한 위험을 감지할 수 있는 임상적 전조 징후가 거의 없다. 현재 KDOQI(2006)는 혈관 접근로 혈류가 600 mL/min 미만이거나, 1,000 mL/min 미만이고 4달 전과 비교하여 25%이상 감소시 환자를 혈관 접근로 영상검사를 위해 의뢰해야 한다고 권고하고 있다.

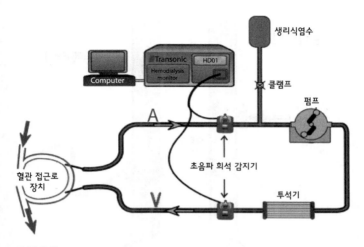

그림 8.3 생리식염수 희석과 초음파 감지로 혈류 재순환을 측정하는 모식도
혈관 접근로 혈류를 측정하기 위해서 혈관 접근로 바늘을 뒤바꾸어야 한다(위에서 보여주지 않지만).
모식도와 방법에 대한 설명은 다음과 같다.

과거 대조군과 비교했을때 협착에 대한 혈관 접근로의 정기적인 감시
는 혈전이 발생할 가능성을 감소시킨다는 것을 보여 주었다. 반면에
최근 전향적 연구들은 협착의 감지와 혈관성형술로 교정하는 것이 인
조혈관 수명을 향상시킨다는 것을 결론적으로 보여주지 못했다.

1. 생리식염수 희석법에 따른 혈류의 직접적인 측정법

투석 치료동안 혈관 접근로 혈류를 측정하는 이 방법은 Krivitski
(1995)에 의해 소개되었다. Transonic Systems, Inc. (Ithaca, NY)
에서 필요한 장비를 개발하였으며, control 상자, 2개의 혈류/희석
감지기, 노트북, 데이터 분석 소프트웨어 패키지, 환자들간 쉽게 이
동이 가능한 롤 스텐드로 구성된다(그림 8.3). 그림 8.3은 혈관 접
근로 재순환 측정 장치를 보여주고 있다.

여기서 바늘은 뒤바꾸지 않는다. 혈관 접근로 혈류를 측정하기 위
해서는 의도적으로 동맥라인과 정맥라인을 바꾸어서 체외 혈류 순
환에서 혈관 재순환을 일으켜야 한다. 결국 투석기는 하류 혈관 접
근로 바늘을 통해 혈류가 공급된다(그림 8.4). 이 시스템에서 혈류
재순환의 정도는 투석기를 통한 혈류속도에 대한 혈관 접근로 혈류
속도 비율에 달려있을 것이다. 만일 재순환의 비율과 투석기를 통
한 혈류속도를 알면 혈관 접근로 혈류속도를 계산할 수 있다.

바늘을 뒤바꾼 상태에서 재순환율을 측정하기 위해서 투석기
를 떠나는 혈액으로 식염수를 주입해야 한다(그림 8.4). 유출 혈액
라인에서 희석된 양은 하류 초음파 감지기에서 측정할 수 있다. 혈
액을 통한 음파 속도는 혈장에서 단백질 농도에 달려 있다. 즉 유

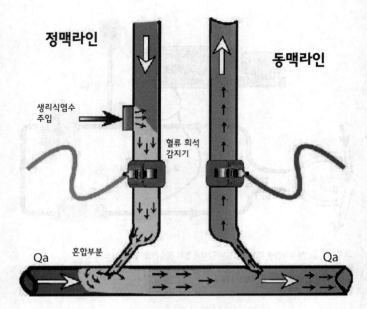

정맥라인

동맥라인

생리식염수 주입

혈류 희석 감지기

혼합부분

Qa

Qa

그림 8.4 생리식염수 희석을 통한 혈관 접근로 혈류 측정. 혈액라인 역전과 혈액라인 감지기 위치를 보여주고 있다. 방법의 세부사항은 텍스트를 참고하라.

출 혈액라인에서 생리식염수의 희석 효과는 첫 번째 초음파감지기를 사용해서 정량화할 수 있다. 생리식염수로 희석된 일부 혈액은 혈관 접근로 일부분에서 두 개의 바늘 사이를 가로지르게 될 것이다. 그리고 나서 투석기 입구에서 다시 나타날 것이다. 투석기 입구에서 다시 나타나는 식염수로 희석된 혈액의 비율은 투석기를 통한 혈류에 대한 혈관 접근로 혈류의 비율에 달려있다. 투석기로 이끄는 혈액라인에서 두 번째 초음파 감지기는 투석기 입구에서 다시 나타난 식염수로 희석된 혈액의 비율을 측정하는데 사용된다(그림 8.4). 실제로 재순환의 추가적인 측정은 혈액라인을 바꾸지 않고 시행한다. 바꾸지 않은 상태에서 재순환이 존재한다는 것은 계산에 영향을 끼치기 때문이다.

2. 온도, 나트륨, 혈색소 변화에 따른 대체가능한 혈관 접근로 혈류의 측정

Fresenius Blood Temperature Module은 투석기를 떠나는 혈액 온도를 예리하게 변화시킬 수 있다. 이온 전도도 모듈은 투석기를 떠나는 나트륨 농도를 예리하게 변화시킬 수 있다. 이것은 각각 투석액 온도나 전도도를 변화시킴으로써 갑자기 실행된다. 생리 식염수 희석법과 유사한 방법으로 혈관 접근로 혈류를 측정할 수 있다. 혈액라인을 바꾸고, 투석기 혈액 출구 온도나 전도도가 변하고,

강제로 재순환을 통하여 투석기 입구로 전달된 작은 변화량을 계산할 수 있다. 대조군으로 혈액라인을 바꾸지 않고, 이 방법을 반복한다. 온라인 헤모글로빈 모니터를 사용하는 헤모글로빈 희석법도 유사한 방법으로 혈관 접근로 혈류를 측정할 수 있다(Jiang, 2011; Roca-Tey, 2012). 이러한 대체가능한 방법들은 아마도 더 높은 수치로 시행하는 온도방법으로 혈관 접근로 혈류를 측정하는것이 꽤 정확하다고 제시한다(Badr, 2014). 온도나 이온 다이알리산스을 사용하는 이점은 따로 초음파 희석 감지기와 노트북 컴퓨터가 더 이상 필요하지 않다는 점이다.

D. 도플러 초음파 혈류 측정법

도플러 초음파는 보통 직접적으로 협착 병변의 영상을 얻기 위해서도 사용하지만, 혈관 접근로를 통한 혈류속도를 측정할때도 또한 사용할 수 있다. 다양한 기계와 몇가지 다른 혈류속도 알고리즘이 사용된다.; 일부 기계에 따른 혈류의 과소평가와 과대평가가 있을 수 있다(Sands 등 1996). 또한 도플러에 의한 혈류 측정은 속도와 혈관 직경의 정확한 측정에 달려있다. 혈관 접근로 혈류에 와류가 있을 때와 혈관직경이 균일하지 않을 때는 정확한 측정이 어려울 수 있다. 이러한 교란요인때문에, 혈관이 부드러운 실린더 모양이고 와류가 없는 상완동맥에서 혈류를 측정하는 것이 좋다(약 60~80 mL/min의 영양혈류[nutrient flow] 이외에). 상완동맥의 거의 모든 혈류가 혈관 접근로를 통해 지나가서, 상완동맥 혈류는 혈관 접근로 혈류와 매우 높은 상관관계가 있다(Besarab and Sherman, 1997).

E. 혈관 접근로내 압력(P_{IA})과 혈관 접근로 혈류

혈류, 압력, 저항은 수학적으로 관련이 있다. 동정맥 인조혈관에서 P_{IA}는 일반적으로 평균 동맥압(mean arterial pressure, MAP)의 50% 미

TABLE 8.2	EQP_{IA}/MAP 비율의 측정

예:

1. 평균동맥압 측정: 혈압이 190/100 mmHg이라고 가정하면, 평균동맥압은 확장기와 맥압 1/3과의 합이다. ; 130 mmHg

2. 정적 혈관 접근로 내 압력 측정 :

   a. 혈액펌프를 중지하고 정맥 점적주입챔버의 혈액 상류라인을 클램프하고, 측정한 정맥 점적주입챔버 압력이 60 mmHg이다.

   b. 다음의 방정식을 이용해 보충값(offset)을 계산 한다 : 보충값(mmHg) = -1.6 + 0.74 ×H(cm) 여기서 H는 혈관 접근로와 정맥점적주입챔버 중간사이의 높이이다. H를 35 cm 으로 가정하자. 그러면 보충값은 -1.6 + 25.9 = 24.3 mmHg

   c. 보충값을 더해서 EQP_{IA}을 계산한다: EQP_{IA} = 60 + 24.3 = 84.3mmHg.

   d. EQP_{IA}/MAP 비율을 계산한다. 이 경우에는 84/130 = 0.65로 >0.5 이다. 이 혈관 접근로는 협착의 위험이 있다.

EQP_{IA} equivalent intra-access pressure 등가 혈관 접근로내 압력
;MAP mean arterial pressure 평균동맥압 ;

만이다. 인조혈관내 협착이 없다면, 이 압력의 대부분은 동맥 문합부에서 감소한다. 유출부 협착(e.g.인조혈관-정맥문합부나 문합부하류에서의 신생내막증식증때문에)이 발생하면, P_{IA}는 증가하고 혈류는 감소한다. P_{IA}가 평균동맥압의 50% 이상으로 증가할 때(P_{IA}/MAP 0.50보다 큰 경우), 인조혈관의 혈류는 보통 혈전이 형성되기 시작하는 600~800 mL/min 범위로 감소하고 협착이 존재할 가능성이 높다. 등가 P_{IA} (equivalent P_{IA})를 바탕으로 비율을 계산하는 방법에 대한 자세한 내용은 표 8.2에 나와있다. 동정맥루의 경우, 다양한 곁가지 정맥을 통해 정맥계로 혈액이 돌아온다. 그 결과, 동정맥루에서 P_{IA}는 동정맥 인조혈관보다 평균치가 더 낮고, 유출부 협착으로 P_{IA}는 더 증가하지 않을 것이다. 그러므로 감시도구로써 유용하지 않다.

만일 동맥가지(arterial limb)와 정맥가지(venous limb) 천자 부위 사이의 인조혈관 몸체(body)에 협착이 발생하면 협착이 증가하더라도 정맥바늘 P_{IA}는 정상이거나 오히려 감소한다. 인조혈관과 동정맥루에서 동맥문합부의 경우, 협착은 P_{IA}를 감소시키고, 협착이 없는 상태에서는 개통성이 있는 동맥문합부에서 기저 P_{IA}를 증가시킨다.

F. 혈관 접근로 재순환

요소와 비요소(예; 초음파 희석법)에 바탕을 둔 방법이 재순환을 감지하는데 사용할 수 있다. 요소에 바탕을 둔 방법은 제3장에서 설명하였다. 이미 앞에서 언급한 초음파 희석법은 재순환을 측정하는데 사용할 수 있다. 이 경우에 혈액라인은 뒤바꾸지 않는다. 만일 투석기 출구 혈액이 혈관 접근로를 통해 재순환하고 투석기 입구를 희석한다면, 출구 혈액라인으로 주입된 생리식염수는 주입 후 바로 입구 혈액라인에 있는 센서가 감지할 것이다. 혈액 온도 모듈을 사용하는 열 희석으로 혈관 접근로 재순환을 측정하는 것은 초음파 희석법과 유사한 결과를 가져온다. 두 개의 바늘을 사용해서 요소를 바탕으로 한 방법으로는 10%, 초음파 희석법으로 5% 혹은 열 희석법 15% 보다 높은 재순환은 신속한 원인 파악을 해야 한다.

II. 혈관 접근로의 영상검사

A. 도플러 초음파

이 비침습적인 기술은 동정맥 인조혈관과 동정맥루에서 직접적으로 혈류패턴 영상을 보여준다. 따라서 협착을 발견하고 동맥류(aneurysm)를 지도화(mapping)하는데 유용하다. 도플러 초음파 혈류 측정은 정기적인 평가로도 엄청나게 비싸다. 주요한 역할은 다른 방법들에 의해 선별되어진 혈관 접근로의 혈류와 해부학적 특징을 평가하는 것이다.

B. 혈관 접근로 혈관조영술

대부분 센터에서는 저비용 방법으로 확인하여 협착 가능성이 높은 환자에서 도플러 검사를 시행하지 않고 직접 혈관조영술과 풍선혈관성

응급이며, 혈관 접근로의 띠감기(banding)나 묶음술(ligation)로 수술적 평가를 즉시 시행해야 한다.

1. DRIL 기법

보통 요골동맥-요골측피부정맥 측방-측방 동정맥루에서 요골동맥 문합은 척골동맥계로 부터 혈류를 규칙적으로 빼앗는다. 동맥측방에서 동맥끝 문합으로 변환하는 것이 때로 steal로 인한 허혈 치료에 사용된다. 도류 증후군의 심각한 경우는 동정맥루 묶음술을 해야 한다. 그러나 DRIL (distal revascularization interval ligation) 기법이 동정맥루 개통성을 유지하면서 허혈을 치료하는데 사용된다. DRIL 기법은 동정맥루에서 원위부로 즉시 동맥을 묶고, 동정맥루 근위부 동맥에서 묶은 부위에서 원위부 동맥으로 역전된 두렁정맥우회술(reversed saphenous vein bypass)을 하는 것이다. 한 연구는 DRIL 기법은 우회하는 인조혈관의 기원이 동정맥루 문합 부위에서 상류 동맥에서 낮은 압력 부위를 피하기 위해 동정맥루 문합부의 상향에 있다면 성공률이 높다고 제시하고 있다(Kopriva, 2014).

2. 띠감기(banding)

혈관 접근로 혈류 증가로 인한 steal은 띠감기로 치료할 수 있다. 이것은 최소 침습 기법을 사용하여 시행할 수 있다(Miller, 2010).

3. 그외 기법

동정맥루를 만든 후에 손부종 치료는 정맥 측방을 정맥 끝으로 문합부를 전환하거나 선택적으로 문제가 되는 정맥을 묶어야 한다. 혈관 접근로를 지탱하는 팔 둘레(2~3 cm)가 약간 증가하는 것은 동정맥 혈관 접근로를 만든 후에 흔하다. 그러나 그 이상 증가하는 것은 보통 중심정맥 협착으로 인한 정맥 고혈압을 가리킨다.

VI. 거짓 동맥류(pseudoaneurysm)

같은 부위에 반복적인 바늘 천자로 인한 동정맥루 손상은 자가 정맥이나 인조혈관의 모든 층을 손상시킬 수 있다. 큰 동맥류는 적절한 바늘 천자를 방해할 수 있고, 잠재적인 천자 부위를 제한할 수 있다. 이러한 확장은 특히, 혈관 접근로 내압을 증가시키는 하류 협착이 있다면 더 커질 수 있다. 동맥류와 거짓 동맥류는 감염에 취약하며 혈전이 생기기 쉽다. 주요한 관심은 큰 출혈과 치명적인 출혈을 야기하는 파열이다. 파열이 임박하다는 징후는 얇고 윤기나게 덮힌 피부, 오래 계속되는 누출이나 피부 표면에 궤양, 동맥류가 빠르게 커지는 소견이다. 조기 중재적 시술(intervention)이 이러한 합병증을 예방하는데 필수적이다.

A. 동정맥루

거짓 동맥류는 진성 동맥류(true aneurysm)보다 훨씬 더 흔하다. 적절하게 혈관 접근로 천자를 돌려가면서 하지 않고, 부적절한 지혈과 투석 후 바늘 제거시 혈관외 유출의 결과이다. 대부분의 거짓동맥류와 진성 동맥류는 경과관찰만을 하며, 때로는 수술적 교정술이 필요해도 동정맥루 천자시 동맥류 부위를 피함으로써 치료한다.

B. 동정맥 인조혈관

동정맥 인조혈관에서는 혈관내강의 실질적인 확장은 없다. "동맥류"(실제로 거짓 동맥류)의 벽은 외부 연조직층에 의해 만들어진다. 만일 빠르게 커지거나 직경이 12 mm 이상이거나 덮힌 피부가 생존능력(viability)을 위협하면 절제하고(resection) 인조혈관을 삽입(interposition graft)하여 치료하여야 한다. 동정맥 인조혈관은 거짓 동맥류 형성으로 이용할 수 있는 천자 부위가 제한되거나 통증이나 욱씬거림과 같은 지속적인 증상을 야기한다면 수술적으로 교정해야 한다.

C. 스텐트 삽입

스텐트는 거짓 동맥류의 경피적 치료로 사용되어 왔다(Fotiadis, 2014). 이러한 스텐트삽입이 거짓동맥류를 바로 막아도 반복적인 바늘 천자로 인한 거짓동맥류 재발과 스텐트결합 인조혈관(stent-graft) 손상은 여전히 주요한 문제로 남아있다. 부러진 스텐트 버팀대(struts)는 가끔 피부를 통해 뚫고 나와 투석하는 환자를 보는 의료진들에게 상해 위험이 될 수 있다.

스텐트결합 인조혈관을 사용하는 거짓동맥류의 예외는 승인되지 않은 장비를 사용하는 것이다. 스텐트결합 인조혈관이 감염 위험이 있다는 것은 또 다른 고려사항이다. 거짓 동맥류를 치료하는데 사용하는 스텐트결합인조혈관에 바늘 천자를 하는 안전성은 전향적 방식에서 결론적으로는 확립되지 않았다.

유사하게도, 거짓 동맥류를 치료하는데 수술적 중재시술과 스텐트결합인조혈관을 사용한 결과를 직접적으로 비교한 것은 없었다. 스텐트결합인조혈관은 혈관 파열을 야기한 혈관성형술의 경우 구조적 치료(rescue therapy)로 사용할 수 있다. 스텐트결합 인조혈관은 완전한 혈관 파열시 혈관 접근로를 안정화시키고, 응급수술을 피할 수 있는 명확한 적응증이 된다.

VII. 감염

혈관 접근로 감염은 보통 바늘 천자부위에 홍반(erythema), 통증, 화농성 삼출물로 나타난다. 종종, 첫 징후는 다른 명확한 원인이 없는 열과 혈액 배양 검사상 양성이다. 혈관 접근로는 감염이 진행중이면 사용해서는 안된다. 병원체를 발견하고 특히 항생제치료 후에도 배양검사가 음전되지 않는다면 심내막염 가능성이나 감염의 다른 원인을 찾아야 한다. 혈관 접근로 주위 조직을 초음파 검사로 평가하는 것은 때로 국소 저류액(localized fluid accumulation)을 보는데 유용하다. 감염된 혈관 접근로는 보통 죽은 조직제거술(debridement)이나 절제술(excision)과 같은 수술적인 중재적 시술이 필요하다.

A. 동정맥루

감염은 드물고 보통 포도알균에 의해 야기된다. 이들 감염은 아급성 심내막염 치료와 같은 방법으로 항생제를 6주간 사용해야 한다. 진단은 염증의 국소 징후를 기본으로 한다. 국소배양과 혈액배양 후에 즉각적인 항포도알균 항생제 치료시 종종 치유될 수 있다. 치료 중에 패혈 색전(septic embolus)이 생기면 동정맥루 제거술의 적응증이 된다.

B. 동정맥 인조혈관

인조혈관 감염은 삽입된 인조혈관의 5~20%에서 결국 발생하며, 넓적다리 인조혈관은 훨씬 높은 감염률을 가지고 있다. 인조혈관을 가진 환자에서 발치, 비뇨생식기계 조작 같이 균혈증을 야기할 수 있는 처치를 시행할 때 예방적인 항생제를 사용해야 한다. 대부분 인조혈관 감염의 원인균은 포도알균이다. 대장균(*Escherichia coli*)같은 그람 음성균이 특히 넓적다리 인조혈관에서 배양되기도 한다(Harish and Allon, 2011). 초기 항생제 치료는 그람 음성균과 양성균 뿐만 아니라 장구균(*Enterococcus*)에 대해서도 작용하는 항생제 치료를 해야 한다. 인조혈관의 국소 감염은(배양 결과를 바탕으로) 항생제로 치료할 수 있고, 감염된 부위의 절개(incision)/절제술(resection)로 치료할 수 있다. 광범위한 감염은 완전한 절제(excision)/제거술(removal)이 필요하다.

패혈증(septicemia)이 국소 징후없이 발생할 수 있다. 이러한 경우에는 테크네튬-표지 백혈구 스캔(technetium-labeled leukocyte scan)이 인조혈관 감염을 밝히는데 도움을 줄 수 있으나, 위양성 결과가 나올 수 있기 때문에 스캔하기 전에 혈액이 적셔진 드레싱은 제거해야 한다. 출혈은 감염된 인조혈관의 파열때문에 발생할 수 있다. 삽입된 지 30일 이내에 감염된 인조혈관은 아마도 제거해야 한다.

1. 혈전이 있는 동정맥 인조혈관에서 무증상 감염

오래된 혈전이 있는 인조혈관은 국소징후가 거의 없이 감염될 수 있으며, 아마도 인조혈관은 더 이상 사용을 포기한 후에 빨리 제거해야 한다고 제시하고 있다. 이것은 혈청 C-반응단백 상승과 ESA 저항성의 원인이 될 수 있다. 그러나 수술적 제거는 종종 광범위한 조직 박리가 필요하기 때문에 이 문제는 일괄된 권고안을 만들기 전에 더 많은 연구가 필요하다.

VIII. 울혈성 심부전

울혈성 심부전은 아래팔 혈관 접근로를 가진 환자에서는 흔하지 않으나, 특히 심장질환이 동반되어 있는 위팔이나 대퇴부 혈관 접근로를 가진 환자에서는 발생할 수 있다. 장기간 심장 기능에는 대개 혈관 접근로가 있는 환자에 영향을 주지 않을지라도, 혈관 접근로를 묶는 것은 좌심실 질량 감소와 편심성 및 동심성 좌심실 비대의 향상과 연관되었다(Movilli, 2010).

증가된 폐동맥 혈류는(혈관 접근로 혈류 증가와 연관되어 있는) 폐고혈압을 악화시킬 수 있다(Stern and Klemmer, 2011).

일부 동정맥 혈관 접근로는 혈류를 계속해서 증가시킬 수 있다. 혈류가 심박출량의 20% 이상을 초과하면 고박출량 심부전(high output heart failure)의 고위험이 될 수 있다. 상지 혈관 접근로가 있으며, 혈류가 2,000 mL/min이상시 이러한 위험이 증가한다(Stern and Klemmer, 2011). 이 경우에는 혈관 접근로 혈류를 줄이기 위해 혈관 접근로 띠감기(banding)를 고려해야 한다(Miller, 2010). 이론적인 이점에도 불구하고, 일시적으로 동정맥루을 막은 후에 심장검사에서 심박출량의 두드러진 변화를 보일 때 수술적으로 좁히거나 띠감기를 주로 고려해야 한다. 설명되지 않는 높은 심박출량을 가진 환자에서는 우선 빈혈이 있는지 고려하여 교정하여야 한다. 베타차단제 없이 미녹시딜(minoxidil)이나 하이드랄라진(hydralazine)같은 혈관확장제를 사용하는 것은 고심박출량 심부전의 흔하고 교정 가능한, 또 다른 원인이다. 마지막으로 체액 과부하는 투석 환자에서 흔해서 심부전 징후와 증상을 가진 환자에서 고려해야 한다.

IX. 중재적 시술의 합병증

혈관성형술과 연관된 가장 흔한 시술관련 합병증은 조영제 혈관외 유출이나 출혈과 같은 혈관파열이다. 이러한 합병증은 비교적 드물고(2%), 임상적으로 사소한 것부터 심각한 것에 이르기까지 다양하다. 혈관성형술 부위에서 조영제의 무증상 혈관외 유출은 대개 큰 문제를 일으키지는 않는다. 혈관파열이 미약한 경우, 혈종이 있을 수 있으나 환자는 무증상이다. 크기가 큰 혈종은 혈관 접근로 혈류에 영향을 미치며, 아주 큰 혈종은 곁정맥(accessary vein)이 완전히 파열되거나 거의 파열될때 생긴다. 이 경우는 혈관내 스텐트 삽입이 출혈을 막는데 매우 유용하다. 경피적 혈관성형술과 관련된 또 다른 합병증은 특히, 혈전제거술 중에 생기는 폐색전증이다. 임상적으로 의미있는 폐색전증은 드물다.
혈전제거술 중에 혈전이 동맥원위부에 생길 수 있고, 이 경우에 색전제거 카테터를 이용해서 즉시 혈전을 제거해야 한다.

X. 임상결과 목표와 모니터링

A. 혈관 접근로팀 확립과 지속적인 질 향상관리(CQI)

신장 전문의, 외과의, 중재적 시술자, 혈관 접근로 코디네이터와 투석 의료진으로 구성된 혈관 접근로 팀을 만드는 것은 훌륭한 혈관 접근로 결과를 가져오는데 필수적이다. 이상적으로, 혈관 접근로팀은 데이터를 검토하고 KDOQI 진료지침에 근거한 수행을 평가하기 위해 정기적으로 만나야 한다. 수집된 데이터는 혈관 접근로 수와 종류, 감염과 혈전 비율, 중재적 시술횟수와 종류, 혈관 접근로 실패하는데 걸리는 시간으로 구성되어야 한다. 센터는 혈전 후 결과를 감시하고, 즉각적이고 장기적인 개통성 유지를 위해 최소 목표를 설정해야 한다. 경향을 분석해서 모든 팀원들에게 피드백을 제공해야 한다. 이러한 접근은 선제적 행동을 양성해서 동정맥루 혈관 접근로를 다시 만들기보다는 구조(salvage)할 수 있으며, 정맥도관 통로를 최소로 사용하고, 적절한 투석량을 정하는데 도움을 준다.

References and Suggested Readings

Agarwal AK, Asif A. *Interventional Nephrology.* Washington, DC: American Society of Nephrology, NephSAP; 2009.

Asif A, et al., eds. *Textbook of Interventional Nephrology.* New York, NY: McGraw Hill; 2012.

Ayus AC, Sheikh-Hamad D. Silent infections in clotted hemodialysis access grafts. *J Am Soc Nephrol.* 1998;9:1314–1317.

Badr B, et al. Transonic, thermodilution, or ionic dialysance to manage vascular access: which method is best? *Hemodial Int.* 2014;18:127–135.

Beathard GD. A practicioner's resource guide to physical examination of the vascular access. ESRD Network of Texas; 2012. http://www.esrdnet15.org/QI/C5D.pdf.

Besarab A, et al. Simplified measurement of intra-access pressure. *ASAIO J.* 1996;42:M682–M687.

Besarab A, et al. The utility of intra-access monitoring in detecting and correcting venous outlet stenoses prior to thrombosis. *Kidney Int.* 1995;47:1364–1373.

Besarab A, Sherman R. The relationship of recirculation to access blood flow. *Am J Kidney Dis.* 1997;29:223–229.

Campos RP, et al. Stenosis in hemodialysis arteriovenous fistula: evaluation and treatment. *Hemodial Int.* 2006;10:152–161.

Chemla ES, et al. Complex bypasses and fistulas for difficult hemodialysis access: a prospective, single-center experience. *Semin Dial.* 2006;19:246–250.

Chin AI, et al. Intra-access blood flow in patients with newly created upperarm arteriovenous native fistulas for hemodialysis access. *Am J Kidney Dis.* 2004;44:850–858.

Coca SG, Perazella MA. Use of iodinated and gadolinium-containing contrast media. In: Daugirdas JT, ed. *Handbook of Chronic Kidney Disease Management.* Philadelphia, PA: Kluwer; 2011:363–375.

Coentrão L, Faria B, Pestana M. Physical examination of dysfunctional arteriovenous fistulae by non-interventionalists: a skill worth teaching. *Nephrol Dial Transplant.* 2012;27:1993–1996.

Crowther MA, et al. Low-intensity warfarin is ineffective for prevention of PTFE graft failure in patients on hemodialysis: a randomized controlled trial. *Am J Soc Nephrol.* 2002;13(9):2331–2337.

Depner TA, Krivitsky NM, MacGibbon D. Hemodialysis access recirculation measured by ultrasound dilution. *ASAIO J.* 1995;41:M749–M753.

Fontseré N, et al. Practical utility of on-line clearance and blood temperature monitors as noninvasive techniques to measure hemodialysis blood access flow. *Blood Purif.* 2011;31:1–8.

Fotiadis N, et al. Endovascular repair of symptomatic hemodialysis access graft pseudoaneurysms. *J Vasc Access.* 2014;15:5–11.

Gradzki R, et al. Use of ACE inhibitors is associated with prolonged survival of arteriovenous grafts. *Am J Kidney Dis.* 2001;38:1240–1244.

Harish A, Allon M. Arteriovenous graft infection: a comparison of thigh and upper extremity grafts. *Clin J Am Soc Nephrol.* 2011;6:1739–1743.

Haskal ZJ, et al. Stent graft versus balloon angioplasty for failing dialysis access grafts. *N Engl J Med.* 2010;362:494–503.

Huijbregts HJ, Blankestijn PJ. Dialysis access—guidelines for current practice. *Eur J Vasc Endovasc Surg.* 2006;31:284–287.

Jiang SH. Validation of the measurement of haemodialysis access flow using a haemoglobin dilution test. *Blood Purif.* 2011;32:48–52.

Kaufman JS, et al. Randomized controlled trial of clopidogrel plus aspirin to prevent hemodialysis access thrombosis. *J Am Soc Nephrol.* 2003;14:2313–2321.

Kopriva D, McCarville DJ, Jacob SM. Distal revascularization and interval ligation (DRIL) procedure requires a long bypass for optimal inflow. *Can J Surg.* 2014;57:112–115.

Krivitski NM. Theory and validation of access flow measurement by dilution technique during hemodialysis. *Kidney Int.* 1995;48:244–250.

Kumbar L, Karim J, Besarab A. Surveillance and monitoring of dialysis access. *Int J Nephrol.* 2012;2012:649735.

Lok CE, et al. Reducing vascular access morbidity: a comparative trial of two vascular access monitoring strategies. *Nephrol Dial Transplant.* 2003;18:1174–1180.

Maya ID, et al. Vascular access stenosis: comparison of arteriovenous grafts and fistulas. *Am J Kidney Dis.* 2004;44:859–865.

Miller GA, et al. The MILLER banding procedure is an effective method for treating dialysis-associated steal syndrome. *Kidney Int.* 2010;77:359–366.

Mohan S, et al. Effective ionic dialysance/blood flow rate ratio: an indicator of access recirculation in arteriovenous fistulae. *ASAIO J.* 2010;56:427–433.

Movilli E, et al. Long-term effects of arteriovenous fistula closure on echocardiographic functional and structural findings in hemodialysis patients: a prospective study. *Am J Kidney Dis.* 2010;55:682–689.

National Kidney Foundation. K/DOQI clinical practice guidelines for vascular access: update 2006. *Am J Kidney Dis.* 2006;48(suppl 1):S188–S306.

Oakes DD, et al. Surgical salvage of failed radiocephalic arteriovenous fistulas: techniques and results in 29 patients. *Kidney Int.* 1998;53:480–487.

Ohira S, Kon T, Imura T. Evaluation of primary failure in native AV-fistulae (early fistula failure). *Hemodial Int.* 2006;10:173–179.

Ortega T, et al. The timely construction of arteriovenous fistulas: a key to reducing morbidity and mortality and to improving cost management. *Nephrol Dial Transplant.* 2005;20:598–603.

Palmer RM, et al. Is surgical thrombectomy to salvage failed autogenous arteriovenous fistulae worthwhile? *Am Surg.* 2009;72:1231–1233.

Palmer SC, et al. Antiplatelet therapy to prevent hemodialysis vascular access failure: systematic review and meta-analysis. *Am J Kidney Dis.* 2013;61:112–122.

Paulson WD, Moist L, Lok CE. Vascular access surveillance: an ongoing controversy. *Kidney Int.* 2012;81:132–142.

Rayner HC, et al. Vascular access results from the Dialysis Outcomes and Practice Patterns Study (DOPPS): performance against Kidney Disease Outcomes Quality Initiative (K/DOQI) Clinical Practice guidelines. *Am J Kidney Dis.* 2004;44 (5 suppl 3):22–26.

Roca-Tey R, et al. Five years of vascular access stenosis surveillance by blood flow rate measurements during hemodialysis using the Delta-H method. *J Vasc Access.* 2012;13:321–328.

Saran R, et al. Association between vascular access failures and the use of specific drugs: the Dialysis Outcomes and Practice Patterns Study (DOPPS). *Am J Kidney Dis.* 2002;40:1255–1263.

Sessa C, et al. Treatment of hand ischemia following angioaccess surgery using the distal revascularization interval-ligation technique with preservation of vascular access: description of an 18-case series. *Ann Vasc Surg.* 2004;18:685–694.

Stern AB, Klemmer PJ. High-output heart failure secondary to arteriovenous fistula. *Hemodial Int.* 2011;15:104–107.

Tessitore N, et al. Clinical access assessment. J Vasc Access. 2014;15(suppl 7):20–27.

Tordoir J, et al. EBPG on vascular access. *Nephrol Dial Transplant.* 2007;22(suppl 2): ii88–ii117.

White JJ, et al. Paulson relation between static venous pressure (VP), hemodialysis graft blood flow (Q), and stenosis: analysis by fluid mechanics model [Abstract]. *J Am Soc Nephrol.* 2005;16:F-PO531.

Zasuwa G, et al. Automated intravascular access pressure surveillance reduces thrombosis rates. *Semin Dial.* 2010;23:527–535.

Web References

An excellent teaching guide, introduction to vascular access, with pictures of anatomy, etc. http://www.fistulafirst.org/atlas/index.html.

Information on interventional nephrology, annual meetings, credentialing, publications, and statement papers. http://www.asdin.org.

정맥도관 감염과 기타 합병증

류지원 역

정맥도관과 연관된 주요문제는 감염, 불충분한 혈류, 혈전과 중심정맥 협착이다.

I. 감염

7장에서 설명된 최선의 도관삽입에도 불구하고(표 7.3), 정맥도관 감염은 동정맥루에 비해 상당히 높은 비율로 발생한다. 감염은 도관 손실의 주요 원인이고 이환율과 사망률을 증가시킨다. 대부분의 감염은 도관을 관리하는 의료진으로부터 오염되거나 투석 중 도관 내강이 오염되는 경우도 있고, 투여되는 수액들에 의한 오염에 의해서도 발생한다. 또한, 환자의 피부상재균이 천자부위를 통해 노출된 도관표면 위로 이동하면서 발생하기도 하고, 간혹 균혈증이 있을 때는 먼 부위에서부터 도관에 집락형성이 될 수도 있다.

A. 출구 감염

출구 부위에 발적, 분비물, 가피형성, 압통이 있으면 터널부위의 압통이나 고름이 없어도 진단할 수 있고, 치료는 국소항생제 연고나 경구 항생제로 충분하다. 이러한 출구 감염은 세심한 출구 관리로 예방될 수 있다. 투석 환자들은 황색포도알균(staphylococcus)에 대한 코점막 검사를 시행해야 하며, 만약 양성이라면, 감염의 진행을 예방하기 위해, 비강내 무피로신(mupirocin)연고(각 콧구멍에 하루 2회, 연고 반 정도를 5일간)로 치료할 수 있다. 출구 감염이 있으면서 감염의 전신증상이 발생하는 경우(백혈구 증가, 체온 > 38℃), 고름이 나타나거나, 항생제 초기 치료 후에도 감염이 남아있거나 재발하는 경우는 도관을 제거해야 한다. 혈액배양 검사에서 양성인 경우도 도관은 제거되어야 한다.

B. 터널 감염

피하에 위치한 터널을 따라 커프에 근접하여 삽입부위와 정맥쪽을 향해 연장되는 감염이다. 특징적으로 심한 압통, 부종, 발적이 도관을 따라 발생하며, 화농성 삼출물이 동반된다. 이는 균혈증을 유발할 수 있다. 전신감염의 징후가 보이거나 화농성 삼출물이 발생하면 도관은 즉시 제거되어야 하고, 항생제 치료가 시행되어야 한다.

C. 도관관련 혈류 감염

환자들마다 전신감염의 증상이 다르게 나타날 수 있다. 감염이 심하지 않을 때는 발열, 오한으로만 나타나기도 하고, 위험한 경우는 생체 징후가 불안정해질 수 있다. 투석을 시행한 후에 패혈증 증상이 나타나기도 하는데 이런 경우는 도관으로부터 세균이나 내독소가 분비되어 전신으로 퍼졌다고 추정할 수 있다. 또한, 심내막염, 골수염, 경막외 농양이나 화농성 관절염등의 전이성 감염으로 나타날 수 있다. 그람 양성 균주가 대부분의 원인균이지만, 그람 음성 균주도 적지않게 원인이 된다. 도관관련 혈류 감염관리에 대해 자세한 사항은 U.S. Centers of Disease (CDC) 사이트(http://www.cdc.gov/dialysis), NKF KDOQI 2006 도관 가이드라인(NKF, 2006), European Renal Best Practices (ERBP) 투석 혈관 접근로 가이드라인(Tordoir, 2007), Infectious disease society of North America (IDSA)의 도관관련 혈류 감염의 최신 가이드라인(Mermel, 2009), IDSA 가이드라인에 대한 ERBP의 해설(Vanholder, 2010) 등의 투석관련부분을 참고하면 유용한 정보들을 얻을 수 있다. IDSA 가이드라인의 치료 알고리즘과 도움말들은 그림 9.1, 9.2에 설명되어 있고, ERBP 가이드라인의 중요한 권고사항은 그림 9.2에서 확인할 수 있다.

투석 환자에서의 도관관련 혈류 감염 치료의 원칙은 단 시간 사용하는 중심정맥도관 감염의 치료에 대한 감염질환 가이드라인과는 다르다. 혈액투석 환자의 정맥도관은 교체하는 것이 매우 어렵다. 이에, 도관을 보존하는 다양한 치료방법이 가이드라인에 포함되어 있다. 이를테면, 항생제를 도관에 채워두거나 가이드 와이어를 이용해서 감염된 도관을 새로운 도관으로 교체하는 방법들이다. 하지만 이러한 도관 보존 치료법은 제한되어 있고, 시행되는 경우는 세심한 환경에서 이루어져야 한다. 만일, 도관 보존 치료를 시행한 후에도, 환자의 상태가 악화되는 경우는 타 장기로 감염이 전이되는 것을 최소화하기 위해 도관을 제거해야 한다.

1. 혈액과 도관끝 배양검사

도관관련 혈류 감염이 의심되는 경우, 배양검사는 도관 중심부와 말초 혈액과 투석 중인 혈액 라인에서 시행되어야 한다. IDSA 가이드라인은 도관의 중심부와 말초혈액에서 배양을 시행하도록 하였고, 감염때문에 도관이 제거되는 경우는 끝에서 5 cm 정도까지의 부분을 배양하도록 권고하였다. 도관 혈액과 말초 혈액 배양, 혹은 혈액 배양과 도관끝 배양 모두에서 같은 균주가 배양되면 도관관련 혈류 감염으로 확진할 수 있다. 피부나 도관 중심부에서 배양을 시행할 때, IDSA에서는 포비돈보다는 알콜성 클로로헥시딘으로 소독하도록 하고 있으며, 채취하기 전에 소독제가 건조되도록 권고한다. 이것은 배양된 혈액이나 도관이 액상 소독제로 오염되는 것을 방지하기 위함이다. IDSA 가이드라인은 투석회로에서 시행

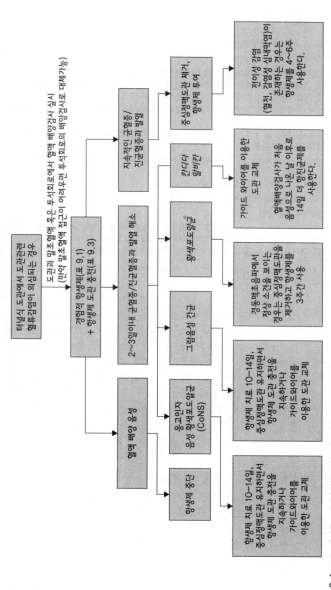

그림 9.1 IDSA에 따른 도관관련 혈류감염의 치료 경로, 2009 업데이트

투석하는 환자들을 위한 항생제 용량

배양결과에 따른 경험적 항생제 용량

Vancomycin과 항생제 감수성 결과에 기초한 그람음성 간균을 포괄하는 항생제
혹은 Vancomycin과 gentamicin

전형적인 용량 : (용량은 잔여신기능에 맞춰야하고, 투석이 잦거나 길어지는 경우, 고투과성
의 투석, 혈액투석여과(hemodiafiltration)의 경우는 투석으로 제거되는 추가용량을 계산해
야 한다. 가능하면 투석 전의 최저치를 살펴보는 것이 좋다.)

(메치실린 내 황색포도알균(MRSA)성의 발생률이 낮은 센터에서는 vancomycin을 대체하여
cefazolin을 사용할 수 있다.)

Vancomycin: 20 mg/kg를 부하용량으로 투석 마지막 한 시간동안 정맥투여하고, 500 mg을
각 투석 마지막 30분동안 정맥투여한다.

Gentamicin(혹은 tobramycin) : 1 mg/kg, 100 mg을 초과하지 않도록 하고 매 투석후에 투
여한다.

Ceftazidime : 1 g 을 매 투석 후에 투여한다.

Cefazolin : 20 mg/kg 을 매 투석 후에 투여한다.

칸디다(Candida) 감염

Echinocandin (caspofungin 70 mg을 부하용량으로 정맥투여하고, 매일 50 mg을 유지용량
을 투여한다; micafungin 100 mg을 정맥투여; 혹은 anidulafungin 200 mg을 부하용량으
로 정맥투여하고, 100 mg을 유지용량으로 매일 정맥투여한다.; 혹은 amophotericin B

Mermel 저. IDSA 2009 update. 도관관련 감염의 진단과 치료에 대한 임상적 가이드라인,
2009;49:1-45

된 배양검사가 말초 혈액 배양을 대체할 수 있다고 인정하고 있다.
ERBP 임시자문위원회의 권고사항은 IDSA 가이드라인과 비슷하
다. ERBP 역시 투석 환자들에서 말초혈액 배양이 쉽지 않음을 인
정하여, 투석 회로에서 샘플을 채취하는 것이 실용적임을 받아들이
고 있다. 투석 회로의 혈액은 국한 도관내 된 혈액을 대체하는 것이
아니라 말초 혈액을 대체하는 의미가 있고, 회로의 혈액 배양에서
균주가 나온다는 것은 도관 감염이 아니라 균혈증을 의미한다고 할
수 있다. ERBP에서는 도관관련 혈류 감염을 진단하기 위한 최상
의 방법으로 가능한 임상적 과거력, 이학적 검사, 영상학적 검사, 소
변 배양을 비롯한 검사들을 평가하도록 제시하고 있다.

2. 신속한 도관 제거가 필요한 적응증

감염된 혈전, 심내막염, 골수염, 저혈압을 동반한 심각한 패혈증등
이 나타나면, 도관을 신속하게 제거해야 한다. 또한, 발열을 동반한
터널 감염이 있을 때도 도관 제거가 필요하다. 투석은 임시 도관을
다른 부위로 삽입하여 진행하도록 한다.

3. 항생제 선택

그람 양성 세균은 주로 황색포도알균(Staphylococcus sp.)이 흔하
지만, 40% 정도에서 그람 음성 세균이 동정되기도 한다. 광범위 항

TABLE 9.2	도관관련 감염이 의심되거나 진단된 투석 환자의 치료에 대한 특별한 관점

혈액과 도관 배양

말초 혈액 배양 샘플은 추후 동정맥루를 수술할 가능성이 없는 곳에서 시행해야 한다(예, 손등 정맥). 말초 혈액 샘플이 원활하지 않을 경우, 투석 중에 투석도관과 연결된 회로에서 샘플을 채취할 수 있다. 도관관련 감염이 의심되는 환자에서 혈액 배양이 이루어지고, 항생제 치료가 이미 시작된 경우, 항생제 치료는 혈액 배양 검사가 모두 음성이 나오고, 감염을 일으킬 원인이 없는 경우 중단할 수 있다.

말초 혈액 배양이 어렵고, 혈액 샘플을 채취할 만한 다른 도관이 없는 경우에, 삽입 부위에서 배농이 없고, 감염을 일으킬 만한 다른 원인이 없다면, 도관에서 시행한 혈액에서 배양이 양성으로 나온 경우는 환자가 증상이 있다면, 도관관련 감염의 가능성이 있으므로 항생제 치료를 지속해야 한다.

도관의 제거, 교환, 그리고 항생제저류를 이용한 도관 보존 치료법

황색포도알균(*S. aureus*), 녹농균(*Pseudomonas sp.*), 혹은 칸디다(*Candida sp.*)으로 감염된 경우, 투석을 받는 환자들을 위해서 도관을 제거해야 하고, 일시적인 도관을(비터널식 도관) 다른 부위로 삽입하는 것이 좋다. 만약 일시적인 도관 삽입을 위한 부위가 전혀 없다면, 가이드 와이어를 사용해서 도관을 바꾸는 것이 좋다.

투석을 위한 도관이 감염때문에 제거된 후, 혈액 배양이 음성으로 나오면 장기간 사용하는 투석 도관을 삽입할 수 있다.

다른 병원체(예, 녹농균*Pseudomonas sp.*)를 제외한 그람 음성 간균 혹은 응고효소 음성 황색황색포도알균(*coagulase-negative staphylococci.*)에 의한 도관관련 감염의 경우, 도관 제거 없이 경험적 정맥 항생제 치료를 시작할 수 있다. 만약 증상이 지속되거나, 다른 부위로 감염이 전이되는 경우는 도관을 제거해야 한다. 신속한 항생제 치료로 증상이(열, 오한, 혈역학적 불안정, 의식변화) 2~3일이내 호전되고, 다른 곳에서 감염이 전이되지 않은 경우, 감염된 도관을 가이드 와이어를 이용해서 새로운 도관으로 교환할 수 있다.

도관 제거가 굳이 필요없는 경우(항생제 치료 후 2~3일 이내 임상증상이 호전되고, 다른 곳으로 감염의 전이가 없을 때), 보조적인 치료로, 각 투석후에 항생제를 도관에 저류시키는 치료를 10~14일 정도 시행하면서 도관을 유지할 수 있다.

항생제 치료

경험적인 치료에는 vancomycin을 포함해야 하며, 항생제 감수성 결과에 따라 그람 음성 세균을 포괄할 수 있어야 한다(예, 3세대 cephalosporin, carbapenem, 혹은 베타락탐/베타락타메이즈(β-lactam/β-lactamase) 혼합제).

경험적으로 vancomycin을 받는 환자들은 methicillin 감수성 있는 황색포도알균(*S. aureus*)에 의한 도관관련 감염으로 확인되면 cefazolin으로 항생제를 변경하는 것이 좋다. Cefazolin의 상용량은 20 mg/kg(실제 체중)인데, 투석 후에 대략 500 mg의 용량으로 사용할 수 있다.

도관을 제거한 후에도 지속적인 균혈증이나 진균혈증이 있거나(172시간 이상) 혹은 심내막염이나 화농성의 혈전정맥염이 있다면, 4~6주정도 항생제 치료를 지속해야 하고, 골수염이 동반되었다면 6~8주의 항생제 치료가 필수적이다.

Vancomycin 저항 장구균(enterococci)에 의한 도관관련 감염이 있는 환자들은 daptomycin (6 mg/kg 매 투석 후) 혹은 경구 linezolid (600 mg 매 12시간간격)을 투여해야 한다.

항생제 도관(항생제) 충전(locking)

항생제 도관(항생제) 충전은 출구 감염이나, 터널 감염이 없는 도관관련 혈류감염 환자에서 도관을 보존하기 위한 치료의 일환이다.

도관관련 혈류감염에서 항생제 도관(항생제) 충전치료는 단독으로 시행되어서는 안된다; 전신 항생제 치료와 함께 병행해야 하며 7~14일정도 유지해야 한다.

항생제를 저류시키는 시간은 항생제를 재저류시키기까지 일반적으로 48시간을 넘지않도록 한다; 거동을 하는 환자의 대퇴부 도관에 항생제를 재저류시키는 것은 24시간이내 시행하는 것이 좋다. 하지만 투석하는 환자들은 항생제를 매 투석후마다 저류시킬 수 있다.

T A B L E 9.2	도관관련 혈류감염이 의심되거나 진단된 투석 환자의 치료에 대한 특별한 관점

황색포도알균(*S. aureus*)과 칸디다(*Candida sp.*)에 의한 도관관련 혈류감염에서는 항생제를 저류시키는 치료보다는 특별한 이유가 없다면(예, 도관 삽입을 위한 다른 부위가 없는 경우) 도관을 제거하는 것이 권유된다.

응고효소 음성 황색황색포도알균이나 그람 음성 세균등의 여러가지 병원균이 도관에서 채취한 혈액에서 동정되고 말초 혈액 배양에서는 음성인 경우, 전신 항생제 치료의 병행없이 도관에 항생제를 저류시키는 치료를 10~14일정도 시행할 수 있다.

Vancomycin의 체내농도는 병원체의 감수성 검사에서 나타난 최소 억제 농도(MIC) 보다 최소 1,000배 이상이어야 한다.

도관관련 혈류감염에서 에탄올을 도관에 저류시키는 것에 대해서는 근거가 불충분하다.

추적 배양 검사

도관관련 혈류감염이 있는 환자가 증상이 없다면, 가이드 와이어로 도관을 교환하기 전에 배양 음성을 꼭 확인할 필요는 없다.

혈액 배양을 추적하는 것은 도관이 남아있는 경우, 항생제 치료를 완료하고 1주후에 시행하면 된다. 만약 혈액 배양 검사가 양성이면, 도관을 제거해야 한다. 이후 추적 혈액 배양을 해서 음성이 되면 새로운 도관을 삽입할 수 있다.

Mermel 저. IDSA 2009 update. 도관관련 감염의 진단과 치료에 대한 임상적 가이드라인, 2009;49:1-45

생제는 배양 후 즉시 투여되어야 한다. 투석 센터는 원인균과 항생제 감수성, 항생제 반응 여부등에 대한 모든 도관관련 혈류감염에 대한 데이터를 유지하는 것이 좋으며, 이러한 자료들은 새로 발생하는 도관관련 혈류감염에서 치료 가이드라인으로 유용할 것이다. 메치실린 내성 황색포도알균(MRSA)은 지역 투석 센터에서 흔한 원인균으로 알려져 있으므로, 첫 번째 치료로 1세대 cephalosporin보다는 vancomycin을 시작해야 하고, 그람 음성 세균을 포괄하는 적절한 경험적 항생제로 aminoglycoside나 3세대 cephalosporin을 사용할 수 있다. 하지만 aminoglycoside는 20% 정도 투석 환자에서 이독성(ototoxicity)을 나타낸다고 되어있다. 메치실린 내성 황색포도알균(MRSA)에 대한 치료를 시작했는데 배양결과 methicillin 감수성 균이 동정된다면, cefazolin이나 비슷한 계열의 항생제로 변경해야 한다.

4. 항생제 용량

실제 임상에서는 매 투석 끝 무렵에 항생제를 투여하여 투석간에 혈중 농도를 유지하도록 한다. 초기 용량에 대한 것은 표 9.1, 9.2 (IDSA, mermel, 2009)에 명시되어 있다. 하지만 항생제 용량은 실질적인 잔여신기능이 있는 환자에서 또는, 잦은 투석, 고효율의 혈액투석여과(hemodiafiltration), 혹은 지속적 혈액투석같은 집중투석을 받은 환자에서는 증량이 필요하다. 가능하다면, 항생제의 투석 전 혈중 농도를 주기적으로 살펴봐야 하지만, 이는 단지 입원 환자에서만 실용적이다. 간헐적 투석이나 지속적 혈액투석을 받은 환자에서의 항생제 용량의 계획은 15장과 35장에서 좀 더 자세히

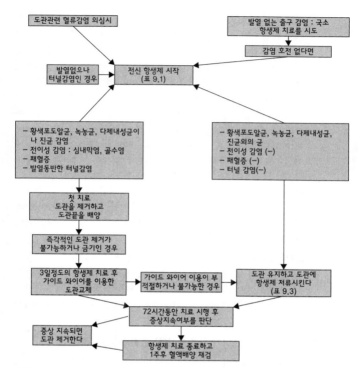

그림 9.2 European Best Practice group에 따른 터널식 도관 감염의 치료 경로. 2010 update (Vanholder R, et al. Catheter-related blood stream infections(CRBSI): a European view. Nephrol Dial Transplant. 2010;25:1753-1756)

다루어질 것이고, 상세한 용량에 관한 용법은 Mermel (2009)의 연구에서 확인할 수 있다.

5. 치료의 기간과 과정

항생제는 초기 혈액 배양에서 원인균이 자라지 않고, 환자가 감염의 증상이 지속적으로 없는 경우 신속하게 중단해야 한다. 배양검사에서 원인균이 동정되면, 초기에 선택한 항생제는 세균의 감수성을 확인하여 그에 맞춰 조정되어야 한다. 도관관련 균혈증의 합병증이 없는 경우는 2~3주의 전신 항생제 치료가 적절하다. 만일 감염이 전이되어 심내막염이나 골수염등이 합병되었다면, 4~8주의 더 긴 치료기간이 필요하다(그림 9.1, 표 9.2).

6. 도관 제거와 가이드 와이어를 이용한 도관 교환

감염질환의 관점에서는 도관관련 혈류감염이 일어날 때마다 원인균과 상관없이 도관은 제거되어야 하는 것이 좋으나, 환자들의 입장에서는 투석 치료를 유지해야 하기 때문에, 일시적인 도관 삽입이 필요하다. 그래서, 도관을 제거하려는 결정은 패혈증의 심각성에 따라 다른 부위에 도관을 삽입할 수 있는지 가능성을 판단하여 환자별로 고려해야 한다. 만약 환자가 전신 항생제 투여에도 임상적으로 패혈증을 보이고, 혈역학적으로 불안정하다면, 도관은 가능한 빨리 제거하는 것이 좋다. 감염을 치료하면서 같은 도관을 유지하는 것은 감염이 전이될 위험이 있을 뿐만 아니라, 치료 성공률이 30% 미만이다. 하지만 항생제 사용 이후 2~3일내 임상 증상이 호전된 환자에서 가이드 와이어를 이용하여 도관을 교환하는 경우는 70~80%에서 도관도 보존하면서 치료도 성공적으로 완료하는 결과를 보였다. 즉, 감염을 치료하는 동안에 감염된 도관을 제거하면서, 세균이 잠복해있는 생물막도 함께 제거하고, 같은 정맥절개부위를 통해 새로운 도관으로 대체하여 정맥 접근로를 유지할 수 있었다. 가이드 와이어 대체는 신속하게 항생제 치료를 시작하고, 치료 후 2~3일 이내 증상이 호전되고, 전이된 감염이 없을 때만 시행할 수 있다.

a. 황색포도알균, 녹농균 혹은 칸디다 종에 의한 도관 감염

초기 감염이 상기균에 의한 경우, IDSA, ERBP에서는 결과가 나오는 동시에 바로 제거하도록 권유한다. 가이드 와이어를 통한 교체나 도관에 항생제를 저류시키는 방법은 도관을 제거할 수 없는 경우가 아니면 권유되지 않는다.

7. 도관감염을 치료하기 위한 도관(항생제) 충전(locking)

도관관련 균혈증을 치료하는 다른 방법은 전신 항생제의 보조제로서 각 투석 끝 무렵에 적절한 항생제를 도관에 저류시키는 방법이다(표 9.3). 도관(항생제) 충전은 표준 헤파린이나 구연산염을 채운 후에, 전신 항생제를 사용하는 기간동안만 사용한다. 대략 2/3 경우에서, 항생제 도관 충전은 성공적으로 도관의 생물막을 제거하고, 감염된 도관을 보존하면서, 성공적으로 균혈증을 치료한다. 환자들의 열과 균혈증이 지속되는 남은 1/3의 경우는 신속한 도관교체가 필요하다. 항생제 도관 충전 방법은 표피포도알균(Staphylococcus epidermidis) (75%) 혹은 그람 음성균(87%)에 의한 감염에서 가장 일반적으로 성공하지만, 황색포도알균(40%) 감염에서는 거의 성공하지 못하므로(40%) 권유되지 않는다(Allon, 2004; Poole, 2004). 24시간이상 항생제 도관 충전을 하게 되면 약제의 많은 손실이 일어난다(Sungur, 2007; Schilcher, 2014). 이러한 이유로 저류되는 항생제의 농도는 결과적으로 목표가 된 세균을 제거할 수 있는 최소 농도보다 상당히 높아야 한다. 보통 저류되는 항생제는 2,500 혹은 5,000 단위의 헤파린을 포함하거나 4% 의 구연산염과 혼합되어야 한다. 흔하게 사용되는 항생제 도관 충전 농도에 대한 것은 표 9.3에서 볼 수 있다.

9.3	항생제 도관 충전을 시행할 경우의 항생제 용량

Amikacin 25 mg/mL
Amphotericin B 2.5 mg/mL
Ampicillin 10 mg/mL
Cefazolin 5 mg/mL
Cefazolin 5 mg/mL 그리고, gentamicin 1 mg/mL
Ceftazidime 5 mg/mL
Ciprofloxacin 0.2 mg/mL
Daptomycin 5 mg/mL
Linezolid 1 mg/mL
Gentamicin 1 mg/mL
Gentamicin 1 mg/mL 그리고, vancomycin 2.5 mg/mL
Vancomycin 2.5-5.0 mg/mL[b]

[a] 항생제는 2,500 혹은 5,000 IU/mL 의 헤파린이나 4% 구연산염(citrate)과 섞어서 채워야 한다.
[b] Vancomycin 20 mg/mL 은 4% 구연산염과 호환하지 못한다.
Mermel 저. IDSA 2009 update. 도관관련 감염의 진단과 치료에 대한 임상적 가이드라인, 2009;49:1-45
Joshi 저. 터널식 도관 감염 치료에서 항생제 도관(항생제) 충전. 2013; 26:223-226
Dotson 저. 선택적인 항균제와 4% 구연산염의 생체적합성. 2010;67:11995-1198

8. 추적 혈액 배양

추적 혈액 배양은 치료를 시작하고 72시간 후에 시행하지만, 환자의 임상 경과에 따른다. 또한, 계획된 치료가 끝나고 1주 후에 감염의 재발이 없음을 확인하기 위해 혈액배양을 하는 것도 중요하다.

D. 도관 관련 혈류감염의 합병증

치료가 지연되거나 감염된 도관을 보존하려는 기간이 길어지는 것은 심내막염, 골수염, 화농성 정맥혈전염, 척수외 농양등의 심각한 합병증을 유발할 수 있다. 척수 외 농양은 매우 드물지만 투석 환자에서 심각한 신경학적 합병증이 발생한다. 척수외 농양의 50%는 감염된 도관을 보존하는 것과 연관된다고 한다(kovalik, 1996). 호소하는 증상은 열, 허리통증, 국소적인 척추 압통, 다리 통증, 약화감, 괄약근 이상, 감각마비 혹은 운동기능 마비등이다. MRI는 CT-myelography 보다 진단력이 떨어진다. Myelography 없는 단순 CT는 진단적인 민감도가 낮고 디스크 돌출과 같은 부정확한 결과를 낼 수 있다. 조기 감압치료가 일반적으로 권유되지만, 드물게 항생제 단독으로도 치료되기도 한다.

발열과 균혈증이 항생제 치료와 도관제거에도 불구하고 지속될 때, 심내막염을 의심해야 한다. 심내막염은 황색포도알균 균혈증에서 가장 흔하게 보인다. 증상은 심부전의 징후를 보이거나, 새로운 심잡음이 나타난다. 경흉부 혹은 경식도 심초음파로 판막의 세균증식물이나 판막 기능부전을 확인하여 진단한다.

E. 아스피린

아스피린 치료는 황색포도알균 연관 도관관련 혈류감염의 발생율을 줄이는데 연관이 있다고 한다(Sedlacek, 2007). 사전의 아스피린 사용은 감염의 증상을 줄이고, 심혈관에 삽입할 수 있는 전기기계에 세균 증식물의 크기를 줄일 수 있다고 한다(Habib, 2013). 이러한 결과에 대해선 확증이 필요하며, 터널식 도관관련 감염의 발생율을 억제하기 위한 아스피린 사용은 현재 권유되지 않는다.

II. 부족한 도관 혈류(도관 기능 부전)

도관 기능 부전은 혈류가 사전펌프 압력에서 최소 300 mL/min가 되지 않고, -250 mmHg 보다 더 음압으로 떨어지지 않는 경우 정의할 수 있다. 연관된 문제는 도관에서 자유롭게 혈액을 뽑아내지 못하고 환자의 자세변경이나 도관세척으로도 해결되지 못하여 압력 알람이 자주 울리는 것이다.

A. 조기 기능 부전

최근에 삽입된 도관에서, 꼬이거나 도관 터널이 부종때문에 눌리는 경우, 홀정맥(azygous vein) 혹은 반홀정맥(hemiazygous vein)으로 잘못 위치하거나 도관끝의 위치가 잘못된 경우에 기능 부전이 발생할 수 있다(그림 9.3). 단순 흉부 사진이 진단에 유용하다. 터널의 부종은 보통 24시간 이내 호전된다. 꼬임이 있거나 도관끝(tip)의 위치 이상은 다른 터널을 이용하거나 다른 길이의 도관을 이용하여 교정해야 한다. 쇄골에 가까운 목의 아래쪽에서 도관 삽입이 이루어지는 것이 중요하다. 목의 높은 부위에서 도관 삽입이 이루어지면 '위치상의 차이'가 발생하여 혈류의 흐름이 목의 위치에 따라 달라진다. 결과적으로, 도관끝(tip)이 목의 움직임에 따라 움직이고, 부족한 혈류를 유발하게 된다. 가슴부위에 너무 가까운 출구는 도관끝(tip)이 상대정맥 내에서 높게 위치할 수 있다. 도관 위에서 끌려와서 cuff나 터널이 노출되거나 조직이 손상되는 것은 기능 부전이나 감염의 위험을 증가시킨다. 이러한 도관은 교체해야 한다. 만약 터널이 손상되거나 감염되는 경우는 새로운 터널이나 삽입 부위가 필요하다. 왼쪽 내경정맥 도관은 오른쪽에 비해서 기능 부전의 위험이 높은데(Engstrom, 2013), 오른쪽 심방 입구로 진행하는 혈관 경로가 휘어있는 것이 일부 원인일 것으로 생각된다.

1. 알트플레이즈(Alteplase) 방법

간혹 조기 도관 기능 부전은 도관내 혈전이 원인이기도 한다. 조직 플라스미노겐 활성제(tPA)를 한 시간 혹은 밤새 채워두는 것이 단기간의 도관내 혈전을 치료하는데 유용하게 사용되나 장기적인 도관 생존율에는 좋지 못하다. 여러가지 tPA 방법은 표 9.4에 명시되어 있다(Savader, 2001; Clase, 2001). 단시간 채우는 방법은 오래 저류시키는 방법보다 더 잘 시행되지는 않는다(Vercainge, 2012). 상세한 설명은 BV Renal Agency 를 참고하면 된다 (2011).

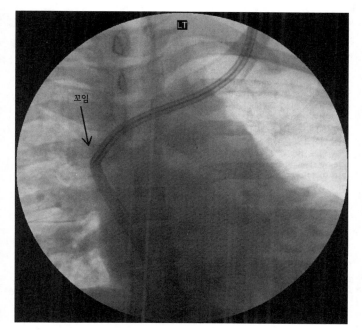

그림 9.3 꼬임: 왼쪽 내경정맥 도관의 꼬임.

B. 후기 기능 부전

후기 기능 부전은 보통 섬유소 막(fibrin sheath) 혹은 도관벽내 혈전의 형성이 원인이다(그림 9.4). 중심정맥으로 삽입되는 거의 모든 도관에서는 1주 혹은 2주이내 섬유소 막이 발생한다. 그러한 섬유소 막은 초기에는 증상이 없지만, 도관끝(tip) 부분에서 섬유소 막이 입구를 막으면 증상이 나타날 수 있다. 일반적으로 생리식염수가 입구로 주입은 되지만, 흡입이 어려운 경우, 'ball valve' 효과라고 한다.

섬유소 막은 감염의 병소가 될 수 있다. 장기적인 와파린 혹은 다른 항응고제의 사용은 섬유소 막 또는 도관 혈전형성을 감소시키지는 못했다(Mokrzycki, 2001).

1. 섬유소 막 치료

섬유소 막의 존재는 도관을 교환할 때, 조영제를 오래된 도관의 정맥 부위로 주입하면 진단할 수 있다(그림 9.4). 보통 혈관 확장용 풍선 도관을 가이드 와이어를 따라 삽입하여 치료한다. 풍선 도관을 섬유소 막 내경으로 통과시키고 부풀려서 섬유소 막의 표피를 분해시킨다. 8 mm 직경의 풍선 도관이 이러한 작업을 하는데 적당하다. 치료 후, 새로운 도관을 삽입한 후 조영제를 주입하여 섬유소 막이 완전히 분해되었는지 확인한다. 풍선혈관성형술로 많은 환

T A B L E 9.4	도관 폐색시에 사용되는 조직 플라스미노겐 활성제(tPA)의 용량

도관을 채우고 흡인하는 방법

알트플레이즈(Alteplase) (1 mg/mL) : 2 mg 혹은 도관 만큼의 용량이 각 도관마다 필요하다. 도관 내경 용적은 2 mL 이상이고 tPA 2mL 를 주입한 후 도관을 채울만큼의 생리식염수를 주입한다. 예를 들어, 각 내경이 2.6 mL 의 용적을 가진 40 cm 의 도관의 경우, alteplase 2 mL (1 mg/mL)를 주입하고, 0.6 mL 의 생리식염수를 주입한다.

초기 주입후에 30분간 혈전이 용해되도록 저류시키고 흡인한다. 만약 혈류가 흡인되지 않으면, 30분 더 혈전 용해제를 저류시킨다. 그럼에도 여전히 혈류가 없다면, 같은 용량으로 다시 주입하고 30분 혹은 60분에 흡인해본다.

만약 도관이 '폐색' 되어 혈전 용해제가 주입되지 않는다면, 막힌 도관에 3방향 마개를 연결하여 20 mL 빈 주사기로 흡인한다. 3방향 마개 중 남아있는 곳에 혈전 용해제를 채운 주사기를 연결한다. 도관의 음압을 그대로 두고, 마개를 돌려 혈전 용해제가 있는 주사기의 마개를 연다. 음압은 혈전 용해제가 있는 주사기로 옮겨가 막힌 도관으로 혈전 용해제를 흡인한다.

주입 방법

저류하는 방법이 실패하면 단기간의 주입을 시도할 수 있다. tPA 2 mL 를 각 도관에 주입한다. tPA 의 농도는 1 mg/mL 이다. 한 번 주입하고, tPA를 시간당 각 도관에 1 mg씩 주입하는 속도로 2~4시간동안 유지하고 다시 확인한다.

주입에 사용되는 혈전 용해제의 총량은 출혈을 일으킬 정도로 많지는 않지만 절대적이거나 상대적인 금기가 있다면 주의해야 한다.

2주에 혹은 한 달에 한 번씩 도관에 혈전 용해제를 채우는 방법은 도관 폐색을 줄일 수 있다고 보고된 바 있다.

추가적인 혈전 용해제 방법을 원하면, Lok (2006), BC Renal Agency (2011)을 참고하면 된다

자에서 도관내 혈류 속도를 복구할 수 있었다(Rasmussen, 2010; Shanaah, 2013).

C. 재발성 기능 부전

기능을 못하는 도관에 대해서 도관 교체와 풍선혈관성형술로 치료했어도, 소수의 환자에서는 도관 기능 부전이 재발하기도 한다. 그러한 환자는 여러 번의 도관 교체가 필요하지만, 적절한 치료법은 알려지지 않았다(Rasmussen, 2010). 항응고제의 사용은 별 도움이 되지 않으며, 가장 좋은 해결책은 동맥, 정맥의 부위를 바꾸는 것이다.

III. 혈전

A. 도관내 혈전

도관내 혈전은 흔하게 1시간 혹은 그 이상 조직 플라스미노겐 활성제(tPA)를 주입하는 방법으로 치료한다. 흔하게 사용되는 방법은 표 9.4 에서 볼 수 있다. 기계적으로 혈전을 털어내는 것이 권유되지만, 많이 사용되지는 않는다. 예방적으로 와파린등의 경구 항응고제를 사용하는 것은 INR 수치가 치료수준으로 높게 유지되지 않는다면 도관의 개통율을 호전시키지 못한다. 하지만 높은 INR은 출혈이라는 합병증이 따를 수 있다. 게다가 칼슘침착과 와파린 치료로 인한 피부괴사의 위험이 있어 투석 환자에서는 사용이 제한된다.

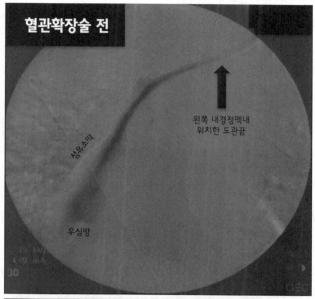

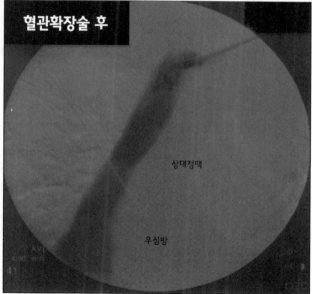

그림 9.4 섬유소 막(Fibrin sheath): 왼쪽 내경정맥 도관에서 섬유소 막이 도관 뒤쪽으로 뻗었다가 시술 후 줄어든 것을 볼 수 있다.

B. 중심정맥 혹은 심장내 혈전

상기 증상은 내경이 큰 도관에서 발생할 수 있고, 드물게 색전 합병증
의한 합병증을 유발할 수 있다. 심방내 혈전은 지속적인 전신 항응고
제 치료가 필요하며(6개월 이상) 완전히 해소될 때까지 추적관찰이 필
요하다.

C. 색전 합병증

도관의 끝이나 혈관 내벽에 붙어있는 큰 혈전은 임상적으로 별 의미가
없을수도 있지만, 색전으로 인한 합병증을 유발하기도 한다. 내벽의
큰 혈전은 협착과 중심정맥 혈전을 유발한다. 'Ball valve' 효과가 있는
혈전이나 도관으로 인한 우심방의 혈전에 대한 치료는 간단히 도관을
제거하거나, 전신적인 혹은 도관내 혈전을 용해하는 치료, 드물게 개
흉하여 혈전을 제거하는 방법이 있다.

IV. 중심정맥 협착

A. 원인

중심정맥 협착은 도관이 내피에 닿을 때, 내피세포의 손상으로 인해
여러 가지 성장인자들이 분비되어 발생한다. 뻣뻣하면서, 실리콘 재질
이 아닌 도관을 사용할 때, 쇄골하정맥으로 삽입하는 경우(아마도 쇄
골하정맥에서 도관의 크게 꺾여 자극을 많이 받기 때문에), 이전에 도
관관련 감염이 있었던 경우에 협착의 발생률이 증가할 수 있다. 위험
인자는 여러번 도관을 삽입했던 경우(PICC 도관 같은 작거나 큰 도
관)와 오랜 기간 도관을 유치한 경우이다. 측부 혈관이 보통 발달하지
만 말초 부종을 호전시키기에는 적절하지 않다.

B. 증상과 진단

쇄골하 정맥, 팔머리 정맥, 혹은 상대정맥의 협착이나 폐색은 보통 정
맥압이 높거나(유방, 어깨, 목, 얼굴의 팽대) 동정맥루의 기능 부전(투
석시의 높은 정맥, 부적절한 투석, 지혈 지연)의 증상으로 나타난다. 협
착은 동정맥루 수술 전까지 증상이 나타나지 않을 수도 있지만, 동정
맥루의 혈전이 증상으로 나타나기도 한다. 흉부 여러 곳의 중심정맥
폐색은 상대정맥 증후군을 유발하기도 한다. 주의 깊은 과거력 탐색과
이학적 검사를 통해 여러 군데의 중심정맥도관으로 인한 문제를 발견
할 수 있다. 심장박동기구를 이용하여 진단할 수도 있고, 이학적 검사
에서는 여러 곳에 발달한 측부 혈관을 확인하여 진단할 수도 있다. 이
학적 검사에서 여러 곳에 발달한 측부 혈관이 보이기도 한다.

C. 치료

동정맥루를 묶는 방법이 있는데, 가장 빨리 효과를 보는 반면에 치료
혈관을 희생시켜야 하는 부작용이 있다. 더 정확한 치료로서 풍선혈관
성형술이 있지만 재발이 흔하다. 풍선혈관성형술과 동시에 스텐트 삽

입은 탄력이 있는(쉽게 늘어나는) 중심정맥 부위나 3개월 이내 협착이
재발하는 경우에 사용될 수 있다(그림 9.5). 하지만 스텐트 주위로 협
착이 발생하기 때문에, 스텐트 치료로 장기간 효과를 보는 것은 어렵
다. 쇄골하 정맥의 협착은 간혹 액와 정맥을 내경정맥으로 우회시키는
치료로 호전되기도 한다.

V. 도관 유착

장기간 도관이 유치되면 정맥 혹은 심방 내피에 유착되기도 한다. 도관 제
거시 심각한 통증을 유발하거나 끌어당기는데 큰 힘이 필요한 경우 유착
을 의심할 수 있다. 투시를 통해 시야를 확보해서 심장이나 종격동을 한
쪽으로 끌어당길 수 있다. 유착된 도관을 제거하는 것은 레이저 박리나 개
흉술 같은 침습적인 방법이 필요하다. 하지만 개흉하지 않고 제거하는 새
로운 방법이 성공적으로 보고된 적이 있다(Hong, 2011).

VI. 입구 조임쇠(clamp) 부러짐

터널식 도관에서 입구나 조임쇠가 부러지는 것은 흔하지 않다. 이 현상은
공기 유입을 유발하거나 투석 후에 입구를 막지 못해 출혈의 위험이 높아

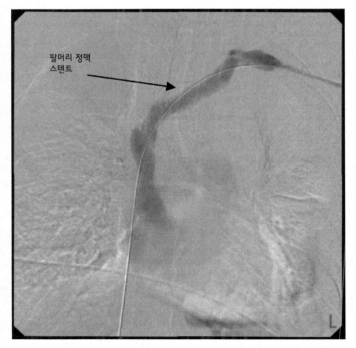

그림 9.5 중심정맥 스텐트: 왼쪽 내경정맥 협착으로 혈관확장술과 스텐트 삽입 후의 모습.

진다(Amin, 2011). 간혹 전체 도관의 교환없이 특정한 도관을 위한 조립품을 이용하여 하나의 입구가 다른 하나 혹은 두 개의 입구 혹은 조임쇠를 대신할 수 있다. 입구가 부서져 공기가 유입되면 감염의 위험이 높아지기 때문에, 고칠때 혈액 배양을 실시하고 예방적 항균제를 투여해야 한다.

References and Suggested Readings

Abad CL, Pulia MS, Safdar N. Does the nose know? An update on MRSA decolonization strategies. *Curr Infect Dis Rep*. 2013;15:455–464.

Allon M. Dialysis catheter-related bacteremia: Treatment and prophylaxis. Am J Kidney Dis. 2004;44:779–791.

Amin P, et al. Broken clamp on a cuffed tunneled catheter—are all catheters equal? *Semin Dial*. 2011;24:104–106.

Asif A, et al. Transvenous cardiac implantable electronic devices and hemodialysis catheters: recommendations to curtail a potentially lethal combination. *Semin Dial*. 2012;25:582–586.

BC Renal Agency. Alteplase use for occluded hemodialysis catheters. Vascular Access Guideline. Approved July 24, 2006; Updated March 4, 2011. http://www.bcrenalagency.ca/sites/default/files/documents/files/Use-of-Alteplase-FINAL-March-4-2011.pdf. Accessed May 26, 2014.

Clase CM, et al. Thrombolysis for restoration of patency to haemodialysis central venous catheters: a systematic review. *J Thromb Thrombolysis*. 2001;11:127–36.

Dotson B, et al. Physical compatibility of 4% sodium citrate with selected antimicrobial agents. *Am J Health Syst Pharm*. 2010;67:1195–1198.

Engstrom BI, et al. Tunneled internal jugular hemodialysis catheters: impact of laterality and tip position on catheter dysfunction and infection rates. *J Vasc Interv Radiol*. 2013;24:1295–1302.

Habib A, et al; for the Mayo Cardiovascular Infections Study Group. Impact of prior aspirin therapy on clinical manifestations of cardiovascular implantable electronic device infections. *Europace*. 2013;15:227–235.

Hickson LJ, et al. Clinical presentation and outcomes of cardiovascular implantable electronic device infections in hemodialysis patients. *Am J Kidney Dis*. 2014;64:104–110.

Hong JH. A breakthrough technique for the removal of a hemodialysis catheter stuck in the central vein: endoluminal balloon dilatation of the stuck catheter. *J Vasc Access*. 2011;12:381–384.

Hwang HS, et al. Comparison of the palindrome vs. step-tip tunneled hemodialysis catheter: a prospective randomized trial. *Semin Dial*. 2012;25:587–591.

Joshi AJ, Hart PD. Antibiotic catheter locks in the treatment of tunneled hemodialysis catheter-related blood stream infection. *Semin Dial*. 2013;26:223–226.

Kovalik EC, et al. A clustering of epidural abscesses in chronic hemodialysis patients: risks of salvaging access catheters in cases of infection. *J Am Soc Nephrol*. 1996;7:2264–2267.

Lok CE, et al. Trisodium citrate 4% - an alternative to heparin capping of haemodialysis catheters. Nephrol Dial Transplant. 2007;22:477–483.

Mandolfo S, et al. Hemodialysis tunneled central venous catheters: five-year outcome analysis. *J Vasc Access*. 2014 Apr 25. doi:10.5301/jva.5000236.

Maya ID, et al. Does the heparin lock concentration affect hemodialysis catheter patency? Clin J Am Soc Nephrol. 2010;5:1458–1462.

Mermel LA, et al. Clinical practice guidelines for the diagnosis and management of intravascular catheter-related infection: 2009 update by the Infectious Diseases Society of America. *Clin Infect Dis*. 2009;49:1–45.

Mokrzycki MH, et al. A randomized trial of minidose warfarin for the prevention of late malfunction in tunneled, cuffed hemodialysis catheters. *Kidney Int*. 2001; 59:1935–1942.

Poole CV, et al. Treatment of catheter-related bacteremia with an antibiotic lock protocol: effect of bacterial pathogen. *Nephrol Dial Transplant*. 2004;19:1237–1244.

Quaretti P, et al. A refinement of Hong's technique for the removal of stuck dialysis catheters: an easy solution to a complex problem. *J Vasc Access*. 2014;15:183–188.

Rasmussen RL. The catheter-challenged patient and the need to recognize the recurrently dysfunctional tunneled dialysis catheter. *Semin Dial*. 2010;23:648–652.

Sabry AA, et al. The level of C-reactive protein in chronic hemodialysis patients: a comparative study between patients with noninfected catheters and arteriovenous fistula in two large Gulf hemodialysis centers. *Hemodial Int.* 2014 ;18:674–679.

Savader SJ, et al. Treatment of hemodialysis catheter-associated fibrin sheaths by rt-PA infusion: critical analysis of 124 procedures. *J Vasc Interv Radiol.* 2001;12:711–5.

Schiller B, et al. Spurious hyperphosphatemia in patients on hemodialysis with catheters. *Am J Kidney Dis.* 2008;52:617–620.

Schilcher G, et al. Loss of antimicrobial effect of trisodium citrate due to 'lock' spillage from haemodialysis catheters. *Nephrol Dial Transplant.* 2014;29:914–919.

Sedlacek M, et al. Aspirin treatment is associated with a significantly decreased risk of Staphylococcus aureus bacteremia in hemodialysis patients with tunneled catheters. *Am J Kidney Dis.* 2007;49:401–8.

Shanaah A, Brier M, Dwyer A. Fibrin sheath and its relation to subsequent events after tunneled dialysis catheter exchange. *Semin Dial.* 2013;26:733–737.

Sungur M, et al. Exit of catheter lock solutions from double lumen acute haemodialysis catheters—an in vitro study. Nephrol Dial Transplant. 2007;22:3533–3537.

Tordoir J, et al. EBPG on Vascular Access. *Nephrol Dial Transplant.* 2007;22 Suppl 2: ii88–117.

Vanholder R, et al. Catheter-related blood stream infections (CRBSI): a European view. *Nephrol Dial Transplant.* 2010;25:1753–1756.

Vercaigne LM, et al. Alteplase for blood flow restoration in hemodialysis catheters: a multicenter, randomized, prospective study comparing "dwell" versus "push" administration. *Clin Nephrol.* 2012;78:287–296.

Wang AY, et al. Anticoagulant therapies for the prevention of intravascular catheters malfunction in patients undergoing haemodialysis: systematic review and meta-analysis of randomized, controlled trials. *Nephrol Dial Transplant.* 2013;28: 2875–2888.

Yaseen O, et al. Comparison of alteplase (tissue plasminogen activator) high-dose vs. low-dose protocol in restoring hemodialysis catheter function: the ALTE-DOSE study. *Hemodial Int.* 2013;17:434–440.

10 급성 혈액투석 처방

류지원 역

I. 투석 처방

모든 환자는 각양각색이고, 급성 혈액투석을 필요로 하는 상황도 크게 다르다. 투석을 위한 처방은 그에 따라 변할 수 있다. 교육을 위해서, 70 kg 의 성인을 위한 '전형적인' 처방을 보여주고자 한다.

처방전 : 급성 혈액투석(초기 치료 아님)

시간 : 4시간

혈류 속도 : 350 mL/min

투석기 : 투석막 : 당신의 선택

투석기의 K_{uf} : 당신의 선택

투석기의 효율 : 보통 K_0A 800 ~ 1,200을 사용

투석액 구성 (다양)

염기 : 중탄산염 25 mM

나트륨 : 145 mM

칼륨 : 3.5 mM

칼슘 : 1.5 mM (3.0 mEq/L)

마그네슘 : 0.375 mM (0.75 mEq/L)

포도당 : 5.5 mM (100 mg/dL)

인산염 : 없음.

투석액 속도 : 500 mL/min

투석액 온도 : 35 ~ 36 ℃

체액 제거 : 일정한 속도로 4시간동안 2.2 L 제거

항응고제 : 14장 참고

A. 투석 시간과 혈류량 결정

투석 시간과 혈류량은 투석의 양을 결정하는 가장 중요한 요소이다(투석기 효율도 중요하다.).

1. 처음과 두 번째 투석에서는 투석양을 줄인다.

초기 치료에서는, 특히 투석 전 요독수치가 매우 높은 경우(예를 들면, >125 mg/dL (44 mmol/L)), 투석 시간과 혈류량은 줄여야 한다. 요소 감소비(URR)이 40% 이하가 되도록 목표를 설정한다. 이

것은 일반적으로 2시간의 투석 시간과 상대적으로 낮은 효율의 투석기를 사용하고 성인에서도 200 mL/min(작은 체구의 환자는 150 mL/min)의 혈류 속도로 투석을 시행하는 것을 의미한다. 초기 투석을 길게 하거나 혈류량을 높이면 12장에서 얘기할 불균형 증후군이 발생할 수 있다. 이는 신경학적 증후군으로 투석 중 혹은 투석 후에, 환자가 둔해지거나 경련을 일으키거나 혼수상태에 이르기도 하는데, 너무 빠르게 혈액 물질이 제거됨으로써 발생한다. 불균형 증후군은 투석 전의 요소수치가 높을 때 발생 위험이 증가한다. 초기 투석 후에 환자를 재평가하고 일반적으로 다음날 투석을 시행해야 한다. 투석 시간은 3시간으로 늘리고, 투석 전 요소가 <100 mg/dL (36 mmol/L) 가 되도록 한다. 다음의 투석 시간은 필요한 만큼 할 수 있다. 1회 시행의 투석 시간은 약물중독이 아닌 이상 6시간을 넘지 않는다. 지속적 저효율 투석(SLED)는 혈류량과 투석액 속도를 낮추고, 시간을 길게 하여 안전하게 체액을 제거한다. 15장에서 SLED에 대해 설명한다.

2. 다음 치료와 투석 적절도를 위한 투석 빈도와 용량

급성치료에서 많은 양의 투석을 시행하는 것은 어렵다. 대부분의 중환자들은 체액 과다 상태이고, 요소의 분포용적이 체중의 50~60% 이상이 되는 경우가 흔하다. 정맥도관을 통해서 실제로 여과되는 혈류량은 350 mL/min을 넘는 경우가 드물며, 대부분은 상당히 낮다. 정맥도관에서 재순환이 발생하기도 하는데, 이는 도관 주변의 정맥혈류가 낮은 대퇴부에 도관이 위치한 경우 가장 많이 발생한다. 간혹, 저혈압 때문에 치료가 원활하지 않은 경우도 있다. 게다가 근육에서 요소가 빠져나오는 정도는 환자가 승압제를 사용하는 경우 증가할 수 있는데, 요소와 다른 수용성 부산물이 상당히 많이 포함된 근육이나 피부로 가는 혈류가 줄어들기 때문이다. 급성기 치료에서 환자에게 정맥주사가 투여되는 경우, 혈중 요소 수치를 희석시켜 투석의 효율을 낮추기도 한다.

전형적인 3~4시간의 급성 투석 치료는 단일 통 투석 적절도(sp Kt/V)를 단지 0.9, 평형 투석 적절도(e Kt/V) 0.7에 도달하게 한다. 투석액에서의 요소 제거는 더 낮을 수도 있다(Evanson, 1999). 낮은 투석 적절도로 주 3회의 투석을 한다면 만성적인 안정된 환자에서 사망률을 높일 수 있다. 적절도를 높이는 한 가지 방법은 급성 신손상의 환자를 매일(주 6~7회) 투석하는 것이다. 매 투석시 대략 3~4시간은 유지한다. Schiffl(2002)이 보고한 바에 따르면, 급성 신손상 환자에서 2일에 한 번 투석을 받은 환자보다 주 6회 투석을 시행한 환자에서 사망률이 감소했다고 한다. 2일에 한 번씩 하는 투석에서는 투석 시간이 4~6시간은 되어야 단일 통 투석 적절도(sp Kt/V)가 만성 치료에서 권고하는 수준인, 최소 1.2~1.3에 도달할 수 있다. VA/NIH (2008) 연구에서는 주 3회 혹은 6회 투석받은 급성 신손상 환자들의 결과를 비교했고, 절대적으로 별 차이가 없음을 보고하였다. 주 3회 시행하는 환자군에서 투석의 강도는 Schiffl 연구보다 상당히 높았다(Kt/V 1.3 이상). 이러한 이유로 급성 신손상에 대한 KDIGO 권고(2012)에서는 주 3회 스케줄로 급성 환자를 치료하도록 하고, 각 치료는 투석 적절도가 1.3 이상이 되도록 권유하고 있다. 만약 투석 치료가 일정하지 않은 경우(도관 흐름이상 혹은 혈전문제등) 혈액검사를 이용한 요소 감소비(URR)이나 실시간 용질 제거율을 측정하는 기계(ionic conductance 혹은 자외선 흡광 기술)를 통해서 투석 적절도를 확인할 수 있다.

투석의 양은 이화작용(hypercatabolic)이 심한 환자에서는 높게 적용할 필요가 있다. 상당한 잔여신기능이 확인되지 않는다면, 투석량을 줄이기 위해 투석 전의 낮은 혈중 요소수치를 근거로 사용해서는 안된다. 많은 급성 신손상 환자들은 단백질 섭취 부족이나 간에서의 요소 생성의 부전으로 요소 생성율이 낮은 경향이 있기 때문이다. 그러므로, 급성 신손상 환자에서 혈중 요소수치가 낮다는 것이 반드시 다른 요독 물질이 낮다는 것을 반영하는 것은 아니다.

B. 투석기의 선택

1. 투석막의 재료

Cochrane에서는 2006년에, 급성 혹은 만성 투석에 있어서, 현대의 투석막 중 어느 특정 막이 다른 투석막보다 효과적이라는 확고한 결론을 내릴 수 없다고 제시했다. 따라서 급성 투석을 위해 선택할 수 있는 최선의 투석기는 불분명하다. 투석막의 효율은 급성 투석 치료에 대한 무작위 연구에서 독립적인 부분으로 연구된 적이 없는 만큼, 고효율의 투석막을 급성 치료에 사용하라는 권고는 없다.

a. 아나필락시스 반응.
  이것은 투석막 재료와 살균에 연관이 있다. 12장에 상세하게 설명하였다.

2. 초미세여과 계수(K_{UF})

초미세여과 조절은 현재 모든 투석기에서 사용할 수 있으며, 특수 펌프와 순환회로를 통해 초미세여과를 정확하게 조절할 수 있다. 용적 초미세여과 조절기가 있는 기계는 높은 수분 투과성(K_{UF} 6.0 이상)의 투석막을 사용하도록 설계되어 있고, 만약 상대적으로 수분에 대해 불투과성인 투석막을 사용하여 체액 제거율을 높게 설정하면 정확도가 떨어질 수 있다.

초미세여과 조절기가 있는 투석기가 사용 불가하다면, 상대적으로 낮은 수분 투과율(K_{UF})이 있는 투석막을 사용해야, 투석막 사이의 압력(TMP)을 원하는 만큼의 수분을 제거할 수 있도록 높게 설정할 수 있다. 그러면 요구된 막압력을 유지하는데 발생하는 문제들이 수분 제거율에 덜 영향을 준다. 수분 제거율에 대해 면밀한 감시가 필요하지만, 첨단 초미세여과 조절 전기회로망이 있는 기계가 사용 불가능할 때, 환자를 전기 침대나 의자에 두고, 투석 중에 체중을 지속적으로 추적 관찰하면서 수분 제거율을 파악할 수 있다.

3. 투석기 요소 청소율

처음 2회의 투석시기에서는, 혈류량이 적다면 사용이 가능하지만, 고효율의 투석막의 사용은 피하는 것이 좋다. 비록 과도한 투석을 방지하기 위해서는 효율이 낮은 투석기를 사용해도, 투석 시간을 현저히 단축시킬 필요가 있지만, 초기 투석에서 대략 500~600 mL/min의 요소 K_0A를 가진 투석막을 사용하면 의도하지 않은 과도한 투석의 위험과 불균형 증후군의 발생위험을 최소화시킬 수 있다. 헤파린없이 투석할 때는, 혈류량을 낮추고 더 작은 투석막을 사용하면, 작은 섬유 다발을 지나는 혈류 속도가 높아지기 때문에(이론적으로) 응고 위험이 적다. 초기 1~2회의 투석 후에는, 특히 혈류량이 높은 경우, 기본 크기의 투석막을 사용한다.

C. 투석액의 선택

위의 예시에서는, 중탄산염의 농도를 25 mM, 나트륨 145 mM, 칼륨 3.5 mM, 칼슘 1.5 mM (3.0 mEq/L), 마그네슘 0.375 mM (0.75 mEq/L), 포도당 5.5 mM (100 mg/dL)을 포함하고, 인산염은 포함하지 않는 투석액을 사용했다. 상황에 따라 이러한 처방은 변경될 수 있다. 중요한 것은 투석액의 함유물질이 급성 환자에 따라 맞춰져야 한다는 것이다. 산성, 고인산염, 고칼륨으로 이루어진 만성 투석 환자를 위한 "기본" 구성이 급성 환자에게는 부적절한 경우도 있다.

1. 투석액의 중탄산염 농도

위에 언급한 예시에서, 25 mM의 중탄산염을 사용했다. 중환자들은 여러가지 이유로 간혹 상대적인 알칼리성을 지니기 때문에, 중탄산염 35~38 mM으로 이루어진 기본 투석액은 환자의 산-염기 상태에 대한 평가없이 초기에 사용하면 안된다.

만약 투석 전 혈중 중탄산염이 28 mM 혹은 이상인 경우, 환자가 호흡성 알칼리증인 경우는, 적절하게 낮은 중탄산염을 가진(20~28 mM. 알칼리정도에 따라 다르게) 주문 제작한 투석액을 사용해야 한다. 많은 투석액은 이미 포함된 아세트산이나 구연산염에서 추가적으로 4~8 mEq/L의 중탄산염을 생성할 수 있다는 것을 염두에 두어야 한다. 투석액의 중탄산염 농도를 산과 염기의 농도사이의 비율을 변화시켜 조절할 수 있는 기계에서는 디스플레이 화면에 표시된 최종 투석액 중탄산염 농도가 산농축액과 혼합한 후의 중탄산염에 해당하는 경우가 있으므로, 표시된 값은 아세트산이나 구연산염에서 생성되어 추가된 중탄산염을 포함하지 않을 수 있다.

a. 대사성 알칼리증의 위험

경증의 대사성 알칼리증(혈청 중탄산염이 30 mmol/L)이 있는 환자는 혈청 pH를 위험수준으로 올리기 위해서 과호흡을 할 필요가 없다. 알칼리혈증(혈청 pH > 7.5)은 산혈증보다 더 위험할 수 있다. 알칼리혈증의 위험성은 피하조직의 석회화를 포함하고, 근거를 찾기는 쉽지 않지만, 심장 부정맥(간혹 심장마비)을 포함한다. 알칼리혈증은 또한 구역, 탈진, 두

통등의 증상을 유발하기도 한다.

투석하는 환자에서 대사성 알칼리혈증의 가장 흔한 원인은 단백질 섭취의 감소, 적극적인 투석(어떤 이유에서건 매일 시행하는 경우), 구토나 비강 흡인이다. 다른 흔한 원인은 총 정맥영양으로 투여된 젖산염이나 아세트산이거나, 구연산염 항응고요법으로 인해 투여된 구연산염일 수도 있다.

b. 투석 전 호흡성 알칼리증

급성 투석 치료가 필요한 많은 환자들은 호흡성 알칼리증을 이미 가지고 있다. 호흡성 알칼리증의 원인은 정상 신기능을 가진 환자에서와 동일하며, 호흡기질환(폐렴, 부종, 색전증), 간기능부전과 신경계 질환등을 포함한다. 정상적으로 호흡성 알칼리증에 대한 보상은 2가지이다. 체내완충 조직에서 수소이온이 방출되면서, 혈청 중탄산염 농도가 급격히 감소한다. 정상 신기능을 가진 환자들은 소변으로 중탄산염을 배출하기 때문에 보상 기전이 좀 더 지연된다(2~3일). 투석 환자는 신장으로 중탄산염을 배출시킬 수 없다.

치료 목표는 혈청 중탄산염 농도보다는 pH 농도를 정상화시키는 것이다. 호흡성 알칼리증이 있는 환자에서 pH가 정상일 때, 혈청 중탄산염은 17~20 mmol/L 정도로 감소할 것이고, 투석 후의 혈청 중탄산염 농도가 정상 하한치에서 유지되도록 하려면, 사용할 투석액은 일반적인 농도보다 낮은 양의 중탄산염이 포함되어야 한다.

c. 적절하게 낮은 투석액 중탄산염 농도 맞추기

어떤 투석기에서는, 수분생성에 대한 농축액의 비율이 고정되어 있어서, 농축액의 중탄산염 농도를 변경하여 투석액의 중탄산염 농도를 줄일 수 있다. 그런 기계에서는, 탄산염 농도를 32 mM 이하로 감소시킬 수는 없다. 수분생성과 농축액의 비율이 변경될 수 있는 기계에서는, 20 mM 정도로 낮은 중탄산염이 사용될 수 있지만 더 낮출 수는 없으며, 이 값은 아세트산이나 구연산염에서 파생되는 4~8 mEq/L을 포함하지 않는다. 낮은 염기의 투석액을 사용하려고 할 때, 나트륨 아세트산이 포함된 투석액은 사용해서는 안된다. 이것은 염기를 8 mEq/L 정도 증가시킬 수 있다.

d. 심한 투석 전 산증이 있는 환자

1. 대사성 산증의 과도한 교정의 위험

심각한 대사성 산증(혈청 중탄산염 < 10 mmol/L)을 과도하게 교정하는 것은 이온화 칼슘을 낮추고, 뇌척수액의 역설적인 산성화 및 젖산 생성을 증가시키는 결과를 초래할 수 있다. 초기 치료는 혈청 중탄산염의 부분적인 교정에만 목표를 두어야 한다. 목표로 하는 투석 후 혈청 중탄산염 농도는 15~20 mmol/L 정도가 적절하며, 심각하게 산증인 환자에서 투석액의 탄산염 농도는 20~25 mM 정도가 보통 사용된다.

2. 호흡성 산증

호흡성 산증에서의 정상 보상작용은 급성 완충 반응이며, 혈청 중탄산염 농도를 2~4 mmol/L까지 증가시키고, 이어서 3~4일정도 지연되어 신장에서 중탄산염 생성이 증가한다. 두 번째 반응은 투석 환자에서 일어날 수 없기 때문에, 호흡성 산증은 정상 신기능을 가진 환자보다 혈중 pH에 더 확실한 영향

을 준다. 그러한 환자들에서 투석액의 중탄산염 농도는 pH를 정상화시킬 수
있도록 더 높아야 한다.

2. 투석액 나트륨 농도

예시에서 보여준 투석액의 나트륨 농도는 145 mM이었다. 이는
투석 전 나트륨 농도가 정상이거나 약간 감소된 환자들에게 일반적
으로 사용되는 농도이다. 만약 투석 전에 심한 고나트륨혈증이나
저나트륨혈증이 있다면 투석액의 나트륨은 적절하게 조절되어야
한다.

a. 저나트륨혈증

저나트륨혈증은 급성투석이 필요한 심각한 환자에서 흔한데, 그런 환자
들은 정맥영양 및 약제와 함께 많은 양의 저나트륨성 용액을 정맥으로 투
여받기 때문이다. 저나트륨혈증은 당뇨병성 투석 환자에서 심각한 고혈
당과 동반되기도 한다. 혈당 수치가 100 mg/dL (5.5 mmol/L)씩 상승
할 때마다 세포 내에서 세포 외로 삼투압에 의한 수분 이동이 일어나서
혈중 나트륨 농도가 1.6 mmol/L씩 감소한다. 고혈당으로 인한 삼투압
성 이뇨가 일어나지 않기 때문에 초과된 혈장내 수분이 배출되지 않아 저
나트륨혈증이 지속된다. 인슐린 투여로 고혈당을 교정하면 초기 수분이
동을 되돌려 저나트륨혈증을 교정할 수 있다.

1. 투석 전 나트륨 농도 >130 mmol/L

중환자들은 약하게 저나트륨혈증을 보이는 경향이 있는데, 이는 5% 포도당
용액이나 수분이 자주 투여되기 때문이다. 혈중 나트륨 농도는 140 mmol/
L 이상으로 유지되어야 하므로, 투석액의 나트륨 농도는 140~145 mM 정
도로 유지하는 것이 좋다. 뇌부종이 있거나 저혈압이 있는 환자에서는 투석
액의 나트륨 농도를 혈중 농도보다 10 mM 정도 낮게 유지하는 것이 좋다
(Davenport, 2008).

2. 투석 전 나트륨 농도 <130 mmol/L

투석 전 저나트륨혈증이 중등도이거나 심할 때, 특히, 저나트륨혈증이 오랜
기간 지속되었을 때, 정상 농도에 빠르게 맞추는 것은 위험하다. 저나트륨혈
증의 빠른 교정은 삼투압성 수초탈락 증후군(osmotic demyelination syn-
drome)으로 알려진 치명적인 신경학적 합병증을 유발할 수 있다. 심각한 저
나트륨혈증 환자에서 나트륨 교정의 가장 안전한 속도는 논의가 많지만 24시
간 동안 6~8 mmol/L 정도의 속도가 권장되고 있다. 근거는 부족하지만, 심
한 저나트륨혈증 환자를 치료할 때는 투석액의 나트륨 농도를 가능한 낮게 설
정하는 것이 현명하다(대부분의 기계는 나트륨 농도를 130 mM 보다 낮출수
없지만, B. braun에서 나온 Dialog plus 기계는 123 mM까지 낮출 수 있
다.). 그리고, 체액 조절을 위해 필요한 만큼 초미세여과만 분리시켜 번갈아가
면서, 1회에 1시간을 넘지 않게 시행하고, 혈류 속도를 천천히(50~100 ml/
min) 하면서 투석을 시행할 수 있다. 투석 중에 30~60분마다 원하는 나트륨
교정 속도보다 초과되지 않는지 확인하기 위해서 혈청 나트륨 농도를 측정해
볼 수 있다. 한 연구에선, 3시간동안 50 mL/min 정도의 속도로 투석을 시행
했을 때, 3시간 투석에 6 mmol/L 의 혈중 나트륨 농도가 교정되었다고 하였
다(Wendland and Kaplan, 2012). 다른 방법은 투석을 가능하면 수일간 연

기하고 고장성 식염수로 저나트륨혈증을 교정하면서 필요한 만큼 초미세여
과만 이용해서 체액을 제거하는 것이다. 만약 지속적 혈액투석이 가능하다면,
적절하게 나트륨 농도를 줄인 투석액과 대체액을 사용하는 것이 좋은 방법
이 될 수 있고, 혈청 나트륨 농도를 가장 안전하게 교정할 수 있다(yessayan,
2014).

b. 고나트륨혈증

고나트륨혈증은 투석 환자에서 저나트륨혈증보다는 드물지만 보통 탈수
되는 경우, 삼투압성 이뇨, 전해질이 포함되지 않은 수분 보충이 충분히
안된 경우에 발생한다. 낮은 나트륨 농도의 투석액을 이용하여 투석으로
고나트륨혈증을 교정하는 것은 위험할 수 있다. 투석액의 나트륨 농도는
혈중 농도보다 3~5 mM 이상 낮을 때, 아래의 3가지 합병증이 발생할 위
험이 높다.

1. **투석된 혈액에서(전보다 낮은 나트륨을 포함한) 상대적으로 고삼투압이 된 간
   질로 수분이 이동함으로써 혈장 용적의 삼투압성 수축이 발생하여 저혈압을
   유발할 수 있다.**

2. **근육 수축의 빈도가 증가한다.**

3. **투석된, 상대적으로 나트륨 농도가 낮은 혈액에서 수분이 세포내로 이동하여
   뇌부종을 유발하고, 불균형 증후군을 악화시킬 수 있다.**

불균형 증후군의 위험은 가장 중요하다; 낮은 나트륨 농도의 투석액을
사용하는 것은 투석 전 혈중 요소수치가 높은 경우는(>100 mg/dL [36
mmol/L]) 확실히 피해야 한다. 처음 투석하는 환자에서 가장 안전한 방
법은 혈중 나트륨 농도와 비슷한 투석액으로 투석하고, 약한 저장성의 용
액을 천천히 투입함으로써 고나트륨혈증을 교정하는 것이다.

3. 투석액의 칼륨 농도

급성 투석에서 일반적인 투석액의 칼륨 농도는 2.0~4.5 mM이다.
급성 투석이 필요한 환자의 상당수에서, 특히 이뇨기의 급성 신손
상 환자와 식사량이 부족한 핍뇨기의 환자에서 혈중 칼륨 농도는
정상이거나 정상 이하의 범위에 이른다. 저칼륨혈증은 정맥영양의
합병증이기도 하다. 투석 중에 심각한 산증의 교정은 칼륨을 세포
내로 이동시켜 혈중 칼륨 농도를 더 저하시키고 저칼륨혈증과 부정
맥이 발생할 수 있다.

투석 전 칼륨 농도가 4.5 mmol/L 이하인 경우, 투석액의 칼륨
농도는 4.0 mM 이상을 사용할 수 있으며, 부정맥 위험이 있는 심
장질환 환자에게는 특별한 주의가 필요하다. 투석 전 칼륨이 5.5
mmol/L 이상인 경우, 투석액 칼륨 농도가 2.0인 것이 대체적으로
안정된 환자에서 적당하지만, digitalis 등을 사용하는 환자거나 부
정맥의 위험이 있는 환자에서는 2.5~3.5까지 농도를 높여야 한다.
만약 칼륨이 7.0 이상인 경우, 어떤 의사들은 투석액의 칼륨 농도를
2.0 mM보다 낮추기도 한다. 하지만 혈청 칼륨은 시간마다 추적관
찰해야 하며, 혈청 칼륨 농도를 너무 빨리 낮추면 부정맥을 유발할
위험이 크다.

a. 칼륨 반동

투석 후에 1~2시간 이내 혈청 칼륨이 반동으로 현저하게 증가한다. 특별한 이유가 없다면, 굳이 칼륨을 보충하여 투석 후의 저칼륨혈증을 치료하려고 하지 않는 것이 좋다.

b. 급성 고칼륨혈증

심각한 고칼륨혈증 환자는 전신 쇠약, 무기력 증상과 함께 심전도에서 변화를 보인다(낮은 p파, 뾰족한 T파, 넓어진 QRS, 심정지). 그러한 환자에게는 즉시 염화칼슘(calcium chloride)이나 글루콘산칼슘(calcium gluconate) 정맥주사를 투여해야 하고, 응급 투석을 준비하는 동안 포도당과 인슐린을 섞은 주사를 정맥내로 투여해야 한다. 투석 환자에서 정맥 중탄산염 주사는 차선의 방법이다. 다른 치료는 정맥 혹은 흡입 albuterol(베타 촉진제)이다.

c. 아급성 고칼륨혈증

초기 치료는 항상 고칼륨 식이에 대한 상세한 조사이다. 대부분의 환자는 칼륨 섭취를 줄이는 것에 반응을 보인다. 만약 실패한다면, 나트륨-칼륨 교환 resin (sodium polystyrene sulfonate) 경구 투여를 한다. resin은 보통 변비를 예방하기 위해서 sorbitol과 함께 경구되거나 sorbitol과 섞여서 관장용으로 사용된다. 하지만 sorbitol과 resin의 경구 약제는 장괴사와 연관된다는 연구가 보고되기도 하였다(gardiner, 1997). ZS-9 (ZS Pharma, Inc., Coppell, TX) 혹은 patiromer (Relypsa, Redwood City, CA) 같은 새롭고 안전하며 더 효과적인 위장내 칼륨 고착제들이 현재 연구중에 있다.

d. 칼륨 제거와 투석액의 포도당

투석 중 포도당이 없는 투석액을 이용하여 칼륨 제거하는 것은 200 mg/dL (11 mmol/L) 정도의 포도당을 함유한 투석액을 이용하여 칼륨이 제거되는 것보다 30%정도 효과적이다. 포도당이 없는 투석액은 투석 중 칼륨의 세포내 이동을 감소시키기 때문이다(Ward, 1987). 100 mg/dL (5.5 mmol/L) 정도의 포도당을 함유한 투석액을 사용하는 것이 가장 좋은 방법으로, 이 농도는 업계 표준이 되었다.

4. 투석액의 칼슘 농도

일반적으로 급성 투석에 권유되는 농도는 1.5~1.75 mM (3.0~3.5 mEq/L)이다. 투석액의 칼슘 농도가 1.5 mM (3.0 mEq/L) 보다 낮으면 투석 중 저혈압과 연관있다는 근거들이 있다(van der Sande, 1998). 투석 전 저칼슘혈증이 있는 환자에서 투석액의 칼슘 농도가 충분히 높지 않으면, 산증이 교정되면서 이온화된 칼슘농도가 더 낮아질 수 있고 발작을 유발할 수 있다. 한 연구는 낮은 칼슘 농도의 투석액을 사용하면 QTc가 흩어지는 위험이 높아짐(부정맥을 유발할 수 있는)을 보고하였다(Nappi, 2000). 일상적으로 1.25 mM (2.5 mEq/L) 칼슘 농도의 투석액을(칼슘이 함유된 인 결합제를 복용하는 만성 투석 환자의 표준농도) 급성 신손상 환자에서 사용하는 것은 드문 일이 아니며, 이런 치료가 해롭다는 것을 보여주는 근거는 거의 없다.

a. 급성 고칼슘혈증의 투석 치료

투석은 고칼슘혈증 환자에서 혈중 칼슘농도를 낮추는데 효과적이다. 대부분의 상업적으로 준비된 투석액에서는 칼슘농도는 1.25~1.75 mM (2.5~3.5 mEq/L) 정도이다. 대부분의 경우에서, 혈중 이온화된 칼슘이 빠르게 감소되는 것을 예방하기 위해서(발작이나 근육강직성 경련을 유발할 수 있음) 최소 1.25 mM (2.5 mEq/L)의 칼슘을 투석액에 보충한다. 이러한 합병증을 예방하기 위해서 투석 중에 혈중 이온화된 칼슘농도를 자주 측정하고 환자에게 이학적 검사를 시행하는 것이 필요하다.

5. 투석액의 마그네슘 농도

일반적인 투석액의 마그네슘 농도는 0.25~0.75 mM (0.5~1.5 mEq/L)이다. 마그네슘은 혈관확장제여서 급성 투석에서 마그네슘이 0.75 mM (1.5 mEq/L) 포함된 투석액을 사용한 경우보다 0.375 mM (0.75 mEq/L) 포함된 투석액을 사용했을 때, 혈압이 잘 유지되었다는 연구결과가 있다(Roy abnd Danziger, 1996). 다른 연구에서는(Kyriazis, 2004), 투석액의 마그네슘이 0.25 mM (0.50 mEq/L) 정도로 낮으면, 특히 칼슘 농도가 낮은 투석액을 같이 사용했을 때, 투석 중 저혈압과 관련이 있다고 보고하였다. 결국, 급성 투석에서 혈압을 유지하기 위한 가장 좋은 투석액의 마그네슘의 농도는 알 수 없다.

a. 저마그네슘혈증

저마그네슘혈증은 영양이 불량하고 정맥영양을(합성작용이 일어나는 동안 마그네슘을 세포내로 이동하게 한다) 받는 투석 환자에서 발생한다. 저마그네슘혈증은 부정맥을 유발할 수 있고, 부갑상샘 호르몬의 분비와 작용을 저해한다. 조심스럽게 보충하거나(경구, 정맥) 투석액의 농도를 증가시키는 것이 치료법이다. 정맥영양을 받는 투석 환자에서는 혈중 마그네슘 농도를 잘 살펴봐야 하고, 혈중 마그네슘 농도가 높지 않으면 정맥영양에 마그네슘을 보충하는 것이 좋다.

b. 고마그네슘혈증

고마그네슘혈증은 보통 우연하게 혹은 마그네슘이 포함된 변비약, 관장약, 제산제를 사용함으로써 발생한다. 고마그네슘혈증의 증상은 저혈압, 기력약화, 서맥이다. 치료는 마그네슘 함유된 약제를 중단하는 것이다. 혈액투석 역시 치료가 될 수 있다.

6. 투석액의 포도당 농도

급성 투석에서 투석액은 항상 포도당을 포함한다(100~200 mg/dL; 5~11 mmol/L). 패혈증, 당뇨병이 있고 베타차단제를 복용하는 환자는 투석 중 심각한 저혈압에 빠질 위험이 높다. 투석액에 포도당을 추가하는 것은 저혈당의 위험을 줄이고 투석 관련 부작용을 감소시킬 수 있다. 투석액의 포도당과 혈청 칼륨의 상호작용은 위에서 언급하였다.

7. 투석액의 인 농도

신손상 환자는 전형적으로 혈청 인 수치가 상승되어 있기 때문에, 투석액에 인은 보통 포함되지 않는다. 표면적이 큰 투석막을 사용하거나 투석 시간이 길어지는 경우는 많은 양의 인이 투석 중에 제거된다.

a. 저인산혈증

영양결핍 환자와 정맥영양을 받는 환자는 낮거나 정상이하 수준의 투석 전 인 수치를 보인다. 투석 전 저인산혈증은 어떤 목적이든, 집중적으로 투석 치료를 받는 환자에서 나타날 수 있다. 그러한 환자에서, 저인산혈증은 인 불포함 투석액으로 투석하면 더 심해질 수 있다. 심각한 저인산혈증은 호흡근을 약화시킬 수 있고, 혈색소의 산소 결합력을 감소시킬 수 있다. 이것은 투석 중에 호흡근 마비로 이어질 수 있다. 이런 위험이 있는 환자에서는 투석액에 인을 보충해야 한다. 다른 방법으로는 정맥주사로 인을 보충해 줄 수 있는데 과도하게 인이 높아지거나 저칼슘혈증이 발생할 수 있으므로 주의해서 투여해야 한다. 정맥주사를 통한 빠른 교정은 급성 신손상과 연관이 있다. 한 연구에서 평균 310분간 20 mmol 정도의 인을 투여하는 것이 일반적으로 안전하다고 하였지만, 일부 환자에서는 이온화 칼슘을 낮출 수 있다고 하여, 더 낮은 속도로 보충하는 것이 권유되고 있다(Agarwal, 2014).

b. 탄산염이 포함된 투석액에 인 보충

저인산혈증을 예방하기 위해서, 마지막 투석액의 인 농도는 대략 1.3 mmol/L (4 mg/dL)은 되어야 한다. 아세트산이 포함된 투석액에는 칼슘-마그네슘-인산염 용해 문제가 있어 인을 보충할 수 없다. 정맥 주사를 위한 인은 탄산염이 포함되어 있으나 칼슘이나 마그네슘이 없는 농축액에는 보충할 수 있다(Hussain, 2005). 다른 방법은 16장에서 언급할, 나트륨-인산염이 포함된 관장약을 중탄산염이나 산성 농축물에 보충하는 것이다. 마지막 투석액의 인 농도가 1.3 mM (4.0 mg/dL) 되도록 보충해야 할 용량을 설정할 수 있지만, 이는 FDA 공인은 받지 못했다.

경험적으로, 건조된 중탄산염 시약으로부터 염기 용액을 자동적으로 섞는 투석기계에 의존하는 시설에서는 인이나 다른 물질을 보충하는 것이 기술적으로 어렵거나 실현불가능 할 수 있다.

D. 투석액 속도의 선택

급성 투석에선, 보통 투석액 속도는 500 mL/min 이다.

E. 투석액의 온도

보통 35~37℃이다. 낮은 온도는 저혈압 환자에서 사용되어야 한다. (12장 참고)

F. 초미세여과 처방

체액 제거 필요량은 한 번의 투석당 0~5 kg 이다.

1. 초미세여과 처방의 가이드라인

제거되어야 할 체액을 결정하는 방법은 다음과 같다.

    a. 부종이 심하고 폐부종이 있는 환자라고 하더라도, 첫 투석에서 4 L 이상의 체액을 제거할 필요는 거의 없다. 남아있는 체액은 다음날 2번째 투석에서 가장 잘 제거된다.

    b. 환자가 발등이나 전신부종이 없고, 폐울혈이 없다면 한 번 투석할때 2~3 L이상을 제거하지 않는다. 사실 체액 제거는 경정맥 확장이 거의 없는 환자에서는 필요없을 수도 있다. 체액 과다 환자에서는 시간당 10 mL/kg 의 체액 제거속도가 보통 적당하다.

    c. 투석 중의 체액 제거는 투석 끝 무렵에 투석막을 씻기 위한 식염수 0.2 L를 계산에 포함해야 하고, 추가 투여될 수 있는 다른 수액도 포함해야 한다.

    d. 이미 언급했듯이, 첫 투석이라면, 투석 시간은 2시간으로 제한해야 한다. 하지만 많은 체액을 제거해야 한다면(4.0 L 정도), 2시간에 이 많은 양을 제거하는 것은 위험하다. 그런 경우, 투석액 흐름을 초기에 차단하고 초미세여과만 분리시행하여 1~2시간동안 2~3 kg의 체액을 제거할 수 있다. 그후 즉시, 투석을 2시간동안 시행하여, 원하는 체액 제거량의 남은 양을 제거할 수 있다(만약, 고칼륨혈증같은 심각한 전해질 이상이 있다면 초미세여과 전에 투석이 시행되어야 한다.).

    e. 일반적으로 투석 시간동안 일정한 속도로 체액이 제거되는 것이 가장 좋다. 만약 투석액의 나트륨 농도가 혈청 농도보다 낮다면, 초미세여과 속도는 초기에 감소되어 혈청 나트륨 농도가 낮아짐에 따라 발생할 혈액량의 삼투성 수축을 보상할 수 있다.

    급성 신손상이 있는 환자에서, 투석시기를 포함해서 항상 저혈압을 예방하는 것이 가장 중요하다. 급성 신손상 쥐 모델에서 Kelleher(1987)는 저혈압에 대한 신장의 자가조절반응이 상당히 손상되는 것을 보여주었다. 혈류 부족으로 인한 일시적인 저혈압에서도 심한 신손상을 유발하고 기능적인 신장 회복을 늦추었다.

2. 초미세여과 요구량에 대한 투석 횟수의 중요성

급성 치료에서는 환자의 수분증가가 하루에 2 L 이하가 되도록 제한하는 것은 어렵다. 간혹 정맥영양을 받는 환자는 하루에 3 L의 수분이 투여된다. 잦은 투석(4~7회/주)은 각 투석마다 제거해야 하는 체액량을 줄일 수 있고, 투석 중 저혈압의 위험을 줄일 수 있어 이미 손상된 신장의 추가적인 허혈성 손상을 예방할 수 있다. 상대적으로 증상이 없게 체액을 제거하는 다른 방법은 지속적 저효율 투석(SLED)을 사용하는 것이다(15장 참고).

II. 투석 방법

A. 투석막 헹굼과 시작(단일 회로 설정)

투석기의 철저한 헹굼은 걸러낼 수 있는 항원(ethylene oxide)을 제거함으로써 투석기에 대한 아나필락시스의 발생율과 위험성을 감소시킬 수 있기 때문에 중요하다.

B. 혈관 접근로 확보

1. 경피 정맥도관

각 도관 내경에서 혈전이나 남아있는 헤파린을 먼저 뽑아낸다. 도관의 개방성은 식염수를 채운 주사기로 평가한다. 급성 투석을 위해서는 헤파린 없이 투석하는 것이 보편적이 되었고 일부센터에서는 일상적으로 그렇게 하고 있다. 헤파린이 사용된다면, 부하용량은 정맥도관으로 투여하고, 식염수를 흘려보낸다. 3분 후에(헤파린이 혈액과 섞이는 시간) 혈류를 움직인다.

2. 동정맥루(6장 참고)

두 바늘은 정맥이 내려가는 쪽으로 문합부위를 향해 배치시킨다. 정맥을 통한 흐름은 원위부에서 근위부로 향한다; 동맥 바늘은 원위부에 위치한다. 바늘 삽입에 대한 몇 가지 정보는 다음과 같다.

   a. 정맥확장이 좋지 않는 환자에서는, 압박대를 사용하는 것이 위치를 잡는데 도움이 된다. 투석 중에 압박대를 유지하면 재순환이 일어나므로 제거해야 한다.

   b. 적당한 바늘 크기를 선택하는 것은 6장에서 언급했다. 큰 바늘은 높은 혈류량이 필요할 때 사용할 수 있다.

   c. 클로로헥시딘(chlorohexidine)이나 적당한 살균제를 사용하여 바늘을 찌를 부위를 소독한다.

   d. 동맥 바늘 : 동정맥 문합부보다 적어도 3 cm 이상 떨어진 곳에 처음 삽입한다. 바늘은 비스듬하게 위로 향해서 위쪽이든 아래쪽이든 방향을 잡아서 찔러야 한다.

   e. 정맥 바늘 : 비스듬하게 위로 찌르지만 아래쪽을 향해서 삽입한다(보통 심장쪽을 향한다). 찌른 부분은 투석된 혈액이 동맥 바늘로 되돌아가는 것을(재순환) 최소화하기 위해 동맥 부위보다 적어도 3~5 cm 이상 떨어진 아래쪽이어야 한다. 하지만 바늘이 가깝다고 재순환을 유발하는 것은 아니다(6장 참고).

   f. 바늘 삽입의 각도 : 이것은 피부표면으로부터의 동정맥루의 깊이와 연관있고, 보통 자가 동정맥루는 20~35도의 각도, 인조혈관에서는 45도의 각도를 이용한다(Brouwer, 1995).

3. 동정맥 인조혈관

인조혈관의 구조는 알아두어야 하며, 환자의 차트에 그림으로 그려두면 좋다. 바늘 삽입의 가이드라인은 자가혈관과 같다. 하지만 압박대는 절대 필요하지 않다.

바늘이 위치한 후, 만약 헤파린이 사용되면, 부하용량은 정맥부위로 투여하고 식염수를 흘려보낸다. 3분 후, 혈액 순환을 시작한다.

C. 투석의 시작

혈류 속도는 초기에 50 mL/min으로 시작하여 모든 회로가 혈액으로 가득찰 때까지 100 mL/min으로 증가시킨다. 혈액 회로가 채워지면서 투석막과 배관에 남아있는 준비용액은 환자에게 흘러가거나 배액된다. 후자의 경우, 정맥 혈액 라인은 혈액이 투석막을 통해서 흘러가서 정맥 공기 트랩(venous air trap) 닿을 때까지 배액을 유지한다. 불안정한 환자에서는 준비용액을 혈액량을 유지하기 위해서 환자에게 주입한다.

회로가 혈액으로 채워지고 정맥 주입 챔버(venous drip chamber) 적절한 혈액이 확보된 후, 혈류 속도는 원하는 수준까지 신속하게 증가시켜야 한다. 혈관 접근로 부위와 혈액 펌프 사이의 유입 혈액라인(동맥쪽)의 압력과 투석기와 정맥 공기 트랩사이의 유출 혈액라인(정맥쪽)의 압력이 기록된다. 압력의 한계는 회로가 분리될 경우, 펌프가 멈추고 알람이 울리는 것을 최대화하기 위해서 작동되는 압력보다 약간 높거나 낮게 설정한다. 만약 회로가 분리되면, 혈액 회로내의 압력은 빠르게 0으로 떨어질 것이고 적절하게 설정된 압력 제한 스위치를 작동시킬 것이다. 정맥압 계량기에서 낮은 압력한계는 작동하는 압력의 10~20 mmHg 이내여야 한다. 압력차가 클수록 회선 분리 때 알람이 제대로 작동하지 않을 수 있다. 불행하게도, 정맥의 압력 한계를 적절히 설정하더라도, 정맥내 바늘이 빠지거나 분리되면 펌프가 멈추지 않을 수도 있다. 이런 문제는 4장에서 상세하게 언급하겠다. 이러한 이유로 혈관 접근로에 연결할 때는 단단하게 고정해야 하고, 항상 의료진들이 볼 수 있도록 해야한다(Van Waleghem, 2008; Ribitsch, 2013). 이런 준비가 끝나면, 투석액을 작동시킬 수 있다. 초미세여과 조절기가 있는 기계에서는 원하는 체액 제거속도를 간단하게 조작할 수 있다.

D. 알람

4장에서 소개된 대로, 투석기계에 대한 모니터는 다음과 같다.

혈액 회로	투석액 회로
유입압력	열전도율
유출압력	온도
공기 감지	혈색소

1. 혈액 회로(그림. 4.1)

a. 유입(펌프 전) 압력 모니터

보통, 유입압력(펌프에서 근위부)은 -80에서 -200 mmHg 이고, 일반적인 최고 한계는 -250 mmHg 이다. 만약 혈관 접근로가 충분한 혈류를 펌프에 공급하지 못하면, 펌프에서 근위부쪽의 흡인력이 증가하고 알람이 울려 펌프를 차단한다.

1. 유입 흡인력 초과의 원인

a. 정맥도관

보통 도관끝이 부적절하게 위치하거나 도관끝에 'ball valve' 역할을 하는 혈전이나 섬유소덩어리가 달려있는 경우이다.

  b. 혈관 접근로

    i. 부적절하게 위치한 동맥쪽의 바늘(혈관내 있지 않거나 벽쪽으로 붙어 위로 향한 경우)

    ii. 환자의 혈압이 떨어진 경우(혈관 접근로 내의 혈류도 저하)

    iii. 혈관 접근로의 경련(자가혈관)

    iv. 동맥쪽 문합부의 협착

    v. 동맥 바늘이나 혈관 접근로의 혈전

    vi. 동맥 라인의 꼬임

    vii. 팔을 올리면서 혈관 접근로가 수축되는 경우(이런 경우는, 혈압이 괜찮다면, 환자를 앉게 해서 혈관 접근로가 심장보다 아래로 향하게 한다.)

    viii. 사용되는 혈류 속도에 비해 너무 작은 바늘을 사용한 경우

2. 치료

  a. 정맥도관

  꼬임이 있는지 확인한다. 때로는, 팔이나 목의 위치를 바꾸거나 도관을 약간 움직여주면, 도관이 작동한다. 도관 출입구를 변경하는 것도 다른 방법이다. 만약 이러한 방법들이 효과가 없다면, 이후의 방법은 영상을 통해 도관을 위치를 확인하고 urokinase나 조직 플라스미노겐 활성제(tPA)를 주입하거나 9장에서 설명한대로 섬유소 막을 떼어내는 것이다.

  b. 혈관 접근로

    i. 유입 흡인력이 감소하고 알람이 꺼질 때까지 혈류 속도를 낮춘다.

    ii. 환자의 혈압이 비정상적으로 낮은 것은 아닌지 확인한다. 만약 혈압이 낮다면 적절하게 수액을 주거나 초미세여과율을 낮춰 조절한다.

    iii. 만약 혈압이 낮지 않다면, 동맥 바늘 고정한 것을 떼고, 위나 아래쪽으로 위치를 이동해본다.

    iv. 혈류 속도를 이전 수준으로 다시 올린다. 만약 유입 흡인력이 초과되면, iii 방법을 반복한다.

    v. 만약 호전이 없다면, 혈류 속도를 낮춰서 투석 시간을 연장하여 진행하거나(기존의 부위는 그냥 두고, 투석이 끝날 때까지 헤파린 섞인 식염수를 계속 흘러준다) 찔러서 그 쪽으로 투석을 진행한다.

    vi. 바늘을 바꿨는데도 유입 흡인력이 계속 초과되면, 혈관 접근로의 유입부에 협착이 있을 수 있다. 동맥과 정맥 바늘 사이에 두손가락을 이용해서 일시적인 압력을 주어 혈관 접근로를 막아본다. 만약 바늘 내부를 막았을 때 펌프전 모니터에서 음압이 상당히 증가하면, 유입혈류의 일부는 혈관 접근로의 아래로 흐르는 혈류(downstream)에서 흘러온 것이고, 위로 흐르는 혈류(upstream)가 부적절하다는 것을 의미한다.

b. 유출(정맥) 압력 모니터

  보통 바늘 크기, 혈류 속도, 혈색소에 따라 다르지만, +50에서 +250 mmHg 정도이다.

1. 높은 정맥압의 원인

  a. 인조혈관을 사용할 때는 높은 동맥압이 간혹 정맥으로 흐르기 때문에, 정

맥압이 200 mmHg 정도로 높을 수 있다.

b. 상대적으로 작은 정맥 바늘(16G)을 사용할 때 혈류 속도가 높다.

c. 사용중인 정맥 라인 여과기에서의 혈전. 여과기의 혈전은 부적절한 헤파린 사용과 전체 투석기의 초기응고를 나타내는 첫 징후일 수 있다.

d. 동맥류의 정맥 쪽에서의 협착 혹은 경련

e. 부적절한 바늘 위치나 라인의 꼬임

f. 정맥 바늘 내 혹은 혈관 접근로의 정맥 라인의 혈전

2. 높은 정맥압의 치료

a. 정맥 라인 여과기의 혈전이 문제되는 경우, 투석기를 식염수로 씻어내야 한다(식염수 주입 회로를 열고 식염수 주입 근위부에 있는 혈액 유입 라인을 잠깐 잠근다). 만약 투석기가 응고되지 않았다면(식염수로 씻을 때, 섬유들이 깨끗하게 보이는 경우), 새로운 정맥 라인을 빠르게 식염수로 준비시켜 부분적으로 응고된 라인을 대체하고, 헤파린 용량을 조정한 후 투석을 재개할 수 있다.

b. 혈액 펌프를 차단하고, 신속하게 정맥 라인을 잠그고, 바늘과 정맥 라인을 분리하여 식염수를 정맥 바늘로 씻어낼 때 저항의 양을 확인하여 정맥 쪽 바늘이나 혈관 접근로의 정맥 부위의 폐쇄여부를 확인할 수 있다.

c. 동맥과 정맥 바늘 사이를 두 손가락을 이용하여 부드럽게 막아본다. 아래 흐름쪽(downstream)의 협착이 혈관 접근로를 통해 유출장애를 일으키는 경우, 위흐름쪽(upstream) 혈관도 막히면, 정맥 모니터에서 측정된 양압이 더 증가한다.

c. 공기 탐지기

혈관 접근로와 펌프사이에 음압이 있기 때문에, 이 부분이 의도하지 않은 공기가 유입될 위험이 가장 높다. 공기가 유입되는 흔한 부위는 동맥바늘 주변부위를 포함하여(특히, 유입 흡인력이 높을 때), 라인 연결부위의 새는 곳, 손상된 혈액 라인을 통해서 롤러 펌프로 지나갈 때, 혹은 식염수가 주입되는 통로이다. 투석 끝무렵에 공기 반환이 부적절하게 이루어지면 공기가 환자에게 유입될 수 있다. 허위 알람때문에 많은 공기 색전증이 공기 탐지기가 꺼진 이후에 발생한다. 공기 색전증은 치명적이기 때문에 이런 일이 없도록 해야 한다. 투석 중에 미세 공기가 발생하는 것과 합병증에 대해서는 4장에서 언급하였다.

d. 혈액 라인 꼬임과 용혈

펌프와 투석기 사이에서 혈액 라인이 꼬이면 심각한 용혈이 발생할 수 있다. 이것은 환자에게 손상을 입히는 투석기계와 혈액 라인의 기능이상의 비교적 흔한 원인이다. 펌프와 투석기 사이에서 펌프 후 부위로 높은 압력이 유입되면, 펌프 전 압력 모니터를 위해 설치된 혈액 라인은 알람을 울리지 않는다. 만약 펌프 후 압력 모니터가 있는 혈액 라인이 사용되더라도, 압력 모니터 라인의 시작점에서 위쪽흐름으로(upstream) 혈액 라인이 꼬여있다면, 꼬임때문에 발생하는 높은 압력은 탐지되지 않는다.

2. 투석액 회로 모니터

지나치게 농축되거나 희석된, 혹은 뜨거운 투석액으로 투석하는 위험에 대해서는 4장에서 논의되었다.

a. 전도율

투석액의 전도율이 상승하는 가장 흔한 원인은 투석기에 정화된 물을 공급하는 라인의 꼬임이거나, 낮은 수압으로 인해 기계로 불충분하게 수분이 유입되는 경우이다. 감소된 전도율의 가장 흔한 원인은 비어있는 농축액 병이다. 그렇지 않은 경우, 대개 비례식 펌프가 원인이기도 하다. 전도율이 지정된 한계치를 넘어가면, 투석액 우회 밸브가 즉시 작동되어 비정상적인 투석액이 투석기를 우회하여 배액되도록 전환시킨다.

b. 온도

비정상적인 온도는 보통 투석액을 데우는 회로의 기능이상으로 발생한다. 역시, 적절하게 기능하는 우회 밸브가 환자를 보호한다.

c. 혈색소 (혈액 누출)

투석액에 공기 방울이 있거나, 황달이 있는 환자에서 투석액의 빌리루빈 농도가 높을 때, 혹은 더러운 센서에 의해 잘못된 알람이 발생할 수 있다. 투석액은 육안적으로는 색이 변하면 안된다. 소변에서 혈액을 검출할 때 사용되는 검사지로 배액된 투석액을 검사해서 혈액 누출 알람의 기능을 확인해야 한다. 혈액 누출이 확인되면, 혈액을 반환하고 투석을 중단해야 한다.

E. 환자 감시와 합병증

환자의 혈압은 필요에 따라 자주 측정해야 하지만, 불안정한 급성 환자에서는 최소 15분마다 측정한다. 저혈압의 증상과 치료, 다른 합병증에 대해서는 12장에서 언급한다.

F. 투석의 종료

체외회로의 혈액은 식염수나 공기를 사용해서 반환해야 한다. 식염수가 사용되면 환자는 보통 되씻기 과정을 통해서 100~300 mL을 주입받는데, 이로 인해 초미세여과로 제거된 체액이 동일한 양만큼 무효화된다. 하지만 환자의 혈압이 투석 끝무렵에 낮다면, 식염수를 부하투여하는 것이 혈압을 빨리 올리는데 도움이 된다. 공기가 사용되는 경우는, 혈액 펌프가 먼저 차단되고, 동맥라인을 환자 가까운 쪽에서 잠근다. 그런 다음, 동맥 라인은 잠긴 부위의 원위부쪽에서 분리시켜 공기에 노출시킨다. 혈액 펌프를 속도를 줄여서(20~50 mL/min) 재시작하면 공기가 혈액을 투석막에서 이동시킨다. 공기가 정맥 공기 트랩에 도달할 때나 공기방울이 정맥 라인에서 처음 보일때, 정맥 라인을 잠그고, 혈액 펌프를 차단하고, 반환 과정을 종료한다. 혈액 반환을 위해 공기를 사용하는 것은 공기 색전증의 위험이 높아지므로 종료 과정을 매우 주의깊게 진행해야 한다.

G. 투석 후 평가

1. 체중 감소

환자는 투석 후마다 체중을 측정해야 하고, 투석 후 체중을 투석 전 체중과 비교해야 한다. 체중 감소가 계산된 초미세여과율에 기초하여 예상한 값보다 많거나 작은 것은 흔하게 일어난다. 최신 투석 기계의 용적 측정형 초미세여과 조절기의 높은 정확도에도 불구하고, 예상하지 못한 투석 전후 체중 변화는, 투석 중간에 환자에게 투여되는 수분(식염수, 약, 영양제, 경구 수분등)을 정확하게 측정하지 못해서 발생한다.

2. 투석 후 혈액 수치

요소 제거의 적절도와 산증의 교정을 확인하기 위해서 혈액 검사를 투석 후 즉시 시행한다. 요소, 나트륨, 칼슘에 대해서는 투석 후 20~30초부터 2분 이내에 혈액 검사를 하는 것이 좋은데, 투석 후 30분 이내에 여러 신체 부위에서 요소의 재평형이 일어나 혈청 요소수치가 10~20% 정도 상승하기 때문이다. 투석 후에 혈액을 채취 방법은 매우 중요하다. 혈관 접근로 재순환이 있다면 유입부 혈액 샘플은 투석된 유출 혈액과 섞이게 되어 낮은 혈청 요소값을 잘못 산출할 수 있다. 혈액 재순환, 폐심장 재순환, 신체 구획 사이의 반동성 효과등을 확인하기 위해서 혈액 채취의 시기가 매우 중요하다. 투석 후 혈액을 채취하는 좋은 방법은 3장과 11장에서 언급한다.

a. 요소

3장과 11장에서 언급한 방법은 예상된 투석 적절도(Kt/V)와 요소 감소비 (URR)를 측정하는데 사용될 수 있다. 만약 혈중 요소가 보다 적게 감소했다면, 투석기의 부분응고나 혈류 속도 설정의 오류, 혈관 접근로 내에서의 재순환이 원인이 될 수 있다. 기계 내 투석기 청소율(이온전도도)와 Kt/V(사용된 투석액의 자외선 흡광도)를 측정하는 online 기계방법은 11장에서 소개되었다.

b. 칼륨

투석 후에 칼륨의 농도 변화는 산증의 교정이나 포도당의 세포내 유입으로 칼륨이 세포내로 이동하기 때문에 예측하기 어렵다. 급성 환자에서는 투석 종료후 최소 1시간 이후 혈액을 채취하는 것이 좋다.

References and Suggested Readings

Agarwal B, et al. Is parenteral phosphate replacement in the intensive care unit safe? *Ther Apher Dial.* 2014;18:31–36.

Brouwer DJ. Cannulation camp: basic needle cannulation training for dialysis staff. *Dial Transplant.* 1995;24:1-7.

Casino FG, Marshall MR. Simple and accurate quantification of dialysis in acute renal failure patients during either urea non-steady state or treatment with irregular or continuous schedules. *Nephrol Dial Transplant.* 2004;19:1454–1466.

Davenport A. Practical guidance for dialyzing a hemodialysis patient following acute brain injury. *Hemodial Int.* 2008;12:307–312.

Emmett M, et al. Effect of three laxatives and a cation exchange resin on fecal sodium and potassium excretion. *Gastroenterology.* 1995;108:752–760.

Evanson JA, et al. Measurement of the delivery of dialysis in acute renal failure. *Kidney Int*. 1999;55:1501–1508.

Gardiner GW. Kayexalate (sodium polystyrene sulphonate) in sorbitol associated with intestinal necrosis in uremic patients. *Can J Gastroenterol*. 1997;11:573–577.

Herrero JA, et al. Pulmonary diffusion capacity in chronic dialysis patients. *Respir Med*. 2002;96:487–492.

Huang WY, et al. Central pontine and extrapontine myelinolysis after rapid correction of hyponatremia by hemodialysis in a uremic patient. *Ren Fail*. 2007;29:635-8.

Hussain S, et al. Phosphorus-enriched hemodialysis during pregnancy: two case reports. *Hemodial Int*. 2005;9:147–150.

Jörres A, et al; and the ad-hoc working group of ERBP. A European Renal Best Practice (ERBP) position statement on the Kidney Disease Improving Global Outcomes (KDIGO) Clinical Practice Guidelines on Acute Kidney Injury: part 2: renal replacement therapy. *Nephrol Dial Transplant*. 2013;28:2940–2945.

Kanagasundaram NS, et al; for the Project for the Improvement of the Care of Acute Renal Dysfunction (PICARD) Study Group. Prescribing an equilibrated intermittent hemodialysis dose in intensive care unit acute renal failure. *Kidney Int*. 2003;64:2298–2310.

KDIGO. KDIGO clinical practice guidelines for acute kidney injury. Kidney Int. 2012;2(suppl 1):1–141.

Kelleher SP, et al. Effect of hemorrhagic reduction in blood pressure on recovery from acute renal failure. *Kidney Int*. 1987;31:725.

Ketchersid TL, Van Stone JC. Dialysate potassium. *Semin Dial*. 1991;4:46.

Kyriazis J, et al. Dialysate magnesium level and blood pressure. *Kidney Int*. 2004;66:1221–1231.

MacLeod AM, et al. Cellulose, modified cellulose and synthetic membranes in the haemodialysis of patients with end-stage renal disease. *Cochrane Database Syst Rev*. 2005;(3):CD003234.

Madias NE, Levey AS. Metabolic alkalosis due to absorption of "nonabsorbable" antacids. *Am J Med*. 1983;74:155–158.

Nappi SE, et al. QTc dispersion increases during hemodialysis with low-calcium dialysate. *Kidney Int*. 2000;57:2117–2122.

Palevsky PM, et al. KDOQI US commentary on the 2012 KDIGO clinical practice guideline for acute kidney injury. *Am J Kidney Dis*. 2013;61:649–672.

Ribitsch W, et al. Prevalence of detectable venous pressure drops expected with venous needle dislodgement. *Semin Dial*. 2013 Dec 17. doi:10.1111/sdi.12169.

Roy PS, Danziger RS. Dialysate magnesium concentration predicts the occurrence of intradialytic hypotension [Abstract]. *J Am Soc Nephrol*. 1996;7:1496.

Schiffl H, Lang SM, Fischer R. Daily hemodialysis and the outcome of acute renal failure. *N Engl J Med*. 2002;346:305–310.

Subramanian S, Venkataraman R, Kellum JA. Related articles, links influence of dialysis membranes on outcomes in acute renal failure: a meta-analysis. *Kidney Int*. 2002;62:1819–1823.

Sweet SJ, et al. Hemolytic reactions mechanically induced by kinked hemodialysis lines. *Am J Kidney Dis*. 1996;27:262–266.

van der Sande FM, et al. Effect of dialysate calcium concentrations in intradialytic blood pressure course in cardiac-compromised patients. *Am J Kidney Dis*. 1998;32:125–131.

Van Waeleghem JP, et al. Venous needle dislodgement: how to minimise the risks. *J Ren Care*. 2008;34:163–168.

VA/NIH Acute Renal Failure Trial Network, Palevsky PM, et al. Intensity of renal support in critically ill patients with acute kidney injury. *N Engl J Med*. 2008;359:7–20.

Ward RA, et al. Hemodialysate composition and intradialytic metabolic, acid–base and potassium changes. *Kidney Int*. 1987;32:129.

Wendland EM, Kaplan AA. A proposed approach to the dialysis prescription in severely hyponatremic patients with end-stage renal disease. *Semin Dial*. 2012;25:82-5.

Yessayan L, et al. Treatment of severe hyponatremia in patients with kidney failure: Role of continuous venovenous hemofiltration with low sodium replacement fluid. *Am J Kidney Dis*. 2014;64:305-310.

Web References

Acute dialysis—recent articles and abstracts. http://www.hdcn.com/ddacut.htm.

만성 투석 처방

류지원 역

본 장과 동시에 3장을 읽어보기 바란다. 3장에서 언급한 많은 개념들이 여기서는 가볍게 다루어질 것이다.

I. 표지 용질로서의 요소

요독은 소분자-대분자의 용질 모두로 인해 발생하는 것이지만 소분자 독성물질이 더 중요한 의미가 있다. 이러한 이유로 (또한 임상에서, 검사에서 측정하는 것과 마찬가지로) 투석양에 대한 처방은 60 Da의 무게를 가진, 요소의 제거를 기본으로 한다. 요소는 그 자체로는 약한 독성을 지녔기 때문에, 혈청 내에서의 농도는 다른, 더 유해한 요독성 물질의 농도를 반영한다.

A. 요소 제거와 혈청 농도

제거되는 농도와 혈청 농도 모두 투석 적절도를 평가할 때 평가되어야 한다. 요소 제거를 평가하는 것이 더 중요하다. 제거가 불충분하다면, 혈청 농도와 상관없이 투석이 불충분하다는 것을 의미한다. 반대로, 낮은 혈청 요소 농도가 투석이 적절하다는 것을 의미하는 것은 아니다. 혈청 농도는 제거되는 속도뿐만 아니라 요소가 생성되는 속도와도 연관이 있다. 생성되는 속도는 단백질의 질소가 발생하는 속도와 연관되는데, 많은 단백질 질소가 요소로 배설되기 때문이다. 제거가 불완전하더라도, 생성속도가 낮은 환자에서 혈청 요소농도가 낮을 수 있다 (단백질 섭취가 적은 경우).

B. 요소 제거 측정

이것은 요소 감소비(URR), 단일 통 투석 적절도(sp Kt/V), 평형 투석 적절도(e Kt/V), 그리고, 1주간의 표준 투석 적절도(std Kt/V)이다(3장 참고).

C. 주 3회 투석동안 요소 제거 측면에서의 투석의 양

무작위의 국가차원의 투석 연구의 두 번째 분석에서, 단일 통 투석 적절도(sp Kt/V)가 1.0 이상이었을 때와 비교하여 0.8 이하일 때, 주 3회 투석하는 환자에서 치료 실패의 비율이 급격하게 증가했다고 밝혔다. 대규모의 관찰연구에서도, 비슷한 결과가 나왔었다. 이러한 이유로 KDOQI에서는 sp Kt/V를 최저 목표치는 1.4로 하되, 최소한 1.2 는 되도록 권고하고 있다. 모형화를 하거나 체액이 수축된 정도를 계 산에 포함하여 1주간 표준 투석 적절도(std Kt/V)로 전환하면 2.1정도 이다. 유럽가이드라인(EBPG)은 평형 투석 적절도(e Kt/V)가 1.2 가 되도록 하여, 조금 더 높은 기준을 권고한다. e Kt/V의 값은 spKt/V의 값보다 0.15정도 낮게 측정되고, 그 양은 투석의 속도와 연관된다. 높 은 수준의 근거에 입각한 권고사항은 무작위 연구에 기초하는데, 투석 적절도의 분야에서는 오로지 HEMO 연구만이 대규모의 무작위 연구 로서, sp Kt/V 1.3인 경우와 1.7인 경우를 비교하였다(실제로 연구는 e Kt/V의 개념으로 정의했다). 투석량이 많도록 배정된 환자는 생존기 간이 길지는 않았지만 입원횟수가 적었다. 하지만 영양 또는 기타 이 익은 없었다. 이 두 가지 연구를 제외하고, 투석량과 예후에 관한 수준 높은 근거를 보이는 연구가 거의 없어서 모든 권고사항과 가이드라인 은 의견에 의한 경우가 대부분이다.

1. 성별의 효과

HEMO의 무작위 연구에서 더 많은 양의 투석을 배정받은 여성 환자는 표준 치료를 받은 여성환자보다 생존율이 길었다. 그런데 많은 양의 투석을 받은 남자환자의 생존율이 좋지 않았기 때문에, HEMO 연구에서 투석양에 따른 전체적인 효과는 차이가 없었는 데, 투석량과 성별과의 연관성이 실제인지 단순히 통계학적 우연 인지 여부는 확실하지 않다. 만약 여자가 더 많은 투석이 필요하다 면, 이유는 명확하지 않다. 3장에서 상세하게 언급한대로, 투석량을 조정하는 다른 방법은 요소 분포 용적(V) 대신에 체표면적(BSA) 으로 평가하는 것이다. 건강한 성인환자와 소아에서 사구체 여과 율(GFR)은 자연적으로 체표면적에 따라 비율로 정해지고, 비슷한 BSA를 가진 성인 남자와 여자는 비슷한 수준의 GFR을 가질 것이 다(Daugirdas, 2009). 여자보다 남자에서 V와 체표면적의 비율이 12~15% 정도 차이가 있는데, 현재의 투석량에 대한 가이드라인에 서는 남자와 여자가 같은 V를 가질 경우, 같은 양의 투석을 받아야 하지만 여자의 체표면적이 12~15% 정도 높기 때문에 이론적으로 남자보다 15%정도 많은 투석을 받아야 한다고 주장할 수도 있다. std Kt/V의 기준으로 투석의 양을 늘리고 싶다면, spKt/V가 2배정 도 증가되어야 한다. 이러한 이유로 여자의 최소 spKt/V가 남자보 다는 25~30% 정도 높아야 한다고 추정할 수 있다. 하지만 투석량 을 조정하는 최적의 방법은 알려져있지 않고 HEMO 연구와 일부 의 관찰연구 이외에 체표면적이 V 대신 투석량을 측정하는데 사용 되어야 한다는 주장에 대한 확실한 데이터는 없다.

2. 체구가 작은 환자

투석량이 sp Kt/V로 측정되었을 때, 왜 작은 환자가 상대적으로 더 많은 투석을 받아야 하는지에 대한 4가지 이유가 있다.

a. 작은 환자(V가 적다)는 투석량을 체표면적으로 측정하면 더 많은 투석을 받아야 된다.

b. KDOQI에서는 목표양을 e Kt/V가 아닌, sp Kt/V에 맞췄다.; 투석 후 요소의 반동이 체구가 작은 환자에서 더 크게 나타난다.

c. 짧은 투석 시간에서(2.5시간정도) 작은 환자(또한, 여자)에게 높은 투석 적절도를 내는 것은 상당히 쉽다. 짧은 투석 시간은 중분자 물질의 제거가 충분하지 않고, 초과된 체액이 충분히 제거되지 않아 만성적으로 체액과다 상태가 될 수 있다.

d. 짧은 투석 시간은 겉보기에는 적절한 투석 적절도가 나타나는 것 같지만, 투석 사이에 많은 양의 수액을 받은 환자에서는 짧은 투석 시간동안에 많은 체액을 제거하기 위해 상대적으로 높은 미세여과율이 필요하고, 이것은 좋지않은 예후와 연관된다.

3. 영양 불량 환자

환자의 몸무게가 같은 연령대의 환자보다 상당히 작다거나, 환자가 체중이 많이 감소했다면, 투석을 현재 감소된 체중이 아니라, 환자의 적절한 '건강한' 몸무게로 조정하는 것이 좋다는 의견이 있다. 투석량을 증가시키면, 환자를 더 건강하게, 질병이 생기기 전의 상태로 돌려놓도록 도와줄 수 있다는 의견이다.

4. 잔여신장 요소제거율(K_{ru})

잔여신기능이 상당히 많이 남은 환자가 투석의 양을 낮춰도 되는지는 아직 의문이다. 대규모 연구에서, 하루 소변량이 100 mL 이상인 환자에서, 투석량이 생존율에 거의 영향을 주지 않는다는 결과를 보였다(Temorshuizen, 2004). 잔여신기능이 있는 환자를 대상으로 했을 때, 투석의 양을 조절하는 방법은 전적으로 의료진의 의견에 달렸다. 조절에 사용될 수 있는 여러가지 모형화에 근거한 방법들이 있다. EBPR (2002)와 NKF-KDOQI 2006의 투석 적절도 가이드라인을 참고하면 좋다.

D. 주 3회 외에 스케줄을 위한 적절도 목표

투석이 주 3회외에 다른 스케줄로 시행될 때, 투석의 적정한 양에 대해 권고할만한 수준 높은 근거는 없다. 하나의 방법은 최소 std Kt/V가 (모형화나 FHN 공식을 이용하여 계산한) 모든 투석 스케줄을 통틀어 2.1은 유지하는 것이다(표 11.1). 이 2.1이란 값은 주 3회 투석을 시행했을 때, std Kt/V의 1.2에 일치하는 값이다(NKF-KDOQI, 2006).

1. 주 4~6회 투석

한 대규모 연구(FHN 연구)에서는 더 자주 투석을 하는 것이 좋다고 하였는데, 평균 std Kt/V가 NKF-KDOQI가 제시하는 2.1보다 상당히 높은 수치인 3.7이었다. 1주 평균 투석시행 횟수는 5회였고, 평균 투석 시간은 154분이었다(FHN trial group, 2010).

TABLE 11.1	다양한 투석 횟수에 따른 최소[a] spKt/V 값	
스케줄[b]	$K_r < 2$ mL/min/1.73 m²	$K_r > 2$ mL/min/1.73 m²
주 2회	권고되지 않음	2.0
주 3회	1.2	0.9
주 4회	0.8	0.6

투석 시간: 3.5-4 시간 ; K_r 잔여신기능
[a] 목표 sp Kt/V 값은 보여준 최소 값보다 대략 15% 정도 높아야 한다.
[b] 잦은 투석(5-6회)은 16장에서 더 자세히 언급하겠다.
NKF-KDOQI 임상가이드라인. 투석 적절도. Update 2006. Am J Kidney Dis. 2006:48:(Suppl1):S2-S90.

2. 주 2회 투석

개발도상국에서는 많은 환자들이 경제적 문제로 주 2회 투석을 받고 있고, 미국에서도 최근에는 흔하게 일어나는 일이다. std Kt/V를 이용한 역동학 모형화의 접근은 주 2회 투석이 어느 정도의 잔여신기능이 없는 환자에서는 부적합하다고 제시한다. 반대로, 주 2회로 투석을 시작한 환자들은 잔여신기능을 더 오래 보존할 수 있다는 데이터도 있다(kalantar Zadeh, 2014). 미국에서 진행된 주 2회 투석에 대한 한 관찰연구는 이 치료법의 부정적인 면이 없었다고 하였고, 예후는 주 3회 투석을 받는 환자보다 매우 조금 좋았다고 보고하였다. 부작용이 없다는 것은 잔여신기능이 남아있는 환자들을 선호하여 연구가 진행했기 때문일 수 있지만(Hanson, 1999), 이에 대한 확실한 근거는 없다.

E. 요소 제거외에 척도에 근거한 적절도 목표

1. 투석 시간

요소 제거는 단지 투석 적절도를 계산하는 하나의 척도이다. 인이나 중분자 물질같은 용질의 경우, 주간 투석 시간의 총합이 제거의 주요 결정요인이다. 시간이 짧으면, 환자의 초과된 나트륨과 체액을 안전하고 효과적으로 제거하기가 어렵다. US KDOQI 2006 적절도 평가 그룹은 잔여신기능이 거의 없는 환자에서 주 3회 투석을 시행하는 경우 최소 3시간 이상은 투석 시간을 유지하도록 권고한다. EBPR (2002)에서는 최소 4시간을 투석하도록 권고한다. 투석 시간이 3.5시간보다 길 때의 이점은 명확하지 않지만 일본에서는 매우 좋은 것으로 보고되고 있고, 유럽에서는 중등도 정도로 보고하고 있으며, 미국에서는 이점에 대한 입증을 하기가 어려웠다(Tentori, 2012). 아마도 일본이나 유럽에서 더 집중적인 투석을 시행하기 때문으로 보여진다. 또한, 투석량과 결과에 관한 데이터는 투석량과 목표량 사이의 편차(bias)로 인해 혼란이 올 수 있는데, 어떠한 투석량 목표가 적용되든지 그것을 만족하는 환자에서 생존율이 더 높은 상황에서 그럴 수 있다. 미국에서는 평균 투석 시간이

3.5시간이고 전세계에서 하듯이 4시간까지 연장하고 있다. 대규모의 무작위 연구(TiMe 연구)가 현재 미국에서 진행되고 있는데, 최소 투석 시간을 4.25시간으로 하여 신체크기와 상관없이 새로 시작하는 환자에게 적용하여 의미있는 좋은 결과를 보이는지에 대한 연구이다. 미국의 상당한 수의 환자가 치료를 위해 6~9시간동안 밤새 센터에서 투석을 받는다. 이 방법은 16장에서 상세하게 언급한다. 투석 적절도에 대한 다른 논의는 요소 제거에 초점을 맞추면 큰 투석기와 빠른 혈류 속도를 이용하여 고효율 투석을 유도하는 경향이 있다는 것이다. 그러한 치료의 높은 효율은 용질의 불균형을 유발하여 투석 중의 부작용을 유발할 수 있다. 또한, 높은 혈류 속도는 구멍이 큰 바늘이 필요하므로 더 많은 격류와 혈소판 활성화를 유발하고 혈관 접근로 기능 부전까지 초래할 수 있다. 이와 관련되어, 일관되게 유지할 수 있는 가장 높은 혈류 속도를 처방하고 감당할 수 있는 가장 효율적인 (높은 K_0A) 투석기를 사용하여 투석 시간을 '최적'으로 사용해야 하는지에 대한 의문이 남는다. '저속의 부드러운' 투석법은 낮은 혈류 속도와 상대적으로 작은 투석기를 사용하기 때문에, 유럽에서는 대중적이다. 이 두가지 선택에 대해서 무엇을 선택할 수 있는지에 대한 근거로 사용할 연구가 없다. 가장 좋은 접근법은 투석 적절도 (아마도 여자거나 체구가 작은 환자에서 최소 목표치가 더 높음)와 투석 시간 모두에 기초하여 목표를 설정하는 것이다. 투석 적절도 목표량을 체표면적을 적용하여 변경하는 것은 체구가 작거나 여자 환자들에게 시행되는 짧은 투석 시간의 문제를 해결할 수 있다. 이유는 이들의 체표면적에 근거한 투석량은 상당히 많아야 하기 때문이고, 이를 시행하는데 더 많은 시간이 걸리기 때문이다.

II. 초기 처방 작성

A. 투석의 양: $K \times t$

투석 처방은 두 가지 중요한 요소를 포함한다: K(투석기 청소율), 그리고 t(투석 시간)이다. K는 투석기의 크기와 혈류 속도에 따라 다르다. 투석액 속도도 또한 3장에서 언급한대로, 역시 적은 영향을 미친다.

1. K는 보통 200~260 mL/min 이내이다.

혈류 속도가 400 mL/min을 유지하며 투석하는 성인 환자에서 투석기의 청소율은 보통 230 ± 30 mL/min 정도이다. 요소 역동학을 이용한 계산이나 그림 13.6에서 보이는 계산도표를 사용해서 혈류속도와 투석기의 효율성(K_0A)으로부터 투석기의 청소율을 합리적으로 도출할 수 있다. 만약 K가 250 mL/min이고 4시간 투석하는 경우, $K \times t$는 250 × 240 = 60,000 mL 혹은 60 L일 것이다. 이것은 1회 투석동안 요소가 제거된 혈액 총량을 의미한다.

TABLE 11.2   특정환자에게 요구되는 spKt/V에 도달하기 위한 초기 처방

1단계 : 환자의 V(용적)을 구한다

2단계 : $K \times t$를 얻기 위해서 Kt/V를 V로 곱한다.

3단계 : 주어진 t (시간)에 대해서 요구되는 K 를 계산하거나 주어진 K 에 대해서 필요한 t 를 구한다.

1단계 : V 측정한다

이것은 키, 몸무게, 나이 그리고 성별을 이용한 Watson (부록 A)의 인체 측정학 계산에서 산출하는 것이 가장 좋다. 만약 환자가 아프리카계 미국인이면, V_{ant}의 Watson 값에 2 kg을 더한다. 다른 방법으로 Hume-Weyers 공식이나 이 공식에서 만들어진 계산 도표를 이용할 수 있다(부록 A). 이 경우에서는 측정된 V는 40 L이다.

2단계. 필요한 $K \times t$ 를 계산한다.

만약 요구된 Kt/V가 1.5 이고, 측정된 V가 40 L이면, 필요한 $K \times t$는 1.5 곱하기 V 로 1.5 × 40 = 60 L이다.

3단계. 필요한 t 나 K 를 계산한다.

필요한 $K \times t$ 는 K (K_0A, Q_B, Q_D 에 의존하는) 와 t 의 여러가지 다양한 혼합을 통해 산출할 수 있다. 다양한 요소 모형화 프로그램은 여러가지 가설로 컴퓨터 모의실험을 시행하여 가능한 많은 K 와 t의 혼합을 만들어낼 수 있어 유용하다. 인터넷에서 사용하는 계산은 이 장의 끝부분에 인용되어 있는 Web References 를 참고할 수 있다.

주어진 투석 시간 t으로 필요한 K를 계산하는 법

투석 시간 t를 일단 입력하고 의문을 가질 수 있다. : 어떤 종류의 투석기를 사용해야 하는지, 혈류 속도는 어떠한지, 투석액의 흐름 속도는 어떠해야 필요한만큼의 $K \times t$ 에 도달할 수 있는가? 또다시, 간단한 대수학이 필요하다. 이전의 예시를 통해서:

필요한 spKt/V = 1.5; V_{ant} = 40 L, $K \times t$ = 60 L

먼저, $K \times t$를 mL 로 변환하여 60,000 mL 로 만든다. 만약 필요한 투석 시간이 4시간이면, 240 분이 된다.

필요한 t = 240 분

필요한 K = ($K \times t$)/t = 60,000/240 = 250 mL/min

필요한 K 는 알았으니, K_0A, Q_B, Q_D 를 어떻게 선택하는가:

간단한 방법은 안정적이고 일정하게 유지될 수 있는, 가장 빠른 Q_B 값을 고르는 것이다. 이 환자에서 혈액 펌프 속도가 400 mL/min 가 되는 것이 가능할 수 있다고 가정해보자. K- K_0A- Q_B 계산도표를 따라가보면 (그림 13.6) Q_B는 400 mL/min 이고, K 를 250 mL/min 을 만족시킬 수 있는 대략적인 투석기의 K_0A 값을 찾을 수 있다.

필요한 투석기의 K_0A 를 찾기 위해서 가로축에서 400 (Q_B)을 찾고, 250 (K)을 찾을 때까지 수직으로 내려간다. 이 지점에서, K_0A 는 대략 900 정도이고 이것은 투석기의 K_0A 가 최소 900 mL/min 을 만족해야 한다는 의미이다. 만약 높은 효율의 투석기를 사용할 수 없다면, 4시간 이상 투석 시간을 연장해야 한다. K를 5~10% 정도 증가시키고 싶다면, Q_D를 800 mL/min으로 증가시키면 가능하다. 하지만 현대의 투석기는 섬유주위의 투석액 흐름이 최적화되도록 공간을 이루는 실들을 포함하고 있기 때문에, Q_D를 600에서 800 mL/min 으로 증가시키는 것은 별다른 효과가 없는 것으로 알려져 있다(Ward, 2011).

TABLE 11.3	주어진 실제 혈류 속도(Q_B)로 두가지의 투석기의 종류에서 필요한 투석 시간을 계산해 내는 법

안정적으로 시행될 수 있는 최대 혈류 속도를 알게 되면 일반적인 문제에 대해 고민한다. 흔히 더 큰(비싼) 혹은 더 작은(더 싼) 투석기를 사용하는 것에 대해 고민하게 된다. 투석액의 흐름속도(Q_D)를 500 mL/min으로 하도록 제한되어 있다고 가정해보자. sp Kt/V 1.5를 만족하기 위해서 필요한 투석 시간은 얼마인가? 우리가 측정된 V가 40 L인 같은 환자를 처방한다고 가정하면 $K × t$는 60 L 혹은 60,000 mL가 된다. 계획된 Q_B가 400 mL/min이라고 가정해보자. 두가지 투석기가 사용가능하다고 할 때 우리는 K_0A (최대 청소율) 값을 찾아보고 그 값이 큰 투석기에서는 1,400 mL/min 이고, 작은 투석기에서는 800 mL/min 이라고 알아냈다. 그렇다면 우리는 이 환자에서 각각의 투석기를 사용했을 때 투석 시간은 어느정도로 해야 하는가?

1단계: 그림 13.6에서 (Q_D = 500 mL/min), 각각 2 투석기에 대해 Q_B 400 mL/min (X축 값)에 일치하는 K를 찾아본다. K는 400 mL/min의 지점에서 가로축 (Q_B)에서 직각으로 올라가서, 1,400- 과 800 - K_0A 의 교차점에 일치하는 수직축에서 찾을 수 있다. K값은 대략 큰 투석기에서는 (K_0A = 1,400) 270 mL/min 정도이고, 작은 투석기에서는 (K_0A = 800) 220 mL/min 정도이다

2단계: 우리는 spKt/V가 1.5 이고, 측정된 V = 40 L 인 것을 알고 있다. 필요한 $K × t$는 60 L 혹은 60,000 mL 이다. 계산에 의하면:

800-K_0A 투석기, K = 200 : $t = (K × t)/K = 60,000/220 = 273$ 분

1400-K_0A 투석기, K = 270 : $t = (K × t)/K = 60,000/270 = 222$ 분

우리의 계산에 따르면, 작은 투석기(K_0A = 800)를 사용하는 경우, sp Kt/V 1.5 에 도달하기 위해서는 투석 시간이 50분정도 더 필요하다.

2. 환자 체격에 근거한 목표 $K × t$와 요구되는 투석 적절도(Kt/V)

250 mL/min의 청소율로 4시간 투석을 한다고 가정해보자. 얼마나 큰 환자에게 투석을 시행할 수 있으며, KDOQI 가이드 라인을 만족할 수 있는가? 가이드라인은 시행된 투석의 양이 1.2 이상이 되도록 하기 위해, 1.4로 처방된 $(K × t)/V$를 사용하는 것을 권고하고 있다. 4시간이상의 투석은 60 L의 $K × t$ 를 얻어내고, 만일 처방된 투석 적절도가 1.4 이길 원하면, V는 60/1.4 = 43 L 이여야 하고, 이것은 78 kg 정도의 몸무게와 비슷하다. 표 11.2와 11.3 에 추가적인 예시가 있다.

B. 투석동안의 체중 변화가 투석 처방에 미치는 영향

투석간 체중 변화가 큰 환자에서는 요구되는 요소 감소비(URR)를 얻기 위해서 체중 변화가 작은 환자에 비해 더 높은 투석 적절도 가 필요하다(3장의 그림 3.14 참고). 예를 들어, 70%의 요소 감소비를 얻으려고 할때, 체액 제거가 없다면, 투석 적절도를 단지 1.3만 처방하면 된다. 그러나 투석 중 초미세여과(UF/W), 즉 체액 감소가 체중의 6% 정도인 경우는(그림 3.14에서 0.06 UF/W 을 참고) 투석 적절도가 1.5 정도가 되어야 한다.

III. 시행되고 있는 투석의 양 측정

KDOQI 가이드라인에 따르면, 투석량은 보통 한 달에 한 번 측정하고, 투석 전과 투석 후의 혈청 요소질소를 계산하여 산출한다. 다른 방법, 혹은 추가적인 방법으로, 3장에서 기술한 바와 같이, 기계내에서 투석기의 나트륨 청소율을 측정하여 각 투석동안의 투석기 청소율을 계산하기도 하고, 사용된 투석액의 자외선 흡광을 따라가서 시행된 투석 양을 측정하기도 한다.

투석 전과 투석 후의 혈청 요소질소는 요소 감소비(URR)를 계산하는데 사용되고, UF/W 에 관한 정보와 결합하며, 시행된 $spKt/V$를 계산하기 위한 다른 수정사항과 결합하기도 한다. 한 가지 주의는 요소 감소비를 측정할 때, 투석 후의 혈액 샘플을 적절하게 채취해야 한다는 것이다. 혈관 접근로 내에 재순환이 존재하고 있으므로, 혈류가 천천히 흐르거나 투석액 흐름을 멈추는 기술이 사용되지 않는 한, 투석 후 혈액은 투석기 유출로에서 나온 혈액과 섞이게 되어 요소농도가 낮아질 수 있다. 두가지 방법을 KDOQI 에서는 권고하는데 표 11.4에 언급되어 있고, 이유는 3장에서 자세하게 설명되어 있다.

A. 투석 전과 투석 후의 혈청 요소질소에서 spKt/V를 계산하는 방법

1. 계산 도표 사용법

이전에 설명한대로 그림 3.14를 이용한다. 요소 감소비가 70% 혹은 0.7로 측정되었다고 가정해보자. 투석동안 제거되는 체액의 양이 체중의 0%, 3%, 6% 인지에 따라 시행된 spKt/V 는 1.3, 1.4, 1.5 가 될 것이다.

TABLE 11.4	투석 후 혈청 요소질소 샘플을 얻는 가이드라인

원칙
동정맥루 재순환의 효과는 빠르게 역전한다. 혈류 속도가 100 mL/min 로 낮을 때, 유입되는 요소 농도는 대략 10~20 초내에 상승한다. (동맥 회로에서 사강의 양에 따라 다르지만 대략 10 mL 정도임)

방법
1. 체액감소(UF)를 0으로 설정한다
2. 혈액 펌프를 10~20 초동안 100 mL/min 정도로 낮춘다
3. 펌프를 멈춘다
4. 동맥 쪽 바늘에 닿아있는 회로나 동맥선의 입구에서 샘플을 채취한다.

다른 방법
1. 체액감소(UF)를 0 으로 설정한다.
2. 투석액을 우회하게 한다.
3. 혈류를 평소 속도로 유지한다 ; 3분간 기다린다
4. 샘플을 채취한다.

2. 더 정확한 방법

KDOQI에서 권고하는 적합한 방법은 요소역동학 모형화 프로그램을 사용하여 투석 적절도(Kt/V)를 계산하는 것이다. 프로그램이 시행되는 기본 원칙은 3장에서 기술되어 있다. 이 프로그램은 상업적으로 사용가능하고, Solute Solver는 인터넷 사이트에서도 이용가능하다(http://www.ureakinetics.org). KDOQI에서 승인받은 다른 방법은 다음의 공식을 사용하는 것이다(Daugirdas, 1993).

$$spKt/V = -\ln(R - 0.008 \times t) + (4 - 3.5 \times R) \times UF/W$$

R은 (1-요소 감소비(URR)) 으로, 단순히 투석 후 혈청 요소질소/투석 전 요소질소값이고, t는 투석 시간이며, $-\ln$은 로그치환한 음의 값이다. UF는 Kg으로 표현되는 체액 감소이고, W는 투석 후 체중이다. 더 정확한 설명은 3장을 참고하면 된다.

IV. 초기 투석 처방의 조절

환자가 특정한 투석처방을 받을 때, 치료에서 겉보기에는 달라진 것이 없어도, 측정된 요소 감소비에서 계산된 $spKt/V$는 매달 상당히 달라진다. 원인은 명확하지 않으나 혈청 요소질소의 측정에서 에러가 발생한 것일 수도 있고 투석 후 혈액을 채취하는 방법에서의 다양한 변동사항과 실제 투석 시간이 다른 것, 시간당 평균 혈액 속도의 차이, 투석기 청소율의 차이등이 원인일 수 있다. 3달 동안의 평균 $spKt/V$를 구하는 것이 표준적인 최소 $spKt/V$가 1.2 에 이르렀는지 아닌지 결정하는 데 유용할 수 있다.

예시 : 목표하는 $spKt/V$가 1.5 라고 가정한다. 환자는 매달 추적관찰되고 있고, URR로부터 다음의 $spKt/V$가 산출되었다.

월	spKt/V
1	1.40
2	1.35
3	1.54
4	1.30

이 값들의 평균은 1.40이다. 이 값이 투석 적절도에 대한 KDOQI 가이드라인에 적합하지만, $spKt/V$의 원래 목표인 1.5에 도달하기를 원한다면 Kt/V에서 ($K \times t$)를 1.5/1.4 인 1.07 (7%) 만큼 증가시켜야 한다.

K혹은 t 중에 하나를 7% 증가시키는 것을 선택할 수 있다(각 생성물을 7% 정도 중증가시켜서 전체를 7% 증가시킬 수 있다.). 투석 적절도(Kt/V)를 1.4에서 1.5로 증가시키는 가장 간단한 방법은 투석 시간을 7% 늘리는 것이다. 이는 4시간 투석에서 17분을 늘리는 것이다(1.07 × 240 = 257분). 다른 방법은 혈류 속도를 높이고, 큰 투석기를 통해서 투석액 속도도 높여서 K를 증가시키는 것이다. 하지만 혈류 속도를 더 높이는 것은 어렵다. 보다 효율적인 투석기로 바꾸는 효과는 그림 3.6에서 보여지는 K_0A와

청소율 도표에서 측정될 수 있다. 투석액의 속도를 800 mL/min 으로 증가시키면 혈류 속도가 400 mL/min 이상인 경우, 보통 청소율을 5~10% 정도 증가시킬 수 있다. 하지만 투석액의 흐름 통로가 이미 최적화되어 있는 일부 고급 투석기를 사용하는 것이 항상 효과적인 것은 아니다(Ward, 2011).

V. 모형화된 요소분포 용적(V)의 개념

모형화 프로그램을 사용하는 것의 이점은 컴퓨터가 요소가 얼마나 제거되었는지 계산한 다음, 요소 감소비(URR), 체중 변화, 투석 시간에 근거해서, 제거된 요소에서 용적크기를 계산하는 것이다. 이를 위해서, 컴퓨터는 '상자안의 구슬'을 사용한다(3장에서 설명). V는 투석 적절도를 구하기 위해 사용되는 도구라는 것을 이해하는 것이 중요하다. V가 항상 실제의 요소분포 용적을 나타내는 것이 아니다. 컴퓨터는 주어진 정보만을 활용하기 때문에 그다지 똑똑하지 않다. 예를 들어, 고장난 투석기 때문에 요소 감소비와 spKt/V가 갑자기 떨어진다면, 컴퓨터는 spKt/V가 감소하는 것은 감지하지만, 투석기 청소율(K)이 변했다고 알려주지는 않는다. 또한, 투석 시간도 변하지 않는다. 그래서 $K \times t$가 변하지 않는다면, 어떻게 컴퓨터가 갑자기 떨어진 spKt/V 를 설명할 수 있는가? $(K \times t)/V$가 이전보다 낮으며, $(K \times t)$가 변하지 않은 것을 모두 알고 있다. 컴퓨터가 이 가설을 설명하는 유일한 방법은 환자의 요소분포 용적(V)이 증가했다고 가정하는 것이다. 환자의 실제 용적이 현저하게 변하는 것은 거의 발생하지 않으므로, 모형화된 V의 증가는 어떤이유에서건 투석이 처방된 것보다 덜 시행되었음을 의미한다.

A. 개인에서 모형화된 요소분포 용적(V)의 추적관찰

예시1

다른 환자에서, 5월의 spKt/V가 1.5 였고, 컴퓨터는 환자의 요소 용적(모형화된 V) 을 43 L로 모형화하였다. 4개월의 결과는 다음과 같다.

월	spKt/V	모형화된 V
5	1.5	43
6	1.43	45
7	1.7	38
8	1.8	36
9	1.1	56

9월 V 값의 일시적인 증가가 spKt/V 값이 예상치못하게 낮아지면서 나타났다. 이 시점에서 무엇을 해야할까?

1단계 : 9월동안의 투석 기록을 살펴본다. 낮은 spKt/V와 V의 명백한 상승은 보고되지 않은 K나 t 의 감소를 반영할 가능성이 높다. 치료시간이 짧아졌는가? 치료 시간 내내 혹은 부분적으로 혈류 속도가 감소했는가? 투석액이 떨어졌는가? 투석 중에 동정맥루에 문제가 있었는가? 이러한 문제가 없었다면, 일시적인 측정 에러로 봐야할 가능성이 높다.

2단계 : 이 시점에 처방이 바뀌어서는 안된다. 이 낮은 $spKt/V$가 우연인지 혹은 중요한 무엇인지 판단하기 위해서 투석 전/투석 후 혈청 요소질소를 1회 이상 추가적으로 측정해봐야 한다. 9월의 $spKt/V$가 여전히 1.1이라면 최소 KDOQI 가이드라인 값인 1.2 에 근접하므로, 다음달 정기 혈액검사를 기다릴 수 있다. 나트륨 청소율이나 자외선 흡광을 통해서 기계가 계산해내는 청소율은 매 투석시마다 측정되기 때문에 이런 상황에서 큰 도움이 될 수 있다. 그래서, 9월의 낮은 $spKt/V$가 비정상이거나 검사 에러일 수 있다는 것을 보여준다.

반복적으로 $spKt/V$를 측정하여 그 값이 여전히 낮으면, 이것은 처방된 K 나 t 를 시행하는데 큰 문제가 있다는 것을 의미한다. 이 정도의 $spKt/V$의 감소에 대한 가장 가능성 있는 설명은 혈관 접근로의 재순환이 원인일 수 있다는 것이다. 다른 가능성 있는 원인은 표 11.5에 언급하였다.

예시 2 (V의 지속적인 감소)

또다른 환자에서 명백한 이유 없이 $spKt/V$가 지속적으로 증가하여 모형화된 V가 감소한다고 가정해보자.

월	$spKt/V$	모형화된 요소분포 용적(V)
7	1.2	54
8	1.15	56
9	1.35	48
10	1.18	55
11	1.5	43
12	1.43	45
1	1.5	43
2	1.43	45
3	1.7	38
4	1.47	43

위의 환자에서 처음에 V가 54 L였고 11월 즈음에서는 V가 갑자기 44 L로 감소하였다. 치료는 변경된 부분이 없다. $spKt/V$는 1.2에서 1.5로 상승했고 컴퓨터는 이것을 환자가 체중이 감소한 것으로 해석했다. 이러한 현상이 발생한 원인이 무엇인가(표 11.5)?

1단계 : 배제할 수 있는 첫 번째 가능성은 V가 실제로 감소하였다는 것이고, 이는 만성적인 체액과다가 효율적으로 제거되었기 때문이거나 병발한 질환으로 인한 무지방 체질량의 감소때문일 수 있다. 이런 큰 변화는 거의 일어나지 않으며, 환자의 체중을 재

요소 감소비(*URR*)에 근거한 시행된 sp*Kt/V*가 처방된 *Kt/V*와 다른 원인들

시행된 *Kt/V* 가 처방된 것보다 작은 원인(이 경우에서는 모형화된 요소분포 용적(*V*)이 증가한다)
환자의 *V*가 초기 측정값보다 크다(초기 R_x 만).
실제 혈류가 혈액 펌프에 표시된 것보다 낮다(펌프 전 음압이 높은 경우 흔하게 발생한다.).
혈류가 일시적으로 낮아진다(증상 혹은 다른 원인들).
실제 투석 시간이 짧다.
투석기 K_oA 가 기대한 것보다 낮다(제조사 설명서 오류, 재사용으로 인한 수치 감소).
혈관 접근로 재순환이나 우연한 바늘의 뒤바뀜(투석 후 혈청 요소값이 샘플 채취전에 저속 혈류 기간을 이용해서 얻어진 경우).
반동(sp*Kt/V*와 *V*의 계산에 지연된 투석 후 혈청 요소값을 사용한 경우).

시행된 투석 적절도(*Kt/V*)가 처방된 것보다 큰 원인(모형화된 요소분포 용적(*V*)은 감소한다.)
환자의 *V*가 초기 측정값보다 작거나 최근에 심각한 체중감소가 일어난 경우
투석 후 혈청 요소값이 인위적으로 낮은 경우
혈관 접근로 재순환이나 우연한 바늘의 뒤바뀜 그리고, 투석 후 혈액이 투석기 유출혈액으로 오염된 경우(저속 방법을 사용하지 않은 경우)
투석기 유출 혈액에서 샘플 채취한 경우
투석 시간이 기록보다 길어진 경우
최근에 혈관 접근로의 재순환이나 부주의하게 바늘이 뒤바뀐 경우

보면 쉽게 배제될 수 있다.

2단계 : 투석 기록지를 살펴본다. 환자의 체중이 크게 변하지 않았다면, 실제 *V*는 감소한 것이 아니다. 오히려, *K* × *t* 가 10월에 시행된 어떤 방법을 통해서 증가되었다고 봐야할 것이다. 목표는 어떻게 이런 현상이 발생했는지를 설명하는 것이다. 10월 전후의 투석 기록지를 비교해 보는 것이 좋은 방법이 될 수 있다. 10월 이전에 있었던, 시행된 투석 시간이나 처방된 혈류 속도에 대한 기존의 문제가 10월과 11월에 교정되었을 가능성이 있다.

3단계 : 혈관 접근로의 재순환/바늘 위치를 확인한다. 만일 10월에 동혈관 접근로에서 변화가 있었다면 재순환이 더이상 이루어지지 않았을 수도 있다. 혹은, 10월 전에 바늘이 거꾸로 되었다가 10월 후에 문제가 발견되어 교정되었을 수도 있다.

4단계 : 혈액 샘플 채취 과정에서 전신에 영향을 주는 변화가 있었는지 확인해본다. 다음의 가설을 고려해보자 : 이 환자는 항상 혈관 접근로 재순환을 가지고 있었다; 하지만 10월 전에는, 투석 후의 혈액 샘플을 적절한 저속혈류의 방법을 사용해서 채취했다. 그리고 10월에는 새로운 방법으로 투석 후의 혈액 샘플을, 재순환 혈액의 순환을 막기 위해, 저속으로 혈류를 유지하지 않고, 혈액 펌프를 잠시 중단한 후에 채취하였다. 이로 인해, 투석 후 혈청 요소질소의 갑작스럽고 설명할 수 없는 감소를 초래하게 되었고, 요소 감소비와 sp*Kt/V*의 부자연스러운 증가와 동시에 모형화된 요소분포 용적(*V*)의 감소를 유발하게 되었다.

VI. 품질 보증도구로서의 전체 단위에 대한 V의 변화 관찰

개인 환자에서 V의 큰 변화가 일어날 수 있지만, 전체 단위로서의 모형화된 요소분포 용적(V)의 평균은 품질보증 도구로서 유용하며, 투석과 연관된 여러가지 문제를 확인할 수 있다. 시간에 따라 단위에 대한 V의 작은 변화가 자주 관찰된다. 각 환자에 대한 인체계측에 따른 V(V_{ant})와 모형화된 요소분포 용적(V)을 둘다 계산하고 비율을 구하는 것은 유용하다. 단위 넓이, V/V_{ant}는 평균 0.90~1.0 에 가까워야 한다. 평균 단위 넓이의 비율이 1.0 이상인 것은 $K \times t$의 구성성분 하나 혹은 둘 다 과하게 측정되었다는 것을 의미한다.

VII. 필요한 spKt/V에 도달하지 못하는 경우

최소 1.2의 spKt/V에 도달하지 못하는 환자는 3가지 부류로 나눌 수 있다.; (a) 혈관 접근로가 좋지 못해서 혈류 속도의 제한이 있거나 재순환이 있는 경우; (b) 매우 체격이 큰 환자; (c) 자주 저혈압, 협심증 혹은 다른 부작용이 있어 자주 혈류 속도를 낮춰야 하는 환자.

A. 주 4회 투석

고혈압이 있고, 과다체액을 제거해야 하는 환자들 뿐만 아니라 체격이 큰 환자에서 주 4회 투석이 점차 증가하고 있다. KDOQI 의 2006년 가이드라인은 잔여신기능이 2.0 mL/min/1.73 m^2 미만일 때, 이 스케줄로 시행하면 필요한 최소 spKt/V를 1.2 에서 0.8 로 감소시킬 수 있다고 제안하고 있다(표 11.1). 주 4회 투석의 또 한가지 이점은 합병증이나 사망이 흔하게 발생하는 주말동안의 긴 투석간 휴일을 피할 수 있다는 것이다(Foley, 2011).

VIII. 정상화된 단백질 질소 발생율(nPNA)을 계산하고 관찰하는 것

이것은 3장에서 언급되었고 31장에서는 영양상태 관찰에 대해 언급한다.

IX. 투석기의 선택

A. 투석막 재질

생체적합성과 급성 투석 반응에 관계되는 사항은 4, 10, 12장에서 언급했다.

B. 고투과성 투석기가 사용되어야 하는가?

이 질문은 부분적으로 NIH HEMO 연구에서 답을 했다. 비록 고투과성 투석막에 무작위로 배정된 사람이 8% 정도 생존율이 증가했다고 했지만, 통계적인 유의성을 얻지는 못했다. 생존율에서의 의미있는 이점은 사전정의되었던 하위그룹인 3.7년 이상 투석을 하는 환자에서 보였다(HEMO 환자의 중간값). 또한, 심혈관계 사망률은 고투과성 투석기에 배정된 모든 환자에서 감소하였다. 이 데이터들은 일반적으로 유럽의 MPO 연구(Locatelli, 2009)와 일치한다. 이러한 결과를 바탕으로, 2006년의 KDOQI와(2015년에 반복됨) EBPG에서는 적절한 수분관리가 가능한 곳에서 고투과성 투석막을 사용하도록 권고하고 있다. 고투과성 막의 사용은 투석을 오래 받은 환자에서 베타2 마이크로글로불린(β2 microglobulin)으로 인한 아밀로이드증의 발생율을 감소시킬 수 있다. 이러한 이점이 베타2 마이크로글로불린이 더 많이 제거되어서인지, 고투과성 투석기와 더 발전된 투석 방법이 투석 과정과 연관된 염증반응을 감소시켜서인지는 확실하지 않다.

X. 수분제거 처방

A. '건체중' 혹은 투석 후 적정 체중의 개념

'건체중'이라 불리는(투석 후 적정 체중이 더 맞는 단어) 것은 초과된 체액이 모두 혹은 대부분 제거된 투석 후의 체중이다. 만약 건체중이 너무 높게 설정되었다면, 환자는 투석 후에도 수분 과다 상태로 남아있게 된다. 투석사이 간격동안 수분을 섭취하면 부종과 폐부종을 유발할 수 있다. 만약 건체중이 너무 낮다면, 환자는 투석 끝무렵에 잦은 저혈압으로 고통받을 수 있다. 적정 투석 체중보다 더 많은 수분이 제거된 환자는 불안감, 소모된 느낌, 경련, 어지러움을 투석이 끝나면 호소할 수 있다. 투석 후 회복되는 동안 매우 스트레스를 받고 불쾌감을 느낄 수 있다.

임상에서 각 환자의 적정 투석 후 체중은 시행착오를 통해서 결정되어야 한다. UF 속도를 설정할 때, 혈액 복귀 과정중에 투석 후에 환자에게 되돌아오는 0.2 L의 식염수를 포함해야 한다. 또한 투석 동안의 수분섭취나 투여되는 정맥주사를 계산해야 한다

1. 적정 투석 후 체중의 잦은 재설정

투석 센터에서의 흔한 오류는 적정 투석 후 체중 재평가를 자주 하지 않는 것이다. 만약 환자가 체중이 약간 빠졌다면, 이전의 건체중은 환자에게 너무 높게 되고, 그대로 유지한다면 환자에게 체액과다를 유발하여 입원하게 할 수 있다. 투석 후 적정 체중은 최소 2주마다 재평가되어야 한다. 투석 후 적정 체중이 지속적으로 감소하는 것은 기저의 영양 장애나 질병이 진행하고 있다는 증거가 될 수 있다.

33장에서 언급한대로, 투석 후 적정 체중의 임상적인 결정을 부종이나 폐에 근거하는 것은 좋지 않다. 생체 임피던스(wholebody bioimpedance) 기구는 부종의 외적인 징후가 없음에도 불구하고, 상당한 체액과다를 보이는 환자 집단을 파악할 수 있다. 다른 일부 환자는 투석 후 적정 체중보다 낮게 측정되어 있기도 했다(Hecking, 2013). 이런 경우는 환자가 적정체중을 유지하기 위해서 나트륨 섭취를 많이 하여 투석 간 체중 증가가 나타나게 되고, 잔여신기능이 빠르게 소실되게 한다.

폐 초음파같은 다른 기술과 함께 투석후 적정 체중을 확인하게

도와주는 생체 임피던스는 33장에서 자세히 언급하였다. 새로운 기술이 도움이 되지만, 이러한 장치를 이용하는 것은 이제 시작단계이다. 예를 들면, 생체 임피던스로 측정한 체액과다에 대해서, 체질량지수(BMI)가 다양한 투석 환자에게 어느정도까지 적용해도 되는지는 명확하지 않다.

B. 체액 제거속도

보통 체액 제거는 투석동안 일정한 속도로 이루어진다. 품질보증 도구로서, 최대 UF 속도를 제한하는 것에 대해 관심이 있어왔다. 근거들은 UF 속도가 시간당 12 mL/kg 이하인 환자는 더 높은 생존율을 보인다고 하였다(Movilli, 2007). UF 제한이 체중, 체표면적에 따라 조정되는지, 혹은 조정되지 않는채로 두는지(800 mL/hr) 확실하지 않다(Lascon, 2014). 체액 제거속도가 감소될 수 있게 하는 여러가지 접근법이 있다. 가장 확실한 것은 투석 시간을 연장하는 것이지만, 이것이 유일한 방법은 아니다. 나트륨 섭취 제한을 해서 투석간 체중 증가를 줄이는 것이 환자에게 더 적합하고 시행하기도 쉽다(Burkart, 2012). 소변량이 상당한 환자에서는 환자가 더 많은 수분 섭취를 하지 않는 한, 이뇨제를 사용하는 것이 하루 소변량을 증가시켜 UF 속도를 줄여줄 수 있다.

투석 중에 일정하지 않은 체액 제거 속도를 사용하는 것에 대한 논의들이 있었다. 한 가지 방법은 체액 제거 속도를 첫 투석 1~2시간동안 증가시키고, 투석 끝무렵에 감소시키는 것이다. 투석액의 나트륨은 투석 초기시간동안 높여서 삼투압으로 혈액량을 유지하도록 한다. 이 방법의 이점은 논의중이다.

XL. 투석액(표 11.6)

A. 속도

표준 투석액 속도는 500 mL/min 이다. 혈류 속도가 높고(>400 mL/

11.6 투석액 처방

속도 :
500 mL/min

염기 :
탄산염 (32 mM)/아세트산 추가 (4 mM); 혹은 탄산염 28 mM/아세트산 8 mM[a] 추가

전해질과 포도당 :
칼륨 = 2.0 mM (디지탈리스 복용하는 환자, 투석 전의 칼륨이 정상 하한치인 경우 3.0 mM)
나트륨 = 135–143 mM (138 mM)
포도당 = 100 mg/dL (5.5 mmol/L)
칼슘 = 1.25–1.5 mM (2.5–3.0 mEq/L ; 인 결합제에 따라 다름)
마그네슘 = 0.50 mM (1.0 mEq/L)

[a] 예를 들면, sodium diacetate(Granuflo) dry acid concentrate 를 사용할 때

min), 높은 K_oA의 투석기가 사용될 때, 투석액의 속도를 800 mL/min 으로 증가시키는 것은 투석기의 청소율(K)을 5~10% 정도 증가시키게 한다. 적정 투석액 속도는 혈류 속도의 1.5~2.0배이다.

B. 구성 성분

1. 중탄산염의 농도

중탄산염 투석액은 기본적인 투석액이고, 아세트산 투석액은 대부분의 나라에서 쓸모가 없는 것으로 간주되고 있다.

염기의 농도는 투석 전 혈청 중탄산염 농도인 20~23 mmol/L 에 도달하도록 조절되어야 한다. 투석 전 중탄산염의 농도를 증가시키기 위해, 투석액의 중탄산염 농도를 높이거나, 보충적으로 경구 중탄산염을 투여하는 의견도 있었다. 투석 전 중탄산염 농도를 20~23 이상으로 높이는 것에 대한 임상적인 이점은 확실하지 않다. 대사성 알칼리증이 투석 후에 발생할 수 있고, 이론적으로 칼슘-인 침착이 증가할 수 있어 심장 부정맥이 유발될 수 있다.

4장에서 언급된 것처럼, 중탄산염의 농도를 조절할 수 있는 투석기에서는, 기계판독은 아세트산이나 구연산염같은 중탄산염을 생성하는 음이온을 고려하지 않고, 보통 투석액 제품의 중탄산염의 농도를 보여준다. 아세트산, 특히 2가 아세트산 나트륨이 농축액에 사용되는 경우, 탄산 생성 염기로서 투석액에 8 mM 정도 추가될 수 있다. 투석액의 중탄산염을 혈청 수준으로 적정할 때, 추가된 염기 성분까지 염두해야 한다.

평균 투석액의 중탄산염은 미국에서는 다른 유럽국가보다 높은 경향이 있고, 높은 중탄산염 농도는 사망률 증가와 연관이 있다 (Tentori, 2013). 사망률 증가는 일차적으로는 심혈관질환보다는 감염과 연관이 있었다. 이 연관이 혼동변수와 연관이 있는지는 확실하지 않다. 사망률은 낮거나 높은 투석 전 중탄산염 농도를 가진 환자 모두에서 증가했지만, 가장 높은 사망률에 대해서는 투석 전 중탄산염이 낮은 환자에서 흔하게 영양실조를 보였기 때문에 영양부족과 혼동변수가 있었다.

높은 투석액의 중탄산염은 낮은 투석액 칼슘, 칼륨과 상승작용을 하여, 심전도에서 QTc 간격을 연장시켜 부정맥의 발생률을 증가시킨다(DI Iorio, 2012).

2. 칼륨

일반적인 투석액의 칼륨은 환자의 투석 전 칼륨 농도가 4.5 이하가 아니거나 디지탈리스를 복용하지 않는 한, 2.0 mM이다. digitalis를 복용하는 환자의 경우, 투석액의 칼륨은 보통 3.0 mM은 되어야 한다. 3 mM 투석액을 사용하면 투석간 혈청 칼륨이 높아지기 때문에, sodium polystyrene sulfonate resin을 꾸준히 복용해야 한다. 새로운 칼륨 흡착제가 개발중에 있고, ZS-9 (ZS Pharma, Coppell, TX)와 Partiromer (Relypsa, Redwood City, CA)는 선택의 폭을

넓혀 준다.

영양 불균형의 환자들은 투석 전 혈청 칼륨이 낮으므로, 저칼륨 혈증을 예방하기 위해 투석액 칼륨은 높아야 한다. 고칼륨혈증을 조절하기 위해서 1.0 mM 칼륨이 포함된 투석액을 오랫동안 사용하는 것은 심정지의 위험을 높일 수 있다(Lafrance, 2006). 낮은 칼륨농도의 투석액이 사용된다면, 상대적으로 짧게 사용해야 한다. 환자가 어떤 이유에서건 고칼륨식이를 중단한다면, 칼륨 농도가 낮은 투석액을 지속적으로 사용하는 것은 부작용을 악화시킬 수 있다. 생존율은 3K bath 이상의 농도에서 투석하는 환자에서 가장 높았다(Jadoul, 2012).

3. 나트륨

보통 투석액의 나트륨 농도는 135~145 mM이다. 138 mM이상의 농도는 비록 초과된 체액을 증상을 최소화하면서 투석 중에 더 잘 제거할 수 있지만, 구갈증과 투석간 체중 증가를 유발한다. 혈압도 증가할 수 있다. 135 mM 이하의 투석액은 저혈압이나 경련을 유발할 수 있다.

한 연구는 환자들이 각각의 나트륨 '설정 지점'을 가지고 있다고 하였다(Keen, 1997). 일부 투석 환자들은 낮은 투석 전 혈청 나트륨 농도를 보이는데 그 이유에 대해서는 거의 알려져 있지 않다. 투석 전 저나트륨혈증은 체액 과다와 투석간 체중 증가와 연관이 있다. 투석하지 않는 환자들에서는 투석 환자들과 마찬가지로, 저나트륨혈증은 사망률 증가와 관련이 있다. 이들은 바소프레신의 비삼투압성 분비를 통해 심장기능 이상을 유발할 수 있고, 전반적으로 건강이상을 나타내는, 나트륨-칼륨 교환통로의 이상이 있는 일종의 'sickle cell' 증후군이 발생하기도 한다. 낮은 나트륨 설정 지점을 가진 환자는 투석 후의 구갈증과 투석간 체중 증가를 최소화하기 위해 필연적으로 낮은 나트륨 농도의 투석액이 사용되어야 한다. 하지만 단면연구에서는 저나트륨혈증이 있는 환자에서 높은 나트륨 농도의 투석액으로 투석을 시행했을 때 약간 높은 생존율을 보였다(Hecking, 2012).

4. 포도당

미국에서는 포도당(200 mg/dL 혹은 11 mmol/L)을 투석액에 추가하는 것이 일반적이다. 포도당의 존재는 투석 중 저혈당을 예방한다. 유럽에서는 낮은 포도당 농도 100 mg/dL 혹은 5.5 mmol/L이 흔하게 사용된다. 낮은 당농도가 저혈당을 예방하기도 하고, 혈당 조절에 더 좋은 효과를 보였다는 몇 가지 연구가 제시하는대로 유럽이 옳을 수도 있다. 또한, 투석액의 높은 포도당은 칼륨이 세포내로 유입되도록 하여 투석중 칼륨 제거를 감소시킬 수 있다(인도 마찬가지).

5. 칼슘

만성 투석 환자의 투석액의 칼슘 농도는 정상적으로 1.25~1.5 mM (2.5~3.0 mEq/L)의 범위를 가진다. 칼슘이 포함된 인 결합제를 복용하는 환자에서의 일반적인 농도는 1.25 mM (2.5 mEq/L) 이지만, 이것은 임상적인 반응과 부갑상샘 호르몬에 따라 변경할 수 있다. 칼슘을 포함하지 않은 새로운 인 결합제를 복용하는 환자에서는 칼슘 소모를 피하기 위해 투석액의 칼슘을 증가시켜야 한다. 칼슘이 1.25 mM (2.5 mEq/L)보다 낮은 투석액은 칼슘 포함된 인 결합제를 사용하는 환자에서 칼슘 과잉을 피하기 위해 선호되고 있다. 하지만 낮은 칼슘 농도의 투석액은 갑작스런 심정지의 위험을 증가시킬 수 있다(Pun, 2013).

6. 마그네슘

마그네슘의 투석액 농도는 0.25~0.5 mM (0.5~1.0 mEq/L)이다. 일반적으로 투석 환자의 생존율은 저마그네슘혈증이 없는 환자에서 더 높았다. 또한, 환자들이 많이 사용하는 단백질 펌프 억제제(PPI)는 경구 마그네슘의 흡수를 감소시켜 저마그네슘혈증을 증가시킬 수 있다(Alhosaini, 2014). 최근 경향은 일반적인 농도의 상한치인 0.5 mM (1.0 mEq/L)의 마그네슘을을 사용하는 것이다.

C. 온도

투석액의 온도는 환자가 불편하지 않을 정도로 가능한 낮게, 34.5~36.5 ℃ 정도로 설정해야 한다. 12장에서 언급한 대로, 환자의 귀 온도를 측정하여, 투석액의 온도를 0.5 ℃ 더 낮게 하여 저온 투석액을 환자에 맞춰 개별화하는 것은 오한과 차가운 느낌을 피하면서, 투석 중 저혈압 예방과 투석 후 회복 시간을 짧게 하는 장점이 있다. 개별화된 저온 투석액은 또한, 심근 기절 및 투석과 연관된 허혈성 뇌백색질의 손상을 줄여줄 수 있다. 중국에서의 한 연구는 저온 투석액을 오랜기간 사용하면 심혈관계 질병과 사망률을 줄일수 있다고 보고하였다(Hsu, 2012).

XII. 항응고제 처방

14장을 참고

XIII. 합병증을 위한 표준 처방

합병증은 12장에서 상세하게 언급되어 있다. 저혈압, 경력, 하지 불안증, 울렁거림, 토함, 가려움, 흉통 등의 흔한 합병증은 표준 처방으로 치료될 수 있다. 하지만 투석 중에 발생하는 증상은 즉각적인 진단과 치료를 필요로 하는 더 심각한 질병의 결과일 수도 있다.

XIV. 환자 감시

A. 치료 전과 치료 중

1. 투석 전

a. 체중

투석 전의 체중은 환자의 마지막 투석 후 체중과 비교해야 하며 투석 간 체중 증가를 알아보기 위해서 적정 목표 체중과 비교해야 한다. 투석 간 체중 증가가 큰 경우, 특히 기좌호흡곤란이나 호흡곤란과 같은 증상을 동반할 때, 완벽한 심혈관계 검진과 적정 체중에 대한 재평가가 (환자에게 높은 체중일 수 있다) 신속하게 시행되어야 한다. 비록 평균 체중 증가가 더 많다고 하더라도, 환자는 투석 간 체중 증가가 하루에 1.0 kg 이하가 되도록 노력해야 한다. 또한, 수분섭취가 대체적으로 나트륨에 따라 달라지기 때문에, 환자들은 수분 섭취 제한보다는 나트륨 섭취 제한에 대해 교육받아야 한다. 입마름이 심한 경우는 투석액의 나트륨 농도가 높기 때문일 수 있다. 투석 후에 기력이 없다고 호소하거나 지속적으로 근육경련이 일어나는 것은 투석 후의 목표 체중이 너무 낮게 설정되었음을 의미할 수 있다. 투석 회복 시간은 저온 투석액을 사용하면 짧아질 수 있다.

b. 혈압

적정 혈압은 논의가 많지만 투석중이나 투석 후 혈압의 평균은 투석 전 혈압보다 체액과다를 더 잘 예측할 수 있다(33장 참고). 어떤 환자들은 체액을 제거함에도 불구하고 혈압이 투석 중에 더 높아지기도 한다. 원인은 추측에 근거할 뿐이지만, 좋지 않은 예후와 관련이 있다. 체액 제거에도 여전히 혈압이 높은 환자들은 간혹 체액을 더 많이 제거함으로써 좋아질 수 있는데, 수개월의 잠복기를 지나서 혈압이 좋아지기도 한다(Fishbane, 1996).

혈압이 높은 환자들은 투석 중 저혈압을 예방하기 위해서 투석하는 날은 일상적으로 혈압약을 복용하지 않도록 한다. 그러나 오후에 투석하는 환자들에게는 필수적이지 않다. 고혈압에 대한 치료는 33장에서 다루지만 기본적으로는 나트륨 제한 및 투석 시간 연장과 가능하다면 투석 횟수를 늘리는 것에 중점을 두고 있다. 생체 임피던스를 이용해 체액 제거를 하면 혈압이 낮아지는 것으로 나타났다. 최대한의 초미세여과율을 유지하면서, 환자가 투석 간 체중 증가를 줄이기 위한 자극으로 생체 전기 임피던스를 사용하면 혈압을 낮출 수 있다(Brukart, 2012).

투석 전 혈압이 매우 높은 환자를 파악하고 치료하는 것이 중요하지만, 투석 전 혈압을 너무 적극적으로 낮추는 것은 투석 중 저혈압과 혈관 접근로 기능 부전에 영향을 줄 수도 있다(33장 참고).

c. 체온

환자의 체온을 측정해야 한다. 투석 전에 열이 있는 것은 심각한 증상이고, 열심히 원인을 찾아야 한다. 투석 환자에서의 감염증상은 애매모호할 수 있다. 반대로 투석 중에 체온이 0.5 ℃ 정도 상승하는 것은 정상이고 감염의 증상이거나 발열 반응이 아닐 수 있다.

d. 혈관 접근로

열과 관계없이, 혈관 접근로 부위에 매 투석시마다 감염의 증상이 있는지 살펴봐야 한다.

2. 투석 중

혈압과 맥박수를 매 30~60분마다 측정해야 한다. 어지럽다거나 기력이 없다고 호소하는 것은 저혈압을 의미할 수 있으므로 신속하게 혈압을 측정해야 한다. 저혈압의 증상은 애매할 수 있고 환자는 혈압이 위험한 수준으로 떨어질 때까지 무증상일 수도 있다.

B. 검사 결과 (투석 전 결과)

1. 혈청 요소질소

URR 의 부분으로서 매달 측정해야 한다. 기계내부의 투석기 청소율이 전도율을 사용해서 측정되거나 자외선 투석액 흡광법을 통해 환자의 투석 적절도(Kt/V)가 측정되는 센터에서는 매달 측정하는 투석후 혈청 요소질소를 생략할 수 있는지는 논의중이다. 투석 전 요소질소를 사용하는 것은 도움이 될 것이고, 그것으로 nPNA를 계산할 수 있다.

2. 혈청 알부민

투석 전 혈청 알부민은 매 3개월마다 측정되어야 한다. 혈청 알부민 농도는 영양상태 평가에 중요하다. 낮은 알부민은 투석 환자의 이후에 발생하는 질병이나 사망에 대한 강력한 예측인자이다. 혈청 알부민이 4.0 g/dL (40 g/L) 이하인 경우 사망률이 증가하기 시작한다. 혈청 알부민이 3.0 g/dL (30g/L) 이하인 경우는 이환율이 매우 높으므로, 알부민이 낮은 원인을 찾아보고 교정하려는 노력이 필요하다.

3. 혈청 크레아티닌

투석 전 혈청 크레아티닌을 매달 측정해야 한다. 투석 환자에서의 평균 값은 대략 10mg/dL (884 mcmol/L)이고 보통 5~15 mg/dL (440~1,330 mcmol/L) 정도 범위로 나타난다. 역설적으로, 투석 환자에서 높은 혈청 크레아티닌은 낮은 사망률과 연관이 있는데 아마도 혈청 크레아티닌이 근육량이나 영양상태와 연관이 있기 때문으로 보인다.

혈청 크레아티닌과 요소질소는 같이 평가되어야 한다. 두 가지가 평행하게 변한다면 투석 처방이 변경되었는지 아니면 잔여신기능이 얼마나 남아있는지 의심해야 한다. 혈청 크레아티닌이 일정하게 유지되지만 요소질소가 크게 변한다면, 이 변화는 대부분 단백질 식이의 변화 때문이거나 체내 단백질의 산화과정의 변화가 원인일 것이다.

4. 혈청 콜레스테롤

혈청 콜레스테롤은 영양 상태의 표지자이다. 투석 전 값이 200~250 mg/dL (5.2~6.5 mmol/L) 정도는 투석 환자에서 낮은 사망률과 연관이 있다. 낮은 콜레스테롤 수치는, 특히 150 mg/dL (3.9 mmol/L) 이하인 경우는 사망률이 증가하는데 아마도 이것이 나쁜 영양상태를 의미하기 때문으로 보인다.

5. 혈청 칼륨

투석 전 혈청 칼륨이 5.0~5.5 mmol/L 정도인 환자에서 가장 사망률이 낮았다. 사망위험은 6.5 이상이거나 4.0 mmol/L 이하인 경우 높았다.

6. 혈청 인

매달 측정한다. 투석 전 값이 5.5 mg/dL (1.8 mmol/L) 이하인 경우 가장 낮은 사망률을 보였다. 사망률은 9.0 mg/dL (2.9 mmol/L) 이상이거나, 3.0 mg/dL (1.0 mmol/L) 이하인 경우 빠르게 증가한다. 현재 KDIGO 의 목표는 '혈청 인을 정상범위로 낮춰라'는 것이다. 혈청 인은 3일의 투석 간격이 있는 날 이후인 월요일과 목요일에 높아지는 경향이 있다.

7. 혈청 칼슘

매달 측정하고 vitamin D의 용량이 변하면 더 자주 측정한다. 혈청 칼슘이 9~12 mg/dL (2.25~3.0 mmol/L)인 경우 가장 낮은 사망률을 보였다. 사망률은 12 mg/dL (3.0 mmol/L) 이상이거나 7 mg/dL (1.75 mmol/L) 이하인 경우 증가한다. 목표값은 정상 범위에 도달하는 것이다. 정상 혈청 칼슘의 상한치를 목표값으로 두는 것은 혈관 석회화의 위험때문에 더이상 권유되지 않는다.

8. 혈청 마그네슘

일상적으로 측정하지는 않는다. 하지만 저마그네슘혈증은 PPI를 사용하는 투석 환자에서 흔하다(Alhosaini, 2014). 그리고 낮은 마그네슘 농도는 심방세동과 연관되고 많은 환자에서 심혈관질환의 불안한 예후와 연관이 있다. 비용대비 이익의 측면에서 주기적으로 마그네슘 농도를 관찰하는 것에 대해서는 연구되지 않았다.

9. 혈청 알칼리 인산 분해효소(Alkaline phosphate)

매 3개월마다 측정한다. 높은 수치는 부갑상샘 호르몬 과다 또는 간질환의 증거가 될 수 있다. 수치가 높을수록 사망의 위험이 증가한다.

10. 혈청 중탄산염

매달 측정한다. 수치가 20~22.5 mmol/L 정도일때 사망률이 가장 낮았다. 너무 낮거나 높으면 사망률이 증가한다. 투석 전 수치가 15

mmol/L 이하인 경우 사망률이 높았다. 투석 전 산증은 투석 사이에 염기 투여로 교정될 수 있다.

11. 혈색소

최소 매달 측정하고 대부분은 2주마다 측정한다. 광학 센서를 이용해서 혈색소를 측정하는 기계가 대중화되었다. 만성 신질환과 연관된 빈혈의 적절한 치료는 34장에서 언급한다. 지속적으로 높은 혈색소 수치는 (조혈제 없이) 다낭성 신장질환, 후천적 신낭종 질환, 수신증, 신장암의 증상일 수도 있다. 적혈구 생성인자 지표와 함께 혈청 페리틴, 철분, 철분 결합능 수치는 매 3개월마다 평가되어야 한다.

12. 혈청 아미노트랜스퍼라제는 매달 측정된다

높거나 정상 상한치는 무증상의 간질환, 특히 간염이나 혈철증등을 나타낼 수 있다. B형 간염 항체와 C형 간염에 대한 추적 관찰을 시행해야 한다(35장 참고).

13. 혈청 부갑상샘 호르몬

매 3~6 개월마다 측정한다. 36장에서 언급한다.

References and Suggested Readings

Alhosaini M, et al. Hypomagnesemia in hemodialysis patients: role of proton pump inhibitors. *Am J Nephrol.* 2014;39:204–209.

Cheung AK, et al. Effects of high-flux hemodialysis on clinical outcomes: results of the HEMO study. *J Am Soc Nephrol.* 2003;14:3251–3263.

Daugirdas JT. Dialysis time, survival, and dose-targeting bias. *Kidney Int.* 2013;83:9–13.

Daugirdas JT. Dialysis dosing for chronic hemodialysis: beyond *Kt/V. Semin Dial.* 2014;27:98–107.

Daugirdas JT, et al. Relationship between apparent (single-pool) and true (double-pool) urea distribution volume. *Kidney Int.* 1999;56:1928–1933.

Daugirdas JT. Second generation logarithmic estimates of single-pool variable volume Kt/V: an analysis of error. *J Am Soc Nephrol.* 1993;4:1205–1213.

Depner T, et al. Dialysis dose and the effect of gender and body size on outcome in the HEMO Study. *Kidney Int.* 2004;65:1386–1394.

Di Iorio B, et al. Dialysate bath and QTc interval in patients on chronic maintenance hemodialysis: pilot study of single dialysis effects. *J Nephrol.* 2012;25:653–660.

Eknoyan G, et al. Effect of dialysis dose and membrane flux in maintenance hemodialysis. *N Engl J Med.* 2002;347:2010–2019.

European Best Practice Guidelines Expert Group. Haemodialysis. *Nephrol Dial Transplant.* 2002;17(suppl 7):S16–S31.

FHN Trial Group. In-center hemodialysis six times per week versus three times per week. *N Engl J Med.* 2010;363:2287–2300.

Fishbane S, et al. Role volume overload in dialysis-refractory hypertension. *Am J Kidney Dis.* 1996;28:257–261.

Foley RN, et al. Long interdialytic interval and mortality among patients receiving hemodialysis. *N Engl J Med.* 2011;365:1099–1107.

Hanson JA, et al. Prescription of twice-weekly hemodialysis in the USA. *Am J Nephrol.* 1999;19:625–633.

Hecking M, et al. Predialysis serum sodium level, dialysate sodium, and mortality in maintenance hemodialysis patients: the Dialysis Outcomes and Practice Patterns Study (DOPPS). *Am J Kidney Dis.* 2012;59:238–248.

Hecking M, et al. Significance of interdialytic weight gain vs. chronic volume overload: consensus opinion. *Am J Nephrol.* 2013;38:78–90.

Hsu HJ, et al. Association between cold dialysis and cardiovascular survival in hemodialysis patients. *Nephrol Dial Transplant*. 2012;27:2457–2464.

Jadoul M, et al. Modifiable practices associated with sudden death among hemodialysis patients in the Dialysis Outcomes and Practice Patterns Study. *Clin J Am Soc Nephrol*. 2012;7:765–774.

Kalantar-Zadeh K, et al. Twice-weekly and incremental hemodialysis treatment for initiation of kidney replacement therapy. *Am J Kidney Dis*. 2014;64:181–186.

Karnik JA, et al. Cardiac arrest and sudden death in dialysis units. *Kidney Int*. 2001;60:350–357.

Keen M, Janson S, Gotch F. Plasma sodium (CpNa) "set point": relationship to interdialytic weight gain (IWG) and mean arterial pressure (MAP) in hemodialysis patients (HDP) [Abstract]. *J Am Soc Nephrol*. 1997;8:241A.

Lacson, Jr, et al. Body size and gender dependent differences in mortality risks associated with ultrafiltration rates [Abstract]. *J Am Soc Nephrol*. 2013;25.

Lafrance J, et al. Predictors and outcome of cardiopulmonary resuscitation (CPR) calls in a large haemodialysis unit over a seven-year period. *Nephrol Dial Transplant*. 2006;21:1006–1012.

Locatelli F, et al. Membrane Permeability Outcome (MPO) Study Group. Effect of membrane permeability on survival of hemodialysis patients. *J Am Soc Nephrol*. 2009;20:645–654.

Movilli E, et al. Association between high ultrafiltration rates and mortality in uraemic patients on regular haemodialysis: a 5-year prospective observational multicentre study. *Nephrol Dial Transplant*. 2007;22:3547–3552.

NKF-KDOQI clinical practice guidelines; update 2006. *Am J Kidney Dis*. 2006;48(suppl 1):S2–S90.

Pirkle JL, et al. Effect of limiting maximum ultrafiltration rate in an in-center hemodialysis population [Abstract]. J Am Soc Nephrol. 2012;23:6A. Pun PH, et al. Dialysate calcium concentration and the risk of sudden cardiac arrest in hemodialysis patients. *Clin J Am Soc Nephrol*. 2013;8:797–803.

Saran R, et al. Longer treatment time and slower ultrafiltration in hemodialysis: associations with reduced mortality in the DOPPS. *Kidney Int*. 2006;69:1222–1228.

Tentori F, et al. Association of dialysate bicarbonate concentration with mortality in the Dialysis Outcomes and Practice Patterns Study (DOPPS). *Am J Kidney Dis*. 2013;62:738–746.

Tentori F, et al. Longer dialysis session length is associated with better intermediate outcomes and survival among patients on in-center three times per week hemodialysis: results from the Dialysis Outcomes and Practice Patterns Study (DOPPS). *Nephrol Dial Transplant*. 2012;27:4180–4188.

Termorshuizen F, et al for the NECOSAD Study Group. Relative contribution of residual renal function and different measures of adequacy to survival in hemodialysis patients: an analysis of the Netherlands Cooperative Study on the Adequacy of Dialysis (NECOSAD)-2. *J Am Soc Nephrol* .2004;15:1061–1070.

Twardowski ZJ. Safety of high venous and arterial line pressures during hemodialysis. *Semin Dial*. 2000;13:336–337.

Ward RA, et al. Dialysate flow rate and delivered Kt/Vurea for dialyzers with enhanced dialysate flow distribution. *Clin J Am Soc Nephrol*. 2011;6:2235–2239.

Web References

HDCN adequacy channel: http://www.hdcn.com/ch/adeq/.
NKF KDOQI guidelines for hemodialysis adequacy: http://www.kidney.org.
Urea kinetics calculators: http://www.ureakinetics.org.

12

혈액투석 중의 합병증

류지원 역

혈액투석 중의 가장 흔한 합병증은 흔한 순서대로, 저혈압, 근육경련, 울렁거림, 구토, 두통, 흉통, 요통, 가려움이다.

I. 투석 중 저혈압

투석 중 저혈압은 고통스러운 증상을 유발하기 때문만이 아니라 장기적으로 나쁜 예후와 연관되기 때문에 중요하다. 투석 중 저혈압이 있는 환자들에서 사망률이 증가하고(Flythe, 2014), 투석 중에 심근벽의 이상운동(심근 기절이라고 부르는) 위험이 증가한다(McIntyre and Ududu, 2014). 투석 중 저혈압에 대한 여러가지 정의가 있는데, 가장 낮은 수축기 혈압이 90 mmHg 보다 낮은 경우, 수축기 혈압이 20 혹은 30 mmHg 이상 저하되는 것 혹은 투석 시작시의 혈압보다 일정비율로 저하되는 것 등이 있다. 품질 보증의 목적으로 90 mmHg 미만의 최저 수축기 혈압이 사망률의 증가와 가장 밀접한 관련이 있으므로 가장 유용할 수 있다(Flythe, 2014). 투석 중 저혈압의 유병율은 투석 전 혈압이 낮은 환자에서 높다. 투석 전 혈압이 낮은 환자는 심장 질환이 있음을 의심할 수 있고 기능적 혹은 구조적으로 이상있는 심장은 체액이 제거되는 동안 혈역학적인 보상이 안될 수 있다. 또한, 투석 중 저혈압은 혈관 접근로 혈전의 위험이 높아진다(Chang, 2011). 투석 중 저혈압의 기계적인 원인은 표 12.1에 언급하였다.

A. 혈액 용적 변화와 연관된 투석 중 저혈압

용적과 연관된 투석 중 저혈압의 원인은 투석중에 체액이 제거되지 않으면 혈압이 정상적으로 떨어지지 않는다는 점에서(초기, 소량 정도만) 가장 중요하다. 그래서, 초미세여과율을 낮추는 모든 방법, 즉 투석의 매주 시간을 확장시키거나, 수분 섭취의 양을 줄이거나 소변으로 배설되는 양을 늘리거나 하는 등의 방법으로 투석 중 저혈압의 비율을 낮춰야 한다.

1. 투석 간 과도한 체중 증가를 피한다.

나트륨 제한을 강조하는 것은 투석 간 체중 증가를 감소시키는 데 수분 제한을 하는 것보다 훨씬 효과적이다(Tomson, 2001). 관찰

TABLE 12.1 투석 중 저혈압의 원인

1. 용적 관련
  a. 과도한 체중 증가(높은 초미세여과율)
  b. 짧은 주간 투석 시간(높은 초미세여과율)
  c. 너무 낮은 건체중

2. 부적절한 혈관수축
  a. 높은 투석액 온도
  b. 자율신경계 이상
  c. 항고혈압제
  d. 투석 중 식이
  e. 빈혈

3. 심장 요소
  a. 이완기 기능부전

4. 드문 원인들
  a. 심장막 압전증
  b. 심근경색
  c. 출혈
  d. 패혈증
  e. 투석기 반응
  f. 용혈
  g. 공기 색전증

연구에서는 더 많은 나트륨 섭취와 나쁜 예후가 연관이 있다는 것을 보였다(McCausland, 2012).

2. 주간의 투석 시간을 증가시킨다.

투석 시간을 증가시키는 것은 당연히, 요구되는 초미세여과율을 감소시켜(같은 체중 감소, 더 길어진 시간), 투석 중 저혈압의 빈도를 감소시킨다. 주말동안 투석간격이 길어지면, 투석 간 체중 증가가 커지고, 주말 이후에 만약 같은 투석 후 체중을 목표로 하면, 당연히 더 높은 초미세여과율이 필요할 것이다. 체액 제거에 문제가 있는 환자는 간혹 월-수-금-토 스케줄로 투석을 진행하기도 한다. 이것은 긴 주말의 투석간격을 중간에 끊고 주간 투석 시간도 늘린다.

KDOQI 2006에서는 잔여신기능이 거의 없는 환자에서, 투석 적절도(Kt/V)가 높다 하더라도, 치료시간은 3시간 이하로 낮추지 않도록(주 3회 투석시) 권유하고 있다. EBPR은 주 3회 투석하는 경우는 신체크기에 상관없이, 4시간의 치료시간이 필요하다고 권고한다. 투석 시간을 늘리지 않고 투석 횟수를 늘리는 것이 항상 투석 중 저혈압을 줄이는 것은 아니지만, 한 연구에서는 매일 단시간 투석을 했을 때, 심근 기절 정도가 감소했다는 보고가 있다(Jeffries, 2011).

3. 소변량을 유지하고 증가시킨다.

잔여신기능이 남아있는 환자는 소변량을 직접적으로 투석 중에 제거되어야 하는 체액의 양에서 소변량을 뺄 수 있다(Lemes, 2011).

4. 주의깊게 목표 체중을 선택한다.

환자의 목표 체중 혹은 '건체중'은 보통 환자의 혈압과 부종여부, 선택된 체중에 맞춰 초미세여과를 견딜 수 있는지등을 고려하여 임상적으로 주로 결정된다. 체중 결정은 센터에서 천천히 시행되는 검사 결과의 도움을 받을 수 있다. 생체 임피던스, 혈청 심방 나트륨이뇨인자(atrial natriuretic factor), 상대적인 혈액 용적 모니터, 폐초음파등이 그것이다. 투석 중 저혈압을 예방하기 위해서는 많은 환자에서 일정량의 체액과다가 필요하기 때문에 '목표 체중'이라는 단어는 '건체중'보다 적절할 수 있다. 환자가 건체중에 도달함에 따라 주변 조직공간으로부터 혈액 구획이 다시 채워지는 속도가 감소하기 때문이다. 높은 초미세여과율이 요구되는 환자는 투석이 진행됨에 따라 점진적으로 혈액의 회복속도가 늦어져 투석 끝 무렵에 일시적인 저혈량증이 발생할 수 있어 실제 건체중에 도달하지 못할 수 있다. 이때, 간혹 투석 중 저혈압으로 인한 근육경련, 현기증, 투석 후 무기력증이 동반되기도 한다. 더 나쁘게 심장, 뇌, 장의 관류 저하는 누적된 부작용을 유발할 수 있다.

투석 중 적혈구 용적율 모니터는 건체중이 너무 높은 경우를 알수 있게 도와준다. 체액 제거에도 불구하고, '평행선' 적혈구 용적율 반응은(투석중 증가 없는 것) 신속한 혈액량의 회복을 나타내며, 체액 과다를 의미한다. 하지만 임상적으로 사용된 이 데이터로 시행한 무작위 연구는 입원율이 감소되기보다 역설적으로 오히려 증가된 것을 보여주었다(Reddan,2005). 혈액 농축의 특정농도를 확인하는 것은 투석 중 저혈압을 피하는데 유용하지 않은 것으로 보인다.

투석 후 목표체중에 맞추기 위해 다중주파수 생체 임피던스 장치를 사용하는 것이 대중화되고 있다. 체액과다를 줄이는 것은 나쁜 예후와 밀접한 관련이 있는 좌심비대의 유병률을 낮춘다. 기술적인 지도없이 적극적으로 혈압을 낮추는 것은 투석 중 저혈압이 증가하는 것에 영향을 주고(Davenport, 2008), 혈관 접근로의 기능부전과 심혈관질환으로 인한 입원의 위험을 높인다(Curatola, 2011). 다중주파수의 생체 임피던스 모니터는 뚜렷한 부작용없이 혈압과 좌심실 질량 감소와 관련이 있지만(Hur, 2013), 목표 체중을 더 낮추기 위해 생체 임피던스를 사용한 환자에서 소변량이 손실되는 속도가 더 빨랐다.

5. 적절한 투석액과 나트륨을 사용한다.

투석액의 나트륨이 혈청보다 낮을 때, 투석기에서 되돌아오는 혈액은 주변 조직 공간의 체액에 비해서 삼투압이 낮다. 삼투압성 평형을 유지하기 위해서 수분은 혈액을 빠져나오게 되어, 혈액 용적의 급격한 감소가 발생한다. 투석액의 나트륨 농도가 높을 수록, 초미세여과를 수반하는 혈액량은 감소가 덜하지만, 투석 간 체중 증가, 혈압, 투석 후 구갈 증상등이 증가할 수 있다.

소위 나트륨 모형화(나트륨 차이 투석)라고 불리는 방법이 널리 사용되고 있다. 일반적으로 높은 농도의 나트륨이 포함된 투석액을 치료 초기에(145~155 mM) 사용하여 치료 후반에 낮은 수준으로 (135~140 mM) 점진적으로 떨어뜨린다(일직선, 단계별, 혹은 로그치환). 높은 농도의 나트륨 투석액의 장점을 합병증 없이 얻는 것이 목표이다. 이 주제에 대한 많은 연구를 검토했을 때, 나트륨 모형화에 대한 장점들은 불확실하였다(Stiller,2001). 또한, 환자의 투석 후 혈청 나트륨은 투석액 나트륨의 끝무렵의 농도가 아니라, 치료의 시간 평균 농도를 의미함을 유의해야 한다.

널리 사용하도록 설정된 투석액 나트륨 대신에, 환자의 투석 전 혈청 값에 가깝게 고정된 농도를 사용한, '개별화된' 투석액의 나트륨은 투석 중 구갈같은 증상을 감소시킬 수 있다(Santos, 2010). 최근의 자료는 상대적으로 높은 투석액 나트륨(>142 mmol/L)을 사용하는 것이 투석 중 저혈압의 위험이 높은 취약한 환자에게 도움이 될 수 있다는 것을 보여준다. 투석 중 저혈압이 반복되는 환자의 예후는 높은 나트륨 농도의 투석액을 사용하는 환자보다 더 좋지 않기 때문이다(Marshall and Dunlop, 2012). 반대로 상대적으로 낮은 농도의 나트륨이 있는 투석액은 투석간 체중 증가를 감소시켜 초미세여과율을 낮추기 때문에 투석 중 저혈압을 줄일 수 있다.

6. 피드백 회로를 이용한 혈액 용적 조절 장치

수년간, 소프트웨어는 투석 중 환자의 혈액량 모니터에 근거하여 초미세여과율의 개선된 피드백 제어를 허용해 왔다. 일부 무작위 연구는 그러한 피드백 장치가 투석으로 인한 저혈압의 발생률을 낮추고, 나트륨이 투석 전보다 높아지는 것을 피할 수 있음을 시사한다(Davenport, 2011).

B. 혈관 수축 부족과 관련된 저혈압

저혈량상태에서는, 심박출량은 심장의 충전(filling)에 따라 제한을 받는다 : 이런 상태에서는, 말초 혈관 저항이나 심장 충전 중 하나만 감소해도 저혈압이 발생할 수 있다. 심장 충전이 감소한 상태에서, 심박수의 증가는 심박출량에 거의 영향을 주지 않는다. 전체 혈액량의 80% 이상이 정맥에서 순환하기 때문에, 정맥용량의 변화는 환자의 유효순환 혈액량과 심박출량에 중요한 영향을 줄 수 있다. 세동맥 저항이 감소하면 더 많은 동맥압이 정맥으로 흘러, 수동적인 잡아늘임과 확장을 유발하여 혈액의 유출을 증가시킨다. 혈관확장제를 투여한 정상 체액량의 환자에서는 중요하지 않지만(심장 충전이 충분하기 때문에), 이 기전은 혈액량 감소가 있을 때 저혈압을 유발할 수 있다(Daugirdas, 1991). 세동맥 수축의 정도 혹은 전체 말초 저항(TPR)은 모든 수준의 심장출량에 대한 혈압을 결정해주기 때문에 중요하다.

1. 낮은 투석액 온도

이상적으로, 투석액 온도는 환자의 동맥 온도를 투석하는 내내 초기 온도로 유지하는 온도여야 한다. 투석액 온도가 이보다 높을 때, 피부의 혈관 확장이 일어나서 열을 방출할 수 있다. 이러한 혈관 확장은 혈관 저항을 감소시키고 환자에게 저혈압이 발생하도록 만든다. 혈액 온도 모듈은 투석기에서 사용 가능하고, 환자에게 정상 온도의 치료를 제공할 수 있다. 이러한 장치 없이 투석액 온도를 조절하는 것은 문제가 있을 수 있고, 작은(1.1℃) 차이로도 혈압에 의미있는 변화를 유발할 수 있다(Sherman, 1984). 광범위하게 사용되는 투석액 온도는 37℃이고 거의 항상 정상 체온을 초과한다. 35.5~36.0℃ 정도가 더 좋은 시작 온도이나, 이것은 환자의 저항성(오한)이나 효율성(혈압)에 따라 높고 낮음을 조절할 수 있다. 차가운 투석액은 투석액의 온도가 적정수준(알려지지 않았으나)이하일때만 환자가 불편함을 느낄 수 있다. 정상 온도의 투석액은 떨림, 드물게는 오한과도 관련이 없다(Maggiore, 2002). 한 그룹의 환자에게 개별화된 투석액 온도를 설정해보았다. 고막 온도를 재고, 투석액 온도는 이보다 0.5 ℃ 낮게 설정한다. 개별화된 투석액 냉각 시스템은 모든 환자에서 일정한 수준으로 투석액 온도를 낮췄을 때 흔하게 발생하는 추위와 오한을 피할 수 있도록 하였다(Odudu, 2012). 개별화된 냉각 투석액은 보다 짧은 투석 후 회복시간을 제공하고, 혈압을 잘 유지하도록 하며, 심근 기절을 감소시키고, 진행성 허혈관련 뇌백질 손상을 감소시킨다(McIntyre, 2014).

많은 연구들은 혈액투석여과(HDF)가 초미세여과를 더 잘 견딘다고 하며 혈액투석(HD)보다 투석 중 저혈압이 적다고 보고한다. 하지만 혈액투석여과의 장점은 주로 대체액의 냉각효과로 인하여 체외순환회로의 온도가 더 낮기 때문으로 보인다. 체외회로에서 이동한 열이 일정하게 유지될 때, 혈액투석보다 나은, 혈압과 연관된 혈액투석여과의 장점은 더 이상 찾을 수 없었다(Kumar, 2013).

2. 저혈압 위험이 있는 환자는 투석 중 음식 섭취를 피한다.

투석 중 식사는 혈압의 저하를 촉진하거나 강화시킨다(Sherman, 1988; Strong, 2001). 그 효과는 장 혈류에서 저항 혈관이 확장되는 것인데, 이것이 말초혈관저항을 감소시키고, 장 정맥 혈류를 증가시킨다(Barakat, 1993). 혈압에 대한 '음식 효과'는 최소 2시간정도 지속된다. 투석 중 저혈압의 위험이 있는 환자는 투석 전이나 도중에 음식을 섭취하면 안된다.

3. 투석 중 조직 허혈의 최소화

저혈압이 발생한 모든 경우에서, 유발되는 조직 허혈은 아데노신을 분비시킨다. 아데노신은 교감신경말단에서 노르에피네프린의 분비를 억제하면서 또한, 내재적으로 혈관을 확장시킨다. 심각한 저혈압은 그 자체로 더 악화될 수 있다: 저혈압 → 허혈 → 아데노신 분비 → 노르에피네프린 분비 억제 → 혈관확장 → 저혈압

이것은 낮은 적혈구 용적율을 가진 환자(20~25%)에서 투석 중 저혈압에 매우 취약하다는 임상소견의 한 가지 근거일 수 있다 (Sherman, 1986). 현재는 저혈압을 유발할 정도의 빈혈을 가진 환자는 거의 없다. 중환자 치료에서 급성 질환 환자의 수혈을 강력하게 거부하는 것이 현재의 경향이긴 하지만, 이런 경우의 환자는 수혈을 통해 좋아질 수 있다. 저혈압 위험이 있는 환자에게 비강내 산소 투여는 조직 허혈과 투석 중 저혈압을 예방하는 또다른 방법이기도 하다(Jhawar, 2011).

4. 미도드린(Midodrine)

미도드린, 경구 알파 아드레날린 작용제로 투석 중 저혈압의 빈도를 감소시킨다. 투석 전 경구 10 mg를 1.5~2시간 전에 투여하는 것이 일반적이고, 40 mg까지의 사용도 보고되었다. 누워있을 때의 고혈압이 용량을 제한하는 가장 중요한 요소이다. 급성 심장 허혈 질환(단순히 관상동맥질환만이 아님)된 질환에는 금기이다. 알파 아드레날린 억제제를 병용하는 것은 미도드린의 효과를 상쇄시킨다. 이 약이 특별히 자율신경계 이상이 있는 환자(투석 환자의 반수)에서 효과가 있는지에 대해서, 이론적으로 그럴 수는 있지만, 이에 대한 근거는 없다. 미도드린의 한 가지 문제는 효과가 냉각 투석액을 사용하는 경우에 추가적인 효과가 없다는 것이다(Cruz, 1999).

5. Sertaline

최소 3가지의 연구가 선택적인 세로토닌 재흡수 억제제 sertaline의 4~6주 치료가 투석 중 저혈압을 감소시킨다고 보고를 하였다. 이 약은 자율신경 기능을 개선시킨다고 한다(Yalcin, 2003). 미도드린과 마찬가지로, sertaline은 냉각 투석액을 사용할 때, 투석 중 저혈압에 대해서 추가적인 보호효과를 보여주지 못했다.

6. 항고혈압제

투석 전에 복용하는 항고혈압제는 용적 제거에 따라 보상하는 능력에 부정적인 영향을 준다. 혈관 확장 능력이 있는 약들이 다른 기전을 가진 약제보다 더 문제가 있는지는 연구되지 않았다.

7. 투석액 칼륨 농도

투석액의 낮은 칼륨 농도(1 mEq/L)는 더 잦은 투석 중 저혈압과 연관이 있다. 아마도 자율신경계 심혈관계 시스템이 보상하는 능력에 악영향으로 생각된다. 가능하다면, 더 높은 칼륨 농도를 사용하는 것이 부정맥 효과를 감소시키고 혈역학적인 이익을 줄 수 있을 것이다.

8. 플루드로코르티손(fludrocortisone)

한 예비 연구는 5명의 투석 환자에서 투석 전 혈압이 낮고, 투석 중 저혈압에 반응이 없을 때, 무작위로 낮은 알도스테론 수치가 관찰되었음을 보고하였다(Landry, 2011). 모든 환자는 cosyntropin test에는 정상이었다. 그들의 혈압은 플루드로코르티손을 사용하고 나서 좋아졌고, 초미세여과 용적이 증가하였으며, 투석 중 저혈압의 비율이 감소하였다. 정상 부신 호르몬 수치의 저혈압 환자들에게 플루드로코르티손을 사용했을 때는 아무 효과가 없었다.

9. 바소프레신(vasopressin)

바소프레신은 정상적으로 저혈압일 때 증가하지만, 투석 환자에서는 간혹 정상보다 낮게 증가한다. 바소프레신은 체액이 제거되는 동안, 우선 장혈류를 수축시키고, 혈류 용적을 중심부로 재분류시킨다. 한 연구에서는 바소프레신 주입이 투석 중 저혈압의 유병율을 감소시켰다고 하였다(van der Zee, 2007).

C. 심장 요소와 관련된 저혈압

1. 이완기 기능부전

딱딱하고 비대한 심장은 충전 압력이 조금만 떨어져도 박출량이 특히 감소된다. 이완기 기능부전은 투석 환자에서 고혈압, 관상동맥 질환, 요독증의 영향 때문에 혼하다. 고혈압 약제로 베라파밀(verapamil)을 사용하는 것이 이런 환자에서 투석 중 저혈압을 줄이는데 도움을 준다는 연구가 있다.

2. 심장 박동과 수축력

대부분, 투석 저혈압은 심장충전이 감소되는 것과 연관이 있는데, 이런 상황에서 심장 보상 기전은 심박출량을 거의 증가시키지 못한다. 어떤 환자는 심장 충전이 감소되지 않아도 말초혈관저항이 저하될 수 있다(온도 효과, 음식 섭취 혹은 조직 허혈 때문에). 이런 상태에서는 심장 보상 기전의 손상은 저혈압을 유발하는 직접적인 역할을 할 수 있다.

3. 투석액의 칼슘

투석액의 칼슘농도가 1.75 mM 정도인 경우는 특히, 심장 질환을 가지고 있는 경우 1.25 mM의 투석액보다, 심장 수축력을 증가시키고 투석 중 혈압을 유지하는데 도움을 준다(van derer Sande, 1998). 하지만 만성적인 외래 환자에서는 (중환자실과 반대로) 증상있는 투석 중 저혈압이 높은 칼슘 농도의 투석액을 사용한다고 해서 덜 일어나는 것은 아니다(Sherman, 1986). 높은 칼슘 농도의 투석액은 혈관 석회화에 영향을 줄 수 있어서 장기간 사용하지 않는 경향이 있다. 투석액의 마그네슘은 투석 저혈압에 영향을 줄 수 있지만, 더 높거나 낮은 농도로 사용해야 하는지에 대해서는 논의

중이다(10장).

D. 투석 중 저혈압의 드문 원인들

드물게, 투석 중 저혈압은 숨겨진 심각한 질환의 징후일 수도 있다. 표 12.1에 원인이 언급되어 있다.

E. 저혈압의 발견

대부분의 환자는 저혈압이 발생하면 어지러움, 가벼운 현기증이나 울렁거림을 호소할 수 있다. 어떤 환자는 근육경련을 호소하기도 한다. 일부 환자는 환자에게 친숙한 의료진만이 알아차릴 수 있는 애매한 증상을 보이기도 한다(의식소실, 시야 암전). 환자 스스로는 꽤 자주 투석 중 저혈압을 암시하는 증상을 잘 알고 있다. 어떤 환자는 혈압이 매우 심하게 떨어질 때까지(위험할 정도로) 증상이 없기도 한다. 이러한 이유로 혈압은 투석 시간동안 주기적으로 측정되어야 한다. 시간마다, 30분마다 혹은 더 자주 측정해야 하는지에 대한 것은 환자별로 다르다.

F. 투석 중 저혈압의 치료

급성 저혈압의 치료는 간단하다. 환자를 trendelburg 자세로 눕히고 (호흡상태가 괜찮으면), 0.9% 식염수를 부하용량으로(100 mL 혹은 필요하면 그 이상) 빠르게 혈액 회로로 주입한다. 초미세여과율은 0에 가깝게 줄여야 한다. 그 후 주의깊게 환자를 관찰한다. 초미세여과는 (처음엔 저속으로) 혈압이 안정되면 다시 시작한다. 식염수 대신에, 포도당, 만니톨 혹은 알부민 용액 등이 저혈압 환자에게 사용될 수 있다 : 알부민은 비싸고 다른 방법보다 더 효과적이지도 않다(knoll, 2004). 만니톨은 누적되어 이후의 투석에서 효과가 감소한다. 투석 중 저혈압은 고장성 식염수(2분 이상)를 빠르게 주입하면 천천히(5분이상) 주입하는 것보다 빠른데, 5분이상 주입하는 것은 0.9% 생리 식염수로 투여된 나트륨 부하와 동등한 효과를 나타낸다. 바소프레신에서 긴장성을 유도하여 혈압을 증가시키는 효과와 차별되는 근거일 수 있다 (Shimizu, 2012). 하지만 만약 투석액의 나트륨이 높으면 고장성 식염수의 사용은 주의가 필요하다. 저혈압이 발생했을 때, 비강내 산소 주입은 일부 환자에서는 효과있을 수 있지만, 대체적으로 효과있지 않다(Jhawar, 2011).

1. 혈류 속도를 늦춘다.

평형판(plate) 투석기와 아세트산 투석액이 사용되고 초미세여과 조절 시스템이 없던 시기에 투석 중 저혈압의 치료법으로 혈류 속도를 줄이는 방법이 개발되었다. 늦춘 혈류 속도는 (a) 투석 중 혈액량을 줄이고, (b) 아세트산(혈관확장제)이 환자에게 흐르는 것을 줄이고, (c) 초미세여과율을 줄이고, (d) 혈관 접근로의 '뺏김(steal)'을 줄이는 장점이 있다. '뺏김'현상은 혈류를 낮추면 혈관 접근로 흐름을 감소시키고 전신혈류를 증가시킬 수 있다고 생각되었으나, 이

TABLE 12.2	**투석 중 저혈압을 예방하는 계획**

1. 투석액 온도를 35.5 ℃ 혹은 개별화시켜 환자의 고막 온도를 측정하여 0.5 ℃ 정도 낮은 투석액 온도를 설정하여 사용한다.

2. 식이의 나트륨 섭취와 다른 과다한 수분 섭취의 원인을 검토한다. 수분 섭취는 이상적으로 소변이 없는 환자에서는 하루에 1 L미만이어야 한다. 만약 투석 전 혈청 나트륨이 낮다면, 혈청 나트륨에 대해 투석액의 나트륨 농도를 고려해야 한다.

3. 만일, 상당한 잔여신기능이 남아있다면 이뇨제를 써서 소변량을 증가시킨다.

4. 초미세여과율이 시간당 13 mL/kg 이 넘는다면 주간 투석 시간을 늘린다.

5. 환자의 목표 체중을 올린다

6. 반응이 없는 경우, 환자가 견딘다면, 특히 투석간 과다한 체중 증가가 문제되지 않는 한, 더 높은 나트륨 농도의(140~145 mM) 투석액을 고려한다. 만일 투석간 체중 증가가 크면, 주의깊게 투석액의 나트륨 농도를 낮춘다.

7. 고혈압약을 투석 전이 아니라 투석 후에 준다: 작용시간이 짧은 약으로 변경한다.

8. 투석 전 혈색소 수치를 일정하게 유지한다 = 10~11 g/dL (100~110 g/L)

9. 투석중 혹은 직전에 저혈압 위험이 있는 환자는 음식을 주거나 혈당성분을 경구로 섭취하지 못하게 한다.

10. 혈액량 모니터를 사용한다.

11. 미도드린이나 sertaline을 사용한다.

12. 투석 전 수치가 괜찮으면, 더 높은 칼륨 농도(3.0 mM)의 투석액 사용을 고려한다.

는 혈관 접근로 협착이 있을 때를 제외하고는 매우 잘못된 개념이다 (Trivedi, 2005). 현재의 투석방법에서는 투석 중 저혈압을 치료하기 위해 혈류 속도를 줄이는 것은 별다른 이점이 없다. 하지만 저혈압이 심각하거나 초미세여과를 중단함에도 반응이 없고, 혈액량 확장제를 투여해도 반응이 없다면, 혈액 펌프 속도를 일시적으로 낮춰볼 수 있다. 반복적으로 혈류 속도를 늦추는 것은 용질의 제거를 감소시켜 부적절한 투석의 원인이 된다.

G. 예방

투석 중 저혈압을 예방하는 전략은 표 12.2에 있다.

II. 근육경련

A. 원인

투석 중 근육경련의 병리기전은 밝혀지지 않았다. 4가지 중요한 선행 요소는 저혈압, 저혈류량(건체중 이하), 높은 초미세여과율(과도한 투석간 체중 증가), 낮은 나트륨 농도의 투석액 사용이다. 이러한 요소들은 혈관 수축을 유발하여 근육의 관류를 저하시키고, 2차적으로 근육 이완 장애가 나타난다. 근육경련은 저혈압과 가장 흔하게 연관되어 나타난다. 경련은 간혹 적절한 혈압으로 회복되어도 지속될 수 있다. 경련의 빈도는 로그함수에 따라 체중 감량 요구량이 높아질수록 증가한다; 2, 4, 6%의 체중 소실은 경련의 빈도가 2, 26, 49% 씩 증가한다.

경련은 투석 시작하는 첫 달에 더 흔하다. 낮은 심장지수(cardiac index)를 가진 환자에서 더 흔하다. 진단적으로 혈청 크레아티닌 포스포키나아제(CK)가 매달 시행하는 검사에서 모호하게 상승하는 경우는 투석 중 근육경련에서 비롯될 수 있다. 저마그네슘혈증은 투석 중 치료에 반응없는 근육경련을 일으킬 수 있다. 저칼슘혈증도 잠재적인 원인으로 고려되어야 하며, 특히 상대적으로 낮은 칼슘 농도의 투석액으로 투석을 받는 환자(1.25 mM)와 칼슘이 없는 인 결합제나 cinacalcet을 복용하는 환자에서 더욱 고려해야 한다. 투석 전 저칼륨혈증은 투석액의 일반적인 칼륨 농도(2 mM)에 의해 악화될 수 있고 또한, 경련을 촉진할 수 있다.

B. 치료

저혈압과 근육경련이 동시에 발생한 경우 둘 다 0.9% 식염수에 반응하기도 한다. 하지만 근육경련은 드물지 않게 지속된다. 고장성 용액(식염수, 포도당, 만니톨)이 근육 혈류를 확장시키는데 더 효과적일 수 있다. 이 용액들은 근육경련의 급성 치료에 더 효과적이다. 고장성 식염수 투여는 집중적인 나트륨 부하를 일으켜 문제가 될 수 있기 때문에, 당뇨병이 없는 환자에서는 고장성 포도당 투여가 바람직하다 (Sherman, 1982). 만니톨은 특히 근육 경력이 흔하게 일어나는 시간인 투석 끝 무렵에 주입되면 투석 환자에서 누적될 수 있다. Nifedipine (10 mg)은 때때로 근육경련을 완화시킨다. 혈압을 의미있게 낮추지 않지만, nifedipine은 혈역학적으로 안정된 환자에게 경련에 대한 치료로 처방해야 한다. 경련이 발생한 근육을 억지로 늘이는 것(종아리 경련에서는 발목 굴절)이 도움이 된다. 마사지는 개인에 따라 다르다.

C. 예방

저혈압의 예방이 대부분의 경련을 예방한다.

1. 스트레칭 운동

경련이 온 근육에 대해 스트레칭하는 프로그램은 유용할 수 있으며, 투석 연관된 경련이나 수면중 경련에도 먼저 시행할 수 있는 치료이다(Evans, 2013).

2. 투석액의 나트륨

경련의 빈도는 투석액의 나트륨 농도와 역의 관계를 보인다. 나트륨을 투석 후 구갈 증상이 오기 전의 한계까지 올리면 효과를 볼 수 있고, 투석액의 나트륨 농도 차이는 간혹 투석간 체중 증가와 혈압을 증가시키지만, 경련을 확실히 줄일 수 있다.

3. 투석액의 마그네슘

투석 전 마그네슘, 칼슘, 칼륨 수치가 낮지 않도록 하는 것이 도움이 된다. 한 연구에서는, 0.5 mM (1 mEq/L)의 마그네슘이 포함된 투석액을 사용하면 0.375 mM (0.75 mEq/L) 농도를 사용할 때보다 근육경련이 덜 일어났다(Movva, 2011). 마그네슘 보충은 비요독증 환자에서는 유용하지 않은 듯 하지만, 투석 환자에는 주의깊게 보충되어야 한다. 인 결합제로서 Osvaren(칼슘 아세트산/마그네슘 카보네이트 결합제)의 사용은 sevelamer와 비교해서 경련의 유병율에 별다른 변화를 주지 못했다.

4. 비오틴(Biotin)

비오틴, 하루에 1 mg은 기저 혈청 수치가 대조군보다 높았음에도, 투석 중 경련을 개선시킨다고 한다(Oguma, 2012). 이 연구는 비오틴이 더 널리 권장되기 전에 확인되어야 한다.

5. 카르니틴(Carnitine), oxazepam, 비타민 E

투석 환자에게 카르니틴 보충과 oxazepam (5~10 mg, 투석 2시간 전 투여), 비타민 E의 투여는 투석 중 경련을 감소시킨다고 한다(Evans, 2013).

6. 압박장치

연속적인 압박장치가 도움이 될 수 있다(Ahsan,2004).

7. 퀴닌(Quinine)

투석 전 퀴닌 황산염(Quinine sulfate)의 투여는 투석 중 경련의 예방에 효과적이지만, 혈소판 감소증, 과민반응, QT 연장의 부작용이 있어 추천할 만하지 않다. FDA는 다리 경련에 퀴닌을 사용하는 것에 대해 건강 전문가들의 도움을 받도록 하는 여러가지 지침서를 발표했다.

III. 구역과 구토

A. 원인

구역이나 구토의 발생은 일반 투석 치료에서 10%에 이른다. 원인은 여러가지이다. 안정된 환자에서 발생하는 대부분의 경우는 저혈압과 관련이 있다. 구역이나 구토는 불균형 증후근의 초기 증상일 수도 있다. 투석기 반응의 A형과 B형 모두 구역과 구토를 일으킬 수 있다. 위마비는 당뇨병 환자에서 매우 흔하고, 비당뇨병 환자에서도 볼 수 있는데, 투석에 의해서 증상이 악화되어 상기 증상을 유발할 수 있다. 오염되었거나 부적절하게 섞인 투석액(높은 나트륨, 칼슘)도 여러 증상 중의 하나로 구역과 구토를 일으킬 수 있다. 투석 환자는 다른 환자보다 더 쉽게 구역, 구토가 발생하는 듯 하다(호흡기 감염, 진정제 사용, 고칼슘혈증). 투석은 그런 경향이 있는 환자에서 이러한 증상을 촉진시킬 수도 있다.

B. 치료

첫 단계는 연관된 저혈압을 치료하는 것이다. 특히 저혈압으로 인해 의식이 저하되는 경우는 구토로 인한 흡인의 위험이 있어 문제가 될 수 있다. 필요에 따라 구토를 유발하는 다른 원인에 대해서도 항구토제를 처방할 수 있다.

C. 예방

투석 중 저혈압을 피하는 것이 가장 중요하다. 혈역학적인 것과 상관없이 증상이 지속된다면 metoclopramide로 효과를 볼수 있다. 투석 전 5~10 mg 의 투여가 충분하다.

IV. 두통

A. 원인

두통은 투석 중에 70%의 환자에서 나타난다. 원인은 크게 알려져 있지 않다. 불균형 증후군의 모호한 증상일 수도 있다(VII 를 참고). 커피를 마신 환자에서 혈중 카페인 농도가 투석하는 동안 급격하게 감소하므로, 두통이 카페인 금단 증상으로 나타날 수 있다. 투석은 편두통의 과거력이 있는 환자에서 증상이 악화될 수 있다. 비특이적이거나 특별히 심한 두통은 신경학적인 원인(특히 항응고제에 의한 출혈)을 살펴봐야 한다.

B. 치료

아세트아미노펜(acetaminophen)이 도움이 된다.

C. 예방

투석액의 나트륨 농도를 줄이는 것이 높은 나트륨 농도로 치료받던 환자에서는 도움이 될 수 있다. 소량의 커피는 카페인 금단 증상을 예방하거나 치료할 수 있다. 투석 중에 두통을 호소하는 환자는 마그네슘 부족일 수도 있다(Goksel, 2006). 신부전 환자에서 마그네슘의 위험성을 되새기면서 주의깊게 마그네슘을 보충해 볼 수 있다.

V. 흉통과 요통

미약한 흉통이나 흉부 불편감(간혹 요통과 연관된)은 투석 환자에서 1~4% 정도 발생한다. 특별한 치료나 예방법이 있지 않고, 투석막을 다양하게 변화시켜 보는 것이 도움이 될 수 있다. 투석 중 협심증의 발생은 흔하지만 흉통을 유발하는 다른 질환을(객혈, 공기 색전증, 심낭막염) 감별해야 한다. 협심증의 치료와 예방은 38장에 언급하였다.

VI. 소양증

투석 환자에서 흔한 문제인 소양증은 투석으로 촉진되거나 악화된다. 다른 알려진 증상과 동반되어 투석 중에만 나타나는 소양증은 투석기나 혈액 회로 구성물질에 대한 약한 과민 반응일 수 있다. 하지만 대개 소양증은 만성적으로 나타나며, 환자가 어쩔 수 없이 장시간 계속 앉아있는 동안

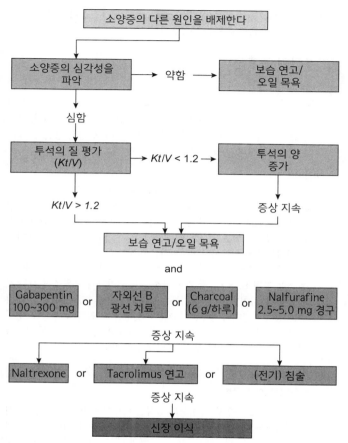

그림 12.1 소양증 치료 알고리즘

치료의 과정에서 나타난다. 바이러스(혹은 약제 관련) 간염, 옴은 소양증의 다른 원인일 수 있으니 간과해서는 안된다.

만성적으로 보습제를 이용하여 피부를 보습하고 윤활시키는 것이 좋은데, 이것이 첫 번째 치료법이다. 높은 투석 적절도(Kt/V)가 소양증을 개선시킨다는 증거는 신빙성이 없지만, 투석이 적절하고, 투석 적절도가 최소 1.2이상이 되는지 확인을 해야 한다. 소양증은 간혹 칼슘이나 인이 높은 경우와 부갑상샘 호르몬이 상당히 높은 환자에서도 발생한다. 칼슘과 인을(정상 하한치) 그리고 부갑상샘 호르몬을 낮추는 것이 필요하다.

항히스타민을 이용한 일반적인 증상 치료가 유용하다. Gabapentin(혹은 pregabalin), 자외선 치료, 경구 charcoal, nalfuralfine이 다음 치료방안이 될 수 있고, naltrexone이나 tacrolimus 연고가 도움이 될 수 있다(그림 12.1)(Mettang and Kremer, 2014).

VII. 불균형 증후군

A. 정의

불균형 증후군은 투석 중 혹은 이후의 투석에서 나타날 수 있는 특징적인 뇌파검사소견과 관련된 전신적이고, 신경학적인 증상이다. 초기 증상은 구역, 구토, 불안증, 두통이다. 더 심각한 증상은 경련, 둔해짐, 혼수상태 등이다(40장 참고).

B. 원인

불균형 증후군의 원인은 논란이 많다. 가장 신뢰성 있는 것은 뇌내 수분이 갑자기 증가한 것과 연관이 있다는 것이다. 투석하는 동안 혈청 용질이 빠르게 낮아질 때, 혈장이 뇌세포에 비해 삼투압이 낮아져 수분이 혈청에서 뇌조직으로 흐른다. 뇌척수액의 pH가 투석 중에 빠르게 변하는 것을 원인이라고 주장하는 의견도 있다.

불균형 증후군은 20여년 전에는 매우 심각한 문제였고, 그때는 매우 높은 혈청 요소 농도를 가진 급성 요독 환자가 투석을 길게 하는 것이 흔했다. 하지만 장기 투석 환자에서 구역, 구토 또는 두통으로 나타나는 경미한 형태의 증후군이 여전히 발생할 수 있다. 혼수상태, 경련 등의 증상이 나타나는 심각한 불균형 증후군은 심한 급성 요독 환자가 너무 적극적으로 투석을 받을 때 발생할 수 있다.

C. 치료

1. 중등도의 불균형

구역, 구토, 불안증, 두통등의 증상은 비특이적이다. 이런 증상들이 발생했을 때, 불균형 때문에 발생했다고 확신할 수 없다. 만약 투석 중 급성 요독 환자에서 경미한 불균형 증상이 나타나면, 혈류 속도를 줄여 용질 제거 효율과 pH 변화를 줄여야 하고, 계획보다 일찍 투석을 끝내는 것도 고려해야 한다. 근육경련이 있으면 고장성의 생리식염수나 포도당 용액을 사용할 수 있다.

2. 심각한 불균형

경련이나, 둔해짐, 혼수상태가 투석 동안 발생하면 즉시 투석을 중단해야 한다. 심각한 불균형 증후군의 감별진단도 고려해야 한다(40장 참고). 경련의 치료는 40장에서 언급하였다. 혼수상태의 치료는 보존적이다. 기도가 확보되어야 하고 필요하다면 기계호흡 치료를 적용한다. 정맥으로 만니톨을 투여하는 것이 효과가 있다. 혼수상태가 불균형 때문이면 환자는 24시간이내 호전된다.

D. 예방

1. 급성 투석

급성 요독 환자에 대한 투석을 계획할 때 과도하게 적극적으로 치료를 처방하면 안된다(10장 참고). 혈청 요소의 감량 목표는 초기에 40% 정도로 제한해야 한다. 낮은 나트륨 농도의 투석액(혈청 농도보다 2~3 mM정도 높은)을 사용하는 것은 뇌부종을 악화시킬 수 있으므로 피해야 한다. 고나트륨혈증의 환자에서는 혈청 나트륨 농도와 요소를 동시에 교정하려고 하면 안된다. 초기에 혈청 나트륨 농도와 비슷한 투석액으로 고나트륨혈증 환자를 투석하고 5% 포도당으로 투석 후에 고나트륨혈증을 교정하는 것이 안전하다.

2. 만성 투석

나트륨 농도가 최소 140 mM인 투석액을 사용하면 불균형 증후군의 발생률을 줄일 수 있다. 투석 중 발생하는 증상의 빈도는 투석액 포도당 농도가 200일때와 100 mg/dL (11일때와 5.5 mM)일때나 비슷했다(Raimann, 2012). 높은 나트륨 농도의 투석액(145~150 mM)으로 시작하여, 치료하는 동안 낮추는 방법을 권유하고 있다.: 초기의 높은 투석액 나트륨은 혈청 나트륨을 높여서, 초기에 요소와 다른 용질이 혈청에서 빠르게 제거되면서 발생하는 삼투압 효과를 상쇄시킬 수 있다. 이런 방식은 불균형으로 인한 투석 중 증상의 유병율을 감소시킨다는 근거들이 있지만, 투석하는 동안 투석액에서 혈액으로 나트륨이 확산되면서 투석간 체중 증가 및 혈압상승이 악화될 수 있다.

VIII. 투석기 반응

아나필락시스와 원인 모를, 정확하게 정의되지 않은 부작용을 모두 포함하는 광범위한 개념이다(Jaber and Pereira, 1997). 과거에는, 이런 새로운 반응의 많은 부분이 새로운 투석기를 사용할 때 훨씬 잦았기 때문에, '최초 사용' 증후군이라는 이름으로 분류되었다. 하지만 재사용하는 투석기에서도 비슷한 반응이 나타났고 이제는 좀더 일반적인 범주로 논의해야 한다. 2가지 타입이 있는데, 아나필락시스 형(A), 비특이적인 형(B) 이 있다. B형의 발생은 지난 수십년동안 상당히 감소하고 있다.

A. A형(아나필락시스)

1. 증상

심각한 반응이 일어날 때, 증상은 아나필락시스 증상 그대로 나타난다. 호흡곤란, 죽을 것 같은 느낌, 혈관 접근로와 전신의 열감등이 흔하게 나타나는 증상이다. 심정지와 사망까지도 발생한다. 미약한 경우는 소양증, 두드러기, 기침, 재채기, 콧물, 눈물 등으로 나타난다. 복통이나 설사같은 위장관 증상도 나타난다. 아토피나 호산구증이 있는 환자들은 이러한 증상이 일어날 위험이 높다. 증상은 보통 투석 시작후 처음 수분 동안에 나타나지만 시작시점은 경우에 따라 최대 30분 이상 지연될 수 있다.

2. 원인

a. 에틸렌 옥사이드

과거의 대부분의 A형(아나필락시스) 반응은 에틸렌 옥사이드에 대한 과민반응 때문이었는데, 이것은 투석기를 소독하기 위해 광범위하게 사용되었던 것이다. 에틸렌 옥사이드는 유공 섬유를 고정시키는데 사용되는 혼합물 용기에 축적되는 경향이 있는데, 판매 전에 가스제거를 통해 이것을 제거하는 데 방해가 된다. 제조사는 현재 소독을 위해 다양한 방법을 (감마방사선, 증기, 전기빔) 사용하는데, 에틸렌 옥사이드를 사용하는 경우 투석기에 잔여물이 거의 남아있지 않도록 관리했다. 그래서 에틸렌 옥사이드에 대한 과민반응은 현재 흔하지 않다.

b. AN69 연관된 반응

AN69 투석막(acrylonitiril-sodium methallyl sulfonate)으로 투석하는 환자들에서 처음 보고되었는데, 그 환자들은 ACE 억제제를 복용하고 있었다. 이 반응은 bradykinin 체계에 의해 매개된다고 생각된다. 음전하를 띤 AN69 투석막은 bradykinin 체계를 활성화시키는데, ACE 억제제는 bradykinine 이 불활성되는 것을 억제하기 때문에 효과가 증폭된다. AN69로 투석하는 환자의 경우, 혈청 bradykinin의 기저치가 더 높았으며, 반응이 일어나는 동안은 상당히 증가했다. 안지오텐신 수용체 차단제가 ACE 억제제보다 bradykinin 반응을 덜 유발한다(Ball, 2003). ACE 억제제와 연관된 반응이 PAN (polyacrylonitrile)을 기본으로 하거나 그렇지 않은 투석막과 어느 정도의 범위로 발생하는지는 확실하지 않다.

c. 오염된 투석액

A형 투석 반응은 많은 세균과 내독소로 투석액이 오염되는 경우(특히 고투과성 투석기를 사용하는 경우)가 원인일 수 있다. 그러한 반응은 투석 시작과 동시에(2분이내) 발생할 수 있고, 보체 매개 반응은 더 지연되어 (15~30분) 나타난다. 열과 오한은 특히 이러한 반응에서 흔하게 나타난다. 세균과 내독소수준이 높을수록, 반응이 더 심해질 수 있다.

d. 재사용

아나필락시스형의 투석 반응은 재사용에서도 나타난다. 이 문제는 재사용 과정에서의 부적절한 투석기 살균과 연관이 있지만, 많은 경우에서 원인을 모른다. 20년 이상 투석하는 환자에서 균혈증의 발생이나 발열반응을 조사한 CDC 데이터의 절반이 투석기 재사용이 원인이라고 보고하였다(Roth and Jarvis, 2000).

e. 헤파린

헤파린은 간혹 두드러기, 코막힘, 천식, 아나필락시스까지도 포함하는 알러지 반응과 연관된다. 환자가 살균방법과 상관없이 다양한 다른 투석기에 알러지를 보이는 경우, 투석액 오염이 확실하게 배제된다면, 헤파린 없이 투석을 시도하거나, 구연산염으로 항응고치료를 하는 것을 고려해야 한다. 저분자량 헤파린은 헤파린에 교차반응이 있기 때문에 아나필락시스를 유발할 수 있어서 안전하지 않다.

f. 보체 조각 유출

치환되지 않은 셀룰로오즈 막을 사용하는 투석 치료를 받는 사람과 동물에서 갑작스런 폐동맥 압력의 증가가 보고되었다. 하지만 보체가 A형 투석기 반응을 일으킨다는 증거는 없다. 여러가지 연구가 보체를 쉽게 활성시키는 막(cuporphane)과 그렇지 않은 막(polysulfoane, AN69)에서 A형 반응률이 차이가 없다는 것을 보고했다.

g. 호산구증

A형 반응은 중등도의 호산구증을 가진 환자에서 더 쉽게 발생하는 경향이 있다. 투석기나 혈창 교환술에 대한 심각한 반응이 호산구 수치가 매우 높은 환자에서 보고되었다. 갑작스런 호산구 탈과립으로 인해 기관지 수축이 일어나고 다른 매개물질이 분비되는 것이 원인으로 생각된다.

3. 치료

투석기 반응의 실제 원인을 밝히는 것은 가능하지 않다. 즉시 투석을 중단하고, 혈액 회로를 잠그고 투석기와 혈액 회로를 폐기하는 것이 안전하다. 반응에 포함된 혈액은 혈관으로 되돌리지 않는다. 즉각적인 심호흡계 보조가 필요하다. 이 반응의 심각도에 따라서 정맥 항히스타민제, 스테로이드, 에피네프린 치료가 필요하다.

4. 예방

모든 환자들에서, 사용하기 전에 투석기를 적절하게 행구는 것은 남아있는 에틸렌 옥사이드와 다른 추정되는 알레르기 유발항원을 제거하는 데 중요하다. 에틸렌 옥사이드로 소독된 투석기에 A형 반응이 있었던 환자는 감마 방사선을 쬐거나 증기 살균하거나 전기빔을 이용하여 소독한 투석기로 바꿔야 한다(표 4.1). 다른 방법으로 소독한 투석기로 바꿀 때, 에틸렌 옥사이드없이 소독한 혈액 회로 사용이 필요한지는 확실하지 않다. 에틸렌 옥사이드 없는 투석기로 전환하였음에도 A형 반응이 미약하게 환자에서는, 투석 전 항히스타민제 투여가 도움이 될 수 있다. 재사용 프로그램에 환자가 참여하고, 새로운 투석기여도 첫 회 사용전에 재사용 과정을 시행하는 경우는 잠재적인 해로운 물질이나 알러지 유발물질이 더 많이 씻겨나가므로 효과적일 수 있다. 헤파린을 바꾸거나 중단하고, 보체가 덜 활성화된 투석막을 사용하고 ACE 억제제 대신에, 안지오텐신 수용체 억제제를 사용하는 것도 시도해 볼수 있다. 감작된 환자에서 투석을 시작할 때, 라텍스 노출에 대한 것도 고려해야 한다.

B. 비특이적인 B형 투석기 반응

1. 증상

B형 반응의 증상은 흉통이고 간혹 요통을 동반한다. 증상 시작은 보통 투석을 시작하고 20~40분 정도이다. 전형적으로 B형 반응은 A형 반응보다 덜 심각하다.

2. 원인

원인은 알려져있지 않다. 보체 활성화이 원인으로 생각되지만 증상 발현에 있어서의 병인기전은 확실하지 않다. 흉통과 요통은 새로운 투석기보다 재사용된 투석기에서 덜 발생하지만 이에 대해서는 논란의 여지가 있다. 투석막에 단백질이 코팅되어 생체 적합성이 증가하기 때문에 생기는 이점(표백제 재가공에서는 볼 수 없음)일 수도 있고, 혹은 잠재적인 유해 물질이 투석기에서 씻겨나가기 때문일 수도 있다. 흉통과 요통의 다른 원인이 배제되어야 하며, B형 반응의 진단은 하나의 감별진단이다. 특히, 증상이 미미한 용혈도 배제되어야 한다. 헤파린 유발 혈소판 감소증과 관련있는 급성 호흡 부전 증후군이 보고되었는데(Popov, 1997), 이것은 임상병리학적으로 B형 반응과 비슷하다.

3. 치료

치료는 보존적이다. 비강내 산소 호흡이 필요하다. 심근 경색을 의심해봐야 하며, 협심증이 의심되면 38장에 언급한대로 치료한다. 처음 한시간 정도가 지나서, 증상의 강도가 일정하게 감소하면 투석을 지속할 수 있다.

4. 예방

다른 투석막을 사용하는 것이 의미있다.

IX. 용혈

투석 중의 급성 용혈은 응급질환이다.

A. 증상

용혈의 증상은 요통, 흉부 답답함, 호흡곤란이다. 피부 침착이 심하게 나타날 수 있다. 흔하게는 포트와인 색의 혈류가 정맥 회로에서 나타나고, 원심분리한 혈액 샘플에서는 혈청이 분홍빛으로 변하고, 헤마토크릿이 심각하게 떨어진다. 대량의 용혈이 초기에 발견되지 못하면, 용혈된 적혈구에서 칼륨이 분비되어 고칼륨혈증이 일어나고 근육약화, 심전도 이상, 심정지를 유발할 수 있다.

B. 원인

급성 용혈은 2가지 상태에서 보고되었다. (a) 혈액 회로, 도관, 바늘의 폐쇄나 좁아짐, (b) 투석액과 연관된 문제이다. G6PD 결핍이 있고,

투석 전 퀴닌 황산염(quinine sulfate) 치료가 된 경우에 의한 용혈의 가능성도 고려해야 한다.

1. 혈액 회로 폐쇄/좁아짐.

꼬임이 동맥회로에서 발생할 수 있다(Sweet, 1996). 투석기 유출 혈액 회로와 정맥의 공기 트랩 챔버사이의 연결부위의 제조과정의 오류 때문에 용혈의 유행이 보고된 바 있다(CDC, 1998). 용혈은 (보통 무증상) 혈류 속도가 높고 상대적으로 바늘 크기가 작을 때 발생할 수도 있다(Da Wachter, 1997). 주기적인 혈액 회로 압력 모니터는 전부는 아니지만 많은 이러한 문제에 주목하게 할 수 있다.

2. 투석액과 관련된 문제.

다음과 같다 :

a. 과열된 투석액

b. 저장성의 투석액(수분에 비해 부족한 농축액)

c. 포름알데하이드, 표백제, 클로로아민(수도물), 구리(구리도관), 불소, 질소(물 공급), 아연, 과산화수소로 오염된 투석액(5장 참고)

C. 치료

혈액 펌프를 즉시 중단하고 혈액 회로를 잠근다. 용혈된 혈액은 매우 높은 칼륨을 포함하고 있어서 절대 재주입하면 안된다. 고칼륨혈증과 저하되는 적혈구 용적율에 대해 치료할 준비를 한다. 환자를 주의깊게 살피고, 입원시킨다. 손상된 적혈구에서 용혈이 지연되어 투석 후에도 일정시간 지속될 수 있다. 심각한 고칼륨혈증이 발생하면 추가적인 투석이나 다른 치료가 필요할 수 있다(나트륨/칼륨 교환 레진을 경구나 직장으로). 전체혈구계산(CBC), 망상적혈구, 합토글로빈, 프리 헤모글로빈, 젖산 탈수소효소(LDH), 메트헤모글로빈에 대한 검사를 시행한다. 투석액(클로로아민, 질소, 금속)과, 재가공되었다면 투석기(남은 살균제)도 다시 살펴봐야 한다.

D. 예방

혈액 회로의 폐색이나 심한 혈액 손상을 일으킬만한 펌프의 이상이 아니라면, 용혈의 원인은 투석액에서 찾아야 하므로 투석액을 채취하여 조사해야 한다.

X. 공기 색전증

공기 색전증은 빨리 발견되어 치료하지 않으면 사망에 이를수 있는 잠재적인 재앙이다.

A. 증상

1. 증상

이는 환자의 자세에 따라 다르다. 앉아있는 환자에서는 주입된 공기가 심장을 거치지 않고 대뇌정맥 시스템으로 이동하여 뇌정맥 순환을 막고, 의식소실, 경련, 사망까지도 일으킨다. 가로로 누워있는 환자의 경우는, 공기가 심장으로 들어가서 우심실에서 기포를 유발하고 폐로 들어가서, 호흡곤란, 기침, 가슴답답함, 부정맥을 유발할 수 있다. 폐 모세혈관을 공기가 통과하여 좌심실로 들어가면 공기색전증을 뇌와 심장의 동맥에서 일으킬 수 있고, 급성 신경학적 증상, 심장의 기능부전을 유발한다.

2. 징후

기포가 간혹 투석기의 정맥회로에서 보인다. 만약 공기가 심장으로 들어가면, 특유의 떨리는 소리가 심장 청진에서 들린다.

B. 원인

선행 인자와 공기 유입이 가능한 경우가 4장에서 언급되었다. 공기 유입의 가장 흔한 부위는 동맥 바늘, 펌프 전의 동맥 튜브부분, 우연하게 열린 중심정맥도관이다.

C. 치료

첫 단계는 정맥 회로를 잠그고 펌프를 중단하는 것이다. 환자는 즉시 왼쪽이 아래로 가도록 옆으로 눕고 가슴과 머리는 아래로 낮춘다. 추가적인 치료는 마스크나 기도삽관을 통해서 100% 산소를 주입하는 심폐보조요법이다. 유입된 공기가 많으면, 심방이나 심실에서 경피적으로 바늘을 찌르거나 심장 도관을 이용해서 공기를 흡인하는 것이 필요할 수도 있다.

D. 예방

4장과 10장을 참고

XI. 다른 합병증

부정맥과 심낭압전이 38장에 언급되었다. 심각한 불균형 증후군, 경련, 뇌내출혈은 40장에 언급되었다.

References and Suggested Readings

Ahmad S, et al. Multicenter trial of L-carnitine in maintenance hemodialysis patients. II. Clinical and biochemical effects. *Kidney Int.* 1990;38:912–918.

Ahsan M, et al. Prevention of hemodialysis-related muscle cramps by intradialytic use of sequential compression devices: a report of four cases. *Hemodial Int.* 2004;8:283– 286.

Brewster UC, et al. Addition of sertraline to other therapies to reduce dialysis-associated hypotension. *Nephrology (Carlton).* 2003;8:296–301.

Brunet P, et al. Tolerance of haemodialysis: a randomized cross-over trial of 5-h versus 4-h treatment time. *Nephrol Dial Transplant.* 1996;11(suppl 8):46–51.

Centers for Disease Control and Prevention (CDC). Multistate outbreak of hemolysis in hemodialysis patients. *JAMA.* 1998;280:1299.

Chang TI, et al. Intradialytic hypotension and vascular access thrombosis. *J Am Soc Nephrol.* 2011;22:1526–1533.

Che-yi C, et al. Acupuncture in haemodialysis patients at the Quchi acupoint for re-fractory uremic pruritus. *Nephrol Dial Transplant.* 2005;20:1912–1915.

Cruz DN, et al. Midodrine and cool dialysis solution are effective therapies for symp-tomatic intradialytic hypotension. Am J Kidney Dis. 1999;33:920–926.

Curatola G, et al. Ultrafiltration intensification in hemodialysis patients improves hypertension but increases AV fistula complications and cardiovascular events. J Nephrol. 2011;24:465–473.

Davenport A. Using dialysis machine technology to reduce intradialytic hypotension. *Hemodial Int.* 2011;15:S37.

Davenport A, et al. Achieving blood pressure targets during dialysis improves control but increases intradialytic hypotension. *Kidney Int.* 2008;73:759–764.

Daugirdas JT. Dialysis hypotension: a hemodynamic analysis. *Kidney Int.* 1991; 39:233–246.

Daugirdas JT, Ing TS. First-use reactions during hemodialysis: a definition of sub-types. *Kidney Int.* 1988;24:S37–S43.

De Wachter DS, et al. Blood trauma in plastic haemodialysis cannulae. *Int J Artif Or-gans.* 1997;20:366–370.

Evans EC. Hemodialysis-related cramps and nocturnal leg cramps—what is best practice? *Nephrol Nurs J.* 2013;40:549–553.

Evans RD, Rosner M. Ocular abnormalities associated with advanced kidney disease and hemodialysis. *Semin Dial.* 2005;18:252–257.

Flythe J, et al. Association of mortality risk with various definitions of intradialytic hypotension. *J Am Soc Nephrol.* 2014; in press.

Franssen CFM. Adenosine and dialysis hypotension. *Kidney Int.* 2006;69:789–791.

Geller AB, et al. Increase in post-dialysis hemoglobin can be out of proportion and unrelated to ultrafiltration. *Dial Transplant.* 2010:39:57

Goksel BK, et al. Is low blood magnesium level associated with hemodialysis head-ache? *Headache.* 2006;46:40–45.

Gunal AL, et al. Gabapentin therapy for pruritus in hemodialysis patients: a ran-domized placebo-controlled, double-blind trial. *Nephrol Dial Transplant.* 2004;19:3137– 3139.

Gwinner W, et al. Life-threatening complications of extracorporeal treatment in pa-tients with severe eosinophilia. *Int J Artif Organs.* 2005;28:1224–1227.

Herrero JA, et al. Pulmonary diffusing capacity in chronic dialysis patients. *Respir Med.* 2002;96:487–492.

Huang CC, et al. Oxygen, arterial blood gases and ventilation are unchanged dur-ing dialysis in patients receiving pressure support ventilation. *Respir Med.* 1998;92:534.

Hur E, Usta M, Toz H, et al. Effect of fluid management guided by bioimpedance spectroscopy on cardiovascular parameters in hemodialysis patients: a random-ized controlled trial. *Am J Kidney Dis.* 2013;61:857–965.

Jaber BL, Pereira JBG. Dialysis reactions. *Semin Dial.* 1997;10:158–165.

Jansen PH, et al. Randomised controlled trial of hydroquinine in muscle cramps. *Lancet.* 1997;349:528.

Jefferies HJ, et al. Frequent hemodialysis schedules are associated with reduced levels of dialysis-induced cardiac injury (myocardial stunning). *Clin J Am Soc Nephrol.* 2011;6:1326–1332.

Jhawar N, et al. Effect of oxygen therapy on hemodynamic stability during hemodi-alysis with continuous blood volume and O2 saturation monitoring [abstract]. *J Am Soc Nephrol.* 2011;22:812A.

Kimata N, et al. Pruritus in hemodialysis patients: results from the Japanese Dialysis Outcomes and Practice Patterns Study (JDOPPS). *Hemodial Int.* 2014;18:657–67.

Kitano Y, et al. Severe coronary stenosis is an important factor for induction and lengthy persistence of ventricular arrhythmias during and after hemodialysis. *Am J Kidney Dis.* 2004;44:328–336.

Knoll GA, et al. A randomized, controlled trial of albumin versus saline for the treat-ment of intradialytic hypotension. *J Am Soc Nephrol.* 2004;15:487–492.

Ko MJ, et al. Narrowband ultraviolet B phototherapy for patients with refractory urae-mic pruritus: a randomized controlled trial. Br J Dermatology. 2011;165:633.

Krieter DH, et al. Anaphylactoid reactions during hemodialysis in sheep are ACE inhibitor dose-dependent and mediated by bradykinin. *Kidney Int.* 1998;53:1026–1035.

Kumar S, et al. Haemodiafiltration results in similar changes in intracellular water and extracellular water compared to cooled haemodialysis. *Am J Nephrol.* 2013;37:320–324.

Landry DL, Hosseini SS, Osagie OJ, et al. Aldosterone deficiency as the cause of intradialytic hypotension and its successful management with fludricortisone [abstract]. *J Am Soc Nephrol.* 2011;22:94.

Lemes HP, et al. Use of small doses of furosemide in chronic kidney disease patients with residual renal function undergoing hemodialysis. *Clin Exp Nephrol.* 2011;15:554–559.

Lemke H-D, et al. Hypersensitivity reactions during haemodialysis: role of complement fragments and ethylene oxide antibodies. *Nephrol Dial Transplant.* 1990;5:264.

Locatelli F, et al.; The Italian Cooperative Dialysis Study Group. Effects of different membranes and dialysis technologies on patient treatment tolerance and nutritional parameters. *Kidney Int.* 1996;50:1293–1302.

Maggiore Q, et al. The effects of control of thermal balance on vascular stability in hemodialysis patients: results of the European randomized clinical trial. *Am J Kidney Dis.* 2002;40:280–290.

Marshall MR, Dunlop JL. Are dialysate sodium levels too high? *Semin Dial.* 2012;25:277.

McCausland FR, et al. Increased dietary sodium is independently associated with greater mortality among prevalent hemodialysis patients. *Kidney Int.* 2012;82:204–211.

McIntyre CW, Odudu A. Hemodialysis-associated cardiomyopathy: a newly defined disease entity. *Semin Dial.* 2014;27:87–97.

Mettang T, Kremer AE. Uremic pruritus. *Kidney Int.* 2014.

Movva S, Lynch PG, Wadhwa NK. Interaction of potassium, sodium with higher magnesium dialysate on muscle cramps in chronic hemodialysis patients [abstract]. *J Am Soc Nephrol.* 2011; 22:810A.

Najafabadi MM, et al. Zinc sulfate for relief of pruritus in patients on maintenance hemodialysis. *Ther Apher Dial.* 2012;16:142.

Narita I, et al. Etiology and prognostic significance of severe uremic pruritus in chronic hemodialysis patients. *Kidney Int.* 2014;69:1626–1632.

Odudu A, et al. Rationale and design of a multi-centre randomised controlled trial of individualised cooled dialysate to prevent left ventricular systolic dysfunction in haemodialysis patients. *BMC Nephrol.* 2012;13:45.

Oguma S, et al. Biotin ameliorates muscle cramps of hemodialysis patients: a prospective trial. *Tohoku J Exp Med.* 2012;227:217–223.

Parker TF, et al. Effect of the membrane biocompatibility on nutritional parameters in chronic hemodialysis patients. *Kidney Int.* 1996;49:551–556.

Parnes EL, Shapiro WB. Anaphylactoid reactions in hemodialysis patients treated with the AN69 dialyzer. *Kidney Int.* 1991;40:1148.

Pegues DA, et al. Anaphylactoid reactions associated with reuse of hollow-fiber hemodialyzers and ACE inhibitors. *Kidney Int.* 1992;42:1232.

Poldermans D, et al. Cardiac evaluation in hypotension-prone and hypotension-resistant dialysis patients. *Kidney Int.* 1999;56:1905–1911.

Popov D, et al. Pseudopulmonary embolism: acute respiratory distress in the syndrome of heparin-induced thrombocytopenia. *Am J Kidney Dis.* 1997;29:449–452.

Raimann JG, et al. Metabolic effects of dialyzate glucose in chronic hemodialysis: results from a prospective, randomized crossover trial. *Nephrol Dial Transplant.* 2012;27:1559–1568.

Reddan DN, et al. Intradialytic blood volume monitoring in ambulatory hemodialysis patients: a randomized trial. *J Am Soc Nephrol.* 2005;16:2162–2169.

Ritz E, et al. Cardiac changes in uraemia and their possible relationship to cardiovascular instability on dialysis. *Nephrol Dial Transpl.* 1990;5:93–97.

Roth VR, Jarvis WR. Outbreaks of infection and/or pyrogenic reactions in dialysis patients. *Semin Dial.* 2000;13:92–96.

Santos SFF, Peixoto AJ. Sodium balance in maintenance hemodialysis. *Semin Dial.* 2010;23:549

Sav MY, Sav T, Senocak E, et al. Hemodialysis-related headache. *Hemodial Int.* 2014.

Selby NM, McIntyre CW. A systematic review of the clinical effects of reducing dialysate fluid temperature. *Nephrol Dial Transplant.* 2006;21:1883–1898.

Seukeran D, et al. Sudden deepening of pigmentation during haemodialysis due to severe haemolysis. *Br J Dermatol.* 1997;137:997–999.

Shah A, Davenport A. Does a reduction in dialysate sodium improve blood pressure control in haemodialysis patients? *Nephrology (Carlton).* 2012;17:358–363.

Sherman RA, et al. Effect of variations in dialysis solution temperature on blood pressure during hemodialysis. *Am J Kidney Dis.* 1984;4:66–68.

Sherman RA, et al. The effect of dialysis solution calcium levels on blood pressure during hemodialysis. *Am J Kidney Dis.* 1986;8:244–227.

Sherman RA, et al. The effect of red cell transfusion on hemodialysis-related hypotension. *Am J Kidney Dis.* 1988;11:33–35.

Sherman RA, et al. Postprandial blood pressure changes during hemodialysis. *Am J Kidney Dis.* 1988;12:37–39.

Shimizu K, et al. Vasopressin secretion by hypertonic saline infusion during hemodialysis: effect of cardiopulmonary recirculation. *Nephrol Dial Transplant.* 2012;27:796–803.

Silver SM, et al. Dialysis disequilibrium syndrome (DDS) in the rat: role of the "reverse urea effect." *Kidney Int.* 1992;42:161–166.

Steuer RR, et al. Reducing symptoms during hemodialysis by continuously monitoring the hematocrit. *Am J Kidney Dis.* 1996;27:525–532.

Stiller S, et al. A critical review of sodium profiling for hemodialysis. *Semin Dial.* 2001;14:337–347.

Straumann E, et al. Symmetric and asymmetric left ventricular hypertrophy in patients with end-stage renal failure on long-term hemodialysis. *Clin Cardiol.* 1998;21:672–678.

Sweet SJ. Hemolytic reactions mechanically induced by kinked hemodialysis lines. *Am J Kidney Dis.* 1996;27:262–266.

Tomson CRV. Advising dialysis patients to restrict fluid intake without restricting sodium intake is not based on evidence and is a waste of time. *Nephrol Dial Transplant.* 2001;16:1538–1542.

Trivedi H, et al. Effect of variation of blood flow rate on blood pressure during hemodialysis. ASN Annual Meeting, Philadelphia, PA. *J Am Soc Nephrol.* 2005;16:39A.

Van der Sande FM, et al. Effect of dialysis solution calcium concentration on intradialytic blood pressure course in cardiac-compromised patients. *Am J Kidney Dis.* 1998;32:125–131.

Van der Zee S, et al. Vasopressin administration facilitates fluid removal during hemodialysis. *Kidney Int.* 2007;71:318–324.

Wikström B, et al. Kappa-opioid system in uremic pruritus: multicenter, randomized, double-blind, placebo-controlled clinical studies. *J Am Soc Nephrol.* 2005;16:3742–3747.

Yalcin AU, et al. Effect of sertraline hydrochloride on cardiac autonomic dysfunction in patients with hemodialysis-induced hypotension. *Nephron Physiol.* 2003;93:P21–P28.

13

투석기의 재사용

류지원 역

투석기관은 투석기를 같은 환자에서 여러번 사용하기도 한다. 투석기의 재사용은 안전하고 효과적인 치료가 될 수 있다. 고투과성의 생체적합한 투석기의 비용이 저하됨에 따라 미국에서의 투석기 재사용은 1990대 중반 78%에서 2013년에는 50% 정도로(환자의 47%) 떨어지고 있다(Upadhyay, 2007; Neumann, 2013). 제조업체가 다중용도로 표시한 유공 섬유 투석기만이 재가공되고 있다.

I. 재가공 기술

투석기를 여러번 사용하기 위해서 투석센터는 꼼꼼하게 의료기구 발전의회(ANSI/AAMI RD47:2002/A1:2003)에서 제정한 기준을 따라야 한다. 이러한 AAMI 기준은 노인의료보험(medicare) 말기 신부전 기구에서 설정되었다(ESRD interpretive guidance, V304-V368). 노인의료보험의 문장과 언어의 일부는 AAMI 문서와 약간 다르다. 하지만 노인의료보험과 저소득층 의료보장 제도 센터(CMS)는 AAMI 문서의 문장과 언어에 대해 책임을 지는 기능을 가지고 있다.

수동 기술을 사용해서도 안전하고 효과적인 재가공을 시행하는 것이 가능하지만, 재가공이 활발해진 것은 자동화된 기계를 통해서이다. 여러 타입의 자동화 기계가 현재 제조되고 있다. 어떤 기계는 다양한 투석기를 동시에 시행할 수 있는 능력을 가지고 있다. 자동화된 방법으로 기계 청소 순환이 재현가능하고, 전체 셀용적(TCV)(섬유다발 용적 + 헤더의 용적), 초미세여과 계수, 혈액 구간으로 가해지는 압력을 유지하는 재사용 투석기의 능력을 측정하는 다양한 질 관리 테스트들이 내장되어 있다. 자동화된 기계는 투석기 상표를 출력하고 기록을 전산화하고, 실험 결과분석을 용이하게 한다.

수동시스템을 이용하기를 원하는 의료 책임자는 과정의 각 단계를 인증해야 하고 적절한 질관리 단계와 규칙을 고수하고 일정하게 확인하는 감사기준을 설계해야 한다. 다른 한편으로, 모든 자동화된 기계는 미국의 FDA 510(K) 통관절차를 가져야 한다(510(K)시장에 출하될 기계가 최소한 안전하고 효과적이라는 것을 입증하기 위해 FDA에 맞추어 시장 출하 전에 제출하는 절차이다. 즉, 주로 시판 전 승인을 받지 않았으나 합법적으로 판매되는 상품과 실질적으로 같은 것이다). 자동화된 기계를 사용하는 의료 책임자는 의무적으로 제조사의 사용설명서를 사용해야 한다.

재가공은 3단계로 분류될수 있다. 사전 초기사용, 투석 치료, 투석 후이다.

A. 사전 초기 사용

투석기는 재고 목록에 기록되어 환자에게 할당된다(투석센터에서 비슷한 이름의 환자가 있는지 메모하면서 환자의 이름을 지울 수 없게 표시한다). 첫 사용전에, 투석기는 기본 전체 셀용적을 측정하기 위해 전처리된다. 전처리동안 투석기를 청소하고, 압력을 테스트하고, 살균제로 채운다.

B. 투석 치료

재가공된 투석기를 환자에게 사용하기 전에, 의료진(PCP)은 투석기의 색이 변하지 않았는지, 새는 것은 없는지, 헤더의 섬유에 현저하게 응고된 부분은 없는지 육안으로 살펴야 한다. 투석 센터의 의료 책임자는 '현저한 응고'의 정의를 설정해야 한다. 과산화아세트산은 증기압이 없으며, 직접적으로 접촉하는 것에 따라 효과를 나타낸다. 만약 투석기 소독에 과산화아세트산을 사용하면, 의료진은 투석기내에 소독용액이 직접 접촉이 될만큼 충분히 존재하는지 확인해야 한다. 이것은 투석기가 수평으로 되어 있을 때, 헤더의 공기-액체층을 확인하여 평가할 수 있는데, 양쪽 헤더가 최소한 2/3정도 채워져 있어야 한다. 의료진은 투석기에 살균제가 있는지 확인하고 투석기와 살균제가 직접접촉하는 시간이 특정 살균제에 필요한 최소한의 시간을 초과하는지, 투석기가 모든 요구되는 테스트를 통과하는지 확인해야 한다. 살균제의 존재는 적절한 예민도를 가진 검사지를 이용해서 확인한다. 그다음에, 투석기를 생리 식염수로 미리 시작하고 최소한의 초미세여과율로, 재순환 헹굼을 시행하는데, 혈액 구획의 재순환 속도는 최소 분당 200 mL로 하며, 투석액 구획의 투석액 속도는 분당 500 mL나 그 이상의 속도로 한다. 헹굼은 15~30분정도 지속한다. 헹굼하는 동안, 공기가 동맥 회로에 유입하는 것을 방지하는 것이 중요한데, 섬유-질이나 투석액 구획에 유입된 공기는 살균제 제거 효과를 감소시킬 수 있기 때문이다. 투석액 구획으로 유입된 공기를 배출시키기 위해 씻어내리는 동안 간격을 두고 투석기를 회전시켜야 한다. 헹굼 이후 의료진은 적절한 감도의 검사지를 이용하여 투석기, 체외 순환회로, 식염수백에 남은 살균제가 없는지 확인해야 한다.

헹굼이 완벽하게 끝나고 난 후, 어떤 이유로 치료가 지연되면, 투석을 시작하기 전에 의료진은 투석기가 준비되는 동안 투석액이나 식염수의 흐름이 방해되어 발생하는 살균제의 '반동' 여부를 재평가해야 한다. 의료 책임자는 투석 센터를 위한 가이드라인을 설정해야 하고, 한 번 사용된 투석기를 재가공하지 않고 사용하기 부적합하다고 판단하기 전까지 기계를 얼마나 유지해야 하는지를 명시해야 한다.

의료진이 치료를 시작하기 전에, 두 명의 의료진이 투석처방의 중요한 요소들이 이 환자의 치료를 위해 제대로 설정되었는지 확인하는 체크리스트를 따라야 하며 이를 '중간 휴식'이라고 한다. 재사용을 위해 중요한 요소들은 이 투석기가 환자에게 적합한지, 맞는 모델의 투석기 인지, 살균제와 접촉시간이 적절했는지, 현재 살균제가 없는지, 이 투석기가 재사용에 안전한지 확인해주는 재가공의 정보가 표시되어 있는지 등이다. 가능하다면, 환자가 이러한 과정에 같이 참여하는 것이 좋다. 의료진은 안전 체크항목에 서명해야 한다.

C. 투석 후

치료가 끝나면, 의료진은 투석기의 혈액을 환자에게 혈액 손실을 최소한으로 하면서 돌려주어야 한다. 의료진이나 재사용에 관련된 스텝은 투석기를 재가공 구역으로 옮기고 투석기 유입구가 뚜껑으로 닫혀 있는지, 동시에 옮겨진 다른 투석기와 오염되지 않았는지 확인해야 한다. 투석기는 헹굼, 청소, 테스트, 살균, 시진, 표시를 하고 다음 사용을 위해 보관된다. 의료 책임자는 AAMI 기준이나 투석기 제조사의 '사용 설명서'에서 명시적으로 기술되어 있지 않은 재사용 과정에서의 모든 단계를 검증해야 한다.

1. 헹굼과 투석 후 역 초미세여과

섬유의 지속성 유지와 투석 후 응고를 최소화하기 위해 혈액은 헤파린화된 식염수와 함께 되돌아간다. 환자가 체외회로에서 분리되면, 의료진은 투석기 섬유에 잔류하는 혈액을 돌려보내기 위해 투석액에 양압을 부가할 수 있다. 사용 후에 투석기가 신속하게 재가공될 수 없다면, 투석기는 온도가 관찰되는 컨테이너에서 2시간이내에 냉장되어야 한다(냉동은 피한다)(AAMI RD47;2002). 의료 책임자에 의해 승인된 센터는 투석기를 재가공하거나 폐기하기 전에 냉장 보관할 수 있는 기간 제한을 설정해야 한다. 일반적으로 최대 제한 시간은 치료 끝난 이후 36시간에서 48시간으로 다양하다. 스텝은 오염된 RO에 노출된 투석기는 냉장시키지 않을 수도 있다. AAMI 기준에서는 헹굼에 사용된 물을 살균해야 한다고 하지 않지만, 혈액 구획이 살균 용액외에 다른 것에 노출되면, 투석기는 신속하게 재가공되어야 한다.

2. 세척

일반적으로 이것은 2가지 단계로 이루어져 있다. 첫 번째는 투석기의 초기 헹굼과 RO 물로 헤더를 세척하는 것이다. 두 번째는 투석기를 기계에(수동방법을 통해서) 설치하고 여러가지 화학적 청소 물질을 이용해서 섬유를 추가적으로 세척하고 헹구는 것이다.

a. 물

헹굼과 재가공을 위해 사용되는 물은 최소한 AAMI 기준을 만족해야 한다. 현재 저소득층 의료 보장제도 '적용 범위 조건'(ESRD interpretive guidance, V176-V278,2008; ANSI/AAMI RD52:2004)는 2008의 AAMI 기준을 고수하도록 요구한다. 2008년에 그 기준들은 세균을 200

cfu/mL (colony forming unit/mL) 미만으로 하도록 상한치를 명시했고 내독소는 2 eu/mL (endotoxin units/mL) 미만으로 명시했다. 실제 수준은 각각 50 cfu/mL 미만이고, 1 eu/mL 미만이다. 이 수치는 저소득층 의료 보장제도에서 강화하려고 하는 기준이다. 하지만 2011년에 AAMI는 물의 최대 허용가능한 세균수를 100 cfu/mL, 내독소는 1.25 eu/mL 미만으로, 실제는 50 cfu/mL, 0.125 eu/mL 미만으로 조정했다. 엄격한 새로운 기준으로 인해, 미생물 수를 파악하기 위한 더 철저한 미생물학에 대한 기술과 배양시간의 연장이 필요했다. 2014년에 CMS는 이러한 엄격하게 변경된 기준을 포함한 '적용 범위 조건'을 변경하지 않았다. 의료 책임자가 승인한 정책과 과정은 'AAMI 기준'이라는 문구가 의미하는 바를 명시해야 한다. 최소한, 사용된 물은 저소득층 의료보험의 '적용 범위 기준'에 부합해야 한다.

b. 헹굼과 역 초미세여과

투석기가 여전히 투석기계에 걸려있는 동안, 이 과정을 식염수로(헤파린화 혹은 다른 물질화된) 시작할 수도 있지만, 가장 흔한 방법은 20~30분 동안 혈액, 투석액 구획을 통해 AAMI 표준 물(위의 설명 참고)로 세척하는 다기관에 투석기를 장착하는 것이다. 세척하는 동안, 투석액과 혈액 구획사이에서 발생하는 양의 압력차이가 유지되어 혈액 회로에서 발생하는 응고물질과 부산물을 세척하는데 도움을 준다. 이 다기관에서의 압력은 유공섬유들이 파괴되거나 와해되는 것을 피하기 위해 제조사의 설명서에 명시된 압력을 초과해서는 안된다.

이 세척 단계동안, 스텝이 헤더를 점검하고 지질과 응고물질을 제거하기 위해 세척한다. 분리 가능한 헤더캡이 없는 투석기는 RO 물로 헤더를 세척하도록 하는 보조장치가 있다. 만약 헤더캡이 제거 가능하면, 그것과 연관된 'O' 링들을 제거하여, 노출된 섬유 다발 및 채워진 혼합물의 끝부분을 직접 헹굴 수 있다.

혈액 구획을 침범하는 모든 처치는 교차 오염의 위험이 있다. 2011년 개정판에서 정의된 것처럼, AAMI 표준 물은은 살균되지 않는다. 만약 처치과정에 보조장치를 이용한다면, 이 보조장치들이 세척되어 살균제에 담겨지기 전에 하나의 투석기에만 사용되도록 명시해야 한다. 시행과정에서 헤더캡을 분리시킬 수 있으면, 'O' 링은 투석기에서 교체되기 전에 소독제(표백제, 과산화아세트산)에 노출되어야만 한다. 스텝은 노출된 섬유 다발의 끝부분이 손상되지 않도록 주의해야 한다. 투석기 헤더 세척의 단계에서 제대로 진행하지 못하면 혈액 감염과 발열발생의 원인이 될 수 있다.

재가공 장치의 최근 모델은 많은 양의 응고와 부산물을 섬유 다발이나 헤더에서 효과적으로 제거하지 못한다. 앞서 설명한 세척 전 단계를 투석기에 시행해야 한다. 투석기 재가공의 새로운 기계는(ClearFluxTM, from novaflux corporation, Princeton, NJ) 재가공 전에 살균되지 않은 물로 시행하는 세척 전 단계가 필요하지 않다. 이 특별한 기계에서 재가공의 첫 단계는 압축된 공기와 전매특허의 세정제를 투석기를 통해 혼합시키는 것이고 이 혼합물은 투석기 헤더에서 응고물질을 효과적으로 제거한다(Wolff, 2005).

c. 표백제

0.06%나 그 이하로 희석시킨 하이포아염소산나트륨(표백제)는 투석기 유공 섬유를 막을 수 있는 단백질성 물질을 녹인다. 사용된 표백제는 염료나 향이 없어야 하고, 세척과 살균에 적합하다고 EPA에 명시되어야 한다.

d. 과산화아세트산

과산화아세트산(초산염과 과산화수소의 혼합물)은 가장 흔하게 사용되는 세정제이다(HICPAC, 2008). 과산화아세트산은 전매특허된 것과 복제약품이 있다. 과산화아세트산은 투석막에 침착된 단백질을 완벽하게 제거하지 못할 수도 있다.

3. 투석기 시행 테스트

투석막이 온전한지, 투석막의 청소율(TCV)과 초미세여과 속성을 평가한다. 이 테스트는 수동적으로 하거나 자동화된 기계를 이용해서 한다.

a. 누출에 대한 압력 테스트

혈액 통로의 완전성 검사는 투석막을 통한 압력차이를 생성하고 혈액구획이나 투석액 구획에서 압력이 떨어지는 것을 관찰하는 방법으로 시행한다. 압력 차이는 가압 공기나 질소를 투석기의 혈액 구획으로 주입시키거나 투석액 구획에서 진공상태를 만들어서 생성할 수 있다. 온전한 젖은 투석막을 통해서는 최소한의 공기가 새어나와야 한다; 손상된 섬유들은 투석막사이의 압력차가 생성되면 대개 파열된다. 또한 누출 테스트는 투석기의 'O' 링과 채워진 혼합물, 끝부분 캡의 손상여부를 확인할 수 있다.

b. 혈액 구획 용적

이 테스트는 요소 같은 소분자물질에 대한 투석막의 청소율의 변화를 간접적으로 측정하는 것이다. 혈액구획의 용적(TCV)은 채워진 혈액 구획(헤더 용적과 섬유 용적)을 공기로 밀어내어 얻어진 용액의 부피를 측정하여 평가할 수 있다. 재가공할 모든 투석기는 특정 투석기의 기저 TCV를 측정하기 위해 처음 사용하기 전 이 과정을 시행해야 한다. TCV의 기저값과의 차이는 재사용 후에 TCV를 재평가하여 추적할 수 있다. TCV가 20% 정도 감소하는 것은 요소 청소율이 10% 정도 감소하는 것에 해당하며, 연속 사용이 가능한 최대 허용치이다. 어떤 환자에서 TCV 테스트 실패로 인해 목표한 만큼 재사용을 못한다는 것은 투석중에 응고물질이 너무 많아졌다는 것을 의미할 수 있으므로 헤파린 처방에 대해 신속하게 재평가해야 한다.

c. 물 투과성 (체외 K_{UF})

투석기의 초미세여과 계수(K_{UF}: 3장에서 언급)는 물 투과성을 측정하기도 하지만, 대분자 물질의 투석막의 이동 특성을 간접적으로 측정하는 것이기도 하다. 체외 K_{UF}는 주어진 압력과 온도에서 투석막을 흐르는 물의 용적을 확인하여 측정할 수 있다. K_{UF}의 변화는 투석 중 체액 제거에 영향을 주지 않는다. 오늘날 시행되는 대부분의 투석은 자동으로 초미세여과가 조절되는 기계를 사용하기 때문인데, 이 기계들은 물 투과성이 많이 떨어져도 막을 통한 압력을 적절하게 조절하여 이를 보상할 수 있다. 하지만, K_{UF} 의 감소는 보통 베타2 마이크로글로불린(β_2 microglobulin) 청소율의 감소와 연관이 있다.

d. 임상인인 확인

요소 청소율과 필적하는 나트륨이나 이온의 청소율을 결정하는 온라인 전도도나, 요소 청소율의 다른 대리방법을 온라인으로 측정하는 것은 투석기 실적을 평가하는 다른 방법이다(AAMI RD47:2002). 그러한 온라인 청소율 측정은 투석 중에 시행되는데, 재사용 횟수나 TCV를 추적하고 비교하기 위하여 기록보관 절차가 필요하다.

기관의 QAPI(품질보증/성과개선)팀은 실험실에서 측정된 투석 적절도(Kt/V)를 투석 센터의 모든 환자에서 재사용 횟수와 연관지을 수 있다. 혹은 환자의 재사용 과거력의 상관관계를 통해, 적절한 투석 적절도나 요소 감소비(URR)를 얻지 못한 원인을 조사할 수 있다. QAPI 팀은 재사용이 투석 효율에 부정적인 영향을 주지 않는다는 것을 보여주어야 한다.

4. 소독/살균

일단 세척되면, 투석기는 화학적(살균제) 혹은 물리적(열) 과정을 거쳐 모든 생물체를 비활성화되도록 한다. 높은 수준의 소독은 포자를 파괴하지 않는다는 점에서 살균과 다르다. 현재 기준은 높은 수준의 소독을 요구한다. 투석 센터에서는 합법적인 살균은 쉽게 이루어지지 못한다.

a. 살균제

투석기가 세척되고 테스트가 끝난 후에 살균제가 혈액 구획과 투석액 구획에 주입되어 적절한 시간동안 접촉하게 한다(I.C.7을 참고). 과산화아세트산은 가장 흔하게 사용되는 살균제이다. 투석기 재가공에 포름알데하이드나 글루타알데하이드를 사용하는 자동화된 방법이 없고, 알데하이드를 화학적으로 재사용에 사용하기 위한 수동적 방법은 안전한 취급, 노출 한도에 대한 주의, 노출된 스텝들에 대한 감시 및 호흡기 테스트에 대해 미국의 OSHA 기준에 부합해야 하는 점에서 부담이 커서 본질적으로 사라졌다.

b. 살균제 여부에 대한 기록

살균제 여부는 절차상의 통제를 통해 확인되어야 하고, 재가공을 완성했을 때와 사용하기 전에도 확인되어야 한다(I.B를 참고). 과산화아세트산의 존재는 검사지를 사용해서 확인할 수 있다. 만약 포름알데하이드가 사용되었다면, FD&C의 파란색 염료를 농축된(37%) 포르말린에 넣으면 포름알데하이드가 희석되어 투석기에서 약한 파란색을 띨 수 있다. 수동의 재가공 시스템에서는 살균제가 있는지 모든 투석기를 평가해야 한다.

자동화된 시스템에서는 단지 하나의 샘플만 매일 테스트하면 된다.

c. 열 살균

1.5% 구연산염을 95℃에서 열처리하거나 (Levin, 1995) 105℃에서 열처리한 물을(Kaufman, 1992) 사용하는 것은 무해한 화학적 소독 방법이다. 검사 연구들은 이러한 소독법으로 포자가 파괴된다고 하였다. 아세트산을 함유하거나 함유하지 않은 열로 소독하는 방법은 효과적이지만 자동화된 형태로는 사용할 수 없기 때문에 다소 번잡하다. 또한, 열처리 소독은 재가공되는 많은 투석기의 사용기간에 영향을 줄 수 있다. 열처리 소독을 사용하려는 의료 책임자는 투석 센터에서 효과를 입증해야 하고 적절한 질 관리와 과정을 감시하는 것을 계획하고 시행할 필요가 있다.

5. 마지막 조사

재가공 과정의 끝무렵에 스텝에 의해 투석기에 대한 전체적인 시각적인 조사가 이루어져야 하고, 투석 치료 전에 재가공된 투석기를 설정할 때, 같은 과정이 반복되어야 한다. 만약 투석기가 시각적인 기준에 부합하지 않는다면(I.B 참고), 재가공을 다시 시행해야 하고(예를 들어, 살균제 용량이 적절하지 않다거나), 투석기가 손상되었거나 외관상 결여되어 있다면 폐기되어야 한다.

6. 표시

스텝이 투석기가 성능검사 및 시각적 검사를 통과했음을 확인한 후에, 투석기에 환자의 이름이나 제조사의 상표가 정확하도록 표시를 부착해야 한다. 최소한 표시에는 환자의 이름(센터내 유사한 이름이 많으므로), 가능하다면 재사용 횟수, 기저값과 현재의 TCV, 투석기가 재가공된 시간과 날짜, 그리고 투석기가 성능검사를 통과했는지 여부를 기재한다. 표시된 것과 동일한 정보와 추가적인 상세 정보는 재사용 종합자료에 기록되어야 한다. 만약 투석기가 테스트를 통과하지 못하고 폐기되면, 이것도 기록되어야 한다. 그러한 정보는 QAPI 팀이 재사용 프로그램의 품질과 일관성을 평가하는데 사용할 수 있는 데이터를 제공한다.

7. 보관

일단 시각적 평가를 하고 표시를 부착하면, 동일한 환자에게 할당된 여러 투석기를 계속 감시하고 관리할 수 있는 방식으로 보관해야 한다. 권유되는 살균제의 접촉 시간이 보관소의 온도에 따라 달라지기 때문에 보관소의 온도는 중요하다. 과산화아세트산은 유효기간이 14~21일이며, 잔류 혈액과 과산화아세트산이 반응하여 농도가 감소하므로, 잔류혈액이 상당히 남아있는 경우 더 짧아질 수 있다. 이러한 이유로 과산화아세트산으로 소독하는 투석기는 14일마다 재소독되어야 한다. 정기적인 재소독을 하더라도, 투석기가 폐기되기 전까지 얼마나 오랫동안 안전하게 보관될 수 있는지 확실하지 않다. 의료 책임자는 재소독과 보관된 투석기의 폐기에 대한 기한을 정해야 한다.

II. 임상적인 측면

승인된 표준 및 관행에 따라 재가공이 시행되면, 절차상의 위험을 관리할 수 있다. 기준에 따라 시행하는 것은 어려운 일이 아니다. 재가공 스텝은 투석 센터에서 가장 감독을 덜 받는 스텝일 수 있다. 어떤 센터에서는, 재가공이 센터 스텝의 감독없이 시행되기도 한다. 의료보험 조사의 결과는 투석기 재가공의 조건과 기준을 준수하지 못하는 경우에 관한 많은 예들이 발표되고 있음을 보여준다(Port, 1995). 투석기를 재가공하는 결정은 의료 책임자와 이사회가 시행하는 위험 대비 이익에 대한 계산이다(Upadhyay, 2007).

A. 임상적인 이익

1. 가격

이 이슈는 IV. B 부분에서 언급하였다.

2. 첫 사용 반응과 보체 활성화

투석기에 대한 반응은 불안증, 홍통, 기침, 호흡곤란, 저산소증, 저혈압으로 특정지을 수 있고, 재가공된 투석기를 사용하면 덜 나타난다. 하지만 어떤 환자는 여러번 재가공된 투석기에서도 투석막에 민감하게 반응한다. 이 반응의 한 가지 원인은 보체-혈액 상호작용인데(생체 부적합성), 이것은 보체가 매개가 되어(대체경로) 백혈구를 폐순환에서 격리시킨다. 투석기를 사용하는 동안, 투석막은 단백질 물질로 덮혀진다. 많은 재가공 방법중, 특히 과산화아세트산을 이용한 방법에서 세척단계에 이런 단백질 물질을 제거하지 못하고, 다음 투석에 사용하는 동안에 투석막을 더 생체 적합하도록 만든다. 표백제로 재가공한 투석기는 이런 단백질 물질을 벗겨내는 효과가 있어서 잠재적으로 생체 적합성이 낮은 또다른 반응은 투석기를 살균하는데 사용하고 남은 에틸렌 옥사이드에 대한, 진짜 IgE와 연관된 아나필락시스 반응에 의한 것이고, 다른 반응은 투석기나 혈액 회로에서 걸러진 밝혀지지 않은 물질 때문일 수도 있다. 가공전과 재가공 과정에서 투석기 제조과정에서 사용되는 투석기, 에틸렌옥사이드 및 기타 화학물질은 투석기에서 제거되어, 투석중에 환자에게 유출될 가능성이 떨어진다. 하지만 치환되지 않은 셀룰로오스 막의 폐기, 에틸렌 옥사이드 살균, 더 생체 적합한 합성 막의 개발은 한 번 사용할 때 발생할 수 있는 반응을 현저하게 감소시켜, 이 분야의 재가공의 이점을 줄이고 있다.

3. 생체 유해한 폐기물

대부분의 투석 의료진은 생체 유해한 폐기물을 버릴때 무게에 따라 계산하여 값을 지불해야 한다. 투석기 재가공은 이러한 폐기물에 포함된 투석기들과 그 패키지들의 무게를 많이 감소시킨다. 이것은 투석 의료진의 돈을 아껴줄 뿐만 아니라, 환경에 대해 유해한 폐기물을 줄여주기도 한다. 한편으로, 재가공에 관한 환경적인 이슈도 있다. 재가공에 사용되는 물, 에너지들과 투석기를 세척하고 소독하는데 사용하는 화학물질은 폐기물에 속하므로, 하수 처리 시스템으로 관리해야 한다. 일부 하수 처리 단체는 사용자들이 포름알데하이드를 폐수로 방출하는 것을 허용하지 않는다. 재가공에 사용된 장갑, 띠, 마스크, 가운 역시 폐기물을 늘리는 데 일조한다 (Hoenich, 2005; Upadhyay 2007).

B. 임상적인 우려, 반대논쟁

1. 포름알데하이드

포름알데하이드가 광범위하게 사용되었을 때, 항 N 항체가 발생한 환자에서 투석중에 바늘로 찌른 부위가 타는 듯하고 혈관 접근로가 가려운 증상으로 나타나는 급성 '포름알데하이드 반응'의 발생을 보고한 적이 있다(Vanholder, 1988).

2. 이환율과 사망률

투석기 재사용에서 가장 논쟁이 되었던 부분이다. 재사용 예후에 대한 대부분의 연구는 더 비싼, 생체적합성이 더 좋은 합성 투석막의 도입 초기에 셀룰로오스 투석막을 사용하는 시대에 이루어졌다. 지금까지 발표된 연구들은 징후에 따라 편향되고 교란될 수 있는 관찰연구들이다. 초기의 연구들은 현재의 재가공 실정에 적용될 가능성이 없다. 투석기 재사용과 일회 사용에 대한 무작위의 전향적인 대규모 연구가 거의 없는 상태이다. 체계적인 검토에서(Galvao, 2012) 저자들은 1회 사용에 비해 여러번 사용하는 경우, 사망률에 부정적인 영향을 준다는 근거가 없다고 결론지었다. 최근 DaVita에 투석하는 환자를 대상으로 하는 대규모 코호트 연구는(Bond, 2011) 여러번 사용하는 것은 사망률에 악영향을 주지않는다고 보고하였다. 23개의 Fresenius 센터에서 시행한 더 작은 규모의 연구는 과산화아세트산을 이용한 재가공에서 1회 사용으로 전환하였더니 사망률의 위험도가 감소하였고 염증매개물질이 감소하였다고 발표하였다. 이 두 가지 연구 모두 Galvao의 체계적인 검토에는 포함되지 않았다(2012).

초기의 몇가지 연구에서, 포름알데하이드를 사용한 재사용은 과산화아세트산을 이용한 경우보다 더 좋은 예후를 보였다고 하였다 (Held, 1994). 증기압이 있는 포름알데하이드는 소독을 위한 직접 접촉에 의존하는 과산화아세트산보다 안전범위가 더 크다고 알려져 있다. 초기 연구에 대한 FDA의 반응은 과산화아세트산의 사용과 더 엄격한 품질관리에 대한 지침을 상당히 개선해야 한다는 것이었다. 의료 보험 데이터에 있는 이후의 관찰 연구들은 포름알데하이드와 과산화아세트산의 차이를 보여주는데 실패했다(Collins, 2004). 이것은 과산화아세트산을 사용하는 센터는 시간이 지남에 따라 재가공할 때 더 좋아질 수 있다는 것을 의미한다.

3. 잠재적인 세균/ 발열원 오염

균혈증과 발열반응은 부적절하게 가공된 투석기에서 발생할 수 있다. 많은 경우의 투석기를 재사용하는 센터에서 더 자주 발생한다. 그람 음성 수인성 세균(*Stenotrophomonas maltophilia*, *Burkholderia cepacia*, *Ralstonia pickettii*)으로 인한 균혈증 집단은 일회 사용 투석센터에서는 보고된 적이 거의 없지만, 재가공한 투석기를 사용한 센터에서는 대량 발생이 보고되었다. 이 발병의 실제 발생률은 알려지지 않았는데, 주립 혹은 연방 보건원이 조사할 수 있을 만큼 대규모이거나 지속적이지 않는 한, 이런 상황은 보고되지 않기 때문이다. 그러한 문제의 원인은 일반적으로 투석기를 헹구거나 세척하고, 소독을 위해 살균제를 준비하는데 사용되는 물이다. 물 관리(소독, 고리통로, 흐름속도)에 대한 세심한 주의가 요구된다(Hoenich, 2003). 재가공 과정에서 혈액 구획으로 이물질 또는 살균되지 않은 물을 도입하는 모든 단계는 교차오염의 잠재적인 원인이 될 수 있다. 잔여 혈액과 단백질이 상당히 많은 경우에는 과산화아세트산은 투석기에 효과적이지 않다. 응고된 섬유에서 빠져나온 세균은 살균제에 노출되지 않을 수 있지만 투석 치료중에는 제거될 수 있다.

4. 과산화아세트산/과산화수소/아세트산과 ACE 억제제 사용에 대한 잠재적인 아나필락시스 반응

재사용된 투석기에 대한 아나필락시스 반응은 구리 암모늄 셀룰로오즈, 셀룰로오즈 아세트산, 과산화아세트산으로 재가공된 폴리설폰 투석기로 투석하는 환자에서 급증하였다. 대부분의 환자는 ACE 억제제를 투여받고 있었다(Pegues, 1992). 과산화아세트산 같은 산화물질로 투석기를 재사용하는 것은 단백질로 코팅된 투석막에 강한 음전하를 띠게 하고, 인자 XII, kininogen, kallikrein, 그리고 bradykinin등을 활성화시킨다. ACE 억제제는 bradykinin의 분해를 억제하여 반응을 강력하게 한다. 유사한 반응은 폴리아크리로니트릴 투석막을 사용한 경우 투석막으로 인한 bradykinin 생성에 기인하여 나타났다. 다른 소규모 사례에서는 ACE 억제제를 복용하는 환자에서 표백제가 재사용 과정에 첨가되었을 때 아나필락시스 반응이 나타났고, 표백제 사용을 중단하면서 반응이 사라졌다(Schmitter and Sweet, 1998). 치료 초기에 원인모를 부작용을 보이는 환자에서는, 재가공 기술이나 살균제와 상관없이, ACE 억제제를 복용하는지 검토하는 것이 좋다.

5. 표백제 세척과 투석기 반응

정상적인 투석에서는, 투석기막은 종종 투석막을 보다 생체적합하게 만드는 효과를 갖는 단백질성 물질로 덮힌다. 표백제로 투석기를 재가공하는 것은 이러한 단백질 코팅을 벗겨내는 효과가 있는데, 이로 인해 잠재적으로 생체적합성이 떨어진다.

6. 감염원의 잠재적인 전염

B형, C형 간염 바이러스(HBV, HCV), 사람면역결핍 바이러스(HIV)에 대한 염려들이다. 현재 의료보험(메디케어)의 '보험 적용 조건'은 HBV 환자는 재사용하지 않도록 하고(V301), 격리된 곳에서 투석하도록 한다(V128). 반면, CDC 권고사항에 따르면, HIV가 있는 환자는 재사용 프로그램을 지속할 수 있으며, HIV 환자는 격리가 필요하지 않다. 의료 책임자는 의료진이 HIV 감염된 혈액에 노출되는 것을 제한하기 위해서 HIV 환자는 재사용 투석기를 사용하지 못하도록 할 수 있다. 현재, CDC는 HCV 환자의 격리를 요구하거나 재사용을 금지하지 않는다. HIV와 HCV의 경우, CDC는 스텝과 다른 환자를 보호하기에 적합한 보편적 예방 조치를 고려한다.

7. 투석기 성능 저하 가능성

a. 요소 청소율

재사용된 유공 섬유 투석기는 궁극적으로 모세혈관의 일부가 이전 사용에서 발생한 단백질이나 혈전으로 막히게 되어 효율성이 떨어진다. 하지만, 섬유 다발 부피가 최소 기저수준의 80%를 유지하는 한, 요소 청소율은 임상적으로 의미있게 유지된다. HEMO 연구에서는, 다른 방법으로 재가공된 투석기를 사용하는 많은 환자에서 이런 데이터를 확인했고, 요소 청소율이 감소하는 것은 대부분 그다지 크지 않다는 것을 발견했다 (Cheung, 1999). HEMO 연구는 재사용 방법과 무관하게 20회 이상 사용하면 요소 청소율이 1.4~2.9 % 정도 감소한다고 하였다.

1. 헤파린 용량

투석기의 재사용 가능성은 적절한 헤파린 요법이 없으면 빨리 저하된다. 한 연구는 개별적으로 맞춘 헤파린 용량을 사용한 투석기의 재사용이 증가하였다고 보고했다(Ouseph, 2000). 적절한 헤파린 용량은 일회 사용에서도 역시 중요하다.

2. 구연산염을 포함한 중탄산염 투석액

아세트산 대신에 작은 양의 구연산염을 포함한 중탄산염 투석액은 재사용 설정에서 요소 청소율을 증가시킨다고 보고된 바 있다(Ahmad, 2005; Sands, 2012). 이 현상은 투석막 경계층에서 투석액에서 나오는 구연산염에 의해 칼슘이 킬레이트화되는 것과 관련이 있고, 이 작용이 응고인자와 혈소판의 활성화를 억제하는 것과 같다. 이 항응고 효과는 또한, 1회 사용에서도 잠재적인 이익이 있다.

b. 베타2 마이크로글로불린(β_2 microglobulin) 청소율

투석막에 흡착되거나 대류에 의해 투석막으로 이동하고, 재사용과정에
서 제거되지 않은 단백물질은 초미세여과율과 대분자 물질의 제거율을
감소시킬 수 있다. 베타2 마이크로글로불린 청소율에 대한 고투과성 투
석기 성능은 재사용에 따라 크게 변경될 수 있고, 투석막 유형 및 재사용
과정 유형에 따라서도 달라질 수 있다(Cheung, 1999). 대부분의 염려는
고투과성 셀룰로오즈 투석기가 과산화아세트산 / 과산화수소 / 표백하지
않은 아세트산을 이용하여 재사용될 때 베타2 마이크로글로불린의 청소
율이 빠르게 저하된다는 것이다. 과산화아세트산을 이용한 재사용의 청
소율 저하는 Novaflux 재가공 기계에서는 발생하지 않는데, 이 기계는
공기-수분 2단계의 세척 시스템을 이용하여 수분 투과성과 큰 분자물질
의 제거를 유지할 수 있다.

8. 알부민 손실

재사용 과정동안 표백제에 노출된 일부 투석기는 알부민에 대한 투
과성이 증가하는데, 이는 재사용 횟수와 연관이 있다. 이것은 매우
높은 수분 투과성을 지닌 투석기에서 뚜렷하게 나타난다.

III. 다른 쟁점들

A. 규제 측면

1. 미국 연방정부의 규제

투석기 재사용에 대한 가이드라인이 있으며, 이것은 의료 책임자
가 투석기 재사용 프로그램을 개발하고 관리하는데에 유용하다
(NKF, 2007). AAMI 기준을(V304-V368, RD47:2002) 설립한
의료보험 '보험 적용 기준'은 규율을 조절한다. 의료 책임자는 재가
공 프로그램을(V311) 시행하려고 결정한 것에 대해 책임을 져야
하고, 그 결정은 이사회에 비교적 단시간에 반영되어야 한다. 의료
책임자는 재사용을 시행하는 스텝들을 교육하여 능숙하게 시행하
도록 하는 것에 대한 책임이 있다(V308 ff). 신장전문의는 환자를
위해서 재가공하는 것에 대해 동의하고 처방을 내야 한다(V311).
의료 책임자는 재사용 프로그램으로 인한 부작용이 발생하면 재사
용을 중단해야 한다(V382). 센터내 OAPI 팀은 재사용 프로그램을
지속적 검토하고 모니터해야 한다(V594, V626).

2. 제조사 1회 사용 권고사항

일회용 사용만을 위한 투석기를 재사용하는 것이 기존에 광범위하
게 시행되었기 때문에, FDA는 제조사가 투석기를 여러번 사용할
수 있도록 표시하는 것을 허용하였고, 적절한 재사용 방법을 권고
하여, 15회 이상 재사용하는 투석기의 성능 데이터를 제공하도록
하였다(FDA, 1995). 투석기 제조사는 투석기에 1회만 사용하도록
표시하는 것을 선택할 수 있다.

3. 다른 투석기 일회용품들의 재사용

의료 보험조건은 변환기 보호장치의 재사용은 허용하지 않는다. 혈액 튜브의 재사용에 대한 가이드라인은 공표되었다(AAMI, 2002). 하지만 혈액 튜브의 재사용은 단지 제조사가 FDA가 승인한 특별한 프로토콜을 개발한 경우에만 허용된다. 현재, 그러한 것은 사용할 수 없다.

4. 정보에 입각한 동의

투석기 재가공을 위한 조건으로 정보에 입각한 동의가 필요하다는 규정은 없다. 의료보험 조건은 환자와 가족에게 치료의 모든 상황에 대한 정보를 충분히 받기를 요구한다. 재사용에 대해서는, 센터가 환자에게 재가공에 대한 이익과 위험에 대해 적절한 언어로 된 서면 정보를 제공해야 한다. 정보는 프로그램의 이론적 근거를 설명해야 한다. 환자는 투석기가 적절하게 식별되고 재사용이 안전하다는 것을 확신하는데 관심이 있는만큼 충분히 참여할 수 있어야 한다.

B. 가격

여러번 사용하는 투석기의 가장 큰 논쟁점은 비용절감으로 더 높은 투과성을 지니고 더 생체 적합한 투석기를 사용할 수 있다는 것이다. 이 논의는 효율적인 고 투과성 투석기의 가격이 감소하고 있기 때문에 설득력이 떨어진다. 덧붙여 미국은 여러번 사용하는 투석기의 주요시장이기 때문에, 제조사는 미국시장을 만족시키기 위한 투석기를 여러번 사용하는데 필요한 비용과 요구조건을 시행하지 않을 수도 있다. 이것은 환자가 사용할 수 있는 투석기의 선택을 줄이는 역설적인 효과를 보인다. 치료자가 투석기를 재가공하는 데 들어가는 모든 비용을 고려할 때, 그 차이는 작을 수도 있다. 여러번 사용하는 투석기의 초기 비용이 1회 사용으로 표시된 동등한 투석기보다 더 많이 들어가지만, 여러번 사용하는 투석기의 평균 비용은 매사용할 때마다 감소한다. 여러번 사용하는 투석기의 실제 비용은 얼마나 사용했는지에 상관없이, 재가공의 비용보다 낮아질 수 없다. 재가공의 비용은 재가공 스텝의 임금과 보조금, 교육과 문서화 및 능력 유지비용을 포함한다. 치료자는 재가공 장치의 자본금과 감가 상각 비용을 고려해야 한다. 추가적으로 각 재가공 순환은 전기, 물, 세척 물질, 살균제를 소비한다. 안전하고 효과적인 재사용 프로그램을 유지하기 위해 필요한 추가적인 QAPI 과정의 비용까지도 포함되어야 하기 때문에 재사용 물에 대한 검사지, 배양검사, LAL test도 비용에 포함되어야 한다.

C. 품질 보증과 실적 향상

재사용 프로그램은 의료 책임자의 책임하에 있는 QAPI 프로그램의 일부여야 한다(V594, V626). QAPI 보고는 스텝의 교육, 지속적인 직원의 능력, 감시, 검증, 미생물학, 재사용의 평균횟수, 실패의 원인, 부작용, 환자의 불편함, 재사용을 중지해야 하는 모든 사건의 근본 원인 분석을 추적해야 한다. 요구사항은 AAMI 기준에 상세하게 언급되어 있다. 센터는 가공 전부터 폐기까지의 투석기의 모든 과정을 보관해야 한다.

D. 교육

재가공을 시행하는 모든 인력에 대해 포괄적인 교육과정이 수립되어야 한다. 교육과정동안 각각의 항목에 대해 능숙해야 한다. 의료 책임자는 교육 프로그램과 스텝들의 능숙한 시행에 대한 책임이 있다 (V308 ff).

E. 개인 만족과 체육 시설

살균제를 엎질렀을 때, 안전한 처치를 위해서 보호경과 가운을 사용하도록 한다. 살균제를 사용하는 경우, 작업공간은 최소한 임상구역과 동등한 공기 회전율로 설계해야 하는데, 강제 공기 유입이 되고, 천장에 추가적인 배기배관이 있어야 하며, 포름알데하이드를 사용하는 경우는 바닥쪽으로 낮게 배관을 설치해야 한다. 살균제에 노출되면 OHSA에 의해 관리된다. 현재(1990) 포름알데하이드에 대한 최대 허용 가중 평균 노출(TWA)은 1 ppm이고 단기간 노출의 경우 3 ppm이다. 과산화수소에 대한 최대 노출제한은 1 ppm TWA이고, 글루타알데하이드는 0.2 ppm 이다. 과산화아세트산에 대한 현재 OSHA 제한 기준은 없다.

References and Suggested Readings

Ahmad S, et al. Increased dialyzer reuse with citrate dialysate. *Hemodial Int.* 2005;9:264–267.

Association for the Advancement of Medical Instrumentation. *Reuse of Hemodialyzers*. Washington, DC: American National Standards Institute; 2002. ANSI/AAMI RD47.

Association for the Advancement of Medical Instrumentation. *Dialysate for Hemodialysis*. Arlington, VA: Association for the Advancement of Medical Instrumentation; 2004. ANSI/AAMI RD52.

Association for the Advancement of Medical Instrumentation. *AAMI Standards—Dialysis*. Arlington, VA: Association for the Advancement of Medical Instrumentation; 2011.

Bond TC, et al. Dialyzer reuse with peracetic acid does not impact patient mortality. *Clin J Am Soc Nephrol.* 2011;6:1368–1374.

Charoenpanich R, et al. Effect of first and subsequent use of hemodialyzers on patient well being. *Artif Organs.* 1987;11:123.

Cheung A, et al. Effects of hemodialyzer use on clearances of urea and beta-2 microglobulin. The Hemodialysis (HEMO) Study Group. *J Am Soc Nephrol.* 1999;10:117–127.

Collins AJ, et al. Dialyzer reuse-associated mortality and hospitalization risk in incident Medicare haemodialysis patients, 1998–1999. *Nephrol Dial Transplant.* 2004;19:1245–1251.

ESRD interpretive guidance. 2008. http://www.cms.gov/Medicare/Provider- Enrollment-and-Certification/GuidanceforLawsAndRegulations/Downloads/esrdpgmguidance.pdf.

Fan Q, et al. Reuse-associated mortality in incident hemodialysis patients in the United States, 2000–2001. *Am J Kidney Dis.* 2005;46:661–668.

Food and Drug Administration (FDA). Guidance for hemodialyzer reuse labeling. U.S. Food and Drug Administration, Rockville, MD. October 6, 1995. http://www.fda.gov/downloads/MedicalDevices/DeviceRegulationandGuidance/GuidanceDocuments/UCM078470.pdf. Last accessed 08/04/2014.

Galvao F, et al. Dialyzer reuse and mortality risk in patients with end-stage renal disease: a systematic review. *Am J Nephrol.* 2012;35:249–258.

Gotch FA, et al. Effects of reuse with peracetic acid, heat and bleach on polysulfone dialyzers [Abstract]. *J Am Soc Nephrol.* 1994;5:415.

Hakim RM, Friedrich RA, Lowrie EG. Formaldehyde kinetics in reused dialyzers. *Kidney Int.* 1985;28:936.

Held PJ, et al. Analysis of the association of dialyzer reuse practices and patient outcomes. *Am J Kidney Dis.* 1994;23:692–708.

HICPAC. Guideline for disinfection and sterilization in healthcare facilities. 2008. http://www.cdc.gov/hicpac/disinfection_sterilization/13_06peraceticacidsterilization .html. Accessed March 3, 2014.

Hoenich NA, Levin R. The implications of water quality in hemodialysis. *Semin Dial.* 2003;16:492–497.

Hoenich NA, Levin R, Pearce C. Clinical waste generation from renal units: implications and solutions. *Semin Dial.* 2005;18:396–400.

Kaplan AA, et al. Dialysate protein losses with bleach processed polysulfone dialyzers. *Kidney Int.* 1995;47:573–578.

Kaufman AM, et al. Clinical experience with heat sterilization for reprocessing dialyzers. *ASAIO J.* 1992;38:M338–M340.

Kliger AS. Patient safety in the dialysis facility. *Blood Purif.* 2006;24:19–21.

Lacson E, et al. Abandoning peracetic acid-based dialyzer reuse is associated with improved survival. *Clin J Am Soc Nephrol.* 2011;6:297–302.

Levin NW, et al. The use of heated citric acid for dialyzer reprocessing. *J Am Soc Nephrol.* 1995;6:1578–1585.

Lowrie EG, et al. Reprocessing dialyzers for multiple uses; recent analysis of death risks for patients. *Nephrol Dial Transplant.* 2004;19: 2823–2830.

National Kidney Foundation task force on the reuse of dialyzers. *Am J Kidney Dis.* 2007;30:859–871.

Neumann ME. Moderate growth for dialysis providers. *Nephrol News and Issues.* 2013;27:18.

Ouseph R, et al. Improved dialyzer reuse after use of a population pharmacodynamic model to determine heparin doses. *Am J Kidney Dis.* 2000;35:89–94.

Pegues DA, et al. Anaphylactoid reactions associated with reuse of hollow fiber hemodialyzers and ACE inhibitors. *Kidney Int.* 1992;42:1232–1237.

Pizziconi VB. Performance and integrity testing in reprocessed dialyzers: a QC update. In: AAMI, ed. *AAMI Standards and Recommended Practices.* Vol 3. Dialysis. Arlington, VA: AAMI; 1990:176.

Port FK. Clinical outcomes in patients with reprocessed dialyzers. Paper presented at: National Kidney Foundation Symposium on Dialyzer Reprocessing; November 3, 1995; San Diego, CA.

Rahmati MA, et al. On-line clearance: a useful tool for monitoring the effectiveness of the reuse procedure. ASAIO J. 2003;49:543–546.

Rancourt M, Senger K, DeOreo P. Cellulosic membrane induced leucopenia after reprocessing with sodium hypochlorite. *Trans Am Soc Artif Intern Organs.* 1984;30:49–51.

Sands JJ, et al. Effects of citrate acid concentrate (Citrasate®) on heparin requirements and hemodialysis adequacy: a multicenter, prospective noninferiority trial. *Blood Purif.* 2012;33:199–204.

Schmitter L, Sweet S. Anaphylactic reactions with the additions of hypochlorite to reuse in patients maintained on reprocessed polysulfone hemodialyzers and ACE inhibitors. Paper presented at: Annual Meeting of the American Society for Artificial Internal Organs; April 1998; New Orleans.

Vanholder R, et al. Development of anti-N-like antibodies during formaldehyde reuse in spite of adequate predialysis rinsing. *Am J Kidney Dis.* 1988;11:477–480.

Twardowski ZJ. Dialyzer reuse—part I: historical perspective. *Semin Dial.* 2006;19:41–53.

Twardowski ZJ. Dialyzer reuse—part II: advantages and disadvantages. *Semin Dial.* 2006;19:217–226.

Upadhyay A, Sosa MA, Javer BL. Single-use versus reusable dialyzers: the known and unknowns. *Clin J Am Soc Nephrol.* 2007;2:1079–1086.

US Renal Data System. *USRDS Annual Report.* Bethesda, MD: USRDS; 2004.

Verresen L, et al. Bradykinin is a mediator of anaphylactoid reactions during hemodialysis with AN69 membranes. *Kidney Int*. 1994;45:1497–1503.

Wolff, SW. *Effects of Reprocessing on Hemodialysis Membranes* [doctoral thesis in chemical engineering]. Department of Chemical Engineering, Pennsylvania State University College of Engineering; 2005.

Zaoui P, Green W, Hakim M. Hemodialysis with cuprophane membrane modulates interleukin-2 receptor expression. *Kidney Int*. 1991;39:1020.

14 항응고 요법

류지원 역

I. 체외순환로에서의 혈액의 응고

투석과정 중에 환자의 혈액은 정맥도관이나 배관, 점적주입챔버, 헤더, 혼합물 용기, 그리고 투석막에 노출된다. 이 표면들은 혈전 발생정도를 다양하게 변화시켜 혈액의 응고를 시작하게 할 수 있는데, 특히 점적주입챔버 때문에 혈액이 공기와 만나게 되는 경우가 그렇다. 이렇게 형성된 혈전은, 체외순환로의 폐색과 기능장애를 유발할 가능성이 있다. 체외순환로의 혈전형성은 백혈구와 혈소판의 활성화로 인해 발생하며, 표면에 수포를 일으켜 표면막의 지질이 풍부한 극미립자를 탈락시킨다. 이는 혈액속에서 토롬빈(thrombin)을 형성하고 응고연쇄작용을 활성화시켜 트롬빈 생성과 섬유소 축적을 촉진시킨다. 응고를 유발하는 요소들은 표 14.1에 나열되어있다.

A 투석 중 혈액 응고를 평가하는 방법

1. 시각적인 검사

체외순환로 응고의 징후는 아래 표 14.2에 열거되어 있다. 순환로를 시각적으로 확인하려면, 혈액 유입부를 일시적으로 막고, 생리식염수로 시스템을 헹굴때가 가장 좋다.

2. 체외순환로의 압력

동맥과 정맥의 압력측정은 체외순환로의 응고 여부에 따라 다를 수도 있으며, 혈전형성의 위치에 따라 다를 수 있다. 펌프후 동맥압

TABLE 14.1 체외순환로의 응고를 촉진시키는 요소들

낮은 혈류
높은 혈색소
높은 초미세여과율
혈관 접근로 재순환
투석 중 혈액과 혈액제재 수혈
투석 중 지질투입
점적주입챔버의 사용(공기노출, 기포형성, 난류)

TABLE 14.2	체외순환로의 응고를 나타내는 징후들

매우 어두운 혈액
투석기에서 회색의 혹은 어두운 줄(streak)
점적주입챔버와 정맥 트랩에서 혈전형성과 함께 발생하는 기포
변화기 모니터에 혈액이 급속하게 채워짐
'휘청거림'(투석기후의 정맥라인의 혈액이 정맥챔버로 돌아가지 못하고 회로로 다시 물러나
는 현상)
투석기 헤더 안에 혈전이 존재

모니터가 있는 회로를 사용하는 이점은 펌프 후의 압력과 정맥압
의 차이가 응고의 위치를 나타내주는 지표가 될 수 있다는 것이다.
증가된 압력차이는 응고가 투석기 자체에만 발생했을 때 나타난다
(펌프후 압력 증가, 정맥압 감소). 응고가 정맥 챔버에서 멀리 떨어
진 곳에서 일어나면, 펌프후압력과 정맥압이 동시에 증가한다. 응
고가 광범위로 발생한다면, 압력이 빠르게 올라간다. 응고되거나
위치가 잘못된 정맥바늘도 압력을 증가시킬 수 있다.

3. **투석 후 투석기의 상태**

섬유의 응고는 자주 일어나고, 헤더부분에는 작은 혈전들 혹은 흰
침전물(특히 이상지질혈증이 있는 환자)들이 자주 모인다. 더 심각
한 투석기 응고는 의료진에게 보고하여, 항응고제의 용량을 정할
때, 임상적인 지표로 사용하도록 한다. 응고 양을 시각적으로 평가
한 응고된 섬유의 비율에 근거해서 분류하고, 표준화시켜 문서화해
두면 유용하다(예, 응고된 섬유의 10% 미만, 1등급, 50%미만, 2등
급, 50% 이상, 3등급).

4. **잔여 투석기 용량의 측정**

투석기를 재사용하는 센터에서는 투석할 때마다, 자동화된 혹은 수
동적인 방법을 통해 응고와 관련된 섬유의 손실을 측정해야한다.
투석 전과 후의 섬유질 용량을 비교하면 측정할 수 있다. 투석기는
첫 5~10번 사용 후 섬유질의 손실이 1% 미만이어야 재사용이 가능
하다.

II. 투석 중 항응고제의 사용

항응고제를 사용하지 않으면, 3~4시간의 투석 시간 중 투석기 응고율은
상당하다(5~10%). 그리고 응고가 발생하면, 혈액 회로와 투석기의 손실
을 야기하며, 100~180 mL의 혈액도 손실하게 된다(체외의 투석기와 혈
액 회로 용량의 합). 그러나 항응고제가 유발할 수 있는 출혈보다는 위험
이 적기 때문에 환자들에게 덜 위험하다. 항응고제로 인해, 환자들에게 출
혈이 일어나면 치명적이기 때문에, 그런 환자들에게는 항응고요법이 없는
투석이 적당할 수도 있다(아래에 더 설명). 하지만 대다수의 환자들은 출

혈의 위험이 높지 않으므로 어떠한 형태로든 항응고제가 필요하다. 투석기를 재사용하는 과정에서, 합리적인 재사용 횟수를 얻기 위해 적당한 용량의 항응고제 사용은 필요하다.

간헐적인 혈액투석시 어떤 유형의 항응고법을 사용하느냐는 세계의 각 지역이나 나라 그리고 심지어 투석센터별로 다르다. 여러 괜찮은 대안책이 있지만, 헤파린이 가장 널리 쓰이는 항응고제이다. 미국에서는 미분획된(unfractionated) 헤파린이 가장 널리 쓰이고, 유럽연방에서는, European Best Practice Guidelens (2002)에서 추천하는 저분자량 헤파린(LMWH)을 사용한다. 적은 수의 투석센터는 3개의 나트륨으로 구성된 구연산염(trisodium citrate)를 사용하며, 특별한 경우에는 argatroban이나 헤파린 유사체(danaparoid, fondaparinux), prostanoids, nafamostat maleate등과 같이 직접적인 트롬빈 억제제를 대체 항응고제로 사용하기도 한다.

III. 투석 중 혈액 응고의 측정

응고 테스트가 어떻게 헤파린 요법을 모니터링하는데 사용되는지 원리를 이해하는 것은 굉장히 중요하다. 하지만 미국에서는 상대적으로 투석 중에 헤파린을 사용할 때 출혈 합병증의 위험이 적고, 헤파린 사용에 대한 경제적인 제약과, 규제 문제(지역 실험실에서의 증명서가 필요함)가 있어, 모니터링없이 보통 경험적으로 헤파린을 처방한다. 출혈의 위험이 큰 환자의 경우, 항응고 여부를 모니터링 하는 대신 헤파린 없는 투석으로 대체되기도 한다.

응고 모니터가 시행되면, 이를 위한 혈액은 헤파린을 주입하는 근위부의 동맥 혈액 회로에서 얻어야 하는데, 이것은 외부순환로에서 얻는 것보다 더 정확하게 환자의 응고상태를 알 수 있다. 헤파린이 채워져 있는 정맥도관에서 응고 모니터의 기저값을 얻는 것은 도관에 헤파린이 남기 때문에 굉장히 힘들고, 이 방법은 거의 시도되지 않는다(Hemmelder, 2003).

A. 헤파린요법을 모니터링하기 위한 응고 테스트

1. 활성화 부분 트롬보플라스틴 시간(APTT)

미분획 헤파린을 모니터링할 때만 사용한다. 병원에서 가장 흔하게 사용되는 방법이다. APTT의 결과는 개인의 분석에 따라 결과를 달리하므로, 많은 병원에서는 대조군과 비교한 비율을 보고한다(APPTr). 헤파린 저항상태는 혈액응고인자 VIII이 높은 경우 오류가 발생할 수 있다. 기준치의 정도는 루푸스 항응고인자 때문에 연장될 수도 있다(Olson,1998).

2. 전혈 부분 트롬보플라스틴 시간(WBPTT)

이것은 위의 것과 비슷하지만, 병실내에서 이루어지는 평가이다. WBPTT 테스트는 0.2 mL의 actin FS 시약(Thrombofax)을 0.4 mL의 혈액에 추가해 응고과정을 가속화시키는 테스트이다. 혼합물을 37℃의 고온반응기에 30초 동안 놓고, 응고가 될 때까지 매 5초마다 기울인다. WBPTT 수치가 연장되는 것은 혈액내 헤파린 농도와 연관을 가진다(투석에 적용할 수 있는 범위내에서). 저분자량 헤파린 치료를 모니터링하기 위해 사용되어서는 안된다.

3. 활성화 응고시간(ACT)

ACT 테스트는 WBPTT 테스트와 비슷하지만 응고 과정을 가속화하기 위해 규조토(siliceous earth)를 사용한다. 혈액내 헤파린 농도가 낮을 때 특히, WBPTT보다 ACT는 반복가능성이 떨어진다. 실험관을 자동으로 기울이는 장비와, 응고를 탐지하는 장비가 있다면, WBPTT와 ACT의 반복가능성과 표준화에 도움이 될 것이다. 미분획 헤파린만을 모니터링하기 위한 테스트이다.

4. 전혈 응고시간(Lee-white 응고시간: LWCT)

Lee-White 테스트는 0.4 mL의 혈액을 유리관에 넣고 혈액이 응고할 때까지 위아래를 매 30초마다 뒤집는 방식으로 진행된다. 보통 혈액을 실온에 둔다. LWCT의 단점은 응고가 일어나기까지 오랜 시간이 걸린다는 점, 기술자의 시간을 많이 요구하는점, 다른 테스트에 비해 반복가능성과 표준화가 비교적 떨어진다는 점 등이 있다. LWCT는 혈액투석 중 응고여부를 모니터링하기에 바람직한 방법은 아니어서 거의 사용되지 않는다.

5. 활성화 Xa인자

Xa인자는 발색법 혹은 기능적인 응고 분석을 통해 측정될 수 있다. 항 Xa 활동성의 검사 분석은 일부가 정제된 외인성 항 트롬빈(AT)을 함유하여 결과가 다르고, 이 방식으로 측정된 항 Xa 활동성은 생물학적인 효과와 직접적인 연관이 없을 수도 있다(Greeves, 2002). 전형적으로 저분자량 헤파린이나 헤파린 유사체에서 사용되는 Xa 활동성은 미분획 헤파린에 대한 모니터링으로 사용될 수 있고, 최고의 항 Xa 활동성은 0.4~0.6 IU/mL를 목표로 한다. 투석이 끝난 직후는 0.2 IU/mL 이하로 떨어진다.

6. 활성화 Xa 인자의 활성화 응고시간

이것은 저분자량 헤파린을 사용할때의 항응고 모니터로서 더 세심한 방법이다. 하지만 임상에서 주로 사용되지는 않는다.

IV. 항응고요법의 기술

A. 미분획 헤파린

1. 작용 기전

헤파린은 AT의 형태를 바꿔 응고하는 인자(특히 IIa인자)의 비활성화를 촉진한다. 불행히도 헤파린은 혈소판이 응집하고 활성화되도록 자극을 줄 수 있지만 이 의도하지 않은 효과는 혈소판막에 응

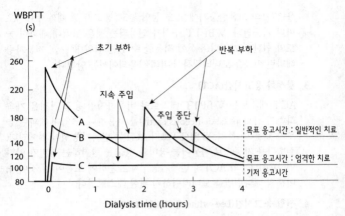

그림 14.1 WBPTT에 영향을 받은 응고시간에 대한 여러가지 헤파린 요법의 효과
WBPTT 를 이용한 응고시간
A: 일상 요법, 반복 부하 용법, B; 일상 요법, 지속성 정주 요법 C; 안전 요법, 정주 요법

고인자가 붙어 활성화되면서 혈소판을 방해함으로써 균형이 맞춰
진다. 헤파린의 부작용은 가려움, 아나필락시스 반응을 포함한 알러지,
탈모, 골다공증, 이상지질혈증, 혈소판 감소증, 과도한 출혈이 있다.

2. 목표 응고시간

헤파린은 환자가 비정상적인 출혈의 위험을 보이지 않는 이상, 투
석중에 출혈에 대한 큰 부담없이 사용할 수 있다. 응고시간에 대해
두 가지 일상적인 헤파린 요법의 효과는 그림 14.1에 나와있다. 투
석 시간중 대부분의 시간을 WBPTT나 ACT의 기준값에 80%를 더

TABLE 14.3   투석 중 목표 응고시간

검사법	검사법	기본값	일반 헤파린 요구 범위		안전한 헤파린 요구 범위	
			투석 중	투석 끝	투석 중	투석 끝
APPTr		1.0	2.0-2.5	1.5-2.0	1.5-2.0	1.5-2.0
WBPTT	Actin FS	60-85s	+80% (120-140)	+40% (85-105)	+40% (85-105)	+40% (85-105)
ACT[a]	Siliceous earth	120-150s	+80% (200-250)	+40% (170-190)	+40% (170-190)	+40% (170-190)
LWCT[b]	None	4-8min	20-30	9-16	9-16	9-16

ACT , 활성화된 응고시간; LWCT, 전혈응고시간(Lee-white 응고시간)
[a] ACT를 시행하는 방법은 여러가지가 있다. 어떤 방법에서는 기본값은 훨씬 낮다(90-120s). [b] LWCT
의 기저값은 매우 다양하고 검사가 어떻게 이루어졌는지에 따라 다르다.

한만큼 유지하는 것이 중요하다(표 14.3). 하지만 투석이 끝날때 쯤의 응고시간은 그보다 더 짧아야 한다(기준치에 40%를 더한 값). 그래야 바늘을 제거한 후 삽입부위에서의 출혈을 최소화할 수 있다.

전혈응고시간(LWCT)을 사용한 목표 응고시간은 아래 표 14.3에 나와있다. WBPTT나 ACT와는 반대로 LWCT의 투석 중 목표 응고시간은 기준치에 80%를 더한 값보다 훨씬 크고, 투석 끝무렵의 목표응고시간은 기준치와 40% 를 합한 시간보다 크다.

3. 일상적인 헤파린 처방

일상적인 헤파린을 관리하는데는 두 가지 기본적인 기술이 있다. 첫 번째는 부하용량 투여 후 헤파린이 지속적으로 들어가는 것이다. 두 번째는 필요에 따라 부하용량을 반복해서 들어가는 것이다. 각각의 일반적인 처방은 다음과 같다.

-헤파린 상용, 지속적 투입법

부하용량을 투여한다(예를 들면 2,000 units). 첫 헤파린 투여량은 정맥에 연결하는 도관을 통해 주입하고 식염수로 흘려준다(동맥혈을 통해 주입하는 것보다 낫다). 헤파린을 동맥에 주입하게 되면, 부하된 헤파린이 체외회로를 통해 체내에 항응고효과가 나타날 때까지 헤파린이 없는 상태로 유입된 혈액이 투석기를 통해 펌프로 돌아가게 된다. 투석 전에 헤파린이 확산되기까지 3~5분정도 기다려야한다. 그 후 동맥에 헤파린을 투여한다(예를 들어 1시간에 1,200 units).

-헤파린 상용, 일회 혹은 반복 부하 투여법

부하용량을 투여한다(예를 들어 4,000 units). 이후 필요하다면 1,000~2,000단위의 부하용량을 투여한다. 하지만 미국에서 사용되는 처방전은 매우 다양한 편이다. 투석기를 재사용하는 센터는 재사용 횟수를 늘리기 위해 헤파린을 많이 사용한다. 몇몇 센터는 처음에 오직 초기용량(2,000 units정도)만 투여하고 추가적인 주입이나 부하용량을 투여하지 않기도 한다. 몇몇 센터는 매우 많은 부하용량(75~100 units/kg)을 처음에 투여하며, 매 시간 500~750 unit을 투여하기도 한다. 결과적으로 헤파린 투여의 이상적인 방법에 대해서는 잘 알려지지 않았다(Brunet, 2008).

a. 몸무게가 헤파린 투여량에 끼치는 영향

많은 약동학연구들이 체중가에 따라 헤파린의 분포용적이 증가한다고 했음에도 불구하고, 많은 투석센터에서는 50~90 kg대의 몸무게에 비례한 만큼 투여하지 않는다. 일부 센터는 몸무게에 따라 부하용량과 유지용량을 조정하기도 한다.

b. 경구용 항응고제의 처방이 헤파린 투여량에 끼치는 영향

쿠마린계 경구용 항응고제를 처방받는 노인 환자가 증가하고 있고, 새로운 항 Xa 억제제(apixaban, rivaroxcaban)과 직접적인 트롬빈 억제제(dabihatran)도 내과적 진료에 포함되고 있다. 이 신약들은 신장에서 배출되고, 투석 환자들에서는 누적되는 경향을 보이므로 출혈의 위험이 높아진다. INR이 2.5 미만으로 쿠마린 항응고제를 사용하는 환자들은 투석중에 항응고제를 필요로 하지만, INR이 3.0 이상인 인공심장판막을 가진 환자들은 헤파린이 필요하지 않다. 이와 비슷하게, 아스피린이나 다른 항혈소판 약제등을 처방받은 환자들은 기본적인 헤파린 투여를 필요로 하지만, 혈소판 감소증을 가진 환자들에서는 감량하거나 중지해야 한다 ($<50,000 \times 10^6/L$). 새로운 경구용 항응고제에 대해 알려진 의학정보는 매우 적지만, 직접적인 트롬빈, 항 Xa억제제과 병용하는 것은 주의해야 하도록 권고하고 있다.

c. 헤파린 투여를 끝내는 시기

투석 환자들의 헤파린 반감기는 평균적으로 50분이지만, 30분에서 2시간까지 가기도 한다. 만약 투석 중 헤파린 투여가 WBPTT나 ACT를 기준치에 80%를 합한 값만큼 연장시키면, 환자의 헤파린의 반감기가 1시간이라고 가정했을 때, 투석이 끝나기 1시간 전에 헤파린 투여를 멈춰야 WBPTT와 ACT 값이 투석을 종료할 때, 기준치에 40% 를 합한 값으로 맞춰질 것이다. 정맥도관의 경우, 보통 투석 종료 직후까지 헤파린 주입을 지속해야 한다.

d. 치료 후 주사 바늘부위 출혈

상기 증상이 발생한다면, 헤파린 투여량을 재평가해야 하며, 혈관 접근로는 유출로 협착이 있는지 다시 평가되어야한다. 이는 혈관내 증가하는 압력으로 인해 치료후 출혈을 유발할 수도 있기 때문이다. 또한, 바늘을 사용하는 기술에 대한 평가 또한 있어야 한다. 삽입 부위를 변경하는 기술이 부족하거나 실패하면, 인조혈관의 벽을 찢을 수 있고, 항응고제의 조절과 상관없이 바늘 제거이후 혈액 누출이 발생한다.

4. 헤파린 상용요법 도중 응고의 평가

체외 회로시스템에서 우연히 응고가 발생했을 경우, 일반적으로 헤파린 처방을 변경할 필요가 없다. 응고가 일어나면, 그 원인을 파악하는게 효율적이다. 흔히 응고를 일으킨 원인은 교정가능하다(예를 들면 혈관 접근로 교정). 시술자가 일으킨 실수라면(표14.4) 교육을 통해 관리되어야 한다. 헤파린 투약 중임에도 반복되는 응고는 개별적인 재평가와 헤파린 용량 조절이 필요하다.

5. 헤파린 사용요법에서 출혈 합병증

위장병소(위염, 위궤양, 혈관형성이상), 근래 수술받은 사람, 심낭막염 혹은 혈소판 감소증 등의 요인을 가진 위험이 높은 환자들의 경우, 항응고제의 정맥투여는 출혈의 위험을 25~50% 높인다. 새로운 출혈은 중추신경계와 후복강, 종격동에 영향을 끼칠 수 있다. 출혈 경향은 요독증으로 인한 혈소판 기능 부전이 있을 때 혹은, 내피세포에 이상이 있을 때 더 빈번해진다.

TABLE 14.4	응고를 유발하는 기술적인 혹은, 시술자가 유발하는 요인

투석기 프라이밍
투석기 내부에 공기가 있음(프라이밍이 적절치 못했거나, 부족한 프라이밍 기술)
헤파린 투여관의 적절치 못한 프라이밍

헤파린 투여
헤파린 펌프율의 잘못된 설정
잘못된 부하용량
헤파린 펌프 시작의 지연
헤파린 라인 클램프를 푸는데 실패
헤파린의 정맥 주입을 위한 부하용량 후의 불충분한 시간 연장

투석 순환로
투석기 유출 회로의 꼬임

혈관 연결
바늘주사나 도관의 위치가 잘못되었거나, 응고로 인한 혈류 이상
바늘이나 지혈대의 위치 때문에 나타나는 지나친 연결 재순환
기계의 알람으로 인해 빈번히 일어나는 혈류의 중단

B. 철저한 헤파린 요법(Tight heparin)

1. **일반적인 의견**

   철저한 헤파린 요법은 출혈의 위험이 적은 환자들에게 추천되며, 출혈위험이 만성적이고 오래 지속되는 경우, 빈번한 응고로 헤파린 없는 투석을 사용하지 못하는 경우에 추천된다. WBPTT나 ACT를 사용해 치료를 모니터할 때, 대상 응고시간은(표 14.3 그리고 그림 14.1의 C곡선) 기준치 +40%가 된다. 전혈응고방법(LWCT)을 사용하는 목표 응고시간은 표 14.3에 나와있다. WBPTT 혹은 ACT 기본값이 투석 환자의 평균 기본값의 140%이상이면, 헤파린을 이용하지 않는 것이 좋고, 헤파린 없이 혹은 국소적으로 구연산염을 사용하는 것이 좋다.

2. **철저한 헤파린 요법 처방**

   부하 용량 투여 후 유지 용량의 헤파린 투여를 하는 것이 철저한 헤파린 요법 투여 처방에 가장 좋다. 지속적인 헤파린 주입은 응고시간의 변동성을 피할 수 있지만, 반복투여는 그럴 수 없기 때문이다. 보통 철저한 헤파린 요법 처방은 다음과 같다:
   -**철저한 헤파린 요법, 지속적인 투여방법.**
   · 응고시간의 기본값을 얻는다 (WBPTT or ACT)
   · 첫 부하용량 = 750 units
   · 3분 뒤 WBPTT와 ACT를 재측정한다.
   · 기준치 + 40%에 도달하기 위해 WBPTT와 ACT를 연장할 필요가 있다면, 추가 투여한다.
   · 투석을 시작하고 헤파린을 시간당 600 units으로 주입한다.
   · 응고시간을 매 30분마다 모니터한다.

· WBPTT 혹은 ACT 값이 기준치 +40%가 되도록 헤파린 주
입속도를 조절한다.
· 투석이 끝날때까지 헤파린 주입을 계속한다.

C. 헤파린과 연관된 합병증

출혈외에도, 중요한 합병증으로 혈중지질의 상승, 혈소판 감소증, 그
리고 저알도스테론증, 고칼륨혈증의 악화등이 있다. 이 증상들은 특히
상당한 잔여신기능을 가지고 있는 환자들에서 나타나기 쉽다. 일부 환
자들은 탈모를 경험할 수도 있다.

1. 지질

헤파린은 지단백 가수분해 효소를 활성화하여 혈청 트리글리세리
드 농도를 높인다. 헤파린을 많이 투여하면 고밀도 지단백 콜레스
테롤(HDL)이 낮아질 수 있다.

2. 헤파린 유발 혈소판 감소증

헤파린 유발 혈소판 감소증(HIT)에는 두 가지 종류가 있다. 1형의
HIT는 시간과 투여 방식에 따라 혈소판 수가 감소 하는 것으로, 헤
파린 투여를 감량하면 호전된다. 2형의 HIT는 혈소판의 응집과 역
설적인 동맥 혹은 정맥 혈전이다. 2형 HIT는 헤파린-혈소판 인자
4 복합체에 저항하는 면역글로불린 항체 G 혹은 면역글로불린 항
체 M의 발생에 의한 것으로, 소 혹은 돼지(bovine vs porcine)의 미
분획 헤파린으로 인해 유발되는 것이 가장 흔하고, 저분자량 헤파
린으로는 거의 일어나지 않는다. 투석하지 않은 사람의 HIT 빈도
를 고려해 볼 때, 투석 환경에서 더 자주 발생하지 않는 것은 놀라운
일이다. 2형 HIT의 진단은 임상적으로 가능하고, 비정상 혈소판
응집 결과를 보이면서 ELISA에서 혈소판 인자 4과 헤파린 복합체
가 붙어있는 것으로 진단을 확정할 수 있다.

HIT를 치료하기위해 저분자량 헤파린을 사용해서는 안되는
데, 헤파린-혈소판 인자 4의 항체는 약물들과 교차반응성을 보이
기 때문이다. 항응고제의 대체제들로는 직접적인 트롬빈 억제제
argatroban, 헤파린 유사체 danaparoid, 그리고 fondaparinux가
있다(Haase, 2005). 와파린은 혈소판수가 150,000 × 10⁶/L 이상
으로 회복되어야 사용될 수 있으며, 급성 질환에서 사용될 경우 피
부 괴사나, 하지 정맥 괴저를 일으킬 수도 있다(Srinivasan, 2004).

3. 소양증

헤파린이 피하에 주사되었을 경우, 가려움을 유발할 수도 있고, 투
석중에 가려움과 다른 알러지 반응을 유발할 수 있다. 반면에 저분
자량 헤파린은 T-림프구의 헤파린 분해 활동을 억제함으로써, 편
평태선과 관련있는 가려움을 치료하는데 사용된다(Hodak, 1998).
체외순환로에서 헤파린을 제거하면 요독성 소양증의 치료에 도움
이 된다는 증거는 없다.

4. 아나필락토이드 반응

12장을 참고.

5. 고칼륨혈증

헤파린은 알도스테론 합성을 억제하여 고칼륨혈증을 유발한다. 핍뇨의 투석 환자인 경우, 알도스테론이 위장관계를 통해서 여전히 칼륨을 배출한다고 추정된다(Hottelart, 1998).

6. 골다공증

장기간의 헤파린투여는 골다공증을 야기할 수 있다.

D. 헤파린을 사용하지 않는 투석

1. 일반적인 의견

헤파린을 사용하지 않는 투석은 출혈이 많은 환자, 출혈의 위험이 높은 환자이거나, 헤파린 사용이 금지된 환자들(예를들어, 헤파린 알러지가 있는 사람)에게 사용된다. 헤파린을 사용하지 않는 투석의 적응증은 표 14.5에 나와 있다. 이것은 간단하고, 안전하기 때문에 중환자실과 같은 집중 치료실에서 흔하게 사용한다. 신중하게 프라이밍을 해서 공기와 혈액이 만나지 않도록 하는 것이 중요하며, 이렇게 하면 체외순환로의 응고를 예방해준다. 투석 회로는 배관의 길이를 최소화하도록 하고, 정체구역과 내경 내부의 변화로 인한 격류, 3방향의 연결고리를 피해야 한다. 투석액을 냉각하면 혈소판은 활성이 감소한다.

2. 헤파린을 사용하지 않는 처방

다양한 방법들이 있는데, 아래에 주어진 것들과 비슷하다.

―헤파린을 사용하지 않는 투석

a. 헤파린 씻어내기

(이 단계는 필수는 아니다. 헤파린과 관련된 혈소판 감소증이 있다면 이 단계는 하지 말 것.) 1리터당 3,000 unit의 헤파린이 함유된 식염수로 체외순

TABLE 14.5	**항응고 전략: 헤파린을 사용하지 않는 투석을 사용하는데 필요한 지표**

심장막염
최근에 출혈 합병증이나 그 위험이 있었던 수술을 받음, 특히:
　혈관이나 심장병 수술
　눈 수술(망막, 백내장)
　뇌 수술
　부갑상샘 수술
응고장애
혈소판감소증
대뇌출혈
활동성 출혈
급성 질환 환자들에게 일상적인 투석이 사용되는 경우

환로를 프라이밍하면, 체외순환로와 투석막의 표면이 헤파린으로 뒤덮혀 응고형성 반응을 경감시킨다. 환자에게 정맥으로 헤파린이 투여되는 것을 막기위해, 투석을 시작할 때, 환자의 혈액이나 헤파린이 없는 식염수로 체외순환로를 채워서 헤파린이 포함된 준비액이 배액되도록 한다.

b. 비교적 높은 혈류량

환자가 견딜 수 있다면, 혈류량을 분당 300~400 mL로 설정한다. 만약 불균형의(예를 들어, 환자가 작거나, 투석 전 혈중 요소가 매우 높을 때) 위험 때문에 혈류 속도를 높이는 것이 불가능하다면, 투석 중에 매우 짧게(예, 1시간) 초미세여과 단독으로만 투석하는 것을 고려한다. 또한, 작은 표면적 투석막을 사용하거나, 투석액 속도를 낮추는 것도 고려해볼 수 있다. 일반적으로, 이중내경 투석 도관은 충분히 높은 혈류량을 감당하므로, 헤파린을 사용하지 않는 투석에 효과적이다.

c. 주기적인 식염수 씻기

이 단계의 실용성은 논란이 많다. 최근 한 연구에서는 식염수 씻기를 사용하는 것이, 응고를 촉진한다고 주장하였다(순환로에 미세기포가 발생으로 인함)(Sagedal, 2006). 주기적인 씻기를 하는 목적은, 유공섬유(hollow fiber) 투석기 막을 점검하여, 응고여부를 확인하고, 적절한 시기에 치료를 중단하거나 투석막 교체를 하도록 하는 것이다. 또한, 일부 사람들은 주기적인 식염수 씻기가 투석기의 응고 경향을 줄이거나, 혈전 형성을 방해한다고 믿기도 한다.

절차: 매 15분마다 혈액 주입 회로를 폐쇄하는 동안에, 투석기를 250 mL의 식염수로 빠르게 씻어낸다. 씻어내는 빈도는 필요에 따라 늘어날 수도, 줄어들 수도 있다. 초미세여과 용량을 정확하게 제거하기 위해 들어간 식염수 용량만큼 조절하는 것이 필요하다.

d. 투석막 재료

헤파린은 매우 음전하를 띤 분자이기 때문에 투석기 표면에 흡착할 수 있고, 헤파린 흡착투석막을 생성하여 헤파린 없는 혹은 헤파린을 감량한 투석을 가능하게 한다(Evenepoel, 2007).

e. 투석기 표면적

이론적으로 넓은 표면적을 가진 투석기는, 특히 투석막 섬유의 외부 흐름이 느리다면, 응고의 위험이 크다. 작은 표면적의 투석기는 외부 모세섬유내에서의 흐름을 빠르게 할 수 있기 때문에 더 선호된다.

f. 초미세여과와 혈액투석여과

초미세여과율이 매우 높다면 혈액농축을 유발하고 혈소판-투석막의 상호작용에 대한 위험을 증가시켜 투석기 표면의 혈전침착을 일으킬 수 있다.

g. 혈액수혈 혹은 지방투여

혈액 회로를 통한 주입은 투석 중 응고의 위험을 증가시킨다고 보고되어 있다.

E. 중탄산염 투석 용액과 저농도 구연산염(Citrasate™)

적은 양의 구연산염은 산성화 물질로서 아세트산을 대체할 수 있다.

산과 염기 물질이 섞여있을 때, 투석액은 흔히 보통 0.8 mmol/L (2.4 mEq/L)의 구연산염을 포함한다. 이 적은 양의 구연산염은 칼슘과 혼합하여, 혈액 응고를 방해하고, 투석막 표면에서 국소적으로 일어나는 혈소판 활성화를 억제하여, 결과적으로 투석기의 여과율과 재사용율을 높일 수 있다(Ahmad, 2005). 이런 유형의 적은 양의 헤파린과 함께 혹은, 헤파린을 사용하지 않는 투석에 일부분 사용되어 투석기의 응고발생을 감소시키는 데 사용할 수 있다. 사용된 구연산염 총량은 매우 적어서 이온화 칼슘 수치를 모니터링할 필요는 없다.

V. 다른 항응고요법 기술

A. 저분자량 헤파린(LMWH)

저분자량 분획(분자무게 = 4,000 ~ 6,000 Da)는 화학적으로 분해하거나, 효소소화, 원재료 그대로의 헤파린(분자무게 = 2,500 ~ 25,000 Da)을 걸러 얻어진다. 저분자량 헤파린은 인자 Xa, 인자 XIIa, 칼리크레인을 억제하지만, 트롬빈, 인자 IX, XI의 억제는 거의 없기 때문에 부분 트롬보플라스틴시간(PTT) 및 트롬빈 시간이 처음 1시간 동안에 겨우 35% 증가하고 그 이후에는 최소한으로 연장되면서 출혈 위험을 감소시킨다.

저분자량 헤파린을 유일하게 항응고제로 사용한 혈액투석은 장기간 연구를 통해 안전하고 효과적이라는 것이 입증되었다. 저분자량 헤파린의 반감기가 길어서 투석 초반에 항응고제를 한 번의 부하용량으로 투여해도 되지만, 투석 시간이 연장되면 여러 번 분할해서 투여하는게 더 효율적이다. 미분획 헤파린과 비교하여, 저분자량 헤파린은 내피, 혈장 단백질 및 혈소판에 비특이적인 결합이 덜하여 생체 이용률이 높다. 그렇기 때문에, 저분자량 헤파린의 활성화가 더 빠르고, 혈소판과 백혈구 활성화(Aggarwal, 2004), 투석막에 섬유소 침착이 미분획 헤파린보다 덜 발생한다. 저분자량 헤파린은 작은 분자이기 때문에, 투석막의 위쪽으로 주입되었을 경우, 특히 혈액투석여과(HDF) 중일때, 부하용량 중 일부가 소실될 수 있다(Sombolos, 2009).

저분자량 헤파린은 이제 미국에서 상업적으로 사용가능 하지만, 막

TABLE 14.6	투석 중 목표 응고시간		
이름	**분자량(Da)**	**항 Xa/IIa 활성화 비율**	**평균 투석시 부하용량**
Dalteparin	6,000	2.7	5,000 IU
Nadroparin	4,200	3.6	70 IU/kg
Revaparin	4,000	3.5	85 IU/kg
Tinzaparin	4,500	1.9	1,500-3,500 IU
Enoxaparin	4,200	3.8	0.5-0.8 mg/kg

대한 비용과 규제의 문제로 혈액투석에 많이 쓰이고 있지는 않다. 저분자량 헤파린의 용량은 대부분 항인자 Xa Institute Choay units (aXaICU)에 나타나있다. 일련의 저분자량 헤파린을 사용하는 것이 가능한데, 각각 분자무게, 반감기, 인자 IIa에 대한 상대적인 항 Xa 활성도가 다르다. 일반적으로 사용가능한 저분자량 헤파린의 특성과 초기 용량은 표 14.6에 나와있다. 출혈의 위험이 있는 환자에게는 낮은 용량이 투여되어야 한다. 항 Xa활성화 검사가 쉽지 않기 때문에 저분자량 헤파린 치료에서 응고 검사는 일반적으로 모니터하지 않는다. 항 Xa인자 분석이 tinzaparin 항응고수준을 분석하는데 효과적이라는 예비조사가 있다(Pauwels, 2014). 위에서 언급했듯이, 저분자량 헤파린의 잠재적인 이득은 투여가 더 쉽고, 효과가 더 예측가능하고, 장기적인 미분획 헤파린 투여로 인한 골다공증의 위험이 줄어든다는 것이다. European Best Practice Guidelines도 미분획 헤파린보다는 저분자량 헤파린의 사용을 권장한다

1. 저분자량 헤파린에 대한 아나필락시스 반응

초기사용 증후군은(12장) 미분획 헤파린에 대해서만 나타나는 것이 아니라 저분자량 헤파린에서도 나타난다고 보고되었다. 이 반응이 일어난다면, 환자는 모든 유형의 헤파린에 반응을 보인다고 봐야한다. 헤파린은 매우 음전하를 띠고 있기 때문에, 헤파린화된 혈액이 투석막을 지나면서 bradykinin과 아나필락시스 독소(C3a, C5a)를 생성하여 저혈압을 유발할 수 있다(kishimoto, 2008). 이는 헤파린 유지요법으로 투석받을 때는 괜찮으나 부하용량이 투여가 불가능한 헤파린 알러지 환자에 대한 설명이 될 수 있다.

2. 출혈 합병증

저분자량 헤파린 치료와 함께, 클로피도그렐(clopidogrel)과 아스피린을 처방받고 있는 만성 신장질환 환자들에서 출혈 합병증의 가능성이 보고되었다(Farooq, 2004).

B. 헤파린 유사체(danaparoid and fondaparinux)

Danaparoid는 84%의 헤파린과 12%의 dermatan, 4%의 chondroitin sulfates의 혼합물이다. Danaparoid는 대개 Xa인자에 영향을 주므로, 항 Xa측정법을 통해 모니터되어야 한다. 신부전에서는 반감기가 연장되므로, 투석 시행하기 전에 항 Xa활성성을 측정하기도 한다. 55 Kg 이상의 환자들은 750 IU의 부하용량이 권유되고, 55 kg이하의 환자들에게는 부하용량을 500 IU정도로 투여하도록 추천한다. 이후의 투여는, 부하투여 후 항 Xa 활성성이 0.4~0.6에 이르도록 조절해야 한다. 간혹 Danaparoid는 10%에서 HIT 항체와 교차반응을 보이기도 한다. 최근에, fondaparinux 같은 일련의 합성 다당류가 개발되었는데, 이것은 HIT항체와 교차반응을 보이지 않는다. 보통 투석 전의 투여량은 2.5~5.0 mg이다. Fondaparinux는 긴 반감기를 가지고 있다. 항 Xa 모니터링은 헤파린 유사체가 축적되는 것을 막기 위해 시

행되는데, 투석 전 항 Xa인자가 0.2IU/mL 이하를 유지할 수 있도록 한다. 혈액투석여과(HDF)에서는 danaparoid와 fondiparinux가 손실되므로, 더 많은 투여량이 필요하다.

C. 국소적(고농도) 구연산염 항응고요법

헤파린을 사용하지 않는 투석에서 헤파린 대체요법은, 체외순환로에 있는 혈액 내에서 이온화된 칼슘의 농도를 낮추어 항응고를 하는 것이다 (응고 과정에 칼슘이 필요하기 때문). 칼슘과 혼합하는 3-나트륨 구연산염을 동맥의 혈액 라인에 투입하거나 칼슘이 들어가지 않은 투석 용액을 사용하면, 체외 순환 혈액내 이온화 칼슘수치가 낮아진다. 이온화된 칼슘의 농도가 매우 낮은 혈액이 환자에게 반환되는 것을 막기위해, 염화칼슘을 투석기의 유출로에 주입함으로써 과정을 역전시킨다. 투입된 1/3의 구연산염은 여과되어 없어지고, 남은 2/3은 환자체내에서 대사된다. 헤파린을 사용하지 않는 투석에 비해 국소적 구연산염 항응고의 장점은 (a) 혈류량이 높지 않아도 된다는 것 (b) 응고가 거의 일어나지 않는다는 것이다. 단점으로는 두 가지 주입로가 필요하다는 것(구연산염과 칼슘) 그리고, 혈청내 이온화 칼슘 수치를 모니터해야한다는 점이다. 구연산 나트륨이 대사되면 중탄산염을 만들기 때문에, 이 방법을 사용하면, 보통의 경우보다 혈청 중탄산염이 더 높아진다. 그러므로 국소적 구연산염 항응고요법은 알칼리증의 위험이 있는 환자들에서는 주의해서 사용해야 한다. 구연산염 항응고요법을 장기간 사용할 때, 대사성 알칼리증의 위험을 피하기 위해, 투석액의 중탄산염 농도를 줄여야 한다(25 mM정도)(van der Meulen, 1992). 이 방법은 간헐적 혈액투석에서 널리 사용되지는 않지만, 지속적 투석치료에서는 흔히 사용된다. 구연산염 항응고요법의 이론적인 장점 중 하나는, 혈소판 활성화와 탈과립을 예방할 수 있다는 것이다(Gritters, 2006).

D. 트롬빈 억제제

아르기닌으로부터 파생된 합성 펩타이드인 argatroban은 직접적으로 트롬빈을 억제하는 역할을 한다. 이것은 주로 간에서 대사된다. Argatroban은 HIT 환자들을 치료하는데 사용하도록 허가를 받았다. 혈액투석에서는 첫회 부하용량을 250 mcg/kg로 하고, 분당 2 mcg/kg, 혹은 시간당 6~15 mg (Murray2004)의 속도로 주입을 하여 APPTr이 2.0~2.5정도가 되도록 조절한다. 헤파린과 마찬가지로, 바늘 삽입 부위의 출혈을 막기 위해, 투석 끝나기 20~30분전 주입을 멈춰야 한다. Argatroban은 단백질에 결합하기 때문에, 고투과량 혈액투석이나 혈액투석여과 중에 Argatroban은 거의 여과되지 않는다. 하지만 간질환환자에서는 요구량이 적다(Grein-achre 2008). melagatran이라는 약물도 투석액에 첨가되어 항응고요법에 사용되긴 했으나 아직 실험으로 남아있다(Flanigan, 2005).

재조합형의 비가역적인 트롬빈 억제제인 Lepirudin는 신장으로 배설되므로, 투석 환자에서는 생물학적 반감기가 연장된다. 간헐적 혈액투석을 위한 부하용량은 0.2~0.5 mg/kg (5~30 mg) 정도이다. Lepirudin은 혈액투석여과(HDF)나 고투과량 혈액투석에서 여과된다(Benz, 2007). 대략 1/3의 환자들에게서 항응고 효과를 잠재하는 Hirudin 항체가 발생한다는 연구가 보고되었다. 용량 조절은, 축적을 방지하기 위해 1.5 미만으로 조절하는 것을 목표로 투석 전에 APTTr을 측정하여 부하용량을 조절한다. 하지만 APTTr이 혈청내 lepirudin 농도와는 연관이 없기 때문에 치료 범위를 0.5~0.8 mcg/mL로 목표하는 lepirudin 분석법이 개발되었다. 출혈의 위험이 크고, 간단한 해독제도 없기 때문에, 신선동결 혈장이나 인자 VIIa가 필요할 수 있다. Lepirudin 은 간혹 아나필락시스 반응을 일으키기도 한다. Bivalirudin은 가역적인 직접적 트롬빈 억제제이며, lepirudin보다 훨씬 짧은 반감기를 가진다. 보통 주입률은 시간당 1.0~2.5 mg (시간당 0.009~0.023 mg/kg)이며 1.5~2.0사이의 APTTr를 가지도록 조절한다.

E. 프로스타글란딘 유사체(Prostanoids)

Prostacyclin (PGI2)와 유사형의 epoprostenol은 cAMP를 막는 강한 항혈소판제이다. 이 두 가지는 출혈의 위험이 있는 환자에게 국소적 항응고제로 사용될 수 있다. PGI2는 강력한 혈관 확장제이기 때문에, 처음 주입을 분당 0.5 ng/kg 으로 시작해서 서서히 분당 5 ng/kg 으로 올리고 투석 시작 후에 투석순환로에 주입을 하면, 저혈압의 위험을 줄일 수 있다. 반감기는 매우 짧고, 주입을 멈추면 저혈압을 빠르게 교정할 수 있다.

F. 나파모스텟(Nafamostat maleate)

Nafamostat는 짧은 반감기를 가진 단백질 분해 억제제이며, 국소적 항응고제로 쓰일 수 있다. 대부분 일본에서 사용되었고, 처음 부하용량은 20 mg정도이고, 주입은 시간당 40 mg로 시작된다. 목표 APTTr 이 1.5~2.0 혹은 ACT가 140~180초 정도로 유지되게 조절한다.

References and Suggested References

Aggarwal A. Attenuation of platelet reactivity by enoxaparin compared with unfractionated heparin in patients undergoing haemodialysis. *Nephrol Dial Transplant.* 2004;19:1559–1563.

Ahmad S, et al. Increased dialyzer reuse with citrate dialysate. *Hemodial Int.* 2005;9:264.

Apsner R, et al. Citrate for long-term hemodialysis: prospective study of 1,009 consecutive high-flux treatments in 59 patients. *Am J Kidney Dis.* 2005;45:557.

Benz K, et al. Hemofiltration of recombinant hirudin by different hemodialyzer membranes, implications for clinical use. *Clin J Am Soc Nephrol.* 2007;2:470–476.

Brunet P, et al. Pharmacodynamics of unfractionated heparin during and after a haemodialysis session. *Am J Kidney Dis.* 2008;51:789–795.

Caruana RJ, et al. Heparin-free dialysis: comparative data and results in high-risk patients. *Kidney Int.* 1987;31:1351.

De Vos JY, Marzoughi H, Hombrouckx R. Heparinisation in chronic haemodialysis treatment: bolus injection or continuous homogeneous infusion? *EDTNA ERCA J.* 2000;26(1):20–21.

European Best Practice Guidelines. V.1–V.5 Hemodialysis and prevention of system clotting (V.1 and V.2); prevention of clotting in the HD patient with elevated bleeding risk (V.3); heparin-induced thrombocytopenia (V.4); and side effects of heparin (V.5). *Nephrol Dial Transplant.* 2002;17(suppl 7):63.

Evenepoel P, et al. Heparin-coated polyacrylonitrile membrane versus regional citrate anticoagulation: a prospective randomized study of 2 anticoagulation strategies in patients at risk of bleeding. *Am J Kidney Dis*. 2007;49:642–649.

Farooq V, et al. Serious adverse incidents with the usage of low molecular weight heparins in patients with chronic kidney disease. *Am J Kidney Dis*. 2004;43:531.

Flanigan MJ. Melagatran anticoagulation during haemodialysis—'Primum non nocere'. *Nephrol Dial Transplant*. 2005;20:1789.

Frank RD, et al. Factor Xa-activated whole blood clotting time (Xa-ACT) for bedside monitoring of dalteparin anticoagulation during haemodialysis. *Nephrol Dial Transplant*. 2004;19:1552.

Gotch FA, et al. Care of the patient on hemodialysis. In: Cogan MG, Garovoy MR, (eds). *Introduction to Dialysis*, 2nd ed. New York, NY: Churchill Livingstone; 1991.

Gouin-Thibault I, et al. Safety profile of different low-molecular weight heparins used at therapeutic dose. *Drug Saf*. 2005;28:333.

Greaves M. Control of anticoagulation subcommittee of the scientific and standardization committee of the International Society of Thrombosis and Haemostasis: limitations of the laboratory monitoring of heparin therapy. Scientific and standardization committee communications on behalf of the control of anticoagulation subcommittee of the scientific and standardization committee of the International Society of Thrombosis and Haemostasis. *Thromb Haemost*. 2002;87:163–164.

Greinacher A, Warkentin TE. The direct thrombin inhibitor hirudin. *Thromb Haemost*. 2008;99:819–829.

Gritters M, et al. Citrate anticoagulation abolishes degranulation of polymorphonuclear cells and platelets and reduces oxidative stress during haemodialysis. *Nephrol Dial Transplant*. 2006;21:153.

Haase M, et al. Use of fondaparinux (ARIXTRA) in a dialysis patient with symptomatic heparin-induced thrombocytopaenia type II. *Nephrol Dial Transplant*. 2005;20:444.

Handschin AE, et al. Effect of low molecular weight heparin (dalteparin) and fondaparinux (Arixtra) on human osteoblasts in vitro. *Br J Surg*. 2005;92:177.

Hemmelder MH, et al. Heparin lock in hemodialysis catheters adversely affects clotting times: a comparison of three catheter sampling methods [Abstract]. *J Am Soc Nephrol*. 2003;14:729A.

Ho G, et al. Use of fondaparinux for circuit patency in hemodialysis patients. *Am J Kidney Dis*. 2013;61:525–526.

Hodak E, et al. Low-dose low-molecular-weight heparin (enoxaparin) is beneficial in lichen planus: a preliminary report. *J Am Acad Dermatol*. 1998;38:564.

Hottelart C. Heparin-induced hyperkalemia in chronic hemodialysis patients: comparison of low molecular weight and unfractionated heparin. *Artif Organs*. 1998;22:614–617.

Kishimoto TK, et al. Contaminated heparin associated with adverse clinical events and activation of the contact system. N Engl J Med. 2008;358:2457–2467.

Krummel T, et al. Haemodialysis in patients treated with oral anticoagulant: should we heparinize? Nephrol Dial Transplant. 2014;29:906–913.

Lai KN, et al. Effect of low molecular weight heparin on bone metabolism and hyperlipidemia in patients on maintenance hemodialysis. Int J Artif Organs. 2001;24:447.

Lim W, et al. Safety and efficacy of low molecular weight heparins for hemodialysis in patients with end-stage renal failure: a meta-analysis of randomized trials. *J Am Soc Nephrol*. 2004;15:3192.

McGill RL, et al. Clinical consequences of heparin-free hemodialysis. *Hemodial Int*. 2005;9:393.

Molino D, et al. In uremia, plasma levels of anti-protein C and anti-protein S antibodies are associated with thrombosis. *Kidney Int*. 2005;68:1223.

Murray PT, et al. A prospective comparison of three argatroban treatment regimens during hemodialysis in end-stage renal disease. *Kidney Int*. 2004;66:2446.

Olson JD, et al. College of American Pathologists Conference XXXI on laboratory monitoring of anticoagulant therapy: laboratory monitoring of unfractionated heparin therapy. *Arch Pathol Lab Med*. 1998;122:782–798.

Ouseph R, et al. Improved dialyzer reuse after use of a population pharmacodynamic model to determine heparin doses. *Am J Kidney Dis*. 2000;35:89.

Pauwels R, et al. Bedside monitoring of anticoagulation in chronic haemodialysis patients treated with tinzaparin. *Nephrol Dial Transplant.* 2014;29:1092–1096.

Sagedal S, et al. Intermittent saline flushes during haemodialysis do not alleviate coagulation and clot formation in stable patients receiving reduced doses of dalteparin. *Nephrol Dial Transplant.* 2006;21:444.

Schwab SJ, et al. Hemodialysis without anticoagulation: one year prospective trial in hospitalized patients at risk for bleeding. *Am J Med.* 1987;83:405.

Smith BP, et al. Prediction of anticoagulation during hemodialysis by population kinetics in an artificial neural network. *Artif Organs.* 1998;22:731.

Sombolos KI, et al. The anticoagulant activity of enoxaparin sodium during on-line hemodiafiltration and conventional haemodialysis. *Haemodial Int.* 2009;13:43–47.

Srinivasan AF, et al. Warfarin-induced skin necrosis and venous limb gangrene in the setting of heparin-induced thrombocytopenia. *Arch Int Med.* 2004;164:66.

Tang IY, et al. Argatroban and renal replacement therapy in patients with heparinin-duced thrombocytopenia. *Ann Pharmacother.* 2005;39:231.

Van Der Meulen J, et al. Citrate anticoagulation and dialysate with reduced buffer content in chronic hemodialysis. *Clin Nephrol.* 1992;37:36–41.

Wright S, et al. Citrate anticoagulation during long term haemodialysis. *Nephrology (Carlton).* 2011;6:396–402.

Zhang W, et al. Clinical experience with nadroparin in patients undergoing dialysis for renal impairment. *Hemodial Int.* 2011;15:379–394.

15 지속적 신대체요법

류지원 역

신부전을 동반한 중환자들의 치료에서 가장 널리 쓰이는 지속적 신대체요법 (CRRT)은 지속적 혈액투석(hemodialysis)과 혈액투석여과(hemodiafiltration)로 구성되어 있다. 시간을 연장시킨 간헐적 신대체요법(PIRRT)과 저효율로 지속시킨 혈액투석과 혈액투석여과법도 꽤 사용된다. 지속적인 혈액여과와 저속으로 유지하는 초미세여과(ultrafiltration)도 사용되나, 흔하게 사용되지는 않는다.

I. 명명법

이 책자에서 우리는 동맥-정맥(AV)으로 접근을 하던, 정맥-정맥으로 접근을 하던 지속적인 혈액투석을 C-HD라고 줄여 썼다. 비슷하게 지속적 혈액여과도 C-HF라고 줄여쓰고, 저속형 지속적 혈액투석여과를 합쳐 C-HDF라고 줄여 쓴다. 역사적으로 'C'라는 글자 다음에 AV혹은 VV를 넣어 치료에 동맥-정맥 혹은 정맥-정맥 접근로가 사용되었는지 명확히 하려고 했다. 하지만 오늘날 대부분의 치료에 정맥도관을 이용한 접근로가 사용됨으로 VV라는 단어를 쓰는 것은 더 이상 필요치 않게 되었다. 저속형 지속적 초미세여과는 SCUF로 줄여 쓴다. 또한 지속된 저효율성 혈액투석과 지속적 저효율성 혈액투석여과는 각각 SLED와 SLED-F로 줄여 쓴다. SLED와 SLED-F는 시간을 연장한 간헐적 신대체요법 혹은 PIRRT로 분류된다. 전통적인 간헐적 요법은 IHD (intermittent hemodialysis)라고 하거나, 보통 IRRT (intermittent renal replacement therapy)라고 한다. 간헐적 요법이라고 해서 꼭 혈액투석만 있는 것은 아니다.

A. C-HD와 C-HF, C-HDF의 차이는 무엇인가?

각각의 방법은 동맥 또는 정맥에서 여과기를 통해 혈액을 저속으로, 연속적으로 통과시키는 것을 포함한다. 표 15.1에 이 방법들을 비교해보았다.

1. 지속적 혈액투석(C-HD)

C-HD(그림 15.1)에서는 투석액이 여과기의 투석액 구획을 저속으로, 지속적으로 통과한다. C-HD에서는 확산(diffusion)이 용질 제거의 주된 방법이다. 투석막을 통해 초미세여과 된 수분의 총액은 적으며(보통 하루에 3~6 L), 초과되는 수분제거양은 한정되어 있다.

271

TABLE 15.1	방법의 비교						
	IHD	SLED	SCUF	C-HF	C-HD	C-HDF
막 투과성	다양	다양	높음	높음	높음	높음
항응고법	단기간	장기	지속	지속	지속	지속
혈류 속도(mL/min)	250–400	100–200	100–200	200–300	100–300	200–300
투석액 속도(mL/min)	500–800	100	0	0	16–35	16–35
여과(L/일)	0–4	0–4	0–5	24–96	0–4	24–48
대체용액(L/일)	0	0	0	22–90	0	23–44
배출액 포화도(%)	15–40	60–70	100	100	85–100	85–100
용질 청소기전	확산	확산	대류	대류	확산	확산+대류
요소 청소율(mL/min)	180–240	75–90	1.7	17–67	22	30–60
기간(hr)	3–5	8–12	다양	>24	>24	>24

C-HD, slow continuous hemodialysis; C-HF, slow continuous hemofiltration; C-HFD, slow continuous hemodiafiltration; IHD, intermittent hemodialysis; SCUF, slow continuous ultrafiltration; SLED, sustained low-efficiency dialysis.
Metha 저. 중환자에서의 지속적 신대체요법. 2005;67:781–795

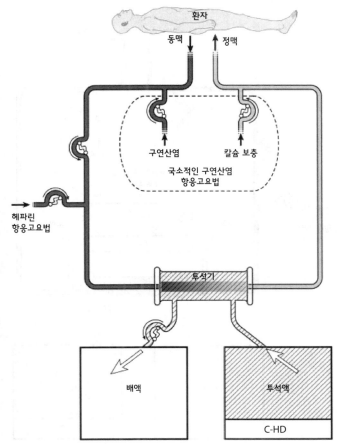

그림 15.1   저속형 지속적 혈액투석의 일반적인 순환로이다. 헤파린이나 국소적 구연산염이 사용된 항응고요법이 보여진다. 저속형 지속적 초미세여과의 경우 투석액의 주입을 제외하면, 순환로는 위의 것과 같다.

2. 지속적 혈액여과(C-HF)

C-HF(그림 15.2)는 투석액이 사용되지 않는다. 대신, 많은 양의 대체용액(하루당 25~50L 정도)을 혈액 회로의 안이나 밖에 주입한다(회로 안; 전희석, 회로 밖; 후희석). C-HF에서는, 막을 통해 초미세여과된 용액은 대체용액과 제거된 초과 수분양의 합과 같고, 그 값은 C-HD보다 크다.

3. 지속적 혈액투석여과(C-HDF)

이것은(그림 15.2) C-HD와 C-HF을 간단하게 혼합시킨 것이다. 투석액이 사용되며, 혈액 회로의 유입이나 유출로에 대체용액이 주

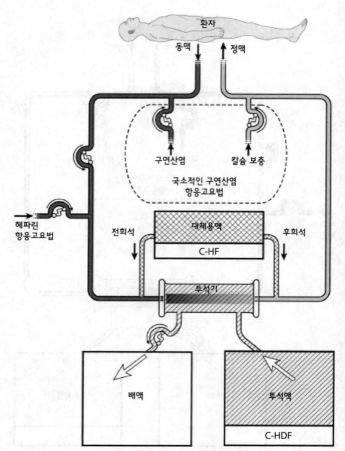

그림 15.2 지속적 혈액여과와 저속형 지속적 혈액투석여과의 일반적인 순환로이다. 저속형 지속적 혈액여과(C-HF)의 경우, 전희석 방법이나 후희석 방법 혹은 전, 후 동시에 대체용액이 주입될 수 있다. 저속형 지속적 혈액투석여과에서 혈액투석은 현재 C-HF와 함께 사용되고 있다. 헤파린이나 국소적 구연산염을 사용한 항응고요법도 위에 나와 있다.

입된다. 막을 통과한 초미세여과된 하루 수분의 총량은 제거된 수분양에 대체용액이 주입된 양을 합한 양이다. 보통, C-HDF에 사용되는 대체용액의 양은 C-HF에서 사용되는 양의 절반에 가깝다. 하지만 배출용액의 부피(대체용액+투석액+제거된 초과수분양)의 양은 C-HDF나 C-HF에서 비슷하다. C-HF에서의 배출용액은 대체용액과 초과 수분 제거량과의 합으로 이루어진다.

4. 저속형 지속적 초미세여과(SCUF)

C-HD와 C-HF와 설정은 비슷하지만, 투석액이나 대체용액을 사

용하지 않는다. C-HD와 비슷하게, 막을 통해 초미세여과된 수분의 양은 적다(보통 하루에 3~6 L).

B. 지속적 저효율 투석과 혈액투석여과 (SLED 과 SLED-F)

SLED는 투석 시간을 연장하여(6~10시간정도) 혈액과 투석액 속도를 낮춘 간헐적 혈액투석(IHD)의 일종이다. 보통 혈류 속도는 분당 200 mL정도이며, 투석액의 속도는 분당 100~300 mL정도이다. 혈류와 투석액 속도를 충분히 낮게 유지할 수 있다면, 일반적인 투석 장비를 사용해도 무방하다. 어떤 기계는 낮은 속도를 유지하기 위해 투석기의 소프트웨어 업데이트가 필요할 수도 있다. 낮에 IHD로 사용한 기계를 밤에 SLED로 사용할 수 있다. 투석 간호사들에게 경제력을 제공한다면 SLED에 대해 훈련시키는 것은 어렵지 않다. 지속적 신대체요법(CRRT) 장비나 인력이 부족하거나 치료가 제한되는 경우에, SLED는 CRRT와 비슷한 효과를 내게 해줄 수 있다. SLED-F는 투석기계에서 온라인으로 투석액을 이용해 대체용액을 만들어 낼 수 있지 않은 이상, 추가적인 대체용액이 필요하다(Marshall, 2004).

II. 지속적 신대체요법(CRRT) vs 간헐적 신대체요법(IHD)의 임상적 적응증

SLED와 같이 잠재적인 이점을 가지고 있는 다양한 지속적 신대체요법 방법들은 표 15.2에 제시되어 있다. 그 장점 중에는 표준 IHD와 비교하여 저속으로 수분이 제거되는 것과, 요독 조절이 향상된 것이 있다. 저속형 지속적인 치료법의 명백한 이점에도 불구하고, 여러가지 연구에서는 급성 신손상 환자에서 CRRT 치료가 IHD에 비해 더 좋은 생존율을 보여주지 못했다(Rabindranath, 2007). 하지만 대부분의 연구들은 일반적인 IHD로 치료하는 심한 중환자들을 제외하였다. 급성 신손상에 대한 2012 KDIGO 가이드라인에서는 혈역학적으로 불안정한 환자에게 표준적인 IRRT 보다 CRRT로 치료할 것을 제안하였고(level 2B), 급성뇌질환을 가진 환자들, 뇌압을 상승시키는 원인이 있거나 뇌부종이 심한 급성 신손상 환자에게도 CRRT를 사용할 것을 제안하였다. 가이드라인에서 SLED나 SLED-F와 같이 시간을 연장한 IRRT 치료법이 혈역학적으로 불안정

TABLE 15.2   저속형 지속적인 치료법의 잠재적 이점

1. 혈역학적으로 견디기 쉽다; 혈청 삼투압 농도의 변화가 적다.
2. 요독증, 전해질, 산-염기 균형을 조절하기 수월하다; 점진적으로 불균형을 교정해 정상 상태로 유지해줄 수 있다.
3. 체액을 제거하는데 굉장히 효과적이다(수술 후, 폐부종, 급성호흡부전).
4. 지속적인 초미세여과를 통해 수분저류에 대해 무제한적인 '여유'를 만들기 때문에 비경구 영양과 필수적인 정맥 주사제(예를 들어 승압제, inotropic 약)등의 투여가 수월해진다.
5. 두개내압에 적은 영향을 끼친다.
6. 처음 사용해도 기계를 쉽게 다룰 수 있다.

한 환자들에게 CRRT만큼 유용할 수도 있다고 제시하지만, CRRT와 비교해 IRRT에 관한 연구 결과는 많지 않다. 일부 초기에 이루어진 비교연구 (Van Berendoncks, 2010; Marshall 2011)에서는 연장된 IRRT 치료의 결과가 CRRT와 비슷하며, IRRT에서 상당한 비용절감 효과를 보였다고 하였다.

III. 교육과 장비 비용

지속적인 치료법은 그 치료과정에 익숙해져야 하기 때문에, 간호인력의 노력이 필요하다. 간호사의 이직률이 높은데, 지속적인 치료법이 계속 이용되어야 하는 병원이라면, 시간이 연장된 간헐적 치료법인 SLED가 더 실용적인 선택일 수도 있다. 하지만 지속적인 치료법이 흔하게 이루어지는 큰 투석 센터에서는 치료가 힘든 환자들의 수액, 용질, 영양치료에 있어서 지속적 치료법이 도움이 된다.

IV. 큰 분자물질과 소분자물질 제거에 있어 C-HD, C-HF, C-HDF의 차이

A. C-HD를 이용한 용질 제거

C-HD의 혈류 속도는 분당 150~200 mL 이거나 그 이상이고, 투석액의 흐름속도는 보통 분당 25~30 mL 이다. 요소나 다른 소분자의 청소율은 우선적으로 투석액 속도에 따라 결정된다. 경험상 C-HD의 혈류속도는 투석액 속도의 최소 세 배는 되어야 한다. 혈류 속도가 느리고, 혈액에 비해 투석액 속도비율이 높은 경우, 유출되는 투석액은 요소와 소분자물질로 거의 100%로 포화된다. 요소청소율은 배출액 부피로 간단하게 측정될 수 있다. 배출액 부피는 사용된 투석액과 제거된 초과 수분의 합이다.

표준적인 투석액의 유입속도는 시간당 20~25 mL/kg정도이다. 환자가 70 kg정도라고 가정하면, 이는 분당 23~29 mL/min으로 계산될 수 있다. 100% 포화되었고, 속도가 분당 26 mL이라고 가정한다면, 요소청소율은 분당 26 mL로 혹은, 하루당 37 L에 해당한다. 만일 하루에 3 L의 초과 수분제거가 이루어진다면, 하루에 발생하는 배출물 부피는 37+3 = 40 L가 된다. 요소역학적인 측면에서 봤을 때 이 40 L는 청소율에서 흔히 아는 투석 적절도(Kt/V)의 ($K \times t$)를 나타낸다. 요소 분포의 부피가 40 L인 환자에서, 이런 처방은 하루 Kt/V가 40/40=1.0 혹은 주단위로 하면 7.0이 된다는 것을 의미한다. 이는 주 3회 IHD를 통해 산출되는 주 Kt/V가 2.7 에 해당하는 것에 비해 더 높다(3장에서 어떻게 주단위 Kt/V urea가 계산되는지 확인할 것)

B. C-HF를 이용한 용질제거

C-HF는 순수하게 대류(convection)를 기반으로 둔 방법이다. 혈액이 여과기를 통해 흐르기 때문에, 혈액 부분과 초미세여과 부분 사이의

막을 통한 압력 차이가, 투과막을 통해 혈장 체액이 여과되도록 한다.. 혈장 체액이 막을 지나면서 크고 작은 분자들(공극 크기가 허락하는 선에서)을 휩쓸어 혈액으로부터 이것들을 제거하는 작용을 한다. 제거된 초여과액은 여과기의 유입흐름(전희석)이나 유출흐름(후희석)으로 주입되는, 전해질이 평형된 용액으로 대체될 것이다. 보통, 시간당 20~25 mL/Kg정도의 대체용액이 주입된다. 후희석 방법에서는 여과기 유출흐름 혹은, '배출 용액'은 요소로 거의 100% 포화상태가 된다.

1. 여과율

이것은 여과기를 통해 흐르는 제거된 혈장의 비율이다. 여과율은 초미세여과율을 혈장 흐름속도로 나누면 계산될 수 있다. 후자는 혈류속도 × (1 - 적혈구 용적율(Hematocrit))으로 쉽게 구할 수 있다. 예를 들어, 혈류 속도가 분당 150 mL 이고, 적혈구 용적율이 33%라면, 혈장흐름속도는 0.67 × 150 = 100 mL/min이 될 것이다. 만약 초미세여과속도가 분당 25 mL 이라면 여과율은 25/97 즉, 25% 정도가 된다. 경험상 여과율이 25%이거나 혹은 그보다 낮아야 여과기내의 적혈구와 혈장 단백질의 과도한 농축을 막을 수 있다. 과농축이 되면, 막의 세공에 점착물들이 붙게되어 미세여과의 효율을 저해하고, sieving coefficient를 낮추며, 응고가 일어날 위험을 높인다. 후희석 방법에서 대체용액이 주입되는 속도가 높을 때, 과농축을 피하고, 여과율을 25% 이하로 유지하기 위해서는, 혈류 속도는 보통 분당 150 mL 이상으로 증가시킬 필요가 있다.

2. 전희석 방법

여과율이 높아지는 것을 방지하기 위한 다른 방법으로 전희석 방법이 있다. 전희석을 이용하면 여과된 요소농도가 약간 낮아질 수 있지만(보통 혈청값의 80~90%에 해당), 그보다는 소분자물질 청소율을 증가시키기 위해 대체용액 주입속도를 증가시킬 수 있다는 점에서 더 의미가 있다. 하루에 25 L이상을 제거해야 하는 상황이라면 언제든지 전희석 방법을 사용하는 것을 추천한다. 기저의 혈액점도가 비교적 높아졌을 때 또한 전희석 방법이 사용된다(예를 들어, 만약 적혈구 용적율이 35%보다 클 경우). 몇몇 임상가들은 전희석 방법과 후희석 방법의 병합요법을 지지한다.

3. 전희석 방법의 희석 효과를 계산하는 법

예를 들어, 대체용액의 주입속도가 분당 25 mL이고 혈류 속도는 분당 150 mL이라고 가정해보자. 여과기로 접근하는 희석된 혈액내 배설물이 총합은 25/(150+25) = 14%가 될 것이다. 하루에 35 L의 대체용액이 사용되고, 5 L의 초과수분이 제거되고, 하루 배출물 부피가 보통 40 L쯤 된다고 가정해보자. 후희석 방법에서 $(K \times t)$는 40 L가 될 것이다. 전희석 방법에서 $(K \times t)$는 아마 15% 정도 적은 34 L일 것이고, V= 40 L라고 가정하면, C-HF를 이용한 하루 투석 적절도(Kt/V)는 아마 40/40 = 1.0(후희석 방법)이거나 혹은, 34/40 = 0.85(전희석 방법)이 될 것이다.

C. C-HDF를 이용한 요소 제거

C-HDF를 사용할 때, 투석 용액의 흐름속도, 대체용액 주입속도, 초과수분의 제거의 합은 C-HD에서나 C-HDF의 후희석 방법에서의 유출 속도와 비슷하게 설정된다. 청소율 계산은 위에서 논의된 것들과 비슷하다. 매일의 배출액 부피를 비교해 보면, C-HDF로 소분자물질을 제거하는 것은 C-HD와 C-HF로 하는 것과 비슷하다.

D. C-HF나 C-HD를 이용한 소분자 물질 대 중분자 물질 제거

C-HD를 사용할 때, 유출로의 투석액이 대분자 물질로 완전히 포화되지 않는데, 대분자 물질은 용매안에서 천천히 확산되어서 투석막을 통한 확산이동 속도가 낮기 때문이다. 반대로, C-HF를 사용하면 여과된 혈장이 소, 중분자 물질로 거의 완벽하게 포화되는데, 대류(convection)에 의한 소, 중분자 물질의 제거율은 비슷하기 때문이다. 그러므로, 펩타이드, 항생제, 비타민 B_{12} 와 같은 대분자 물질을 제거하는데는 C-HF가 C-HD 보다 더 효율적이다. C-HF의 이론적인 이점을 잘 알기 위해 기술적인 것들을 알아둘 필요가 있다. 과농축을 예방하기 위한 높은 혈류 속도를 감당하지 못하는 환자에게 25 L 이상의 초미세여과를 시행하는 것은 어려운 일이기 때문이다. 또한 대체용액 주입 속도가 높을 때, 수분 평형을 맞추는 것 또한 위험하다. 큰 부피의 C-HF에서 혈류 속도를 줄이면 여과기내에 일시적인 혈액농축을 일으켜 혈액 응고를 유발할 수 있다. 다른 한편으로는, 투석액 속도를 하루 50 L로 해서 C-HD를 시행하는 것은 수월하다. 이러한 이유로 일상적인 임상에서는 C-HD를 더 자주 사용하고, 만약 중분자 물질을 제거를 증가시켜야 한다면, 대체용액을 추가하면 된다(C-HDF).

1. 여과기 표면적과 대분자 물질의 제거

두 가지 각기 다른 사이즈의 여과기로(0.4 vs. 2.0 m²) C-HF와 C-HD의 대분자 물질 청소율을 본 연구에서 납득이 가지 않는 결과가 나왔다: 더 큰 막을 통한 대분자 물질의 제거는 C-HD나 C-HF 둘다 동등한 결과가 나왔고, 작은 막(0.4-m²)을 통한 소분자 물질의 제거는 C-HD보다 C-HF가 현저히 안 좋다고 나왔다 (Messer, 2009). 이 결과는 작은 여과기를 사용하며 높은 대체용액의 흐름 속도를 유지하는 것은 중·대분자 물질의 제거율을 향상시키기에 효과적인 방법이 아니라는 것을 알려준다.

V. 혈관 접근로

A. 정맥-정맥 혈관 접근로

이중내경 도관을 큰(내경 혹은 대퇴부의) 정맥에 주입함으로 혈관 접근로를 얻을 수 있다. 쇄골하 정맥을 사용할 수는 있으나, 최선의 선택은 아니다. 7장을 참고해보자. 2012 KDIGO 급성 신손상 가이드라인에서 CRRT를 위해서는 비터널식 정맥도관을 사용하도록 권유한다. 이를 뒷받침 하는 증거는 미약하다(2D). 그 이유는, 비터널식 도관을 삽입하는 것이 더 쉽고, 터널식 도관 삽입 때문에 치료가 가끔 지연되기도 할 것이며, CRRT의 평균 치료기간이 12~13일 정도밖에 되지 않기 때문이다(KDIGO, 2012). 한 연구에서(Morgan, 2012) CRRT를 위해 우심방 가까이 도관끝이 위치하도록 하는 길고(20~24cm) 부드러운 실리콘 도관의 사용과 상대 정맥내에 도관끝이 위치하도록 하는 짧은(15~20cm) 도관의 사용을 비교를 한 적이 있다. 긴 도관은 여과기의 수명을 더 길게 했고, 치료 또한 개선했다. 다른 연구에서 대퇴부의 정맥 혈관 접근로로 얻어진 CRRT의 성공률을 연구했는데, 오른쪽으로 정맥도관을 삽입했을 때 여과기의 수명은 평균적으로 15시간 정도였고, 왼쪽 대퇴부 정맥에 삽입했을 땐 10시간 정도였다. 오른쪽 대퇴부 정맥도관의 이점은 명확하지 않다.

B. 동맥-정맥 혈관 접근로

큰 동맥, 보통 대퇴부 동맥에 도관을 삽입할 수 있고, 펌프 대신 환자 자신의 동맥압을 이용해서 체외순환로를 통해 혈액이 이동하게 한다. 혈액은 모든 큰 정맥을 통해 순환할 수 있다. CRRT를 위해 동-정맥 혈관 접근로를 사용하는 것은 이제 더 이상 널리 쓰이는 방법이 아니다. 대퇴부 동맥에서는 원위부 하지 허혈등의 손상을 입힐 수 있는 위험이 있고 또한, 동-정맥 접근로는 요즘 흔하게 사용되는 집중적인 CRRT를 유지할 수 있는 충분한 혈류량을 제공하지 못한다. 하지만 동-정맥 접근로를 사용하는 CRRT는 큰 재난이 일어났을 때(지진으로 인해 생긴 rhabdomyolysis로 인한 신손상) 생존시키는 방법이 될 수도 있다. 전력에 의존할수 없을 때는, 혈액이 자신의 혈압과 배출액 백의 높이에 따른 중력을 이용해서 생성되는 초미세여과를 통해 이동하게 된다. 동-정맥 접근로를 사용하는 CRRT에 대한 더 자세한 설명은 Handbook 3판을 참고하는 것이 좋다.

C. 도관 교환: 예정된 교환 vs 임상적으로 필요할 시기에 교환

CRRT 도관은 임상적으로 필요할 때만 바꿔야 한다. 도관 관련 패혈증의 발생률을 최소화하기 위한 목적으로 도관을 미리 예정된 스케쥴에 따라 바꿔서는 안된다. 관행처럼 한때는 예정된 교환이 흔했으나, 이는 CDC에서 하지 않도록 권고하고 있으며, 많은 연구들이 예정된 교환은 좋지 않다고 하고 있다.

VI. CRRT 여과기

단어 '혈액여과기'과 '투석기'는 이 챕터에서 혼용되어 사용되고 있다. 혈액여과기는 초기에 유출로 하나밖에 없어 투석액을 사용하는 게 불가능했다. 투석기의 경우엔 두 번째 입구가 있다. CRRT를 위한 투석기는 높은 수분투과성이 있어야 하며, 그에 따라 '고투과성'을 가지게 된다. 이전

에 사용되던, 주로 C-HF를 위해 만들어진 여과기들은 훌륭한 수분투과
성과 대류를 통한 용질 제거능력을 가지고 있으나, C-HD를 위해 사용될
때는 확산을 이용한 청소율이 별로 좋지 않았는데, 이는 여과기내 막 전체
와 투석 용액이 접촉하는 것이 충분하지 못했기 때문이다. 현재 사용되는
CRRT 여과기는 여과기의 혈액 부분에 있는 요소가 투석액과 신속히 평
형을 맞추게 하여 C-HD와 C-HF 둘다에게 적합하게 한다.

A. 여과기 표면적과 크기

여과기의 크기는 혈류 속도(BFR)을 고려해야 한다. 낮은 혈류 속도를
사용할 때 큰 여과기를 사용하게 되면, 응고의 위험이 증가하게된다.
이런 여과기의 섬유는 높은 혈류 속도에 적응하도록 만들어졌기 때문
이다. 각 섬유를 통과하는 유속(flow velocity)은 느려질 것이다. 더욱
이, 높은 투석액 속도에서 사용되도록 고안된 큰 투석기에서는 투석액
의 섬유다발로의 침투가 적절하게 이루어지지 않을 수 있다. 다른 한
편으로, 큰 투석기(dialyzer)는 중분자 물질의 제거를 최대화하기 위
해 고효율의 SLED 방법에서처럼 높은 혈류 속도에서 사용할 수 있다.
Messer et al의 연구는 대분자 물질의 제거가 필요하고 높은 대체용액
의 속도가 요구되는 경우는 큰 크기의 여과기를 사용을 고려하도록 제
안한다.

VII. 투석액과 대체용액

CRRT 액은 시판되는 무균 용액으로 미리 혼합된다. 보통 2.5에서 5 L정
도 포장되어 있다. 사용되기 직전에 섞여야 하는 경우에는 두 부분으로 나
뉘어진 용기에 보관된다.

A. 구성

표 15.3에 CRRT에서 흔하게 사용되는, 시판중인 용액의 목차가 정
리되어 있다.

1. 완충액(Buffers)

용액은 젖산(lactate)염 혹은 중탄산염(bicarbonate)을 포함한다.

a. 젖산(lactate) 용액계염

순수한 젖산계염 대체용액은 보통 40~46 mM의 젖산염을 포함한다. 젖
산염계 용액은 대부분 환자의 대사성 산증을 효과적으로 조절한다. 젖산
염은 몰기준으로 1:1의 비율로 중탄산염으로 대사되지만, 실제로 비슷한
정도의 산증을 교정하기 위해서, 투석용액의 젖산염 농도는 중탄산염보
다 높은 농도가 필요하다.

b. 중탄산염(Bicarbonate)계 용액

중탄산염을 포함하는 비닐용기는 복막투석에서 사용하는 중탄산염 포함
복막액과 비슷하게 2구획으로 나뉘어 있어야 한다. 중탄산염은 완충제의
역할을 하며, 염기 농도의 총합은 보통 25~35 mM정도이다. 일부 용액
은 적은 양(3 mM)의 젖산염을 포함하는데, 이들은 최종 용액을 산성화

TABLE 15.3 CRRT 용액의 구성성분							
구성물질 (mM)	투석기계[a]	복막투석액[b]	Lactated Ringer Solution	B. Braun Duosol (5-L bag)	Baxter Accusol[b] (2.5-L bag)	Gambro Prismasol[c] (5-L bag)	Nxstage Pureflow[d] (5-L bag)
Sodium	140	132	130	136 or 140	140	140	140
Potassium	Variable	–	4	0 or 2	0 or 2 or 4	0 or 2 or 4	0 or 2 or 4
Chloride	Variable	96	109	107–111	109.5–116.3	106–113	111–120
Bicarbonate	Variable	–	–	25 or 35	30 or 35	32	25 or 35
Calcium	Variable	1.75 (3.5 mEq/L)	1.35 (2.7 mEq/L)	0 or 1.5 (0 or 3.0 (mEq/L)	1.4 or 1.75 (2.8 or 3.5 mEq/L)	0 or 1.25 or 1.75 (0 or 2.5 or 3.5 mEq/L)	0 or 1.25 or 1.5 (0 or 2.5 or 3.0 mEq/L)
Magnesium	0.75 (1.5 mEq/L)	0.25 (0.5 mEq/L)	–	0.5 or 0.75 (1.0 or 1.5 mEq/L)	0.5 or 0.75 (1.0 or 1.5 mEq/L)	0.5 or 0.75 (1.0 or 1.5 mEq/L)	0.5 or 0.75 (1.0 or 1.5 mEq/L)
Lactate	2	40	28	0	0	3	0
Glucose (mg/dL)	100	1,360	–	0 or 100	0 or 100	0 or 100	100
Glucose (mM)	5.5	75.5	–	0 or 5.5	0 or 5.5	0 or 5.5	5.5
Preparation method	6-L bag via membrane filtration	Premix	Premix	Two-compartment bag	Two-compartment bag	Two-compartment bag	Two-compartment bag
Sterility	No	Yes	Yes	Yes	Yes	Yes	Yes

시키는데 사용된 젖산에서 남은 것이다. 이 적은 양의 젖산염이 고젖산혈
증에 영향을 미치는 지는 아직 정확한 증거가 없다. 투석용액 혹은 대체
용액의 속도를 높게 설정할 때는(예를 들어 30 mL/kg/hr보다 빠른 경
우), 낮은 농도의 중탄산염 용액을 사용하는 것이 대사성 알칼리증을 예
방하는데 도움이 된다. 국소적 구연산염을 이용한 항응고 요법에서는 낮
은 농도의 중탄산염 용액이나 중탄산염이 없는 용액이 유용할 수 있는데,
그 이유는 구연산염이 간에서 중탄산염으로 대사되기 때문이다.

c. 높은 농도의 젖산염계 용액이 주의깊게 사용되어야하는 경우

일차적인 중탄산염을 생성하는 염기로서 젖산염을 이용하는 용액은 , 심
각한 순환장애로 인해 조직의 관류가 적거나, 심각한 간기능 장애가 있는
환자에서 고젖산혈증을 악화시킬 수 있다. KDIGO 급성 신손상 가이드
라인에서 급성 신손상을 가진 환자들에게는 중탄산염계 용액을 적게 사
용하도록 권고하지만, 간부전, 젖산증(2B), 순환부전(1B)가 있는 환자에
서는 이 용액을 사용하도록 강하게 권고하고 있다.

d. 구연산염계 용액

이 용액은 완충제와 구연산염의 항응고특성을 혼합하려는 시도와 복잡
한 국소적 구연산염 항응고요법(RCA)을 단순화하려는 필요에 의해 개
발되었다. 적절한 여과기의 항응고효과를 위해 여과기 전에 대량의 구연
산염계 용액이 주입되어야 한다. 전희석 방법으로 주입된 40~60% 의 구
연산염은 배출액에서 제거되고, 남은 것은 대부분 간에서 중탄산염으로
대사된다(1 mmol 구연산염은 3 mmol 중탄산염을 생성한다). 그러므
로 투석액이 혈액과 반대로 흐르는 C-HD나, 후희석 방법이 주로 사용되
는 C-HF/HDF에서는 이 용액을 사용하는 것이 적절하지 않다. 11~12
mM 농도의 구연산염은 적절한 완충효과를 기대하기에 적합하지 않다
(Naka, 2005). 더 높은 농도의 구연산염(14 mM)은 여과기 생존율도 향
상시키고 산증교정에도 더 효과적이다(Egi, 2005, 2008). 18 mM 구연
산염계 용액을 사용하는 것이 가능하지만, 산- 염기 조절에 대한 연구가
부족하다. 구연산염계 대체용액을 전희석 방법으로 주입하면서, 최적의
여과기 전 구연산염 대 혈류 비율을 얻기 위해 유량을 조절한 다음 투석
액 또는 후희석 대체용액으로 제공된 중탄산염계 용액을 사용하여 추가
용질 제거가 이루어지도록 하는 것이 가장 좋다. 구연산염 항응고법의 추
가적인 방법과, 잠재적인 이점은 이 챕터의 나중에 다시 소개될 것이다.

2. 나트륨(sodium)

상업적으로 이용가능한 CRRT 용액은 보통 농도가 140 mM에 가
까운 생리적인 나트륨을 포함하고 있다. 심각한 특히, 오래 지속되
는 저나트륨혈증을 가진 환자를 치료할 때는, 혈청 나트륨이 하루
에 6~8 mmol/L 이상 상승하지 않도록 천천히 증가시키도록 하고,
이를 위해서 대체용액이나 투석액의 나트륨 농도가 투석 전보다 조
금 높을 수 있도록 물로 희석시킬 필요가 있다. 더 자세한 것은 Yes-
sayan et al (2014)를 참고하면 좋다. 혈액 회로에 3-나트륨 구연

산염을 주입하는 일부의 항응고요법에서, 주문제작한 낮은 농도의 (100 mM) 나트륨이 포함된 투석액/대체용액을 사용하는 것은 고나트륨혈증을 예방할 수 있다.

3. 칼륨(potassium)

칼륨을 사용하지 않는 CRRT 용액은 심한 고칼륨혈증이 동반된 급성 신손상 환자의 초기 치료에 적합하다. 혈청 칼륨이 정상범위로 조절되면, 부정맥 발생과 체내 칼륨 부족을 최소화하기 위해 4 mM의 칼륨이 포함된 용액을 사용한다. 상업적으로 만들어진 칼륨의 농도는 0이나 2 혹은 4 mM이다. 지속적인 고칼륨혈증을 가진 이화작용(catabolic)이 매우 심한 환자에서는 더 낮은 농도의 칼륨이 포함된 용액을 사용하는 것이 좋다.

4. 인(phosphate)

CRRT를 유지하는 동안 저인산혈증은 흔하게 발생하며, 중환자에서는 호흡근 약화와 장기적인 호흡부전을 유발할 수 있다(Demirjian, 2011). 심한 저인산혈증에서 인을 보충하는 것은 당연하지만, 혈청 인에 대해 자주 모니터 하는 것이 필요하다. CRRT 용액의 인 수치를 1.2 mM 정도로 유지하기 위해 추가적인 인산염을 보충하는 것은 좋은 임상적 효능으로 인 수치를 유지한다고 보고되었다(Troyanov, 2004). 1.2 mM의 인과 30mM의 중탄산염을 포함한 대체 용액은 유용하지만, 이것은 기존의 CRRT 용액과 비교했을 때 미약한 대사성 산증과 고인산혈증을 유발할 수 있다(Chua, 2012). 가장 이상적인 용액내 인 농도는 좀 더 낮아져야 하지만, 이에 대한 추가적인 연구가 필요하다.

인을 이용한 관장과 인을 정맥 주입한 후에 급성 신손상 발생이 보고된 적이 있다. 어떤 보고에서는, 나트륨/칼륨, 20 mM의 인이 포함된 용액을 5시간 이상 정맥 주입했을 때, 잔여신기능이 남은 환자에서 크레아티닌을 상승시키는 않았지만, 이온화된 칼슘 수치를 저하시켰다고 하였다(Agarwal, 2014).

5. 칼슘(calcium)과 마그네슘(magnesium)

대부분의 투석/대체용액은 1.5~1.75 mM의 칼슘과, 0.5~0.6 mM의 마그네슘을 포함하는데, 이 용액은 적절한 체내 농도를 유지하도록 도와준다. 국소적 구연산염 항응고요법(RCA) 중에, 구연산염은 칼슘과 마그네슘에 달라붙어 감소시킨다. 국소적 구연산염 항응고요법 시행중에 사용되는 CRRT 용액은 간혹 칼슘을 포함하지 않는데, 이는 여과기에서 구연산염에 의한 이온화된 칼슘의 감소를 촉진시켜, 적절한 혈액 라인의 항응고요법을 가능하게 한다. 국소적 구연산염 항응고요법을 이용할 때 칼슘, 간혹 마그네슘을 분리하여 주입하는 것이 필요하며, 엄격한 모니터링을 같이 해야 한다.

6. 포도당(glucose)

최근 사용되는 CRRT 용액들은 포도당이 없거나, 5.5 mM (100 mg/dl)의 농도를 가지는 생리적인 포도당을 포함한다. 포도당이 없는 용액을 CRRT에서 사용하면, 저혈당과 연관이 있어 포도당이 포함된 CRRT 용액이 더 선호된다; 고혈당을 예방하기 위해 주기적인 모니터링과 인슐린 주입이 필요하며, 목표 혈청 포도당은 6~8 mM 정도로 할때 가장 좋은 결과를 보였다. 포도당이 없는 CRRT 용액에 대한 다른 반대의견은 투석 중에 체내의 상당량의 포도당이 제거되어 영양균형에 나쁜 영향을 준다는 것이다(Stevenson, 2013).

B. 포장된 용액이 가능하지 않을 때, 중탄산염계 CRRT 용액을 준비하는 방법

약국에서 주문제작한 용액을 구할 수 있고, 혹은 투석기계를 이용해 순수한 용액을 구할 수도 있다. 후자의 방법은 온라인 혈액투석여과가 제도적으로 승인된 국가에서만 적합한 방법이다. 30~35 mM 중탄산염을 포함하는 용액을 얻기위해 살균한 투석/대체용액을 준비해야 한다. 중탄산염은 탄산과 평형을 이루고 있고, 이산화탄소와 물로 분리된다.; 그러므로 중탄산염 용액은 불안정한 상태이다. 중탄산염은 칼슘과 마그네슘이 있는 용액에서는 녹지 않는 염류를 형성한다. 그리하여 중탄산염계 투석/대체 용액은 사용전에 준비되어야 한다.

1. 1구 비닐백 방법획

중탄산염을 포함하고 젖산은 포함하지 않는 투석/대체 용액에 탄산수소나트륨(NaHCO₃)와 상업적으로 얻을 수 있는 0.45% 생리식염수를 추가한다.

공식: 1.0 L of 0.45% 생리식염수 + 35 mL of 8.4% 탄산수소나트륨(NaHCO₃) (35 mmol) + 10 mL of 23% 생리식염수(40 mmol) + 2.1 mL of 10% 염화칼슘, 물(CaCl₂ · 2H₂O) (1.45 mmol or 2.9 mEq); 총 용적 = 1.047 L.

최종 농도(in mM): 나트륨, 145; 염소, 114; 중탄산염, 33; and 칼슘, 1.35 (2.7 mEq/L).

2. 2구획 비닐백 방법

칼슘을 추가한 0.9% 생리식염수 비닐백은 중탄산염을 0.45% 생리식염수에 추가한 것으로 대체할 수 있다.

공식: A 용액: 1.0 L of 0.9% 생리식염수 + 4.1 mL of 10% 염화칼슘, 물(CaCl₂ · 2H₂O) (2.8 mmol or 5.6 mEq). B 용액: 1.0 L of 0.45% 생리식염수 + 75 mL of 8.4% 탄산수소나트륨(NaHCO₃) (75 mmol); 총 용적 = 2.079 L.

3. 투석기계 방법(C-HD only)

C-HD를 위한 중탄산염 포함 용액은 투석액을 초미세여과시켜 얻을 수 있다. 투석 용액을 표준 투석기에서 투석기를 통과시키고(세균제거) 복막투석기의 15 L 멸균 배액백에 저장시킨다. 준비된 후에 용액은 바로 사용되어야 한다. 이 기술은 좀 더 편리하게 6 L 멸균백에 저장하는 것으로 조정되었다. 준비된 용액에서는 최소 72시간에서 1달까지 세균이 검출되지 않았다. 하지만 통상적으로 72시간이내 사용되지 않으면 버린다. 10년간 사용하면서 부작용이 발생한 적은 없고, 내독소에 대한 Limulus amebocyte lysate assay는 확실하게 한계치 이하였다.

C. 멸균(Sterility)

멸균된 투석용액은 C-HD와 C-HDF를 위해 사용되는데 그 이유는 투석액의 체류시간이 느려서 같은 혈액 라인과 투석기의 사용이 길어지면 투석 회로내에서 세균증식이 일어날 수 있기 때문이다. 혈액 라인으로 직접 주입되는 모든 대체용액은 꼭 멸균되어야 한다.

D. 투석액/대체용액의 온도

CRRT가 준비되면, 투석용액과 대체용액은 실내 온도와 같은 온도로 주입된다. 이것은 투석액이 따뜻해지는 일반적인 투석과의 차이이다. 실내온도와 같은 온도의 용액을 사용하면 환자에게서 열을 빼앗을 수 있다. 사실 CRRT의 혈역학적 안정감의 이점은 이러한 냉각효과에서 크게 기인하는 것으로 보인다. 장기간 CRRT를 적용한다면, 이와 관련된 열 뺏김은 발열여부를 숨길 수 있어서, 감염이나 염증의 표시로 체온을 확인하는 의미가 감소될 것이다. 이 열 뺏김이 신체로 하여금 감염과 싸우게 하는 능력에 영향을 끼치는지는 연구가 아직 부족하다. 양을 이용한 패혈증 모델에 대한 한 연구에서 체외순환로의 피를 따뜻하게 함으로써 생존률을 높일 수 있다고 제시하였다(Rogiers, 2006). 현재의 CRRT 시행 시스템에는 가열 시스템도 있다. 가열을 하면 가끔 투석용액이나 대체 용액에 거품이 나타나는 경우가 있는데, 특히 중탄산염계 용액에 열이 가해질 때 더 그렇다. 이 현상의 임상적 중요성은 추가적으로 연구될 필요가 있다.

VIII. CRRT 처방과 시행

A. 용량과 결과

급성 신손상에서의 CRRT 용량은 시간당 20~25 mL/kg의 배출액 용량(effluent volume) 정도로 권고된다(KDIGO 급성 신손상, 2012). 하지만 이것은 등급별로 분류된 권고가 아닐 뿐더러, 더 낮은 용량으로 치료했을 때 결과가 더 나쁘다는 증거도 없다. 소수의 무작위 대조군 연구에서 상당히 많은 배출액 용량은 더 좋은 결과를 보였다고 하지만 확인된 결과들은 아니다. 어떤 기계론적인 분석에서는 더 많은 용량의 배출액을 사용했을 때, 중분자 물질의 제거를 조금 향상시켰고(Hofmann.2010) 중분자 물질제거를 증가시키는 가장 좋은 방법은 혈류 속도와 투석막 표면적을 증가시키는 것이라고 하였다. 여과(convection)를 이용한 치료(C-H, C-HDF)가 확산(diffusion)을 이용한 치료보다 좋은 결과를 보인다는 증거는 없다. CRRT의 적당한 용량에 대한 연구는 아직도 지속되어야 할 필요성이 있다.

시간당 20~25 mL/kg 배출액 용량(effluent volume)을 제공하기 위해서는, 배출액 용량이 환자로부터 제거된 초과수분을 하루에 2~5 L 를 포함하기 때문에, 일반적으로 유입용액 속도를 느리게 처방해야 할 필요가 있다. 하지만 기술적인 문제가 자주 일어나는데, 치료를 방해하거나 투석기의 부분적인 응고를 일으켜 치료 효율을 떨어뜨릴 수 있어서, 목표치보다 조금 높은 유입속도로 설정하는 것이 현명하다. 위에 나와있듯이, 전희석 방법이 사용될 때 대체용액의 주입속도는 전희석 용액이 혈류에 주입되는 비율에 따라, 15~20% 정도 증가시켜야 한다. 희석 효과는 혈장에서 제거된 물질에 대해서만 더 두드러질텐데, 그 이유는 혈류 속도에 대한 대체용액 주입속도의 비율보다는 혈장 유속에 대한 대체용액 주입속도의 비율에 비례하기 때문이다.

B. 경험적 용량

치료의 강도는 임상 환경에 따라서 조정되어야 한다. 이화작용(catabolic)이 매우 심한 환자에게는 영양상의 도움을 주기 위해서, 종양용해 증후군이나 간헐적 치료로 충분하지 않은 약물 중독 환자에서는 CRRT 강도를 높여야 한다. 치료과정 중에 매일 혈청 요소수치를 확인하면 CRRT 용량이 적절한지 평가하는데 도움이 될 수 있다. RENAL연구와 ATN연구에서 제공하는 정보에 근거하면, 평균적으로 얻어지는 혈청 요소수치는 45 mg/dL (15 mmol/L)보다 적어야 한다. 주어진 요소수치를 목표로 용량을 정하는 방법이 표 15.4에 나와있다. 또한, 주어진 요소수치를 목표로 하는 단순된 nomogram이 그림 15.3에 나와있다

C. SLED, SLED-F에 대한 용량

용량에 관한 연구가 상대적으로 부족하여, SLED와 SLED-F의 용량이 얼마만큼 사용되어야 하는지 상세한 가이드라인은 없다. KDIGO AKI 가이드라인은 간헐적인 신대체요법(IRRT)이 사용될 때 주단위 투석 적절도(Kt/V)가 최소 3.9는 되어야 한다고 권고한다. 주단위 투석 적절도는 매 주마다 주어지는 치료의 단순한 합이라고 정의한다. 보통, SLED는 6~12 시간동안, 주 4~7회, 혈류 속도 200~300 mL/min 과 투석액 속도 300~400 mL/min 으로 시행한다(Kumar, 2000). 이 처방은 KDIGO에서 권고하는 'stdKt/V 3.9 라는 가이드라인을 훨씬 초과한다.

IX. 장비

다양한 형태의 CRRT를 제공하기위해 사용가능한 발전된 기계들이 많이

TABLE 15.4	**특정 요소수치에 도달하기 위한 CRRT 용량**

배출액과 혈청사이의 용질 평형은 시간이 지남에 따라 감소하여 투석막을 막을 수 있다 (Claure-Del, 2011). 또한, 요소역동학 모델은 중분자나 대분자 물질의 제거율은 고려하지 않았으며, 대분자 물질의 영향은 불분명하다.

1. 처방을 평가하는 6단계

a. 환자의 요소 생성율을 평가하거나 측정한다.

b. 혈청 요소(BUN)의 목표수치를 결정한다.

c. a 단계에서 구한 요소생성율을 가지고, 목표수치의 혈청 요소를 유지하기 위해 필요한 총 요소제거율을 계산한다.

d. 잔여신장 요소제거율을 측정한다. 필요하다면, 체외 요소제거율을 구하기 위해 총 요소 제거율에서 위의 값을 뺀다.

e. 필요한 배액용량을 계산한다. 필요한 체외 요소제거율과 같게 설정하고 100% 포화되었다고 가정한다. 예외 : 투석액 유입속도가 2 L/hr 이상일때, 전희석방법으로 C-HD 나 C-HF를 사용하는 경우, 배액용액의 요소포화도는 100% 미만이다. 그런 경우, 필요한 '배액용량'을 측정된 포화분획에 따라 적절하게(대부분 15~20%) 증가시켜야 한다.

f. 요구되는 투석액/대체용액 유입속도를 계산한다. 이는 단순하게 요구되는 배액용량에서 기대되는 초과수분 제거량(L/day)를 빼면 된다.

2. 예시: 60 kg의 남자환자가 첫날 혈청 요소가 40 mg/dL (14 mmol/L) 였고, 둘째날은 65 mg/dL (23 mmol/L) 이었다. 첫날에서 둘째날까지 시행한 24시간 소변검사에서 요소는 5 g (178 mmol/L) 이었다. 둘째날, 몸무게가 64 kg 으로 증가했다. 평가한 부종수분은 첫날은 8 L이고, 둘째날은 12 L이다. 혈청 요소 40 mg/dL (1 mmol/L)을 유지하기 위해 필요한 요소제거율을 계산하시오.

해결:

a. 요소생성율을 계산한다.

1. 초기와 최종 총 체수분을 추정한다.

초기 총 체수분 : 초기 몸무게는 60 kg이고 8 kg는 추정된 부종수분이다. 부종이 없는 체중은 52 kg가 된다. '부종없는' 체중의 55%로 총 체수분을 추정한다.

그러므로 총 체수분은 8 L + (0.55 × 52) = 8 L + 28.6 L = **36.6L**

최종 총 체수분: 최종 몸무게는 64 kg로 4 kg가 늘었고, 이는 모두 수분이므로, 마지막 총 체수분은 36.6 L + 4 = **40.6 L**이다.

2. 처음과 마지막 총 체내 요소를 추정한다.

i. 초기와 마지막 혈청 요소는 40 mg/dL와 65 mg/dL이다 (대략 14 mmol/L, 23 mmol/L).

ii. 총 체내 요소량은 첫날은 36.6 L × 0.40 g/L = 14.6 g이다.

SI 단위: 총 체내 요소(첫날) = 36.6 L × 14.3 mmol/L = 523 mmol

iii. 총 체내 요소량은 둘째날은 40.6 L × 0.65 g/L = 26.4 g

SI 단위 : 총 체내 요소(둘째날) 40.6 × 23.2 mmol/L = 942 mmol

3. 총 체내 요소의 변화를 계산한다.

i. 첫날에서 둘째날로 총 체내 요소의 변화는 26.4 g - 14.6 g = 11.8 g 이다(SI 단위, 942 mmol - 523 mmol = 420 mmol).

ii. 이 요소의 11.75 g 정도의 변화는 1 일 기준으로 교정되어야 한다. 만일 첫날과 둘째날이 24시간 떨어져 있다면, 체내 요소량의 변화는 하루에 11.75 g 이 된다(420 mmol/일).

(Continued)

TABLE 15.4 특정 요소수치에 도달하기 위한 CRRT 용량

4. 소변 배설을 계산한다.

24시간 관찰기간동안 소변의 요소배설은 5 g/일 이었다(178 mmol/일).

5. 요소생성율을 계산한다.

이것은 11.75 + 5 = 16.75 g/일이다(SI단위, 420 + 178 = 598 mmol/일).

b. 목표 혈청 요소값을 결정한다. 위에서 언급한대로, 40 mg/dl (14.3 mmol/L)로 정한다

c. 필요한 총 제거율을 계산한다. 목표 혈청요소수치 = 40 mg/dl = 0.40 g/L

요소 N 제거 = 제거율(K_D) × 혈청 수치 = K_D × 0.40 g/L

항정상태에서, 요소생성이 제거와 같다고 하면, K_D × 0.40 = 16.75

K_D = (16.75 g/일)/(0.40 g/L) = **42 L/일**

SI단위 : 목표 요소가 14.3 mmol/L

요소 N 제거 = 제거율 (KD) × 혈청 수치 = K_D × 14.3 mmol/L

항정상태에서, 요소생성이 제거와 같다고 하면, K_D × 14.3 = 598

K_D = (598 mmol/일) / (14.3 mmol/L) = **42 L/일**

d. 잔여신기능에 대해 보정한다. 이 환자는 실제로 하루 10 L정도의 요소제거율(대략 분당 7 mL) 을 가지고 있는데, 이 값을 총 제거율에서 제외시킬 수 있다. 그러면 요구되는 체외 제거율은 하루에 32 L이다

e. 투석액 유입속도를 결정한다. 이것은 하루 32 L에서 제거된 초과수분량을 빼야한다 (100% 포화상태라고 가정). 예를 들어, 우리가 고영양공급과 약물투약에 따르는 수분양을 상쇄하기 위해서 하루 3 L를 제거한다고 하면, 요구되는 투석액 주입속도는 32 L에서 3 L를 뺀 29 L가 된다. 대부분 잔여신기능을 무시하는데, 잔여신기능이 매우 빨리 사라지기 때문에, 10 L의 제거율이 다시 추가되어야 하며, 결국 투석액 유입속도는 하루 39 L가 되기 때문이다.

있다. 일부는 혈장분리반출(plasmapheresis)이 가능하며, 이것은 이번장의 범위 밖이다. 모든 기계들을 검토할 수는 없는 상황이므로, 아래 제시된 기계들이 다른 기계들보다 우수하다고 평가되어서는 안된다.

A. Gambro에서 나온 prismaflex (Lakewood.co)

Prismaflex system에는 다섯가지 통합적인 펌프로 구성되어 있고(혈액, 투석액, 배액, 대체액, 사전혈액펌프), 이동식 손잡이가 있는 4개의 인출식 계량장치로 이루어져 있다(배액, 사전혈액펌프, 투석, 대체용액). 이 장치들은 다양한 CRRT 방식으로 용액을 조절할 수 있게 한다. 사전혈액펌프를 추가함으로써, 전희석 방법으로 용액을 주입하는 게 가능해지고, 혈관회로(circuit)에 지속적으로 항응고제를 주입하는 게 가능해진다. 혈관회로로 대체용액이 공급되도록 조절하는 내장된 두 개의 핀치밸브를 통해 전희석과 후희석 방법이 동시에 이루어질 수 있다. 투석액과 대체용액의 여러가지를 사용할 수 있다. 초미세여과 조절과 환자의 체액 제거는 터치스크린으로 된 통합적인 제어반을 통해 이루어질 수 있고, 투석액, 배액, 사전혈액펌프, 대체용액펌프의 속도를

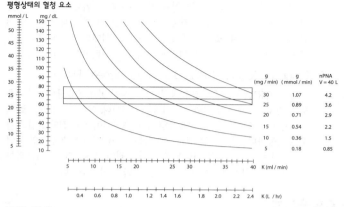

그림 15.3 평형 상태의 다양한 혈청 요소질소 값을 얻기 위해 필요한 예상 체외 요소 청소율. 맨 아래쪽의 청소율은 요소질소 생성수준 (g)과 목표하는 평형상태의 혈청 요소값의 교차점으로 파악한다. (CRRT에 관한 두 번째 국제컨퍼런스의 강의록. Garred LJ. San diego, Ca, Feb 9, 1197, P.7)

조절한다. 다른 기능으로는 여과기, 프로그램 가능한 항응고제 주사기 및 선택적 혈액 예열기가 포함 된 미리 연결된 카트리지 세트가 있다.

B. Fresenius USA의 변형된 '2008K' 혹은 '2008T' 투석기계

표준적인 투석장비를 사용하여 C-HD를 할 수 있지만, 일부 기본 투석 기계는 투석액의 속도가 100 mL/min가 되도록 수정되어야 한다. 혈 액 회로와 투석기는 매 24시간마다 교체되어야 한다.

C. Fresenius USA사의 업그레이드된 '2008 H/K' 투석기계

기계 변경없이 C-HD 가 통합적인 치료법이 되도록 많은 발전이 이루 어졌다. 이 기계는 투석액의 속도가 100~200 mL/min정도로 낮게 설 정되어 있지만, 이 옵션은 서비스 모드로 선택해줘야 하고, 추가적인 설정이 필요하다. 초미세여과나 다양한 나트륨 설정은 불가능하고, 초 미세여과 시간이나 목표량 설정도 불가능하다. 투석기를 포함한 체외 순환로는 48시간마다 교체하도록 제조사에서는 권유하고 있다. 이 기 계는 일반적인 혈류나 투석액 속도를 사용하는 곳에서, SLED를 이용 하기에 유용하다.

D. Nxstage Medical 사의, NxStage System One (Lawrence, MA)

NxStage System One은 터치스크린 디스플레이, 사용자 인터페이스 의 교환기, 정맥주사용 받침대, 선택적인 용액 예열기의 구성을 갖춘 모 듈식의 시스템이다. 이 기계는 이동식 혈액투석 기계로도 사용될 수 있 고, CRRT 치료에도 사용될 수 있다. 사전부착된 여과기가 있거나 없는, 1회용의 카트리지 디자인은 다양한 치료법을 가능하게 하고 순환기 유지보수와 소독의 요구사항을 최소화시킨다. 카트리지는 용적 균형을 위한 용량공간이 있어 저울을 사용할 필요가 없고, 배액용액을 직접 배출할 수 있다. 또 하나 특별한 점으로는 혈액의 흐름을 최적화하고, 응고를 낮추기 위해 카트리지에 혈액-공기 인터페이스가 없다.

E. Braun Medical사의 Braun Diapact (Bethlehem, PA)

Diapact CRRT시스템은 정수 공급이 불가능한 곳에 응급상황에서 사용될 수 있도록 고안된 간단한 소형의 투석기계이다. 이것은 기본적으로 세 가지 펌프 시스템(혈액, 투석액/유입 용액, 초미세여과)과 전자 단일 계량 셀로 작동한다. 이 기계는 단순화된 사용자 인터페이스, 통합적인 용액 예열기와 투석기 기능을 선택할 수 있다는 점이 특징이다. CRRT와는 다르게 IHD, 혈액여과 등의 유동적인 치료선택이 가능하다.

X. 항응고제

출혈의 위험이 적은 대부분의 환자들의 경우 보통 가격이 싸고 이용하기 쉬운 체내순환되는 전신 헤파린을 사용한다. 치료목적으로 전신 항응고 요법(예를 들어 대동맥내 풍선펌프(IABP))을 이미 하고 있는 환자라면 추가적인 항응고요법은 필요하지 않다. 심각한 혈소판 감소증을 가진 환자나, 응고장애를 가지고 있는 환자의 경우엔 항응고요법 없이 CRRT를 시도해보는 것이 좋다. 수술이 끝난지 얼마 안된 환자나, 출혈의 위험이 큰 환자의 경우엔 헤파린을 사용하지 않는 CRRT나 국소적 구연산 항응고요법(RCA)을 사용할 수 있다. 비면역성 헤파린 유발 혈소판 감소증 이 발생한 환자들의 경우 RCA가 도움이 될 수 있다. 혈소판 감소증과 동, 정맥에 혈전이 동시에 발생하는 면역성 헤파린 유발 혈소판 감소증(2형)이 있는 환자들에게는 전신 항응고요법이 필요하다. 이런 환자에서 CRRT 치료가 필요한 경우에, lepirudin이나 argatroban을 이용한 전신 항응고요법이 사용되기도 한다.

TABLE 15.5	지속적 치료를 위한 헤파린 요법

1. 초기 치료: 본문에서 언급한대로 준비과정과 사전 헹굼용액에 헤파린을 사용한다.
시작할때, 환자의 정맥라인이나 다른 라인으로 헤파린 2,000~5,000 단위를 투여한다.
헤파린이 순환회로에 섞여들때까지 2~3분간 기다린다.
이후에 동맥라인으로 시간당 500~1,000 단위의 헤파린을 지속적으로 주입한다.

2. 모니터링: 동맥과 정맥라인에서 6시간마다 PTT를 측정한다.
동맥혈 PTT를 40~45s 로 유지한다.
정맥혈 PTT는 65s 이상으로 유지한다.
동맥혈 PTT가 45s 이상인 경우, 유지 헤파린은 시간당 100단위로 감소시킨다.
정맥혈 PTT가 65s 미만인 경우, 유지 헤파린을 시간당 100단위로 증가시킨다. 하지만 동맥혈 PTT 가 45s 미만일 경우에만 증가시킨다.
동맥혈 PTT가 40s 미만인 경우, 유지 헤파린을 시간당 200단위로 증가시킨다.

PTT, partial thromboplastin time.

A. 헤파린

준비작업이 끝난 여과기 혹은 투석기를 부착한 후 기저의 응고시간이 상승하지 않았으면, 2,000~5,000 단위의 헤파린이 환자의 몸속으로 주입되어야 한다. 정맥(유출로)혈로 주입되는게 이상적이다. 환자의 혈액과 헤파린이 섞이도록 2~3분 기다려야 한다. 그 다음으로, 정맥 내 주입펌프를 통해 동맥회로(유입로)로 지속적인 헤파린 주입이(시간당 500~1,000단위) 시작되어, 체외 순환을 통한 혈류 흐름이 시작된다. 헤파린 치료에 대한 모니터링은 표 15.5에 자세히 나와있다.

B. 헤파린을 사용하지 않는 투석

간질환을 가지고 있는 환자, 수술이 끝난 환자, 최근에 출혈을 한 적이 있는 환자 혹은, 헤파린 유발 혈소판 감소증(HIT)을 가진 환자에서 CRRT는 헤파린없이 시행되어야 한다. 그렇게 되면, 여과기가 주기적으로 응고되어 자주 교환해주어야 한다. 헤파린을 이용한 CRRT 도중, 만일 급성 출혈이 일어나면, 헤파린 주입을 중단하고 치료를 계속한다. 헤파린을 사용하지 않을 때는 응고의 위험을 낮추기 위해 몇 가지 과정이 필요하다.

1. C-HD를 이용하면,투석용액 유입 속도는 20~40% 정도 증가한다. 투석물의 흐름속도가 빠르면 헤파린을 사용하지 않은 투석기가 천천히 응고될 때, 예상되는 청소율 손실을 보상해준다. 헤파린 없이 C-HD를 사용할 때는 동맥혈에 주기적으로 식염수를 투여하지 않는다. 이는 헤파린없이 IHD를 시행할 때, 미세기포가 발생하여 응고를 유도할 수 있다는 위험때문에 식염수를 사용하는 것과는 대조적이다.

2. 헤파린 없는 C-HF에서는 전희석 방법이 선호되는데 그 이유는, 여과기전에 용액이 공급되는 것은 혈장이 제거될 때 여과기내 혈액농축을 감소시킬 수 있기 때문이다. 혈류 속도를 200 mL/min 이나 그보다 높게 유지하는 것은 조기 응고나 과도한 응고를 예방할 수 있다.

   응고장애가 없는 환자에게 헤파린을 사용하지 않으면, 투석기는 보통 8시간이내 응고된다. 투석액과 혈청의 요소수치의 비율이 0.8 이하로 떨어지는 것은 조기응고의 징후로 볼 수 있고, 0.6 보다 낮아지면 거의 응고가 되었다고 볼 수 있다.

C. 국소적 구연산염 항응고요법(RCA)

구연산염은 칼슘(그리고 마그네슘)을 착화시켜 응고의 연속단계를 지연되도록 한다. 배액으로 칼슘 구연산염 혼합물은 제거되고 순환계로 되돌아간 화합물은 간과 골격근에서 대사된다. RCA는 헤파린을 사용한 CRRT와 비교하여 출혈위험을 감소시킬 수 있고(Wu, 2012) 투입되는 구연산염 용량에 따라 회로의 개통율을 비슷하거나 더 좋게 유지시킬 수 있다(Monchi, 2004). 구연산염 항응고요법은 국소적인 이온화 칼슘의 농도를 낮추어 체외순환계에서 호중구와 보체의 활성화를 감소시킬 수 있다. 구연산염 사용에 금기가 없는 환자에 대해서는 KDIGO의 2012 급성 신손상 가이드라인에서는 CRRT에 RCA를 사용하도록 권고하고 있다. 여과기 이후의 이온화 칼슘의 농도를 0.3~0.4 mmol/L 정도로 낮추기 위해서(이는 효과적인 회로의 항응고에 필요한 농도) 평균적으로, 순환되는 혈액의 리터당 3 mmol의 구연산염이 필요하다.

칼슘과 마그네슘의 손실은 엄격한 프로토콜에 따라 전신 주입으로 보충된다. 독성은 투여된 구연산염의 총량과 연관이 있고 간질환이나 다발성 장기 부전이 있는 환자에서는 독성이 악화될 수 있다. 이러한 환자에서 투여된 구연산염의 총량은 환자가 대사시킬 수 있는 능력을 초과할 수 있고, 이로 인해 칼슘 구연산염 화합물이 체내 누적되어 부적절한 유리 칼슘(free calcium)을 생성할 수 있다. 이 때문에 높은 음이온차(anion gap)를 보이는 대사성 산증(구연산염)을 유발하고 유리 칼슘에 비해 총 칼슘이 높아지게(>2.5)(Meier-Kriesche, 2001) 만들어, 결과적으로 RCA를 중단하게 하고 저칼슘혈증 교정이 필요하도록 한다.

3%의 구연산삼나트륨(100 mL당 2.2 g/mL), 구연산염(100 mL당 0.73 g/mL), 포도당(100 mL당 2.45 g/mL) (Baxter-Fenwal Healthcare Corp., Deerfield, IL)를 포함하고 있는 ACD-A 용액(항응고 구연산염 포도당 A)은 일상적인 RCA를 위한 구연산삼나트륨보다 선호되는 편인데, ACD-A는 시중에 출시되어 있고, 삼투압이 덜 높으며, 조합시의 오류나 과도한 투여에 대한 위험을 줄여주기 때문이다. 다양한 RCA 방법들이 CRRT를 통해 기술되어왔다. RCA의 가장 중요한

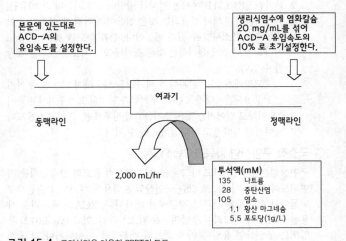

그림 15.4 구연산염을 이용한 CRRT의 도표.
마그네슘 농도는 1.1 mM 로 맞춘다(Swartz 에 명시된 것은 1.3 mM). (Swartz R 저, RCA를 이용한 향상된 CRRT 치료. 2204;61:134-143)

합병증은, 구연산염 대사로 인한, 증상을 유발하는 이온화 칼슘의 부족과 대사성 알칼리증이다.

보통 구연산염을 적게 쓰는 RCA 방법을 선호하며, 구연산염 주입은 혈액 내 칼슘에 대응하기 때문에 일반적으로 칼슘이 없는 투석액이나 대체액을 사용한다. 하지만 칼슘이 대체용액이나 투석액에 유지된 상태에서의 RCA 방법도 보고된 바 있다(Mitchell, 2203). 이 방법은 칼슘이 포함된 대체용액 주입이 실패했을 때, 낮은 농도의 이온화 칼슘이 심장 가까이로 재순환하는 것을 피할 수 있다는 이점이 있다.

1. 슈와츠(Swartz) 프로토콜(그림 15.4)

한 예로, Swartz에 따른 C-HD를 이용한 RCA의 과정을 보자.

a. ACD-A 1,000 mL 비닐백을 환자에 가장 가까운 동맥라인으로 주입 시켜주는 펌프에 부착한다. 이 라인에 음압을 걸어서, 펌프가 멈췄을 때 ACD-A액이 환자쪽으로 흐르지 않고 혈액펌프 방향으로 흐르도록 한다. 처음 시간당 주입속도는 분당 속도인 혈류 속도(BFR)의 1.5배가 되도록 설정한다. 예를 들어, BFR이 분당 200 mL이면, 구연산염의 속도는 시간 당 300 mL가 될 것이다.

b. 염화칼슘(calcium chloride)용액(생리식염수에 20 mg/mL 포함)은 투석관의 정맥쪽에 위치한 3방향 밸브를 통해 주입된다. 글루콘산 칼슘이(calcium gluconate) 말초혈액으로 주입될 수 있지만 체액과다를 유발할 수 있다. 초기 칼슘 주입속도는 ACD-A의 주입속도의 10%정도로 설정한다. 예를 들어, ACD-A의 속도가 시간당 300 mL이라면, 칼슘 주입 속도는 시간당 30 mL로 설정하면 된다.

c. 이온화 칼슘은 첫 24시간동안 2시간마다 4회 측정, 이후는 4시간마다 4회 측정하고, 이후에는 6~8시간마다 측정한다. 또한, 주입부위나 도관이

TABLE 15.6	ACD-A 구연산염과 칼슘 조절 가이드라인 (Swartz RCA 프로토콜)
여과기 후의 이온화 칼슘(mM)	**ACD-A 주입 속도 조절**
<0.20	시간당 5 mL 로 감량
0.20-0.40	유지
0.40-0.50	시간당 5 mL로 증량
>0.50	시간당 10 mL로 증량
염화칼슘 용액은 체내 이온화 칼슘 수치에 따라 조절한다.	
체내 이온화 칼슘 (mmol/L)	칼슘 용액 조절
>1.45	시간당 10 mL로 감량
1.21-1.45	시간당 5 mL로 감량
1.01-1.20	유지
0.90-1.00	시간당 5 mL로 증량
<0.90	kg 당 10 mg 염화칼슘을 한꺼번에 투여; 시간당 10 mL로 증량

ACD-A, anticoagulant citrate dextrose form A.

	Lepirudin	**Argatroban**
주입속도	시간당, kg당 0.005-0.01 mg 으로 시작.	분당, kg당 0.5-1.0 mcg으로 시작; 간기능 이상이 있는 경우는 더 낮은 농도에서 시작.
모니터링	aPTT	aPTT
목표치	정상의 1.5-2.0 배	정상의 1.5-2.0 배

aPTT, activated partial thromboplastin time.

교환될 때마다 1~2시간이내 재측정해야 한다. 두 부위에서 측정되는 이온화 칼슘은 주의깊게 분류되어야 하는데, 여과기 이후의 정맥라인에서 측정된 것은 '여과기 이후'로 표기되어야 하고, 전신 동맥라인이나 정맥라인에서 측정된 것에 대해서도 명확히 표기되어야 한다. 일반화학검사와 총 칼슘수치는 6~8시간마다 검사해야 한다. ACD-A 구연산염 용액과 염화칼슘 주입의 조절방법은 표 15.6 에 명시되어 있다.

d. 이 방법을 사용할 때, 투석액에는 칼슘이 포함되지 않고, 나트륨은 135 mM, 마그네슘(황산마그네슘의 형태) 1.1 mM (2.2 mEq/L), 중탄산염 28 mM, 염소 105 mM, 황산염 1.1 mM, 포도당 5.5 mM (1 g/L)이 포함되어 있다. 나트륨과 중탄산염의 농도가 낮으면 ACD-A액이 주입될때 긴장도를 떨어뜨리고 중탄산염 유입을 상쇄시킬 수 있다. 투석용액의 주입속도는 시간당 2.0 L이다. 참고 : 이 방법을 통한 투석용액의 마그네슘 농도(1.1 mM)는 사용되는 다른 대부분의 용액들보다 높다(0.5~0.75 mM, 표 15.3).

D. SLED를 위한 RCA

이에 대한 많은 방법들이 Fiaccadori (2013), Szamosafalvi (2010)의 자동화된 시스템에 의해 설명되어있다. 후자 그룹은 구연산염과 이온화 칼슘을 측정하기위한 센서를 개발하고있다.

E. lepirudin과 argatroban을 이용한 항응고요법

표 15.7에 용량요법에 대해 설명되어 있다. lepirudin (hirudin의 재조합)과 argatroban은 직접적인 트롬빈 억제제이다. Lepirudin은 신장에서 주로 제거된다. 잔여신기능과 투석 청소율에 따라 투여량을 조절해야 하고, 지속적으로 주는 방법과 반복적으로 주입하는 방법이 있다. 보통 주입하는 양은, 시간당 0.005~0.025 mg/kg정도이다. 항응고효과는 aPTT를 측정하여 모니터링 할 수 있고, 정상의 1.5~2배 정도로 유지하여 과다한 출혈 합병증을 피하면서 항응고효과를 안정시킬 수 있도록 한다. Lepirudin을 사용하고 5일이 경과하면, 항lepirudin 항체가 생성될 수 있다. 이 항체들은 lepirudin의 항응고효과를 향상시키기 때문에, 주입용량을 줄여야 출혈위험을 최소화할 수 있다. lepirudin의 사용기간이 늘어난다면, 매일 aPTT를 측정하도록 권고하고 있다. Agartroban은 간대사와 담즙으로 배설로 제거되기 때문에, 신부전 환

자들에게 선호된다. Aragatroban주입은 분당 0.5~1.0 mcg/kg로 시작
되며, 간기능 이상이 있는 환자들에게는 더 적은 양을 주입해야 한다.
항응고 효과는 aPTT를 측정하여 모니터한다. lepirudin이나 argatro-
ban이 초과되면, 출혈을 막기위해 신선동결혈장(FFP)를 투여해야 한
다. 고효율 투석기를 이용한 혈액여과방법은 hirudin의 혈장 농도를 감
소시킬 수 있다.

F. 다른 항응고제

1. 저분자량 헤파린(LMWH)

Sagedal과 Hartmann (2004)는 CRRT에서 저분자량 헤파린의
사용에 대한 연구를 발표하였다. 항응고효과를 모니터하기 위해
서는 항 Xa 인자의 활동성을 측정해야 하지만, 이것이 CRRT에
서 저분자량 헤파린을 사용하는데 지침을 주기에는 한계가 있다.
또한, protamine은 저분자량 헤파린의 효과를 상쇄시킬 수 없다.
C-HDF에서, dalteparin은 20 U/kg 를 한 번에 투여하고, 시간당
10 U/kg으로 주입하면 출혈위험없이 적절한 항응고효과가 나타
날 수 있다. C-HD에 관한 연구에서는, dalteparin을 35 U/kg를
한 번에 투여하고 시간당 13 U/kg을 주입하였더니, 여과기의 개존
율을 좋게하는 효과가 있었지만 출혈위험이 있었다고 보고하였다.
한 번에 8 U/kg을 투여하고, 시간당 5 U/k로 주입하는 방법은 순
환회로의 수명이 짧아지는 결과를 보여, 이 중간정도에 적절한 농
도가 있을 것으로 생각된다. Enoxaparin과 nadroparin도 사용될
수 있으나, 실제적인 사용은 제한되어 있다. Nadroparin은 C-H를
위한 RCA와 비교된다.; 몸무게가 100 kg이상인 환자의 경우, nar-
droparin은 3,800 IU를 한 번에 투약하고, 시간당 456 IU을 주입
하였다. 100kg보다 적게 나가는 환자의 경우, nardroparin이 2,850
IU를 한 번에 투약하고, 시간당 380 U을 주입하였다. 이것은 항
Xa 인자에 대한 모니터링 없이 진행되었다. Nadroparin 군에 있는
환자들은 RCA 환자보다 출혈 합병증이 더 높았다(Oudemansvan
Straaten, 2009).

2. 나파모스텟(Nafamostat mesylate)

이것은 최소한의 저혈압 활동을 갖는 합성된 serine 단백질 분해
억제제와 prostacycline 유사체이다. CRRT에 이것을 사용하면
순환회로의 수명이 좋아지고, 출혈위험이 낮아진다. 시작용량은
nafamostat 용액을(5% 포도당용액 20 mL에 nafamostat 200 mg
섞는다) 시간당 10 mg의 속도로 주입하는 것이다. 병실 내 ACT를
사용하여 순환회로의 응고여부를 모니터하고 주입속도는 필요에
따라 조절한다(Baek, 2012).

G. 미세기포

미세기포는 사전 준비과정, 연결이 이루어지거나 여과기로 용액이 흘

러 올라가는 과정중에 언제든, 체외회로에서 발생할 수 있다. 미세기포는 여과기내 섬유에 침투할 수 있고 이는 여과기의 응고를 유발한다. 사전준비와 용액 주입과정에서는 이 문제를 최소화하기 위해 항상 주의가 필요하다.

H. 여과기 응고의 징후

혈류량이 현저하게 줄어드는 징후들로는 체외순환로의 혈액색깔이 어두워지거나, 정맥라인의 혈액이 차가워지고, 체외순환로에서 적혈구와 혈장이 분리되는 현상들이 있다. 식염수를 주입하여 거의 응고된 회로를 진단할 수 있다 ; 이렇게 하면 여과기의 투명한 부분에서 응고된 것을 볼 수 있다.

C-HD를 사용할 때, 여과된 요소수치와 혈청 요소수치의 비율을 측정해야 하고, 이 값이 0.6보다 낮으면, 응고가 임박한 것을 볼수 있다. 여과기 섬유의 부피(FBV)를 초음파를 이용해 측정해 볼 수 있지만, 온라인 FBV 측정은 여과기 수명을 예측하지는 못한다. 대부분의 응고가 투석기 자체에서보다는 정맥의 공기트랩실에서 발생하는 것이 문제이다(Liangos, 2002).

XI. 비타민과 무기질

총 아미노산은 정맥영양이 시간당 60~100 mL 의 속도로 주입되고, 배액이 시간당 1 L의 흐름으로 배출될 때, 24시간동안 12 g 정도 제거된다. 수용성 비타민과 미량 원소들은 CRRT에서 쉽게 제거된다. 치료기간이 연장될 듯 하면, 활성 비타민 D, 비타민 E, 비타민 C, 아연, 셀레늄, 구리, 망간, 크롬과 비타민 B_1 을 공급해주어야 한다.

XII. CRRT로 제거되는 약제들

CRRT에 의한 약제의 청소율은 다음과 같은 항목들에 영향을 받는다. (a) 분자량, 단백질 결합력, 신장으로 배설되는 약제 특성 (b) 잔여신기능, 체액상태, 혈청 알부민 농도, 약제 대사에 관여하는 다른 기관의 상태(예, 간) 등의 환자의 특성 (c) CRRT 변수들(투석액/초미세여과/혈액/배액속도, 여과기 크기) C-HD와 C-HF는 작은 물질은 효과적으로 제거하지만, C-HF는 대류를 사용해서 중분자와 대분자물질의 약제를 효과적으로 제거한다. 보통, 같은 배액속도에서는 C-HF가 C-HD보다 더 높은 약제 청소율을 보인다고 알려져 있다. CVVH > CVVHDF > CVVHD

CRRT 치료강도의 차이와 환자의 잔여신기능은 약물제거의 현격한 변동성을 유발할 수 있다. CRRT 치료를 받는 환자에서 약물용량에 대한 문헌은 단지 지침으로만 사용되어야 하고, 실제 환자에서 사용되는 특정한 CRRT 처방에는 사용할 수 없다는 것을 알아야한다. CRRT를 받는 환자에게 약물 용량을 정하는 방법으로, 환자의 잔여신기능과 CRRT로 예상되는 크레아티닌 청소율에 기초하여 총 크레아티닌 청소율을 평가하는 방법이 있다. CRRT 과정은 또 하나의 신장으로 생각할 수 있는

TABLE 15.8		**CRRT 에서의 항생제 용량**	

항생제	부하용량 (LD)	CVVH	CVVHD 혹은 CVVHDF
Acyclovir[a, b, c] (정맥투여)	없음	5-10 mg/kg q24 hr	HSV: 5-7.5 mg/kg q24 hr HSV 뇌염/ 대상포진: 7.5-10 mg/kg q12 hr
Amikacin[a, d]	10 mg/kg	7.5 mg/kg q24-48 hr	동등
Ampicillin (정맥투여)	2 g	1-2 g q8-12 hr	1-2 g q6-8 hr 뇌수막염/ 심내막염: 2 g q6 hr
Ampicillin-sulbactam	3 g	1.5-3 g q8-12 hr	1.5-3 g q6-8 hr
Azithromycin (정맥/경구투여)	없음	250-500 mg q24 hr	250-500 mg q24 hr
Aztreonam	2 g	1-2 g q12 hr	1 g q8 hr or 2 g q12 hr
Cefazolin	2 g	1-2 g q12 hr	1 g q8 hr or 2 g q12 hr
Cefepime	2 g	1-2 g q12 hr	일반감염: 1 g q8 hr 심한감염: 2 g q12 hr
Cefotaxime	없음	1-2 g q8-12 hr	1-2 g q8 hr
Ceftazidime	2 g	1-2 g q12 hr	1 g q8 hr or 2 g q12 hr
Ceftriaxone	2 g	1-2 g q24 hr Meningitis, Enterococcus faecalis endocarditis: 2 g q12 hr	동등
Ciprofloxacin (정맥투여)	없음	200-400 mg q12-24 hr	400 mg q12-24hr
Ciprofloxacin (경구투여)	없음	500 mg q12-24 hr	
Clindamycin (정맥투여)	없음	600-900 mg q8 hr	동등
Clindamycin (경구투여)	없음	150-450 mg q6 hr	동등
Colistin[b, c] (정맥투여)	없음	2.5 mg/kg q24-48 hr	2.5 mg/kg q12-24 hr
Daptomycin[e]	없음	4-6 mg/kg q48 hr	4-8 mg/kg q48 hr
Fluconazole[a] (정맥/경구투여)	400-800 mg	200-400 mg q24 hr	400-800 mg q24 hr
Ganciclovir 정맥투여[a]	2.5 mg/kg	1.25 mg/kg q24 hr	부하용량 투여 후 2.5 mg/kg q12-24 hr (유도용량) 2.5 mg/kg q24 hr (유지용량)
Gentamicin	2-3 mg/kg		
• 미약한 요로감염 혹은 synergy		• 1 mg/kg q24-36 hr then per level	• 동등
• 중등도-심한 요로감염		• 1-1.5 mg/kg q24-36 hr then per level	• 동등
• 그람음성간균 감염		• 1.5-2.5 mg/kg q24-48 hr then per level	• 동등
Imipenem-cilastatin	1 g	250 mg q6 hr or 500 mg q8 hr	500 mg q8 hr 심한감염: 500 mg q6 hr
Levofloxacin (정맥/경구투여)	500-750 mg	250 mg q24 hr	LD then 250-750 mg q24 hr

(continued)

TABLE 15.8 CRRT 에서의 항생제 용량

항생제	부하용량 (LD)	CVVH	CVVHD 혹은 CVVHDF
Linezolid (정맥/경구투여)	없음	600 mg q12 hr	동등
Meropenem	1 g	500 mg q8 hr or 1 g q12 hr	500 mg q6-8 hr or 1 g q8-12 hr Severe/CF/CNS: 2 g q12 hr
Metronidazole (정맥/경구투여)	없음	500 mg q6-12 hr	500 mg q6-8 hr
Moxifloxacin (정맥/경구투여)	없음	400 mg q24 hr	동등
Nafcillin	없음	2 g q4-6 hr	2 g q4 hr 미약한 감염: 1 g q4 hr
Penicillin G (정맥투여)	4 MU	2 MU q4-6 hr	부하용량 투여 후 2-4 MU q4-6 hr
Pipercillintazobac-tam	없음	2.25-3.375 g q6-8 hr	3.375 g q6 hr or 투여 연장: 3.375 g q8 hr (4시간 이상 투여)
Rifampin (정맥/경구투여)	없음	300-600 mg q12-24 hr	동등
			동등
Ticarcillin clavulanate	3.1 g	2 g q6-8 hr	3.1 g q6 hr
Tigecycline	100 mg	50 mg q12 hr	동등
Tobramycin[a, e]	2-3 mg/kg		
• Mild UTI or synergy		• 1 mg/kg q24-36 hr then per level	• 동등
• Mod-severe UTI		• 1-1.5 mg/kg q24-36 hr then per level	• 동등
• GNR infection		• 1.5-2.5 mg/kg q24-48 hr then per level	• 동등
TMP-SMX[a, e] (정맥/경구투여)	없음	2.5-7.5 mg/kg (TMP) q12 hr	2.5-5 mg/kg (TMP) q12 hr PCP 폐렴/Stenotrophomonas: 5-7.5 mg/kg (TMP) q12 hr
Vancomycin[f] (정맥투여)	15-25 mg/kg or 1 g q48 hr	10-15 mg/kg q24-48 hr or 1 g q24 hr	부하용량 투여 후 10-15 mg/kg q24 hr
Voriconazole[e] (경구투여)	400 mg q12 hr × 2	200 mg q12 hr	동등

CAP, community-acquired pneumonia; CF, cystic fibrosis; CNS, central nervous system; CVVH, continuous venovenous hemofiltration; CVVHD/CVVHDF, continuous venovenous hemodialysis, continuous venovenous hemodiafiltration; HSV, herpes simplex virus; ICU, intensive care unit; IV, intravenous; LD, loading dose; MD, maintenance dose; MU, million units; PCP, Pneumocystis carinii pneumonia; PO, oral; TMP, trimethoprim; SMX, sulfamethoxazole.
[a] Based on dialysate flow/ultrafiltration rates of 1-2 L/hr and minimal residual renal function.
[b] Use IBW (kg); ideal body weight IBW (male) = 50 kg + (2.3 × height in inches >60 inches), IBW (female) = 45 kg + (2.3 × height in inches >60 inches).

데, 총 배액량에 따라 사구체 여과율(GFR)이 달라진다. 하루 배액량의 10 L가 사구체 여과율 7 mL/min과 동등하다고 할 수 있다(7.0 mL/min × 1,440 분/하루 = 하루에 10.08 L). 따라서 CRRT 치료를 받는 무뇨증환자에게는 배액량 10 L당 7 mL/min의 GFR로 계산하여 약물 용량을 처방하면 된다.

표 15.8에 C-HD, C-HDF를 받는 신부전 환자들에게 사용할 수 있는 대략의 항생제 용량이 나와있다. 가능하다면, 반코마이신(Vancomycin), aminoglycoside나 치료지수가 좁은 약물을 사용할 때는 치료 용량 모니터링 (TDM)을 해야 한다.

CRRT 처방이나 임상적 상태에 변화가 일어난다면(예를 들어, 신기능의 악화나 호전) 투여량 조정이나 추가적인 모니터링을 CRRT중 제거되는 승압제의 양은 임상적으로 중요하지 않은데, 그 이유는 승압제 주입 속도는 적절한 혈역학적 반응을 보면서 조정되기 때문이다. 표 15.9는 중환자에게 일반적으로 사용되는 약물의 추가용량과 CRRT 중의 사용량 조절에 대해 설명하고 있다.

XIII. 단독 초미세여과와 저속형 지속적 초미세여과(SCUF)

단독 초미세여과(IU)는 단순히 표준 투석기계에 우회적인 투석액을 추가함으로써 이용할 수 있고, 이것은 투석 전, 투석 후, 투석과 독립적으로 사용할 수 있다. 신부전 환자에서 IU는 혈액투석 전에 가장 자주 사용된다. SCUF는 C-HD와 같은 순환회로를 사용하지만(그림 15.1), 투석액은 생략된다.

A. 단독 초미세여과(IU)

IU는 보통 IHD를 할 때 시행된다. IU는 급성으로 요독증이 생긴 환자들이 첫 혹은 두 번째 투석을 할때 발생하는 불균형 증후군을 피하면서 초과된 체액을 제거하는데 유용하다. 또한, 체액 제거에 어려움이 있는 외래 환자들에서도 사용될 수 있다. IU의 원론적인 장점은 일반적인 혈액투석보다 체액 제거를 훨씬 잘 견딜 수 있다는 것이다. 오늘날에는 IU가 더이상 체액 제거에 있어서 훌륭한 방법은 아니다. 역사적으로, IHD 중에 체액 제거를 못견뎌하는 것은 부분적으로는 아세트산이 포함된 투석액, 과도하게 온도가 높아진 투석액, 부적절하게 낮은 농도의 나트륨을 포함한 용액(혈장보다 5~10 mM 낮은)을 사용하는 것이 원인일 수 있다. 만일 이런 문제가 없다면(중탄산염 포함하고 나트륨농도가 높고, 온도가 낮은 투석액을 사용하면), 혈역학적으로 안정적이라는 IU의 장점은 더이상 의미가 없다. IU에서 대사물질의 제거는 매우 적다. 이러한 이유때문에, 다음에 시행되는 혈액투석의 시간이 짧아져서는 안되고, 분리된 IU와 혈액투석을 합한 전체 치료시간은 연장되어야 한다.

IU 방법은 체액 제거를 비교적 잘 견딤에도 불구하고, 초미세여과가 많으면 저혈압이 발생할 수 있다. 만일 과한 부종이 있다면, 초미세

TABLE 15.9 중환자실에서 흔히 사용되는 약물의 성인 용량 지침

| 약물 | 적응증 | 일반용량 | 사구체 여과율에 따른 CRRT 용량 (mL/min) | | |
			10-30	30-50
Amiodarone	심방세동	30-60분이상 5-7 mg/kg 을 투여하고 하루에 1.2-1.8 g 을 지속적으로 투여하거나 경구로 나누어 총 10 g 까지 투여한다.	동일함	동일함
Digoxin	심부전 환자의 심방세동	부하용량 : 2시간마다 0.25 mg, 24시간이내 1.5 mg 까지 증량함. 유지용량: 0.125-0.345 mg 을 하루 1회.	부하용량: 50% 감량 유지용량 : 25-75% 정도 감량하거나 q36시간마다 투여	MD: Administer 25-75% of dose or q36 hr.
Haloperidol	섬망	초기 : 2-10 mg을 불안증에 따라 투여; 부작절하면, 15-30분마다 반복투여 (초기용량의 2배); 그 후에는 6시간마다 마지막 용량의 25%를 투여	동일함(심전도와 QTc 간격 추적관찰)	Same (monitor ECG and QTc interval)
Lorazepam	간질 지속상태 불안증	4 mg (천천히 정맥투여, 최대속도 : 2mg/min); 10-15분이내 반복투여; 보통의 최대용량 : 8mg; 0.02-0.06 mg/kg을 2-6시간마다 투여 또는 0.01-0.1 mg/kg/hr를 투여; 만약 probenecid나 valproic acid 를 사용하고 있다면 50% 감량한다.	동일함(propylene glycol 독성위험 있음; 고용량을 사용하거나 사용기간이 길어지면 주의해야 한다)	Same (risk of propylene glycol toxicity; monitor closely if using for prolonged periods or at high doses)

(continued)

TABLE 15.9 중환자실에서 흔히 사용되는 약물의 성인 용량 지침

약물	작용증	일반용량	사구체 여과율에 따른 CRRT 용량 (mL/min)	
			10-30	30-50
Phenytoin	간질지속상태	부하용량: 10-20 mg/kg 최대속도는 50 mg/min. 유지용량: 100 mg 6-8 시간마다	동일함. 반응에 따라 용량을 조절하고 TDM을 시행하여 1-2.5 mcg/mL 정도의 농도를 유지한다.	Same. Titrate dose according to response, and perform TDM to maintain free phenytoin conc 1-2.5 mcg/mL.
Phenobarbital	항경련제/ status epilepticus	부하용량: 10-20 mg/kg (최대속도: ≤ 60 mg/min 60 kg 이상인 환자에서); 필요하다면 20분 간격으로 반복투여 (최대총 용량: 30 mg/kg). 유지용량: 하루 1-3 mg/kg 을 나눠서 투약하거나 하루에 50-100 mg 을 2-3 회에 걸쳐 투약	동일함	동일함
Theophylline	만성 폐쇄성 폐질환 (급성증상)	부하용량: 4.6 mg/kg (만약 theophylline 이 24시간동안 지속 TDM을 시행하고, 된 경우); 만약 theophylline 이 지난 24시간이내 투여되었다 면, 혈청 농도를 측정하기 전에 부하용량은 필요없다. 유지용량: 성인 16-60살: 0.4 mg/kg/hr (하루 최대 900mg); 성인 >60 살: 0.3 mg/kg/hr (하루 최대 400mg).	혈청 농도를 5-15 mcg/mL로 유지한다.	Perform TDM to maintain serum theophylline conc 5-15 mcg/mL

위의 모든 용량은 정백 용량이고 CRRT 청소율을 25 mL/kg/hr으로 설정했을때의 용량이다. 초미세여과된 체액량의 하루 10 L는 사구체 여과율 7 mL/min과 같다고 본다. (즉, 50~70 kg 의 환자는 사구체 여과율이 20-30 mL/min 이다.)
From: Lexi-Comp, Inc. (Lexi-Drugs™), Lexi-Comp, Inc.: May 22, 2013.

여과율을 시간당 1.5L까지 올려도 저혈압이 나타나지는 않는다. 하지만, 혈색소 센서를 이용해 혈액량을 모니터하지 않는 한, 그 이상 올려서는 안된다. 집중적인 IU를 시행하면, 반동성으로 고칼륨혈증이 나타날 수 있는데, 세포내 칼륨이 세포외로 나오는 것이 원인으로 생각된다. 이런 합병증이 있다는 것은 논란이 있을 수 있음에도 불구하고, IU로 인한 고칼륨혈증은 주기적인 혈액투석을 IU와 병행함으로써 피하는 것이 최선의 방법이다.

B. 저속형 지속적 초미세여과(SCUF)

SCUF는 중환자실에서 잔여신기능이 상당히 남아있고, 전해질이나 산염기 불균형이 심하지 않은 환자들의 과도한 체액을 제거하기 위해 처음 시작되었다. 또한, 아래 기술하였듯이, SCUF는 치료에 반응없는 심부전과 중등도의 신부전이 있는 입원환자에게 사용할 수 있다. SCUF의 단점은 산-염기와 전해질 불균형을 비투석적인 방법으로 교정해야 한다는 것이다.

1. 울혈성 심부전 환자에서의 SCUF

울혈성 심부전이 있는 환자는 신부전을 동반할 수 있고 체액과다를 유발할 수 있다. 이 환자들은 최대 용량의 이뇨제와 승압제, 나트륨 이뇨 펩타이드를 정맥투여하더라도 소변이 아예 없거나, 핍뇨가 되거나, 하루 1 L 미만의 불충분한 소변량을 보일 수 있다. 이런 경우 초미세여과가 한 가지 치료 선택이 될 수 있다. C-HF에 대한 입원환자와 외래환자의 간헐적인 IU가 설명되어 있지만, SCUF 에 대해서는 고려되어야 할 몇 가지 이점이 있다. 체액 제거를 천천히 하면 증상있는 저혈압 같은 혈역학적인 문제가 덜 발생한다. 또한, 이런 환자 대다수는 체액과다가 심하므로, 그들이 편안하게 느끼는 체중보다 간혹 10~15 kg이상 초과한다; 이럴 때는 지속적인 치료를 통해 혈역학적인 문제를 최소화하면서 많은 양의 체액을 제거할 수 있다. 초미세여과의 기술은 Swan-Ganz를 사용하여 중심체액량을 모니터하고 치료의 종결여부를 고려하고, 온라인 혈액량 모니터링을 통해 과도한 체액 제거를 피하면서 더 향상되어 왔다. 특별히 SCUF 를 위해 고안된 휴대성 있고 작은 기계가 사용 가능하다. 하지만, 급성 비대상성 심부전과 신기능 악화로 입원한 환자에게, 단계적인 약물 치료와 초미세여과를 비교한 대규모 연구는 약물치료가 치료 시작후 96시간째 신기능을 보존하는데 더 좋았다는 결론을 보여주었다(Bart, 2012).

XIV. 간헐적인 혈액투석여과

17장에서 서술함.

XV. 특정환자군에 대한 CRRT 지침서

A. 뇌부종

급성 신손상이 발생한 중환자에서는 IHD에 비해서 CRRT가 뇌부종을 천천히 교정할 수 있다. KDIGO 2012 급성 신손상 가이드라인은 뇌부종이나 뇌압이 상승한 환자에서 IHD 대신에 CRRT를 사용하도록 권고하고 있다. CRRT는 심혈관계, 특히 혈액량과 혈압을 천천히 변화시켜서 뇌내 관류압과 뇌압의 변동성을 줄여준다. 간질환이 있는 환자들은 뇌내 혈류의 자가조절을 유지하기 어렵기 때문에 뇌부종이 발생할 위험이 높다. Davenport (1999)는 뇌압 상승과, 뇌부종에 대처하기 위해 C-HF와 C-HD를 사용했다. 이 부분에 대해서는, CRRT와 SLED를 비교한 데이터가 매우 부족하다. 한 연구에서는 뇌출혈 후 투석받는 환자에서의 뇌압 조절에 대해 SLED와 CRRT가 같은 효과를 보였다고 하였다(Wu. 2013).

뇌부종의 위험이 있는 환자는 엄격한 용량 조절과 생체적합한 막을 사용할 수 있는 새로운 CRRT 기계로 C-HF와 C-HD를 시행해야 한다. 가능하다면, 항응고요법은 피하는 것이 좋은데, 이로 인해 뇌압 모니터 부근이나 상처부위에 뇌출혈이 증가할 수 있기 때문이다.

투석액이나 대체용액은 상대적으로 높은 나트륨 농도와(>140 mM) 낮은 중탄산염(30 mM)을 유지해야 한다. 높은 나트륨 농도는 혈류-뇌의 삼투압 차이를 감소시켜 뇌로 수분이 이동하는 것을 최소화시킨다. 혈청 중탄산염이 갑자기 증가하면 뇌세포내로 이산화탄소의 이동이 증가한다. 중탄산 이온은 전하를 띠고 있기 때문에, 이산화탄소보다 어렵게 세포내로 이동하여 뇌내 pH를 역설적으로 감소시킨다. 뇌 pH가 갑자기 감소하면 특수생성된 삼투압이 발생하여 뇌내로 수분이 쉽게 이동할 수 있도록 삼투압차를 생성한다.

뇌압이 조절되지 않는 심각한 경우, 투석액이나 대체용액의 온도를 낮추는 것이 도움이 될 수 있고, 덧붙여 환자의 체온을 32~33도까지 낮추는 것이 도움이 될 수 있다. 이 온도에서는 뇌내 산소 요구량이 감소한다(Davenport, 2001).

B. 패혈증과 다발성 장기 부전

다발성 장기 부전은 염증성(TNF-b, 트롬복산 β_2, 혈소판 활성화인자)과 항염증 매개물질(IL-10)의 유출로 발생한다. 이런 반응은 그람음성 세균의 내독소, 그람양성 세균, 바이러스, 비장경색, 외상등에 의해 유발된다. C-HF로 치료했을 때, 이런 패혈증 매개인자들의 대부분이 환자에서 여과된 물질에서 발견되거나 여과기막에 흡착되어 있었고, 이점은 C-HF가 순환회로에서 염증 매개물질을 제거하는 능력이 있다는 것을 암시한다. 많은 양의 C-HF 치료가 이런 환자에게 유용하다. 그러나 염증매개물질의 농도가 이런 치료를 통해 감소한다고 하더라도 임상적인 이점이 항상 나타나는 것이 아니어서, 많은 양의 C-HF (시간당 2 L이상) 치료는 논란의 여지가 있다. 그럼에도 불구하고, 많은 센터들이 패혈증 환자들을 잠재적인 염증매개물질을 더 많이 제거하기 위해서, 투석의 효율은 유지하면서 C-HD대신에 C-HDF로 치료하고 있다. 총 청소용량을 시간당 35 mL/kg 으로 정하고, 이를 투석과 혈액여과로 동등하게 나누는 것이 일반적인 치료방법이다. 이에 대한 설명은 Joannidis (2009)를 살펴보면 된다.

C. 급성 폐손상과 급성 호흡곤란 증후군(ARDS)

ARDS와 급성 신손상이 동반된 환자에서는 조기에 CRRT 치료를 시작하여 체액을 제거해주는 것이 산소화와 인공호흡기 지표(혈청산소/흡입산소 비율과 산소화 지표)를 호전시키는데 도움이 된다. 호흡증상의 호전은 염증매개물질의 제거보다는 체액 제거 효과가 더 큰 영향을 주는 것으로 보인다(Hoste, 2002).

D. 조영제 유발 콩팥병증의 예방

조영제를 정맥투여해야 하는 만성 신질환 환자에서 검사전후로 CRRT를 사용하는 이점에 대해 몇몇 연구에서 밝혔지만(Marenzi, 2003) KDIGO 2012 급성 신손상 가이드라인에서는 이런 상황에서의 CRRT 사용은 증거도 충분하지 않고, 더 결정적인 연구가 나오기 전까지 추천하지 않는다고 결론을 내렸다.

E. 투석가능하거나 여과기 통과가능한 약물이나 독성의 중독

CRRT의 다양한 방법은 여러가지 독을 치료하는데 유용하고, 특히 혈청 농도가 낮을때 효과적이다(20장 참고).

F. 체외막산소공급(ECMO)

ECMO를 받는 환자에게 개별적인 CRRT 시스템이 필요 없이, SCUF나 C-HD로도 충분할 수 있다. ECMO 혈액 라인은 투석기와 평행하게 연결될 수 있다. 이를 통해 C-HD나 SCUF가 동시에 작동되게 할 수 있다. 이 환자들은 우선적으로 ECMO를 필요로 하는 ARDS 나 체액과다가 있기 때문에, 더 많은 체액 제거가 도움이 될 수 있고, 특히 만성 신질환 환자에서는 더 효과가 클 수 있다. 이 환자들에게 병발한 급성 신손상을 치료하기 위해 C-HD이 필요할 때, ECMO 회로에서 압력이 높기 때문에 역으로 여과가 일어날 수 있어 멸균된 투석액을 사용하는 것이 좋다. 국소적 구연산염을 이용한 항응고요법이 사용된다(Shum, 2014).

XVI. 유아와 소아

어린이들에게 CRRT를 사용하는 것은 이 책의 범위를 벗어난다. Sutherland (2012)를 참고하도록 한다.

References and Suggested Readings

Augustine JJ, et al. A randomized controlled trial comparing intermittent with continuous dialysis in patients with ARF. *Am J Kidney Dis.* 2004;44:1000–1007.

Baek NN, et al. The role of nafamostat mesylate in continuous renal replacement therapy among patients at high risk of bleeding. *Ren Fail*. 2012;34:279–285.

Bart BA, et al.; the Heart Failure Clinical Research Network. Ultrafiltration in decompensated heart failure with cardiorenal syndrome. *N Engl J Med*. 2012;367:2296–2304.

Bunchman TE, Maxvold NJ, Brophy PD. Pediatric convective hemofiltration: normocarb replacement fluid and citrate anticoagulation. *Am J Kidney Dis*. 2003;42:1248–1252.

Chua HR, et al. Biochemical effects of phosphate-containing replacement fluid for continuous venovenous hemofiltration. *Blood Purif*. 2012;34:306–312.

Churchwell MD, et al. Drug dosing during continuous renal replacement therapy. *Semin Dial*. 2009;22:185–188.

Claure-Del Granado R, et al. Effluent volume in continuous renal replacement therapy overestimates the delivered dose of dialysis. *Clin J Am Soc Nephrol*. 2011;6:467–475.

Cole L, et al. High-volume haemofiltration in human septic shock. *Intensive Care Med*. 2001;27:978–986.

Dager WE, White RH. Argatroban for heparin-induced thrombocytopenia in hepatorenal failure and CVVHD. *Ann Pharmacother*. 2003;37:1232–1236.

Davenport A. Is there a role for continuous renal replacement therapies in patients with liver and renal failure? *Kidney Int Suppl*. 1999;72:S62–S66.

Davenport A. Renal replacement therapy in the patient with acute brain injury. *Am J Kidney Dis*. 2001;37:457–466.

Egi M, et al. A comparison of two citrate anticoagulation regimens for continuous veno-venous hemofiltration. *Int J Artif Organs*. 2005;28:1211–1218.

Egi M, et al. The acid-base effect of changing citrate solution for regional anticoagulation during continuous veno-venous hemofiltration. *Int J Artif Organs*. 2008;31:228–236.

Eichler P, et al. Antihirudin antibodies in patients with heparin-induced thrombocytopenia treated with lepirudin: incidence, effects on aPTT, and clinical relevance. *Blood*. 2000;96:2373–2378.

Fiaccadori E, et al. Efficacy and safety of a citrate-based protocol for sustained lowefficiency dialysis in AKI using standard dialysis equipment. *Clin J Am Soc Nephrol*. 2013;8:1670–1678.

Fischer KG, van de Loo A, Bohler J. Recombinant hirudin (lepirudin) as anticoagulant in intensive care patients treated with continuous hemodialysis. *Kidney Int Suppl*. 1999;72:S46–S50.

Golper TA. Update on drug sieving coefficients and dosing adjustments during continuous renal replacement therapies. *Contrib Nephrol*. 2001;132:349–353.

Heintz BH, et al. Antimicrobial dosing concepts and recommendations for critically ill adult patients receiving continuous renal replacement therapy or intermittent hemodialysis. *Pharmacotherapy*. 2009;29:562–577.

Hofmann CL, Fissell WH. Middle-molecule clearance at 20 and 35 ml/kg/h in continuous venovenous hemodiafiltration. *Blood Purif*. 2010;29:259–263.

Hoste EA, et al. No early respiratory benefit with CVVHDF in patients with acute renal failure and acute lung injury. *Nephrol Dial Transplant*. 2002;17:2153–2158.

Jacobi J et al. Clinical practice guidelines for the sustained use of sedatives and analgesics in the critically ill adult. *Crit Care Med*. 2002;30:119–141.

James M, et al. Canadian Society of Nephrology Commentary on the 2012 KDIGO Clinical Practice Guideline for Acute Kidney Injury. *Am J Kidney Dis*. 2013;61:673–685.

Jaski BE, et al. Peripherally inserted veno-venous ultrafiltration for rapid treatment of volume overloaded patients. *J Card Fail*. 2003;9:227–231.

Joannidis M. Continuous renal replacement therapy in sepsis and multisystem organ failure. *Semin Dial*. 2009;22:160–164.

Jörres A, et al.; the ad-hoc working group of ERBP. A European Renal Best Practice (ERBP) position statement on the Kidney Disease Improving Global Outcomes (KDIGO) Clinical Practice Guidelines on Acute Kidney Injury: part 2: renal replacement therapy. *Nephrol Dial Transplant*. 2013;28:2940–2945.

KDIGO. KDIGO clinical practice guidelines for acute kidney injury. *Kidney Int*. 2012;2(suppl1):1–141.

Kellum JA, Bellomo R, Ronco C, (eds). *Continuous Renal Replacement Therapy*. Oxford: Oxford University Press; 2010.

Kim IB, et al. Insertion side, body position and circuit life during continuous renal replacement therapy with femoral vein access. *Blood Purif.* 2011;31:42–46.

Kumar VA, et al. Extended daily dialysis: a new approach to renal replacement for acute renal failure in the intensive care unit. *Am J Kidney Dis.* 2000;36:294–300.

Lexi-Comp, Inc. (Lexi-Drugs™). Lexi-Comp, Inc. May 22, 2013.

Liangos O, et al. Dialyzer fiber bundle volume and kinetics of solute removal in continuous venovenous hemodialysis. *Am J Kidney Dis.* 2002;39:1047–1053.

Lins RL, et al. for the SHARF investigators. Intermittent versus continuous renal replacement therapy for acute kidney injury patients admitted to the intensive care unit: results of a randomized clinical trial. *Nephrol Dial Transplant.* 2009;26:512–518.

Lowenstein DH. Treatment options for status epilepticus. *Curr Opin Pharmacol.* 2005;5:334–339.

Kalviainen R. Status epilepticus treatment guidelines. *Epilepsia.* 2007;48:99–102.

Marenzi G, et al. Interrelation of humoral factors, hemodynamics, and fluid and salt metabolism in congestive heart failure: effects of extracorporeal ultrafiltration. *Am J Med.* 1993;94:49–56.

Marenzi G, et al. The prevention of radiocontrast-agent-induced nephropathy by hemofiltration. *N Engl J Med.* 2003;349:1333–1340.

Marshall MR, et al. Sustained low-efficiency daily diafiltration (SLEDD-f) for critically ill patients requiring renal replacement therapy: towards an adequate therapy. *Nephrol Dial Transplant.* 2004;19:877–884.

Marshall MR, et al. Mortality rate comparison after switching from continuous to prolonged intermittent renal replacement for acute kidney injury in three intensive care units from different countries. *Nephrol Dial Transplant.* 2011;26: 2169–2175.

Matzke GR et al. Drug dosing consideration in patients with acute and chronic kidney disease—a clinical update from kidney disease: improving global outcomes (KDIGO). *Kidney Int.* 2011;80:1122–1137.

McLean AG, et al. Effects of lactate-buffered and lactate-free dialysate in CAVHD patients with and without liver dysfunction. *Kidney Int.* 2000;58:1765–1772.

Mehta RL. Indications for dialysis in the ICU: renal replacement vs. renal support. *Blood Purif.* 2001;19:227–232.

Meier-Kriesche HU, et al. Unexpected severe hypocalcemia during continuous venovenous hemodialysis with regional citrate anticoagulation. *Am J Kidney Dis.* 1999;33:e8.

Meier-Kriesche HU, et al. Increased total to ionized calcium ratio during continuous venovenous hemodialysis with regional citrate anticoagulation. *Crit Care Med.* 2001;29:748–752.

Messer J, et al. Middle-molecule clearance in CRRT: in vitro convection, diffusion and dialyzer area. *ASAIO J.* 2009;55:224–226.

Mitchell A, et al. A new system for regional citrate anticoagulation in continuous venovenous hemodialysis (CVVHD). *Clin Nephrol.* 2003;59:106–114.

Monchi M, et al. Citrate vs. heparin for anticoagulation in continuous venovenous hemofiltration: a prospective randomized study. *Intensive Care Med.* 2004;30:260–265.

Morgan D, et al. A randomized trial of catheters of different lengths to achieve right atrium versus superior vena cava placement for continuous renal replacement therapy. *Am J Kidney Dis.* 2012;60:272–279.

Morgera S, et al. Long-term outcomes in acute renal failure patients treated with continuous renal replacement therapies. *Am J Kidney Dis.* 2002;40:275–279.

Naka T, et al. Low-dose citrate continuous veno-venous hemofiltration (CVVH) and acid-base balance. *Int J Artif Organs.* 2005;28:222–228.

Oudemans-van Straaten HM, et al. Citrate anticoagulation for continuous venovenous hemofiltration. *Crit Care Med.* 2009;37:545–552.

Palevsky PM, et al. KDOQI US commentary on the 2012 KDIGO clinical practice guideline for acute kidney injury. *Am J Kidney Dis.* 2013;61:649–672.

RENAL Replacement Therapy Study Investigators, Bellomo R, et al. Intensity of continuous renal-replacement therapy in critically ill patients. *N Engl J Med.* 2009;361:1627–1616.

Rogiers P, et al. Blood warming during hemofiltration can improve hemodynamics and outcome in ovine septic shock. *Anesthesiology.* 2006;104:1216–1222.

Rokyta R Jr, et al. Effects of continuous venovenous haemofiltration-induced cooling on global haemodynamics, splanchnic oxygen and energy balance in critically ill patients. *Nephrol Dial Transplant.* 2004;19:623–630.

Sagedal S, Hartmann A. Low molecular weight heparins as thromboprophylaxis in patients undergoing hemodialysis/hemofiltration or continuous renal replacement therapies. *Eur J Med Res.* 2004;9:125–130.

Salvatori G, et al. First clinical trial for a new CRRT machine: the Prismaflex. *Int J Artif Organs.* 2004;27:404–409.

Schilder L, et al. Citrate confers less filter-induced complement activation and neutrophil degranulation than heparin when used for anticoagulation during CVVH in critically ill patients. *BMC Nephrol.* 2014;15:19.

Schindler R, et al. Removal of contrast media by different extracorporeal treatments. *Nephrol Dial Transplant.* 2001;16:1471–1474.

Shum HP, et al. The use of regional citrate anticoagulation continuous venovenous haemofiltration in extracorporeal membrane oxygenation. *ASAIO J.* 2014.

Splendiani G, et al. Continuous renal replacement therapy and charcoal plasmaperfusion in treatment of amanita mushroom poisoning. *Artif Organs.* 2000;24:305–308.

Stevenson JM, et al. In vitro glucose kinetics during continuous renal replacement therapy: implications for caloric balance in critically ill patients. *Int J Artif Organs.* 2013;36:861–868.

Sutherland SM, Alexander SR. Continuous renal replacement therapy in children. *Pediatr Nephrol.* 2012;27:2007–2016.

Swartz R, et al. Improving the delivery of continuous renal replacement therapy using regional citrate anticoagulation. *Clin Nephrol.* 2004;61:134–143.

Szamosfalvi B, Frinak S, Yee J. Automated regional citrate anticoagulation: technological barriers and possible solutions. *Blood Purif.* 2010;29:204–209.

Teo BW, et al. Machine generated bicarbonate dialysate for continuous therapy: a 10-year experience. *Blood Purif.* 2006;24:247–273.

Troyanov S, et al. Phosphate addition to hemodiafiltration solutions during continuous renal replacement therapy. *Intensive Care Med.* 2004;30:1662–1665.

Van Berendoncks AM, et al.; SHARF Study Group. Outcome of acute kidney injury with different treatment options: long-term follow-up. *Clin J Am Soc Nephrol.* 2010;5:1755–62.

van der Sande FM, et al. Thermal effects and blood pressure response during postdilution hemodiafiltration and hemodialysis: the effect of amount of replacement fluid and dialysate temperature. *J Am Soc Nephrol.* 2001;12:1916–1920.

Wester JP, et al. Catheter replacement in continuous arteriovenous hemodiafiltration: the balance between infectious and mechanical complications. *Crit Care Med.* 2002;30:1261–1266.

Wu MY, et al. Regional citrate versus heparin anticoagulation for continuous renal replacement therapy: a meta-analysis of randomized controlled trials. *Am J Kidney Dis.* 2012;59:810–818.

Wu VC, et al.; the NSARF Group. The hemodynamic effects during sustained low-efficiency dialysis versus continuous veno-venous hemofiltration for uremic patients with brain hemorrhage: a crossover study. *J Neurosurg.* 2013;119:1288–1295.

Yagi N, et al. Cooling effect of continuous renal replacement therapy in critically ill patients. *Am J Kidney Dis.* 1998;32:1023–1030.

Yang Y, et al. Development of an online citrate/Ca2+ sensing system for dialysis. *Analyst.* 2011;136:317–320.

Yessayan L, et al. Treatment of severe hyponatremia in patients with kidney failure: Role of continuous venovenous hemofiltration wit low sodium replacement fluid. *Am J Kidney Dis.* 2014;64:305–310.

Web References

ADQI Initiative: http://www.adqi.org.

HDCN CRRT Channel: http://www.hdcn.com/ch/cavh/.

KDIGO Clinical Practice Guideline for Acute Kidney Injury: http://www.kdigo.org/clinical_practice_guidelines/AKI.php.

16 가정 내 혈액투석 및 고강도 혈액투석

양하나 역

가정 내 혈액투석(HD)에 대한 관심이 계속 증가하고 있다. 제공자와 환자의 선호도, 장비 및 소모품들의 비용 감소, 새로운 재정 지원 모델들 및 보다 사용자 친화적인 기술 등이 이러한 관심을 촉진시킨다. 또한 가정내 HD 세팅은 그 자체로 센터 내에서 일반적으로 시행하는 것보다 고강도 (더 장시간 그리고 더 자주 시행하는) HD 세션을 가능하게 한다. 물론 이러한 고강도 HD는 센터 내에서도 제공될 수 있다. (a) 고전적 HD (3~5시간, 주당 3회), (b) 고빈도 HD (주당 5~7회) - 고빈도의 짧은(1.5~3시간), 고빈도 표준(3~5시간), 또는 고빈도 장시간(>5시간), 또는 (c) 주당 3일 또는 격일로 주어지는 장시간(>5시간) 요법을 구분하는 것이 유용하다. 짧거나 표준의 고빈도 HD는 일반적으로 '주간 HD' (daily HD: DHD)라고 부르며, 장시간의 고빈도 HD는 일반적으로 야간에 시행되며 고빈도 '야간 HD' (nocturnal HD: NHD)라고 부른다.

I. 방식 선택

방식 선택을 위한 근거 기반 가이드라인들이 부재한 상태에서, 우리는 몇 가지 일반적인 기본 원칙들을 제안한다. (a) 신대체요법을 사용하는 환자들은 투석 없는 보존적 치료, 선제 이식, 가정 내 HD, 복막투석(PD) 및 센터 내 HD와 같은 모든 가능한 방식 옵션들에 대한 교육을 받아야 한다. (b) 의학적으로 적절하고 타당할 경우, 이식이 급박하지 않다면 가정 내 방식(복막투석을 포함하여)을 일차 치료로 추진해야 한다. (c) 복막투석과 가정 내 HD 사이의 선택은 환자의 선호, 가용성, 타당성 및 의학적 요인들(예를 들어, 임신을 원하는 환자는 고빈도 NHD를 받기를 선호할 것이다. 복막투석으로 효율적 청소율이 유지되지 않는 환자들은 가정 내 HD를 고려해야 한다.)을 기초로 해야 한다. (d) 가정 내 HD는 복막투석 또는 신이식 실패 후에 고려되어야 한다. - 이 접근방법은 세심한 적시적 교육 및 계획을 요구하지만 보다 많은 환자들이 센터 HD로부터 독립할 수 있게 한다. (e) 세포 외 체액량(특히 높은 체액 증가를 보이는 환자들에서), 혈압(BP), 좌심실(LV)량, 인산염 및 삶의 질을 개선하기 위해 보다 강화된 (가정 또는 센터) HD 방식들이 고려될 수 있다.

A. 고빈도 HD 대 고전적 HD

처방 패턴들은 지리적으로, 그리고 프로그램 및 제공자의 선호에 따라 다양하다. 고전적 및 고빈도(장시간 또는 단시간) HD 사이의 선택을 직접 다루고 있는 근거 기반 가이드라인은 없다. 대부분의 사례들에서 치료 일정은 환자의 선호(편리성과 업무, 수면 및 사회적 활동에 지장 없음) 및 청소율과 초미세여과 필요성에 따라 달라질 것이다. 어떤 특정 방식으로 시작하더라도 언제든 다른 것으로 바꿀 수 있으며, 많은 환자들이 업무와 다른 일정들을 수행하기 위해서 장시간 및 단시간 치료들을 병합해서 사용해왔다. 가능할 경우 우리는 투석간 간격이 3일이 되는 것을 피하며, 비록 센터 내에서는 가용성이 떨어지지만, 가정 내 HD에 대해서는 격일 이내의 간격을 유지할 것을 권장한다.

B. 가정 내 HD

1. 환자 선정

보고된 가정 내 HD 이용률은 일반적으로 대부분의 관할구역들에서 5% 이하지만, 15% 정도로 높은 경우도 있다. 가정 내 HD를 위한 일차적 요건은 원하는 환자 또는 보호자가 투석 절차를 안전하게 수행하기 위해 필요한 사항들을 학습할 수 있는 능력이다. 조절되지 않는 발작, 저혈당증, 치료 불이행, 투석 중 간호중재를 필요로 하는 혈역학적 불안정 등이 상대적인 금기증이다. 헤파린 사용 불가일 경우, 낮은 혈류량(예를 들어, 150 mL/min)으로의 장시간 HD가 배제되지만 보다 높은 혈류(예를 들어 >300 mL/min) 처방은 가능하다. 다수의 또는 심각한 동반 질환들의 존재는 가정 내 HD에 대한 금기증이 아니지만, 자가관리를 수행하기에 너무 쇠약하거나 무능력할 경우, 보조자가 없다면 극복하기 어려운 장벽이 될 수 있다. 가정 내 HD 프로그램들은 표준화된 식이 절차들을 개발해야 하며, 가정 내 HD 적격성에 대한 기준은 환자 또는 보호자의 운동 능력, 체력, 시력, 청력, 읽기 능력, 동기 및 지속성 등을 포함해야 한다. 유의한 기능적 장벽들이 확인될 경우, 간병사를 고용할 수 있다면 이를 고려할 수 있다.

2. 가정 환경 적합성

가정 환경은 투석 기술자에 의해 평가될 필요가 있으며, 평가의 초점들은 (a) 물의 양과 질, (b) 전력 공급, (c) 수납 공간, 그리고 (d) 청결함이다. 이러한 요인들이 가정 내 투석을 불가능하게 하는 경우는 드물지만, 환자는 필요한 장비를 수용하기 위해서 필요한 구조 변경의 성격과 범위를 이해해야 한다. 현지의 건축법을 준수해야 하며, 때로 배관 및 전기 시설 변경을 시작하기 전에 집주인의 허락을 받아야 할 필요가 있다.

C. 센터 내 HD

가정 내 HD 대신 센터 내 HD를 선택하는 이유들로는 (a) 환자 안전에 대한 우려들, (b) 혈관 접근 또는 삽관법 문제들, (c) 환자 또는 보호자가 집에서 HD 절차를 수행할 능력이나 의지가 없음, (d) 부적절한 가정 환경(공간, 전기, 위생, 또는 배관의 제약), 그리고 (e) 환자의 선호 등이 있다.

센터 내 HD에서는 고전적 방식들이 지배적이지만, 고강도 센터 HD 또한 관할구역마다 다르긴 하지만 그 가용성이 증가하고 있다. 캐나다, 호주 및 유럽에서 DHD는 광범위한 적응증들에 대해 제공되는데 이러한 적응증들로는 (a) 난치성 용적 과부하, (b) 난치성 과인산혈증 그리고/또는 칼시필락시스(calciphylaxis), (c) 성장지연, 그리고 (d) 임신 등이 있다. 비록 이러한 적응증들을 뒷받침하는 증거는 제한적이지만 말이다. 프랑스에서는 장시간, 주 3회, 센터 내, 주간 HD가 일반적이며, 미국에서는 장시간, 주 3회, 야간 HD의 가용성이 증가하고 있다. 장시간, 고빈도 NHD는 대개 센터 내에서 실시되지 않는다. 운송, 치료 센터까지의 거리, 환자의 생활양식, 그리고 환자 가족들의 요구들이 센터 내 고강도 HD를 고려할 것인지를 결정하는 중요한 요인들이다. 센터 내 고강도 요법들 또한 공간, 장비 및 간호와 기술 지원 인력에 대한 요구들을 증가시킨다. 일반적으로 프로그램들은 적합하게 훈련된 직원들의 풀을 유지하고 규모 경제를 실현하기 위해서 강화된 요법을 받는 환자 수가 임계치 이상 유지되어야 한다. 야간 근무 직원의 가용성 부족 및 많은 수의 DHD 치료들을 신속히 수행할 수 있는 능력 부족으로 인해 대안적인 인력 배치 모델이 필요할 수 있다.

II. 가정 내 HD를 위한 기술적 고려사항들

A. 훈련

훈련 기간은 HD에 대한 환자의 이전 경험에 따라 달라진다. 이전 경험이 없을 경우, 환자들은 안전하고 숙달되기 위해 일반적으로 경험 있는 간호사와 최소한 6주간의 1대1 훈련을 필요로 한다. 반면에 이전에 자가관리 HD를 수행한 환자들은 보다 적은 훈련 시간을 필요로 한다. 가정 내 HD 훈련을 위해 오래 기다려야 하는 몇몇 프로그램들은 자가관리 HD 장치에 대한 훈련을 제공한다. 환자가 읽기에 적절하고 이해할만한 수준의 언어로 쓰여진 교육용 매뉴얼들 또한 유용하다. 많은 프로그램들에서 환자들에게 훈련 장치 세팅에서 시범을 보임으로써 환자들을 해마다 '보수교육'하여 그들이 투석 절차와 혈액 접근을 올바로 수행하며 문제를 효과적으로 해결할 수 있도록 한다.

B. 혈관 통로

고강도 HD를 받는 말기 신부전 환자들의 관리를 위한 Canadian Society of Nephrology (CSN) 지침들(Nesrallah, 2013)은 낮은 감염 위험(조건적/낮은 수준의 권고, 매우 낮은 질의 증거)을 이유로 도관보다는 동정맥루(AVF)나 인조혈관(AVG)을 권장하지만, 시술을 위한 기술적 요구들이 몇몇 환자들에게 가정 내 HD에 대한 장벽이 될 수 있음을 인정한다.

동정맥루(AVF)를 한 환자들에서, 뭉툭한 주사침들을 이용하여 정확히 동일한 두 부위에 재삽입을 시행하는 이 '단추 구멍(buttonhole)' 기법은 기존의 '그물 사다리(rope-ladder, 회전 부위)' 방법보다 배우기가 더 쉽기 때문에 인기가 높았다(6장 참고). 하지만 단추구멍 삽관법은 높은 황색포도알균(*Staphylococcus aureus*) 감염률을 초래할 수 있으며(Muir, 2014), 따라서 CSN 지침들은 무피로신(mupuricin)을 이용한 국소 항균제 예방법과 함께 사용할 것을 권고한다(조건적/낮은 수준의 권고, 매우 낮은 질의 증거)(Nesrallah, 2010, 2013). 인조혈관(AVG) 사용시, 바늘 천자부위는 일반적으로 위치를 변경하며 사용한다. 투석 효율성을 요구하지 않는 NHD에서는 200~250 mL/min의 낮은 혈류량과 단일 주사침으로 충분하다.

C. 투석막

현재로서는 가정 내 HD에서 특정한 투석막이 다른 것들보다 더 나음을 뒷받침하는 데이터는 없다. 최근 몇 년 동안, 대부분의 센터들은 고유량 투석기(highflux dialyzers)의 사용을 보고했다. 낮은 투석기 표면적은 장시간 HD를 위해 유리할 수 있다(Pierratos, 1999). 투석기 재사용이 가정 내 투석에서 설명되어왔지만(Pierratos, 2000) 대체로 투석 막 가격의 하락과 함께 중단되고 있다.

D. 환자 안전과 주의 사항들

가정에서의 환자 안전을 보장하기 위해서 적절한 환자 선정, 훈련 및 지속적인 감독이 매우 중요하다. 환자가 어떤 위치에서 투석을 하던지 투석기 스크린이 항상 보여야 하며, 쉽게 제어장치로 접근할 수 있어야 한다. 다음은 몇몇 추가적인 주의 사항들이다.:

1. 경보(alarm)와 의사소통

환자(또는 보호자)는 반드시 투석기의 경보를 들을 수 있어야 하며, 그것에 어떻게 대응하는지에 대해 훈련을 받아야 한다. 환자들이 필요시 응급 서비스를 요청하기 위해 투석기로부터 손에 닿는 거리 내에 전화기를 비치해야 한다. 몇몇 프로그램들은 휴대전화보다 회선 전화를 선호하는데 이는 정전 또는 부적절한 네트워크 수신 동안 정상적인 기능을 보장받기 위함이다. 원격 모니터링 센터가 접촉을 시도할 경우 전화 소리가 반드시 환자에게 들려야 한다.

2. 관 분리 예방

a. 적절한 천자 기법

천자 절차 및 관 보존을 위한 환자 또는 보호자의 능력이 가정 내 치료를 위한 필수적인 요구사항들이다.

b. 관 고정

투석 도관으로의 혈액 튜브 연결관을 세밀하게 테이프로 고정하는 것이 우발적인 분리로 인한 실혈을 예방하는데 있어서 매우 중요하다. 도관-튜빙 분리를 예방하기 위해 플라스틱 클램셸 잠금(clamshell locking)박스들이 사용되어왔다(Pierratos, 1999). 소형 혈액관 연결 클립이 널리 사용되고 있다(HemaSafe, Fresenius NA, Lexington, MA).

3. 관이 분리되었을 때의 질병 발생 예방

a. 폐쇄 구조의 연결 장치들

환자가 수면중 투석을 수행할 경우 투석 도관으로부터 튜빙이 우발적으로 분리됨으로 인한 공기색전증 및 출혈을 예방하기 위해 폐쇄구조의 연결 장치의 사용이 권장된다(조건적/낮은 수준의 권고, 매우 낮은 질의 증거)(Nesrallah, 2013). 이것들은 틈새 격막이 있는 도관 뚜껑들로서, 제자리에 있을 때만 혈류를 허용한다. 이것들은 지역의 수행 지침과 제조사의 권고 사항에 따라 매 주에서 매 달의 간격으로 주기적으로 교체된다. InterLink System (Becton Dickinson, Franklin Lakes, NJ)은 단지 장시간 HD에만 사용될 수 있는데 이는 다른 방법들에서 사용되는 보다 높은 펌프 속도에서 동맥압 및 정맥압의 증가를 가져오기 때문이다. TEGO (ICU Medical, CA) 연결기는 보다 낮은 흐름 저항을 제공하며 따라서 보다 높은 혈류량에서 사용될 수 있다. Swan-Lock 연결기(Codan, Lensahn, 독일) 또한 사용되어 왔다.

b. 수분 검출기

Drisleeper (Alpha Consultants Ltd., Nelson, 뉴질랜드)와 같은 누수감지 경보기는 출혈을 검출하기 위해 삽관 입구 지점에 부착될 수 있다. 일회용 누출 검출기들 또한 사용가능하다(RedSense Medical AB, Halmstad, 스웨덴). 무선 습윤 검출기는 기계 혈액 펌프를 정지시키는 장치로서 최근에 출시되었다(Fresenius Medical Care, Lexington, MA). 마지막으로, 수분 센서들을 기계 주위의 마루 및 급수장치 가까이에 배치하여 혈액, 투석액 및 물의 누출을 감지할 수 있다(Pierratos, 2000).

c. 2-펌프 1-주사침 시스템

정맥관이 우발적으로 분리될 경우, 상당한 혈액 손실이 발생할 수 있다. 4장에서 논의된 바와 같이, 관이 분리된 후에는 정맥관 압력 저하에 의한 혈액 펌프 정지가 이루어지지 않기 때문에, 상기한 기술을 사용해야 한다. 단일 주사침 투석은 관 분리로 인한 출혈 위험을 줄여주는데 이는 출혈이 혈액 펌프를 통해서가 아니라 누관 또는 도관으로부터의 흐름으로 제한되기 때문이다. 이런 이유로 단일 주사침 투석이 가정 내에서의 고빈도 NHD를 위해 보다 안전한 옵션일 수 있다. 장시간 HD의 세션 길이 및 빈도를 고려할 때, 단일 주사침 HD로 인한 약간 저하된 청소율은 큰 문제가 아니다.

4. 모니터링

모니터링은 일반적으로 NHD (nocturnal HD:야간투석)에서만 고려된다. HD 기계를 모뎀 또는 고속 인터넷을 통해 전문 장비에 연결함으로써 발생하는 기술적 문제들 및 경보들(예를 들어, 공기 및 혈액 누출)을 소프트웨어를 이용한 실시간 모니터링을 통해 파악할 수 있게 된다. 모니터링은 또한 치료 지속을 추적하는 유용한 수단이다. 야간 투석 동안 혈압과 같은 환자 데이터는 잘 모니터링되지 않는다. 따라서 모니터링이 환자에게 안도감과 보안을 제공하지만 실제로 위해한 사건들을 예방하는지 여부는 명확하지 않다. 뉴욕 등 몇몇 관할구역들에서는 실시간 원격 모니터링을 법으로 요구하지만, 대부분의 프로그램들은 가정 내 NHD를 위해 첫 3개월 동안만 그것을 사용한다(Heidenheim, 2003.); 몇몇 프로그램들은 그것을 전혀 사용하지 않는다(Humber River Hospital, Toronto). iCare (Fresenius Medical Care, Lexington, MA)는 상업적으로 가용한 실시간 모니터링 시스템들 중 하나이다. 자동전화응답기 또한 다양한 성공률로 사용되어왔다.

III. 가정 내 HD를 위한 인프라 요건들

A. 지원 인력

특별히 훈련된 간호사들, 생의학 기술자들 및 의사들이 필요하다. 간호사들은 평가 및 훈련, 전화 추적 관찰 및 문제 해결, 환자 소모품들의 주문 및 가정 방문을 담당하고, 기술자들은 기계 유지 보수 및 수질 모니터링을 제공한다. 장비 설치 및 유지를 위한 시행 지침들, 표준들 및 프로토콜들을 관장할 현지 정책들의 개발에 생의료공학 인력이 참여해야 한다. 제공되는 서비스에 대한 변경이 있을 경우 이를 해당 투석 프로그램의 지불 대행업체에 통보해야 한다.

B. 공간

환자 훈련, 환자 평가, 의사와 관련 보건 인력의 추후 관리를 위한 방문을 위해서 적절한 배관을 갖춘 적절한 임상 공간이 필요하다.

C. 물 공급

수질은 물 공급처와 관계없이 평가되어야 한다. 내독소, 무기질함량, 및 클로라민(chloramine)을 계량해야 한다. 농촌 지역의 수원일 경우 대장균에 대한 검사가 필수적이다. 물 순도에 대한 국제 표준들이 존재하며(5장 참고) 이를 준수해야 한다. 물 정화 시스템 및 HD 장비 제조사들은 일반적으로 수압 요건들을 명시하고 있다.

1. 물 정화

역삼투법과 이온제거 시스템들은 모두 가정 내 투석에서 성공적으로 사용되어왔다. 정화 시스템들은 점차 환자의 침실에 설치하기에 충분할 만큼 크기와 소음이 줄었다. 비록 필요할 경우 더 멀리 설치될 수 있지만 말이다. 환자들은 필터 교환, 관 및 장치의 소독을 포함해서 그들의 물 공급 시스템들을 위한 유지 절차들에 대해 교육을 받아야 한다. 초순수 투석액(초미세 여과기를 이용해 만든) 또한 대부분의 프로그램들에서 사용되어 왔으며, NHD를 위해 선호될 수 있는데, 투석액 노출량이 세션당 108~144 L로 많은 NHD에서는 수질 저하시 그 영향이 더욱 커질수 있다. 소독 및 물 표본 채집 빈도(대개 매월)는 사용되는 시스템에 따라 달라질 것이며 국가 수질 표준들을 준수해야 한다.

D. 투석기

어떤 특정 타입의 HD 기계를 지지하는 데이터는 존재하지 않는다. 따라서, 센터 내 요법에 사용되는 어떤 기계이든 가정 내에서의 일일 투석에 사용될 수 있다. 어떤 기계들은 크기가 크고 거추장스러워서 사용하기가 어려운데, 가정 내 투석에 보다 적합한 기계들을 생산하기 위한 관심들이 높아지고 있다. 소음은 HND를 위해 사용되는 기계들과 관련된 한 요인이다. 가정 내 HD 기계 설계에서의 또 다른 고려 사항들은 간단한 사용법, 스크린의 가시성과 제어장치의 접근성, 간단한 설치 및 단순한 유지 및 소독 절차들이다.

NxStage System One (NxStage Medical Inc., Lawrence, MA)은 따로 설명되는데 이는 사전 충전된 투석액 백을 이용하여 보다 낮은 투석액 유량을 사용한다는 점에서, 그리고 카트리지 기반 투석기 및 튜빙 설치에서 다른 장치들과 다르기 때문이다(Clark and Turk, 2004). 이것들의 젖산 기반 투석액은 기존의 5-L 백에 담아 전달되거나 또는 PureFlow™ 시스템을 이용하여 투석액 혼합 분말로부터 만들어질 수 있으며, 장시간 치료를 위해서 15에서 60 L의 양으로 만들어질 수 있다. 이온제거기가 사용될 때와 마찬가지로 필요한 물의 양은 투석액 양과 비슷하다. NxStage 장치는 운반이 가능하며, 여행 중에도 사용될 수 있다. 이것은 환자의 집을 개조할 필요성을 줄여준다. 현재 NxStage 장치의 한가지 제약은 최대 투석액 유량이 200 mL/min라는 점이다. 헤파린 펌프를 포함하고 있지 않지만, 저분자량 헤파린 또는 외부 헤파린 펌프를 활용할 수 있다. 낮은 투석액 유량의 임상적 의미는 아래의 적합성 및 용량 섹션에서 논의한다.

1. 장비 유지 프로그램

이것들은 환자 안전에 중추적인 역할을 한다. 대부분의 제조사들은 제안된 유지 일정들을 제공하며, 이것들은 합병증 및 장비 고장을 예방하기 위한 최소 요건으로 적용되어야 한다. 엄격한 물 정화 유지 일정에 더하여, 생산된 물 및 투석 용액에 대한 미생물 및 내독소 검사가 매우 중요하며, 특히 고유량 막들의 경우 그렇다. 몇몇 프로그램들은 그와 같은 검사를 월별로 실시하도록 권장한다.

E. 원격 야간 모니터링

상업적으로 가용한 장치들 및 소프트웨어 도구들을 위에 열거했다. 프로그램들은 훈련된 야간 직원을 갖춘 자체 중앙 모니터링 기지를 갖고 있을 수 있다.; 대안적으로, 비용 절감을 위해 여러 프로그램들이 기지를 함께 사용할 수도 있다.

IV. 고강도 HD의 처방

A. 생리학적 이론적 근거

1. 증가된 주간 투석 시간의 용질 제거 이점

투석 중 충분히 제거되지 않는 중분자들의 경우, 혈장 농도는 투석 동안 크게 변하지 않으며, 이런 이유로 제거를 결정짓는 주요 요인은 총 주간 투석 시간이다. 동일한 주간 투석 시간을 보다 여러 번의 세션들에 걸쳐 분산시킬 경우, 이 이점이 제한된다. 이것은 인산염에 대해서도 마찬가지이다. 인산염의 투석 중 농도는 투석 시작 후 처음 1시간 동안 급락하지만, 그 이후 거의 일정한 경향을 띤다. 그 결과, 주당 인산염 제거는 일차적으로 총 주간 투석 시간에 따라 달라진다.

2. 고빈도의 용질 제거 이점

요소와 같은 용질들에 있어서, 그리고 표준 Kt/V(표준 Kt/V에 대한 설명은 3장 참고)를 사용하여 모델화된 이론적으로는 '격리된(sequestered)' 용질들에 있어서, 투석 중 혈장 농도는 투석 세션이 진행되면서 계속 떨어지며, 이런 이유로 투석 세션을 4시간 이상으로 늘리는 것은 큰 이점이 없으며, 동일한 주간 시간을 보다 여러 번의 세션들로 나누는 것이 보다 유리하다. 가장 효율적인 용질 제거는 투석 세션의 초기에 혈장 용질 농도가 가장 높을 때 일어난다. 표준 Kt/V 척도는 고도로 격리되었지만 쉽게 투석 가능한 용질들에 대한 보다 빈번한 투석 일정들의 효과를 가장 잘 반영한다.

또한 투석 빈도의 증가는 인 제거에 대한 이점이 있다. 이는 인 제거가 '편평기' 동안에 비해 투석 초기 첫 시간 동안 훨씬 높기 때문이다. 주간 투석 시간이 길 경우(20시간 이상), 총 주당 시간이 인 제거의 주요 결정인자이다. 주간 투석 시간이 12시간 이하일 경우, 이 시간을 세 번에 나누는 것보다 여섯 번으로 나누어 할 경우, 비록 약간이지만 투석 전 혈청 인 수치가 감소할 것이다.

3. 초미세여과에서 주간 투석 시간 연장의 이점

주당 필요한 수분 제거 양은 주당 수액 섭취량에서 주당 소변양을 뺀 값이다. 만일 주간 투석 시간이 2배로 늘어나고 수액 섭취량이 동일할 경우, 초미세여과율은 절반이 되며, 이것은 수액 제거에 따른 혈역학적 스트레스를 상당히 줄여준다.

4. 초미세여과에서 투석 빈도 증가의 이점

주간 투석 시간을 연장하지 않더라도, 빈도 증가에 어느 정도 이점이 있을 수 있는데, 이는 투석 세션의 앞 부분에서 초과 수액의 더 많은 양이 중앙 혈액용적구획과 관련이 있기 때문이다. FHN 'Daily' 연구(Chertow, 2010)에서 주간 투석 시간이 한계적으로 증가하고 주당 수액 섭취 또한 약간 증가했을 때, 치료당 투석 중 저혈압 에피소드의 감소를 보였지만, 더 많은 수의 주당 치료가 실시되었을 때, 주당 저혈압 에피소드가 증가했다.

5. 긴 투석간 간격을 피함에 따른 이점

관찰 연구들에 따르면, 주당 3번 투석된 환자들 가운데, 월-수-금 일정을 따르는 환자들 중에서 월요일에, 그리고 화-목-토 일정을 따르는 환자들 중에서 화요일에 사망률이 가장 높았다. 이러한 사망률의 증가가 증가된 수액 제거량 때문인지 또는 주말 3일의 투석간격 동안 생긴 칼륨을 포함한 다양한 요독성 물질들의 축적 때문인지는 분명하지 않다. 이러한 현상은 격일 일정이 가능한 상황에서 가정 내 주당 3회 일정을 반대하는 근거가 된다.

6. 고빈도의 장시간 야간 혈액투석 일정들이 잔여신기능에 미치는 잠재적인 역효과

FHN 야간 실험에서, 장시간 세션으로 주당 4.5회 이상 자주(주간 투석 시간이 28시간 이상) 투석을 시행한 환자들에게서 잔여신기능의 상실이 가속화됨이 관찰되었다(Daugirdas, 2013). 이것은 보다 짧은 주간 투석 시간을 사용한 환자들에서는 발견되지 않았다. 이 관찰 내용은 추가로 확인할 필요가 있지만, 상당한 잔여신기능을 가진 환자들에서, 매우 고강도의(고빈도 장시간) 투석 일정은 난

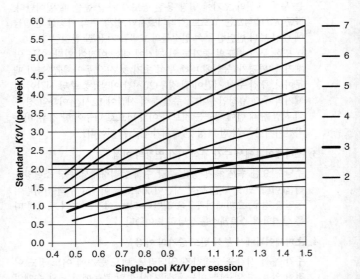

그림 16.1 주당 stdKt/V와 투석 단일 풀 *Kt/V* (sp*Kt/V*) 사이의 관계. 이 데이터는 40 L 볼륨의 단일 환자, 200 mL/min의 투석기 청소율, 및 30~270 min 범위의 투석 시간을 가정한다. 세로축 2.15지점의 수평선은 주당 3회 투석으로 KDOQI 최소 세션 sp*Kt/V* 1.2와 관련된 std*Kt/V*(FHN 방법 또는 요소 역동학 모형화를 이용하여 계산된)을 나타낸다. 오른쪽에 나타난 수치들은 주당 치료 수를 가리킨다.

치성 용량과부하 또는 과인산혈증의 조절이 필요한 경우가 아니면 최적의 방법이 아닐 수 있다.

B. 적합성 및 요소 청소

1. 표준 *Kt/V*

3장 및 11장에 설명된 표준 *Kt/V* (*stdKt/V*) 개념은 일반적으로 DHD 및 NHD에서 요소 청소를 계량화하는데 사용된다. *stdKt/V*는 투석 용량에 대한 빈도 기반 척도이다. 이것은 변경된 등가 요소 청소의 주당 계산식(V에 정규화된)이며, 요소 생성률을 평균 최고 투석 전 혈청 요소 질소(SUN: serum urea nitrogen) 수치로 나눈 값이다. 투석 빈도가 *stdKt/V*에 미치는 영향은 그림 16.1에서와 같이 그래픽으로 보다 이해하기 쉽게 나타낼 수 있다. 주당 3번의 투석 세션이 실시되며 각 세션이 3.5시간이며 1.2의 단일 풀(sp) *Kt/V*를 전달할 때, 결과적인 stdKt/V는 2.15가 될 것이다(모델링 또는 소위 'FHN 등식'을 사용해서 계산했을 때). 주 3회의 일정으로 *spKt/V*를 증가시켰을 때, 그것의 *stdKt/V* 증가에 대한 효과는 단지 미미했다. 주당 6회의 SDHD (short daily HD)을 이용하여 동일한 2.15 *stdKt/V*를 얻기 위해서, 각 세션 동안 약 0.5의 *spKt/V*가 전달되어야 한다. 보다 단순화된 *stdKt/V* 계산 방법은 부록 C를 참고하라.

2. 요소 청소를 위한 처방 권장들

a. DHD (daily HD:주간 투석)

주당 6회의 DHD 일정을 따르는 환자들은 주당 6회 1.5~3시간 범위의 세션 길이로 치료되었는데(표 16.1), 이것은 주당 9~18시간의 투석 시간에 해당한다. 혈액량 및 투석액 유량은 대개 고전적 투석 및 투석기에서의 그것들과 비슷하다. FHN 주간 실험에서, DHD를 받는 환자들은 주당 평균 3.6 *stdKt/V*를 받았는데 이는 주당 평균 5회로 세션당 평균 1.06의 평형 *Kt/V*에 해당한다. 세션당 2시간 및 주당 12시간 치료로 시작하는 것이

TABLE 16.1	전형적인 SDHD 및 고빈도 NHD 처방들	
	SDHD	**고빈도 NHD**
빈도 (주당 세션)	6-7	5-7
길이 (시간)	1.5-3.0	6-10
투석기 (고유량이 선호됨)	무관	무관 (작을수록)
Q_B (mL/min)	400-500	200-300
Q_D (mL/min)	500-800	100-300
접근로(access)	무관	무관
원격 모니터링	없음	선택 사항
투석기 재사용	선택 사항	선택 사항

SDHD: short daily hemodialysis.
NHD: nocturnal hemodialysis.

타당하다. 모든 투석 세션이 동일한 길이일 필요가 없음을 감안할 때, 이 일정은 측정된 전달 용량 및 환자 만족도에 따라 조정될 수 있다. 선정된 환자들에서, 투석 시간을 2시간 이상 늘리는것이 고려될 필요가 있는데, 이는 아래 설명한 바와 같이 더 많은 인산염 및 염분과 수분을 제거하는데 도움이 될 수 있기 때문이다. 1.5시간 범위 내에서 DHD 세션은 상당한 잔여 신기능을 가진 환자들에게 충분할 수 있지만, 주당 stdKt/V은 계속 모니터링해야 한다.

b. NHD (nocturnal HD:야간 투석)

주당 3회 또는 그 이상으로 주당 6~10시간 동안 실시되는 HD에서, 세션당 최소 1.2 spKt/V를 전달한다고 가정할 때, stdKt/V 값은 일반적으로 2.0을 넘는다. stdKt/V는 세션 길이에 어느 정도 영향을 받으며, 세션 당 3.5시간에서 6~10시간으로 연장한 자체로 주당 3회 투석에서, 심지어 spKt/V의 변화가 없더라도, stdKt/V가 약간 증가하게 된다. NHD의 청소율에 뚜렷한 증가 때문에, 단일 주사침 투석에서의 준최대 혈류량이 안전을 최적화하기 위해 사용될 수 있으며, 보다 낮은 투석액 유량은 물 비용을 줄이기 위해 사용될 수 있다. 우리는 단일 주사침을 이용한 200~250 mL/min의 Qb, 300 mL/min의 Qd를 권장한다. FHN 야간 실험에서 일반적인 처방은 주당 5회 및 세션당 최소 6시간으로, 5.0의 stdKt/V를 달성한다.

C. 투석액 성분

고빈도 및 장시간 HD를 위한 최적의 투석액 성분에 대한 증거는 거의 없다. 고전적 투석에서 고빈도 또는 장시간 HD로 전환할 경우, 유사한 투석액 성분이 사용될 수 있다. 다만 중탄산염을 줄이고 인산염을 추가할 필요가 있을 수 있다. 현지 실험실의 '정상' 범위 내의 투석 전 및 투석후 수치들을 얻기 위해서 투석액 성분을 개별화해야 한다 (아래 참고). 전형적인 투석액은 Na^+ 135~140 mM, K^+ 2.0~3.5 mM, HCO_3^- 28~34 mM, Ca^{++} 1.25~1.75 mM (2.5~3.5 mEq/L), 및 Mg^{++} 0.5 mM(1 mEq/L)를 포함한다.

1. 중탄산염(Bicarbonate)

HCO_3^- 농도는 투석 전 중탄산염 22~24 mmol/L을 얻을 수 있도록 조절되어야 한다. 고빈도 HD (DHD나 또는 NHD)를 받는 환자들을 위해 우리는 대개 중탄산염 28~33 mmol/L으로 시작한다. 대부분의 투석기 상의 중탄산염 농도 판독값은 중탄산염 투석액 용액들 내에 존재하는 아세트산 나트륨 또는 시트르산 나트륨의 알칼리화 작용을 고려하지 않는다. 특히 고빈도 NHD에서, 투석 용액의 중탄산염은 투석 후 알칼리혈증 발생의 낮은 한계 값에 맞추어 조절되어야 한다.

2. 인(Phosphorous)

일반적인 양의 단백질을 섭취하는 환자들에서 혈청 인을 조절하기 위해, 인 결합제 섭취가 없을 경우 주당 약 24~28시간의 투석이 필요하다. SDHD에서 주간 투석 시간의 증가 없이 투석 빈도를 증가시킬 경우 혈청 인에 대한 효과는 미미한데, 이는 특히 많은 환자들이 그들의 단백질 및 인 섭취를 증가시키는 경향이 있기 때문이다. 주당 3번의 야간 세션 또는 격일 야간 투석으로 치료되는 환자들은 보다 뚜렷한 혈청 인 감소를 보일 것이며, 인 결합제 복용 필요성을 줄일 수 있다. 주당 5~6회의 장시간 세션으로 치료된 환자들은 일반적으로 투석액에 인산염을 첨가하지 않을 경우 음의 인 균형을 갖게 될 것이다. 투석 종료 시점에서의 저인산혈증은 흔하지만, 투석 전 저인산혈증은 바람직하지 않으며 사망 위험 상승과 관련이 있다. 저인산혈증은 음식 섭취가 줄어든 기간 동안, 예를 들어 병발 질환 동안 악화될 수 있다. 이런 이유로 주당 30시간 이상 투석을 받는 환자들 대부분은 투석액에 일정량의 인산염을 첨가할 필요가 있을 것이다.

인산나트륨 제제들은 만성의 고강도 투석으로 치료되는 환자들에서 저인산혈증의 예방 또는 치료를 위해 투석액에 인 농도를 높이는데 사용되어왔다. 투석액 인 농도는, 비록 일부 환자들에서 더 높은 농도가 필요할 경우도 있지만, 대개는 0.32~0.65 mM (1~2 mg/dL)이다. 인산염은 산 또는 중탄산염 농축액에 첨가할 수 있다. 이러한 목적을 위해 $NaH_2PO_4 \cdot H_2O$ 및 $Na_2HPO_4 \cdot 7H_2O$ 혼합물로 구성된 인산나트륨을 포함하는 관장 제제들(C. B. Fleet Company, Lynchburg, VA)이 널리 사용되어왔다. 하지만 인산염 관장제의 직장 외 사용은 미국 Federal Drug Administration (FDA)에서 승인하지 않고 있으며, 그와 같은 인산염 제제들의 순도 또한 알려지지 않았다. 관장용액들은 소량의 염화벤잘코늄(살생제 및 보존제) 및 EDTA이나트륨을 포함하고 있는데, 이것들은 최종 투석 용액에서 대폭으로 추가 희석된다. 인산염 보충을 위한 대안적 방법은 USPgrade (미국 Pharmacopeia) 인산나트륨 소금을 이용하여 적당량의 인을 첨가하는 것이다(Sam, 2013). 정맥주사용 인산염 제제들(Troyanov, 2004; Hussain, 2005)은 그것들의 인 농도 증가를 위해 혈액투석 여과용액들에 첨가되어 왔지만, 장시간 야간 투석에서의 그것들의 정기적인 사용은 대량의 투석 용액이 필요하기 때문에 매우 많은 비용이 들 수 있다.

3. 칼슘(calcium)

고빈도 장시간 NHD를 받는 환자들에서 보통 수준보다 약간 더 높은 투석 용액 칼슘 농도를 사용하지 않으면 그들의 체내 총 칼슘량이 고갈될 수 있다(Al Hejaili, 2003). 그와 같은 환자들에서 2.5 mEq/L (1.25 mM)의 칼슘액 사용했을 때, 특히 그 환자가 더 이상 칼슘 기반 인 결합제들을 더 이상 사용하지 않을 경우, 비타민 D 유사체 투여에 반응하지 않는 부갑상샘 기능항진증을 초래하는 것으로 나타났다. 개별 환자에 대한 이상적인 투석액 칼슘 농도는 식이 칼슘 섭취, 칼슘 보충제(칼슘 기반 인 결합제들을 포함해서) 섭취, 비타민 D 유사체 사용, 초미세여과량 및 부갑상샘 활성도에 따라 다양할 것이다. 투석 전 및 투석 후 칼슘 수치의 측정은 주어진 환자에 대한 이상적인 배스(bath) 칼슘 농도를 파악하는데 도움이 될 수 있다. 고강도 HD에 대한 CSN 임상 수행 지침(Nesrallah, 2013)은 현재 1.5 mM (3.0 mEq/L) 또는 그 이상의 투석액 칼슘을 장시간 고빈도 HD에 사용할 것을 권장하고 있다. 필요한 칼슘 농도를 가진 농축물들이 가용하지 않다면, 필요한 양의 분말 염화칼슘(Humber 프로그램의 경우 $CaCl_2 \cdot 2H_2O$ USP를 이용)을 산 농축물에 첨가할 수 있다. 보다 높은 농도의 투석액 칼슘의 필요성은 오직 장시간 고빈도 NHD에서만 문제가 된다. SDHD는 칼슘 수치에서의 현저한 변화와 관계가 없으며, 이러한 치료들을 위해서 1.25 mM (2.5 mEq/L)의 표준 투석액 칼슘 농도가 일반적으로 사용된다.

D. 항응고

낮은 혈액 펌프 속도를 이용한 장시간 HD는 일반적으로 항응고 없이 수행될 수 없다. 모든 고빈도 HD 일정들에 대해 표준 헤파린 프로토콜들이 사용될 수 있다. 몇몇 프로그램들은 보다 장시간 세션 치료들을 위해 투석 중 추가 용량을 사용하거나 하지 않은 채 저분자량 헤파린을 순간 정맥주사로 사용했지만, 안전과 효용에 대해 발표된 증거는 부족하다.

E. 초미세여과, 목표 체중의 조정 및 항고혈압 약물치료

혈압 조절의 개선은 고강도 HD로 변경한 후 빠르면 1주일 이내에 관찰될 수 있으며, 첫 수 개월 내에 가장 현저하며, 그 이후 여러 개월 동안 계속될 수 있다. 드물지 않게, 혈압은 장시간 또는 고빈도 HD에 의해 매우 현저하게 개선되어서 환자가 더 이상 항고혈압제를 사용할 필요가 없을 수도 있다. 안지오텐신 전환효소 억제제(ACEI)들 또는 베타 차단제와 같은 심장보호제들은 필요할 경우 계속 처방될 수 있지만 가능한 용량을 낮춘다.

고강도 HD에 따른 목표 체중은 일반적인 수행 지침에 따라 설정되며, 투석 중 저혈압 및 증상들을 피함과 동시에 임상적 정상 혈량 또는 정상 투석 전 및 투석 후 혈압을 목표로 한다. 식이 나트륨 및 수액 섭취가 자유로운 장시간 및 고빈도 세션의 환자들에서 보다 높은 투석간 체중 증가를 기대할 수 있다. 환자들은 체중 및 혈압을 기초로 원하는 수치에 도달할 때까지 그들의 목표 체중을 조금씩 증가시킴으로써(예를 들어, 세션당 0.3~0.5 kg) 자기 조절을 통해 초미세여과 목표를 달성할 수 있도록 훈련 가능하다.

F. 추적 관찰

1. 클리닉 방문

대부분의 환자들은 가정 내 요법을 시작한지 2~4주 내에, 그리고 3

개월 동안 매월, 그리고 그 이후 매 2~3개월마다 클리닉을 방문해야 한다. 이것은 24시간 대기 간호 지원이 가능함을 가정한 것이다. 투석 런 시트(run sheet)의 사용은 체중, 혈압 및 투석 중 합병증들의 기록을 가능하게 한다. 환자들은 이것들을 각 클리닉 방문 때 지참해야 한다.

2. 혈액 검사

가정 내에서 투석하는 환자들은 혈액 원심분리기를 제공받고 혈액 샘플들을 적절히 다루고 준비하기 위한 교육을 받을 수 있다.

V. 가정 내 고강도 HD와 다른 방식들 사이의 상대적 효과 및 안전성

A. 고전적 가정 내 HD

아직까지 가정 내 HD를 센터 HD와 비교한 실험들은 없었다. 관찰 연구들에 따르면, 가정 내 HD가 더 높은 생존율을 보였지만, 건강 인지력, 동기부여, 심리적 안녕감, 사회적 지지 구조, 기능적 능력 및 사회경제적 요인들과 같은 측정되지 않은 특성들이 가정 내 HD 인구에서 관찰되어 보다 높은 생존율에 기여했을 수 있다. 환자가 무작위로 가정 내 또는 센터 내 세팅에 할당되기를 원하지 않는 것 또한 무작위 실험들을 실시하는데 있어서 주요 장벽이다. 비록 직접 측정되지는 않았지만 자기 일정 관리, 자기 관리 및 보다 자유로운 식이와 관련된 자유로움도 가정 내 HD를 사용하는 환자의 삶의 질을 개선할 가능성이 있다.

B. 고빈도 HD

1. 단시간의 표준 빈도 HD

가정 내 HD를 어떤 다른 방식과 비교한 임상적 실험들도 없었다. 호주에서의 한 관찰 연구에 따르면, 고강도 가정 내 HD를 받는 환자들과 고전적 가정 내 HD를 받는 이들 사이에 사망률에 차이가 없었다(Marshall, 2011). FHN 주간 실험에서, 센터 내 SDHD를 받는 환자들은 고전적 센터 HD를 받는 환자들에 비해 통계적으로 및 임상적으로 유의하게 더 높은 SF-36(신체요소 요약) 점수들 및 심실 비대의 퇴행을 보였다(Chertow, 2010). 주목할 것은 이러한 환자들에게 제공된 치료들이 세션당 평균 2.5시간이며 주당 평균 5.2회 실시되었다는 것이다. 생존률이 고빈도 치료군으로 임의 배치된 환자들에서 더 높다는 예비적 증거가 있다(Chertow, 2013). 한 최근의 다국적 생존 연구에서는 SDHD에서 보다 높은 사망 위험이 관찰되었다. 하지만 이 연구는 SDHD로 치료된 환자들이 통계 모델로 조절할 수 있는 만큼보다 더 높은(미측정된) 기저 위험도를 가졌을 가능성이 있기 때문에 바이어스(bias)가 있을 수 있다(Suri, 2013). 비록 DHD에 따른 생리학적 결과들을 평가하는 여러 관찰 연구들이 있지만, FHN 주간 실험은 이러한 영향들에 대해 바이어스가 최소화된 예측치들을 제공한다. 이 연구에서 SDHD를 받는 환자들은 인산염 및 혈압 조절에서 우수했지만 영양 변수들, 빈혈 관리, 정신 건강 또는 인지적 기능에서의 차이들은 관찰되지 않았다.

FHN 실험들에서 중요한 안전 신호는 동정맥 접근 개통을 유지하기 위한 중재들의 필요성이 증가했다는 것이다. 이것이 빈번한 방문에 의한 발견때문인지 아니면 빈번한 삽관의 영향인지는 확실하지 않다. DHD에서 단추구멍 삽관법으로 합병증들이 감소하는 경향이 있었다(Suri, 2013 [JASN]).

2. 장시간 고빈도 HD

현재까지 두 건의 무작위 실험들에서 고빈도 NHD를 고전적 HD와 비교했다. 캐나다에서의 한 연구는 NHD로 무작위 배치된 환자들 가운데서 좌심실 비대(LVH)의 퇴행이 관찰된 반면(Culleton, 2007), 보다 큰 규모의 야간 연구에서는 그렇지 않았다(Rocco, 2011). NHD가 LV량에 미치는 영향은 FHN 연구 모집단에서 보존된 잔여신기능에 의해 약화되었을 수 있다. 이 두 연구들에서 모두 NHD와 함께 혈압 및 인산염 조절에서의 개선이 관찰되었다. NHD가 환자 생존에 미치는 영향을 평가한 연구들은 관찰을 통한 것이었다. 재래식 가정 내 HD에 대한 연구들에서와 같이, NHD는 고전적 HD와 비교하여 더 높은 생존율을 보였지만, 이러한 결과들을 해석하는데 있어서 바이어스를 고려해야 한다.

FHN 야간 실험에서 혈관 접근을 유지하기 위한 절차들은 고전적 가정 내 HD에 비해 가정 내 장시간 고빈도 HD에서 유의하게 증가했으며, 보호자의 인지된 부담 또한 증가하는 경향을 보였다. 마지막으로, 고빈도 HD를 받는 환자들은 주당 3일 일정에 할당된 환자들에 비해 12개월 내에 잔여신기능을 완전히 상실할 위험이 증가했다. 고빈도 NHD를 시작하기 전에 이러한 잠재적 역효과들에 대해 환자와 논의해야 한다. 사망률에 대한 영향은 불분명하다. 주당 6회 야간 세션에 할당된 환자들은 고전적 HD 환자들에 비해 장기간 사망률의 증가를 보였지만(Rocco, 2013), 유의한 교차율과 작은 표본 크기로 인해 이러한 결과들을 단정적으로 해석할 수 없다.

C. 주당 3회 또는 격일로의 장시간 세션 투석

Tassin 경험은 세션 당 8시간 계속되는 주당 3회 센터 내 HD를 받은 환자들 사이에 생존율, 혈압 및 인산염 조절에 현저한 개선을 보였다(Charra, 2004). 보다 최근에 미국의 대형 투석 기관들은 주당 3회 센터 내 NHD를 제공해왔으며, 재래식 센터 HD에 비해 보다 높은 생존율 및 개선된 생리학적 변수들을 보고했다. 호주 및 뉴질랜드에서 발표된 격일 가정 내 HD 경험은 유사한 결과를 보였다. 하지만 이러한 증거들은 모두 관찰적인 것이며, 환자 선정과 교란 효과로 인해 잠재적인 바이어스 문제를 갖고 있다.

VI. 결론 및 앞으로의 방향

가정 내 투석은 일반적으로 그리고 강화된 HD 방식들은 특히 고소득 국가들에서 점차 인기가 높아지고 있다. 그와 같은 대안적 투석 처방들의 이점들과 위험들을 이해하려는 노력들은 계속해서 관찰 연구들에 의존하고 있는데, 이는 이 분야에서 무작위 실험들(randomized trial)을 수행하기가 매우 어렵기 때문이다. 의사 결정을 위해 보다 양질의 증거가 제기되기까지는 제공자들은 방식을 논의함에 있어서 환자들의 가치관과 선호, 그리고 본 장에서 설명한 특정한 생리학적 고려사항들에 초점을 맞추어 환자들을 치료할 것이다.

References and Selected Readings

Al-Hejaili F, et al. Nocturnal but not short hours quotidian hemodialysis requires an elevated dialysate calcium concentration. *J Am Soc Nephrol.* 2003;14:2322–2328.

Ayus JC, et al. Effects of short daily versus conventional hemodialysis on left ventricular hypertrophy and inflammatory markers: a prospective, controlled study. *J Am Soc Nephrol.* 2005;16:2778–2788.

Blagg CR. A brief history of home hemodialysis. *Adv Ren Replace Ther.* 1996;3:99–105.

Chan CT, et al. Short-term blood pressure, noradrenergic, and vascular effects of nocturnal home hemodialysis. *Hypertension.* 2003;42:925–931.

Charra B, et al. Long thrice weekly hemodialysis: the Tassin experience. *Int J Artif Organs.* 2004;27:265–283.

Chertow GM, et al. (for the FHN Trial group). In-center hemodialysis six times per week versus three times per week. *N Engl J Med.* 2010;363:2287–2300.

Chertow GM, et al.; the FHN Group. Effects of randomization to frequent in-center hemodialysis on long-term mortality: frequent hemodialysis daily trial [abstract FR-PO342]. *J Am Soc Nephrol.* 2013;24:442A.

Clark WR, Turk JE. The NxStage system one. *Semin Dial.* 2004;17:167–170.

Culleton BF, et al. Effect of frequent nocturnal hemodialysis vs conventional hemodialysis on left ventricular mass and quality of life: a randomized controlled trial. *JAMA.* 2007;298:1291–1299.

Daugirdas JT, et al.; the FHN Trial Group. Effect of frequent hemodialysis on residual kidney function. *Kidney Int.* 2013;83:949–958.

Depner TA. Daily hemodialysis efficiency: an analysis of solute kinetics. *Adv Ren Replace Ther.* 2001;8:227–235.

Diaz-Buxo JA, Schlaeper C, VanValkenburgh D. Evolution of home hemodialysis monitoring systems. *Hemodial Int.* 2003;7:353–355.

Gotch FA. The current place of urea kinetic modelling with respect to different dialysis modalities. *Nephrol Dial Transplant.* 1998;13(suppl 6):10–14.

Heidenheim AP, et al. Patient monitoring in the London daily/nocturnal hemodialysis study. *Am J Kidney Dis.* 2003;42(1 suppl):61–65.

Hussain SA, et al. Phosphate enriched hemodialysis during pregnancy: two case series. *Hemodial Int.* 2005;9:147–152.

Ing TS, et al. Phosphorus-enriched hemodialysates: formulations and clinical use. *Hemodial Int.* 2003;7:148–155.

Muir CA, et al. Buttonhole cannulation and clinical outcomes in a home hemodialysis cohort and systematic review. *Clin J Am Soc Nephrol.* 2014;9:110–119.

Leitch R, et al. Nursing issues related to patient selection, vascular access, and education in quotidian hemodialysis. *Am J Kidney Dis.* 2003;42(1 suppl):56–60.

Marshall MR, et al. Home hemodialysis and mortality risk in Australian and New Zealand populations. *Am J Kidney Dis.* 2011;58(5):782–793.

McFarlane PA. Reducing hemodialysis costs: conventional and quotidian home hemodialysis in Canada. *Semin Dial.* 2004;17:118–124.

Mucsi I, et al. Control of serum phosphate without any phosphate binders in patients treated with nocturnal hemodialysis. *Kidney Int.* 1998;53:1399–1404.

Muir CA, et al. Buttonhole cannulation and clinical outcomes in a home hemodialysis cohort and systematic review. *Clin J Am Soc Nephrol.* 2014;9:110–119.

Mustafa RA, et al. Vascular access for intensive maintenance hemodialysis: a systematic review for a Canadian Society of Nephrology clinical practice guideline. *Am J*

Kidney Dis. 2013;62:112–131.

Nesrallah GE, et al. Staphylococcus aureus bacteremia and buttonhole cannulation: long-term safety and efficacy of mupirocin prophylaxis. *Clin J Am Soc Nephrol.* 2010;5:1047–1053.

Nesrallah GE, et al. Canadian Society of Nephrology guidelines for the management of patients with end stage renal disease treated with intensive hemodialysis. *Am J Kidney Dis.* 2013;62:187–198.

Pierratos A. Nocturnal home haemodialysis: an update on a 5-year experience. *Nephrol Dial Tranplant.* 1999;14:2835–2840.

Pierratos A. Delayed dialyzer reprocessing for home hemodialysis. *Home Hemodial Int.* 2000;4:51–54.

Rocco MV et al., (for the FHN Trial Group). The effects of frequent nocturnal home hemodialysis: the frequent hemodialysis network nocturnal trial. *Kidney Int.* 2011;80:1080–1091.

Rocco MV, et al., the FHN Group. Effects of randomization to frequent nocturnal hemodialysis on long-term mortality: Frequent Hemodialysis Nocturnal Trial [abstract FR-PO345]. *J Am Soc Nephrol.* 2013;24:443A.

Sam R, et al. Using disodium monohydrogen phosphate to prepare a phosphate-enriched hemodialysate. *Hemodial Int.* 2013;17:667–668.

Suri RS, et al. Daily hemodialysis: a systematic review. *Clin J Am Soc Nephrol.* 2006;1: 33–42.

Suri RS, et al. Risk of vascular access complications with frequent hemodialysis. *J Am Soc Nephrol.* 2013;24:498–505.

Suri RS, et al. A multinational cohort study of in-center daily hemodialysis and patient survival. *Kidney Int.* 2013;83:300–307.

Troyanov S, et al. Phosphate addition to hemodiafiltration solutions during continuous renal replacement therapy. *Intensive Care Med.* 2004;30:1662–1665.

Walsh M, et al. A systematic review of the effect of nocturnal hemodialysis on blood pressure, left ventricular hypertrophy, anemia, mineral metabolism, and healthrelated quality-of-life. *Kidney Int.* 2005;67:1501–1508.

Web References

Home dialysis central: http://www.homedialysis.org.
ISHD home dialysis handbook: http://www.ishdn.net.

17

혈액투석여과 (Hemodiafiltration)

양하나 역

고유량(high-flux) 혈액투석을 포함한 고전적 확산형 투석 양식들은 큰 분자량의 요독성 물질들을 효과적으로 제거하는데 있어서 한계가 있다. 혈액투석여과(HDF: hemodiafiltration)는 요독증에 관여하는 것으로 알려진 넓은 범위의 요독성 물질들의 대류 용질 운반을 높이는 방식이며(Vanholder, 2003), 환자에게 개선된 결과를 포함한 여러 이점들을 제공할 수 있다.

I. 확산(diffusion) 대 대류(convection)에 의한 청소

혈액투석은 확산적 운반에 의존한다. 분자들의 확산률은 그것들의 분자량의 제곱근에 반비례한다. 보다 큰 분자들은 비교적 낮은 속도로 확산하며 따라서 혈액투석에 의한 청소는 비교적 느리다. 대류전달은 용매 끌기에 의존하는데, 여기서 분자들은 그것들의 분자량에 관계없이 유체의 유동에 의해 막을 통과하여 운반된다. 용질이 막을 통과하는 정도는 소위 '선별계수(sieving coefficient)'에 따라 달라지는데, 이 계수는 0에서 1.0 사이의 값을 갖는다. 선별계수는 용질에 따라 달라지며, 또한 막의 특성에 따라 차이가 있다. 대류전달은 확산형 치료에서 제대로 청소되지 않는 중형 및 대형 분자들의 제거를 현저하게 증가시킨다.

II. 혈액투석여과(HDF)의 기본

HDF는 위에서 설명한 두 주요 용질 운반 메커니즘(확산과 대류)을 동일한 투석기 모듈 내에 결합한 '혼합형' 요법이다.

A. HDF 내에서 확산과 대류에 의한 청소

총 청소량은 확산 및 대류 청소량을 합한 것이 된다. 자세한 등식들은 표 17.1을 참고하라. 주어진 용질에 대한 대류 청소는 초미세 여과된 총량과 사용되고 있는 막에 대한 용질 선별계수에 따라 결정된다. 초미세 여과된 총량은 세포외액(ECF) 과부하를 교정할 목적으로 치료 동안 제거된 수액의 양과 대류 증진을 목적으로 치료 동안 주입된 '대체 또는 보충액'의 양을 합한 값이다.

B. 대체(substitution) 모드: 후희석, 전희석 및 혼합 희석

후희석 모드(그림 17.1)에서의 보충액 주입은 혈류가 혈액투석기를

TABLE 17.1 혈액투석여과를 이용한 용질 청소 관련 공식들

EUDIAL 그룹(Tattersall, 2013)은 HDF를 이용한 청소를 설명하기 위해 다음과 같은 등식들을 제안했다.

확산 성분(K_D: diffusive component)은 다음과 같이 예측될 수 있다:

$$K_D = \frac{1 - e^{K_0 A \times [(Q_b - Q_d)/(Q_b \times Q_d)]}}{(1/Q_b) - (1/Q_b) \times e^{K_0 A \times [(Q_b - Q_d)/(Q_b \times Q_d)]}}$$

여기서 Q_b는 혈류량; Q_d는 투석액 유량; 그리고 $K_d A$는 용질-특이적 투석기 질량 이동-면적 계수(MTAC:mass transfer-area coefficient)

대류 성분(K_c: convective component)은 다음과 같이 예측될 수 있다.:

$$K_c = \frac{Q_b + K_D}{Q_b} \times Q_F \times S,$$

여기서 Q_F는 대류 유량(convective flow)이며, S는 선별계수(seiving coefficient)이다.

총 청소량 (K_T: total clearance)는 다음과 같이 양 성분의 합으로 예측된다:

$$K_T = (K_D + K_C) \times DF$$

여기서, DF는 희석 요인(dilution factor)을 나타내는데, 이것은 치료 동안 대체액을 어떻게 주입하는가에 따라 달라진다(후희석, 전희석, 또는 혼합 희석).

빠져나갈 때 그 혈류에 수액을 추가함을 의미한다. 이것이 용질 청소를 위해 가장 효율적인데(그림 17.1) 이는 대류가 발생하는 투석기 내에서 혈액의 희석이 없기 때문이다. 하지만 혈류량에 제한이 있거나 또는 혈액 유변학적 상태가 좋지 않을때(예를 들어, 혈색소 또는 단백질의 농도가 높을 경우) 또는 혈액 농축을 피하기 위해 보충액 주입

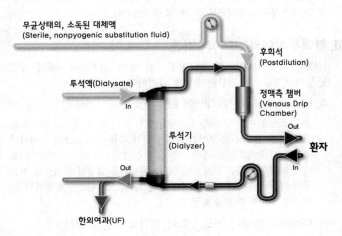

그림 17.1 후희석 온라인 혈액투석여과

율이 매우 높아야 할 필요가 있을 때, 대체액 전부(전희석 모드, 그림 17.2) 또는 일부를(혼합 희석, 그림 17.3) 필터로 들어가는 혈액관 상류에 주입할 수 있다(Pedrini, 2003). 전희석 및 혼합 희석 모드는 투석기로 들어가는 혈액 내의 독성 물질들의 농도가 보충액으로 희석됨으로 인해 용질 청소량을 상당히 줄여준다. 표 17.2는 각 보충액 주입 모드의 장단점을 설명한다.

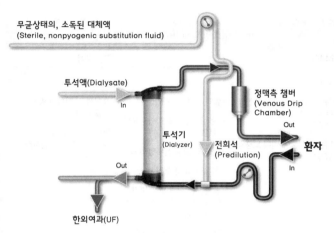

그림 17.2 전희석 온라인 혈액투석여과

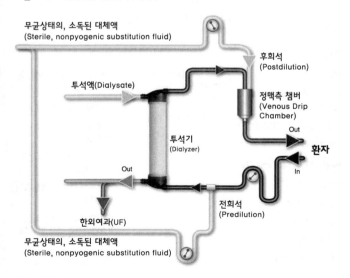

그림 17.3 혼합 희석 온라인 혈액투석여과

C. 기술적 문제들

1. 혈관 통로

HDF로 치료받는 환자들은 안정되게 최소한 350~400 mL/min의 체외형 혈류를 전달할 수 있는 혈관 통로를 필요로 한다.

TABLE 17.2	HDF의 희석방법에 따른 장점과 단점들	
후희석	**전희석**	**혼합 희석**
장점		
• 저, 중 및 고 분자량 용질들에 대한 높은 용질 청소량 및 제거량 • 다른 양식들에 비해 보충액 양 감소	• 혈액 희석 - 단백질 용적 및 적혈구용적의 감소 - 점도 및 교질 삼투압의 감소 - 섬유질 및 막 오염 감소 - 불충분한 혈류 또는 불량한 혈액 유변학적 조건 하에서도 HDF 가능 • 단백질 결합 용질 청소 및 제거가 용이 • 수분 및 용질 막 투과성 보존 (막 스트레스 감소)	• 후희석 및 전희석 방법의 단점을 피한다. • 불충분한 혈류 또는 불량한 혈액 유변학적 조건 하에서도 HDF 가능
단점		
• 혈액농축 - 단백질 용적 및 적혈구 용적 증가 - 점도 및 교질 삼투압의 증가 - 잠재적 막 오염 • 수분 및 용질 막 투과성 감소 - 막간압력차 증가 - 선별계수 감소 - 섬유질 응고 - 잠재적 불안 - 막 스트레스 증가 - 잠재적 알부민 누출	• 저, 중 및 고분자량 용질들에 대한 용질 청소량 및 제거량 감소 • 필요한 보충액 양 증가	• 특정한 하드웨어 장비가 필요 - 두 개의 주입펌프 - 특정 혈액 라인(blood tubing) 세트 • 특정한 소프트웨어 및 알고리즘이 필요 - 적혈구 용적 및 단백질 용적 변화 계산 - 주입후/주입전 비율 조정, 막간압력차를 목표 범위 내로 유지 - 보충액 양 증가 (1.3배)

2. 고유량 혈액투석 여과막

반투과 막은 높은 수분 투과성 (K_{UF} >시간당 mm Hg당 50 mL) 및 높은 용질 투과성(베타2 마이크로글로불린에 대한 선별계수 > 0.6)을 가져야 하며, 또한 최적의 교환 표면적(1.60~1.80 m²)을 가져야 한다. 또한, 혈액 농축을 줄이고 초미세여과를 촉진하기 위해 낮은 내부 혈액 저항(내부 파이버 직경 > 200마이크로미터, 충분한 수의 파이버; 파이버 번들들의 길이 < 30 cm)이 요구된다.

3. 보충액의 온라인 생산

미국 외부에서, 대부분의 투석기 제조사들은 정맥 주입을 위해 투석 용액으로부터 보충액의 직접 생산을 가능하게 하는 업그레이드 옵션을 제공한다(Blankestijn, 2010). 그와 같은 온라인 기법들은 비교적 낮은 비용으로 무균상태의 소독된 보충액을 사실상 무한대로 제공할 수 있게 한다. 모든 연구들은 보충액의 온라인 생산이 일반적인 임상적 적용을 위해 안전하고, 신뢰할만 하며, 경제적으로 실용적임을 보였다(Canaud, 2000). 이 접근방법은 유럽 공동체의 이름 하에 운영되는 모든 유럽 규제 기관들로부터 승인을 받았다.

소독된 무균상태의 투석액(초순수 투석액)의 생산은 전용 멸균용 초미세여과기를 이용하여 준비된 신선한 투석 용액의 '냉멸균 cold sterilization'을 통해 이루어진다. 주입 모듈은 분당 0~250 mL의 속도로 작동하도록 설정될 수 있는 조정 가능한 주입펌프로 구성된다. 이런 식으로 생산된 초순수 투석액은 주입펌프에 의해 이송되어 이차 초미세여과기를 통과한다. 이렇게 이중 여과된 보충액은 환자의 혈액에 주입된다. 이 멸균용 초미세여과기들은 투석액 경로에 설치되어서 기계 내에서 바로 살균된다. 이것들은 그 내독소 흡착 용량의 손실을 예방하기 위해서 정해진 기준에 따라 정기적으로 교체해야 한다.

4. 수질

대류형 치료에 사용되는 물은 매우 엄격한 순도 기준을 준수해야 한다. 그와 같이 높은 수준의 물 정제는 '초순수 물' - 사실상 소독된 무균상태의 물 - 이라는 개념을 가져왔다. 이 개념의 전반적인 목표는 사용되는 모든 수액의 화학적 및 미생물학적 순도를 확보하는 것이다. 물 처리 시스템과 물 분배 배관 시스템의 기술적 측면들은 다른 곳에서 자세히 다뤄졌다. 초순수 물을 생산하기 위해 필요한 기본적인 기술적 옵션들은 직렬로 연결된 두 개의 역 삼투 모듈이 뒤따르는 전처리 시스템(미세여과, 연수기, 활성탄, 하류 미세여과)으로 구성된다. 정수되지 않은 물은 물의 계속적인 재순환을 책임지는 분배 루프를 통해 투석기들로 전달된다. 앞에서 설명한 바와 같이, 미생물학적으로 양질의 투석 용액은 투석기 내에 포함되어 있는 하류 멸균용 초미세여과기들을 이용하여 화학적으로 순수한 물로부터 얻어진다.

5. 품질검사와 위생 규칙들

모든 HDF 기계들로부터 생산되고 전달되는 물의 초순도를 유지하기 위해서 정기적인 품질검사 과정이 요구된다. 이것은 물 처리 시스템(화학적 그리고/또는 열적)의 정기적인 살균과 생산된 물에 대한 미생물학적 모니터링(적정한 방법들을 이용한 균측정 및 Limulus 아메바성 세포 용해질 [LAL :Limulus amebocyte lysate] 검정을 통한 내독소 성분 평가)을 의미한다. 또한 온라인 HDF 기계들은 제조사의 권고안들과 지방 규제들에 따라 정기적으로 살균, 멸균용 초미세여과기들의 교체 및 미생물학적 모니터링을 거쳐야 한다.

III. HDF의 처방

만성 신질환 환자들에서, 고전적 HDF 치료 스케줄은 매 세션 4시간 그리고 주당 3번의 투석 세션(주당 12시간)을 기본으로 한다. 보다 빈번하거나 연장된 치료 스케줄에 대한 논의는 본 장의 범위를 벗어난다.

A. 한외여과(ultrafiltration)량

HDF 요법의 이점을 충분히 이용하기 위해서, 후희석 모드에서의 총 한외여과량은, 대류 용량의 대용 수치로서, 세션당 20~24 L(시간당 85~90 mL/kg)를 목표로 해야 한다(Canaud, 2006; Bowry, 2013). 전희석 모드에서 동등한 대류 용량을 얻기 위해서는 상기 수치에 2를 곱한 목표 한외여과량을, 그리고 혼합 희석 모드에서는 1.3을 곱한 값을 목표로 해야 한다.

B. 전해질 조성

전해질 처방은 매우 중요한데, 특히 많은 양의 대체액을 사용할 때 그렇다. 투석액의 전해질 조성은 임상적 상황을 기초로 개별화할 필요가 있다. 삼투압 구배 변동을 줄이고 초과 나트륨의 제거를 용이하게 하기 위해서 투석액 나트륨 농도를 환자의 투석 전 혈장 나트륨 농도와 일치시킬 수 있다. 투석액 칼륨 농도는 가능한 2에서 4 mM 사이를 유지해야 한다. 목표 칼슘 균형에 따라서 투석액 칼슘은 기존상태유지 또는 아주 미세한 양(positive)의 칼슘 균형을 확보하기 위해 1.25~1.50 mM (2.5~3.0 mEq/L) 범위 내에 있어야 한다. 보다 높은 칼슘 농도 (1.75 mM 또는 3.5 mEq/L)의 사용은 중증 저칼슘혈증 및 특정한 적응증들(예를 들어, 부갑상샘 기능저하증, 칼슘 수용체 작용약물 사용)로만 제한되어야 한다. 일반적인 투석액 마그네슘 농도는 0.50 mM (1.0 mEq/L)이다. 투석액 중탄산염 농도(산농축과의 반응으로 측정된)는 가능한 28~30 mM의 범위 내에 있어야 한다. 이는 최종 투석/교체 용액에도 흔히 존재하는 아세테이트(4~8 mM) 또는 시트르산(0.8~1.0 mM, 2.4~3.0 mEq/L)의 추가적인 알칼리화 효과를 고려한 것이다.

C. 항응고

HDF는 표준 혈액투석에 비해 보다 높은 혈액 응고 촉진 활성을 가져올 수 있는데, 이는 강제 초미세여과로 인한 잠재적 항응고제 손실 때문이다. 동맥라인을 통한 저분자량 헤파린(LMWH)의 투여 및 보다 소량의 미분획 헤파린(unfractionated heparin)의 투여는 상당한 헤파린 청소를 가져오는데 이는 HDF가 이 크기 범위의 분자들을 제거할 수 있기 때문이다. 헤파린은 순간 정맥주사(IV bolus)로 혈액투석여과막 동맥쪽 투입구 혈액관으로 투입해서는 안 되는데 이는 미분획 헤파린의 50% 또는 저분자량 헤파린의 80%가 고효율 HDF 설정을 통해 첫 통과에서 제거될 수 있기 때문이다(이런 현상은 헤파린이 항트롬빈 또는 단백질과 결합하지 않은 '첫 통과'에서만 발생한다. 헤파린이 혈액과 섞여 항트롬빈과 결합했을 때는 이런 현상이 일어나지 않는다.). 그대신 최초 헤파린 순간 정맥주사(IV bolus)용량은 정맥주사기 또는 혈액관을 통해서 주입되고, 체외형 혈류를 시작하기 전 최소 3~5분동안 환자의 혈액과 섞일 수 있도록 해야 한다. 필요한 헤파린 용량은 환자에 따라 다양할 수 있는데, 단계적 적정 기준 증가를 요구한다. 회로 내에서 적절한 초미세 여과 또는 응고를 획득하지 못했을 경우 대개 헤파린 용량의 증가로 대응한다. 용량 조절 프로토콜은 출혈 위험 평가, 체외형 회로의 개통성 및 사용된 헤파린 유형에 근거할 필요가 있다.

IV. 대류 요법의 임상적 유익들

A. 용질 제거

1. 중분자들의 청소

여러 전향적 통제 연구들은 HDF에서 베타2 마이크로글로불린의 청소 및 대량 제거가 개선되며(고유량 혈액투석보다 30~40% 더 높음) 이로 인해 순환 혈액내 베타2 마이크로글로불린 농도가 10~20% 감소함을 확인했다(Ward, 2000; Maduell, 2002; Lornoy, 2006; Pedrini, 2011). 베타2 마이크로글로불린 농도가 혈액투석 환자들에서의 이환률 및 사망률에 대한 예측요인으로서 가치가 있음을 인정할 때, 투석의 적정성을 고려함에 있어서 이 요독성 물질의 낮은 순환치를 목표로 하는 것이 중요할 것으로 보인다(Cheung, 2006).

2. 인산염의 청소

인산염 대량 제거는 15~20% 개선된다(Lornoy, 2000). 한 대규모 연구에서, HDF에서의 투석 전 혈청 인산염 수치가 6% 감소되었으며, 목표 전처리 혈청 인 수치에 도달한 환자들의 비율은 64%에서 74%로 증가했다(Penne, 2010).

3. 기타 물질들

HDF를 이용한 요독성 물질들로 여겨지는 몇몇 다른 물질들의 높은 제거율이 보고되었는데, 이러한 물질들로는 보체인자 D(염증촉진 매개물), 렙틴(leptin) (16 kDa; 렙틴의 효과적인 제거는 환자의 영양 상태 개선에 도움이 될 수 있다.), FGF23 (30 kDa, 대사성 뼈 질환들 및 혈관 석회화에 관련된 매개물), 그리고 다양한 사이토카인(cytokine)들, 3-carboxy-4-methyl-5-propyl-2-furanpropionic acid (CMPF)과 같은 적혈구 생성 억제제들, 면역 글로부린 경사슬들(κ, λ)과 순환 진행성 당화 종말 생성물들(AGEs) 및 AGE 전구물질들이 있다(Chun-Liang, 2003; Stein, 2001).

B. HDF와 혈액투석의 임상적 비교

1. 투석 중 증상들

HDF에 대해서, 몇몇 연구들은 고전적 혈액투석에 비해 투석 중 저혈압 에피소드가 상당히 감소함을 보였다. 이 유익한 효과는 비교적 차가운 대체액 주입으로 인한 음의 열수지(thermal balance), 보충액의 높은 나트륨 농도, 혈관확장 매개물들의 제거 등에서 오는 것이다(Van der Sande, 2001). 반복적인 허혈성 심장 손상들을 줄임으로써, HDF는 심장 보존 효과를 가져올 수 있다(Ohtake, 2012). HDF를 유사한 체외형 열 이동율를 가진 혈액투석과 비교한 한 연구에서, 혈액 안정성 측면에서 아무런 유익도 발견되지 않았는데, 이것은 온도 요인의 잠재적 중요성을 시사한다(Kumar, 2013).

2. 잔여신기능

여러 소규모 관찰 연구들(60명 이하의 환자규모)은 HDF가 고전적 HD에 비해 잔여신기능을 더 장기적으로 그리고 더 잘 보존하는데 기여한다고 보고했다(Schiffl, 2013). HDF를 혈액투석과 비교한 보다 큰 규모의 무작위 연구들은 이를 보고하지 않았다. 만일 사실이라면, 이 유익한 효과는 미세염증의 감소와 투석 중 저혈압으로 인한 반복적인 허혈성 신장 손상의 예방에 기인했을 것으로 보인다.

3. 낮은 염증 프로필

급성기 반응의 민감한 생체표지자(biomarker)들(C-반응 단백질: CRP, 다양한 인터루킨들)을 근거로, 여러 전향적 연구들은 이러한 표지자들이 고전적 혈액투석에 비해 HDF에서 감소됨을 보였다(Susantitaphong, 2013).

4. 빈혈 교정 및 적혈구 생성 자극제(ESA)의 소모

논리적으로는 적혈구 생성 억제 물질들의 더 나은 제거 그리고 염증의 감소로 인해 긍정적인 효과가 나타나야 함에도 불구하고, 다양한 메타분석에서 HDF가 ESA 용량에 주요한 영향을 미치지 않는 것으로 나타났다(Susantitaphong, 2013). ESA 용량이 감소된 몇몇 연구들에서, 이 유익은 HDF와 관련된 보다 양질의 물과 투석 용액을 가능케 한 개선된 투석 기술의 사용과 관련이 있을 수 있다.

5. 영양결핍

대부분의 연구들에서는 개선된 대류 요법으로 치료된 환자들에서 신체계측적 변수들 또는 영양의 단백질 마커들(알부민, 프리알부민)의 유의한 변화들을 발견하지 못했다. 여러 연구들이 식욕 개선을 보고했다.

6. 이상지질혈증 및 산화 스트레스

개선된 대류 요법의 정기적인 사용은 지질 프로필을 개선하고, 산화 스트레스의 혈청 지표들을 감소시키며, 혈청 AGE 농도를 낮추는 것으로 나타났다. 이러한 유익한 효과들은 부분적으로 염증과 카르보닐 스트레스를 예방하는 투석 장치의 개선된 전반적 생체적합성 때문일 수 있으며, 보다 더 이론적으로는 산화촉진 요독성 물질들의 제거에 의한 것일 수도 있다.

7. 베타2 마이크로글로불린 아밀로이드증

여러 대규모 코호트 연구들은 고유량 막들과 대류 요법의 확장된 사용이 베타2 마이크로글로불린 아밀로이드증 발생에 유익한 영향을 미쳐 손목굴 증후군(carpal tunnel syndrome)의 발생률을 낮추었음을 보이고 있다. 이 유익한 효과는 아마도 베타2 마이크로글로불린 제거를 강화하는 대류 양식들과 결합하여 염증을 예방하는 초순수 물과 생체적합성 물질의 정기적인 사용의 결과일 수 있다(Schiffl, 2014).

C. 이환률과 사망률에서의 이익들

HDF로 치료된 환자들과 고유량 또는 저유량 혈액투석으로 치료된 환자들을 비교한 세가지 무작위 시험들이 실시되었는데, 각각 700~900명의 환자들을 대상으로 했다. 첫 연구(Ok, 2013)는 생존율, 입원율 또는 투석 중 저혈압 발생률에서의 차이를 확인하지 못했다. 그 연구에서 평균 초미세 여과량(보충액 양과 제거된 초과량을 합한 수치)은 약 19.5 L였으며, 사후 분석에서는 보다 많은 양의 보충액을 사용한 환자들이 더 높은 생존율을 보였다. 이어진 두 전향적 무작위 시험들(CONTRAST와 ESHOL)은 평균 초미세 여과량이 약간 더 높았는데 다른 결론들을 내렸다. CONTRAST (Grooteman, 2012)에서, 평균 초미세 여과량은 21L였으며, 저유량 혈액투석으로 치료된 대조군에 비해 혈청 베타2 마이크로글로불린이 상당히 낮아졌다. 하지만, 생존율 또는 입원율에서는 HDF과 혈액투석 그룹 사이에 차이가 없었다. ESHOL 연구(Maduell, 2013)에서, 평균 초미세 여과량은 약 23~24 L였으며, 비교 그룹은 고유량 투석으로 치료를 받았다. 여기서, 결과는 확연히 달랐다. HDF로 치료된 그룹에서 총 사망률(all-cause mortality)이 30% 감소했다. 따라서, HDF의 생존율에 미치는 영향은 현재로서는 약간 불확실하다. 사망률을 개선하기 위해 비교적 높은 용량의 HDF가 요구될 가능성이 있다. 이미 세 연구들 모두에서, HDF로 치료된 환자들에서 심혈관계 사망률이 감소하는 경향이 있었다(Mostovaya, 2014).

V. 대류 양식을 적용함에 있어서 고려해야 할 문제들

A. 투석액/물의 질

대체액 냉멸균의 실패 또는 HDF 기계들의 부적절한 살균이 발생한 경우, 혈류에 들어가는 박테리아 유래 산물들(내독소, 펩티드글리칸, 박테리아 DNA)의 잠재적인 부작용들이 중요한 고려사항이 된다. HDF 기계에 대한 엄격한 살균 위생 규칙들을 적용하고, 엄격한 미생물학적 모니터링과 멸균용 초미세여과기들의 정기적인 교체를 통해서, 그와 같은 위험들을 최소화할 수 있다. HDF로 치료된 환자들의 임상적 증상을 모니터링하고 정기적으로 민감한 검사를 통해 혈액 CRP를 측정하는 것이 임상적으로 바람직하다.

B. 단백질 손실

고도로 투과성이 높은 막들의 사용은 높은 막간 압력차로 인해 알부민 손실의 증가를 초래할 수 있다. 막 제조 기술의 개선은 일반적으로 사용되는 HDF 막들에서 알부민에 대한 선별계수를 아주 낮은 수준(< 0.001)으로 낮추었다. 알부민을 유출시키는 높은 분자량 차단 막들은 HDF를 위한 좋은 옵션이 아니며, 환자를 상당한 알부민 손실의 위험에 노출시킨다. 혈액투석 동안 일정량의 알부민 손실은 알부민 결합 요독성 물질들의 제거를 높임으로 인해 유익하다고 주장하는 학자들이 있지만(Niwa, 2013), 그와 같은 단백질 유출 막의 이점들은 아직 논란이 되고 있다.

C. 결핍증후군

영양분의 손실 증가는 고유량 막들을 사용하는 모든 양식들과 관련된 이론적인 위험이다. 가용성 비타민들, 미량 원소들, 아미노산들, 소형 펩타이드들 및 단백질들이 손실될 수 있다. 세션 당 손실량은 낮으며, 대부분의 경우 적절한 구강 섭취를 통해서 보상될 수 있다(Morena, 2002.; Cross & Davenport, 2011). 고유량 치료에서의 비타민 보충의 역할은 31장과 34장에서 논의된다.

VI. 대안적 대류 방법들

다른 변형들로는 순수 혈액여과, 중간 희석 HDF, 푸시(push)/풀(pull) HDF, 두배고유량 혈액투석, 및 쌍체 HDF(paired HDF) 등이 있다. 이것들에 대한 설명은 본 핸드북의 범위를 벗어난다.

References and Suggested Reading

Altieri P, et al. Predilution hemofiltration, the Second Sardinian Multicenter Study: comparisons between hemofiltration and haemodialysis during identical Kt/V and session times in a long-term cross-over study. *Nephrol Dial Transplant.* 2001;16:1207–1213.

Blankestijn PJ, Ledebo I, Canaud B. Hemodiafiltration: clinical evidence and remaining questions. *Kidney Int.* 2010;77:581–587.

Bowry SK, Canaud B. Achieving high convective volumes in on-line hemodiafiltration. *Blood Purif.* 2013;35(suppl 1):23–28.

Canaud B, Bowry SK. Emerging clinical evidence on online hemodiafiltration: does volume of ultrafiltration matter? *Blood Purif.* 2013;35:55–62.

Canaud B, et al. On-line haemodiafiltration: safety and efficacy in long-term clinical practice. *Nephrol Dial Transplant.* 2000;15(suppl 1):60–67.

Canaud B, et al. Mortality risk for patients receiving hemodiafiltration versus hemodialysis: European results from the DOPPS. *Kidney Int.* 2006;69:2087–2093.

Cheung AK, et al. Serum beta-2 microglobulin levels predict mortality in dialysis patients: results of the HEMO study. *J Am Soc Nephrol.* 2006;17:546–555.

Chun-Liang L, et al. Reduction of advanced glycation end products levels by on-line hemodiafiltration in long-term hemodialysis patients. *Am J Kidney Dis.* 2003;42:524.

Cross J, Davenport A. Does online hemodiafiltration lead to reduction in trace elements and vitamins? Hemodial Int. 2011;15:509–14.

European Best Practice Guidelines (EBPG) Expert Group on Hemodialysis, European Renal Association: Section II. Haemodialysis adequacy. *Nephrol Dial Transplant.* 2002;17(suppl 7):16.

Grooteman MP, et al; CONTRAST Investigators. Effect of online hemodiafiltration on all-cause mortality and cardiovascular outcomes. *J Am Soc Nephrol.* 2012;23:1087–1096.

Jirka T, et al. Mortality risk for patients receiving hemodiafiltration versus hemodialysis. *Kidney Int.* 2006;70:1524

Kumar S, et al. Haemodiafiltration results in similar changes in intracellular water and extracellular water compared to cooled haemodialysis. *Am J Nephrol.* 2013;37:320–324.

Locatelli F, Canaud B. Dialysis adequacy today: a European perspective. *Nephrol Dial Transplant.* 2012;27:3043–3048.

Locatelli F, et al. Hemofiltration and hemodiafiltration reduce intradialytic hypotension in ESRD. *J Am Soc Nephrol.* 2010;21:1798–1807.

Lornoy W, et al. On-line haemodiafiltration. Remarkable removal of beta2-microglobulin: long-term clinical observations. *Nephrol Dial Transplant.* 2000;15(suppl 1):49.

Lornoy W, et al. Impact of convective flow on phosphorus removal in maintenance hemodialysis patients. *J Ren Nutr.* 2006;16:47–53.

Maduell F, et al. Osteocalcin and myoglobin removal in on-line hemodiafiltration versus low- and high-flux hemodialysis. *Am J Kidney Dis.* 2002;40:582–589.

Maduell F, et al; ESHOL Study Group. High-efficiency postdilution online hemodiafiltration reduces all-cause mortality in hemodialysis patients. *J Am Soc Nephrol.* 2013;24:487–497.

Morena M, et al. Convective and diffusive losses of vitamin C during haemodiafiltration session: a contributive factor to oxidative stress in haemodialysis patients. *Nephrol Dial Transplant.* 2002;17:422.

Mostovaya IM, et al on behalf of EUDIAL—an official ERA-EDTA Working Group. Clinical evidence on hemodiafiltration: a systematic review and a meta-analysis. *Semin Dial.* 2014;27:119–127.

Nistor I, et al. Convective versus diffusive dialysis therapies for chronic kidney failure: an updated systematic review of randomized controlled trials. *Am J Kidney Dis.* 2014;63:954–67.

Niwa T. Removal of protein-bound uraemic toxins by haemodialysis. *Blood Purif.* 2013;35 Suppl 2:20–5.

Ohtake T, et al. Cardiovascular protective effects of on-line hemodiafiltration: comparison with conventional hemodialysis. *Ther Apher Dial.* 2012;16:181–188.

Ok E, et al; Turkish Online Haemodiafiltration Study. Mortality and cardiovascular events in online haemodiafiltration (OL-HDF) compared with high-flux dialysis: results from the Turkish OL-HDF Study. *Nephrol Dial Transplant.* 2013;28: 192–202.

Panichi V, et al; RISCAVID Study Group. Chronic inflammation and mortality in haemodialysis: effect of different renal replacement therapies. Results from the RISCAVID study. *Nephrol Dial Transplant.* 2008;23:2337–2343.

Pedrini LA, De Cristofaro V. On-line mixed hemodiafiltration with a feedback for ultrafiltration control: effect on middle-molecule removal. *Kidney Int.* 2003;64:1505.

Pedrini LA, et al. Long-term effects of high-efficiency on-line haemodiafiltration on uraemic toxicity: a multicentre prospective randomized study. *Nephrol Dial Transplant.* 2011;26:2617–2624.

Penne EL, et al; CONTRAST Investigators. Short-term effects of online hemodiafiltration on phosphate control: a result from the randomized controlled Convective Transport Study (CONTRAST). *Am J Kidney Dis.* 2010;55:77.

Schiffl H. Impact of advanced dialysis technology on the prevalence of dialysis-related amyloidosis in long-term maintenance dialysis patients. *Hemodial Int.* 2014;18:136–141.

Schiffl H, Lang SM, Fischer R. Effects of high efficiency post-dilution on-line hemodiafiltration or conventional hemodialysis on residual renal function and left ventricular hypertrophy. *Int Urol Nephrol.* 2013;45:1389–1396.

Stein G, et al. Influence of dialysis modalities on serum AGE levels in end-stage renal disease patients. *Nephrol Dial Transplant.* 2001;16:999.

Susantitaphong P, Siribamrungwong M, Jaber BL. Convective therapies versus low-flux hemodialysis for chronic kidney failure: a meta-analysis of randomized controlled trials. *Nephrol Dial Transplant.* 2013;28:2859–2874.

Tattersall JE, Ward RA; EUDIAL group. Online haemodiafiltration: definition, dose quantification and safety revisited. *Nephrol Dial Transplant.* 2013;28:542–550.

Van der Sande FM, et al. Thermal effects and blood pressure response during postdilution hemodiafiltration and hemodialysis: the effect of amount of replacement fluid and dialysate temperature. *J Am Soc Nephrol.* 2001;12:1916.

van der Weerd NC, et al. Haemodiafiltration: promise for the future? *Nephrol Dial Transplant.* 2008;23:438–443.

Vanholder R, et al. Back to the future: middle molecules, high flux membranes, and optimal dialysis. *Hemodial Int.* 2003;7:52.

Vilar E, et al. Long-term outcomes in online hemodiafiltration and high-flux hemodialysis: a comparative analysis. *Clin J Am Soc Nephrol.* 2009;4:1944–1953.

Wang AY, et al. Effect of hemodiafiltration or hemofiltration compared with hemodialysis on mortality and cardiovascular disease in chronic kidney failure: a systematic review and meta-analysis of randomized trials. *Am J Kidney Dis.* 2014;63:968–78.

Ward RA, et al. A comparison of on-line hemodiafiltration and high-flux hemodialysis: a prospective clinical study. *J Am Soc Nephrol.* 2000;11:2344.

18 치료적 혈액성분 분리술 (Therapeutic apheresis)

양하나 역

치료적 혈액성분 분리술(TA: therapeutic apheresis)은 비정상적인 혈구들과 혈청 구성 성분들을 제거하는 혈액 분리 기술을 이용한 일련의 체외 절차들을 말한다. 혈장분리교환술(plasmapheresis), 백혈구 성분채집술(leukapheresis), 적혈구 성분분리술(erythrocytapheresis) 및 혈소판 성분채집술(thrombocytapheresis)은 제거되는 특정한 혈액 요소를 말한다. 혈장분리교환술 또는 치료적 혈장교환(TPE: therapeutic plasma exchange)에서는 대량의 혈장을 환자로부터 제거하며, 이를 신선 동결 혈장(FFP)이나 또는 생리식염수와 알부민 용액으로 보충한다.

I. 치료적 혈장교환(TPE)에 대한 이론적 근거

치료적 혈장교환(TPE)이 그 유익한 효과를 나타내는 여러 가지 기전들이 있다(표 18.1). 이것의 주요 작용 방식은 특정한 질환 관련 인자들을 급속히 고갈시키는 것이다. 또 다른 효과는 염증 과정에 참여할 가능성이 있는 다른 고분자량 단백질들(무손상 보체 C3, C4, 활성 보체 산물들, 섬유소원 및 사이토카인들)을 제거하는 능력이다. TPE가 면역기능에 미치는 여러 다른 이론적인 영향들이 제안되었는데, 이들 가운데는 개체특이형/항개체특이형 항체 균형의 변화들과 면역 복합체로 전환되어 수용성이 높아지도록 한 항체-항원 비율의 전환(그것들에 대한 청소를 용이하게 함), 세포독성 요법을 개선하는 림프구 클론들의 자극과 같은 면역조절 작용들이 있다. TPE는 또한 정상 혈장의 주입을 허용하는데, 정상 혈장은 결핍 혈장 성분을 보충할 수 있으며 이것은 혈전성 혈소판 감소성 자색증(TTP)에서의 TPE 작용의 주요 기전으로 보인다.

A. 치료 원리

1. 사구체 여과율

혈장분리교환술로 치료되는 대부분의 질환들의 면역학적 성격 때문에, 이 요법은 거의 항상 수반되는 면역억제제를 포함해야 한다. 보조약 약물치료 프로토콜들은 대개 고용량의 코르티코스테로이드, 세포독성 약물 및 생물학적 제제들을 포함한다. 이러한 약물들은 병리적 항체들의 재합성율을 줄이며 세포매개 면역성을 완화시킬 것으로 예상되며, 이를 통해 이러한 질병들 중 다수에 기여할 수 있다.

T A B L E

18.1 치료적 혈장 교환 작용의 가능한 기전들

비정상적인 순환 인자의 제거
항체 (항GBM 질환, 중증 근무력증, Guillain-Barre 증후군)
단일 클론 단백질 (Waldenstrom 마크로글로불린 혈증, 골수종 단백질)
순환하는 면역 복합체들 (한랭글로불린혈증, SLE)
동종항체 (임신 중 Rh 동종면역)
독성 인자

특정 혈장 인자의 보충
TTP

면역계에 대한 다른 효과들
망상내피시스템 기능의 개선
염증 매개인자들(사이토카인들, 보체)의 제거
항체 대 항원 비율을 변경시켜 보다 높은 가용성 형태 면역 복합체 생성
세포 면역 시스템에 대한 효과

GBM, glomerular basement membrane 사구체기저막; SLE, systemic lupus erythematosus 전신성 홍반성 루푸스; TTP, thrombotic thrombocytopenic purpura 혈전성 혈소판 감소성 자색증

2. 조기 치료

혈장분리교환술(plasmapheresis)에 반응하는 질환들은 질병 진행에 자주 기여하는 염증 반응을 중단시킴으로써 조기에 가장 효과적으로 치료될 수 있다. 예를 들어 항 사구체 기저막(GBM) 질환을 위한 혈장분리교환술은 혈청 크레아티닌이 5 mg/dL (440 mcmol/L) 이하일 때 시작하는 것이 가장 효과적이다.

II. 면역글로불린(IG) 제거의 약물 역동학

A. 혈장 반감기

면역글로불린들은 비교적 긴 반감기들을 갖고 있어서 IgG는 21일에 가까우며 IgM은 5일이다. 면역글로불린들의 비교적 긴 반감기 때문에 그것들의 생성률을 낮추는 면역억제제들의 사용은, 심지어 생성이 완전히

T A B L E

18.2 면역글로불린들의 분포량

물질	분자량	혈관 내 %	반감기 (일)	정상 혈청 농도 (mg/dL)
알부민	69,000	40	19	3,500~4,500
IgG	180,000	45	21	640~1430
IgA	150,000	50	6	30~300
IgM	900,000	80	5	60~350
LDL-콜레스테롤 (β-지단백)	1,300,000	100	3-5	140~200

차단되더라도, 최소한 수주 동안 병원성 자가항체의 혈장 수치를 낮추는 것을 기대할 수 없다. 이것이 체외 수단을 통해 그것들을 제거해야하는 이론적 근거가 된다.

B. 혈관 외 분포와 평형률

면역글로불린들은 상당한 혈관 외 분포를 보인다(표 18.2). 혈관 내 대 혈관 외 분포의 정도는 그것들이 단일 혈장분리교환술 세션을 통해 얼마나 효과적으로 제거될 수 있는지를 결정한다. 면역글로불린들은 시간당 약 1~2%의 혈관 내로부터 혈관 외로의 평형을 보이는 반면, 혈관 외로부터 혈관 내로의 평형은 약간 더 빠를 수 있는데 이는 이것이 림프액 유동률에 따라 결정되기 때문이다. 여전히 혈관 외로부터 혈관 내로의 평형은 비교적 느리기 때문에, 혈장 교환에 의한 면역글로불린 제거의 역학은 단일 구획(혈관 내 공간)으로부터의 제거율을 결정하는 일차 역학을 이용하여 계산될 수 있다.

C. 거대분자 감소율과 V_e/V_p

3장에서, 요소 감소율(URR)과 Kt/V 사이의 관계를 설명했다. 유사한 관계가 TPE에 의한 면역글로불린 제거에 대해서도 성립한다.

TPE에 의한 면역글로불린 제거의 역할은 지수적 관계를 따른다:

$$C_t = C_0 e^{-V_e/V_p}$$

여기서, C_0 = 문제가 되는 거대분자의 초기 혈장 농도, Ct = t시점에서의 농도, Ve = t 시점에서의 교환된 혈장량, 그리고 V_p = 예측된 혈장량 (이것은 이러한 거대분자들 중 다른 많은 것들보다 분포량이 작지만 혈관 외 및 혈관 내 구획들 사이의 평형의 완만한 속도로 인해, 이 양으로부터 그것들이 제거되는 기능을 한다).

거대분자 감소율(MRR)은 퍼센티지로 표현되며 그 식은 $100 \times (1-Ct/C_0)$이다. 따라서 $MRR = 100 \times (1-e^{-Ve/Vp})$. V_e에 대한 수치로 1,400

TABLE 18.3 제거된 혈장량과 물질 농도 사이의 관계		
교환된 혈장량a 비율 (V_e/V_p)	교환된 양 (V_e, mL)	제거된 면역글로불린 또는 다른물질들 (MRR, %)
0.5	1,400	39
1.0	2,800	63
1.5	4,200	78
2.0	5,600	86
2.5	7,000	92
3.0	8,400	95

V_e, 교환된 혈장량; V_p, 예측된 혈장량; MRR, 거대분자 감소율. a혈장량 = 70-kg 환자에서 2,800 mL, 적혈구 용적율 = 45%로 가정

mL에서 8,400 mL까지를 대입하고 (표 18.3), 환자의 V_p가 2,800 mL 이라고 가정하면, 0.5에서 3.0 범위의 V_e/V_p 값을 얻게 된다. 이러한 $V_e/$ V_p 비율을 이용한 TPE는 39%에서 (V_e/V_p = 0.5일 때) 95%까지의 ($V_e/$ V_p = 3.0일 때) MRR 값을 가져올 것이다. V_e/V_p = 1.0에 대해서 MRR 이 63%임을 주목하시오. 가장 큰 감소(MRR)는 최초 혈장량의 제거와 함께 발생한다.; 이후 동일한 세션 동안의 혈장량 제거는 문제가 되는 거 대분자의 농도를 줄이는데 있어서 점차 덜 효과적이 된다. 한 혈장량 이 후의 이 시술의 효과성이 감소되는 이유는 제거될 물질이 교환액으로 인해 희석되기 때문이다. 이런 이유로 혈장분리교환술 한 세션당 대개 1.0~1.5 혈장량 등가(V_e/V_p)가 교환된다.

D. 재축적

문제가 되는 거대분자의 제거에 이어, 재분포 및 추가 합성으로부터 혈 관 공간에 그것의 농도가 재축적된다. 혈관 외 공간으로부터의 재분포 는 혈관 공간으로의 림프 배액을 통해 일어나며, 또한 거대분자가 모세 혈관을 통해 사이질 공간으로부터 혈관 내 공간으로 확산하면서 일어난 다. 내생적 합성은 Goodpasture 증후군에서 보고되었는데, 여기서 항 GBM 항체들은 주어진 혈장 교환 치료에 의해 예측 가능하게 낮아지겠 지만 치료간 공백기에 혈청 수치가 너무 빠르게 증가하여 혈관 외 저장 소로부터의 단순한 재형평과 일치한다.

E. TPE 처방을 위한 약동학적 기초

이러한 개념들을 기초로, TPE 처방을 위한 타당한 접근 방법은 일반적 으로 질병 진행에 따라 매일 또는 격일로 한 혈장량 교환을 권장하며, 거 대분자들이 혈관 공간으로의 림프 배액을 통해 적절한 재분포가 이루어 질 시간을 허용하는 것이다. 병의 원인이 되는 특정 거대분자가 알려져 있다면, TPE의 빈도는 그 거대분자의 축적률을 고려하여 정해야한다. 예를 들어, IgG의 반감기가 약 21일인 반면, IgM와 IgA의 반감기는 훨 씬 짧다(5~7일). 따라서 문제가 되는 거대분자가 IgM일 경우, TPE는 보다 연장된 기간 동안 역할을 하게 될 수 있는데 이는 IgG에 비해 IgM 의 내생적 합성률이 더 높을 것으로 예상되기 때문이다. 또한 IgM의 분 포는 대개 혈관 내인 반면, IgG의 분포는 주로 혈관 외 공간이다. 따라서 IgM 항체들 또는 파라단백질들을 제거할 경우 매일 TPE가 적합하다. 다른 한편, IgG 자가항체들이 예측되는 환자들은 IgG가 혈관 외 공간으 로부터 혈관 내 구획으로 재분포할 수 있도록 격일로 치료되어야 한다. 만일 제거될 물질이 신뢰할만한 계량 수단(예를 들어, 측정 자가 항체)을 통해 측정 가능할 경우, 역학적 고려사항들을 기초로 그 물질의 상당한 감소를 달성할 수 있도록 치료 일정을 설계해야 한다. 원인 물질에 대한 확인이 없이 치료가 시행될 경우 의사는 실험적 치료법들에 의존한다.

F. 혈장량의 예측

적절한 혈장 반출술 처방을 위해 혈장량 예측치가 요구된다. 이를 위해 키, 체중 및 적혈구 용적율(Hct)을 이용한 여러 계산도표들 및 등식들이 존재한다. 이것들은 새로운 버전의 혈장분리교환술 장비에 포함되어 있다. 유용한 어림법은 혈장량(V_p)이 제지방 체중(lean body mass)으로 약 35~40 mL/kg임을 고려하여 그 중 낮은 수치(35 mL/kg)를 정상 Hct 값 환자들에게 그리고 높은 수치(40 mL/kg)를 정상 이하의 Hct값을 갖는 환자에게 적용하는 것이다. 예를 들어, 정상적인 Hct (45%)를 가진 70 kg 환자의 경우 혈장량은 70 × 40 = 2,800 mL이다.

예측 혈장량 등식들은 동위원소 (iodine-131 알부민) 희석 기법들로 측정된 실제 혈장량과 비교되는 대상자의 키(cm)와 체중(kg)을 사용한 곡선맞춤(curve-fitting) 기법들로 도출되었다.: $V_p = (1 - \text{Hct}) (b + cW)$, 여기서 W = 제지방체중, b = 1,530 (남성) 또는 864 (여성), c = 41 (남성) 또는 47.2 (여성). 이러한 계산들이 제지방 체중에 기초하고 있음을 기억하는 것이 중요하다. 따라서 비만 환자들의 경우 불필요하고 위험하게 많은 양의 교환을 피하기 위해서 반드시 제지방량을 사용해야 한다.

III. 기술적 고려 사항들

TPE는 원심분리 혈구분리기를 사용하거나 또는 막 혈장 분리(MPS)에 의해 시행될 수 있다. 원심분리 장비들은 일반적으로 혈액 은행을 위해 사용되는데 이는 이것들이 혈장분리교환술에 더하여 혈액 세포들을 선택적으로 제거할 수 있기 때문이다(세포 성분 분리). MPS는, 투석기들과 유사하게, 고도로 투과성이 높은 중공사(hollow-fiber) 필터들을 활용하지만, 큰 기공 크기와 적절하게 개조된 투석 장비를 사용한다. 각 기법의 장점들 및 단점들은 표 18.4에 요약되어 있다.

TABLE 18.4 막 혈장 분리(MPS)와 원심분리 혈액성분 반출술의 비교

	장점들	단점들
막 혈장 분리	빠르고 작은 크기의 장비	물질 제거가 막의 선별계수에 의해 제한을 받음
		고점도 증후군 및 한랭글로불린혈증에서 효율성 저하
	시트르산 필요 없음	세포 성분 분리가 불가능
	단계적 여과에 적용 가능	높은 혈류 및 중심 정맥 접근이 요구됨
		헤파린 항응고가 요구되며 따라서 경향이 있을 경우 사용 제한
원심분리 혈액성분 반출술	세포 성분 분리 가능	장비가 크고 무거움
	헤파린 필요 없음	시트르산 항응고가 요구됨
	모든 혈장 성분들의 보다 효율적인 제거	혈소판 손실

A. 원심분리 혈액성분 분리술

원심분리 동안, 혈구들은 비중에 의해 분리되는데, 이것은 혈액성분들의 서로 다른 밀도에 기초한 것이다. 혈구분리기에서 사용되는 두 가지 다른 원심분리 방법들이 있다.: 간헐류식(또는 불연속 흐름) 기구들과 연속 흐름 기구들이다. 적혈구(RBC)들은 회전하는 컨테이너의 외부로 이동하는 반면, 가장 가벼운 성분인 혈장은 안쪽에 남는다. 혈소판과 백혈구(WBC)는 적혈구와 혈장 층 사이에 위치한다. 이러한 성분들 각각은 수집되거나, 폐기되거나 또는 재주입될 수 있다(그림. 18.1).

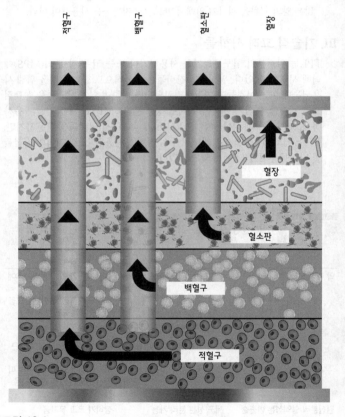

그림 18.1 원심분리 혈액성분 분리술 동안, 혈장과 혈구들은 비중에 따라 여러 층으로 분리된다. 해당 시술과 동시에 주입되는 보충 수액 그리고/또는 세포에 따라 각 층은 제거될 수 있다. (Dobri Kiprov 제공, MD. Linz W 등으로부터 재인쇄, Principles of Apheresis Technology. 5th ed. American Society for Apheresis; 2014. www.apheresis.org.)

　　간헐류식 분리 기구에서, 다수의 혈액 분취량들을 연속으로 뽑아 용기에 보내며, 여기서 각 분취량이 처리된 다음 재주입된다. 연속 흐름 방법에서는 혈장, RBC, WBC 및 혈소판 수집을 위해 샘플링 포트들에 전략적으로 위치시킨 말굽형 고리를 이용하여 연속 모드로 혈액을 뽑아 원심분리하고, 분리하여 원하는 성분을 제거하거나 환자에게 재주입한다 (그림 18.1).

간헐류식 방법은 단일 주사침 혈관 접근을 필요로 하는 반면, 연속 흐름 시스템은 두 개의 정맥 접근 통로(하나는 추출용, 다른 하나는 재주입용) 또는 이중 내강 투석 형식의 정맥 도관을 필요로 한다. 간헐류식 혈구분리기(Haemonetics Corporation, Braintree, MA)들은 오늘날 치료 혈액성분 분리술에 거의 사용되지 않는다. 치료적 시술들을 위해 연속 흐름 기구들이 선호되는데 이는 그것들의 보다 작은 체외 혈액량, 훨씬 짧은 시간, 그리고 보다 덜 엄격한 항응고 요건들 때문이다. 치료 혈액성분 분리술을 위해 가장 널리 사용되는 원심혈구분리기들은 Terumo BCT (Lakewood, CO)와 Fresenius Kabi (Bad Homburg, 독일)의 제품들이다.

B. 막 혈장 분리(Membrane plasma separation: MPS)

　　막 혈장 분리기들은 투석에 사용되는 기술을 적용한다. MPS를 위한 중공사 필터들은 투석 필터들과 매우 유사하게 보인다. 간단히 투석 필터를 MPS 필터로 교체하고 투석액 없이 혈액 여과 절차를 수행할 수 있다고 생각하기 쉽다. 하지만 혈장 제거는 초미세 여과물을 제거하는 것과는 생리학적으로 다르다. 혈관 내 구획으로부터 물이 제거될 때, 혈관 외 수액이 제거된 양을 완충하기 위해 확산될 수 있다. 혈장이 혈관 내 구획으로부터 제거될 때, 혈관 구획의 재충전율이 감소된다. 따라서 혈장 교환 동안 심혈관계 부작용의 위험이 높아진다. 환자 안전을 보장하기 위해 특별히 막 혈장 분리를 위해 설계된 장비를 사용해야 한다. 분자량 약 3백만 달톤까지 처리가능한 막들이 사용되는데, 이것들은 면역 복합체들(MW ≈1백만)을 통과시키기에 충분하다. MPS 필터들은 중공사(hollow-fiber) 또는 평행판(parallel-plate) 구성으로 제조될 수 있다. 중공사 혈장 분리기의 한 예는 Asahi (Apheresis Technologies, Palm Harbor, FL)가 제조한 Plasma-Flo다. 이 막은 기공들이 혈액 구성 요소들을 막기에 충분할 만큼 작아서 오직 혈장만을 통과시킨다. 이 막은 알부민, IgG, IgA, IgM, C3, C4, 섬유소원, 콜레스테롤 및 트리글리세라이드들에 대해서 0.8에서 0.9 사이의 선별계수(여과액에서의 농도 대 혈액에서의 농도 비율)를 갖는다(혈류량 100 mL/min과 막간 차압 [TMP] 40 mmHg에서)(그림. 18.2). 여러 제조사들은 막 혈장 반출술을 위해 개조된 CRRT 장비 또는 전용 장치들을 제공한다.

　　막 혈장 분리(MPS)는 용혈을 피하기 위해 낮은 TMP (<500 mmHg)에서 실시되어야 한다. 중공사 기구를 이용할 때, 응고를 피하기 위해 혈류량은 50 mL/min를 초과해야 한다. 이상적인 혈류량

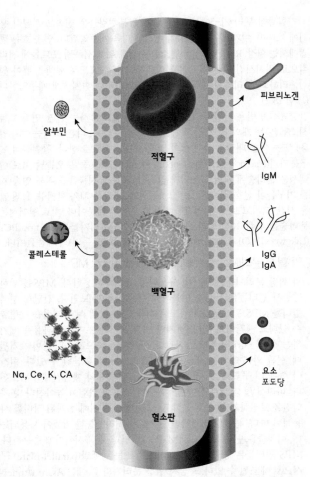

알부민

적혈구

피브리노겐

IgM

콜레스테롤

IgG
IgA

백혈구

Na, Ce, K, CA

요소
포도당

혈소판

그림 18.2 막 혈장 분리 동안, 혈구들은 필터의 기공을 통과하지 못하는 반면 혈청 구성 성분들은 통과한다. (Dobri Kiprov 제공, MD. Linz W 등으로부터 재인쇄, Principles of Apheresis Technology. 5th ed. American Society for Apheresis; 2014. www.apheresis.org.)

(Qb)은 대개 100~150 mL/min 이다. 혈류량이 100 mL/min일 때, 30~50 mL/min의 혈장제거율이 예상될 수 있다. 따라서 일반적인 막여과(Ve = 2,800 mL)를 수행하는데 필요한 평균 시간은 2 시간 (40 mL/min × 60 분 = 2,400 mL/hr) 미만이다.

C. 막과 원심분리기의 비교 (표 18.4)

미국에서 원심혈구분리기(Centrifugal blood cell separator)는 선호되는 치료 혈액성분 분리술 기구이다. 이것들은 혈장분리교환술과 함께 세포 성분 분리(백혈구 성분채집술, 적혈구 성분분리술 및 혈소판 성분채집술)를 수행할 수 있다. 원심분리기들은 또한 낮은 전혈 및 혈장 유량(Qb 범위 40~50 mL/min)에서도 작동이 가능하다. 그와 같은 혈류들은 큰 말초정맥(주전 정맥:antecubital v.)에서 얻을 수 있으며, 많은 경우 중심 혈관 접근과 관련된 위험들을 제거한다.

MPS는 혈장분리교환술을 빠르게 수행한다. 하지만 이것은 파라단백혈증(가장 흔히 Waldenstrom 마크로글로불린 혈증)으로 인한 고점도 증후군 환자들 또는 한랭글로불린혈증 환자들을 치료하는데 부적합한데, 이는 가용한 기구들이 매우 큰 거대분자들을 제거하는데 효율적이지 않기 때문이다. MPS는 정상적으로 헤파린을 항응고제로 사용하여 시행된다.; TTP와 같은 출혈 장애를 치료할 때 헤파린을 사용해서는 안되며, 대신 시트르산을 이용한 방법을 사용한다.

IV. 혈관 접근

앞에서 언급한 바와 같이 원심분리기 시스템들에서 40~50 mL/min 범위의 Qb가 요구된다. 이것은 때로 큰 말초정맥(주전 정맥)에서 얻을 수 있다. 이와 반대로, MPS를 이용할 때는 중심 정맥 접근이 필요한데 이는 여과 시스템의 성공적이고 효율적인 작동을 위해 100~150 mL/min 사이의 혈류량이 필요하기 때문이다. MPS를 위해 최선의 접근 방법은 큰 구멍의 이중 내강 도관을 사용하는 것이다, 이것은 투석, 특히 혈액성분 분리술 전용으로 사용되는 것들과 유사하다. Swan-Ganz 도관 및 삼중 내강 도관과 같이 비투석 용도로 가용한 혈관 내 기구들 대부분은, 비록 혈액 재주입을 위해서는 적합할 수 있지만, 혈장분리교환술에 적합한 혈류를 거의 제공하지 못한다.

시트르산 주입(이하 참고)은 혈장 이온화 칼슘 수치의 급성 감소를 초래하는데 (정상 총 혈청 칼슘 수치와 상관 없이), 이것은 심장전도 시스템에 대한 국소적 영향을 미칠 수 있으며 생명에 위협적인 부정맥을 일으킬 수 있고, 특히 혈액이 심장의 방실 결절에 가까운 중앙으로 재주입될 때 그렇다. 심장 리듬을 모니터링 해야 하며, 특히 처리된 혈액을 중앙으로 재주입할 때 혈액 가온 기구를 사용해야 한다.

질병의 성격이 만성 TPE를 요구할 경우(예를 들어, 과콜레스테롤혈증, 한랭글로불린혈증), 영구적인 통로를 만드는 것이 선호된다. 환자들은 장기간 사용을 위해 중심정맥관 설치를 받아야 할 수 있으며, 또는 동정맥루(AVF) 또는 인조혈관(AVG)을 사용하여 장기적 접근이 가능하다.

V. 항응고

항응고는 MPS나 원심분리기에 관계 없이 치료 혈액성분 분리술 과정에서 필수적이다. 일반적으로 여과 기구들은 헤파린을 사용하는 반면, 원심분리기들은 시트르산을 이용해야 한다.

A. 헤파린

헤파린 민감성 및 반감기는 환자들에 따라 다양하며, 용량을 개인별로 조절할 필요가 있다. 헤파린 용량은 낮은 Hct(분포량의 증가)를 보이는 환자들에서 그리고 혈장 여과율이 높을 때(높은 혈장 여과율은 체질 계수가 1.0인 헤파린 순 제거량의 증가를 가져온다) 높일 필요가 있다.

B. 시트르산

항응고 시트르산 덱스트로스(ACD)는 대부분의 TPE 절차들에서 항응고 용액으로 사용된다. 시트르산은 순차 응고 과정에서 필요한 보인자인 칼슘을 킬레이트화하며, 이것은 혈전 형성과 혈소판 응집을 억제한다. ACD는 두 표준 제제로 나온다. 제제 A (ACD-A)는 2.2 g/dL의 시트르산 나트륨과 0.73 g/dL의 시트르산을 함유한다. 제제 B (ACD-B)는 1.32 g/dL의 시트르산 나트륨과 0.44 g/dL의 시트르산을 함유한다. ACD-A는 모든 연속흐름 원심분리기들에서 사용된다.

비록 출혈은 시트르산에서 혼하지 않지만, 혈장 이온화 칼슘 수치 저하는 자주 발생한다. 따라서 환자들은 저칼슘혈증의 증상들 및 신호들(입주위와 말단감각이상; 일부 환자들은 떨림, 머리가 멍함, 움찔수축, 진전 및 드물게 지속적인 근육수축과 이로 인한 불수의적 수족 경련을 경험할 수 있다.)을 세심하게 관찰해야 한다. 혈장 이온화 칼슘 수치가 더욱 심각하게 떨어지면, 증상들은 생명에 위협적인 후두경련을 포함하는 다른 근육들에서의 경련을 수반하는 명백한 경련으로 진행될 수 있다. 대발작(grand mal seizure)도 보고되었다. 이러한 증상들과 신호들은 호흡과다로 인한 알칼리혈증으로 인해 더욱 악화될 수 있다. 이온화 칼슘 수치의 감소는 또한 심근탈분극의 편평기를 연장시키며, 심전도 상에서 QT 간격의 연장으로 나타난다. 매우 높은 시트르산 수치는, 낮은 이온화 칼슘에 따른 것이며, 심근수축력 저하를 가져오는데, 이것은 비록 드물기는 하지만 혈액성분 분리술을 받는 환자들에서 치명적 부정맥을 유발할 수 있다.

1. 시트르산 항응고 동안 이온화 칼슘 수치 저하의 예방

다음의 조치들을 고려해야 한다.

a. 환자에 대한 시트르산 전달률의 제한

시트르산 주입율은 신체가 시트르산을 빠르게 대사할 수 있는 용량을 초과하지 말아야 한다. 시트르산 대사 능력은 환자들마다 다르다. 주입되는 시트르산의 양이 혈류량과 비례하기 때문에, 높은 혈류량을 사용하지 말아야 한다. 대부분의 원심분리기들은 계산도표에 의해 환자의 혈액량을 예측하며 따라서 시트르산이 주입되는 속도를 제한하는 혈류량을 자동으로 설정한다.

간부전 및 신부전 환자들은 시트르산 대사능이 손상되었을 수 있으며, 이러한 환자들에서 시트르산 주입은 매우 주의해서 실시되어야 한다.

FFP(신선 동결 혈장)는 양 대비 14%까지의 시트르산을 포함한다. 보충액으로서 알부민 대신 FFP가 사용되는 경우, 환자에 대한 총 시트르산 재주입율은 FFP에 있는 시트르산을 포함해야 한다.

b. 혈장분리교환술 동안 추가적인 칼슘 제공

칼슘은 구강 또는 정맥으로 제공될 수 있다. 예를 들어, 매 30분마다 구강으로 500-mg (5-mmol)의 탄산칼슘 정을 제공할 수 있다.

또 다른 접근방법은 글루콘산 칼슘 10%를 보충액 리터당 10 mL의 글루콘산 칼슘 용액 비율로 계속해서 정맥으로 주입하는 것이다(Weinstein, 1996). 이러한 조치들과 더불어, 저칼슘혈증 증상들이 발현될 때마다 칼슘 정맥주사를 제공할 수 있다.

2. 시트르산 주입 동안의 알칼리혈증

시트르산 나트륨 형태의 시트르산은 중탄산산염으로 대사되기 때문에 매우 드물긴 하지만 대사성 알칼리혈증이 발생할 위험이 있다. 시트르산 대사 능력이 손상될 수 있는 간 질환 환자들에서, 시트르산 항응고를 이용한 혈장분리교환술 동안의 산-염기 상태를 특별한 주의를 가지고 모니터링해야 한다.

VI. 보충액

보충액 타입과 양의 선택은 혈장분리교환술 처방에서 중요한 고려사항이다. 질병과 환자 상태의 다양성으로 인해 보충액에 대한 일관된 제안이 어렵다. 하지만 유용하게 사용할 수 있는 몇가지 지침들이 있으며, 상황에 맞게 변경할 수 있다.

대부분의 혈장분리교환술에서 콜로이드제들에 의한 보충은 혈역학적 안정의 유지를 위해 필수적이다. 실무에서, 이것은 일반적으로 등나트륨 5% 용액의 형태의 알부민으로 제한되며, 또는 FFP 형태의 혈장으로 제한된다. 이것들 각각의 장점들과 단점들은 표 18.5에 제시되어 있다.

TABLE 18.5　보충액의 선택

용액	장점들	단점들
알부민	간염의 위험이 없다. 실온에 저장한다. 알레르기 반응들이 드물다. ABO 혈액 그룹에 대한 우려가 없다. 염증 매개 물질이 없다.	가격이 비싸다. 응고인자가 없다. 면역글로불린이 없다
신선 동결 혈장(FFP)	응고인자 면역글로불린 '유익한' 인자들 보체	간염 및 HIV 전파 위험 알레르기 반응들 해동해야 한다. ABO-적합성이 있어야 한다. 시트르산 부하

HIV, 인체면역결핍 바이러스

A. 신선 동결 혈장(FFP)

FFP는 환자로부터 제거된 여과액과 성분이 유사한 장점이 있지만, 알레르기 반응들과 같은 부작용과 관련이 있다. 심할 수도 있는 두드러기는 FFP의 사용에서 자주 나타난다. 드물게, 백혈구 응집소의 수동적 수혈로 인해 생기는 비심인성 폐부종의 형태로 아나필락시스 반응들이 나타난다. 아나필락시스의 또 하나의 원인은 선택적 IgA 결핍 환자에 IgA를 함유한 FFP를 주입하는 것이다. FFP는 상당량의 항A 및 항B 동종 응집소들을 함유할 수 있기 때문에, 공여자와 받는 자 사이의 ABO 적합성이 요구된다. 앞에서 언급한 바와 같이 FFP는 시트르산을 함유하며, FFP의 사용은 시트르산 매개 이온화 칼슘 반응 저하의 위험을 증가시킨다. 또한 FFP를 통한 B형 간염(단위당 0.0005%), C형 간염(단위당 0.03%) 및 HIV(단위당 0.0004%)의 전파가 적지만 보고되고 있다. 비록 이러한 전염 위험들이 공여 전 및 공여 후 검사를 통해 낮추어질 수 있지만, 3 L의 혈장을 FFP로 교체하는 각 혈장분리교환술에서 3 L의 FFP 보충이 약 10~15명의 공여자들로부터 오는 10~15 단위의 혈장으로 이루어져 있음을 기억해야 한다. 여러 제조사들이 세척제로 처리된 혈장을 제공하고 있다.

FFP를 보충액으로 사용할 경우, 특정 환자들에서 혈장분리교환술의 효능을 측정하기가 어렵다(예를 들어, IgG와 다른 면역글로불린들의 혈청 수치를 추적하기 어려울 경우). 또한 FFP는 혈장분리교환술에서 제거된 염증 과정에 참여할 수 있는 일부 인자들을 재충전할 수 있다.

현재 혈장 교환 동안 FFP로 제거된 혈장의 일부 또는 전부를 교체하는데 대한 특정 적응증들은 (a) 혈전성 혈소판 감소성 자색증-용혈성 요독성 증후군 (TTP/HUS), (b) 기존의 지혈 결손 그리고 낮은 치료 전 혈청 섬유소원 수치 (<125 mg/dL) 및 (c) 출혈 위험 환자들; 예를 들어, 수술 전 또는 후의 환자들이다. TTP/HUS와 관련하여 FFP를 단일 보충액으로 사용하는데 대한 이론적 근거가 존재한다. FFP 주입 자체가 치료적일 뿐 아니라, 저혈소판증이 있는 상태에서 응고인자에서의 사소한 교란의 결과로 인한 출혈 위험이 더 높을 수 있기 때문이다.

일반적으로 혈장분리교환술은 또한 응고인자들을 제거하기 때문에 알부민 및 결정질만으로의 교체는 이러한 인자들의 고갈을 초래하여 환자의 출혈 위험을 높일 수 있다. 이것은 한 번 또는 두 번의 혈장 교환 후에는, 특히 이것들이 하루 이상의 간격을 두고 시행되었을 때, 일어날 가능성이 없는데 이는 대부분은 응고인자들의 반감기가 약 24~36시간이기 때문이다.

B. 알부민

FFP의 사용과 관련된 상기한 우려들 때문에 우리는 최초 보충액으로 알부민을 권장한다. 리터당 130~160 mmol의 염화나트륨을 포함한 식염수에 든 5 g/dL (50 g/L)의 농도의 5% 알부민 용액은 동일한 양의 제거된 혈장을 보충할 수 있다. 현대적인 장비를 이용할 때 이것은 동시에 그리고 혈장 제거 속도와 같은 속도로 실시될 수 있다. 하지만 이 시술의 초기 동안 주입된 알부민의 상당 부분이 혈장분리교환술 시술 과정 동안 교환되기 때문에 보다 경제적인 접근 방법은(교환량이 한 혈장량과 동일하고 저알부민혈증이 없을 때) 제거된 혈장량의 처음 20%~30%를 0.9% 식염수와 같은 결정질(crystalloid)로 교체하며, 그런 다음 상기한 5% 알부민 용액으로 그 나머지를 교체하는 것이다. 이 방법을 사용할 때 혈관 공간에서의 알부민 최종 농도가 약 3.5 g/dL (35 g/L)가 되는데, 이것은 삼투압을 유지하고 저혈압을 피하는데 충분하다. 이 방법은 고점도 환자들, 신경학적 질환 환자들 및 다른 저혈압 원인들을 갖고 있는 환자들에게는 사용하지 말아야 한다.

정제된 인체 혈정 알부민(human serum albumin: HSA) 용액들은 처리 과정에서의 긴 열처리 때문에 바이러스성 질환들을 전파하지 않으며, TPE에서 선호되는 보충액이 되었다. 이것들은 안전의 측면에서 매우 뛰어나다. 이것들의 부작용 발생률은 6,600번의 주입 당 1건으로 예측되었다. 심각하고 잠재적으로 생명에 위협적인 반응들은 매 30,000번의 주입 당 1건 발생한다. 보다 농축된 용액들로부터 5% 알부민 용액을 제조할 때, 희석제로 0.9% 식염수를 사용해야 한다; 희석제로 물을 사용할 경우, 심각한 저나트륨혈증과 용혈이 생길 수 있다 (Steinmuller, 1998).

주어지는 수액 보충량은 환자의 수분 용적 상태에 따라 달라진다. 보충량은 수동으로 또는 자동으로, 제거된 양의 100%에서 85%까지로 조절될 수 있다. 더 낮은 보충량의 사용은 일반적으로 권장되지 않는데 이는 혈관 내 용적을 축소시켜 혈역학적 불안정을 일으킬 수 있기 때문이다.

VII. 합병증

혈장 교환에서 관찰되는 부작용들은 일반적으로 심각하지 않으며, 예측될 경우 쉽게 관리할 수 있다. 주요 부작용들은 표 18.5에 제시되었다.

합병증 발생률은 4%에서 25% 범위 내에 있으며 평균 10%이다. 최소 반응들은 치료 건의 약 5%에서 일어나며, 두드러기, 감각이상, 오심, 어지러움 및 다리 경련으로 특징지어진다. 중등도 반응들(치료 건의 5%~10%)은 저혈압, 흉통 및 심실 전위(ventricular ectopy)를 포함한다. 이것들은 모두 단기간이며 후유증 없이 사라진다. 심각한 합병증들은 치료 건들 중 3% 미만에서 발생하며 주로 FFP 투여로 인한 아나필락시스양 반응들과 관련이 있다. 혈장분리교환술과 관련된 예측된 사망률은 10,000건당 3~6건이다. 주요 사망 원인은 FFP 교체에 따른 아나필락시스, 폐색전증 및 혈관 천자를 포함한다. 가장 중요한 합병증들은 표 18.6에 요약되어 있다. 이러한 합병증들을 피하고 관리하기 위한 전략들은 표 18.7에 제시되었다.

A. 시트르산

원심분리기를 사용할 경우 치료 혈액성분 분리술의 가장 흔한 합병증은 항응고 섹션에서 설명한 대로 시트르산 독성과 관련이 있다.

TABLE 18.6	혈장분리교환술의 합병증

혈관 접근과 관련하여
혈종
기흉
후복강 내 혈액
국소적 또는 전신적 감염

특정 혈장 인자의 보충
체외 회로에서의 혈액 외부화로 인한 저혈압
혈관 내 삼투압 감소로 인한 저혈압
응고인자들의 혈장 수치 감소로 인한 출혈
혈관 내 삼투압 감소로 인한 부종 형성
세포 성분들(혈소판들)의 손실
과민반응(산화에틸렌)

항응고와 관련하여
출혈, 특히 헤파린 이용시
저칼슘혈증 증상들(시트르산 이용시)
부정맥
저혈압
사지 무감각 및 저림
시트르산으로 인한 대사성 알칼리혈증

보충액과 관련하여
저혈압(저삼투성 식염수 사용시)
아나필락시스(FFP)

TABLE 18.7	혈장분리교환술 동안 합병증들을 피하기 위한 전략들

합병증	관리
이온화 칼슘 감소	치료 동안 10% 글루콘산 칼슘을 예방적으로 주입
출혈	시술의 끝에 2~4 단위의 FFP 사용
저혈소판증	막 혈장 분리 고려
용적 저혈압	용적 균형 조절
성분채집 후 감염	면역글로불린의 정맥 주입(100-400 mg/kg)
저칼륨혈증	보충액에서 4 mM의 칼륨 농도 유지
막 생체적합성	막을 교체하거나 혈장 원심 분리 방법을 고려
저체온증	보충액 가온
안지오텐신 전환효소 억제제	치료 전 24-48시간 동안 안지오텐신 전환효소 억제제 사용 중단
FFP 또는 알부민에 대한 민감성	항 IgA 역가 측정 고려 예민한 개인들에 대해 예비 투약 적용: (a) hydrocortisone 또는 prednisone; (b) diphenhydramine 정맥주사 또는 경구투여; 및 (c) H2 길항제들 (시메티딘) 정맥주사

ACE, 안지오텐신 전환효소; Ig, 면역글로불린.

B. 혈역학적 합병증

저혈압(총 2%의 발생율)은 주로 혈관 내 용적의 고갈로 생기는데, 이
것은 체외 회로에서 외부화되는 혈액의 양이 많아지면서(250~375
mL) 더 심해질 수 있다. 다른 원인들로는 혈관미주신경(vasovagal) 에
피소드, 저삼투성 수액 보충의 사용, 지연되거나 부적절한 용량 보충,
아나필락시스, 심부정맥 및 심장혈관허탈을 포함한다.

C. 혈액학적 합병증

출혈성 에피소드들은 드물다. 대퇴부 도관의 삽입 후 출혈, 이전 도관
부위로부터의 출혈, 토혈 및 비출혈이 보고되었다.

단일 혈장 교환 후, 혈청 섬유소원 수치는 일반적으로 80%까지 떨
어지며, 프로트롬빈 및 많은 다른 응고인자 수치들 또한 약 50%~70%
까지 감소한다. 부분 트롬보플라스틴 시간(PTT)은 대개 100% 증가
한다. 응고인자들의 혈장 수치의 회복은 두 단계를 거치며, 성분채집
후 4시간 동안 빠르게 증가한 후 교환 후 4~24시간 동안 서서히 증가
한다. 초기 수치에 비해, 치료 후 24시간에 섬유소원 수치는 약 50% 그
리고 항트롬빈 III 수치는 85% 회복된다; 이 둘은 모두 완전한 회복을
위해 48~72시간이 걸린다. 치료 하루 후 프로트롬빈 수치는 원래 수준
의 75%, X인자는 30%가 된다. 이 때까지 모든 다른 응고인자들은 정
상 수준을 완전히 회복할 것이다. 짧은 기간 동안 여러 치료들이 시행
될 경우, 응고인자들의 고갈은 더욱 뚜렷해지며 자연적 회복에 여러 날
이 걸릴 수 있다. 앞에서 언급한 바와 같이 여러 치료들이 시간상으로
서로 가까이 인접하여 시행될 때, 각 치료 끝에 2 단위의 FFP를 교체할
것을 권한다. TPE의 결과로 기구 특이적 저혈소판증이 보고되었으며,
이것은 TTP와 같은 장애들의 치료 동안 반응을 평가하는데 혼돈을 야
기했다(Perdue, 2001).

D. 안지오텐신 전환효소(ACE) 억제제들

아나필락시스 또는 비정형 아나필락시스양 반응들은 혈액투석 동안
안지오텐신 전환효소(ACE) 억제제들을 사용하거나, 저밀도 지단백
(LDL) 친화력 혈액성분 분리술 및 기타 혈액성분 분리술 특이적 칼럼
들을 사용하는 환자들에서 보고되어 왔다. 이러한 반응들은 음이온 막
들 또는 필터들과 관련이 있어왔다. 실험적 증거는 이 반응이 체외 순
환에만 관련된 것이 아님을 보였다. 인체 알부민에 존재하는 프리칼리
크레인(prekallikrein) 활성 인자의 절편들이 내생적 브래디키닌(bra-
dykinin) 방출을 야기한다고 예측된다. 이 반응들의 중증도는 약물 유
형과 알부민(다른 농도의 프리칼리크레인 활성 인자를 포함할 수 있
다)을 포함한 여러 다른 변수들에 따라 달라진다. 따라서 이상적으로
는 막 장치를 이용하는 혈장 교환 시 시술 전에 단시간 작용하는 ACE
억제제들은 24시간 동안, 그리고 장시간 작용하는 ACE 억제제는 48
시간 동안 사용을 중단해야 한다.

E. 감염

TPE에서의 감염 발생률은 아직 논란이 되고 있다. 연구들은 면역 억제 요법만으로 치료되는 환자들에 비해 면역억제와 TPE를 이용해 치료되는 환자들 가운데서 유의하게 높은 기회 감염 발생률을 보이지 않았다. 하지만 혈장 교환 직후에 심각한 감염이 발생할 경우, 면역글로불린의 단일 주입(100~400 mg/kg의 정맥 주입)에 의한 효과를 먼저 고려하는 것이 타당하다.

F. 전해질, 비타민 및 약물 제거

1. 저칼륨혈증

식염수 상의 알부민을 보충액으로 사용할 경우, 성분 분리 직후 기간 동안 혈청 칼륨 수치가 25% 감소할 수 있다. 보충액 1리터 당 4 mmol의 칼륨을 첨가함으로써 저칼륨혈증의 위험을 줄일 수 있다.

2. 대사성 알칼리혈증

이것은 다량의 시트르산 나트륨 주입의 결과로 생길 수 있다.

3. 약물

일반적으로 혈장 교환을 통해 유의하게 청소되는 약물들은 분포량이 작고 방대한 단백질 결합을 갖는 것들이다. 증거들에 따르면 혈장 교환 후 프레드니손, 다이곡신, 사이클로스포린, 세프트리악손, 세프타지딤, 발프로익산 및 페노바비탈에 대한 보충적 투약은 필요하지 않다. 이와 대조적으로, 살리실산염들, 아자티오프린 및 토브라마이신은 보충 투약이 필요하다. 페니토인 청소에 관한 여러 보고들은 서로 차이가 있다; 따라서 미결합 약물 수치에 대한 세밀한 모니터링이 필요하다. 우리는 일반적으로 시술 직후부터 모든 예정된 약물치료를 시행할 것을 권장한다.

VIII. 혈장분리교환술의 적응증

치료적 혈액성분 분리술 사용을 위한 가장 포괄적인 지침들은 American

TABLE 18.8 긴급 혈장분리교환술과 세포 성분 분리의 적응증들
Goodpasture 증후군(항GBM 질환)
TTP/HUS
심각한 한랭글로불린혈증
미만성 폐포 손상(diffuse alveolar damage: DAM)을 동반한 폐 신장 증후군
항체 매개 신장 이식 거부반응
고점도 증후군
Sickle cell crisis (RBC 교환)
급성 탈수초성 다발 신경병증(Guillain-Barre 증후군)
백혈구 증가증(백혈병) (백혈구 성분 분리)
중증 근육무력증 crisis
혈소판증가증(혈소판 성분채집술)

Society of Apheresis (ASFA)에 의해 출판되었다. ASFA의 증거 기반 접근방법은 문헌들에 대한 체계적인 검토 후 질환들에 범주를 할당한다. 또한, 지지하는 증거의 질을 평가한다. 범주I은 혈액성분 분리술이 일차 치료로 사용될 수 있는 장애들을 포함한다. 범주II는 혈액성분 분리술이 이차 치료로(대개 일차 치료 실패 후) 사용될 수 있는 질환들을 포함한다. 범주 III은 혈액성분 분리술의 최적 역할이 증명되지 않은 것들을 포함한다. 이들의 경우, 의사 결정은 개별적으로 내려져야 한다. 범주IV는 혈액성분 분리술이 효과가 없거나 해롭다는 증거가 발표된 질병들을 포함한다. 표 18.8은 혈액성분 분리술이 단독으로 또는 다른 치료 방법들과 함께 일차 치료로 고려되는 질병들을 제시하고 있다. 이들의 경우 최적의 결과를 얻기 위해 혈액성분 분리술을 가능한 빨리 시작해야 한다. 아래는 신장질환들에서의 혈장분리교환술 사용을 요약한다.

A. 항GBM 질환

이 질환에서 항GBM 항체들의 병원성에 대한 설득력 있는 증거가 있다. 이 질병은 역사적으로 치료되지 않을 경우 환자에게 급속히 치명적이었다. 혈장분리교환술의 조기 사용이 강력하게 권장되는데, 이는 혈청 크레아티닌이 상대적으로 낮을 때(<500 mcmol/L 또는 5.7 mg/dL) 반응률이 가장 높기 때문이다. 혈장분리교환술을 면역억제제들과 함께 사용한 대규모의 장기간 연구에서, 크레아티닌 수준이 <500 mcmol/L (5.7 mg/dL)인 환자들 중 거의 전부가 신장 기능을 회복한 반면, 이미 투석을 시작한 환자들 중에서는 단지 8%에 그쳤다. 핍뇨 투석 의존 환자들에서, 특히 신생검 상에서 초승달모양체(crescent) 퍼센티지가 높을 때, 혈장분리교환술은 폐 출혈을 가진 환자들에서 아마도 유보되어야 할 것이다. 이는 신장 기능이 회복할 가능성이 없기 때문이다.

혈장분리교환술의 빈도는 순환 항GBM 항체 수준을 급속히 낮추기에 충분할 만큼 높아야 한다. 앞에 설명한 대규모 연구에서, 환자들은 14일 연속으로 또는 항GBM 항체 수준이 검출되지 않을 때까지 50 mL/kg(약 1.5 혈장량)의 교환을 받았다. 다른 저자들은 7일 동안 매일, 그리고 다음 한 주 동안 격일로 두 혈장량을 교환할 것을 권할 수 있다. 비록 진단을 위해 신생검이 선호되지만, 임상적 의심이 높고 항GBM 항체들에 대해 신뢰할만한 검사 결과가 양성이면, 치료를 즉시 시작해야 한다. 만일 여전히 임상적으로 징후가 보이면, 처음 2~3회의 교환 후 신생검을 실시하고 생검 후 24시간 동안 혈장분리교환술을 연기할 수 있다. 폐 출혈이 있거나 신생검 후에 시트르산 항응고가 가용할 경우 선호될 수 있다. 혈장분리교환술은 임상적 특성들 및 항GBM 항체 수준에 따라서 2주 후에도 계속될 필요가 있을 수 있다.

일반적으로 혈장은 5% 알부민으로 교체되지만, 폐 출혈 또는 최근 생검을 받은 환자들에서는 마지막 리터의 교환을 위해 FFP를 사용한다. 환자가 심각한 수액 과부하 하에 있을 경우 알부민 용액의 양을 제거된 혈장량의 85%까지 낮출 수 있다.

B. TTP와 HUS

TTP와 HUS는 혈전성 미세혈관병증을 초래하는데, 이것은 특히 HUS에서 신장에 영향을 미치며, TTP에서 자주 중추신경계에 영향을 미친다. HUS는 설사(D+)가 선행하는 경우들과 산발적으로 발생하는 경우들(D-)로 나누어진다. D-HUS는 이러한 단백질들에 대한 보체조절자들 또는 자가항체들의 유전적 결핍과 관련이 있을 수 있다 (비정형 HUS [aHUS]). TTP에서는, von Willebrand 인자-쪼개짐 단백분해효소(ADAMTS13) 또는 그것에 대한 자가항체들의 유전적 결핍이 있을 수 있다. 혈장분리교환술은 병인과 상관없이 정상 혈장 성분들을 교체하며, 자가항체들이 존재할 경우 그것들을 제거할 것이다.

중증의 TTP에서, 혈장분리교환술은 가능한 빨리 시작해야 한다. 최소한 1 혈장량의 혈장분리교환술을 매일 그리고 대개 7~10일 동안 실시해야 한다. 혹자는 보다 빠른 효과를 얻기 위해 처음 세 번의 치료에서 1.5 혈장량을 사용할 것을 지지할 수 있다. 치료는 혈소판수가 정상화되고 용혈이 대체로 멈출 때까지(락트산 탈수소화 효소: LDH가 400 IU/L 아래로 떨어질 때까지) 계속된다. 치료를 끝낸 후 바로 재발할 수가 있기 때문에, 혈소판수가 안정될 때까지 혈관 접근을 유지해야 한다. 혈소판수가 <100,000/mm³ 이하로 떨어진 환자들에서, 혈소판수가 안정될 때까지 혈장분리교환술은 격일 일정으로 실시할 것이 권장될 수 있다. FFP 주입에 비해 FFP를 이용한 혈장분리교환술의 이점을 보여주는 두 통제 실험들이 있으며, 최근의 한 통제 실험들에 대한 메타분석에 따르면 FFP를 이용한 혈장분리교환술이 TTP에서 가장 효과적인 접근 방법으로 나타났다.

아동들에서의 설사-양성 (D+) HUS는 자주 보존적 치료를 통해 개선되는 질환이다. 혈장분리교환술에 대한 무작위 실험들은 없지만, 심각한 급성 D+ HUS 성인 환자들에서의 혈장분리교환술의 이점을 보고한 최근 연구들이 있다. 설사-음성 (D-) HUS (비정형 HUS)에 대한 통제 실험은 없지만, 심각하게 손상된 환자들에서 FFP에 대한 혈장교환의 이점에 관한 여러 일화성 보고들이 있다.

증거의 부족에도 불구하고, 혈장분리교환술의 시도는 임신 중의 중증 TTP에서 타당한 접근 방법일 수 있다. 혈장분리교환술은 또한 TTP의 다른 이차 원인들에 대해 유용할 수 있다. 비록 포도알균 단백질 A (staphylococcal protein A: SPA) 칼럼을 통한 혈장관류가 미토마이신 유도 TTP에서 보다 효과적이라고 보고되기는 했지만 말이다.

일반적으로 제거된 혈장은 동일한 양의 FFP로 교체된다. 이는 FFP가 결핍 혈장 성분들을 제공하기 때문이다. TTP를 위한 반복된 다량의 교환에서는 저칼슘혈증을 피하기 위해 주의를 기울일 필요가 있다.

Eculizumab(보체의 막 공격 복합체 형성을 억제하는 C5에 대항하는 단일 클론 항체)은 (D-) HUS을 치료하는데 사용되고 있으며, 그 결과들은 매우 고무적이었다. 최근에, 수년 전 유럽에서 발생한 유행병으로부터 생긴 (D+) HUS는 Eculizumab과 혈장분리교환술에 모두 반응하는 것으로 보였다(Delmas, 2014).

C. 한랭글로불린혈증

혈장분리교환술은 원인이되는 대형 면역 복합체들을 효과적으로 제거할 수 있어 지난 20년이 넘게 한랭글로불린혈증의 치료에 사용되어 왔다. 비록 통제 실험들은 없었지만, 급성 혈관염과 신장 병발증 환자들에서 혈장 교환의 효능을 입증하는 여러 보고들이 있었다. 혈장분리교환술은 또한 고점도 증후군 또는 환자가 저체온을 필요로 하는 수술을 앞두고 있을 때 고려될 수 있다. 심각한 사례들에서, 면역억제제가 사용되며 C형 간염 환자들의 경우 항바이러스 요법과 함께 사용된다.

일반적으로 7일 동안 1 혈장량의 교환이 제안되며, 다른 경우 2~3주 동안 격일로 혈장분리교환술을 사용한다. 보충액은 5% 알부민이어야 하는데, 이것은 순환 한랭글로불린들의 침전을 피하기 위해 가온되어야 한다. 일부 환자들에서는 증상을 조절하기 위해 매주 일회의 장기간 치료가 필요하다. 한랭글로불린들이 냉각 침전되면서 혈장 필터를 차단할 가능성 때문에 원심분리기의 사용이 자주 선호된다. 이중 단계적 여과와 냉동여과와 같은 대안적 기법들은 비용이 높고 기술적으로 어려워서 널리 사용되지 않는다.

D. 항중성구 세포질 항체 (ANCA)-관련 혈관염

이 환자들은, 저면역 급속 진행성 사구체 신염(pauci-immune RPGN)과 함께, 자주 신장에 침입하는 소혈관 혈관염을 갖는다. 이 군의 질환들은 다발혈관염을 동반한 육아종증(이전의 Wegener 육아종증), 미세다발혈관염 및 다발혈관염을 동반한 호산구 육아종증(이전의 Churg-Strauss 증후군)을 포함한다. 이러한 질환들에 대한 ANCA의 병원성의 역할에 대한 증거가 누적되고 있다. 비록 초기 실험들은 명확한 결과들을 도출하지 못했지만, Pusey(1991)는 이미 투석이 필요한 환자들에서 면역억제제들과 함께 사용되는 혈장 교환의 이점을 입증했다. 한 대규모의 유럽 다기관 연구(MEPEX)는 크레아티닌 수치가 500 mcmol/L (5.7 mg/dL) 이상인 환자들에서 이 결과를 확인하고, 메칠프레드니솔론 충격요법으로 치료된 환자들에 비해 혈장분리교환술로 치료된 이들에서 신장 기능의 회복이 개선되었음을 보였다. 또 최근의 보다 소규모 연구는 크레아티닌 수준이 250 mcmol/L (2.8 mg/dL) 이상인 환자들에서 혈장분리교환술의 이점을 보고했다. 한 최근의 메타 분석은 말기 신부전으로 진행을 예방하는데 있어서 표준 요법에 비해 보조 혈장분리교환술의 이점을 확인했다. GFR이 50 mL/min (PEXIVAS) 이하인 환자들에서 ANCA-관련 혈관염에 혈장분리교환술을 적용한 대규모의 국제 통제 실험이 진행되고 있다.

MEPEX 연구를 기초로, 우리는 7일 동안 매일 1.5 혈장량의 교환을 권장한다. FFP는 폐출혈 또는 최근 신생검을 받은 환자들에 대해 마지막 1리터의 교환을 위해 사용되어야 한다. 일부 환자들은 그들의 임상적 반응에 따라 보다 장기간의 치료가 필요할 수 있다.

E. 다발성 골수종

다발성 골수종은 매우 다양한 기전들을 통해 신장 손상을 초래하는데, 그것들 중 가장 흔한 것은 경사슬 원주(light chain cast) 신증이다. 비록 혈장분리교환술이 원인이 되는 파라단백질을 효과적으로 제거하더라도, 이전의 실험들은 서로 상반되는 결과들을 보고했다. 보다 최근의 한 대규모 연구에서는 표준 항암요법과 함께 실시된 혈장분리교환술의 유의한 이점을 보이는데 실패했다. 하지만 이 환자들 중 거의 아무도 원주신증이 신생검을 통해 확인되지 않았다. Mayo Clinic에서의 후향적 연구는 높은 경사슬 수치와 심각한 신장 손상을 갖고 있는, 원주신증이 확인된 환자들에서 혈장분리교환술의 이점을 보였다.

일반적으로 우리는 경사슬 신병증으로 인한 급성 신장 손상을 보이는 환자들에서 5% 알부민을 이용한 5회 연속 교환 치료법을 제안한다. 임상적 반응과 파라단백질 수치에 따라, 일부 환자들은 보다 장기적인 치료가 필요할 수 있다.

지난 5년 동안 선호도가 높아진 혈장분리교환술에 대한 대안적 접근방법은 특수한 고차단 투석기를 이용한 혈액투석으로 경사슬을 효과적으로 제거하는 것이다. 표준 항암요법과 더불어, 보르테조밉(bortezomib)을 사용하거나 사용하지 않는 매우 고강도의 투석이 실시된다. 최초 연구에서, 다발성 골수종에 따라 이차적으로 생긴 급성 신부전 환자들에서, 두 개의 고차단 필터들(Theralite, Gambro Renal Products)을 직렬로 연결하고, 처음 5일 동안 매일 8시간의 투석 세션을 실시한 후, 이어서 12일 동안 격일로 8시간의 투석 세션을 실시하고, 다시 주당 3회의 6시간 치료를 적용했다. 각각의 장시간 투석 세션 마지막에 4그램의 저염 알부민을 제공했으며, 투석 전 수치가 낮을 경우 정맥 마그네슘과 구강 칼슘을 투입했다(Hutchison, 2009). 자유 경사슬의 수치는 면역측정법을 이용하여 모니터링했다. 혈청 자유 경사슬의 뚜렷한 감소와 많은 환자들에서의 신장 기능 회복에 있어서, 반응은 고무적이었다. 이 방법을 조사하기 위해서 유럽에서 두 개의 다기관 통제 실험들(EULITE와 MYRE)이 진행 중이다.

F. 전신성 홍반성 루푸스

혈장분리교환술은 순환 자가항체들과 면역 복합체들을 제거하기 위해서 루푸스 신염에 널리 사용되어 왔다. 긍정적인 일화성 보고들에도 불구하고, 한 무작위 통제 실험에서는 3년간 추적 관찰된 루푸스 신염 환자들에서 면역억제제들과 함께 적용된 혈장분리교환술의 이점이 나타나지 않았다. 하지만 초승달 사구체 신염 환자들과 투석을 필요로 하는 이들은 연구에서 제외되었는데, 혈장분리교환술과 같은 단기 중재가 이러한 환자들에게 보다 더 효과적이라고 주장될 수 있다. 혈장분리교환술과 동기화된 고용량의 사이클로포스파미드를 이용한 국제적 실험은 높은 부작용 발생률로 인해 중단되었으며, 따라서 이 방법은 권장될 수 없다. 우리의 경험에 따르면, 그리고 많은 일화성 보고들에서 혈장분리교환술은 전신성 홍반성 루푸스(SLE)가 생명에 위협적으로 발현된 환자들, 예를 들어 초승달 사구체 신염, 폐 출혈, 대뇌 루푸스 또는 파국적 항인지질 증후군 환자들에서 고려되어야 한다. 또한 다른 치료들에 대해 반응이 없는 심각한 질환을 가진 환자들에서 단백질 A 칼럼을 이용한 면역흡착 사용에 관한 보고들이 있다.

우리는 생명에 위협적인 질환을 가진 환자들에서 1~1.5 혈장량을 5% 알부민으로 7회 교환하는 초기 과정을 제안한다. FFP는 폐출혈 또는 최근 신생검을 받은 환자들에 대해 마지막 1리터의 교환을 위해 사용되어야 한다.

G. 재발성 국소 분절 사구체 경화증(FSGS)

신장 이식에서의 재발성 FSGS는 일부 사례들에서 사구체 투과성을 증가시키는 순환 인자에 의해 매개되는 것으로 나타난다. 자연 신장에서의 FSGS에 대한 혈장분리교환술의 사용은 다양한 결과들을 보이는데 이는 아마도 이러한 환자들 중 일부가 사구체 여과 장벽에 기여하는 단백들에서의 유전적 결손을 갖고 있기 때문이다. FSGS는 신장 이식 직후 발생할 수 있으며(사례들 중 15~55%), 이러한 환자들에서, 혈장분리교환술은 자주 유익한 것으로 보고된다.

적절한 정보가 없는 가운데, 우리는 신장 이식에 따른 단백뇨의 급속한 재발을 보이는 환자들에서 최소한 5일 연속으로 또는 임상적 반응에 따라 더 장기간 1 혈장량을 5% 알부민으로 교환할 것을 제안한다.

H. Henoch-Schonlein 자색반(HSP) 및 IgA 신병증

HSP와 일차 IgA 신병증 환자들은 초승달 사구체 신염으로 인해 RPGN이 생길 수 있다. 조직학적 특성들은 ANCA-관련 혈관염과 비슷할 수 있다. 일반적으로 면역억제제와 함께 적용되는, 혈장분리교환술의 성공적인 사용이 여러 소그룹 환자들에서 보고되었다. 우리는 이 방법으로 치료된 몇몇 환자들에서 신장 기능의 개선을 확인했다.

ANCA-관련 혈관염에 대한 경험에 비추어, 활성 초승달 사구체 신염과 악화중인 신장 기능 환자들에서 1~1.5 혈장량을 5% 알부민으로 7회 교환하는 것이 적합하게 보인다.

I. 고점도 증후군

이것은 대부분 Waldenstrom 마크로글로불린 혈증과 함께 생기며 (사례들의 50%), 때로 골수증 및 한랭글로불린혈증과 함께 발생한다. 고점도는 RBC 응집, 혈류 감소, 및 중추신경계, 망막, 신장을 포함한 여러 기관 시스템들의 허혈성 기능부전을 가져온다. 비록 통제 실험들은 없었지만, 기저 질환에 대한 치료 효과에 따라 임상적 특성들을 조절함에 있어서 혈장분리교환술의 이점을 보고한 여러 연구들이 있다.

적절한 증거가 없는 상황에서, 우리는 3~5일 동안 또는 혈액 점도가 정상화되고 환자가 임상적으로 안정될 때까지 1 혈장량을 5% 알부민으로 매일 교환하는 방법을 사용할 것을 제안한다.

J. 신장 이식

혈장분리교환술은 항체 매개 거부반응을 치료하는데 20년이 넘게 사용되어 왔으며, 보다 최근에는 ABO-부적합 또는 과감작된 환자들을 위한 탈감작(desensitization) 프로토콜의 일부로 사용되고 있다. 신장 이식 거부반응에 대한 혈장분리교환술의 적응증들은 아직 명확하지 않지만, 여러 실험들은 급성 항체 매개 거부반응 환자들에서, 자주 함께 사용되는 정맥 면역글로불린(IVIG) 요법과 더불어, 혈장분리교환술의 이점을 보고하고 있다. 하지만 만성 거부반응에 대한 명확한 이점은 없다. 혈장분리교환술과 단백질 A 면역흡착은 모두 매우 예민한 환자들에서 기성 항HLA 항체들을 제거하는데 사용되어 왔으며, 1년에 약 70%의 이식편 생존을 보였다. 또한 혈장분리교환술이 ABO-부적합 환자들에서 자주 rituximab과 같은 추가적인 면역억제제와 함께 사용되면서, 신장 이식에 효과적이라는 보고들이 있다.

우리는 급성 항체 매개 거부반응에 대해 IVIG와 함께, 1 혈장량을 5% 알부민으로 5회 교환할 것을 제안한다. 고위험 환자들에서 탈감작 프로토콜에 혈장분리교환술을 사용하는 것은 전문화된 센터에서만 실시되어야 한다.

K. 중독 및 약물 과다 용량

이 분야에서는 혈장분리교환술에 대한 ASFA 1급 적응증들이 존재하지 않는다. 하지만 Amanita phalloides 버섯 중독에, 신부전 환자들에서 다이곡신-Fab 복합체들을 청소하기 위해, 독사 교상 또는 시스플라틴 과다 용량을 치료하기 위해, 그리고 필요할 경우 주입된 단일 클론 항체들을 제거하기 위해 혈장분리교환술이 사용되었다는 보고가 있다 (Schutt, 2012).

IX. 선택적 혈액성분 분리 시술들

A. 이론적 근거

고전적 혈장분리교환술이 면역글로불린, 냉동 단백질 및 지질과 같은 목표 혈장 성분들을 제거하는 과정에서 특이성이 없이 진행되기 때문에 알부민과 공여자 혈장과 같은 보충액들을 필요로 하는데, 이것은 비용을 증가시키며 부작용들을 초래할 수 있다. 선택적 혈액성분 분리술 시술들은 혈장으로부터 특정한 성분을 목표로 하여 제거하며 모든 다른 혈장 단백질들을 재주입하도록 개발된 것이며, 따라서 보충액이 필요하지 않으며, 유용한 혈청 구성 성분들의 손실을 피할 수 있다.

B. LDL 혈액성분 분리술

미국에서는 현재 동형접합 가족성 과콜레스테롤혈증 환자들, 또는 최대 용량의 약물사용에도 불구하고 LDL이 300 mg/dL (7.8 mmol/L) 이상 또는 LDL이 200 mg/dL (5.2 mmol/L) 이상이고 관상동맥질환이 있는 환자들을 위해 LDL 혈액성분 분리술이 승인되고 있다. 다른 보건의료 시스템들에서는 기준이 덜 엄격하다. 일반적으로 이러한 시술들은 LDL 수치에 따라 1주나 2주에 한 번 실시되며, 환자가 지질 강하 요법을 견딜 경우 간격이 더 길어질 수도 있다. LDL 혈액성분 분리술은 만성의 평생 요법으로 간주되어야 하며, 따라서 혈관 접근을 위해 터널 투석 도관보다는 말초 IV 또는 동정맥루가 권장된다.

LDL-콜레스테롤을 선택적으로 제거하기 위해 전세계적으로 다양한 기법들이 가용하다.; 미국에서는 지방흡착 시스템(Kaneka Corporation, Osaka, Japan)과 헤파린 유도 체외 LDL-콜레스테롤 침전(H.E.L.P.) 시스템(B. Braun, Bethlehem, PA)만이 LDL 혈액성분 분리술을 위해 FDA의 승인을 받았다. 지방흡착 시스템에서, 혈액은 MA-03 기계 상에 있는 두 개의 황산덱스트란 기반 면역흡착 칼럼들(LA-15 칼럼) 중 하나로 진입하기 전에 막 혈장 분리기를 통과한다. 황산덱스트란은 낮은 독성을 가진 음이온 분자로서 높은 친화력으로 양전하 Apo-B 함유 지단백들(LDL, VLDL, and Lp[a])과 선택적으로 결합하며, 따라서 그것들을 순환 혈장으로부터 제거한다. 헤파린은 항응고를 위해 사용된다. 단일 치료 후 73%~83%의 LDL 감소를 달성하기 위해 1.5 혈장량의 처리를 목표로 한다. 흡착기들의 음이온 표면은 브래디키닌의 방출을 촉진하며, 따라서 이 방식의 환자들에서 안지오텐신 전환효소(ACE) 억제제들은 금기시되지만, 대신에 안지오텐신 수용체 차단제들을 사용할 수 있다. H.E.L.P. 시스템에서, 전혈은 혈장 분리기를 통과하며, 지단백들과 섬유소원이 pH 5.12로 완충처리된 헤파린과 함께 선택적으로 침전된다. 그런 다음 이 침전물은 중합탄산 막에 의해 혈장으로부터 제거되며, 헤파린은 헤파린 흡착기로 제거된다. 그리고 마지막으로, 혈장이 중탄산염 투석을 통해 생리학적 pH로 회복된다. 이러한 절차를 통한 LDL 감소율은 단일 치료 후 45%에서 67%의 범위를 보인다. H.E.L.P. 시스템을 이용할 경우, C3, C4, 플라즈미노겐, 인자 VIII 및 섬유소원이 더 많은 제거율을 보인다. 섬유소원의 제거는 혈액유변학에 긍정적인 효과를 가지며, 섬유소원의 현저한 증가로 특징지어지는 갑작스런 청력 상실, 적혈구 응집 및 혈장 점도(이것은 아직 FDA 승인 적응증이 아니지만)의 치료에 활용되어 왔다. 미국에서 가용한 두 LDL 혈액성분 반출술 기법들은 항응고를 위해 헤파린을 필요로 한다. H.E.L.P. 시스템에서, ACE 억제제들은 금기시되지 않는다.

LDL-콜레스테롤을 선택적으로 제거하기 위해 전세계적으로 여러 다른 기법들이 가용하다. 유럽에서는, 항 결손단백 B100-항체들을 포함한 면역흡착 칼럼(Therasorb-LDL, Miltenyi Biotec, 독일)이 이상지질혈증의 치료에 사용된다. 높은 비용 때문에, 이러한 칼럼들은 일반적으로 재생 저장되는데 이것은 번거로운 과정일 수 있다. 혈장 분리를 필요로 하지 않는 두 전혈 시스템 또한 사용되고 있다.: DALI(지단백의 직접 흡착, Fresenius, 독일)와 지방흡착 시스템의 전혈 버전(Liposorber D, Kaneka Pharma Europe N.V.)이다. 또한 지단백(a)을 대상으로 시판되고 있는 면역흡착 기구(Lipopak, Pocard, Mos-

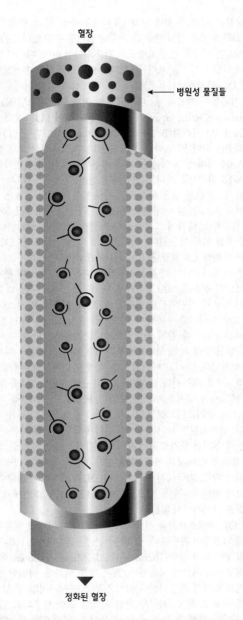

그림 18.3 면역흡착제 칼럼들은 칼럼 내의 요소에 원인 병원균들을 결합시킴으로써 그것들을 통제한다. (Dobri Kiprov 제공, MD. Linz W 등으로부터 재인쇄됨 Principles of Apheresis Technology. 5th ed. American Society for Apheresis; 2014. http://www.apheresis.org.)

cow, 러시아)가 있는데, 지단백은 이것은 관상동맥 질환에 대한 독립적인 위험 요인이다.

C. 면역흡착 칼럼들

순환 혈장으로부터 목표 분자를 선택적으로 결합하고 그것을 제거하도록 설계된 다양한 칼럼들이 전세계적으로 이용가능하다(그림. 18.3). 현재 가용한 칼럼들은 젤 비드 칼럼 내에서 불활성 및 비수용성 기질(셀룰로오스와 같은)과 공유결합으로 결합하는 SPA, 특정 펩타이드 또는 합성 항원, 또는 고정된 항체를 포함한다. SPA는 IgG1, IgG2 및 IgG4의 Fc 부분들에 대해 높은 친화력을 가지며, 혈장으로부터 IgG를 포함하는 IgG 자가항체들 또는 순환 면역 복합체들을 고갈시킨다. 다른 나라들에서 가용한 SPA 칼럼(Immunosorba, Fresenius Medical Care)이 있는데 이것은 신장 이식에서의 항체 매개 거부반응, 확장성 심근병증, SLE, 심상성 천포창 및 항 FVIII 항체를 치료하는데 사용된다. 고정된 항체들을 활용하는 면역흡착 칼럼들의 예로는 앞에서 언급한 이상지질혈증을 치료하는데 사용되는 항 결손단백질 B(Therasorb-LDL)과, 유럽에서 SLE, 중증 근무력증, 확장성 심근병증 및 ABO-부적합 신장 이식과 같은 자가면역질환들의 치료에 사용되는 항IgG 항체 칼럼(Therasorb-Ig)이 있다. 마지막으로 특정 순환 항체 또는 분자와 결합하도록 설계된 고정된 항원 또는 펩타이드를 포함하는 많은 면역흡착 칼럼들이 개발되었다. 한 예는 Glycosorb ABO 칼럼인데, 이것은 세파로오스 상에 고정된 말단 삼당류 A 또는 B 혈액 그룹 항원을 포함하며, 이것들은 순환 항A 또는 항B 항체들에 결합하며 또한 ABO-부적합 기관 이식을 용이하게 하는데 사용될 수 있다.

D. 이중 여과 혈장분리교환술
(DFPP: Double filtration plasmapheresis)

DFPP 또는 '단계적 여과'는 혈장을 분리하기 위해서 일차 막 혈장 분리기를 사용하며 분자 크기 및 무게를 이용하여 목표 용질들을 제거하기 위해 이차 혈장 분류기를 사용하는 과정을 말한다. 이것은 과콜레스테롤혈증, 한랭글로불린혈증, Waldenström 마크로글로불린 혈증 및 미세순환이 손상된 질환들을 치료하는데 사용되어왔다. 원하는 분자에 대한 목표 여과를 위해 다양한 기공 크기의 여러 다른 이차 혈장 분류기들이 있다. 이것은 고전적 혈장분리교환술에 비해 더 선택적인 반면, IgM와 같은 중요한 단백질들을 필터에서 손실할 수 있으며 시스템의 용량은 보전물의 필터 응고에 의해 제한된다.

E. 냉동 여과(Cryofiltration)

한랭글로불린들은 고전적 혈장분리교환술, DFPP, 또는 냉동 여과라고 불리는 기법으로 제거될 수 있다. 냉동 여과를 위한 두 가지 기본 방법들이 있다. 첫째 방법에서는, 원심분리 또는 막을 이용한 시스템으로 분리하며, 혈장은 약 4℃의 냉각 시스템을 통해 20~30 mL/min

의 속도로 펌프되며 이에 따라 냉동 여과기(Versapor, Pall Medical)를 통과하며 침전된 냉동 단백질들/한랭글로불린들이 수집된다. 그런 다음 처리된 혈장은 37℃로 가온되며, 혈구들과 섞여서 환자에게 재주입된다. 둘째 냉동여과 기법은 냉동 건조젤 제거에 초점을 맞춘 것이다. 냉동 건조젤은 침전된 섬유소원, extra-domain-A 섬유결합소, 섬유소 분리 산물들 및 섬유결합소이다. 이 기법은 냉동 건조젤의 핵을 생성하기 위해 헤파린 주입(시간당 2,000 단위의 덩어리에 이어 1,000~2,000 단위)을 이용하는데, 이 핵 위에 다른 단백질들이 응집하게 된다. 그러면 혈장 분류기는 순환 혈장으로부터 냉동 건조젤을 제거한다.

X. 기타 혈액성분 분리 절차들

A. 체외 광반출술(Extracorporeal photopheresis : ECP)

ECP는 처음에 피부 T-cell 림프종(Sezary 증후군)치료를 위해 개발된 온라인 처리 방식이다. 이것 또한 이식 대 숙주 질환과 심장 및 폐 이식에서의 세포형 거부반응과 같은 세포매개 동종면역 장애들을 가진 선택된 환자들을 치료하기 위해 사용되고 있다. 이 시술 동안, 백혈구를 채집하기 위해 원심분리를 사용한다. 그런 다음 백혈구 생산물은 8-메톡시소라렌(8-MOP)과 함께 주입되어, 환자에게 재주입되기 전에, 조절된 용량의 자외선-A (UV-A) 광에 노출된다. UV-A광은 8-MOP을 활성화시켜서, DNA의 교차연결을 유도하며, 이에 따라 T세포들의 세포자멸을 유도하고 수지상세포(dendritic cell)를 개조한다. 이것은 보다 높은 내성으로 균형을 이동시키는 T-조절 세포들의 생산과 같이 진행중인 면역 반응들에서의 클론 특이적 변화들을 유도하는 것으로 생각된다. Therakos가 개발한 UVAR XTS와 CELLEX 두 시스템들이 있다. 헤파린은 항응고를 위해 사용된다.; 접근은 일반적으로 말초 정맥 또는 Vortex 도관을 이용하여 이루어진다. 전형적인 치료들은 여러 날 연속으로 그리고 매 2주 또는 그 이상의 주마다 반복해서 실시된다; 임상적 효과는 점진적으로 나타난다.

XI. 기타 혈액성분 분리 절차들

조혈성 줄기세포들(HPSC)을 백혈구 성분 분리를 통해 환자들로부터 수집하여, 혈액암들의 치료, 재생의학 및 여러 새로운 용도들에 사용된다.

HPSC는 골수 또는 말초 혈액으로부터 유도할 수 있다. 가동화된 혈액 HPSC는 오염된 적혈구가 거의 없으며, 더 많은 수임 HPSC들, 림프구들 및 다른 단핵 세포들을 갖는다. 이렇게 농축된 세포군은 보다 빠른 생착과 면역 복원을 가져온다. 이러한 이점들 및 낮은 이환율과 사망률 때문에, 줄기세포 이식을 받는 대부분의 환자들은 혈액성분 분리술로 추출한 자가유래 말초혈액 HPSC로 치료되었다.

암 백신들(Provenge, Dendreon, Seattle, WA) 및 새로 등장하는 유전자

세포 치료와 같은 세포 요법들은 혈액성분 분리술로 추출한 자가유래 말초 혈액 단핵 세포들을 이용한다.

References and Suggested Readings

Braun N, et al. Immunoadsorption onto protein A induces remission in severe systemic lupus erythematosus. *Nephrol Dial Transplant.* 2000;15:1367–1372.

Cataland SR, Wu HM. Diagnosis and management of complement mediated thrombotic microangiopathies. *Blood Rev.* 2014;28:67–74.

Clark WF, et al. Plasma exchange when myeloma presents as acute renal failure: a randomized, controlled trial. *Ann Intern Med.* 2005;143:777–784.

Colic E, et al. Management of an acute outbreak of diarrhoea-associated haemolytic uraemic syndrome with early plasma exchange in adults from southern Denmark: an observational study. *Lancet.* 2011;378:1089–1093.

Delmas Y, et al. Outbreak of Escherichia coli O104:H4 haemolytic uraemic syndrome in France: outcome with eculizumab. *Nephrol Dial Transplant.* 2014;29:565–572.

Hattori M, et al. Plasmapheresis as the sole therapy for rapidly progressive Henoch-Schönlein purpura nephritis in children. *Am J Kidney Dis.* 1999;33:427–433.

Hutchison CA, et al. Treatment of acute renal failure secondary to multiple myeloma with chemotherapy and extended high cut-off hemodialysis. *Clin J Am Soc Nephrol.* 2009;4:745–754.

Hutchison C, Sanders PW. Evolving strategies in the diagnosis, treatment, and monitoring of myeloma kidney. *Adv Chronic Kidney Dis.* 2012;19:279–281.

Kale-Pradhan PB, Woo MH. A review of the effects of plasmapheresis on drug clearance. *Pharmacotherapy.* 1997;17:684–695.

Kiprov DD, et al. Adverse reactions associated with mobile therapeutic apheresis: analysis of 17,940 procedures. *J Clin Apher.* 2001;16:130–133.

Kiprov DD, Hofmann J. Plasmapheresis in immunologically mediated polyneuropathies. *Ther Apher Dial.* 2003;7:189–196.

Klemmer PJ, et al. Plasmapheresis therapy for diffuse alveolar hemorrhage in patients with small-vessel vasculitis. *Am J Kidney Dis.* 2003;42:1149–1154.

Levy JB, et al. Long-term outcome of anti-glomerular basement membrane antibody disease treated with plasma exchange and immunosuppression. *Ann Intern Med.* 2001;134:1033–1042.

Linz W, et al. Principles of Apheresis Technology. 5th ed. American Society for Apheresis; Vancouver, BC, Canada; 2014. http://www.apheresis.org. Maggioni S, et al. How to implement immunoadsorption in a polyvalent dialysis unit: a review. *J Ren Care.* 2014;40:164–71.

Matsuzaki M, et al. Outcome of plasma exchange therapy in thrombotic microangiopathy after renal transplantation. *Am J Transplant.* 2003;3:1289–1294.

McLeod BC, et al. *Apheresis: Principles and Practice.* 3rd ed. Bethesda, MD: AABB Press; 2010.

Menne J, et al. EHEC-HUS consortium. Validation of treatment strategies for enterohaemorrhagic Escherichia coli O104:H4 induced haemolytic uraemic syndrome: case-control study. *Br Med J.* 2012;345:e4565.

Montagnino G, et al. Double recurrence of FSGS after two renal transplants with complete regression after plasmapheresis and ACE inhibitors. *Transpl Int.* 2000;13:166–168.

Perdue JJ, et al. Unintentional platelet removal by plasmapheresis. *J Clin Apher.* 2001;16:55–60.

Pusey CD, et al. Plasma exchange in focal necrotizing glomerulonephritis without anti- GBM antibodies. *Kidney Int.* 1991;40:757–763.

Saddler JE, et al. Recent advances in thrombotic thrombocytopenic purpura. *Hematology.* 2004;407–423.

Sanchez AP, Cunard R, Ward DM. The selective therapeutic apheresis procedures. *J Clin Apher.* 2013;28:20–29.

Schutt RC, et al. The role of therapeutic plasma exchange in poisonings and intoxications. *Semin Dial.* 2012;25:201–206.

Schwartz J, et al. Guidelines on the use of therapeutic apheresis in clinical practiceevidence- based approach from the Writing Committee of the American Society for Apheresis: the sixth special issue. *J Clin Apher.* 2013;28:145–284.

Siami GA, Siami FS. Current topics on cryofiltration technologies. *Ther Apher.* 2001;5:283–286.

Stegmayr B, et al. Plasma exchange as rescue therapy in multiple organ failure including acute renal failure. *Crit Care Med.* 2003;31:1730–1736.

Steinmuller DR, et al. A dangerous error in the dilution of 25 percent albumin [letter]. *N Engl J Med.* 1998;38:1226–1227.

Strauss RG. Mechanisms of adverse effects during hemapheresis. *J Clin Apher.* 1996;11:160–164.

United States Centers for Disease Control. Renal insufficiency and failure associated with IGIV therapy. *Morb Mortal Wkly Rep.* 1999;48:518–521.

Ward DM. Extracorporeal photopheresis: how, when, and why. *J Clin Apher.* 2011;26(5):276–285.

Weinstein R. Prevention of citrate reactions during therapeutic plasma exchange by constant infusion of calcium gluconate with the return fluid. *J Clin Apher.* 1996;11:204–210.

Williams ME, Balogun RA. Therapeutic plasma exchange, principles of separation: indications and therapeutic targets for plasma exchange. *Clin J Am Soc Nephrol.* 2014;9:181–189.

Winters JL. Lipid apheresis, indications, and principles. J Clin Apher. 2011;26:269–275.

Wolf J, et al. Predictors for success of plasmapheresis on the long-term outcome of renal transplant patients with recurrent FSGS [Abstract]. *J Am Soc Nephrol.* 2005;SA-FC026.

Zucchelli P, et al. Controlled plasma exchange trial in acute renal failure due to multiple myeloma. *Kidney Int.* 1988;33:1175–1180.

오늘날 흡착제 기술의 관련성

양하나 역

평균적으로 고전적 투석기들은 고도로 정제된 물로부터 만든 투석 용액을 시간당 30~50 L 또는 세션당 100~200 L 처리한다. 이와 대조적으로, 흡착제 투석은 전체 치료를 위한 양질의 투석액을 생산하고 재생하기 위해 6 L의 음용 수돗물을 필요로 할 뿐이다. 흡착제 투석을 통해서, 투석기로부터 나와 사용된 투석액은 배수구로 버리지 않고 흡착제 카트리지를 통과시켜 재생시킨다. 이 카트리지의 화합물 레이어들은 투석 치료 동안 요독성 물질들을 제거하고 양질의 중탄산염 투석액을 재생하기 위해서 세 가지 기본적인 화학적 원리들을 이용한다.

탄소 결합, 효소 변환 및 이온 교환 흡착 기구들은 물 공급 또는 배수구와 연결되지 않은 채 작동한다. 그러므로 추가적인 이점들은 시스템의 이동성과 여러 다른 환경들에서의 치료 전달 융통성이다. 흡착제 시스템들은 중환자실에서 그리고 환자 침상에서 급성 투석을 위해, 가정 내 혈액투석, 군 수술, 재해 구호, 재활 센터와 노인 요양소, 원격지 등에서 사용되었으며, 또한 원격지에서 휴가중인 환자 치료를 위해 사용되어왔다. 배수 설치 또는 전기적 변환의 필요성이 없음으로, 흡착제 시스템을 이용한 잠재적 치료 환경은 매우 다양하다.

흡착 시스템은 투석 분야에서의 혁신, 휴대성, 융통성 및 소형화를 추진할 수 있는 기회를 제공한다.

I. 흡착제 투석의 원리.

흡착제 투석에서, 사용된 투석액은 흡착제 카트리지를 통과함으로써 계속해서 신선한 투석 용액으로 재생된다. 최초 투석 용액은 건조 분말들과 6 L 또는 그 이하의 음용 수돗물을 전용 용기 안에서 혼합하여 준비한다. 투석을 시작하기 전에, 이 최초 용액은 오염물 제거를 위해서 흡착제 카트리지를 재순환한다. 이 최초 재순환은 투석 용액의 전해질 조성을 다음에서 자세히 설명한 바와 같이 약간 변경시킨다. 일단 투석이 개시되고 환자가 시스템에 연결되면, '사용된' 투석액은 투석기 출구 포트를 통해 흡착제 카트리지로 이동한다. 이 카트리지에서, 사용된 투석액에 용해된 대사 분비물들은 흡착되고 그 이후에 나트륨, 수소, 및 중탄산염 이온으로 교환되기도 한다. 이 흡착제 카트리지는 또한 칼륨, 칼슘 및 마그네슘을 제거한다. 최종 투석액 용액의 재생은 주입펌프에 의해 카트리지를 빠져나가는 투석 용액에 칼륨, 칼슘 및 마그네슘을 추가함으로 완료된다.

A. 흡착제 카트리지

흡착제 카트리지(그림 19.1)는 여섯 레이어의 물질들로 구성되는데, 이 것들은 적절한 투석액 조성을 유지하는 동시에 오염물들과 요독성 용 질들을 제거하도록 설계되어 있다. 사용된 투석액은 카트리지를 통해 아래서 위로 흐른다. 투석액을 만나는 첫째 및 셋째 레이어는 활성탄을 포함하고 있다. 이 레이어들은 수돗물에서 발견될 수 있는 중금속, 클 로라민 및 기타 오염물들을 흡착한다. 또한 활성탄은 크레아티닌과 요 산을 포함하여 사용된 투석액에서 발견되는 여러 유기 및 중분자 요독 성 용질들을 흡착한다. 둘째 레이어는 효소 저류 레이어이다. 존재하 는 효소는 요소분해효소로서 이것은 요소의 암모늄 중탄산염으로의 변 환을 촉매한다. 넷째 레이어는 지르코늄인산염을 포함하며, 양이온 교 환 레이어이다. 이것의 일차적 기능은 둘째 레이어에서 발생한 요소가 수분해에 의해 생성된 암모늄 이온을 흡착하는 것이다. 또한 이 양이온 교환 물질은 마그네슘, 칼슘 및 칼륨과 같이 양전하된 다른 물질들 및 구리, 철과 같이 수돗물에서 발견될 수 있는 중금속 양이온들을 흡착한 다. 흡착된 양이온들에 대한 교환에서, 지르코늄인산염은 수소와 나트 륨을 방출한다. 넷째 레이어는 산화지르코늄을 포함하고 있는 음이온 교환 레이어이다. 이 물질은 인산염과 불소를 흡착하며 또 중금속들의 산소산 음이온과 같은 다른 음이온들을 흡착하며, 이 교환에서 염화물 과 하이드록실 음이온을 방출한다. 여섯째 레이어는 중탄산나트륨를 포함하고 있다. 이것은 어떤 것과도 결합하지 않으며 나트륨과 중탄산 염을 방출한다.

B. 투석 전 재순환 동안 흡착제 카트리지를 통해 충전액으로부터 오염물 제거

최초 투석 용액 또는 '프라임(prime)'은 분말 화학제들을 6 L 이하의 수돗물에 섞어 만든다. 이 수돗물은 반드시 EPA 음용수 기준을 충족 시켜야 한다. 이 최초 혼합액은 투석 용액으로서 적합하지 않은데, 이 는 오염물들을 포함할 수 있기 때문이다. 하지만 흡착제 카트리지를 통해 이 프라임을 투석 전에 간단히 재순환시킴으로써 음용 수돗물에 일반적으로 들어 있는 오염물들을(US EPA에서 제시한 음용수를 위 한 최대 허용 오염물 한계치들[MACLs]을 초과하지 않는다는 가정 하 에) 거의 모두 제거하여 ANSI/AAMI RD52에서 제시한 바 투석 용 액에 대해 요구되는 수준들로 낮출 수 있다. 두 가지 예외가 있다. 흡 착제 카트리지를 통한 프라임의 재순환은 황산염(sulfate) 또는 질산염 (nitrate)을 뚜렷한 정도로 제거하지 않는다. 하지만 최초 황산염 및 질 산염 수치가 수돗물에 대해 허용되는 최고치 한계를 넘지 않는 한(질 산염 10 mg/L, 황산염 250 mg/L), 단지 6 L의 수돗물만 사용되기 때 문에, 잠재적으로 환자에게 이동 가능한 총 황산염(또는 질산염) 부하 는 낮다.

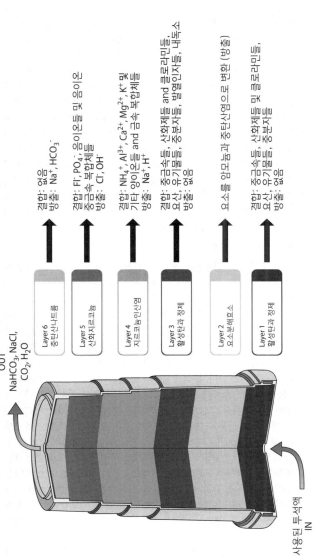

OUT
$NaHCO_3$, $NaCl$, CO_2, H_2O

Layer 6
중탄산나트륨

결합: 없음
방출: Na^+, HCO_3^-

Layer 5
산화지르코늄

결합: F⁻, PO_4^-, 음이온들 및 음이온
중금속 복합체들
방출: Cl⁻, OH⁻

Layer 4
지르코늄인산염

결합: NH_4^+, Al^{3+}, Ca^{2+}, Mg^{2+}, K^+ 및
기타 양이온들 and 금속 복합체들
방출: Na^+, H^+

Layer 3
활성탄과 정제

결합: 중금속들, 산화제들 and 클로라민들,
요소산, 유기물들, 중합 부자들, 방염인자들, 내독소
방출: 없음

Layer 2
요소분해요소

요소를 암모늄과 중탄산염으로 변환 (방출)

Layer 1
활성탄과 정제

결합: 중금속들, 산화제들 및 클로라민들,
요소산, 유기물들, 중합 부자들
방출: 없음

사용된 투석액
IN

그림 19.1 흡착제 카트리지 구조

C. 투석 전 재순환 동안 충전액의 전해질 조성 변화

중탄산나트륨과 염화나트륨의 농도는 용해될 분말 화학제들의 패킷 선택을 달리함으로써 사용자가 선택할 수 있다. 카트리지 충전시, 프라임 내의 나트륨 부분은 수소 이온들과의 교환을 통해 지르코늄인산염 레이어에 의해 흡착될 것이다. 이러한 수소이온들의 충전 투석 용액으로의 방출은 이 양성자들이 중탄산염과 반응하여 탄산(즉 이산화탄소와 물)을 형성함으로 인해 충전액에 존재하는 초기 중탄산염 농도를 낮추는 결과를 가져온다. 하지만 카트리지의 여섯째 레이어에서의 중탄산나트륨 방출은 버퍼의 역할을 하여 투석 전 재순환 기간 동안 충전액의 중탄산염 농도가 떨어지는 것을 예방한다. 실제로, 자주 투석전 재순환 단계의 마지막에서의 이 프라임의 초기 중탄산염 농도는 프라임 혼합시의 최초 중탄산염 수치보다 약간 높을 것이다. 칼슘, 마그네슘 및 칼륨은 충전액에 추가되지 않는데, 이는 카트리지가 첫 재순환 기간 동안 그것들을 제거할 것이기 때문이다. 대신에 일단 처리가 시작되면, 미량원소들을 적절한 속도로 카트리지를 빠져나가는 흐름 속에 주입한다. 그 결과 투석기로 재진입하는 최종 투석 용액은 이러한 이온들을 적절한 농도로 포함하게 된다.

1. 투석 용액 나트륨의 조절

투석 용액 속의 나트륨은 세 가지 원천들로부터 비롯된다. 충전액에 추가된 나트륨 포함 전해질들, 양이온 교환 및 중탄산나트륨 레이어들로부터 카트리지에 의해 투석액에 추가된 나트륨, 그리고 투석기 내에서 환자 혈액으로부터 투석액으로 확산된 나트륨. 지르코늄인산염 레이어는 요소의 효소 변환을 통해 생성된 암모늄을 흡착하며, 이것은 또한 마그네슘, 칼슘 및 칼륨을 흡착한다. 이렇게 흡착된 양이온들에 대한 교환에서, 지르코늄인산염 레이어는 나트륨과 수소를 방출한다. 투석액 내에서의 마그네슘, 칼슘 및 칼륨의 교체는 일반적으로 일정한 비율로 비례되기 때문에, 투석액의 나트륨 역학은 기본적으로 암모늄 흡착에 의해 통제되며, 후자는 처리마다 또 환자마다 매우 다를 수 있다. 암모늄은 요소의 효소적 분해로부터 생성되며, 카트리지에 존재하는 요소의 양은 환자의 초기 요소 농도 및 투석기 내에서 요소가 혈액으로부터 투석액으로 이동하는 이동률에 따라 달라질 것이다. 혈액으로부터 제거되는 요소의 양은 투석 세션의 초기에 가장 높다. 따라서 투석 세션의 이 초기 기간 동안에 카트리지 내에서 요소분해효소를 통한 암모늄 생산율이 가장 높으며 또한 암모늄-나트륨 교환율도 가장 높다. 따라서 투석액 나트륨 증가는 투석 세션의 시작 부분에서 가장 높을 것이다.

흡착제 카트리지를 빠져나갈 때, 특히 치료의 시작 부분 동안 나트륨 농도의 증가가 예상됨에 따라, 흡착제 투석 동안 환자의 나트륨 부하 예방을 두 가지 방식으로 실시한다.: 첫째, 충전액의 나트륨 농도를 치료 시간 대부분 동안 존재하게 될 투석액 나트륨의 요구 수준 이하로 설정한다. 이 접근방법을 통해 제공되는 보다 낮은 투석액 나트륨 농도는 매우 일시적인데 이는 위에서 설명한 바 투석의 초기 부분 동안 흡착제 카트리지에 의해 재순환되는 투석 용액에 나트륨이 추가되기 때문이다. 흡착제 투석 동안 나트륨 부하를 예방하는 두 번째 방법은 투석이 진행됨에 따라 투석액에 소량의 물을 추가하는 것이다. 이는 카트리지 내에서 암모늄/나트륨 교환에 의해 투석액에 나트륨이 계속해서 추가되기 때문이다. 투석 동안 재사용되는 투석 용액에 물을 자동 조절 공급함으로써 투석액 나트륨 농도를 적절한 수준으로 유지하며, 나트륨이 환자에게로 이동하는 것을 예방한다.

2. 투석 용액 중탄산염 조절

투석 용액 내의 중탄산염은 충전액을 준비할 때 첨가된 화학물질로부터, 카트리지 내에서의 요소가수분해(탄산암모늄을 형성하는)를 통해, 그리고 음이온 교환 및 중탄산나트륨 레이어를 통해 생긴다. 이 시스템에서, 요소의 가수분해는 암모늄과 중탄산염 이온들을 생성한다. 그림 19.2는 6-레이어 흡착제 카트리지를 이용한 일반적인 흡착제 투석 치료 동안 투석액 및 혈장 중탄산염 수치에 발생하는 변화들을 예시하고 있다. 투석액 중탄산염 농도는 치료 시작 시점에서 약간 상승한다. 레이어 2에서의 요소 가수분해는 암모늄중탄산염을 생성한다. 나트륨 이온에 대한 교환에서, 지르코늄인산염 레이어는 수소 이온들을 방출하며, 이것들은 탄산 이온들과 결합하여 탄산과 이산화탄소를 생성한다. 10 g의 요소가 분해되어 약 150 mEq의 중탄산염을 발생시킨다. 순 효과는 지르코늄인산염 레이어에서 가용한 수소 이온들 및 환자의 초기 혈중 요소 질소(BUN)에 따라 달라지는데, 후자는 탄산과 중탄산염 사이의 균형을 가져온다. 중탄산염은 실제로 처음에 감소할 수 있지만, 치료가 진행되면

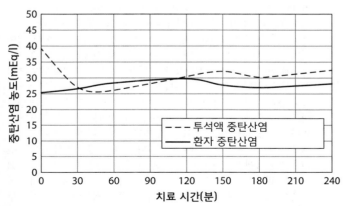

그림 19.2 6-레이어 카트리지를 이용한 흡착제 투석에서 환자 및 투석액 중탄산염 프로필

서 수소 이온들의 중화로 인해 환자에게 이동하는 투석액 중탄산염
이 증가하게 된다(그림 19.2).

II. 흡착제를 이용한 투석기들

A. REDY 시스템

1973년에, 최초의 흡착제 이용 혈액투석기인 순환 투석액 시스템
REDY 및 흡착제 카트리지들이 시장에 출시되었다. 1975년까지, 월
약 10,000건의 혈액투석 치료들이 REDY 시스템을 이용했다. REDY
시스템은 단일 통과 시스템들에서는 불가능한 이동성을 제공했다. 이
자급식 투석 장치는 일반적인 병원 다용도 카트로 충분히 운반할 수
있을 만큼 작았으며, 주로 급성 및 가정 내 혈액투석에 사용되었다.
REDY 시스템 제조는 1994년에 중단되었다.

B. Allient 시스템

2006년에 Allient 흡착제 혈액투석 장치가 Pennsylvania의 Warren-
dale에 있는 Renal Solutions에 의해 개발되어, FDA의 승인을 받았
다. Allient 시스템은 흡착제 기술을 독특한 압력 제어 혈액 이동 시스
템과 결합한 것이다. 이전 흡착제 이용 장치들에서와 같이, 이것은 완
전히 자급식이며 운반이 가능한 기계였다. Allient 시스템은 완전히 상
용화되진 않았으며, Renal Solutions은 2007년 말에 Massachusetts
의 Waltham에 있는 Fresenius Medical Care로 인수되었다.

C. Fresenius 2008 흡착제 시스템

Fresenius 2008 흡착제 시스템은 2010년 8월에 FDA의 승인을 받았
다. 이 시스템은 별개의 2가지(즉 개조된 Fresenius 2008K 혈액투석
기와 SORB 모듈) 구성요소들로 이루어져 있다. SORB 모듈은 흡착
제 투석액 재생 시스템으로 단일 통과 투석액 전달 시스템을 대체한
2008 기계 플랫폼의 측면에 위치해 있었다. Fresenius 2008 흡착제
시스템은 2008 시리즈의 투석기 플랫폼의 표준 혈액 튜빙 구성을 사
용했으며, 동일한 범위의 혈류량을 제공했다. SORB 모듈에서는, 이
전에 설명한 흡착제 투석 장치들과 마찬가지로, 사용된 투석액과 초미
세여과물이 투석기를 빠져나갔다. 하지만 사용된 투석액의 일부(초미
세여과에 의해 제거된 양과 동일한 양)는 투석액으로부터 제거되어 배
출용 용기로 보내졌다. 나머지 사용된 투석액의 나트륨 농도는 염화
나트륨 용액 또는 물을 첨가하여 자동으로 처방된 나트륨 수치를 유
지하도록 조절되었다. 이 나트륨이 조절된, 사용된 투석액은 다시 정
제를 위해 흡착제 카트리지로 보내졌다. 최종 재생된 투석 용액은 일
회용 저장 백에 보관되며, 이곳으로부터 필요에 따라 투석기로 보내졌
다. 카트리지 용출액을 모니터링하는 통합 암모니아 센서는 기계 조작
자에게 카트리지 포화를 통보했다. 지침은 처방 의사에게 바람직한 투
석 후 중탄산나트륨 투석액 범위 및 필요한 환자로의 중탄산나트륨 이

동 목표를 설정하는데 필요한 정보를 제공한다.

D. Fresenius PAK 흡착제 혈액투석 장치

PAK 시스템은, 현재 Fresenius Medical Care이 개발 중에 있는 것으로서 휴대용, 운반용 및 사용이 간단하며 무게가 70파운드 이하인 흡착제 시스템으로 설계되고 있다. 이 기계는 펌프와 저장소, 두 장치를 포함하고 있다. 펌프는 저장소 위에 위치하며, 이 두 장치는 서로 연결되어 있다. 시스템이 꺼지면 이 연결이 풀려서 운반을 위해 분리할 수 있게 된다. 일회용 혈액/투석액 카세트가 펌프 장치에 탑재된다. 이 일회용 카세트는 혈액 튜빙 세트와 투석액 회로를 결합한 것이며, 정해진 자리에 장착됨으로 설치가 간단하다. 이 투석기는 튜빙 카세트와 연결되어 통합된 무균 장치를 제공하게 된다. 11 L의 투석 용액을 담을 수 있는 일회용 저장 백은 저장 장치에 있는 가열 팬에 놓이게 되며, 이로써 투석액 회로가 완성된다. 모든 투석액과 혈액 접촉면들은 시스템 바깥쪽에 위치하게 되며, 따라서 치료 사이에 내부 시스템의 청소 또는 살균의 필요성이 없다. 치료 동안 초미세여과물을 포함하는 사용된 투석액은 투석기를 빠져나간다(그림 19.3). 희석수가 자동으로 투석액에 첨가되어 조절된 나트륨 수치를 유지한다. 나트륨 조절 투석액은 정제를 위해 흡착제 카트리지로 돌아간다. 가용한 투석액 유량은

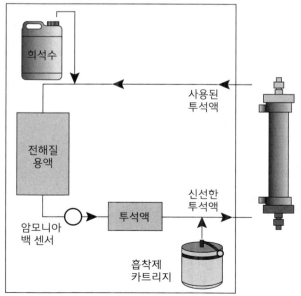

그림 19.3 Fresenius 휴대용 흡착제 시스템에서 투석액 흐름 경로 계통도

300~400 mL/min이며, 혈류량은 100~500 mL/min 사이에서 조절 가능하다.

References and Suggested Readings

Agar JWM. Review article: understanding sorbent dialysis systems. *Nephrology*. 2010;15:406–411.

Ash SR. The allient dialysis system. *Semin Dial*. 2004;17:164–166.

Hansen SK. Advances in sorbent dialysis. *Dial Transplant*. 2005;34:648–652.

McGill RL, et al. Sorbent hemodialysis: clinical experience with new sorbent cartridges and hemodialyzers. *ASAIO J*. 2008;54:618–621.

Organon Teknika Corp. *Sorbent Dialysis Primer*. 3rd ed. Durham, NC: Organon Teknika Corp.;1991.

Roberts M. The regenerative dialysis (REDY) sorbent system. *Nephrology*. 1998;4:275–278.

Tarrass F, et al. Water conservation: an emerging but vital issue in hemodialysis therapy. *Blood Purif*. 2010;30:181–185.

Welch PG. Deployment dialysis in the U.S. Army: history and future challenges. *Military Medicine*. 165:737–741.

양하나 역

혈액투석, 혈액관류(hemoperfusion) 및 복막투석, 특히 처음 두 시술들은 약물 과다 용량과 중독의 관리에서 유용한 보조 수단들로 사용될 수 있다. 하지만 이러한 치료들은 보존치료, 오염 제거, 제거 강화 및 해독제를 포함하는 중독 환자들에 대한 일반적인 접근방법의 일부로서 선택적으로 적용되어야 한다(Kulig, 1992). 미국중독센터(American Association of Poison Control Center)의 2012년 보고에 포함된 데이터를 검토할 때, MDAC(다용량 활성탄)와 알칼리화 치료들은 혈액투석에 의한 치료들보다 수적으로 훨씬 많으며 혈액관류를 이용한 치료들 보다는 더욱 많아서, 2,324건의 투석을 이용한 치료들이 보고된 반면, 혈액관류 치료들은 단지 61건만 보고되었다(Mowry, 2013).

I. 투석과 혈액관류

A. 적응증

체외 기법들은 표 20.1에 제시된 상황들에서 고려되어야 한다. 중독 치료에서 사용되는 어떤 절차이든 자연적으로 이루어지는 것에 비해 약물 제거에 더 큰 효과를 가져야 한다. 약물 또는 독성 물질의 혈청 수치가 사망 또는 심각한 조직 손상을 일으키는 수준까지 증가한 것으로 확인될 경우 투석 또는 혈액관류를 조기에 사용할 수 있다. 표 20.2는 여러 약물들에 대한 심각한 혈청 농도들을 나타내고 있다. 표 20.1과 20.2에 주어진 정보는 단지 권장사항일 뿐이다. 투석 또는 혈액관류 시행에 대한 결정은 개별적으로 내려져야 한다. 체외 약물 제거 실시와 함께, 투석은 다장기 또는 신장 손상을 입은 중독 환자들에 대한 필수적인 보존치료법으로 제공될 수 있다. EXTRIP(중독의 체외 치료) 연구 그룹은 현재 과다 용량의 상황에서 혈액 정화를 사용하기 위한 지침들을 작성하고 있다. 이것들이 발표되면 이러한 어려운 환자들에 대한 관리를 표준화하는데 도움이 될 것이다(Lavergne, 2012).

B. 요법의 선택

1. 복막투석

혈액으로부터 약물을 제거하는데 있어서 그리 효과적이지 않으며, 최대 독성 물질 청소는 15 mL/min(혈액투석을 통해 달성할 수 있

TABLE 20.1 중독에서 투석 또는 혈액관류를 고려하기 위한 기준들

1. 고강도 지지 요법에도 불구하고 악화가 진행됨
2. 호흡저하, 저체온증 및 저혈압을 유발하는 중간뇌 기능의 저하를 수반한 심각한 중독
3. 폐렴 또는 패혈증과 같은 혼수의 합병증들의 발생과 그와 같은 합병증들을 촉진하는 기저 질환들(예를 들어, 폐쇄 기도 질환)
4. 간, 심장 또는 신부전이 있는 상태에서의 정상 약물 배설 기능의 손상
5. 독성 대사 물질이나 지연 효과를 갖는 물질들(예를 들어, 메탄올, 에틸렌글리콜 및 파라콰트)에 의한 중독
6. 간이나 신장에 의한 내인성 제거보다 체외순환치료가 훨씬 효과적이라 판단되는 독성 물질에 의한 중독

TABLE 20.2 혈액투석(HD) 또는 혈액관류(HP)가 고려되어야 하는 일반적인 독성 물질들의 혈청 농도들

| 약물 | 혈청 농도[a] | | 선택 방법 |
	(mg/L)	(mcmol/L)	
페노바비탈(Phenobarbital)	100	430	HP, HD
글루테티미드(Glutethimide)	40	180	HP
메타콸론(Methaqualone)	40	160	HP
살리실산염(Salicylates)	800	4.4 mmol/L	HD
테오필린(Theophylline)	40	220	HP, HD
파라콰트(Paraquat)	0.1	0.4	HP > HD
메탄올(Methanol)	500	16 mmol/L	HD
메프로바메이트(Meprobamate)	100	460	HP

[a] 제시된 농도들에서만: 임상적 상태는 보다 낮은 농도에서의 중재를 정당화할 수도 있다 (예를 들어서, 혼합 중독)

는 수준의 약 10분의 1)을 넘는 경우가 드물다. 그럼에도 불구하고 소아에서와 같이 혈액투석을 신속하게 실시하기가 어려울 경우, 장시간의 복막투석 세션은 중독에 대한 유용한 보조 치료가 될 수 있다. 또한 저체온 중독 환자와 같은 특정 상황에서 심부 재가온을 돕는데 사용될 수 있기 때문에 복막투석은 유용할 수 있다.

2. 혈액투석

수용성 약물들, 특히 단백결합율이 낮은 저분자량 약물들에 대해 선택할 수 있는데, 이는 그와 같은 화합물들이 투석기 막을 통해서 급속히 확산되기 되기 때문이다. 이러한 화합물들의 예로는 에탄올, 에틸렌글리콜, 리튬, 메탄올 및 살리실산염들 등이 있다. 높은 분자량의 수용성 약물들(예를 들어, 암포테리신 B [MW 9,241]와 반코마이신)은 투석기 막을 통한 확산 속도가 느리며 따라서 쉽게 제거되지 않는다. 제거 속도는 고유량 막과 혈액투석여과를 사용하

여 가속화된다. 혈액투석은 다량 분포되는 지용성 약물들(예를 들어, 아미트립틸린) 또는 방대한 단백질 결합을 갖는 약물들에서는 별로 유용하지 않다.

3. 혈액 관류

혈액이 흡착제 입자들을 포함하는 기구를 통과하는 과정이다. 흔히, 흡착제 입자들은 활성탄이거나 특정 종류의 수지이다. 비록 여러 단백질 결합 약물들을 함유한 혈액을 청소하는데 있어서 혈액관류가 혈액투석보다 더 효과적일 수 있지만(카트리지에 있는 숯 또는 수지가 약물에 대해 혈장 단백질들과 경합하며, 약물을 흡착하고, 따라서 그것을 순환으로부터 제거하기 때문에), 현대의 고유량 투석기들 또한 유사한 방식으로 작용할 수 있다. 혈액관류는 혈액투석에 비해 훨씬 더 효율적으로 혈액으로부터 여러 지용성 약물들을 제거할 것이다. 미국에서 혈액관류 카트리지들은 비싸며 몇몇 제조사들은 생산을 중단했다. 또한 2년의 짧은 유통기한 때문에 일부 도시에서는 가용하지 않을 수도 있다(Shalkam, 2006). 어떤 약물이 혈액관류와 혈액투석에 의해 혈액으로부터 동일하게 쉽게 제거될 수 있다면 혈액투석이 선호된다. 카트리지 포화의 잠재적인 문제들을 피할 수 있으며, 저혈소판증이나 백혈구 감소와 같은 혈액관류 합병증들의 발생이 줄어든다. 또한 혈액투석을 이용할 때, 공존하는 산-염기 또는 전해질 장애들까지 함께 치료될 수 있다.

4. 연속 혈액투석여과, 혈액관류

장시간 연속 치료는 잠재적으로 어느 정도 다량의 분포(V_D)와 완만한 구획간 이동 시간을 보이는 약물들에 대해 유용한데 이는 혈장 약물 수치의 치료 후 반등을 피할 수 있기 때문이다. 반복적인 재래식 치료들에 비해 연속 치료가 약물 반응에 갖는 명확한 이점들은 아직 입증 단계에 있다. 연속 혈액 관류는 테오필린 및 페노바비탈 독성에 대해 성공적으로 사용되어 왔으며, 연속 혈액투석여과는 에틸렌글리콜과 리튬 독성에서 사용되어왔다(Leblanc, 1996).

C. 독성역학

독성물질들은 그것들의 체외 제거를 더 쉽게 또는 어렵게 만드는 다양한 분자 특성들을 갖고 있다. 독성 물질의 투석 효율은 오직 혈장 구획으로부터 추출이 가능할 때, 그것의 총 신체 저장량의 상당한 부분을 제거할 수 있을 때 그리고 체외 청소가 총 청소에 대해 상당량을 기여할 때만 가능하다. 혈장 구획으로부터의 제거는 투석기 추출율에 의해 가장 잘 반영되는데, 이 비율은 (A-V)/A으로 계산된다. 여기서 A는 제거될 용질의 유입(필터 전 또는 칼럼 전) 농도이며 V는 투석기 유출 농도이다. 체외 치료로 제거될 수 있는 독성 물질의 양은 그것의 체내 분포량에 의해 크게 영향을 받는다. 내인성 제거에 대한 체외 제거 비율은 특정 독성 물질의 내부 청소 및 정상적으로 내인성 제거에 참여하는 신체 기관들(간 그리고/또는 신장)의 현재 상태에 따라 달라진다. 다음의 요인들이 독성물질 투석 효율에 영향을 미친다(Lavergne, 2012).

1. 분자량

체외 방식들은 서로 다른 분자량 절단값들을 갖는다. 혈액투석과 같이 확산을 이용하는 기법들은 대개 약 5,000 Da의 절단값을 갖는 반면, 대류와 흡착을 기반으로 하는 기법들은 크기가 50,000 Da를 초과하는 독성물질들을 제거할 수 있다. 혈장분리교환술은 1,000,000 Da 크기의 독성물질들을 제거할 수 있다.

2. 단백질 결합

독성물질-단백질 복합체는 투석기나 혈액 필터들을 자유롭게 통과할 수 없기 때문에, 오직 미결합(또는 자유) 독성물질들만이 이러한 기법들로 제거될 수 있다. 하지만 보다 높은 농도에서(과다 용량에서와 같이) 약물의 단백질 결합은 포화가 될 수 있다. 그와 같은 상태에서는 보다 많은 비율의 약물이 미결합 또는 자유 상태이며, 따라서 체외 처리를 통해 제거될 수 있다.

3. 분포량

V_D는 약물이 분포된 이론적인 양이다. 예를 들어, 혈액구획으로 제한된 약물인 헤파린은 약 0.06 L/kg의 V_D를 갖는다. 주로 세포외액에 분포되어 있는 약물들(예를 들어, 살리실산염)은 약 0.2 L/kg의 V_D를 갖는다. 일부 약물들은 총 신체 수분의 양을 초과하는 V_D 값을 갖는데, 이는 이것들이 광범위하게 조직 부위들에 결합 또는 저장되어 있기 때문이다. 높은 V_D를 갖는 약물들(예를 들어, 디곡신, 삼환성 항우울제들)에서, 혈액에 존재하는 약물의 양은 단지 총 신체 부하량의 작은 일부에 해당한다. 따라서 혈액투석 또는 혈액관류 치료가 체외 회로를 통해서 혈류에 있는 약물들 대부분을 추출한다고 하더라도, 단일 치료 세션을 통해서 제거되는 약물의 양은 총 신체 약물 부하량의 작은 부분에 불과할 것이다. 이후에 추가적인 약물이 조직에 저장된 상태로 있다가 혈액으로 들어가게 되며 때로 이것은 독성 발현의 재발을 유발한다. 다른 한편, 심지어 여러 약물들의 혈액 농도를 일시적으로 낮추는 것이 이러한 물질들의 어떤 심각한 중요한 독성 효과들을 완화시킬 수 있다. 따라서 혈액투석 또는 혈액관류는 심지어 V_D가 큰 경우에도 약물 독성을 효과적으로 줄일 수 있다.

4. 내인성 제거

대사와 제거에 의한 내인성 제거가 외부 제거율을 초과할 것으로 예상될 경우, 체외 제거는 대개 사용되지 않는다. 이것은 왜 혈액투석이 코카인이나 톨루엔 같은 독성물질들에 대해 적용되지 않는지를 설명한다. 유사하게, 신장으로 제거되는 독성물질들(예를 들어 Lithum)에 대해서 신장 손상의 존재는 체외 제거의 중요성을 높일 것이다.

D. 기술적인 요점들

1. 중독에서의 혈액투석 또는 혈액관류를 위한 혈관 접근

영구적 혈관 접근이 설치되어 있지 않은 환자들에서 투석 도관을 이용한 경피적 중심정맥 삽관법이 요구된다.

2. 혈액투석기의 선택

일반적으로 높은 요소 청소율을 갖는 고유량, 고효율 투석기들이 사용되어야 한다. 고 절단값 혈액투석막들(기공 크기가 8nm에서 10nm으로 증가된)의 개발은 50에서 60 kDa 크기의 보다 큰 독성 물질들 및 분자들(예를 들어, Fab 절편들)의 청소를 가능하게 할 수 있다.

3. 혈액관류 카트리지의 선택

가용한 카트리지들 중 일부를 표 20.3에 제시한다. 전형적인 흡착제는 활성탄소(숯), 이온 교환 수지 또는 비이온 교환 다공성 수지이다. 흡착제 입자들은 표면을 고분자 막으로 코팅함으로써 생체에 적합하게 된다. 이 카트리지들은 다양한 양의 흡착제를 포함하는 데, 작은 것들은 소아 환자들을 위한 것이다. 다양한 브랜드의 카트리지들의 생체 내 성능에 대한 비교 평가가 발표되었다(Ghannoum, 2014).

4. 혈액관류 회로

혈액관류 회로는 혈액투석 회로의 혈액 측과 유사하며, 공기 검출기 및 정맥 공기 트랩을 포함한다. 표준 혈액투석 혈액 펌프들과 기계들(투석 용액을 사용하지 않는)은 자주 혈액을 튜빙과 카트리지로 통과시키는데 사용된다.

TABLE 20.3	흔히 사용되는 혈액관류 기구들(국가별로 다를 수 있다)			
제조사	기구	흡착제	흡착제 양	고분자 코팅
Asahia	Hemosorba	숯	170 g	Poly(2-하이드록시에틸 메타아크릴산) (poly-HEMA)
Gambro	Adsorba 150/300c	숯	150/300 g	셀룰로스 아세트산
Braun[a]	Haemoresin	수지 XAD-4 Amberlite	350 g	없음

주: 소아용 소형 기구
[a] 미국에서는 가용하지 않음

5. 혈액관류 회로의 프라이밍(priming)

설치 및 식염수 또는 포도당액의 프라이밍은 사용되는 카트리지의 브랜드에 따라 다르며, 모든 경우에 제조사의 매뉴얼을 참고해야 한다. 혈액관류 카트리지는 반드시 동맥(혈액 입구) 측이 아래를 향한 상태로 수직인 상태에서 충진되어야 한다.

6. 혈액관류 동안의 헤파린화

일단 카트리지가 충진되면 헤파린(대개 2,000~3,000 단위)을 순간 정맥주사로 동맥관으로 투여하고, 카트리지는 입구가 아래를 향하도록 유지하며 카트리지를 통한 혈류가 시작된다. 대개 흡착제로의 일부 흡착 때문에, 혈액투석에 비해 혈액관류 치료를 위해서 더 많은 헤파린이 필요할 수 있다(예를 들어, 각 세션당 숯과 수지에 대해, 각각 약 6,000 단위 또는 10,000 단위). 헤파린은 정상치의 약 두 배의 환자의 활성 응고시간(ACT) 또는 부분트롬보플라스틴 시간(PTT)을 유지하기에 충분한 양이 주어져야 한다.

7. 혈액관류 시간

단일 3시간 치료는 혈액관류가 효과적인 독성물질들 대부분의 혈액 수치를 상당히 낮출 것이다. 혈액관류 카트리지보다 장시간 사용은 비효율적인데 이는 숯이 포화되기 때문이다. 포화된 기구를 새 것으로 교체하는 것은 대개 필요하지 않으며, 조직에서의 방출에 의한 혈액 약물 농도의 반등은 이차 혈액관류 세션을 통해서 치료될 수 있다. 다른 한편, 연속 혈액 관류 치료는 임상적 개선 또는 비독성 혈액 수치를 얻기까지 며칠 동안 장기적으로 실시될 필요가 있을 수 있다. 혈액관류 기구들은 연속 치료 과정에서 매 4시간마다 교체할 필요가 있을 수 있다.

E. 합병증

모든 체외 기법들은 중앙 정맥을 통한 혈관 접근이 요구되며, 이 과정 자체가 합병증들을 유발할 수 있다.

1. 혈액투석

a. 저인산혈증

말기 신부전에 비해, 중독으로 인해 투석을 받는 환자들은 자주 혈장 인산염 수치의 상승을 보이지 않는다. 표준 투석 용액에는 인산염이 존재하지 않기 때문에, 고강도 투석은 혈장 인산염 수치를 낮추어 결과적으로 호흡부전 및 다른 합병증들을 가져온다. 투석 동안의 저인산혈증은 10장에서 논의한 대로 투석 용액에 인산염을 보충함으로써 피할 수 있다.

b. 알칼리혈증

표준 혈액투석 용액들은 비생리학적으로 고농도의 중탄산염을 포함하고 있으며, 또한 대사성 산증을 치료하도록 설계되어 있기 때문에 아세트산 또는 시트르산 형태의 중탄산염 발생 기반을 포함한다. 대사성 또는 호흡성 알칼리혈증 환자에서 중독에 대해 투석 실시는 투석 용액 내의 중탄산염 농도를 적절히 줄이지 않을 경우 알칼리혈증을 일으키거나 악화시킬 수 있다.

c. 급성 요독성 환자들에서의 불균형 증후군

심한 요독증과 중독을 함께 갖는 환자들에서, 처음에 장시간 고청소율 투석 세션을 실시하는 것은 위험할 수 있다. 심한 요독성 환자에서 메트포르민 관련 락트산증에 대한 투석 치료 동안, 불균형 증후군의 발현을 약화시키려는 시도로 투석액을 적당량의 요소로 농축시키는 것이 성공적으로 시행되어왔다(Doorenbos, 2001).

2. 혈액관류

가벼운 일시적 저혈소판증과 백혈구 감소증이 생길 수 있지만, 세포수는 대개 단일 혈액관류를 실시한 후 24~48시간 이내에 정상으로 돌아간다. 응고인자들의 흡착 또는 활성화 또한 드물게 관찰되었으며, 간부전 환자들에게 있어서 임상적으로 중요할 수 있다.

3. 계속 치료

체액 및 전해질 불균형이 잠재적인 문제가 될 수 있으며, 빈번한 모니터링을 필요로 한다. 장시간 항응고는 출혈 가능성을 높일 수 있다.

II. 특정 물질에 대한 중독 관리

A. 아세트아미노펜(MW 151 Da)

섭취 4시간 이내에 환자에 활성탄을 제공해야 한다. 혈청 수치를 측정하고, 간독성의 위험과 N-acetylcysteine (NAC) 요법의 필요를 평가하기 위해서 Rumack-Matthew 계산도표를 이용해 계산해야 한다. 적정량의 에탄올 섭취를 동반할 때, 이는 간 손상의 위험을 현저히 증가시킨다. 4시간 후에 혈청 아세트아미노펜 수치가 150 mg/L (1.0 mmol/L)을 초과할 경우, 독성 가능성이 높으며 NAC (경구 또는 IV)를 투여해야 한다. NAC는 감소한 글루타티온 저장량을 증가시킴으로써 독성 아세트아미노펜 부산물들의 축적을 예방한다. 간부전 예방에 대한 이것의 효능은 섭취 후 10시간이 지난 후 사용되면 떨어지지만, 심지어 24시간 후에도 NAC 사용이 권장된다. 아세트아미노펜은 중간 정도로 수용성이며 최소한의 단백질 결합을 보임으로 투석 또는 혈액관류를 통해서 제거되지만, NAC는 여전히 치료 대안으로 남아 있다.

B. 아스피린(아세틸살리실산, MW 180 Da)

성인들에서, 심각한 아스피린 중독은 대개 호흡성 알칼리혈증과 함께 대사성 산증을 동반하지만, 아동들에서는 단독 대사성 산증이 자주 발생한다. 중추신경계(CNS) 증상들의 발현이 심각한 중독의 신호이다. Done 계산도표(Done and Temple, 1971)는, 혈청 수치와 섭취 시간을 결과와 관련시켜 설명하는데, 아동에서의 살리실산염 중독의 심각성에 대한 어느 정도의 이해를 제공하지만 성인 중독에 대해서는 덜 사용된다. 상당량의 요 배설이 가능할 때, 특히 증상들이 존재하며 혈청 살리실산염 수치가 50 mg/dL (2.8 mmol/L) 이상일 때, MDAC를 시작해야 하며 요 알칼리화를 실시해야 한다. 아스피린은 겨우 0.15 L/kg의 V_D를 갖는다. 이 약물이 약 50% 단백질 결합을 보인다는 사실에도 불구하고, 아스피린은 혈액투석에 의해 잘 제거된다. 혈청 수치가 90 mg/dL (6.5 mmol/L)을 초과할 때 또는 현저한 산혈증, 신경학적 병발증(신경학적 증상들, 고체온증, 발작들) 또는 비심인성 폐부종의 증거가 있을 때 혈액투석을 고려해야 한다.

C. 진정제

페노바비탈(MW 232 Da)은 혈청 수치 3 mg/dL (130 mcmol/L)를 넘으면 독성을 나타내고, 혼수는 6 mg/dL (260 mcmol/L) 수준에서 나타나기 시작한다. MDAC는 일차치료로서 고려되어야 하며, 요의 알칼리화는 페노바비탈과 같은 장시간 작용 진정제를 제거하는데 도움이 될 수 있다. 페노바비탈은 50% 단백질 결합하지만, 그것의 V_D는 단지 0.5 L/kg이다. 이 약물은 혈액투석 또는 혈액관류를 통해서 쉽게 제거된다. 혼수 상태가 오래 계속될 경우, 특히 폐렴과 같은 혼수 합병증들이 보일 때 혈액투석을 고려해야 한다. 합성 막 투석기를 이용하는 혈액투석을 통한 제거는 혈액관류의 그것과 동일하다(Palmer, 2000).

D. 디곡신(MW 781 Da)

디곡신 유발 부정맥들의 확률은 혈청 수치 2.5와 3.3 ng/mL (3.2 및 4.2 nmol/L)에서 각각 50%와 90%이다. 치료로는 저칼륨혈증, 저마그네슘혈증 및 알칼리혈증의 교정과 구강-활성탄 투여가 있다.

디곡신은 큰 V_D를 가지며(정상 환자들에서 8 L/kg, 투석 환자들에서 4.2 L/kg), 이 약물은 25% 단백질 결합을 보인다. 이러한 이유로 혈액투석 치료 4시간 동안 오직 신체 부하량의 5%만이 제거된다. 비록 혈액관류가 보다 효과적이고 증상들의 개선을 보여왔지만, 약물의 V_D가 매우 커서 총 신체 청소에 제한이 있기 때문에 디곡신 독성 치료에 혈액관류가 항상 권장되는 것은 아니다. Fab 절편 투여 직후 실시되는 혈장분리교환술은 Fab-디곡신 복합체들의 제거를 촉진하며(Zdunek, 2000), Theralite와 같은 고절단값 막들이 이 목적을 위해 쓰일 수 있다(Fleig, 2011). 대부분의 저자들은 독성이 재발할 경우 추가적인 Fab 치료를 권장한다. 투석 환자들에서 Fab 요법은 혈액관류 또는 혈장분리교환술에 비해 선호된다. 비록 Fab가 신부전을 함께 갖고 있는 환자들에서 성공적으로 사용되어왔지만, 디곡신이 Fab-디곡신 복합체로부터 방출되어 독성의 반등을 초래하며 이차 치료를 필요로 할 수도 있다(Ujhelyi, 1993).

E. 독성 알코올

에틸렌글리콜과 메탄올은 치명적 독성 알코올 중독의 가장 흔한 원인들이다. 에틸렌글리콜은 부동액용액, 제빙액, 유압제동액, 거품 안정제 및 화학적 용매들에서 발견된다. 메탄올은 차유리 세척제, 페인트, 용매, 복사기 토너용액 및 불법 제조(나무) 알코올에서 발견된다. 메탄올과 에틸렌글리콜은 비교적 비독성이지만 둘 모두 알코올 탈수소화효소(ALDH)로 대사되며 각각 독성 대사물질들인 포름산과 글리콜산을 배출한다. 에틸렌글리콜 중독에서, 글리콜산은 추가로 수산염으로 대사되며 이것은 급성 신장 손상을 초래할 수 있다.

에탄올의 공동섭취는 독성 대사물질들 및 그와 관련된 임상적 특성들의 형성을 지연시킬 수 있다. 음이온 및 삼투질 농도 차의 증가를 동반하는 원인 불명의 대사성 산증을 보이는 환자들의 경우 독성 알코올에 의한 중독을 의심해야 한다. 하지만 독성 알코올의 섭취 직후 또는 섭취 후 아주 늦게 음이온 차의 상승 및 삼투질 농도 차의 상승이 수반되는 경우는 드물다. 독성 알코올이 대사되지 않았을 경우, 삼투질 농도차는 증가하지만 음이온 차는 증가하지 않을 것이다. 다른 한편, 독성 알코올이 완전 대사를 거칠 경우, 음이온 차는 상승하지만 삼투질 농도 차는 상승하지 않을 것이다. 따라서 정상적인 삼투압 또는 음이온차로 독성 알코올 섭취의 가능성을 배제할 수 없다.

알코올들은 급속히 흡착되며 물과 같은 V_D를 갖는다. MDAC 또는 위장관 오염 제거는 알코올 중독의 관리에서 제한적인 역할을 한다. 한편으로는 에탄올 또는 포메피졸(4-메칠피라졸)과 다른 한편으로는 독성 알코올 사이에 ALDH(alcohol dehydrogenase) 효소에 대한 경쟁적인 억제가 있다. 포메피졸은 ALDH에 대해 에탄올보다 더 높은 친화력을 갖고 있다. 독성 대사물질들로의 전환을 지연시키고 모약물 및 생성될 수 있는 그것의 독성 대사물질들의 처리를 위한 시간을 갖도록 하기 위해서 섭취 후 가능한 빨리 에탄올 또는 포메피졸을 요배출, 대사 및 투석 경로들을 통해서 제공해야 한다. 현재 독성 알코올 중독의 치료에서 포메피졸과 에탄올의 상대적 역할을 정의하기 위한 데이터는 불충분하다. 에탄올은 중추신경 억제, 정맥염, 저혈당증 및 호흡억제를 일으킬 수 있으며, 혈청 에탄올 수치에 대한 자세한 모니터링이 요구된다. 포메피졸은 확인된 효능, 예측 가능한 약동학, 투여의 용이성 및 적은 부작용 등에서 에탄올보다 유리하다. 에탄올은 임상적 경험 및 낮은 약물 비용의 측면에서 포메피졸보다 유리하다(비용 관련 이점은 1:100의 비율로 높다). 아동과 임신 여성에게는 포메피졸이 아마도 더 안전한 것으로 보인다. 적합한 신장 기능을 가진, 보다 가벼운 중독일 경우, 중환자실에서 수일 동안의 에탄올 주입만으로는(체외 치료 없이) 관리하기 어려울 수 있다. 그와 같은 환자들에서는 포메피졸로 치료할 경우 장기간의 집중 치료 모니터링을 피할 수 있다.

독성 알코올들의 대사성 분해 증거가 거의 없는(즉, 대사성 산증이 없는) 가벼운 중독에서 그리고 내생적 제거 경로가 온전할 때, 에탄올

TABLE	에탄올 또는 포메피졸을 이용한 에틸렌글리콜
20.4	또는 메탄올 중독 치료의 적응증들

1. 보고된 혈장 에틸렌글리콜 또는 메탄올 농도 20 mg/dL 이상,
   또는

2. 보고된 최근의 (시간) 중독치의 에틸렌글리콜 또는 메탄올 섭취 이력과 삼투질 농도 차 10 mmol/kg 이상,
   또는

3. 에틸렌글리콜 또는 메탄올 중독의 이력 또는 강한 임상적 의심과 다음 기준들 중 최소 2가지:
   • 동맥 pH <7.3
   • 혈청 중탄산염 <20 mmol/L
   • 삼투질 농도 차 >10 mmol/kg [a]
   • 소변 수산염(oxalate) 결정(에틸렌글리콜의 경우) 또는 가시적인 신호들 또는 증상들 (메탄올의 경우)

[a] 빙점 강하에 의한 실험실 분석.
Barceloux DG, 등의 에틸렌글리콜 중독 치료에 관한 American Academy of Clinical Toxicology 수행 지침들. J Toxicol Clin Toxicol. 1999;37:537으로부터 수정 인용
메탄올 중독의 치료에 관한 American Academy of Clinical Toxicology 수행 지침들. J Toxicol Clin Toxicol. 2002;40:415.

또는 포메피졸을 이용한 치료 과정에서 환자가 회복되어야 한다. 다른 한편, 이러한 알코올들의 분해 산물들의 존재에 대한 증거가 있을 때; 예를 들어, 결과적인 대사성 산증과 신기능 저하가 있을 때, 혈액투석에 의한 독성 알코올들 및 그것들의 유해 대사물질들의 제거가 필수적인데, 이는 에탄올이나 포메피졸 모두 이러한 물질들을 신체로부터 제거할 수 있는 용량을 갖고 있지 않기 때문이다. 혈액투석은 독성 알코올들과 그것들의 대사 물질들을 급속히 제거하고 대사성 이상들을 교정하는데 매우 효과적이다. 따라서 장기 입원의 위험과 비용 그리고 포메피졸의 비용 등을 혈액투석과 비교해야 한다. 혈액투석이 독성 알코올들을 제거하는데 매우 효율적이기 때문에, 에탄올 투여를 위해 요구되

TABLE	심각한 에틸렌글리콜 또는 메탄올 중독 환자들에서의
20.5	혈액투석을 위한 적응증들

1. 심각한 대사성 산증(pH <7.25-7.30)

2. 신부전

3. 시각적 증상들/신호들

4. 고강도 지지요법에도 불구하고 저하되는 활력징후들

5. 포메피졸이 투여되고 있는 않으며 환자가 무증상이며 pH가 정상인 상태에서 에틸렌글리콜 또는 메탄올 수치 >50 mg/dL[a]

[a] 그와 같은 환자들은 매우 면밀하게 모니터링을 해야 하며, 산증이 발생하면 혈액투석을 실시해야 한다. 그와 같은 환자들에게 투석을 실시하지 않을 경우, 입원이 장기화될 수 있다.
Barceloux DG, 등의 에틸렌글리콜 중독 치료에 관한 American Academy of Clinical Toxicology 수행 지침들. J Toxicol Clin Toxicol. 1999;37:537으로부터 수정 인용
메탄올 중독의 치료에 관한 American Academy of Clinical Toxicology 수행 지침들. J Toxicol Clin Toxicol. 2002;40:415.

TABLE 20.6	독성 알코올 중독에서 에탄올 사용을 위한 지침들

1. 부하 용량: 0.6 g/kg [D5W에 희석한 10% 에탄올 정맥 주입(7.6 mL/kg) 또는 43% 구강 용액 또는 86 표준 희석된 알코올 음료(34 g 에탄올/dL) 1.8 mL/kg]

2. 유지 용량:
   - 알코올 중독환자 154 mg/kg/hr
   - 비알코올 중독 환자 66 mg/kg/hr
   - 혈액투석 동안 용량을 두 배로 하거나 투석액에 100 mg/dL 에탄올 첨가한다.[a]
   - 숯을 이용하여 구강 투여할 경우 용량을 두 배로 한다.

3. 매 1-2시간마다 혈청 에탄올 농도를 모니터링 하고, 주입 속도를 조절하여 혈청 에탄올 수치를 100-150 mg/dL로 유지한다. 그런 다음, 매 2-4시간마다 에탄올 수치를 모니터링 한다.

4. 메탄올 또는 에틸렌글리콜 농도가 20 mg/dL 이하가 될 때까지 그리고 환자가 증상이 없고 동맥 pH가 정상이 될 때까지 계속한다.

[a] Rerom Wadgymar A, 등 혈액투석을 이용한 급성 메탄올 중독의 치료. Am J Kidney Dis. 1998;31:897.

는 장기적 집중 치료 모니터링은 치료 과정에 혈액투석이 포함될 경우 덜 필요하게 된다. 그 낮은 비용 때문에, 에탄올의 사용은 개발도상국에서 경제적인 이점을 가질 수 있다. 전체적으로, 예후는 본래의 알코올 농도보다는 산증의 중증도와 독성 대사물질의 농도와 더 깊은 관련이 있다.

1. 에틸렌글리콜(MW 62 Da)

에틸렌글리콜에 의한 독성의 1단계는 섭취 후 1시간 이내에 시작되며, 에탄올 중독과 유사한 중추신경 억제로 특징지어진다. 심각한 중독에서 이 단계는 혼수 및 발작들을 일으킬 수 있으며, 12시간 동안 계속될 수 있다. 2단계에서는 대사물질인 글리콜산의 독성 효과가 심폐혈관계에 영향을 미쳐 섭취로부터 12시간 후에 심장 및 호흡부전을 발생시킨다. 흔히 심각한 대사성 산증이 발생한다. 24~48시간 후, 신부전은 자주 신장에서의 수산염 침전의 결과

TABLE 20.7	에틸렌글리콜 및 메탄올 중독의 치료에서 포메피졸 사용을 위한 지침들

1. 부하 용량: 15 mg/kg를 100 mL 생리식염수에 섞어 30분~1시간 동안 정주

2. 유지 용량: 12시간마다 10 mg/kg 로 4회, 그런 다음 매 12시간마다 15 mg/kg

3. 혈액투석 동안의 용량 조정: 매 4시간마다 15 mg/kg 또는 투석 동안 매 시간당 1-1.5 mg/kg 주입

4. 메탄올 또는 에틸렌글리콜 농도가 20 mg/dL 이하가 될 때까지 그리고 환자가 증상이 없고 동맥 pH가 정상이 될 때까지 계속한다.

Barceloux DG, 등의 에틸렌글리콜 중독 치료에 관한 American Academy of Clinical Toxicology 수행 지침들. J Toxicol Clin Toxicol. 1999;37:537으로부터 수정 인용
메탄올 중독의 치료에 관한 American Academy of Clinical Toxicology 수행 지침들. J Toxicol Clin Toxicol. 2002;40:415.

로 발생하여 독성 물질의 배출을 지연시킨다. 이것은 옆구리통, 저칼슘혈증 및 급성 세뇨관 괴사(ATN)로 특징지어지며, 소변에서 수산염 결정이 관찰된다.

중탄산염나트륨을 이용하여 산증을 조기에 공격적으로 관리하는 것이 필수적이다. 표 20.4는 해독제(에탄올 또는 포메피졸) 투여 적응증들을 보여준다. 혈액투석을 위한 적응증들은 표 20.5에 제시되었다. 전통적으로, 에틸렌글리콜 수치가 50 mg/dL (8.1 mmol/L) 이상일 경우 투석을 필요로 한다. 신장 기능부전과 대사성 산증이 모두 없을 경우, 포메피졸의 사용은, 심지어 혈청 에틸렌글리콜 수치가 50 mg/dL 이상인 환자들에서도 투석의 필요성을 없앨 수 있다. 하지만 에틸렌글리콜의 혈청 수치가 50 mg/dL 이상인 환자가 혈액투석 없이 에탄올 또는 포메피졸로만 치료될 경우 산-염기 상태를 면밀하게 모니터링하고 산증이 생길 경우 신속히 혈액투석을 시작해야 한다. 표 20.6과 20.7은 에탄올 또는 포메피졸의 투여 일정과 용량 조정 또는 혈액투석을 보여준다. 산증이 해소되고 에틸렌글리콜 수치가 20 mg/dL (3.2 mmol/L) 이하로 떨어질 때까지 혈액투석을 실시해야 한다. 에틸렌글리콜의 재분포는 투석 중단 후 12시간 이내에 에틸렌글리콜 수치의 반등을 가져올 수 있으며, 반복 투석이 필요할 수도 있다. 따라서 투석 후 24시간 동안은 혈청 삼투압 농도, 전해질 및 산-염기 상태를 면밀하게 모니터링 해야 한다. 글리옥살산 대사를 증가시키기 위해서 피리독신(50 mg IM 하루 네 번)과 티아민(100 mg IM 하루 네 번)을 고려해야 한다. 또한, 신장에서의 수산칼슘 결정 침전과 급성 신부전을 예방하기 위해서 적절한 정맥 수액을 주입해야 한다. 저칼슘혈증은 중탄산염 치료로 인해 악화될 수 있는데(혈액 pH을 높이면 이온화 칼슘이 낮아진다), 이것은 증상이 보이거나 심각할 경우 교정되어야 한다. 저칼슘혈증 치료가 조직 내의 수산칼슘 침전을 유의하게 증가시키는지 여부는 확실하지 않다.

2. 메탄올(MW 32 Da)

메탄올 중독은 일시적인 중추신경 억제를 일으킨 후 6~24시간의 잠복기를 거쳐 대사성 산증과 가시적인 증상들이 발생한다. 이러한 증상들은 포름산 축적에 의한 것으로 흐려보임, 시력 저하, 눈부심, 시야 결손 또는 완전 실명을 포함한다. 초기 신호들로는 시신경 원판 과혈류 충혈과 빛에 대한 동공반사 감소가 있다.

초기 관리는 중탄산염나트륨 정맥 주입을 통해 산증을 pH 7.35~7.4로 교정하는 것을 포함해서 에틸렌글리콜 독성을 관리하는 것과 비슷하다. 적응증에 따라(표 20.4), 포름산 형성을 예방하기 위해서 에탄올 또는 포메피졸을 투여해야 한다. 유의한 대사성 산증(pH <7.25~7.3), 시력 이상, 활력징후 저하, 신부전 또는 고전적 요법에 반응하지 않는 전해질 이상들이 있을 경우 혈액투석

을 고려해야 한다(표 20.5). 50 mg/dL (15.6 mmol/L) 이상의 혈청 메탄올 농도는 혈액투석을 위한 적응증으로 자주 사용된다. 높은 혈청 메탄올 농도는 여러 날 동안의 에탄올 또는 포메피졸을 이용한 치료를 필요로 할 수 있다. 높은 혈청 메탄올 농도를 보이는 환자가 혈액투석으로 치료되지 않을 경우 산-염기 상태를 면밀하게 모니터링해야 하며, 산증이 생길 경우 혈액투석을 곧 시작해야 한다. 혈액투석은 산증이 해결되고 혈청 메탄올 수치가 20 mg/dL (6.3 mmol/L) 이하로 떨어질 때까지 계속되어야 한다. 메탄올 농도가 매우 높을 경우 18~21시간의 투석이 필요할 수도 있다. 에탄올 또는 포메피졸을 투여받은 정상 신장 기능의 환자들 중에는 일단 혈청 메탄올이 50 mg/dL 이하로 떨어지고 음이온 차 산증이 교정되면 투석이 필요하지 않을 수도 있다. 안과적 이상은 일시적이거나 영구적일 수 있으며, 투석을 계속해야 하는 적응증으로 고려되어서는 안 된다. 메탄올 재분포는 투석 중단 후 메탄올 농도의 상승을 가져올 수 있으며, 반복 투석이 필요할 수도 있다. 결과적으로 혈액투석 중단 후 처음 24~36시간 동안 혈청 삼투압 농도와 산-염기 상태를 수시로 모니터링해야 한다. 투석이 시작되면, 에탄올 또는 포메피졸 용량을 증가시켜야 한다(하지만 에탄올 요법의 경우 에탄올이 또한 투석액 농축을 위해 사용될 경우, 전신적 용량을 증가시킬 필요가 없다)(표 20.6과 20.7). 포름산은 10-formyl tetra-hydrofolate synthetase에 의해 이산화탄소와 물로 전환된다. 메탄올과 폼산염이 청소될 때까지 포름산 대사를 강화하기 위해 폴린산 (5% 덱스트로스에 1 mg/kg [50 mg까지]로 30~60분씩 매 4시간마다 IV)을 투여해야 한다. 폴린산이 가용하지 않을 경우 엽산을 사용할 수 있다.

3. 이소프로파놀(MW 60 Da)

이소프로파놀(이소프로필 알코올)은 소독용 알코올, 부동액 및 성애 제거제에서 발견된다. 이소프로파놀은 흔한 중독 원인이지만 치명적인 경우는 드물다. 이소프로파놀은 ALDH에 의해 아세톤으로 산화된다. 에틸렌글리콜 및 메탄올과는 달리, 이소프로파놀 중독의 임상적 작용들의 대부분은 그것의 모화합물에서 오는 것이다. 혼돈, 운동실조 및 혼수를 포함하는 위장관 및 CNS 증상들은 1시간 이내에 발생한다. 심각한 중독인 경우 심억제와 혈관 확장에 따른 저혈압이 생길 수 있다. 저혈당증이 일어날 수 있다. 심각한 저혈압이 없을 경우, 산증은 드물다. 따라서 소변 또는 혈청 아세톤 수치의 증가와 관련이 있는 산증이 없는 상태에서 높은 혈청 삼투질 농도 차가 관찰될 경우 이소프로파놀 중독의 가능성이 높다. 대개의 경우 보존적 치료로 충분하다. 모화합물에 비해 아세톤의 독성이 낮음으로 ALDH의 억제는 필요하지 않다. 이소프로파놀 수치가 400 mg/dL (67 mmol/L) 이상이고 유의한 CNS 억제, 신부전, 또는 저혈압이 있을 경우 혈액투석이 고려될 수 있다.

4. 기타 알코올들

다양한 산업용 및 가정용 제품들에서 사용되는 기타 알코올들의 중독은 훨씬 낮은 빈도로 보고되어 왔다. 모화합물의 대사는 독성 대사물질들의 생성을 가져올 수 있다. 프로필렌 글리콜(MW 76 Da)은 로라제팜과 니트로글리세린과 같은 약물들에서 용해성을 높이기 위해 자주 사용되는 부형제이다. 독성은 락트산증 및 삼투질 농도 차의 상승과 관련이 있다. 2-부톡시에탄올(MW 118 Da)은 여러 수지, 바니스, 그리고 유리 및 가죽 세척 용액들에서 발견된다. 디에틸렌 글리콜(MW 106 Da)은 대사성 산증, 급성 신장 손상, 고혈압 및 심부정맥을 일으킨다. ALDH에 의한 대사를 예방하기 위해 포메피졸이 권장된다. 독성은 대사성 산증, 간 손상 및 호흡곤란과 관련이 있다. 혈액투석은 이러한 알코올들을 제거하는데 효과적이며, 심각한 중독들에 대해 적용될 수 있다.

F. 탄산리튬 (MW 7 Da)

대부분의 중독은 만성 축적, 신부전, 항이뇨제의 사용과 탈수, 그리고 안지오텐신 전환효소(ACE) 억제제들 및 비스테로이드 소염제들(NSAID)과의 상호작용으로부터 생긴다. 가볍거나 (혈청 Li 1.5~2.5 mmol/L) 중증도의(혈청 Li 2.5~3.5 mmol/L) 리튬 독성은 신경근 홍분, 오심 및 설사로 특징지어진다. 심각한 독성(혈청 Li >3.5 mmol/L)은 발작들, 혼미 및 영구적인 신경학적 결함을 초래할 수 있다. 우선 항이뇨제의 사용을 중단하고 수분공급을 신속하게 시작해야 한다. 소듐 폴리스티렌 설포네이트(Sodium polystyrene sulfonate) 또한 리튬 제거를 순조롭게 할 수 있다(Ghannoum, 2010). 리튬은 V_D가 0.8 L/kg이며 단백질 결합률이 0%이기 때문에, 투석을 통해 쉽게 제거된다. (a) 혈청 Li >3.5 mmol/L인 경우, (b) 증상이 뚜렷한 환자들 또는 신부전 환자들에서 혈청 Li >2.5 mmol/L인 경우, 또는 (c) 무증상 환자들로서 혈청 Li이 2.5~3.5 mmol/L이지만 수치가 오를 것으로 예상될 경우 (예를 들어, 최근의 다량 섭취 후) 또는 로그/선형 농도 대 시도표(time plot)를 이용한 예측에서 다음 36시간 이내에 0.8 mmol/L 이하로 떨어지지 않을 것으로 예상될 때, 혈액투석이 고려되어야 한다. 혈청 리튬은 세포내 구획으로부터의 이동 때문에 투석 후 반등할 수 있기 때문에, 투석은 고청소율 투석기를 이용하여 8~12시간 실시해야 한다. 혈청 리튬 수치가 6~12시간 동안 1.0 mmol/L 이하로 머무를 경우 반복 투석 세션이 필요할 수 있다. 장시간 연속 혈액투석여과는 치료 후 리튬 수치의 반등을 줄일 수 있다(Leblanc, 1996).

G. 버섯 중독증

특정한 독성 버섯을 섭취했을 경우 먼저 심각한 위장관 증상들이 보이며 이어서 간부전 및 심장혈관허탈이 따른다. 이러한 버섯의 독성 물질들(α-아마니틴과 팔로이딘, 둘 다 MW가 ~900 Da)은 체외 혈액투석 및 혈액관류를 통해서 제거되지만, 버섯에 중독된 환자들에서의 혈액투석 또는 혈액관류의 효능은 대조군의 부족 때문에 해석이 어려웠다; 어느 정도의 생존 측면에서의 이익이 주장되었다. 아마니틴의 활성탄흡착과, 간세포의 아마니틴 흡수를 예방하는 실리비닌(우유 엉겅퀴 (milk thistle)에서 추출한 플라보놀리그난) 투여가 사용될 수 있다 (Goldfrank, 2006). 독극물중독센터 및 간이식센터로의 조기 의뢰가 권장된다. 혈장분리교환술은 또 하나의 실험적 치료 옵션이 될 수 있다.

H. 파라콰트 Paraquat (MW 257 Da)

10 mL 이상의 파라콰트 농축물 섭취는 폐 섬유증과 신장 및 다장기 부전을 동반하는 지연 독성을 가져올 수 있다. 생존은 섭취량 및 섭취 시점에서의 혈장 수치들에 따라 달라진다(Proudfoot, 1979). 측정 시간과 상관 없이 혈장 수치가 3 mg/L (12 mcmol/L) 이상일 경우 대개 치명적이다. 초기 관리는 활성탄 투여를 통한 위 세척 또는 설사제와 함께 Fuller's earth를 사용하는 것이다. 혈액관류는 약물 제거에 효과적이며, 혈장 파라콰트 수치 0.1 mg/L (0.4 mcmol/L) 이상일 때 고려되어야 한다. 파라콰트는 큰 V_D를 가지며 완만한 구획간 이동 속도를 보이기 때문에, 혈장 수치를 0.1 mg/L 이하로 유지하기 위해서 여러 날의 반복 또는 연속 혈액 관류가 필요할 수 있다. 혈액관류가 생존율을 높인다는 증거는 아직 논란이지만, 몇몇 환자들이 다량 섭취와 폐 병발증에도 불구하고 회복되었기 때문에 이 시술은 고려되어야 한다. 혈장분리교환술로 치료한 경우의 생존률이 보고되었다(Dearaley, 1978). 최근의 증거는 NFκB 활성을 저지하고 산소 소거를 제공하기 위해서 치료에 살리실산염들을 사용할 것을 뒷받침하고 있으며 (Dinis-Oliveira, 2009), 기타 다른 항산화제들의 이용은 연구중이다 (Blanco-Ayala, 2014). 대부분은 혈액투석을 중독 후 처음 24시간 이내에 사용해야 한다는데 동의한다.

I. 페노티아진과 삼환성 항우울제

이 물질들은 매우 높은 단백질 결합률을 보이며, 극히 다량의 분포 (14~21 L/kg)를 갖는다. 따라서 이러한 약물들이 혈액투석 또는 혈액관류에 의해서 제거되는 총량은 작다. 이러한 물질들에 대한 치료는 대개 늘어난 QRS 간격에 대한 중탄산염 요법을 포함하여 대체로 보존적 치료이다.

J. 항경련제

1. 페니토인(MW 252 Da)

안구진탕증과 운동실조는 혈청 수치가 각각 20 및 30 mg/mL (79 와 119 mmol/L) 이상일 때 일어난다. 페니토인은 90% 단백질 결합률을 보이며(요독성 환자들에서는 70%), 0.64 L/kg의 V_D를 갖는다. 놀랍게도, 페니토인의 높은 단백질 결합으로 심지어는 과다

용량에서도 포화되지 않음에도 불구하고, 혈액투석 또는 혈액관류에 의해 어느 정도 제거된다.

2. 발프로산 나트륨(MW 166 Da)

발프로산 나트륨은 작은 V_D를 가지며, 간에서 대사되며, 상당한 단백질 결합률을 보인다. 과다 용량에서 단백질 결합이 포화되며 자유 발프로에이트가 체외 제거될 수 있다. 혼수, 심각한 간 기능 저하 또는 기타 장기 부전이 있을 경우 혈액관류를 사용하거나 사용하지 않는 고유량 혈액투석을 고려해야 한다.

3. 카바마제핀(MW 236 Da)

심각한 중독들에 대해 혈액관류를 사용할 수 있다. 고유량 혈액투석 또한 좋은 결과들을 내는 것으로 보고되었다(Koh, 2006).

K. 안정제와 수면제

오래된 약물들일수록 더 높은 독성을 가지며, 다행스럽게도 최근에는 덜 사용된다. 이환률과 사망률이 높을 수 있기 때문에, 이러한 오래된 약물들의 과다 사용에 대해 체외 방법들이 사용되어 왔다. 새로운 약물들은 보다 적은 부작용들을 일으키며 과다 복용을 치료하기 위한 보존적 치료로 충분하다.

L. 테오필린(MW 180 Da)

독성 반응들은 테오필린 수치가 25 mg/L (140 mcmol/L)를 초과할 때 생긴대치료적 수치는 10~20 mg/L (56~112 mcmol/L)l. 만성 중독은 주어진 혈청 수치에서 보다 뚜렷한 증상들을 가질 수 있다. 발작은 일반적으로 40 mg/L (224 mcmol/L) 이상에서 발생하지만, 25 mg/L (139 mcmol/L)의 낮은 수준에서도 발생할 수 있다. 심장혈관 허탈은 수치가 50 mg/L (278 mcmol/L) 이상이 되기 전까지는 드물다. 테오필린은 0.5 L/ kg의 V_D, 낮은 내부 내사 및 56%의 단백질 결합을 가지며, 숯에 의해 잘 흡착되어 MDAC와 혈액관류에 의한 효과적인 제거를 가능하게 한다. MDAC는 심지어 테오필린의 과다 정맥 주입으로 인한 유의한 중독에서도 사용될 수 있다. 비록 지속적인 구토가 제한 요인이기는 하지만 말이다. 프로프라놀롤(1~3 mg IV)은 부정빈맥 치료에 사용될 수 있으며, 저칼륨혈증이 치료되어야 한다. 구토가 MDAC의 사용을 방해할 경우 혈액관류 또는 고효율 혈액투석이 사용될 수 있으며, 또한 발작, 저혈압 또는 부정맥 환자들에게 MDAC과 더불어 사용될 수도 있다. 혈액관류/혈액투석 또한 수치가 100 mg/L (556 mcmol/L) 이상인 급성 중독 환자들, 60 mg/L (333 mcmol/L) 이상인 만성 중독 환자들 그리고 40 mg/L (222 mcmol/L) 이상의 노인들과 6개월 이하 유아들에게 고려되어야 한다. 혈액투석과 혈액관류의 병행 사용은 청소를 강화하고 혈액관류 카트리지의 포화를 예방할 수 있다. 연속 혈액 관류는 또한 심각한 독성의 저혈압 환자들에서 성공적으로 사용되어 왔다. 치료는 혈장 수치가 25~40 mg/

L (140~224 mcmol/L)가 되기까지 계속되어야 한다.

M. 다비가트란(Dabigatran:Pradaxa)

프라닥사(Dabigatran etexilate mesylate)는 비판막성 심방세동 환자들에서의 혈전색전증 예방을 위한 구강 직접 혈전 억제제(NOAC)이다. 2010년 미국에서 승인된 이래 다비가트란 관련 출혈들이 보고되어 왔으며, 와파린 관련 응고병증들을 전환시키는데 사용된 비타민 K, 신선동결혈장(FFP) 또는 한랭침전물(cryoprecipitate)이 비효과적인 상황에서, 그것의 활성도 역전이 문제가 되어왔다. 최근의 발표들은 투석이 이 항응고제를 제거함을 확인하고 있다.; 한 사례에서 뇌출혈 환자에게(Chang, 2013) 그리고 다른 사례에서 일련의 투석 환자들에게 두 용량으로 다비가트란을 투여했으며 4시간 혈액투석을 통해 49~59%의 총 다비가트란 제거율을 얻었다(Khadzhynov, 2013). 이 역학은 투석 동안의 일차 제거를 따른 것으로 보인다(Liesenfeld, 2013). 계속적인 정맥 혈액투석여과는 심각한 사례들에서 유용할 수 있다(Chiew, 2014).

N. 배스(bath) 소금

이 활성 화합물은 *Catha edulis*라는 식물에 추출한 자연 암페타민 아날로그인데 이 물질은 3,4 메칠렌디옥시피로발레론(MPDV)(MW 275 Da)과 메페드론(MW 177 Da) 혼합물로 구성되어 있다. 이 화합물은 교감신경의 과활동을 일으켜 섭취 후, 다른 흥분제들(코카인, 암페타민 및 3,4-methylenedioxy-*N*-methylamphetamine (MDMA))들의 효과와 유사한 심장(빈맥), 신경학적 (고체온증) 및 정신과적 (초조) 장애들을 일으킨다. 이러한 화합물들은 일반적인 독성물질 검사에서 검출되지 않는다. 급성 신장 손상은 이러한 화합물들에 대한 노출로 인해 생길 수 있으며, 횡문근 융해와 신장 세동맥 혈관경련과 관계가 있을 수 있다(Adebamiro and Perazella, 2012; Regunath, 2012). 다장기 부전과 사망이 일어났지만, 이 약물에 대한 데이터의 부족으로 인해 그리고 대부분의 사용자들이 다른 약물들과 함께 사용했기 때문에, 필요할 경우 신대체요법을 이용한 지지요법을 포함하여, 암페타민과 MDMA 중독에 대해 적용되는 것과 유사한 관리를 적용한다(Prosser and Nelson, 2012, Mas-Morey, 2013). 이 성분들이 짧은 반감기로 인해 암페타민 및 MDMA와 유사한 동태를 보일 것으로 가정할 때 혈액투석이 이 성분들의 제거에 유용할 가능성은 없다.

O. 메트포르민(MW 129 Da)

메트포르민은 제2형 당뇨병 치료에서 구강 혈당강하제로 사용되는 바이구아나이드이다. 이것은 세포 인슐린 민감성을 증가시킴으로써 작용한다. 특히 만성 신질환을 가진 환자들에서 그리고 정상 신장 기능을 가진 환자들에서 급성 과다 용량 사용될 때, 락트산증은 드문 부작용이다. 이 상태는, 심각할 경우 치명적일 수 있는데, 메트포르민 관련 락트산증(MALA: metformin-associated lactic acidosis)이라고 불린다. 메트포르민은 장에서 비교적 급속히 흡착되며, 대사되지 않는다. 이 약물의 90%는 혈청 반감기 1.5~5시간 사이로 사구체 여과와 세뇨관 분비를 통해 제거된다. 메트포르민의 은밀한 사용은 정상혈당 또는 저혈당 혼수상태 환자에서 락트산증을 검사할 때 발견하지 못할 수도 있다. MALA는 혈청 중탄산염이 22 mmol/L 이하이며 정맥 혈청 락트산 수치 5 mmol/L 이상으로 정의된다. 주된 치료법은 중탄산염 투여, 산증 교정과 락트산과 메트포르민 제거를 위한 혈액투석을 포함한 보존 요법이다. Peters (2008)의 연구에서, 사망률은 30%였으며, 특히 쇼크와 여러 동반 질환들을 갖고 있는 이들에서 높았는데 이는 산증의 원인이 메트포르민이 아니라 관류저하임을 시사한다. 메트포르민에 대해 얻은 투석기 추출율(60%)은 이것이 체외 치료들을 통해 제거될 수도 있음을 시사한다(Nguyen and Concepcion, 2011). 비록 그것의 비교적 큰 V_D(3 L/kg)가 체외 치료들의 효과성을 제한할 수도 있지만 말이다. 그럼에도 불구하고 혈액투석은 관련된 대사성 산증을 급속히 치료할 수도 있기 때문에, 심각한 메트포르민 중독에 권장된다.

P. 탈륨(Thallium)

탈륨은 독성이 높은 금속으로 원래 백선증 감염 치료에 사용되었다가 후에 살서제로 사용되었지만 그것의 독성 때문에 지금은 산업용으로만 이용되고 있다. 이것은 살생에 사용되는 약물이지만 노출은 생약제품의 오염 및 남용 약물들로 인해 발생할 수 있다. 잠재적으로 치명적인 구강 용량은 6 mg/kg 정도로 낮다. 탈륨은 칼륨을 모방한 것인데 이는 이 두 원소들이 이온 크기에서 비슷하기 때문이다. 탈륨은 신경 조직, 근육, 간, 모발, 피부 및 손톱에 축적된다. 탈륨은 피루브산염 키나제(pyruvate kinase)와 숙신산 탈수소화 효소(succinate dehydrogenase) 같은 심각한 대사성 효소들을 억제한다. 탈륨 중독은 대개 탈모증, 고통스러운 상행 말초 신경병증, 복통, 구토, 설사, 변비, 자율신경불안정 및 뇌신경 병발증을 보이며, 심각한 중독의 경우 정신상태 변화, 혼수, 기도 보호 상실, 호흡마비 및 심장 정지를 보인다(Hoffman, 2003). 소변 검체로 탈륨 농도를 검사할 수 있다(정상 5 mcg/L 이하). 치료는 노출 제거, 지지요법 및 강화 제거로 구성된다.; MDAC와 Prussian blue는 위장관을 통한 제거를 강화시킨다. 혈액투석 및 숯 혈액관류에 의한 시간당 탈륨 제거율은 정상 신장 기능에 의한 제거율보다 높으며 Prussian blue를 통한 대변 제거와 비슷하다. 현대 투석기들이 과거의 기법들에 비해 탈륨 제거를 강화시킬 수 있음에 대해 의견이 일치한다. 하지만 이것의 큰 V_D 때문에, 일단 신체 내에 탈륨의 분포가 완료되면, 심지어 현대적인 기법들이라도 총 신체 부하량 중 상당량을 제거하는 것이 불가능하다. 투석이 섭취 후 조기에 실시될 수 있으면 총 신체 저장량의 1~3%를 6시간의 치료로 제거할 수 있다

TABLE 20.8	혈액투석으로 제거되는 약물과 화합물들

항생제/ 항암제
Cefaclor
Cefadroxil
Cefamandole
Cefazolin
Cefixime
Cefmenoxime
Cefmetazole
(Cefonicid)
(Cefoperazone)
Ceforamide
(Cefotaxime)
Cefotetan
Cefotiam
Cefoxitin
Cefpirome
Cefroxadine
Cefsulodin
Ceftazidime
(Ceftriaxone)
Cefuroxime
Cephacetrile
Cephalexin
Cephalothin
(Cephapirin)
Cephradine
Moxalactam
Amikacin
Dibekacin
Daptomycin
Fosfomycin
Gentamicin
Kanamycin
Neomycin
Netilmicin
Sisomicin
Streptomycin
Tobramycin
Bacitracin
Colistin
Amoxicillin
Ampicillin
Azlocillin
Carbenicillin
Clavulinic acid
(Cloxacillin)
(Dicloxacillin)
(Floxacillin)
Mecillinam

(Mezlocillin)
(Methicillin)
(Nafcillin)
Penicillin
Piperacillin
Temocillin
Ticarcillin
(Clindamycin)
(Erythromycin)
(Azithromycin)
(Clarithromycin)
Linezolid
Metronidazole
Nitrofurantoin
Ornidazole
Sulfisoxazole
Sulfonamides
Tetracycline
(Doxycycline)
(Minocycline)
Tinidazole
Trimethoprim
Aztreonam
Cilastatin
(Dapsone)
Doripenem
Imipenem
(Chloramphenicol)
(Amphotericin)
Ciprofloxacin
(Enoxacin)
Fluroxacin
(Norfloxacin)
Ofloxacin
Isoniazid
(Vancomycin)
Capreomycin
PAS
Pyrizinamide
(Rifampin)
(Cycloserine)
Ethambutol
5-Fluorocytosine
Acyclovir
(Amantadine)
Didanosine
Foscarnet
Ganciclovir
(Ribavirin)
Vidarabine

Zidovudine
(Pentamidine)
(Praziquantel)
(Fluconazole)
(Itraconazole)
(Ketoconazole)
(Miconazole)
(Chloroquine)
(Quinine)
(Azathioprine)
Bredinin
Busulphan
Cyclophosphamide
5-Fluorouracil
(Methotrexate)

바비트레이트
Amobarbital
Aprobarbital
Barbital
Butabarbital
Cyclobarbital
Pentobarbital
Phenobarbital
Quinalbital
(Secobarbital)

진정제, 항경련제
Carbamazepine
Baclofen
Betaxolol
(Bretylium)
Clonidine
(Calcium channel
blockers)
Captopril
(Diazoxide)
Carbromal
Chloral hydrate
(Chlordiazepoxide)
(Diazepam)
(Diphenylhydantoin)
(Diphenylhydramine)
Ethiamate
Ethchlorvynol
Ethosuximide
Gallamine
Glutethimide
(Heroin)
Meprobamate

(계속)

TABLE 20.8	혈액투석으로 제거되는 약물과 화합물들 *(계속)*

(Methaqualone)
Methsuximide
Methyprylon
Paraldehyde
Primidone
Topiramate
Valproic acid

심혈관계 약물
Acebutolol
(Amiodarone)
Amrinone
Atenolol
(Digoxin)
Enalapril
Fosinopril
Lisinopril
Quinapril
Ramipril
(Encainide)
(Flecainide)
(Lidocaine)
Metoprolol
Methyldopa
Mexiletine
(Ouabain)
N-acetylprocainamide
Nadolol
(Pindolol)
Practolol
Procainamide
Propranolol
(Quinidine)
(Timolol)
Sotatol
Tocainide

알코올
Ethanol
Ethylene glycol
Isopropanol
Methanol

진통제, 항류마티스제
Acetaminophen
Acetophenetidin

Acetylsalicylic acid
Colchicine
Methylsalicylate
(D-Propoxyphene)
Salicylic acid

항우울제
(Amitriptyline)
Amphetamines
(Imipramine)
Isocarboxazid
MAO inhibitors
Moclobemide
(Pargylline)
(Phenelzine)
Tranylcypromine
(Tricyclics)

용매, 가스
Acetone
Camphor
Carbon monoxide
(Carbon tetrachloride)
(Eucalyptus oil)
Thiols
Toluene
Trichloroethylene

살충제, 제초제
Alkyl phosphate
Amanitin
Averrhoa carambola/
star fruit/oxalate
Demeton sulfoxide
Dimethoate
Diquat
Endosulfan
Glufosinate
(Roundup/glyphosate)
Methylmercury complex
(Organophosphates)
Paraquat
Snake bite
Sodium chlorate
Potassium chlorate
Trees (hemlock, yew)

기타
Acipimox
Allopurinol
Aminophylline
Aniline
Borates
Boric acid
(Chlorpropamide)
Chromic acid
(Cimetidine)
Dinitro-o-cresol
Folic acid
Mannitol
Metformin (drug and
lactate removal)
Methylprednisolone
4-Methylpyrazole
Sodium citrate
Theophylline
Thiocyanate
Ranitidine

금속, 무기물
(Aluminum)* High-flux
HD with chelation may
be superior to HP
Arsenic
Barium
Bromide
(Copper)*
(Iron)*
(Lead)*
Lithium
(Magnesium)
(Mercury)*
Potassium
(Potassium
dichromate)*
Phosphate
Sodium
Strontium
Thallium
(Tin)
(Zinc)

( )안의 물질은 잘 제거되지 않음.
*킬레이트제에 의해 제거됨.

TABLE 20.9　혈액관류로 제거되는 약물과 화합물들

바비트레이트	진통제	항우울제
Amobarbital	Acetaminophen	(Amitryptiline)
Butabarbital	Acetylsalicylic acid	(Imipramine)
Hexabarbital	Colchicine	(Tricyclics)
Pentobarbital	D-propoxyphyene	
Phenobarbital	Methylsalicylate	
Quinalbital	Phenylbutazone	살충제,제초제
Secobarbital	Salicylic acid	Amanitin
Thiopental		Chlordane
Vinalbital	항생제/항암제	Demeton sulfoxide
		Dimethoate
	(Adriamycin)	Diquat
진정제	Ampicillin	Endosulfan
Carbamazepine	Carmustine	Glufosinate
Carbromal	Chloramphenicol	Methylparathion
Chloral hydrate	Chloroquine	Nitrostigmine
Chlorpromazine	Clindamycin	(Organophosphates)
(Diazepam)	Dapsone	Phalloidin
Diphenhydramine	Doxorubicin	Polychlorinated
Ethchlorvynol	Gentamicin	biphenyls
Glutethimide	Ifosfamide	Paraquat
Meprobamate	Isoniazid	Parathion
Methaqualone	(Methotrexate)	
Methsuximide	Pentamidine	
Methyprylon	Thiabendazole	용매,가스
Phenytoin	(5-Fluorouracil)	Carbon tetrachloride
Promazine	Vancomycin	Ethylene oxide
Promethazine		Trichloroethane
Valproic acid		Xylene
	기타	
	Aminophylline	
심혈관계 약물	Cimetidine	금속
Atenolol	(Fluoroacetamide)	(Aluminum)*
Cibenzoline succinate	(Phencyclidine)	(Iron)*
Clonidine	Phenols	
Digoxin	(Podophyllin)	
(Diltiazem)	Theophylline	
(Disopyramide)		
Flecainide		
Metoprolol		
N-acetylprocainamide		
Procainamide		
Quinidine		

( )안의 물질은 잘 제거되지 않음.
*킬레이트제에 의해 제거됨.

고 보고되었으며, 따라서 탈륨은 약간 투석이 가능한 것으로 볼 수 있다. 과거력 또는 임상적 특성들을 기초로 탈륨 노출이 매우 의심될 경우 투석 시행을 권장한다(Ghannoum, 2012).

다른 약물들, 다른 약물들에 의한 중독 관리는 본 핸드북의 범위를 벗어난다. 독자들은 Shannon, 2007 및 표 20.8와 20.9를 참고하기 바란다.

References and Suggested Readings

Adebamiro A, Perazella MA. Recurrent acute kidney injury following bath salts intoxication. *Am J Kidney Dis*. 2012;59:273–275.

Barceloux DG, et al. American Academy of Clinical Toxicology practice guidelines on the treatment of ethylene glycol poisoning. Ad Hoc Committee. *J Toxicol Clin Toxicol*. 1999;37:537.

Barceloux DG, et al. American Academy of Clinical Toxicology practice guidelines on the treatment of methanol poisoning. *J Toxicol Clin Toxicol*. 2002;40:415.

Blanco-Ayala T, Andérica-Romero AC, Pedraza-Chaverri J. New insights into antioxidant strategies against paraquat toxicity. *Free Radic Res*. 2014;48:623–640.

Bronstein AC, et al. 2011 Annual report of the American Association of Poison Control Centers' National Poison Data System (NPDS): 29th Annual Report. *Clin Toxicol (Phila)*. 2012;50:911–1164.

Chang DN, Dager WE, Chin AI. Removal of dabigatran by hemodialysis. *Am J Kidney Dis*. 2013;61:487–489.

Chiew AL, Khamoudes D, Chan BS. Use of continuous veno-venous haemodiafiltration therapy in dabigatran overdose. *Clin Toxicol (Phila)*. 2014;52:283–287.

Chow MT, et al. Hemodialysis-induced hypophosphatemia in a normophosphatemic patient dialyzed for ethylene glycol poisoning: treatment with phosphorusenriched hemodialysis. *Artif Organs*. 1998;22:905.

Dearaley DP, et al. Plasmapheresis for paraquat poisoning. *Lancet*. 1978;1:162.

Dinis-Oliveira RJ, et al. An effective antidote for paraquat poisonings: the treatment with lysine acetylsalicylate. *Toxicology*. 2009 31;255:187–193.

Doorenbos CJ, et al. Use of urea containing dialysate to avoid disequilibrium syndrome, enabling intensive dialysis treatment of a diabetic patient with renal failure and severe glucophage induced lactic acidosis. *Nephrol Dial Transplant*. 2001; 16:1303.

Done AK, Temple AR. Treatment of salicylate poisoning. *Modern Treat*. 1971;8:528.

Fleig SV, et al. Digoxin intoxication in acute or chronic kidney failure: elimination of digoxin bound to Fab-fragments (Digifab) with high cut-off filter dialysis. [Abstract]. *J Am Soc Nephrol*. 2011;22:317A.

Ghannoum M, et al. Successful treatment of lithium toxicity with sodium polystyrene sulfonate: a retrospective cohort study. *Clin Toxicol (Phila)*. 2010;48:34–41.

Ghannoum M, et al; Extracorporeal Treatments in Poisoning Workgroup. Extracorporeal treatment for thallium poisoning: recommendations from the EXTRIP Workgroup. *Clin J Am Soc Nephrol*. 2012;7:1682–90.

Ghannoum M, et al. Trends in toxic alcohol exposures in the United States from 2000 to 2013: a focus on the use of antidotes and extracorporeal treatments. *Semin Dial*. 2014;27:395–401.

Ghannoum M, et al. Hemoperfusion for the treatment of poisoning: technology, determinants of poison clearance, and application in clinical practice. *Semin Dial*. 2014;27:350.361.

Goldfrank LR. Mushrooms. In: Nelson LS, et al., eds. *Goldfrank's Toxicologic Emergencies*. New York, NY: McGraw Hill; 2011:1522.

Hoffman RS. Thallium toxicity and the role of Prussian Blue in therapy. *Toxicol Rev*. 2003;22:29.40.

Hussain SA, et al. Phosphate enriched hemodialysis during pregnancy: two case series. *Hemodial Int*. 2005;9:147.

Jacobsen G, et al. Antidotes for methanol and ethylene glycol poisoning. *J Toxicol Clin Toxicol*. 1997;35:127.

Khadzhynov D, et al. Effective elimination of dabigatran by haemodialysis: A phase I single-centre study in patients with end-stage renal disease. *Thromb Haemost*. 2013;109:596.605.

Koh KH, et al. High-flux haemodialysis treatment as treatment for carbamazepine intoxication. *Med J Malaysia*. 2006;61:109.

Ku Y, et al. Clinical pilot study on high-dose intra-arterial chemotherapy with direct hemoperfusion under hepatic venous isolation in patients with advanced hepatocellular carcinoma. *Surgery.* 1995;117:510.

Kulig K. Initial management of ingestions of toxic substances. *N Engl J Med.* 1992;326:1677.

Lavergne V, et al. The EXTRIP (EXtracorporeal TReatments In Poisoning) workgroup: guideline methodology. *Clin Toxicol (Phila).* 2012;50:403.413.

Leblanc M, et al. Lithium poisoning treated by high-performance arteriovenous and venovenous hemodialfiltration. *Am J Kidney Dis.* 1996;27:365.

Liesenfeld KH, et al. Pharmacometric characterization of dabigatran hemodialysis. *Clin Pharmacokinet.* 2013;52:453.462.

Martiny S, et al. Treatment of severe digoxin intoxication with digoxin-specific antibody fragments: a clinical review. *Crit Care Med.* 1987;16:629.

Mas-Morey P, et al. Clinical toxicology and management of intoxications with synthetic cathinones ("Bath Salts"). *J Pharm Pract.* 2013;26:353.357.

Mowry J, et al. 2012 Annual Report of the American Association of Poison Control Centers' National Poison Data System (NPDS): 30th Annual Report. *Clin Toxicol.* 2013;51:949.1229.

Nguyen HL, Concepcion L. Metformin intoxication requiring dialysis. *Hemodial Int.* 2011;15(suppl 1):S68.71.

Palmer BF. Effectiveness of hemodialysis in the extracorporeal therapy of phenobarbital overdose. Am J Kidney Dis. 2000;36:640.643.

Proudfoot AT, et al. Paraquat poisoning: significance of plasma paraquat concentrations. *Lancet.* 1979;2:330.

Peters N, et al. Metformin-associated lactic acidosis in an intensive care unit. *Crit Care.* 2008;12:R149.

Prosser JM, Nelson LS. The toxicology of bath salts: a review of synthetic cathinones. *J Med Toxicol.* 2012;8:33.42.

Regunath H, et al. Bath salt intoxication causing acute kidney injury requiring hemodialysis. *Hemodial Int.* 2012;16:S47.9.

Sam R, et al. Using disodium monohydrogen phosphate to prepare a phosphateenriched hemodialysate. *Hemodial Int.* 2013;17:667.668.

Samtleben W, et al. Plasma exchange and hemoperfusion. In: Jacobs C, et al., eds. *Replacement of renal function by dialysis.* Dordrecht: Kluwer Academic Publishers; 1996:1260.

Shalkham AS, et al. The availability and use of charcoal hemoperfusion in the treatment of poisoned patients. *Am J Kidney Dis.* 2006;48:239.241.

Shannon MW, Borron SW, Burns MJ, eds. *Haddad and Winchester's Clinical Management of Poisoning and Drug Overdose.* 4th ed. Philadelphia, PA: Saunders Elsevier; 2007.

Ujhelyi MR, et al. Disposition of digoxin immune Fab in patients with kidney failure. Clin Pharmacol Ther. 1993;54:388. Wadgymar A, et al. Treatment of acute methanol intoxication with hemodialysis. *Am J Kidney Dis.* 1998;31:897.

Wanek MR, et al. Safe use of hemodialysis for dabigatran removal before cardiac surgery. *Ann Pharmacother.* 2012;46:e21.

Yates C, Galvao T, Sowinski KM, et al. Extracorporeal Treatment for Tricyclic Antidepressant Poisoning: Recommendations from the EXTRIP Workgroup. *Semin Dial.* 2014;27:381–389.

Yip L, et al. Concepts and controversies in salicylate toxicity. *Emerg Med Clin North Am.* 1994;12:351.

Zdunek M, et al. Plasma exchange for the removal of digoxin-specific antibody fragments in renal failure: timing is important for maximizing clearance. *Am J Kidney Dis.* 2000;36:177.

PART III

복막투석
PERITONEAL
DIALYSIS

21 복막투석의 생리

양하나 역

복막투석은 전세계적으로 약 200,000명 이상의 말기 신부전 환자들이 사용하는 신대체요법이다. 약 4년전에 지속적 외래 복막투석(continuous ambulatory peritoneal dialysis, CAPD)이 소개되고, 최근에 간편한 '사용하기 쉬운' 자동 복막투석(automated peritoneal dialysis, APD)용 hydraulic cyclers가 나오면서 복막투석 인구가 크게 늘어났다. 이는 복막투석이 단순하고 간편할 뿐만 아니라 상대적으로 비용이 저렴하고 특히 가정에서 시행할 수 있는 장점을 갖기 때문이다.

I. 복막투석이란?

복막투석의 기본원리는 두 용액을 구분하고 있는 막을 통한 용질과 수분의 이동이다. 두 용액중의 하나는 복막에 인접한 모세혈관을 흐르는 혈액이며 다른 한 용액은 복강내의 투석액이다. 신부전환자의 복막모세혈관 혈액에는 요소(urea), 크레아티닌(creatinine), 칼륨(potassium) 등이 과다하게 포함되어 있다. 복강내 투석액은 보통 나트륨(sodium), 염소(chloride), 젖산(lactate)이나 중탄산염(bicarbonate) 등을 포함하고 있고, 고농도 포도당이 있어 삼투압이 증가되어 있다. 복막투석액이 복강에 저류하는 동안 복막을 통해서 확산(diffusion), 초미세여과(ultrafiltration), 흡수작용(absorption)이 동시에 이루어진다. 투석의 정도와 수분제거양은 주입하는 투석액의 양(저류량)과 투석액 교환 간격, 투석액의 삼투압을 결정하는 용질의 농도로 결정된다.

II. 기능적 해부학

A. 복강의 해부학적 구조

복막은 복강을 둘러 싸고 있는 장막으로서 복막의 표면적은 체표면적과 유사하여 성인에서는 약 1~2 m² 정도이다(그림 21.1). 복막은 다음과 같이 두 부분으로 나뉜다.

1. **장과 다른 내부장기를 둘러싸고 있는 내장쪽(visceral) 막**
2. **복강의 내부벽을 둘러 싸고 있는 벽쪽(parietal) 복막**

내장쪽 복막은 전체복막 표면적의 80%를 차지하며 상장간막동맥

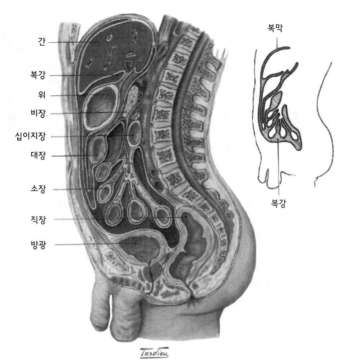

그림 21.1 내장쪽 복막과 벽쪽 복막을 보여주는 복강내 구조의 단순화된 그림 (Adapted from Khanna R, et al., eds. The Essentials of Peritoneal Dialysis. Dordrecht: Kluwer; 1993.)

(superior mesenteric artery)으로부터 혈액이 공급되고 문맥계통으로 혈액이 배액된다. 이와는 대조적으로 복막투석에 더욱 중요한 벽쪽 복막은 허리동맥(lumbar artery), 갈비사이동맥(intercostal artery) 그리고 배벽동맥(epigastric artery)등의 동맥으로부터 혈액이 공급되고 하대정맥(inferior vena cava)을 통해 혈액이 배액된다.

복막의 혈류를 직접 측정할 수는 없지만 간접적인 계측으로 분당 약 50~100 mL 정도로 추정되고 있다. 복막과 복강의 주요 림프관 배액은 횡격막 부위의 복막의 입(stomata)을 통하며 궁극적으로는 우측 림프관으로 배액된다. 그 외의 내장쪽 및 복측 복막을 통한 림프배액이 있다.

B. 복막의 조직학 구조

복막에는 윤활액을 분비하는 미세섬모를 지닌 중피세포 단층이 있고 중피세포층 밑에는 교원질과 다른 섬유소로 구성된 기질과 모세혈관 및 림프로 된 간질이 있다.

C. 복막의 이동기전

복막투석시 어떤 용질과 수분이 모세혈관에서 복강내로 나오기 위해서는 다음과 같은 6가지 저항층을 거쳐야 한다: (a) 복막 모세혈관의 내피세포 위에 존재하는 저류 수막(fluid film), (b) 내피 세포층, (c) 내피세포의 기저막, (d) 간질, (e) 중피 세포층, (f) 복막 위에 존재하는 저류 수막.

이들 중 두 층의 저류 수막과 중피 세포층이 이동의 주된 저항으로 작용하는 것으로 알려져 있다. 복막 이동의 두 가지 개념이 대중적으로 알려져 있는데, 이 둘은 배타적이 아니라 상호보완적이며, 복막의 혈관구조와 간질의 중요성을 강조하고 있다.

1. 세 가지 크기의 소공 모델

많은 임상 관찰에서 증명된 이 모델은 복막 모세혈관이 복막을 통한 물질 이동의 주요 장벽이고 복막을 통한 용질과 수분 이동은 서로 다른 크기의 세 가지 소공(pore)을 통해 이루어진다고 설명하고 있다(그림 21.2).

a. 대공

직경이 20~40 nm의 커다란 소공

: 단백질과 같은 거대분자는 내피층의 거대열(cleft)로 생각되는 대공을 이용한 대류(convection)를 통해 이동한다.

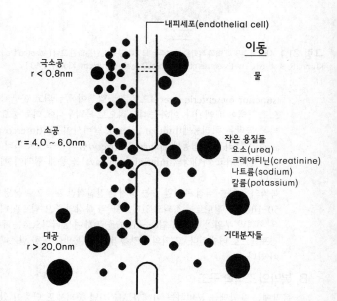

그림 21.2 복막의 용질과 수분 이동의 모식도 (Adapted from Flessner MF. Peritoneal transport physiology: insights from basic research. J Am Soc Nephrol. 1991;2:122.) Daugirdas9781451144291-

b. 소공

직경 4.0~6.0 nm 정도의 중간 크기의 소공

: 내피 사이의 열(cleft)로 생각되며 요소, 크레아티닌, 나트륨 그리고 칼륨과 같은 작은 용질들을 통과시킨다

c. 극소공

직경 0.8 nm 미만의 미세 소공

: 복막의 모세혈관에 존재하는 물수송체(aquaporin)가 극소공일것으로 생각되며 수분 이동에만 관여한다

2. 복막의 유효 표면적

복막을 통한 물질의 이동 능력은 복막 모세혈관이 주요 역할을 함에 따라 복막의 총 표면적보다는 모세혈관이 분포하는 표면적이 더 중요하다. 모세혈관과 중피층 사이의 거리가 물질의 이동능력에 영향을 주며, 이러한 모세혈관이 전부 합쳐져서 유효 표면적과 막의 저항성을 결정하면서 유효 표면적이라는 개념이 대두되었다. 따라서 동일한 복막 표면적을 가진 두 환자도 서로 다른 복막 모세혈관분포를 가지면 서로 다른 유효 표면적을 가질 수 있다. 혈관분포

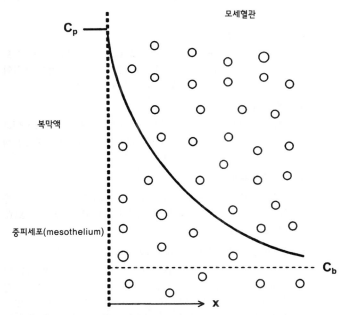

그림 21.3 복막의 간질 모세혈관 분포와 중피세포층 사이의 간견을 나타내는 분포모델 개념 수직 점선:복막의 중피세포층, 굵은 실선(Cp) : 모세혈관에서 복강으로의 이동 효율(중피세포층에 근접한 모세혈관일수록 증가함) (Adapted from Flessner MF. Peritoneal transport physiology: insights from basic research. J Am Soc Nephrol. 1991;2:122.)

(vascularity)가 염증으로 인해 증가될 수 있으므로 개개인에서도 상황에 따라 복막 유효표면적이 달라진다. 그러므로 개인의 복막을 통한 물질 이동특성은 표면적보다는 복막의 혈관 분포정도에 크게 좌우된다.

III. 물질의 복막 이동 생리

복막을 통한 물질의 이동은 확산(diffusion), 초미세여과(ultrafiltration) 그리고 수분흡수(fluid absorption) 의 세 과정이 동시에 나타난다.

A. 확산

혈액 속의 노폐물과 칼륨은 투석액 쪽으로, 투석액 쪽의 포도당과 젖산이나 탄산은 혈액쪽으로 이동한다. 복막투석에서 확산과정에 영향을 미치는 요인은 다음과 같다.

1. 농도 경사

요소 같은 물질은 투석액 내의 농도가 '0'이기 때문에 복막투석을 시작할 때 확산이 가장 크게 일어나며 시간이 지나면서 점차 줄어든다. 이와 같은 확산의 감소는 APD에서와 같이 교환을 자주 시행하여 두 용액간의 농도 차이의 감소 발생을 억제하거나 복강내 저류하는 투석액 용적 증량을 통해 농도경사를 더 오래 지속시켜 방지할 수 있다.

2. 유효 복막 표면적

투석액 저류 용적을 증가시켜 복막을 넓게 하는 방법을 통해서도 유효 복막 표면적을 늘릴 수 있으나 대부분의 경우 저류 용적이 2.5~3 L가 되면 유효 복막 표면적이 더 이상 증가하지 않는다.

3. 복막 저항

복막저항은 명료하게 밝혀져 있지 않으나 복막의 물질 이동에 관여하는 구멍의 단위표면적당 분포 숫자의 차이와 간질내에 분포하는 모세혈관과 중피 세포층간의 간격의 차이를 반영할 것으로 생각되고 있다.

4. 용질의 분자량

용질의 분자량이 작을수록(예: 요소 MW 60) 분자 운동의 속도가 빨라지면서 분자량이 큰 물질(예: 크레아티닌 MW 113, 요산 MW 168)보다 확산은 커진다.

5. 질량 이동 면적 계수(mass transfer area coefficient, MTAC)

상술한 2~4번 요소들은 투석막의 K_0A에 따라 일정한 질량 이동 면적 계수(mass transfer area coefficient, MTAC)라는 지수로 측정된다. 개별적인 용질의 MTAC는 초미세여과가 발생하지 않았으면 농도경사가 최대치가 되는 무한대의 투석액 유량을 가정한 상황에서 그 용질의 단위시간당 확산청소율이다. 요소와 크레아티닌의 MTAC 값은 각각 분당 17과 10 mL 이다. 이와 같은 MTAC는 임상에서는 활용되지 않고 주로 연구목적으로 사용된다.

6. 복막 혈류

복막투석에서는 확산이 복막 혈류에 큰 영향을 받지는 않는다. 사람에서 복막을 통한 혈류는 분당 50~100 mL 정도로 추정되며 이는 가장 작은 용질의 MTAC값에 비해도 충분하기 때문이다. 대신에, 혈액투석에서와는 대조적으로 복막투석에서 확산은 투석액 유량에 영향을 받는다. 혈관수축제는 복막을 통하는 혈류자체를 증가시키기보다는 유효복막표면적을 늘려 복막의 물질 이동에 영향을 준다. 염증에 의해 복막의 혈관분포가 증가하는 복막염에서도 유사한 효과가 관찰된다.

B. 초미세여과

초미세여과는 복막투석시 수분이 제거되는 기전으로 비교적 고장성 투석액과 저장성 복막 모세혈관 혈액 사이의 삼투압 경사에 의해 나타난다. 일반적으로 투석액의 고농도 포도당에 의하며 다음과 같은 요인들에 의해 결정된다.

1. 삼투물질(포도당)의 농도 경사

투석액을 복강내에 넣고 복막투석을 시작할 때 농도 경사가 가장 크고 시간이 경과됨에 따라 수분이 투석액 쪽으로 초미세여과되어

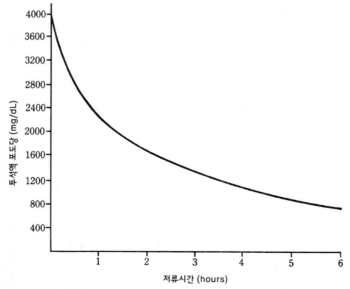

그림 21.3 복강내 4.25% dextrose 포도당(3.86% glucose) 저류 후 투석액 포도당 농도의 변화 초기농도는 3,860 mg/dL (214mM)에가까움

포도당이 희석되거나 포도당이 투석액에서 혈액으로 확산되면서
농도경사가 감소하게 된다(그림 21.4).

환자의 혈당이 높으면 혈액과 투석액의 포도당 농도 차이가 작아
초미세여과가 줄어든다. 고농도의 포도당 투석액을 사용하거나
APD에서와 같이 투석액의 저류시간을 짧게 하고 교환을 자주하면
농도 경사를 증가시킬 수 있다.

2. 유효 복막 표면적

(상술한 바와 같다)

3. 복막의 수력학전 전도(Hydraulic conductance)

복막 모세혈관의 소공과 극소공의 밀도, 모세혈관과 복막의 중피세
포층 사이의 거리에 따라 달라지며 환자마다 다르다.

4. 삼투 물질(포도당)의 반사계수(Reflection coefficient)

삼투 물질의 반사계수는 삼투물질이 투석액에서 혈액으로 얼마나
효과적으로 확산되는가를 반영하는 지수이다. 반사계수는 0부터1
사이의 값으로 정해지며 수치가 적을수록 투석액과 혈액의 삼투물
질의 농도차이가 빠르게 감소하여 초미세여과가 잘 일어나지 않는
다. 삼투물질로 흔히 사용되는 포도당의 반사계수는 약 0.03으로
적은데 비해 최근 소개된 icodextrin (polyglucose)의 반사계수는 1
에 가깝다.

5. 정수압 차이

일반적으로 모세혈관내의 압력(약 20 mmHg)이 복강내 압력(약 7
mmHg)보다 커서 초미세여과를 쉽게 일어나게 한다. 이러한 효과
는 수분과다 상태에서 증가하고 탈수된 상태에서는 감소한다. 복강
내 압력의 증가는 초미세여과를 감소시키며 복강내 투석액 저류량
을 증가시킬 때나, 환자가 앉거나 설 때 발생할 수 있다.

6. 혈액의 교질 삼투압

초미세여과작용을 억제하나 저알부민 혈증인 경우에는 교질삼투
압이 작아져서 초미세여과가 증가한다.

7. 선별효과(Sieving)

선별은 물질이 수분과 함께 대류에 의해 반투막을 통과할 때 발생
한다. 하지만 물질의 일부는 다시 반대로 전해지거나 선별된다. 즉
선별은 초여과를 방해하여 물질의 제거에는 비효율적이다. 같은 물
질의 선별계수도 환자마다 다른데, 이는 환자의 복막의 특성(모세
혈관, 내피의 극소공 밀도 등) 차이 때문이다. 초여과의 반 정도가
극소공을 통해 이루어지며, 이는 물질을 포함하지 않는 순수한 물
을 이동시킨다. 초여과의 나머지 반 정도는 내피세포 사이의 틈인
소공을 통해 이루어지며, 여기서 선별계수는 거의 없어서 물질의

농도가 혈장내 농도와 유사하게 된다(La Milia, 2005).

8. 기타 삼투물질

icodextrin은 분자량이 크고, 반사계수가 큰 삼투물질이다. icodex-trin을 이용하면 장시간 저류시에도 일정한 수준으로 초여과가 유지된다.

C. 수분 흡수

복강에서는 선별효과가 거의 나타나지 않으면서 비교적 일정한 속도로 림프시스템을 통해 수분이 흡수된다. 림프계를 통한 수분의 흡수는 복막투석을 통한 물질과 수분의 제거의 효율성을 감소시킨다. 수분 흡

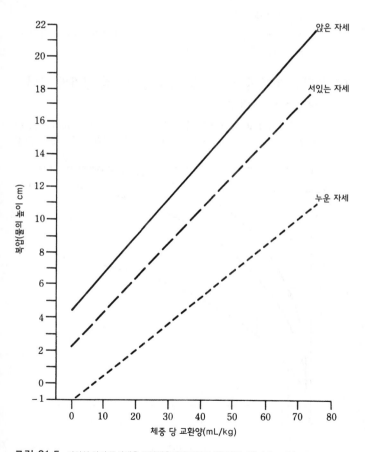

그림 21.5 다양한 양의 투석액을 주입했을때의 복압의 변화 (Modified from Diaz-Buxo JA. Continuous cycling peritoneal dialysis. In: Nolph KD, ed. Peritoneal Dialysis. Hingham, MA: Martinus Nijhoff; 1985.)

수의 적은 부분만 직접 림프를 통해 일어나고 대부분은 벽쪽복막을 통해 복벽 조직으로 흡수된 후 림프시스템으로 흡수되거나 복막 모세혈관으로 들어간다. 일반적으로 복막의 수분 흡수 속도는 분당 1.0~2.0 mL 정도이다. 이 과정을 결정하는 요인들은 다음과 같다.

1. 복강내 정수압

복강내 정수압이 높을수록 흡수되는 수분이 많다. 초미세여과를 효과적으로 시행하거나 저류시키는 투석액 용적을 증가시켜 복강내 용적을 증가시키면 복강내 정수압을 증가시킬 수 있다. 서 있을 때보다 앉아있을 때 복강내 정수압이 증가하고 누워있을 때 복강압이 감소한다(그림 21-5).

2. 림프 시스템의 효율

확실하게 알려져 있지 않지만 림프시스템이 복강내 수분을 흡수하는 효과는 개인마다 크게 다르다.

IV. 복막을 통한 용질과 수분 이동의 임상적 평가와 의의

A. 복막평형검사(PET)

임상에서 MTAC나 복막의 수력학적 전도(hydraulic conductance)를 일반적으로 측정하기는 곤란하다. 대신 투석액과 혈장의 요소(D/P

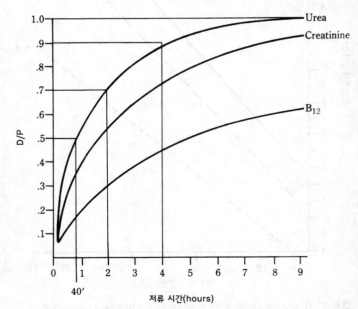

그림 21.6 복강내 잔류하던 요소 크레아티닌 그리고 비타민12가 복강내 투석액으로 들어가는 속도(결과값은 투석액내 농도(D)와 혈장내 농도(P)의 비율). 40분, 2시간, 4시간의 전형적인 D/P urea를 표시함.

urea), 크레아티닌(D/P Cr), 나트륨(D/P Na)의 비율을 사용하여 복막을 통한 용질과 수분 이동을 평가한다(그림 21-6). 평형 비율들은 확산과 초미세여과 각각의 효과보다는 이들의 복합적인 효과를 측정한다. 하지만 용질들의 비율은 MTAC 값과 상관성이 좋다. 이는 용질의 분자량, 환자의 복막의 막투과성 그리고 유효 복막 표면적에 크게 영향을 받는다. 흥미롭게도 체격의 크기와 평형비율 사이에는 상관성이 적다.

일반적으로 2.5% 포도당 투석액 2 L를 복강에 주입한 후 즉시, 2시간 째, 그리고 4시간 째에 투석액과 혈액을 동시에 채취하여 요소, 크레아티닌, 나트륨의 농도를 측정하여 평형 비율을 구한다. 그리고 4시간 동안 복강내에 저류한 후 배액된 투석액의 양을 측정하고 주입한

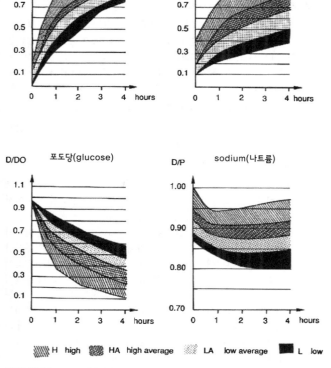

그림 21.7 요소, 크레아티닌, 나트륨, 포도당 이동에 대한 표준 복막 평형 곡선, 고이동군(high), 고평균이동군(high-average), 저평균이동군(low average), 그리고 저이동군(low) (Modified from Twardowski et al. Peritoneal equilibration test. Perit Dial Bull. 1987;7:138.)

즉시와 4시간 째, 투석이 끝날 때의 배액 투석액의 포도당 농도를 측정하여 평형 비율을 구한다(D/D_0 G).

4시간 째 투석액과 혈액의 크레아티닌 평형 비율에 따라 복막의 기능을 고이동군(high), 고평균이동군(high-average), 저평균이동군(low average), 그리고 저이동군(low)으로 분류한다(그림 21-7). 복막평형검사를 이용한 복막투석 처방에 대해서는 25장에 기술되어 있다.

1. 고이동군(High transporters)

고이동군은 유효 복막 표면적이 넓거나 복막 투과도가 높아서 복막의 투과도가 높아, 크레아티닌이나 요소가 가장 빠르고 완전하게 평형을 이룬다. 그러나 고이동군은 투석액의 포도당이 투과도가 높은 막을 통해 혈액으로 쉽게 이동하기 때문에 삼투압 경사를 빠르게 소실한다. 따라서 고이동군은 가장 큰 D/P Cr, D/P Ur, D/P Na 값을 가지나 낮은 총 초미세여과량과 낮은 D/D_0 G 값을 가진다. 뿐만 아니라 고이동군은 투석액으로의 단백질 손실이 많아서 낮은 혈청 알부민 값을 가진다.

2. 저이동군(Low transporters)

저이동군은 복막투과도가 낮고 유효 복막 표면적이 적어서 요소와 크레아티닌에 대한 평형이 느리고 불완전하다. 따라서 저이동군은 적은 D/P Cr, D/P Ur, D/P Na 값을 가지고 높은 D/D_0 G값과 우수한 초미세여과량을 가진다. 뿐만 아니라 저이동군은 투석액으로의 단백질 손실이 적고 혈청 알부민 값이 높은 경향을 가진다.

3. 고평균(High-average)과 저평균(low-average) 이동군

고평균과 저평균 이동군은 상술한 비율들과 초미세 여과량 및 단백질 소실에 대해 중간값을 가진다.

4. 이동군의 임상적 의미

임상적으로 고이동군은 확산은 잘 일어나 용질의 제거가 쉽지만 초미세여과는 잘되지 않으며 저이동군은 초미세여과가 잘 이루어지지만 확산은 잘되지 않아 용질의 제거가 쉽지 않으나 환자의 잔여 신기능이 잘 유지되는 동안은 문제가 잘 노출되지 않는다. 따라서 고이동군에서는 초미세여과량을 최대로 늘리기 위하여 저류시간을 짧게 하고 투석액 교환을 자주 시행하는 투석 처방(예: APD)이 권장된다. 반대로 저이동군에서는 확산을 최대화하기 위해 투석액을 오래 저류시키고 많은 양의 투석액을 사용하는 방법을 처방하는 것이 바람직하다. 실제로는 대부분의 기관에서, 이동군 종류보다는 환자의 생활패턴이나, 다른 비의학적 문제들이 복막투석 처방에 더 큰 영향을 주게 된다. 즉 저이동군도 APD로 관리받거나, 고이동군도 CAPD로 야간에 긴 저류시간을 사용하며 관리받게 된다.

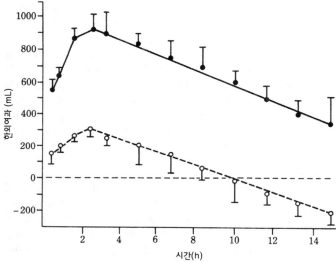

그림 21.8 1.5% 포도당(열린 동그라미)과 4.25% 포도당(닫힌 동그라미) 사용시 시간에 따른 한외여과량 (ultrafiltration =배액량-주입량) (Modified from Diaz-Buxo JA. Intermittent, continuous ambulatory and continuous cycling peritoneal dialysis. In: Nissenson AR, et al., eds. Clinical Dialysis. Norwalk, CT: Appleton-Century-Crofts; 1984.)

B. 유효 수분제거

복막투석에서 유효 수분제거는 복막의 초미세여과와 수분 흡수간의 균형에 의해 결정되기 때문에 이들 두 과정을 조절하는 인자들에 의해 결정된다. 림프량과 복막의 이동 성질은 인위적으로 조절되지 않으므로 임상적으로 복막투석을 통한 수분제거는 다음과 같은 인자들에 의해 항진시킬 수 있다.

1. 삼투압 경사를 최대로 증가시킨다.

    a. 고장성 투석액 저류(예 :4.25% 포도당)

    b. 짧은 저류(예: APD)

    c. 투석액 저류 용적 증가

2. 높은 반사 계수를 가진 삼투 물질 사용(예: icodextrin)

3. 요량증가(예: 이뇨제 사용)

1.5% 포도당 투석 용액 2 L를 복강내로 주입하면 유효 수분 제거는 저류 후 1시간 후에 최고조에 달하며 복강내수분량은 90분 후에 최고조에 달한다. 이 시간 이후부터는 초미세여과되는 양이 흡수되는 양보다 적게 되며 6~10시간이 경과되면 복강 내 수분량은 2 L이하로 감소하여 환자는 유효 수분 증가가 발생한다. 4.25%의 고장성

포도당 투석 용액을 주입하면 초기 수분 제거량이 더 많고 오래 지속되며 주입 후 약 3시간 후에 복강 내 수분량이 최고가 되며 수시간이 지나도 2 L 이하로 감소하지 않는다.

투석용액 저류용적의 증가에 따른 유효 수분 제거 효과는 복잡하다. 한편으로는 복강 내 존재하는 포도당의 증가로 삼투압 경사가 오래 지속되고 수분이동이 일어나는 복막의 표면적이 증가하여 수분제거가 증가한다. 그러나 복강 내 압력이 증가하여 초미세여과를 촉진하는 정수압 경사를 감소시키고 조직과 림프계를 통한 복막의 수분흡수를 증가시켜 수분제거가 감소한다(그림 21.5). 이러한 여러과정들의 각각의 유효 효과는 다양하며 예측하기 어렵다.

C. 복막청소율

특정 용질의 청소율은 단위 시간당 주어진 용질이 완전히 제거되는 이론적인 혈장의 양으로 정의된다. 실제로 복막투석을 통해 제거된 양은 확산과 초여과로 제거된 양에서 수분 재흡수를 통해 얻어진 용질의 양을 뺀 것이다. 이것은 일정시간 동안 제거된 용질의 양을 그 기간 동안의 용질의 혈장농도로 나눈 값과 동일하다. 청소율은 투석액이 복강에 저류하기 시작할 때, 확산과 초여과가 최대이므로 이때 가장 크고, 시간이 지나면서 감소한다. 실제 임상에서 복막투석의 청소율은 분당으로 측정하지 않고 보통 하루나 일주일에 얼마만큼 제거되는지로 표시되므로, 평균치라 할수 있다.

복막의 청소율은 다음과 같은 방법으로 증가시킬 수 있다.

(a) 복막투석 시간을 최대화시킨다(복강을 비워두는 시간을 없앤다).
(b) 농도 경사를 최대화시킨다(APD에서와 같이 자주 교환하고 저류 투석액 용적을 증가시킨다).
(c) 유효 복막 표면적을 최대화시킨다(저류 투석액 용적을 증가시킨다).
(d) 복막의 수분제거를 최대화시킨다.

저류 투석액 용적을 증가시켜 청소율을 증가시키는 기전은 다소 복잡하다. 투석액 용적을 증가시키면 농도 경사를 오랫동안 유지시켜 혈액에서 투석액으로의 요소와 크레아티닌의 확산이 증가한다. 투석액 용적을 늘리면 유효 복막 표면적이 증가하여 MTAC 값이 상승하나 성인에서 저류 투석액 용적이 2.5 L를 초과하면 가용한 복막을 다 사용하게 되어 이러한 효과는 미미하거나 거의 없어진다. 이와 같은 2가지 효과들은 저류 투석액 용적이 큰 상태에서 D/P 비율이 감소하더라도 확산에 의한 청소율을 증가시킨다. 저류 투석액 용적을 증가시키면 대류에 의해 제거되는 용질의 양이 줄어들어서 초미세여과가 약간 감소한다. 이러한 이유로 저류용적을 증가시키더라도 청소율의 증가율은 제한적이다. 예를 들어 2 L에서 2.5 L로 저류 투석액 용적을 증가시키면 주입 주석용액의 25% 증가를 의미하나, 3%의 D/P 비율 감소와 5%의 초미세여과 감소로 인해, 실제 청소율은 20% 정도만 증가한다.

요소와 크레아티닌: 복막투석 처방의 변경은 크레아티닌이 요소에 비해 더 시간의존적이기 때문에 각각의 청소율을 서로 다르게 변화시킨다. 즉 CAPD에서 APD로 처방을 변경하면 요소 청소율보다 크레아티닌 청소율의 감소가 더 크게 나타나고, APD에서 낮동안 장기 저류를 하게되면 현저한 크레아티닌 청소율의 변화를 가져오게 된다. 이러한 효과들은 크레아티닌 청소율이 다른 이동군에 비해 보다 시간 의존적인 저이동군에서 현저하다.

1. 청소율 측정

복막투석에서 특정 용질의 일일 복막 청소율은 하루에 배액된 투석액 전체 용적에 투석액 내 용질 농도를 곱한 후 그 용질의 혈장 농도로 나누어서 구할 수 있다. 즉, 청소율은 배액된 투석액 용적을 특정 용질의 D/P 비율로 곱하여 구할 수 있다.

CAPD에서는 투석이 연속적으로 시행되고 있기 때문에 혈장 요소 농도가 하루 종일 일정하므로 하루 중 편리한 시기에 혈장 검체를 채취하여도 무방하다. APD의 경우에는 투석이 밤중에 집중적으로 시행됨으로 일정한 혈장 요소 농도를 가정할 수 없다. 이러한 경우에는 요소 농도가 최저인 시점(APD를 종료한 아침)과 최고인 시점(APD 시행 바로전 밤시간)의 중간인 투석을 시행하지 않는 기간의 중간에 (대개 정오에) 혈장 검체를 채취하는 것이 바람직하다. 청소율은 하루 단위로 측정하나 일주일 단위로 표현한다.

요소 청소율은 Watson식이나 Morgenstern식(25장과 Appendix B에 설명)을 이용한 총체내 수분량(total-body Water: V)으로 교정하여 사용하고, 크레아티닌 청소율은 DuBois, Gehan and George (25장과 Appendix B에 설명)식을 이용하여 계산한 체표면적 1.73 m^2에 해당하는 것으로 교정하여 사용한다.

2. 복막청소율 계산

25장에 기술한다.

D. 나트륨 제거

복막투석에서 나트륨 제거를 수분 제거와 별도로 고려하는 것이 도움이 된다. 복막투석에서의 초미세여과는 선별효과(sieving effect)가 작용하므로 수분 손실이 나트륨 손실에 비해 크다. 4시간 복강 저류 후 투석액내 나트륨 농도는 처음의 132 mM 에서 128 mM 까지 감소한다(그림 21.7). 투석액의 복강내 저류 초기에는 나트륨 농도가 65 mM 정도인 초미세여과액 때문에 투석액 나트륨 농도가 급격히 감소한다. 이와 같은 현상은 나트륨 농도 경사가 커짐에 따라 중요해지는 확산에 의해 일부분 억제되며 초미세여과량이 현저히 감소하는 복강내 저류 후반부에는 확산에 의해 투석액의 나트륨 농도가 다시 128 mM 로 회복된다. 종합적으로 4시간 1.5% 포도당 투석액 2-L의 순수한 나트륨 제거는 미미하고, 4시간, 4.25% 포도당 투석액 2-L를 사용한 경우에는 70 mmol 이상이 제거된다. 나트륨 제거를 증가시키기 위해서 나트륨 농도가 낮은 투석액을 사용할 수 있다. 투석액 내의 나트륨 농도를 낮추면 확산에 의한 나트륨 제거를 증가시킬 수 있으나, 동일한 삼투압 효과를 나타내기 위해 보다 더 높은 농도의 포도당도 사용이 필요하다. 이러한 투석용액을 제조할 수 있으나 상품으로 판매되지는 않는다.

E. 단백질 손실

단백질 손실은 복막투석의 특징 중 하나이며 하루 평균 5~10 g의 단백질 손실이 발생한다. 이중 절반 이상이 알부민이다. 이러한 단백질 손실은 혈액투석 환자에 비해 복막투석 환자에서 혈청 알부민 농도가 낮은 주요 원인일 것이다. 고이동군에서 단백질 손실이 가장 많고 혈청 알부민 농도가 가장 낮다. 알부민과 같은 고분자 물질들의 손실 또는 청소율은 투석액 저류 동안 일정하나 lysozyme과 같은 저분자 물질들은 크레아티닌과 같이 저류가 진행됨에 따라 청소율이 급격히 감소한다.

단백질 손실은 내피세포 사이의 틈에 상응하는 비교적 적은 수의 대공을 통해 일어난다. 복막을 통한 수분 흡수는 '거대유량(bulk flow)'의 일종으로 다른 용질 뿐만 아니라 단백질의 흡수도 포함함으로 복막의 유효 단백질 손실을 감소시키는 작용을 한다.

복막염이 발생하면 복막의 혈액 분포의 증가를 통해 유효 복막 표면적이 증가하여 수일간 단백질 손실이 급격히 증가한다. 이와 같은 작용은 일부 프로스타글란딘에 의해 매개된다.

간헐적 복막투석을 시행하는 경우, 지속적인 복막투석을 시행할 때보다 단백질 손실이 적은 것으로 나타나는데, 이는 복강을 비워두는 동안 단백질 손실이 감소하기 때문이다.

복막투석 중 일어나는 단백질 손실이 나쁜 것만은 아니며, 단백질과 알부민이 소실될 때 다른 방법으로는 잘 제거되지 않는 단백질 결합형 독성 물질들이 함께 배출되어 이로울 수도 있다는 견해도 있다. 하지만, 이러한 이점에 대해서는 아직 더 연구가 필요하다. 혈액투석에서 투과성이 좋고, 단백질 소실이 많은 투석막을 사용하며 단백결합 요독을 제거해보려는 시도들이 아직까지 명확한 이점을 내놓지 못하고 있다.

V. 잔여신기능

혈액투석 환자에 비해 만성 복막투석 환자에서 잔여신기능이 더 높게 장기간 유지된다고 알려져 있으며 이와 같은 잔여신기능의 유지는 복막투석의 성공에 중요한 역할을 한다. 잔여신기능은 염분과 수분 제거 및 저분자 및 중간 크기의 용질 청소율에 작용한다. 세뇨관의 크레아티닌 배설이 전체 청소율에 크게 작용하므로 잔여신기능이 유지되는 경우 크레아티닌 청소율이 과도하게 높다. 요소 청소율은 세뇨관에서 요소가 재흡수되므로 반대의 경우로 나타난다. 신기능이 감소하고 있는 신장의 실제 사구체 여과율(glomerular filtration rate)은 요소 청소율과 크레아티닌 청소율의 평균치로 계산할 수 있으며, 복막투석 환자에서 전체 크레아티닌 청소율에 대한 신장의 기여도를 계산할 때 사용할 수 있다. 잔여신기능의 유지는 우수한 저분자와 고분자 물질의 청소율 뿐만 아니라 신장의 내분비와 대사 기능 및 우수한 체내 수분량 조절과 관련이 있어 복막투석 환자의 생존율을 예측할 수 있을 것으로 알려져 있다.

References and Suggested Readings

Cnossen TT, et al. Quantification of free water transport during the peritoneal equilibration test. *Perit Dial Int.* 2009;29:523–527.

Devuyst O, Rippe B. Water transport across the peritoneal membrane. *Kidney Int.* 2014;85:750–758.

Durand PY. Measurement of intraperitoneal pressure in peritoneal dialysis patients. *Perit Dial Int.* 2005;25:333–337.

Flessner M. Water-only pores and peritoneal dialysis. *Kidney Int.* 2006;69:1494–1495.

Flessner MF. The role of extracellular matrix in transperitoneal transport of water and solutes. *Perit Dial Int.* 2001;21(suppl 3):S24–S29.

Heimburger O. Peritoneal transport with icodextrin solution. *Contrib Nephrol.* 2006;150:97–103.

Heimburger O, et al. A quantitative description of solute and fluid transport during peritoneal dialysis. *Kidney Int.* 1992;41:1320–1332.

Krediet RT, Struijk DG. Peritoneal dialysis membrane evaluation in clinical practice. *Contrib Nephrol.* 2012;178:232–237.

La Milia V, et al. Mini-peritoneal equilibration test: a simple and fast method to assess free water and small solute transport across the peritoneal membrane. *Kidney Int.* 2005;68:840–846.

La Milia V, et al. Functional assessment of the peritoneal membrane. *J Nephrol.* 2013;26(suppl 21):120–139.

Ni J, et al. Aquaporin-1 plays an essential role in water permeability and ultrafiltration during peritoneal dialysis. *Kidney Int.* 2006;69:1518–1525.

Rippe B, et al. Fluid and electrolyte transport across the peritoneal membrane during CAPD according to the three-pore model. *Perit Dial Int.* 2004;24:10–27.

Stachowska-Pietka J, et al. Computer simulations of osmotic ultrafiltration and small solute transport in peritoneal dialysis: a spatially distributed approach. *Am J Physiol Heart Circ Physiol.* 2012;302:F1331–F1341.

Twardowski ZJ, et al. Peritoneal equilibration test. *Perit Dial Bull.* 1987;7:138.

Waniewski A, et al. Distributed modeling of osmotically driven fluid transport in peritoneal dialysis: theoretical and computational investigations. *Am J Physiol Renal Physiol.* 2009;296:1960–1968.

22

복막투석을 위한 기구

양하나 역

이 장에서는 여러 형태의 복막투석에 사용되는 용액과 장비에 대해 기술한다. 급성 복막투석을 위한 기구는 24장에서 기술한다.

I. 지속적 외래복막투석 CAPD: CONTINUOUS AMBULATORY PERITONEAL DIALYSIS

CAPD 중에 투석액은 복강내에 계속 있게 된다. 투석액은 환자에 따라 하루 3-5회, 통상 4회 교환한다. 사용한 투석액의 배액과 새 투석액의 주입은 중력을 이용하여 흘러가도록 수동으로 시행한다. 기술적인 입장에서 보면 제품화된 투석용액(PD solution)이 주입되어 투석이 이루어지기 전까지는 투석액(dialysate)이라고 할 수 없기 때문에 투석용액이 주입되고, 투석액이 배액되는 것이지만, 통상적으로 투석이 이루어지기 전과 후의 투석용액과 투석액을 통틀어 투석액으로 명칭한다. 이 장에서 투석액은 복강내로 주입된 이후의 투석용액(PD solution)을 지칭하기로 한다.

A. 투석 용액

CAPD 용액은 깨끗하고, 잘 접히고 펴지는 보통의 염화비닐 플라스틱 용기에 담겨진다. 몇 종류의 새로운 투석용액들은 구분된 두 세계의 구획으로 나뉘어 포장되어 복강내 주입 전에 혼합하는 경우도 있다.

1. 투석액 용량

성인환자에서 CAPD 투석액은 회사에 따라 1.5, 2.0, 2.25, 2.5, 3.0 L가 있다. 일반적으로 플러싱을 위해 100 mL정도 더 들어있다. 표준 처방 용량은 2.0 L이나, 2.5 L도 많이 사용된다. 일반적으로 청소율을 높이기 위해 더 많은 양을 처방하게 되는데, 복강내 수압 증가로 인해 환자가 불편할 수 있어 주의해야 한다.

2. 투석 용액의 포도당, pH, 포도당 분해 산물(GDP)

CAPD 용액에 사용되는 일반적인 삼투압 물질은 포도당이며, 1.5%, 2.5%, 4.25% dextrose (glucose monohydrate, MW 198)가 사용중이고, 미국을 포함한 대부분의 국가들에서 이렇게 표기하고 있다. 이 용액들 내의 실제 포도당(MW 180) 농도는 1.36%, 2.27%, 3.86% 이며, 유럽에서는 이렇게 표기하고 있다. 이 용액들의 삼투압은 345, 385, 484 mOsm/L 이다.

포도당을 열살균 하게 되면 포도당 분해 산물(GDP)이 생성되며, 이는 복막과 전신에 독성을 가진다. 포도당을 낮은 pH에서 열살균 하게 되면 GDP가 적게 생성되기 때문에, 일반적인 젖산 기반의 복막투석액의 pH는 5.5로 유지된다. pH를 낮출수록 GDP 생성을 줄일 수 있지만, 환자에게 주입시 통증을 유발할 수 있다. pH 5.5의 투석용액은 비교적 환자들이 견딜수 있는 정도이며, 용액이 주입되면, 중탄산이 혈장에서 복강내로 확산되면서 pH를 빠르게 올리게 된다. 하지만 주입 중 통증을 느끼는 환자도 있다. 이런 경우 투석액을 주입전에 알칼리로 중화시켜 통증을 완화시킬 수 있다.

투석액의 pH가 낮은 경우, 백혈구의 포식능력을 떨어뜨려 복막에 해로운 영향을 준다. 그래서 GDP 생성을 줄이기 위한 다른 방법들이 소개되었다. 그림 22.1에서와 같이 두 개의 구획으로 나뉜 투석액 구조이다. 이 경우 한 구획에서는 포도당이 3.2 정도의 낮은 pH에서 열 살균되어, GDP생성은 적게된다. 다른 구획에서는 나머지 용액들이 알칼리성 pH를 유지하고 있다. 사용시에 두 구획을

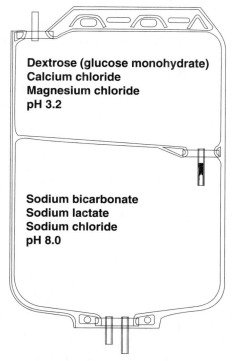

그림 22.1 낮은 GDP와 정상 pH를 유지하도록 고안된 두 구획 투석액

혼합하여 정상 pH에 도달하게 된다. 결과적으로는 정상 pH를 유지하지만 GDP생성은 적게 되는 것이다.

3. 투석액의 완충액과 pH

대다수 시판중인 복막투석 용액은 중탄산의 생성염기로 40-mM, 35-mM 정도 농도의 젖산(lactate)을 포함하고 있다. 젖산이 복막을 지나 혈류내로 확산되면서 중탄산으로 대사된다. 중탄산을 직접 공급하는 방법으로 투석액에 바로 주입해주는 방법이 있지만, 중탄산을 포함하고, CO_2를 포함하지 않은 투석용액은 pH가 높아 칼슘과 마그네슘이 침전하게 된다. 그런 이유로 중탄산을 포함한 투석액을 단일구획의 백에 보존하는 것은 불가능하다. 앞에서 기술된 두 구획으로 분리된 시스템은 복막투석 용액내에 중탄산을 보존하면서도 GDP 생성을 제한할 수 있다. 칼슘, 마그네슘, 적은 양의 산과 여러 전해질들을 한 구획에, 그리고 다른 구획에 중탄산을 포함한 용액을 보관한다. 사용시에 두 구획의 용액을 혼합하여 소량의 산과 중탄산이 만나면서 탄산과 CO_2를 생성하게 되고, 최종적으로 생리적 수준의 pH를 유지하게 된다.

이 과정은 혈액투석에서 두 개의 구획의 용액을 끌어다가 중탄산을 제공하는 기전과 매우 유사하다.

현재 최소 3가지의 2구획 시스템 복막투석액이 시판되고 있다. Fresenius사의 Balance액은 유일하게 젖산을 사용한다. 2구획 시스템은 낮은 pH에서 포도당을 살균하여 GDP 생성을 억제한다. Baxter사의 Physioneal액은 중탄산과 젖산을 모두 함유하고 있으며, 2구획 시스템으로 GDP생성 억제와 중탄산의 사용을 모두 가능하게 하였다. Fresenius사의 Bicavera는 중탄산만을 가지고 있으며 젖산은 함유하고 있지 않으며, 2구획 시스템의 장점인 낮은 GDP생성과 중탄산 이용을 가능하게 한다(표 22.1).

이러한 2구획 시스템을 이용한 용액들은 혼합 후에 생리적 pH에 가까워지면서도 GDP생성이 적어짐으로써, pH 5.5 정도의 단일구획 시스템 용액보다 이론적으로 생체적합성이 좋다. 이렇게 생체적합성이 좋은 복막투석액이 수분의 초여과와 복막의 이동을 오랫동안 잘 유지해주고, 복막의 방어기전을 강화하여 복막염 발생을 줄여주고, 혈장 GDP를 낮추어 궁극적으로 잔여신기능을 보존하는데 도움이 되고, 이러한 여러 효과들을 통해 복막투석 환자의 생존율을 높이게 된다면 좋겠다.

이러한 2구획 시스템이 주입시 통증을 개선시킨다는 근거들이 밝혀지고 있다. 합병증은 낮은 pH의 표준 복막액을 사용하는 환자의 5% 이하에서만 발생한다. 보다 나은 결과를 증명하려면 대규모 무작위 연구에서 일관된 결과를 보여야 한다. 최근의 balANZ 연구에서 Balance 용액을 사용한 경우 복막염의 발생이 적은 것으로 나타났다. 하지만 이러한 결과는 다른 메타분석을 이용한 연구에서는 보여지지 않았다. 잔여신기능 보존에 유익했다는 몇가지 보고들이 있으나, 초여과에서는 덜 효과적이어서 그저 수분과다의 결과일 뿐이라는 연구도 있다(Davies,2013). 무작위 연구는 환자의 장기 예후나 생존율을 규정할 정도의 대규모 연구가 없다. 이러한 생체적합성 투석액은 유럽과 아시아 일부에서 많이 사용되고 있으나, 북미나 다른 곳에서는 높은 수준의 근거와 높은 비용으로 인해 거의 사용하지 않고 있다.

4. 투석액의 전해질 농도

CAPD 용액의 전해질 농도는 제조회사에 따라 조금씩 다르다. 대표적인 대규모 제약회사의 표준 용액의 전해질 조성이 표 22.1에 기술되어 있다. 이 제품들은 칼륨은 포함하고 있지 않으며 나트륨은 132~134 mM 정도이다. 나트륨 농도가 높아지면 저류 중 확산이 감소된다. 나트륨 농도를 낮추어 나트륨 제거 증가를 시도해볼 수 있으나 이를 위해서는 삼투압 유지를 위해 높은 농도의 포도당이 필요하다.

인 결합제로 탄산칼슘과 구연산칼슘을 많이 사용하게 되면서, 복막투석액의 칼슘 조성은 3.5 mEq/L (1.75 mM)보다 적은 2.0~2.5 mEq/L (1.0~1.25 mM)이 많아지고 있다. 이는 경구 칼슘과 비타민 D의 섭취와 연관된 고칼슘혈증의 빈도를 낮추고자 함이다. 이는 또한 복막투석 환자에서 많이 발생하는 골질환을 예방하는데도 도움이 된다. 하지만 칼슘 농도가 낮은 복막투석액을 사용하면 부갑상샘 호르몬의 농도가 올라가게 된다. 복막투석액은 보통 1.0이나 0.5 mEq/L (0.5 나 0.25 mM)의 마그네슘을 함유하고 있어, 때때로 마그네슘 결핍을 유발한다.

5. 포도당 이외의 투석액

삼투성 용질로서의 포도당은 비교적 안전하고, 가격이 저렴하고, 열량을 제공하는 장점이 있다. 그러나 다량의 포도당을 복강내에 주입하는 것은 환자에게 고혈당, 이상지질혈증, 비만, 그리고 장기적으로는 복막에 직접적 혹은 GDP를 통한 손상을 줄 수 있다. 포도당을 기반으로 한 용액은 고이동군에서는 비효율적이어서, 초미세여과가 불충분하다. 포도당을 대체할 수 있는 삼투성 용질이 나오고 있다.

a. Icodextrin

Icodextrin은 포도당 다합체로 이미 널리 사용되고 있다. 이것은 삼투압을 비교적 일정하게 유지하여 초미세여과를 유도한다(Mistry, 1994). 포도당 다합체의 흡수는 림프계를 통해 이루어지며, 이는 포도당보다 훨씬 느리게 이루어진다. 따라서 수압을 유지하여 여과가 오래 유지된다. 이러한 이유로 icodextrin은 특히 초미세여과 부전이 동반된 CAPD 환자에서 장시간 저류하는 야간 교환에 사용되거나, APD 환자의 낮시간 교환에서 사용될 수 있다. 이는 짧은 저류 시간에는 포도당보다 더 효과적이지 않기 때문에 일반적으로 하루에 한 번만 사용한다. icodextrin을 사용

			삼투압 물질					
TABLE 22.1 상용화된 복막투석액의 조성								

	제조사	pH	삼투압 물질	Na (mM)	Ca (mM)	Mg (mM)	Lactate (mM)	Bicarbonate (mM)	주머니수
Dianeal PD1	Baxter	5.5	Glucose	132	1.75	0.75	35	0	1
Dianeal PD4	Baxter	5.5	Glucose	132	1.25	0.25	40	0	1
Stay safe 2/4/3	FMC	5.5	Glucose	134	1.75	0.5	35	0	1
Stay safe 17/19/18	FMC	5.5	Glucose	134	1.25	0.5	35	0	1
Nutrineal	Baxter	6.5	Amino acids	132	1.25	0.25	40	0	1
Extraneal	Baxter	5.5	Icodextrin	132	1.75	0.25	40	0	1
Physioneal 35	Baxter	7.4	Glucose	132	1.75	0.25	10	25	2
Physioneal 40	Baxter	7.4	Glucose	132	1.25	0.25	15	25	2
Balance	FMC	7.4	Glucose	134	1.25 1.75	0.5	35	2.5	2
Bicavera	FMC	7.4	Glucose	134	1.25 1.75	0.5	0	34	2

지역에 따라 이름과 성분은 다를수 있음. 모든 포도당 용액은 1.5, 2.5, 4.25 mg/dL dextrose 농도로 이용가능함. Ca을 mmol/L (mM) 에서 mg/dL 로 변환하려면 4를 곱하면 된다. Mg을 mmol/L (mM)에서 mg/dL로 변환하려면 2.43을 곱하면 된다.

하면 혈액내에 엿당(maltose) 농도가 상승하지만, 아직까지 엿당 독성에 대해서는 보고된 바가 없다. 혈중 포도당 측정에 이용되는 glucose dehy-drogenase pyrroquinolinequinone 분석은 포도당과 엿당 모두에 반응하여, 엿당 증가시 교란된다. 따라서 icodextrin을 사용하는 환자에서 혈당 측정은 다른 방법을 이용해야 한다. 또한 icodextrin을 사용하면 나트륨이 부족한 수분이 세포내에서 세포외액으로 이동하여, 상대적인 저나트륨혈증을 나타내게 된다. amylase 측정시 icodextrin의 대사물과 상호반응을 일으켜, 과다하게 낮게 측정된다.

Icodextrin은 무작위 대규모 연구에서 초미세여과를 개선하여 혈압을 낮추지는 않으면서 복막투석 환자의 수분 평형을 개선하는 것으로 밝혀졌다(Davies, 2003). 또한 혈당 조절이 개선되고, 체중 증가가 적으며, 포도당에 의한 지질 이상도 적은 것으로 나타났다(Cho, 2013; Li, 2013). 장기적으로 복막기능을 보존하는데 도움이 된다는 연구도 있다(Davies, 2005). 단점은 고가의 비용과, 가끔 유발되는 피부 반응, 그리고 드물게 무균성 복막염이 있다.

b. 아미노산 기반의 투석액

영양보충을 위해 아미노산 기반의 투석액이 사용되고 있으며, 이는 4~6시간의 저류 중 후반부에 대부분 흡수된다(Jones, 1998). 대부분의 연구들은 영양불량 상태의 환자들에서 효과를 보였다(Lo, 2003). 이것들은 1.36% 포도당 용액과 비교하여 삼투압 면에서 효과적이지만 산증 유발이나, 요소 수치 증가의 위험성 때문에 하루 한 번만 사용된다. 이러한 부작용은 경구 염기치료나 낮은 투석으로 해결해볼 수 있다.

6. 무균성과 미량 금속

CAPD 용액은 세균학적으로 안전하고 미량금속이 아주 낮은 농도로만 함유되도록 아주 주의깊게 조절하여 제조된다.

7. 투석용액의 온도

복막투석 용액은 대개 주입 전에 체온정도로 데운다. 실온정도로 주입할 수 있지만 체온보다 낮으면 불쾌감과 오한을 일으킬 수 있다. 투석용액을 데우는 가장 좋은 방법은 전기담요나 특수 오븐을 사용하는 것이다. 전자레인지는 투석액을 데우는데 자주 사용되지만, 대부분의 투석용액 회사들은 이를 권장하고 있지 않다. 그 이유는 전자레인지가 열을 가하는 동안 'hot spot'을 만들기 때문이라고 한다. 포도당을 포함한 투석용액을 지나치게 가열하면 포도당을 화학적으로 변하게 만들 수 있고 주입할 때 불쾌감을 유발할 수 있다. 또한 제한된 공간에서 끓는 경우 폭발을 일으킬 수 있어 주의해야 한다. 물 속에 투석액 주머니를 완전히 담가서 가열하는 방법은 권장되지 않는데 그 이유는 이런 방법을 사용하면 멸균된 용액이 오염될 수 있기 때문이다.

B. 수액주입관(transfer set)

복막투석 주머니는 수액주입관이라 불리는 플라스틱관에 의해 환자의 복막투석 도관에 연결된다. 수액주입관은 3가지 형태가 있으며 각각 투석액을 교환하는 방법이 다르다. 이에 대한 논의를 위해 편의상 일자형 수액주입관(straight transfer set), Y자형 수액주입관(Y transfer set), 그리고 이중 주머니 시스템(double-bag system)으로 명칭하겠다.

1. 일자형 수액주입관

이 형태는 높은 복막염 발생율로 인해 현재는 거의 사용하고 있지 않지만, 새로운 형태의 주입관들을 이해하는데 도움이 되므로 간단히 소개한다.

a. 형태

이것은 아주 단순한 한 개의 플라스틱 관이다. 한쪽 끝은 복막투석 도관에 연결되고 다른 한쪽 끝은 투석액 주머니에 연결된다. 용액을 교환할 때마다 수액주입관과 주머니 사이의 연결부위를 연결하고 분리한다. 이와 같은 연결 방법은 스파이크 또는 Luer 잠금 장치를 사용한다.

b. 교환 절차

투석은 다음과 같이 시행한다.

1. 투석액은 중력에 의해 주입된다.
2. 빈 투석액 주머니와 수액주입관을 잘 접어 환자의 몸에 지니고 다니는 주머니에 넣는다.
3. 저류시간은 보통 4~8시간이다.
4. 주머니를 펼쳐서 바닥 위에 놓는다. 투석액은 주머니로 배액된다. 그리고나서 주머니를 수액주입관에서 분리시켜서 버린다.
5. 새로운 주머니를 스파이크나 Luer 잠금장치를 이용하며 수액주입관에 연결한다.
6. 새 투석액을 주입한다.

몇 달마다 한 번씩 수액주입관을 교환해야 한다. 사용기간이 연장된 수액주입관은 6개월까지 사용할 수 있다.

2. Y자형 수액주입관(그림 22.2)

a. 형태

Y자형 수액주입관은 Y자 모양으로 생겼으며, 줄기는 환자의 도관과 연결되고 구심성과 원심성 가지는 각각 새로운 투석용액 주머니와 배액용 주머니에 연결된다. 일부에서는 이전 교환에서 사용하였던 투석용액 주머니를 배액용 주머니로 사용하기도 한다. 대부분의 Y자형 수액주입관은 투석 도관에 직접 연결되어 있지 않고 투석 도관과 Y set 사이에 있는 짧은(약 15~24 cm) 연결관(adapter)이나 연장용 튜브에 연결되어 있다. 간혹 이러한 연장용 튜브를 Y자형 수액주입관으로 혼동하여 부르는 경우가 있으나 본 장에서는 수액주입관은 투석용액 주머니와 배액 주머니를 연장용 튜브나 도관에 연결시켜 주는 기구를 지칭한다. 연장용 튜브 사용은 도관을 자주 조이

고 풀어주는 조작을 통해 손상 위험을 피할 수 있다.

b. 교환 절차

1. 스파이크/잠금장치(Spike/lock) : 새로운 투석 용액 주머니를 스파이크나 Luer 잠금장치를 통해 Y자형 수액주입관의 구심성 가지에 연결한다.

2. 연결: Y자형 수액주입관의 줄기를 연결관 튜브에 연결한다.

3. 배액: Y자형 수액주입관의 줄기와 원심성 가지의 죄임쇠(clamp)를 풀어서 사용된 투석액을 복강에서 배액용 주머니로 배액한다.

4. 씻어내기(Flush): Y자형 수액주입관의 줄기를 잠그고 새 투석용액 주머니로부터 약 100 mL 의 새로운 투석용액을 Y자형 수액주입관의 구심성 가지를 통해 원심성 가지로 씻어내려 배액용 주머니로 내보낸다.

5. 채우기: 원심성 가지를 잠그고 줄기의 죄임쇠를 풀어서 복강내로 새로운 투석용액을 채운다.

6. 분리: Y자형 수액주입관을 연결관 튜빙으로부터 분리한다.

Y자형 수액주입관은 투석용액 교환 사이에 환자들이 수액주입관과 비어있는 주머니를 투석도관에서 분리할 수 있도록 고안된 장치이다. 초기 연구 결과에서 Y자형 수액주입관 사용이 일자형 수액주입관 사용보다 복막염 발생을 감소시킨다는 더 중요한 장점이 관찰되었다. 일자형 수액주입관을 사용할 때는 연결 과정 중 침입한 세균이 새 투석액이 복강 내로 들어갈 때 함께 따라 들어갈 수 있으나 Y자형 수액주입관에서는 연결부분에 잠복되어 있는 세균을 비어 있는 배액용 주머니로 씻겨 나가게 한다. 또한 교환 사이에 튜브와 주머니가 몸에서 분리되어 있어 도관 출구와 터널에 대한 기계적 자극이 감소하여 도관 출구와 터널에 감염을 줄이고 복막염 발생률을 감소시킨다.

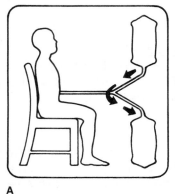

A　　　　　**B**

그림 22.2　채우기 전에 씻어내는(flush-before-fill) 방식의 Y자형 수액주입관

A: 복강을 비우기 직전, 혹은 직후에 소량의 새로운 투석용액을 배액주머니로 흘려보낸다. 이 과정을 통해 구심성(afferent) 가지에 남아있을 수도 있는 공기나 세균을 제거할 수 있다.

B: 교환세트를 통해 신선한 투석액을 주입한다. 이러한 폐쇄구조의 이중주머니 시스템에서는 채우기 전에 씻어내는(flush-before-fill) 과정의 목표는 그저 관에 남아있는 공기를 제거하는 것이다.

이와 같은 낮은 복막염 발생률과 편리함 때문에 1980년대 중반 이후부터 Y자형 수액주입관이 기존의 일자형 수액주입관을 대체하였다.

3. 이중 주머니 시스템(double-bag Y-set systems)

a. 형태

이와 같은 시스템은 Y자형 수액 주입관의 변형된 형태로 투석용액 주머니에 Y자형 수액 주입관의 구심성 가지가 미리 연결되어 있어 스파이크나 Luer 잠금장치 등이 불필요하다. 마찬가지로 배액용 주머니에 원심성 가지가 미리 연결되어 있어 환자가 연결해야 하는 부분은 주입관과 연장 튜빙(extension tubing) 뿐이다. '채우기 전에 씻어내는(flush-before-fill)' 단계는 여전히 시행하나 수액주입관에서 투석용액 주머니간의 연결이 불필요한 이와 같은 시스템에서는 복강의 오염을 방지하는 것보다는 관내에 남아 있는 잔여 공기를 빼내는 것이 목적이다.

이와 같은 시스템은 사용이 편리할 뿐만 아니라 고식적인 Y자형 수액 주입관보다 더 낮은 복막염 발생률을 보이고 있어(Kiernan, 1995) 현재 가장 인기가 있다.

b. 교환 절차

1. 연결: 새로운 수액주입관을 연장 튜빙에 연결한다.
2. 배액: 수액주입관의 줄기와 원심성 가지의 조임쇠를 풀어서 사용된 투석액을 복강에서 배액용 주머니로 배액한다.
3. 씻어내기: 수액주입관의 줄기를 잠그고 튜빙(tubing)의 부서지기 쉬운 부분을 파손시켜 Y자형 수액 주입관의 구심성 가지를 열어준다. 남아있는 공기를 제거하기 위해 새 투석용액 주머니로부터 약 100 mL의 투석용액을 배액용 주머니로 씻어내린다.
4. 채우기: 원심성 가지를 잠그고 줄기의 조임쇠를 풀어서 복강 내로 새로운 투석용액을 채운다.
5. 분리: 모든 가지를 잠그고 수액주입관을 연장 튜빙으로부터 분리한다.

C. 복막투석에 사용되는 다양한 연결기구

수년에 걸쳐 도관과 수액주입관 또는 수액주입관과 투석액 주머니를 연결하는 과정에서 발생하는 세균 오염을 줄이기 위한 시도로서 많은 연결 기구와 관련 제품들이 개발되고 상품화되었다.

1. 도관-수액주입관 연결기구

a. 도관연결 기구

CAPD의 초창기에는 단순히 플라스틱으로 끼워 넣는 연결 기구를 도관과 수액주입관의 연결부위에 사용하였다. 그러나 플라스틱 연결 기구에 금이 가거나 사고로 분리되는 경우가 자주 발생하였고, 이것으로 종종 복막염이 생기기도 하였다. 티타늄으로 만든 Luer 잠금장치 연결 기구는 그러한 문제를 예방하기 위해서 개발되었다. 티타늄은 무게가 가볍고 전해질을 함유한 용액으로 인해 변화되지 않기 때문에 선택되었다. 이렇게 새로 개발된 티타늄 연결 기구는 다루기 쉽고 단단히 연결되도록 설계되어, 그 기능을 아주 잘 하였다. 최근에는 도관-수액주입관 연결 기구로 티타뉴처럼 단단한 플라스틱 제품이 생산되고 있다.

b. 빠른 연결-분리 시스템

분리할 수 있는 Y자형 수액주입관과 이중 주머니 시스템의 출현으로 편리하고 멸균적으로 도관과 주입관 연결부위(또는 연결관-주입관 연결부위)를 연결해야 할 필요가 있다. 요즘에는 이를 위해 많은 새로운 연결 기구들이 개발되어 있다. 대표적인 것이 'Luer' 잠금장치이다. Fresenius Medical Care 에서 나오는 'Stay Safe'는 연결 튜브로서의 기능 뿐 아니라, 배액과 채우기 과정을 조절할 수도 있다.

2. 수액주입관과 투석액 주머니의 연결

이중 주머니 시스템의 출현으로 수액주입관과 투석용액 주머니를 연결하는 기술 개발은 크게 요구되지 않고 있다. 그러나 일부 방법들은 아직까지 사용되고 있어 이들에 대해 간략하게 기술하겠다.

a. 스파이크-주입구(Spike-and-port) 연결방식

기본적인 스파이크-주입구 연결방식은 수액주입관을 투석 주머니에 연결하는 가장 오래되고 간단한 방법으로서 수액주입관의 끝에 위치한 스파이크를 투석액 주머니의 주입구 안으로 밀어 넣는 것이다.

b. 쉽게 끼울수 있는 연결 기구

투석용액 주머니에 스파이크를 삽입하려면 연결 기구를 다루기 위한 비교적 좋은 시력, 깊이와 감각에 대한 지각력, 그리고 근력 등이 필요하므로 많은 환자들이 어려움을 겪는다. 주입구에 스파이크를 바로 끼우는데 실패하면 수액주입관이 오염될 수 있으며 그 결과 복막염이 생길 수 있다. 이런 이유로 스파이크-주입구의 연결이 screw-type, Luer 잠금장치 등으로 많이 대체되었으며 그 결과로 쉽게 삽입할 수 있게 되었다. 개량형 연결 기구는 오염을 예방하기 위해 투석액의 통로가 깊은 곳에 위치하거나, 살균소독제(예 ; 포비돈-아이오다인)를 넣는 저장소와 밀봉을 위한 실리콘 고리(O-ring) 등을 가지고 있다.

II. 자동복막투석(APD:AUTOMATED PERITONEAL DIALYSIS)

APD는 현재 미국을 포함한 여러나라에서 많이 사용되는 복막투석 방법으로, 대다수의 복막투석 환자들이 이 방법으로 치료받고 있다. APD는 전통적으로 지속교환기 복막투석(continuous cycling peritoneal dialysis : CCPD)과 낮동안 비워두는 야간 간헐 복막투석(nocturnal intermittent peritoneal dialysis :NIPD)로 분류된다. 물론 교환기 치료와 함께 낮동안 여러 차례 교환을 혼합하여 사용하는 방법도 있다(그림 22.3). 낮동안 저류가 이루어지는 APD의 경우 환자가 낮동안 복강내에 복막액을 가지고 생활하고, 낮동안은 교환을 하지 않기 때문에, 주입관 등을 조작할 필요가 없다. 밤중에 투석액을 3~4차례 교환해주는 교환기(cycler)에 연결된 상태로 있으면 된다. 환자는 아침에 마지막 저류액이 복강에 남아있는 상태에서 교환기와 연결을 끊고 일상생활로 돌아가게 된다. 낮동안 비워두는 NIPD의 경우, 환자는 교환기의 마지막 주기에 완전히 배액을 마치고, 낮 동안 복강을 비워두게 된다. 낮동안의 긴 시간 저류가 없기 때문에 청소율은 대체로 낮지만, 잔여신기능이 좋거나, 기계적인 문제(탈장, 누출, 요통 등)로 활동 중 복강내에 투석액을 넣고 있기 어려운 경우에 사용한다.

A. 교환기(cyclers)

복막투석 교환기는 투석액을 복강내로 넣고 빼는 교환을 자동적으로 해주는 기계이다. 최근의 교환기는 중력을 이용해서 주입과 배액을 하지 않고, 대신 수압펌프를 이용하여 3 L, 5 L, 6 L이상의 투석액을 밀어 넣어준다. 교환기는 투석액을 복강에 주입하기 전에 데워준다. 압력 알림 장치와 클램프, 타이머의 도움으로 주입과 저류, 배액이 조절되고, 과주입을 예방한다.

최근에 소개되고 있는 교환기들은 크기가 작고 가벼워서 큰 가방에 넣어 여행에 가지고 갈 수도 있다. 컴퓨터 기술의 발전과 디자인 개발로 간편하게 설치하고 사용할 수 있다. 환자는 보통 시작 시간과 용액 용적, 저류시간 그리고 투석기간 또는 중지시간만 입력한다. 교환기가 교환 시간을 계산하고 초미세여과 용적을 측정하며 투석유량을 측정하여 배액과 주입시간을 조절한다. 교환기가 유량을 감시하여, 많이 느려진 경우 배액모드에서 주입모드로 변경한다. 또한 교환기가 내부적으로 기계적 폐쇄에 의해 투석유량이 중단되었는지 검사하기도 한다. 최신 기종들은 기억카드(smart card)가 내장되어 있어 교환기 처방을 입력할 수 있고 환자에게 실제적으로 전달된 투석양을 측정할 수도 있다.

교환기의 특징 중 한 가지는 아침에 시행하는 마지막 교환시 별개의 주머니로부터 투석용액을 받아서 교환을 시행할 수 있는 것이다. 이와 같은 마지막 교환은 낮 동안 장시간 저류하여야 하므로 다른 교환들에 비해 icodextrin 등의 고장성 용액 사용이 필요할 수 있다.

환자들은 보통 밤에 8~10시간 동안 교환을 시행한다. 저류되는 투석용액 용적은 1.5~3.0 L 정도이고 교환 횟수는 밤마다 3~10회 정도이다. APD는 CAPD와 비교하여, 체위상 낮은 복압을 유지할 수 있어 더 많은 주입 용량을 사용할 수도 있다. 주입 용량이 커질수록 포도당 흡수가 천천히 이루어지기 때문에 초여과가 증가할 뿐만 아니라 청소율도 증가하게 된다. 보통 사용되는 투석액 용적은 8~18L 정도이다.

B. 투석액

APD를 위한 투석액은 CAPD에서 사용되는 것과 같다. 대부분의 교환기들은 밤 동안에 용액을 충분히 공급받을 수 있도록 하기 위해 동시에 최고 8개까지 투석액 주머니를 연결할 수 있는 분지관이 달려있는 특수한 튜빙(tubing)을 사용한다. 노약자들이 사용하기 어렵지만 3, 5, 6 L의 큰 주머니를 사용하면, 미리 연결해두어야 하는 투석액 주머니의 수와 비용을 줄일 수 있다. 교환기는 두 개 혹은 그 이상의 주

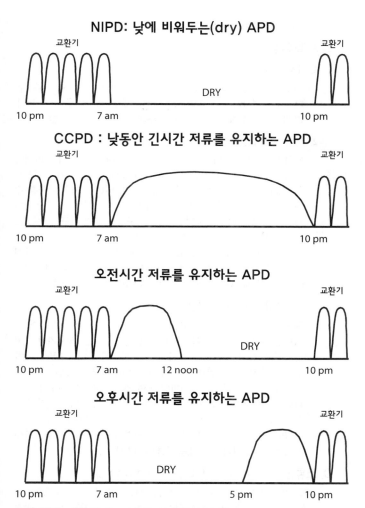

NIPD: 낮에 비워두는(dry) APD

CCPD : 낮동안 긴시간 저류를 유지하는 APD

오전시간 저류를 유지하는 APD

오후시간 저류를 유지하는 APD

그림 22.3 흔히 사용되는 CAPD, APD, 혼합형(hybrid)의 모식도

머니에서 투석액을 동시에 공급받을 수 있으므로, 걸어둘 주머니의 포도당 농도를 적절히 선택한다면 필요한 중등도의 포도당 농도를 공급할 수 있다(즉, 상품으로 판매되고 있는 투석용액 농도의 중간 농도). APD용 큰 주머니 투석액으로 낮은 GDP 생성을 위한 젖산 기반이나, 젖산-탄산 기반의 투석액이 이용가능하며, 탄산기반의 투석액은 아직 없다. 아미노산 용액은 APD에서도 영양공급과 포도당 노출을 줄이기 위한 목적으로 사용된다. 하지만 CAPD와 비교하여 저류시간이 짧아 아미노산의 흡수율은 현저히 낮다. Icodextrin 용액은 일반적으로 '마

지막 사용액'이 아닌 이상 교환기용으로 처방하지는 않는다.

C. APD 연결기구

1. 수액주입관

APD에서는 몇 개의 투석액 주머니를 교환기와 연결하고, 교환기를 환자에게 연결하는 데 플라스틱 튜빙(tubing) 한 세트를 쓰게 된다. 더 짧고, 단순하며, 저렴한 용액 공급세트가 계속 개발되고 있다.

2. 도관-수액주입관의 연결

매일 밤 도관과 수액주입관을 연결해야 하며 매일 아침 분리해야 한다. 전에는 많은 환자들이 복강 도관 끝에 티타늄 연결 기구(표준 Luer 잠금 장치형태)를 가지고 있었다. 티타늄 연결 기구를 수액주입관과 연결하는 절차는 철저히 무균적이어야 하고 항균 세척 시간이 오래 걸리므로 불편했다. 이런 구형의 연결 기구는 수동 소독 작업이 필요 없는 쉽게 끼우고 분리할 수 있는 연결 기구(quick connect-disconnect system)로 빠르게 대치되었다. 이러한 장치 일부는 CAPD 수액주입관에도 연결할 수 있어 필요에 따라서는 (예: 여행할 때) APD 환자들도 언제나 CAPD를 이용할 수 있다.

3. 수액주입관-주머니의 연결

표준 스파이크-주입구 연결방식 또는 Luer 잠금장치가 투석액 주머니와 여러 분지관이 있는 수액주입관을 연결하는 데에 가장 많이 사용된다. CAPD에서 두 개의 주머니 시스템이 대다수를 차지하면서 거의 사용하지 않게 되던 이 과정이 APD의 성장으로 인해 흔히 사용되고 있다는 것은 재미있는 현상이다. 오염의 위험을 최소화하기 위해 새로운 교환기들은 수액주입관과 주머니가 연결된 후 썻어내는 과정을 갖추고 있다. 시력이 손상되었거나 관절염이 있는 CAPD 환자들을 돕기 위해 쓰이는 연결기구들은 APD 환자들에서도 수액주입관과 주머니를 연결하는데 사용될 수 있다.

D. 조류성 복막투석(TPD: Tidal peritoneal dialysis)

TPD 형태의 APD는 투석을 시행하는 시간 동안 복강 내에 고용적의 투석 용액을 남겨두어서 용질 청소율을 효과적으로 하고자 하는 방법이다. 이를 통해 교환기간을 통틀어 지속적으로 확산에 의한 청소가 이루어지도록 하고자 하는 것이다. 처음에 불편감을 유발하지 않을 정도의 고용적 투석용액으로 복강을 채운다. 환자의 체격과 습관에 따라 다르지만 보통 2~3 L 정도이다. 배액 시기에 투석용액의 절반 정도만 배액시키고 나머지는 복강 안에 그대로 남겨둔다. 만약 2 L가 사용된다면, 다음 주입 용적은 1 L (tidal volume, 조류 용적)이며 이러한 과정을 반복한다. TPD는 일반적인 투석액 용량을 사용할 경우 청소율이 매우 낮고, 기존의 교환기를 통해 사용하는 용량을 사용할 경우에도 이점이 없다. 청소율의 증가는 투석액 용량이 20 L 이상으로 매우 큰 경우에 일어나는데, 이는 비용문제와 불편함으로 인해 별로 사용되지 않고 있다. 오늘날, TPD의 가장 흔한 적응증은 투석관 기능이 좋지 않은 경우 배액이 적게 되는 것을 막고, 배액 끝에 불편감을 느끼는 환자에서 배액통을 줄이기 위함이다. 이러한 점을 고려하여 교환기는 조류 용적을 개별화할 수 있으며, 대부분은 75~85% 정도로 설정한다. 교환주기가 매우 짧아 대략 60분 미만이고 저류 시간은 약 10~40분 정도이다. 투석 마지막 투석액 배액시 복강을 완전히 비우게 되지만, 초여과가 축적되면서 점차 저류 용량이 커지는 것을 예방하기 위해, 매 3~4 주기마다 배액하기도 한다. 교환기의 마지막 주기에는 낮 동안 복강을 비워두기 위해 모두 배액하기도 하고, 낮 동안의 저류를 위해 남겨두기도 한다.

1. 기술적 문제점

고전적인 TPD는 많은 기술적 문제점들이 있어 일반적으로 사용을 권장하기는 힘들다. 그래서 현재는 주로 적은 용량의 TPD가 사용된다.

a. 복막 도관

고전적인 TPD에서는 복막투석용 도관이 매우 좋은 주입과 배액 상태를 유지할 수 있어야 한다. 투석액 유량이 분당 180~200 mL 정도가 유지되어야 한다. 반면 저용량 TPD는 도관의 기능이 좋지 않은 경우에 배액이 적게되는 것을 예방하기 위해 사용된다.

b. 비용

성인에서 용질 청소율 개선 효과를 보기 위해서는 매일 20~30 L의 투석용액을 사용하여야 하며 이에 따른 고비용이 문제가 된다.

c. 초미세여과 계산

복강내 용적이 매우 커질 수 있어 매 교환마다 초미세여과 용적을 계산하여 배액 용적에 합하여야 한다. TPD는 배액되는 용적이 투석액 주입 용적을 조절할 수 있는 기능을 갖춘 새로운 교환기에서 잘 사용될 수 있다. 미리 정한 배액 용적에 도달하면(예, 1.5 L), 기계가 즉시 주입 단계로 바뀌어서 새로운 투석용액 1.5 L를 주입한다. 이와 같은 시스템은 초기에 개발된 교환기들이 정해진 시간에 따라 작동되는 것과 달리 결정된 용적에 따라 작동한다.

d. 과주입

APD와 비교하여 TPD에서는 복강 내 과주입의 위험성이 올라가고, 이로 인해 복압 증가의 증상이 생길 수 있다. 이는 아마도 TPD가 복막 도관이 부적절할 때 사용되기 때문일 것이다(Cizman, 2014). 몇몇 교환기는 새로운 주기가 시작되기 전에 낮동안 저류된 용량이 완전히 배액되도록 안전세팅을 갖추고 있으며, 이로 인해 주기가 반복될수록 초여과가 축적되지 않도록 해준다(Blake, 2014).

III. 낮동안 교환을 시행하는 APD

일부 환자들에서는 잔여신기능이 소실되면 낮동안 저류를 유지하는 APD를 하더라도, 적절한 용질 청소율을 얻을 수 없어 낮 동안에 추가적인 교환이 필요할 수 있다. 낮 동안 14~16시간 시행하는 저류 과정은 첫 4~6시간 이후로는 추가적인 투석 효과를 제공하지 못하기 때문에 낮 동안의 추가 교환은 청소율을 증가시켜 준다. 또한 낮 동안 장기간 저류시키는 처방에서는 수분제거가 효과적이지 않아 이와 같은 추가 교환은 초미세여과를 개선시켜주기도 한다. 많은 환자들, 특히 고이동군 환자에서는 낮동안 장시간 저류시키는 투석 처방은 상당한 수분 흡수를 유발할 수 있다. 표준 CAPD 연결관들을 이용하여 낮동안 추가 교환을 시행할 수 있으나 용액과 튜빙(tubing) 비용면에서 비싸고 환자에게 불편할 수 있다. 다른 전략으로 추가 교환을 위해 교환기 튜빙을 사용하는 것이 있다.

이 방법은 환자가 오후나 저녁에 교환기의 수액주입관을 통해 아침부터 복강 안에 저류되어 있었던 투석액을 배액한 후 밤에 자동복막투석에 사용되는 고용적(3~5 L) 투석용액 주머니로부터 투석용액을 주입받는다. 환자는 수액주입관을 분리하였다가 추가 교환이나 밤중에 교환기를 이용한 투석을 시행하기 위해 동일한 튜빙에 다시 부착할 수 있다. 이와 같은 과정은 수액주입관을 여러 차례 연결하거나 분리 가능할 수 있도록 개량거나, 분리되었을 때 수액주입관과 연결관을 보호할 수 있는 마개를 사용하여 시행할 수 있다. 이와 같이 교환기를 '결합 정거장(docking station)'으로 사용하는 방법은 새로 개발된 교환기에서 쉽게 시행할 수 있고 추가적인 수액주입관이 필요하지 않으며 고용적 투석용액 주머니를 사용할 수 있어 경제적이다. 이와 같은 투석은 친지나 보호자가 환자를 위해 사전에 준비해 줄 수 있는 추가적인 장점이 있다. 그러나 일을 하는 환자에게 있어서 교환을 시행하지 않는 시간에 교환기가 있는 장소로 다시 움직여야 하는 점은 단점일 수 있어서 이러한 경우에는 수동적인 CAPD 방식의 교환이 선호될 수 있다.

일부 환자에서는 낮 동안 두 번째 교환이 필요하지 않으나 낮 동안 장기간 복강내 저류시 수분 재흡수가 발생할 수 있다. 이와 같은 경우에는 교환기 튜빙(tubing)을 통해 낮 동안의 저류 투석액을 일찍 배액하고 나서 용액을 주입하지 않을 수 있다(그림 22.3). 이런 경우 흔히 icodextrin을 이용하여 16시간 정도의 낮 저류 시간동안 적절한 삼투 농도를 유지해 주게 된다.

References and Selected Readings

Blake PG. Drain pain, overfill, and how they are connected. *Perit Dial Int.* 2014;34: 342–344.

Brown EA, et al. Survival of functionally anuric patients on automated peritoneal dialysis: the European APD Outcome Study. *J Am Soc Nephrol.* 2003;14:2948–2957.

Cho Y, et al. Impact of icodextrin on clinical outcomes in peritoneal dialysis: a systematic review of randomized controlled trials. *Nephrol Dial Transplant.* 2013;28: 1899–1907.

Cho Y, et al. Biocompatible dialysis fluids for peritoneal dialysis. *Cochrane Database Syst Rev*. 2014;3:CD007554.

Cizman B, et al. The occurence of increased intraperitoneal volume events in automated peritoneal dialysis in the US: role of programming, patient user actions and ultrafiltration. *Perit Dial Int*. 2014;34:434–442.

Davies SJ. Longitudinal membrane function in functionally anuric patients treated with automated peritoneal dialysis: data from EAPOS on the effects of glucose and icodextrin prescription. Kidney Int. 2005;67:1609–1615.

Davies SJ. What has balANZ taught us about balancing ultrafiltration with membrane preservation? *Nephrol Dial Transplant*. 2013;28:1971–1974.

Davies SJ, et al. Icodextrin improves the fluid status of peritoneal dialysis patients: results of a double-blind randomized controlled trial. *J Am Soc Nephrol*. 2003;14:2338–2344.

Feriani M, et al. Individualized bicarbonate concentrations in the peritoneal dialysis fluid to optimize acid-base status in CAPD patients. *Nephrol Dial Transplant*. 2004;19:195–202.

Johnson DW, et al. Effects of biocompatible versus standard fluid on peritoneal dialysis outcomes. *J Am Soc Nephrol*. 2012;23:1097–1107.

Jones M, et al. Treatment of malnutrition with 1.1% amino acid peritoneal dialysis solution: results of a multicenter outpatient study. *Am J Kidney Dis*. 1998;32:761–767.

Kiernan L, et al. Comparison of continuous ambulatory peritoneal dialysis-related infections with different "Y-tubing" exchange systems. *J Am Soc Nephrol*. 1995;5:1835–1838.

Li PK, et al. Randomized, controlled trial of glucose-sparing peritoneal dialysis in diabetic patients. *J Am Soc Nephrol*. 2013;24:1889–1900.

Li PK, et al. Comparison of double-bag and Y-set disconnect systems in continuous ambulatory peritoneal dialysis: a randomized prospective multicenter study. *Am J Kidney Dis*. 1999;33:535–540.

Lo WK, et al. A 3-year, prospective, randomized, controlled study on amino acid dialysate in patients on CAPD. *Am J Kidney Dis*. 2003;42:173–183.

Mistry CD, et al. A randomized multicenter clinical trial comparing isosmolar icodextrin with hyperosmolar glucose solutions in CAPD. *Kidney Int*. 1994;46:496–503.

Rippe B, et al. Long-term clinical effects of a peritoneal dialysis fluid with less glucose degradation products. *Kidney Int*. 2001;59:348–357.

Rodriguez AM, et al. Automated peritoneal dialysis: a Spanish multicentre study. *Nephrol Dial Transplant*. 1998;13:2335–2340.

Tranaeus A; for Bicarbonate/Lactate Study Group. A long-term study of a bicarbonate/ lactate-based peritoneal dialysis solution—clinical benefits. *Perit Dial Int*. 2000;20:516–523.

Williams JD, et al. The Euro-Balance Trial: the effect of a new biocompatible peritoneal dialysis fluid (balance) on the peritoneal membrane. *Kidney Int*. 2004;66:408–418.

23

복막투석 도관, 삽입 및 관리

양하나 역

신대체 요법으로써 복막투석의 성공 여부는 환자가 복막 접근 도구를 성공적으로 사용하는가에 달려있다. 현시점에서 접근은 복벽을 통과하여 피부와 복막 사이의 샛길로 작용하는 도관을 통해 이루어진다. 혈액투석에서 동정맥루를 만드는 것과 유사하게, 복막투석 접근로를 만들 때는 관의 기능과 내구성, 합병증 예방에 영향을 주는 많은 환자 요인을 고려해야 한다.

I. 급성 도관과 만성 도관

디자인과 사용법에 따라, 도관은 급성과 만성으로 분류된다.

A. 급성 도관

1. 단단한 커프 없는 도관(Rigid noncuffed catheters)

비교적 단단한 플라스틱으로 만들어진 이러한 커프 없는 도관은 직선형이거나 약간 구부러져 있고 한쪽 끝에는 측면에 작은 구멍이 많은 단단한 관으로 되어 있다. 금속성 소침(stylet)이나 구부러질 수 있는 철사(wire) 등을 따라 피부를 천자하여 투석용 도관을 삽입한다. 급성 도관은 외부 세균 침입을 막아주는 보호용 커프가 없으므로 3일 이상 사용하는 경우 복막염의 발생 빈도가 급격하게 증가한다. 따라서 단기간의 복막투석이 예상되거나, 만성 도관을 삽입하기 전에 치료가 시작되어야 하는 경우에만 사용한다. 보통 도관, 연결 튜브, 천자를 위한 칼(scalpel)로 구성된 세트를 이용한다.

2. 부드러운 커프 도관(Soft cuffed catheters)

이후에 기술되는 만성 도관의 대부분은 급성 도관으로 사용될 수 있으며, 대부분 하나의 세트로 구성되어 있고, 유도 철사나 벗겨지는 sheath를 이용하여 환자의 침상 옆에서 시술할 수 있다. 복막투석 치료 시간이 며칠 이상 예상된다면 가능한 빨리 만성 도관을 삽입해야 한다. 만성 도관은 두 개의 커프를 가진 것을 사용하는 추세이나 급성 도관용으로 한 개의 커프를 가진 도관도 계속 필요하다. 단단한 도관과 비교하여 하나의 커프를 가진 부드러운 도관은 오랜 기간 유지될 수 있고, 삽입과 제거가 두 개의 커프를 가진 도관보다 용이하다. 장기간의 치료가 예상되고 환자의 컨디션이 괜찮다면 두 개의 커프를 가진 만성 도관을 삽입하는 것을 고려해야 한다.

B. 만성 도관

만성 복막도관의 재질은 생체적합적이고, 내구성이 좋은 실리콘 고무로 되어있고, 이전에 사용하던 폴리우레탄 재질의 도관도 일부 남아있으나, 2010년 이후로는 시판되지 않고 있다. 폴리우레탄 재질의 도관이 빠르게 줄어들고 있으나, 오랜 사용으로 인한 손상이나, 만성적인 폴리에틸렌 클리콜이나 일부 만성 출구감염 예방에 사용되던 연고나 크림에 노출되면서 발생할 수 있는 연화 작용이나 터짐을 유발할수 있다는 측면에서 폴리우레탄 도관을 인지하는 것은 중요하다. 폴리우레탄 도관은 영구적으로 고정된 아답터나 수년 후 발생하는 튜브의 어두운 색상 변화로 인지할 수 있다.

그림 23.1은 만성 도관과 복벽 구조물과의 관계를 보여준다. 만성도관에는 대부분 두 개의 다크론(Dacron) 커프가 있지만, 두 조각의 도관에 세 개의 커프를 가진 경우도 있다. 두 개 이상의 커프를 가지는 것은 복벽에 도관이 잘 고정되어 움직이지 않도록 해준다. 깊은 곳에 위치한 커프는 도관을 조직에 잘 고정시키기 위해 근육에 심는다. 얕은 곳에 위치한 커프는 출구에서 2 cm 정도 떨어진 피하조직에 심는다. 잘 위치한 경우, 얕은 곳에 위치한 커프는 피부 표면에 존재하는 세균이나 노폐물이 복강내로 향하는 피하조직 터널로 이동하는 것을 막아주고, 도관이 출구에서 피스톤 운동을 하면서 트랙 안을 오염시키는 것을 막아준다.

도관 튜빙의 복강내 구역은 한 개의 끝 구멍과 여러 개의 측 구멍들을 가진 나선형 팁 또는 직선형 팁 구성을 갖는다. 나선형과 직선형 팁

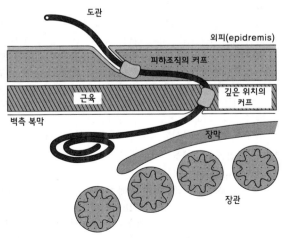

그림 23.1 나선형(Tenckhoff) 복막도관과 주변 구조물과의 관계를 보여주는 도식도

도관 사이에 기능성에서 뚜렷한 차이는 나타나지 않았다; 하지만 소규모로 시행된 이전의 무작위 비교 연구들은 애매한 결과들을 보고하고 있으며, 최근 직선형 팁 도관에 보다 높은 점수를 준 메타 분석의 타당성은 논쟁의 여지가 있다. 유입 불편감의 발생률은 직선형 팁 도관에서 더 높은데 이는 도관 끝 구멍으로부터 투석액이 분사되기 때문이다. 나선형 팁 도관은 유입 동안 투석액의 보다 나은 분산을 제공한다.

최근에 제조된 만성 도관들은 모두 튜빙의 장축을 따라서 흰 색의 방사선 비투과성 커프를 포함하고 있는데, 이것은 방사선 사진을 통한 시각화를 가능하게 한다. 이 띠는 또한 도관 튜빙의 우발적인 비틀림 또는 꼬임을 예방하기 위해 도관 설치 동안 가이드 역할을 할 수 있다. 대부분의 성인 도관들은 2.6 mm의 내부 구멍을 갖는다. 한 도관 브랜드는 3.5 mm 구멍을 가지며, 파란색 방사선 비투과성 띠를 통해 식별할 수 있다. 큰 구멍 도관은 체외 유동 속도가 빠르지만, 체내에서도 빠른지는 확실하지 않았다. 도관 구멍 크기를 확인하는 것은 느슨함과 우발적인 분리를 초래할 수 있는 대체 도관 어댑터들의 잘못된 교환을 예방하기 위해서 중요하다.

1. 표준 복부 도관

그림 23.2 A와 B는 나선형 및 직선형 팁의 Tenckhoff 도관들과 커프간 구역에 사전 형성된 호형 구부림을 갖는 그것들의 "백조목" 변형들을 보여주고 있다. 이 네 가지 도관들이 전 세계적으로 복막 접근의 중요 수단으로 사용되고 있다. 이 도관들 간의 기본적인 차이는 나선형 팁 구성과 사전 형성된 호형 구부림이 장치의 비용을 증가시킨다는 것이다. 표준 복부 도관들은 어떤 설치 방법으로도 삽입될 수 있다.

2. 확장 두 조각(two-piece) 도관

원래 복장(prresternal) 도관으로 설계된 확장 도관은 하나의 커프를 가진 복부도관구획과, 하나 혹은 두개의 커프를 갖는 피하확장구획으로 구성되며, 이 두 구획의 연결은 피부 출구를 멀리 흉부 상부에 위치시킬 수 있게 하는 티타늄 커넥터를 이용한다(그림 23.2C). 이것은 피부 출구를 멀리 상복부 또는 등 부위에 위치시키는데 사용되어왔다. 복부 도관은 어떤 삽입 방법을 통해서도 설치될 수 있다. 피하 확장 도관은 혈관 터널링 막대 또는 해당 도관 제조사가 제공하는 유사한 기구를 이용하여 삽입된다.

3. 대안적인 도관 설계들

기본 Tenckhoff 도관 설계는 조직 부착, 팁 이동 및 도관 주변 누출 등의 문제들을 해결하기 위해 변경되어왔다. 직선형 팁 도관의 Oreopoulos-Zellerman (Toronto Western) 변형은 측 구멍들로부터 장과 그물막을 떨어뜨리기 위해 시도로 튜빙 끝에 두 개의 실리콘 디스크들을 추가했다(그림 23.2D). Di Paolo 도관은

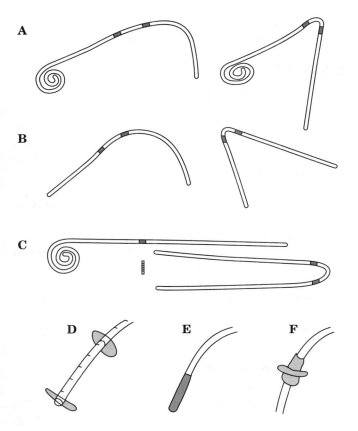

그림 23.2 일반적으로 사용하는 복막 도관 및 대안적인 설계 특징들을 보여준다. A: 나선형 팁, 두 개의 커프 및 직선형 또는 백조목 커프 사이 구역을 가진 Tenckhoff 도관. B: 직선형 팁, 두 개의 커프 및 직선형 또는 백조목 커프 사이 구역을 가진 Tenckhoff 도관. C: 나선형 팁, 한 개의 커프가 달린 복부 도관, 두 개의 커프가 달리고 백조목 커프 사이 구역을 한 확장 도관, 그리고 티타늄 커넥터를 가진 확장 도관. D: 실리콘 디스크들이 있는 직선형 팁 도관. E: 텅스텐 추가 달린 직선형 팁 도관. F: 깊은 커프 아래 인접하여 설치된 Dacron 플랜지와 실리콘 비드.

중력에 의해 골반 내에 자리를 잡도록 튜빙의 끝에 텅스텐 추를 추가하여 도관 팁의 이동을 막도록 설계되어 있다(그림 23.2E). Oreopoulos-Zellerman과 Missouri 도관들은 깊은 커프 아래 인접하여 설치된 실리콘 비드와 인접한 Dacron 플랜지를 갖고 있다(그림 23.2F). 플랜지와 비드는 Missouri 버전에 45도 각도로 부착되어 있다. 플랜지와 비드 사이의 복막을 봉합하고 플랜지를 후방 직근집에 꿰맴으로써 도관 주변 누출 발생을 줄이도록 설계되어 있다. 플랜지와 비드를 45도 각도로 설치하는 것은 도관 팁이 골반을 향하도록 하기 위함이다. 대안적인 구성들 중 어떤 것도 표준

Tenckhoff 도관 설계를 능가하는 것으로 나타나지 않았지만, 장치 삽입의 비용과 어려움을 증가시켰다.

II. 도관 선택

A. 도관 선택에 영향을 미치는 환자 요인들

환자들은 개인별로 다양한 의학적 상태를 갖는다; 따라서 한 가지 유형의 도관이 모든 환자들에게 맞을 것을 기대하는 것은 순진한 생각이다. 도관 유형의 선택은 환자의 벨트 라인, 비만, 피부 주름과 접힘, 흉터의 존재, 만성 피부 질환, 실금, 신체적 제한, 목욕 습관 및 직업 등을 고려해야 한다. 환자의 특정한 필요들에 맞추어 복막 접근을 제공하고 피부 출구 위치에 대한 유연성을 극대화하기 위해서 여러 유형들의 도관들을 기본적으로 갖출 필요가 있다. 그림 23.3은 기본 도관 세팅이 어떻게 적용될 수 있는지를 예시한다. 벨트 라인이 배꼽 위에 위치한 환자들은 자주 피부 출구가 벨트 라인 아래쪽에 위치하는 것이 가능한 백조목 구부림을 한 도관을 사용하는 것이 최선이다. 벨트 라인이 배꼽 아래 위치한 환자들은 대개 피부 출구가 벨트 라인 위에 나타나며 측방으로 향하도록 구부린 직선형 커프간 세그먼트를 갖는 도관이 적합하다. 크고 둥근 복부, 심한 비만, 늘어진 피부 접힘, 장루, 급식 튜브, 요실금 또는 변실금, 효모 간찰진, 또는 깊은 욕조 목욕 습관을 가진 개인들에게는 상복부 또는 복장 피부 출구를 갖는 확장 도관이 이상적인 옵션이다.

B. 스텐실 기반 수술 전 맵핑

몇몇 투석 도관 제조사들은 가장 흔히 사용되는 도관 디자인들을 위해 표시 스텐실(marking stencil)을 생산한다. 제대로 구축된 스텐실들은 깊은 커프와 코일 사이의 거리, 피하 터널 구성 제안 및 얕은 커프의 위치를 기준으로 권장되는 피부 출구 위치 등과 같은 중요한 도관 설계 정보를 포함한다. 잘 설계된 스텐실 플레이트의 추가적인 특징들은 치골결합(pubic symphysis), 몸통의 해부학적 정중선과 같은 고정된 해부학적 랜드마크들에 따라 몸체 부위에서의 정확한 오리엔테이션을 가능하게 한다. 스텐실들은 도관 설계 요소들을 이러한 해부학적 랜드마크들과 정확하고 재현성 있게 연관시킬 수 있게 하여 도관 코일의 최적 골반 위치와 이상적인 피부 출구 위치를 갖는 최상의 도관 스타일과 삽입 위치를 결정하는데 도움을 준다.

그림 23.4는 하복부, 상복부 및 가슴의 도관 피부 출구 위치 설정을 위한 스텐실의 이용을 보여주고 있다. 이 스텐실은 환자를 옷을 입은 상태로 그리고 바로 눕거나, 앉거나, 선 자세로 검사할 수 있는 수술 전 평가 동안 먼저 사용되어야 한다. 또한 스텐실은 수술 전 검사 동안 해놓은 표시들을 확인하기 위해 도관 삽입 과정 동안 사용될 수 있다. 가장 적절한 도관 스타일이 선정되는 수술 전 맵핑 세션 동안에는, 단지 피부 출구 차단(cutout)만이 표시될 필요가 있다. 이 절차 동안 절개

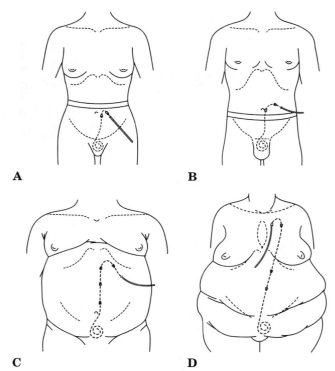

그림 23.3 기본 도관 인벤토리의 실제적인 적용. A: 상부에 위치한 벨트 라인 아래로 나타나며 아래로 향하는 피부 출구를 갖는 백조목 도관. B: 하부에 위치한 벨트 라인 위로 나타나며 측방으로 향하는 피부 출구를 갖는 직선형 커프간 세그먼트 도관. C: 둥근 비만 복부, 하복부 피부 주름, 또는 실 금으로 인해 상복부 피부 출구를 갖는 확장 도관. D: 심한 비만, 다중 복부 피부 주름들, 장루, 또는 실 금으로 인해 흉부 상부 피부 출구를 갖는 확장 도관.

표시들을 포함한 전체 패턴, 터널 트랙, 커프 및 피부 출구 차단을 표시 한다.

수술 전 검사 동안, 스텐실은 환자가 바로 누운 상태에서 표준 복부 도관의 피부 출구를 표시하는데 사용된다. 그런 다음 환자는 앉은 자세 또는 선 자세를 취하고, 표시된 피부 출구들이 환자에게 잘 보이는지, 그리고 벨트 라인, 피부 주름들, 또는 팽창한 피부 접힘들의 정점들과 부딪히지 않는지를 체크한다. 표준 복부 도관을 위해 표시된 피부 출구 들 중 어떤 것도 만족스럽지 않을 때, 상복부 또는 복장(presternal) 피 부 출구 위치를 계획하기 위해서 스텐실을 사용한다. 어떤 제조업체들 은 단지 백조목 구부림의 차단 패턴만을 보여주며 스텐실 플레이트를 복벽 또는 흉벽에 적절히 맞추는데 도움을 주지 못하는 비실용적인 스 텐실을 생산함을 유념하라.

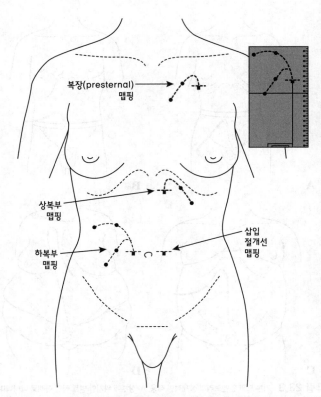

그림 23.4 표준 복부 및 확장 도관들을 위한 스텐실 기반 수술 전 맵핑. 이것은 환자 특이적인 해부학적 특성들에 기초하여 도관의 팁의 최적 골반 위치와 최적의 피부 출구 위치를 가져오는 최적의 기구 유형과 삽입 위치를 선정할 수 있게 한다.

III. 도관 설치 절차

A. 최선의 수행방식들

최선의 수행방식이란 경험과 연구를 통해 확실히 원하는 결과를 가져오는 것으로 입증된 기법 또는 방법을 말한다. 표 23.1과 23.2는 수술 전 준비와 복막 도관 설치를 위한 최선의 수행방식들을 보여주고 있다. 성공적인 장기적 복막 접근로를 형성하기 위해서 여러가지 세부사항들을 잘 준수해야 할 필요가 있다. 이러한 최선의 수행방식들 중 어떤 하나를 생략하게 되면 복막 도관의 손실을 가져올 수 있다. 몇몇 이식 기법들은 이러한 최선의 수행방식들을 모두 포함하지 않는다. 예를 들어, 정중선을 통해 수행되는 경피적 바늘-유도 철선 접근방법 또는 깊은 커프를 근막 높이 위로 위치시키는 것 등이다. 시술자가 권장되는 수행방식으로부터 벗어난 것을 인식하고 그와 같은 이탈로 인해

TABLE 23.1	복막투석 도관, 삽입 및 관리 도관 삽입을 위한 수술준비 과정의 최선의 수행방식들

- 가장 적절한 도관 유형과 피부 출구 위치 선정을 위한 수술 전 평가
- 수술 전날 장 준비: 2L의 폴리에틸렌 글리콜 용액, 관장제, 또는 자극성 좌약
- 수술 당일 복부/가슴을 클로르헥시딘 비누 세척액으로 샤워 실시
- 수술 전 가능하면 전기 이발 기계를 이용하여 고정 부위의 체모 제거
- 시술 전 요 배출; 그렇지 않을 경우, Foley 도관을 삽입해야 한다.
- 포도알균 감염예방을 위해 수술 전 단일 용량의 예방적 항균제 투여

TABLE 23.1	복막투석 도관, 삽입 및 관리 도관 삽입을 위한 최선의 수행방식들

- 수술 요원들은 모자, 마스크 및 무균 가운과 장갑을 착용한다.
- 수술 부위 준비를 위해 클로르헥시딘-글루코산염 스크럽, 포비돈-요오드(젤 또는 스크럽), 또는 다른 적절한 방부제 및 멸균포를 수술 부위에 사용한다.
- 복막 도관은 잠긴 커프들을 손가락 사이에 회전시킴으로써 Dacron 커프들로부터 압착되어 나오는 식염수와 공기로 세척하고 헹군다.
- 도관을 직근(rectus muscle)의 본체를 통해 방중정(paramedian) 삽입한다.
- 깊은 도관 커프를 직근 내부 또는 밑에 위치시킨다.
- 도관 팁을 골반에 위치시킨다.
- 도관 유동 실험을 통해 기능이 정상임을 확인한다.
- 피부 출구가 측방 또는 아래를 향하도록 한다(위로 향하지 않도록 한다).
- 피하 터널링 기구는 도관 직경을 초과하지 말아야 한다.
- 피부 출구는 도관을 통과시키는 가능한 가장 작은 피부 구멍이어야 한다.
- 피하 커프는 피부 출구로부터 2-4 cm에 위치시킨다.
- 피부 출구에 도관 고정 봉합을 사용하지 않는다.
- 시술 동안 이동(확장) 세트를 부착한다.
- 비폐색성 드레싱으로 도관을 고정하고, 피부 출구를 보호한다.

생길 수 있는 잠재적 합병증들에 주의하는 것으로 충분하다. 또한, 열거된 최선의 수행방식들 중 일부는 급성 커프가 없는 일시적 도관들에 적용되지 않는다.

B. 급성 커프 없는 도관 삽입

반강성(semirigid) 급성 도관은 내부 탐침을 이용하여 경피적 천자로 삽입된다. 배꼽 높이에서 약 2.5 cm 밑으로 1-cm 길이의 정중선 또는 방정중(paramedian) 피부 절개를 만든다. 근막까지 펼치기 위해 지혈 클램프를 사용한다. 뾰족한 끝이 노출될 때까지 탐침을 도관 안으로 삽입한다. 침투 깊이는 엄지와 집게손가락을 이용하여 도관-탐침 조립체를 잡음으로써 조절한다. 환자가 복부 근육조직을 긴장시킴과 함께, 지속적으로 조절되는 압력 하에 비틀면서, 복강 입구에 다다랐음을 알리는 '툭'소리 또는 저항의 갑작스런 저하가 느껴질 때까지, 도관-탐침 조립체를 근육근막층을 통과시킨다. 그런 다음 환자가 복부 근육의 긴장을 풀도록 한다. 도관을 제 위치에 붙든 상태에서, 즉시 탐침을 수 센

티미터 뒤로 빼어 탐침의 끝이 감춰지도록 한다. 탐침을 움직이지 않은 채 만족스러운 깊이에 도달할 때까지 부드럽게 도관을 골반을 향하여 나아가게 한다. 탐침을 제거하고, 도관에 약물 투여 세트를 부착한다. 일시적 도관을 고정하기 위해서 봉합 또는 도관 홀더를 사용한다. 대안으로, 도관-탐침을 삽입하기 전에 복부를 1~2 L의 투석 용액으로 충전할 수도 있다. 충전을 실시하기 위해 앞에 설명한 절개를 통해 Veress 바늘(Veress 바늘은 복강경 수술을 위해 복강 기체를 형성하는 데 사용되는 스프링이 탑재된 바늘이다) 또는 16~18 G 정맥 캐뉼러를 복강에 삽입한다.

C. 만성 도관 설치

만성 복막 도관의 삽입 방법들로는 경피적 유도 철선 기법(맹목 또는 영상 유도를 통해 실시), YTEC 복강경을 이용한 접근, 외과적 개방 절제, 복강경 이식 등이 있다. 선택적으로, 이식 기법은 도관을 원격 피부 출구 위치까지 확장하거나, 투석의 개시가 필요할 경우 외부화를 미룬 상태로, 도관 튜빙의 외부 돌출부를 피부 밑으로 매입시키는 방법을 포함할 수 있다. 이식 접근방법들 각각에 대한 개관을 제시할 것이다.

1. 경피적 바늘-유도철사(guide wire) 기법

맹목 경피천자를 통한 도관 설치는 변경된 Seldinger 기법을 사용하여 실시한다. 이 접근방법의 편리한 점은 투석 도관을 포함하는 사전 포장된 자급식 키트를 사용하여 국소마취 하에서 침상에서 실시할 수 있다는 점이다. 복부는 1.5~2 cm의 배꼽밑 또는 방정중(paramedian) 절개를 통해 삽입된 18G 유도침으로 점적된 1.5~2 L의 투석 용액으로 충전된다. 대안으로 충전을 위해 Veress 바늘을 사용할 수도 있다. 유도 철선은 바늘을 통해 복강으로 들어가며, 방광후 공간을 향한다. 그리고 바늘을 뺀다. 분리제거형 집(peel-away sheath)으로 덮인 확장기를 유도 철선 위로 근막을 통과시킨다. 유도 철사와 확장기를 제거한다. 탐침 위로 보강된 투석 도관을 집을 통해 골반으로 삽입시킨다. 깊은 도관 커프간 진행됨에 따라, 집이 분리된다. 깊은 커프는 근막 수준까지 진행한다.

이 시술에 투시를 추가함으로써 장의 루프들에 주입된 조영액이 흐르는 것을 관찰하여 바늘 입구가 복강에 도달했음을 확인할 수 있다. 방광 후 공간은 적절한 위치에서의 조영 증강으로 파악된다. 유도 철사와 도관은 이 부위까지 진행된다. 초음파를 유사한 방식으로 사용할 수 있다. 이 시술의 나머지는 맹목 설치에서 설명한다. 방사선 비투과성 튜빙 띠는 최종 도관 구성의 투시 이미지를 볼 수 있게 하지만, 유착 또는 그물막의 근접성을 평가할 수 없다. 경피적 유도 철선 설치 기법은 대개 깊은 도관 커프가 근막 외부에 남게 한다. 유동 기능을 테스트한 후, 도관은 선정된 피부 출구를 향해 피하로 터널을 만들어 나아간다.

2. YTEC 시술

YTEC 시술은 복막 도관 설치를 위한 전용 복강경을 이용한 기법이다. 플라스틱 슬리브 커버를 가진 2.5 mm 투관침을 방정중(paramedian) 절개를 통해 복강으로 경피적으로 삽입한다. 이 투관침의 단자를 제거하면, 2.2 mm 복강경을 삽입하여 복막 입구를 확인할 수 있다. 복강경을 제거한 후 0.6~1.5 L의 대기를 주사기 또는 핸드 벌브를 이용하여 복부에 펌프한다. 복강경을 재삽입하고 육안으로 확인하는 가운데 커버 캐뉼러와 플라스틱 슬리브를 복강 내에 확인된 깨끗한 부위에 위치시킨다. 복강경과 캐뉼러를 제거하고, 확장 가능한 플라스틱 슬리브를 남겨서 도관을 탐침 위로 확인된 깨끗한 부위에 맹목 삽입하기 위한 도관으로 사용한다. 이 플라스틱 슬리브를 제거하고 깊은 커프를 복직근초(rectus sheath)으로 밀어 넣는다. 유동 기능을 테스트한 후, 도관을 피하 터널을 통해 선정된 피부 출구로 나아가게 한다.

3. 외과적 개방 절제

방정중(paramedian) 절개는 피부, 피하 조직들 및 전방 복직근초(anterior rectus sheath)를 통해 만들어진다. 아래 위치한 근육 섬유들이 갈라지면서 후방 직근집(posterior rectus sheath)을 노출시킨다. 후방 집과 복막을 통해 작은 구멍을 만들어 복강으로 들어간다. 구멍 주위에 건착 봉합이 위치한다. 도관은 대개 내부 탐침 위로 직선을 유지하는데, 복막 절개를 통해 골반으로 나아간다. 개방 시술임에도 불구하고, 도관은 대부분 느낌으로 복강까지 나아간다. 심부 커프가 후방 근막에 닿을때까지 도관을 진행시킨 후, 탐침을 부분적으로 빼낸다. 만족스러운 설치가 완료된 후, 탐침을 완전히 빼내고 쌈지봉합법을 시행한다. 도관이 상하방향으로 직근집을 통과할 때 경사를 갖도록 함으로써 도관의 팁이 골반을 향하게 한다. 도관 튜빙은 쌈지봉합법과 깊은 커프 높이에서 최소 2.5 cm 앞쪽의 전방 복직근초를 통해 빠져 나온다. 도관 주변 누출과 탈장을 예방하기 위해서 쌈지봉합법의 위치와 전방근막의 복구 시술의 세부 사항에 주의를 기울여야 한다. 유동 기능 테스트 결과가 만족스러울 경우, 도관을 피하 터널을 통해 선정된 피부 출구로 나아가게 한다.

4. 복강경

복강경은 도관 이식 시술 동안 복강에 대한 시야를 완전히 확보한 상태에서 침습을 최소화하는 접근 방법을 제공한다. 다른 방법들과 비교하여 복강경 도관 설치의 장점은 도관 결과를 유의하게 개선하는 보조 시술들을 적극적으로 사용할 수 있다는 점이다. 복강경 하에서 유도된 복직근초 터널링은 도관을 골반을 향하여 있는 긴 근육근막 터널에 위치시키고, 도관 팁이 이동하는 것을 막는다. 도관 팁과 나란히 있는 불필요한 그물막(omentum)은 골반에서 상복부

쪽으로 벗어나 복벽에 고정시킬 수 있다(그물막고정술: omento-pexy). 투석액 배액의 완전성에 영향을 미칠 수 있는 유착들의 구획화가 나뉘어질 수 있다. 수술 중 세척 검사동안 도관 팁을 빨아들이는 S결장 및 자궁관의 복막수(epiploic appendage)등의 복강내 구조물들은 복강경 하에서 제거될 수 있다. 도관 이식 시술 동안, 이전에 확인되지 않았던 복벽 탈장들을 확인하고 복구할 수 있다.

계획된 도관 설치 지점으로부터 멀리 떨어진 측방 복벽 천자 부위를 통해서, 복강내 작업 공간을 만들기 위해 Veress 바늘을 통해 복부에 가스를 주입한다. 복강경 포트와 복강경을 삽입한다. 복강경 유도 하에서, 도관을 이차 천자 부위에 도입하고 복막을 향하고 있는 근육근막 터널에 설치하는데, 이것은 대개 복직근초 터널을 만드는 포트 기구를 이용해서 실시된다. 이 기법의 몇몇 변형들은 도관 터널링 과정을 돕기 위해 복강경 핀셋을 집어넣기 위한 제3의 복강경 포트 부위를 이용한다. 도관 팁은 육안 통제 하에 참골반을 향하도록 한다. 도관의 깊은 커프는 전방 근막집 바로 밑에 있는 직근에 위치한다. 도관 주변 누출의 위험을 최소화하기 위해 전방 근초의 높이에 있는 도관 주변으로 쌈지봉합법을 한다. 복강경은 도관의 실험 세척이 성공적인 유동 기능을 보일 때까지 제자리에 유지된다. 모든 지시된 보조 시술들이 완료된 후, 도관을 피하 터널을 통해 선정된 피부 출구로 나아가게 한다.

5. 특수 접근 시술

a. 확장 도관

두 조각 확장 도관들의 복부 구획(segment)은 앞에서 설명한 삽입 기법들 중 하나를 이용해서 설치될 수 있다. 계획된 상복부, 복장, 또는 등 피부 출구 가까이에 이차 절개를 만든다. 이차 절개와 피부 출구 위치를 선정하는데 있어서 표시 스텐실은 매우 유용하다. 복부 삽입 절개와 이차 절개 사이의 측정된 거리는 거리를 맞게 하기 위해 도관 구획들의 하나 또는 둘 모두에서 튜빙 길이를 어떻게 할 것인지를 계산하는데 사용된다. 길이를 맞게 자른 도관들은 티타늄 커넥터로 연결시키며, 연결된 도관 구획들을 터널링 막대를 이용하여 복부 삽입 부위로부터 원격 이차 절개까지 근막 표면상의 터널로 통과시킨다. 그런 다음 이 절차의 마지막으로 탐침을 이용하여 이 확장 도관을 이차 절개로부터 피부 출구로 통과시킨다.

b. 도관 매입 시술

도관 매입은 '복막투석의 동정맥루'로 특징지어진다. 이 도관은 예정된 사용에 앞서 설치되며 투석이 시작되기 까지 피하층에서 '성숙'된다(그림 23.5). 이 도관은 출구 상처로부터의 잠재적 오염 없이 피하 공간의 무균 환경에서의 치료를 가능하게 한다. 커프들의 조직내로의 단단한 부착과, 균막 형성 부재가 도관 감염 관련 복막염을 줄이는 것으로 예상되어왔다. 도관 매입의 또 하나의 중요한 특성은 도관을 투석 이전에 설치함으로써 보다 조기에 환자가 복막투석에 준비되도록 한다는 점이다. 환자는 투석이 필요할 때까지는 도관 유지를 위한 부담을 갖지 않는다. 이전에 매입 도관을 설치한 환자들은 혈관 도관의 삽입 및 임시 혈액투석의 필요성을 피할 수 있다. 필요할 경우, 간단히 도관을 외부화하여 환자가 충분한 양으로 투석을 시작하며, 이를 통해 준비 기간을 절약할 수 있다. 매입 기법은 비응급성 시술로서 도관 이식을 위한 수술 스케줄을 보다 효율적으로 할 수 있으며, 수술실 이용에 따른 스트레스를 줄이는데 도움이 된다. 도관 매입 전략의 단점들로는 두 번의 시술(이식과 외부화)이 필요하며, 환자의 상태에 따라서 매입된 도관을 사용하지 않을 가능성이 있다는 점이다.

도관 매입은 어떤 도관 기구를 사용한 어떤 이식 접근 방법들과도 통합될 수 있다. 이 도관은 매입 전에 장래의 피부 출구를 통해 일시적으로 외부화된다. 이 피부 출구의 흉터가 외부화를 위해 도관이 어디로 나와야 하는지를 알려주는 랜드마크 역할을 한다. 도관의 유동 기능이 정상임을 확인한 후, 튜빙을 헤파린으로 세척하고, 마개를 막아, 피하 조직에 묻는다. 혈종 또는 장액종의 위험을 최소화하고 후에 있을 외부화를 용이하게 하기

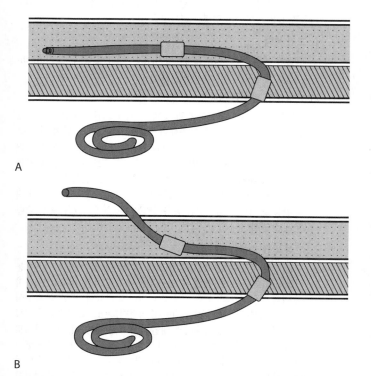

A

B

그림 23.5   도관 매입 모식도. A: 도관 설치 시 도관 튜빙의 외부 돌출부를 피부 밑으로 매입한다. B: 투석을 시작할 시간이 오면 도관의 외부 돌출부를 외부화한다.

위해, 도관은 튜빙을 피하 포켓에 말아 넣지 말고 터널링 탐침을 이용하여 선형 또는 곡선형의 피하 트랙에 매입해야 한다. 4주 이내 투석 시작이 예상되는 경우 매입을 해서는 안 된다. 매입 도관의 외부화는 진료실에서 실시되는 시술이다. 도관은 외부화를 통해 즉각 기능할 비율이 85~93%인 상태로 수개월에서 수년 동안 매입된다. 전체적으로, 94~99%에서 기능하지 않는 도관이 방사선학적으로 또는 복강경을 이용하여 고친 후 투석에 성공적으로 사용된다.

IV. 도관 브레이크인(break-in) 시술

A. 급성 도관

급성 도관을 브레이크인하기 위한 특정 전략은 없다. 이것들은 급성으로 사용되기 때문에, 자주 옵션들이 별로 없다. 혹자는 복막 용량 증가를 위해 점증적 접근 방법을 제안했다.

B. 만성 도관

환자들의 복막투석 개시를 위한 특별한 근거기반 접근 방법은 없다. 다음과 같은 사항들이 몇몇 고려사항들이다:

1. 도관 세척

도관의 즉각적인 사용이 예상되지 않을 때의 수술 후 세척(flushing)은 섹션 VII. A에서 다뤄진다.

2. 만성 도관 비응급 시작

가능할 경우, 수술부위 회복과 및 누출 예방을 위해 도관 삽입 후 2주 또는 그 이상 교환을 연기해야 한다. 그 시점에서 만성 외래 복막 투석 또는 자동 복막투석을 시작할 수 있다. 저류 용적은 훈련 기간에 걸쳐 증가될 수 있다. 자동 복막투석으로 치료되는 환자들의 경우, 환자를 수 주 동안 최종 충진 없이 두는 것이 누출 위험을 줄이는데 도움이 될 수 있다. 도관이 회복되는 동안, 환자가 그의 신체 활동들, 특히 복강내압을 증가시키는 활동들을 4~6주 동안 제한할 것을 권한다.

3. 만성 도관 응급 시작

도관 삽입 후 2주 이내에 복막투석을 시작하는 것이 가능하다는 문헌들이 늘어나고 있다. 일부 연구들에서, 누출율은 비응급성 시작에 비해 유의하게 더 높은 것으로 나타나지 않았다. 또한, 복막투석의 긴급 시작은 그렇지 않을 경우 중심정맥도관으로 혈액투석 치료를 시작해야 하는 환자들에게 대안을 제공할 수 있다. 외과적으로 설치된 도관들은 누출을 예방하기 위해 복막에 견고한 봉인을 했을 경우, 삽입 후 즉시 사용될 수 있다. 경피적으로 삽입된 도관 또한 즉시 사용할 수 있다; 하지만 증가된 누출 위험으로 인해, 이 전략의 타당성은 각 센터의 이전 경험에 따라 평가되어야 한다.

복막투석을 긴급히 시작하는 환자들을 위한 표준 투석 처방
은 존재하지 않는다; 하지만 대부분은 점증적 접근 방법을 설명한
다. 그와 같은 접근방법은 처음에 약 1 L로 교환을 시작해서 주당
250~500 mL씩 증가시키는 것이다. 환자가 바로 누운 자세로 치료
를 시작하는 것이 복강내압의 증가로 인한 투석액 누출 위험을 최
소화할 것이다. 외과적으로 설치된 도관들이 적절하게 잘 고정되었
을 때, 전량 교환을 즉시 시작할 수 있음이 입증되었다. 도관이 치유
되는 4~6주 동안, 환자들에게 복압을 증가시키는 신체 활동을 줄일
것을 지시해야 한다.

V. 도관의 급성 합병증

A. 전복막 설치

급성의 커프 없는 도관 삽입 동안, 도관의 탐침이 복강에 진입하는데
실패할 경우, 반강성(semirigid) 도관이 우발적으로 전복막(preperito-
neal) 공간으로 진입할 수 있다. 마찬가지로 경피적 바늘-유도 철선 접
근 방법을 사용한 만성 도관 설치 동안 유도침 또는 Veress 바늘이 의
도하지 않은 전복막 위치에 놓일 수 있다. 투석 용액 유입이 느려지며
자주 통증을 수반한다. 유출이 최소화되며 유출액에 혈액 흔적이 있을
수 있다. 이런 현상이 발생할 경우 가능한 많은 양의 투석액을 배출해
내고, 도관을 제거하고 다른 부위에 삽입한다.

B. 혈액 흔적 투석 유출액

전복막 도관 설치와 더불어, 복벽 또는 장간막의 혈관 손상이 혈액흔적
유출을 초래할 수 있다. 이것은 대개 투석이 지속되면서 깨끗해진다.

C. 심각한 합병증들

심하게 많은 피를 포함한 유출액, 적혈구 용적율의 저하, 또는 쇼크
(shock)의 징후들은 대형 혈관 손상을 의미한다. 대개 긴급 개복술이
요구된다. 설명되지 않는 다뇨증 및 당뇨(glucosuria)는 방광의 우발
적인 천자를 시사한다. 바늘이 장으로 들어갔을 경우 투석액 주입시
통증과 함께 급한 배변욕구를 유발한다. 작은 구멍의 급성 도관 또는
바늘이 장에 들어간 것이 의심될 경우, 때로 단순히 도관 또는 바늘을
제거하고 정맥 항생제를 투여하는 가운데 환자를 지켜보는 것으로 충
분할 수 있다. 장을 침입한 결과로 인한 합병증들이 없음을 확인할 때
까지 수일 동안 도관 삽입을 연기해야 한다. 인지되지 않은 장 침입은
유출액에서의 대변이나 가스 또는 높은 포도당 함량을 보이는 묽은 설
사로 감지될 수 있다. 자주 외과적 중재가 필요하며, 적절한 상담을 받
아야 한다. 외과적 검사가 계획되어 있다면, 도관을 있는 자리에 그대
로 두는 것이 천공 부위를 보다 쉽게 파악하는데 도움이 된다.

VI. 만성 복막 도관들의 합병증

기계적 및 감염 합병증들이 투석 요법 중단 및 복막 도관 손실의 가장 흔한 두 이유이다. 조기의 적절한 중재들은 투석을 성공적으로 재개하며, 도관의 제거를 피하거나, 또는 도관이 손실된 경우, 복막투석을 다시 시작하기까지의 기간을 최소화하는데 도움이 된다.

A. 기계적 합병증

도관의 기계적 합병증들은 도관 주변 누출, 주입 및 배출 통증, 유출 실패, 도관 팁 이동 등이다.

1. 도관 주변 누출

이 합병증은 대개 도관 이식 기법, 투석 개시 시간 및 복벽 조직의 강도와 관련이 있다. 투석이 개시될 때, 도관 삽입 부위에 피하 누출이 발생할 수 있으며 이것은 대개 절개부를 통해 또는 피부 출구에 나타나는 수액으로 가시화된다. 누출이 의심될 경우, 스며나오는 수액을 딥스틱으로 검사하여 높은 포도당 농도를 보일때 확인할 수 있다. 도관 설치 후 10~14일 동안 투석 개시를 지연함으로써 누출 발생 위험이 최소화된다. 투석을 1~3주 일시적으로 중단하면 조기 누출이 저절로 호전된다. 극적인 조기 누출은 상처 복구에서 건착 봉합의 실패 또는 기술적 오류를 나타낼 수 있으며, 즉각적인 진찰이 요구된다. 피부 출구 또는 삽입 절개를 통한 누출의 경우 터널 감염 및 복막염 위험을 높인다. 예방적 항균제 치료를 시행한다. 지속성 누출의 경우 도관을 교체해야 한다.

후기 도관 주변 누출은 캐뉼러 주변 탈장 또는 잠재성 터널 감염으로 인해서, 커프가 주변 조직들로부터 분리될 때 생긴다. 캐뉼러 주변 탈장의 발생은 대체로 깊은 커프의 고정 위치 및 정도에 영향을 받는다. 벽쪽 복막 표면에서 중피는 도관의 표면을 따라 굽어 깊은 커프에 도달한다. 깊은 커프가 근벽 바깥쪽에 위치하거나 약한 정중선 근막 부착으로 인해 커프가 바깥쪽으로 이동하면, 복막 내벽이 근막층 위로 확장하여 가성 탈장 및 도관 주변 누출 가능성을 일으킨다. 복벽이 약하면 트랙이 확장하여 실제 탈장을 일으킬 수 있다. 대부분의 후기 누출과 도관 주변 탈장들은 도관 교체를 통해 가장 효과적으로 해결될 수 있다.

2. 주입 통증(infusion pain)

투석액 주입 동안의 통증은 대개 투석을 새로 시작하는 환자들에서 관찰되며, 자주 일시적이며 여러 주에 걸쳐 자연적으로 없어진다. 지속성 주입 통증은 일반적으로 고전적 젖산염 완충 투석 용액의 산도(pH 5.2~5.5)와 관련이 있다. 중탄산염/젖산염 완충 투석 용액(pH 7.0~7.4)의 사용은 이 통증을 제거할 수 있다. 완충 용액 사용이 어려울 경우 산 관련 주입 통증을 치료하기 위해 각 투석 백에 중탄산염을 별도로 첨가(4~5 mmol/L)해야 한다. 대안으로, 1% 또는 2%의 리도카인 용액을 투석액에 추가(5 mL/L)하여 주입 불편감 완화를 시도할 수 있다.

투석액 관련 통증의 다른 원인들로는 고장성 포도당 용액, 오래된 투석 용액, 복부의 과다 팽창, 극단적인 투석액 온도 등이 있다. 나선형 투석 도관에 비해, 직선형 팁 도관에서 튜빙의 끝 구멍으로부터 투석액이 분사됨으로 인한 기계적 유입 통증의 발생률이 높은 것으로 나타나고 있다. 팁이 복벽을 향하는 도관의 위치 이상 또는 주변조직에 의한 튜브의 운동제한이 유입시 통증을 유발할 수 있다. 주입속도를 늦추거나 배액을 불완전하게 시킴으로서 이러한 증상들을 완화시킬 수 있다; 하지만 오랫동안 통증이 지속되거나 도관 위치 이상과 관련이 있거나 없는 유압 기능 이상을 수반하는 경우 경혈관 도관 조작 또는 복강경 진찰을 고려해야 한다.

3. 배액 통증(drain pain)

유출(outflow) 동안의 통증은 일반적이고 특히 배액의 끝 부분에 이르러 더욱 그러하며, 투석이 시작된 처음 며칠 동안 더 빈번히 발생한다. 복강내 구조물들이 배액 동안 도관을 빨아올리면, 도관이 매우 민감한 벽쪽 복막에 부딪히게 된다. 이 통증은 생식기 또는 항문직장 부위에서 자주 경험된다. 배출 통증은 자동 복막투석에서보다 빈번한 문제인데 이는 복막 내벽에 대한 유압 흡입 때문이다. 복벽 위로 너무 낮게 설치된 도관은 튜빙을 깊은 골반 내로 밀어 넣어 도관 팁 주위의 골반 내장의 조기 폐쇄로 인한 배출 통증을 일으킨다. 마찬가지로, 골반에 있는 도관 주위의 장이 변비로 밀릴 때, 이러한 증상들을 일으키거나 악화시킬 수 있다. 배출 통증은 때로 시간이 지나면서 또는 관련된 변비의 치료와 함께 해결된다. 지속성일 경우, 복막 유출액의 완전 배액을 피함으로써 관리될 수 있다. 교환기를 사용하는 환자들에서, 이것은 어느 정도의 주기성 복막투석을 실시함으로써 달성할 수 있다. 배출 통증이 사라지지 않을 경우, 도관의 위치 조정을 시도할 수 있지만 심지어 이것도 문제를 항상 해결하는 것은 아니다.

4. 배액부전(outflow failure)

도관 기능 이상은 대개 배액부전으로 나타난다(도관 주변 누출의 증거가 없는 상태에서, 배액된 투석액의 양이 주입양에 비해 훨씬 적은 경우이다); 배액부전은 대개 도관 설치 후 곧 나타나지만, 복막염 에피소드 동안 또는 그 후에 또는 도관이 설치되어 있는 동안 어느 때라도 시작될 수도 있다. 도관 기능 이상의 일반적인 원인에 대한 평가와 치료는 다음과 같다:

a. 변비와 요 정체

유출 기능 이상의 가장 흔한 원인은 변비이다. 팽창된 직장 S자 결장은 도관측 구멍들을 막거나 도관 팁의 위치를 바꾸어 배액 기능을 저하시킬 수 있다. 요 정체로 인한 도관에 대한 외인성 방광 압박은 덜 빈번하게 일어난다. 복부 방사선 사진은 대변으로 채워진 대장 및 도관의 위치변화를 확인하는데 도움이 된다. 변비는 70% 소르비톨 용액과 같은 완하제를 매일 2시간 30 mL씩 원하는 효과가 나타날 때까지 구강 투여함으로써 치료된다. 지속성의 경우, 폴리에틸렌 글리콜 용액 2 L를 4~6시간에 걸쳐 섭취함이 대개 효과적이다. 비사코딜 같은 자극성 완하제와 식염수 관장제는, 대장 점막의 화학적 및 기계적 자극이 세균의 점막 이동 및 복막염 발생과 관련이 있어왔기 때문에, 불응 사례들이 아니면 사용을 유보해야 한다.

b. 도관의 꼬임(tube kinking)

도관 튜빙의 기계적 꼬임은 대개 양방향 폐색을 수반한다. 복부의 단순 방사선 사진은 자주 도관 튜빙의 꼬임을 파악하는데 도움이 된다. 도관의 교정 또는 교체가 필요할 수 있다.

c. 섬유소 가닥과 플러그(plugs)

유출액에 섬유소 가닥이나 플러그가 보일 때마다 투석액에 헤파린을 첨가해야 한다. 헤파린은 치료목적보다 예방적으로 더 유용하여, 섬유소 덩이의 형성과 기존 덩이들의 확장을 예방한다. 일단 유출 폐색이 일어나면, 도관을 헤파린으로 세척하는 것은 대개 기능 회복에 성공적이지 않다.

TABLE 23.3	폐색된 복막투석 도관의 혈전용해를 위한 조직 플라스미노겐 활성제(tPA) 프로토콜

도관 및 운반세트 조립체의 총량

성인 도관 크기		도관 용량 (mL)[a]	Baxter transfer 세트의 용량 (mL)[b]	Fresenius extension set의 용량 (mL)[b]
내경 (cm)	길이 (cm)			
0.26[c]	42	2.2	4.2	4.7
0.26[c]	57	3.0	5.0	5.5
0.26[c]	62	3.3	5.3	5.8
0.35[d]	62	6.0	8.0	8.5

프로토콜:
1. transfer세트로부터 포비돈-요오드를 제거하기 위해 도관의 내용물을 흡인한다.
2. 1 ml/mL tPA 를 계산된 주입량의 110% 용량으로 도관으로 점적한다.
3. tPA가 도관 내에 60분 동안 채워져있도록 한다.
4. 도관으로부터 tPA를 흡인한다.
5. 도관을 개방하고 섬유소 덩이를 제거하기 위해 60 mL 주사기로 도관을 식염수로 강하게 세척한다.
6. 도관이 여전히 폐색된 상태일 경우, 상기 과정을 반복한다.

[a] 용량= $\pi r^2 h$; π = 3.14, r = 도관 구멍의 반지름, h = 튜브의 높이 (길이).
[b] Baxter 6-in 운반세트 = 2 mL; Fresenius 12-in 확장 세트 = 2.5 mL.
[c] 고전식 Tenckhoff 도관의 내경
[d] Flex-Neck 도관의 내경

도관 기능이 헤파린으로 회복되지 않으면, 조직 플라스미노겐 활성제 (tPA)를 이용한 혈전용해 요법을 시도할 수 있다. 도관을 식염수로 강하게 세척하여 관내 부스러기들을 제거하지 못했을 경우, 표 23.3에 설명된 프로토콜을 이용하여 tPA를 점적한다. 도관 폐색이 섬유소 덩이로 인해 생겼을 경우, tPA를 이용한 유동 기능 회복이 거의 100%에 이른다고 보고되었다. 비용 문제 때문에, tPA의 용량(1 mg/mL의 희석액)은 도관 조립체의 계산된 용량에 기초하여 결정되었고; 하지만 도관 과다충전 또는 반복 투여의 부작용은 보고되지 않았다.

d. 배액부전에 대한 도관 조작

변비 치료와 섬유소 용해 요법이 배액 기능을 회복시키는데 성공적이지 않을 경우, 그리고 요 정체와 튜빙 꼬임이 제외되었을 때, 도관이 그물막 또는 다른 부착된 복강내 구조물들에 의해 폐색된 것으로 추정된다. 도관 폐색을 해결하기 위한 중재들은 현재 일반적으로 방사선학적 및 복강경 기법을 통해 실시된다. 피하 터널을 강제로 펴는 것은 터널 트랙 외상과 감염을 일으킬 수 있다. 경피관 조작은 확장 도관에 대해 실용적이지 않은데 이는 튜빙 길이가 길기 때문이다.

1. 방사선학적 중재.

투시 유도 철선 조작은 위치를 벗어나고 폐색된 도관을 수정하는데 사용되어 왔다. 백조목 구부림을 가진 도관의 강성 유도 철선 조작은 어려울 수 있다.

포도알균 감염을 예방하기 위한 예방적 항균제의 시술전 용량이 권장된다. 시술을 위한 무균 수술 영역을 준비함과 함께 도관 튜빙의 방부 처리에 특별한 주의를 기울여야 한다. 운반세트는 분리되고 폐기된다. 도관 조작이 실시된 후, 주사기 세척을 통해 유동 기능이 회복되었는지를 확인한다. 자주 여러 번의 분리된 조작 절차들이 요구되며, 장기적으로 도관기능은 단지 사례들 중 45%-73%에서 회복된다. 환자들이 전에 복부 골반 수술 또는 복막염 이력이 있을 경우, 투시 조작에서의 실패율이 90%까지 높게 관찰되는데 이것은 유착이 기술적 실패의 주요 요인임을 시사한다.

2. 복강경 중재.

복강경은 도관 폐색을 평가하고 해결하는 유용한 방법이 되었다. 복강경이 도관 기능 이상의 원인을 확실히 파악하고 최적 치료를 위한 수단을 제공하기 때문에, 자주 폐색에 대한 다른 원인들이 제외된 후 관리 순서에서의 다음 단계로 고려된다. 투석 도관은 빈번하게 복부의 초기 가스 주입을 시행하는데 사용될 수 있는데 이는 대부분의 도관 폐색들이 유출 문제를 의미하기 때문이다. 대안으로 주입을 위해 Veress 바늘을 사용하거나 또는 초기 복강경 포트를 복막 위에 직접 혈관절개로 설치한다. 복강경 진찰은 폐색의 출처를 파악하기 위해 실시한다. 발견 사항에 따라 수술 기구들을 도입하기 위해 추가적인 복강경 포트들이 필요할 수 있다.

튜빙이 골반을 벗어나 변위된 상태에서 그물막의 도관 코일에 대한 부착이 유출 기능 이상의 일반적인 원인이다. 도관을 감싸고 있는 그물막을 제거하기 위해 복강경의 grasping forcep을 이용한다. 잔여 관내 조직 부스러기의 제거를 원활히 하기 위해 포트 부위들 중 하나로 도관 팁을 일시적으로 외부화한다. 그물막은 복강경 하에서 상복부 부위로 봉합하여 도관으로부터 떨어뜨린다(그물막고정술). S자 결장과 자궁관의 중복 복막수가 도관 코일로 흡입되어 폐색을 일으킬 수 있다. 연루된 복막수와 자궁 튜브의 복강경 절제로 폐색 재발을 예방할 수 있다.

유착성 흉터 조직에 의한 도관 폐색은 복강경 하에서 유착을 분리하거나 또는 유착이 지나치게 광범위하지 않을 경우 단순히 도관을 유착들로부터 떼어냄으로써 치료될 수 있다. 특히 복막염 후 불량한 배액 기능에 대한 유착박리술은 유착 교정에 따른 30% 실패율과 관련이 있다.

배액 기능이 불량한 부위로의 도관 팁 이동은 자주 튜빙에 과도한 스트레스를 가하는 모양으로 구부러진 직선형 도관의 형상 기억 탄력으로 인해 발생한다. 단순히 위치를 조정할 경우 도관의 이동이 높은 비율로 재발할 것이다. 도관 팁을 골반 구조에 복강경 봉합하는 것은 봉합의 부식(erosion)으로 인해 높은 실패율을 보인다. 보다 확실한 방법은 복강경 하에서 복벽을 통과하는 치골상 부위에 그리고 도관 주변에 봉합 슬링을 설치하는 것이다. 슬링은 도관이 골반을 향하도록 유지하며 후에 필요할 경우 도관 제거를 방해하지 않을 것이다.

5. 피부 출구를 통한 커프 돌출(extrusion)

도관 설치 동안 커프가 출구 상처에 너무 가까이 근접할 때 (<2 cm), 얕은 커프가 피부 출구를 통해 부식(erosion)될 수 있다. 또한 출구 방향을 아래로 하기 위해 직선형 커프간 세그먼트를 가진 도관을 과도하게 구부릴 경우 튜빙에 기계적인 스트레스를 유발할 수 있다. 커프가 피부 출구에 너무 가까운 상태에서, 이 모양으로 굽은 도관의 형상 기억 탄력이 시간이 지나면서 튜브를 곧게 펴서 얕은 커프가 피부 출구를 향하여 그리고 이를 통과하여 이동하게 만들수 있다. 결국 도관 전체의 돌출을 일으킬 수 있는, 얕은 커프 부식의 또 하나의 원인은 심부 커프의 불량한 위치 선정과 고정으로 인한 튜빙의 외측으로의 변위이다. 마지막으로 얕은 커프로까지 확장된 피부 출구 감염은 커프를 주변 조직으로부터 분리시켜 피부 출구를 통해 돌출시킬 수 있다.

돌출된 커프는 출구 상처 주변의 박테리아의 저장소가 된다. 정기적인 피부 출구 소독/관리 동안 커프가 매일 젖음으로 인해 악화되는 이 감염된 스폰지의 존재는 피부 출구 위생을 제대로 유지하는데 어려움을 초래한다. 커프 표면과 평행으로 수술 칼날을 사용하여, 커프 물질이 모두 제거될 때까지 커프를 얇은 슬라이스로 여러 번 깎아낼 수 있다. 튜빙에 무리한 압력을 가하지 않고 커프를 제거하기 위해서 날을 자주 교체해야 한다. 내부 구멍 도관들로부터 3.5 mm 떨어진 커프를(파란 색 방사선 비투과성 띠로 구별되는) 제거 할 때는 특별한 주의를 기울여야 하는데 이는 이 얇은 벽의 튜빙이 쉽게 손상을 입기 때문이다. 대안으로, 돌출 커프가 생긴 도관들은 다음 섹션에서 설명하는 대로 이음 절차를 통해 커프가 달린 튜빙 세그먼트를 교체함으로써 관리될 수 있다.

B. 도관 감염과 관리.

도관 감염에 대한 항생제 치료 세부 사항은 27장에서 논의된다. 얕은 커프
가 연루된 만성 피부 출구 감염의 최종적인 결과는 터널 농양 또는 터널 감
염의 복강으로의 진행 및 이로 인해 동시 발생하는 복막염이다. 만성 피부
출구와 터널 감염의 조기 발견은 도관 보존(salvage)를 위한 최선의 기회를
제공하는데 필수적이다. 도관 감염에 대한 중재들은 다음과 같다.

1. 피부 출구와 터널 감염

피부 출구 감염은 피부 출구의 발적, 팽윤 및 압통으로 나타난다. 터
널이 연결되면서, 감염 징후들은 도관의 피하 경로를 따라 확장된
다. 대부분의 경우, 피부 출구와 터널 감염은 피부 출구에서의 화
농성 삼출액을 수반한다. 만성적인 사례들에서, 피부 출구의 피부
가 도관 주변으로 물러지며, 피부 출구 동(exit sinus)에 육아 조직
이 존재하며, 도관을 가볍게 당기는 동안 피하 커프에 압력을 가하
거나 또는 터널 상부의 피부를 피부 출구 쪽으로 칠 때 화농성 물질
이 출구 오리피스를 통해 나타날 수 있다. 감염이 깊은 커프까지 확
장되지 않은 한, 도관을 제거하지 않고서도 문제를 해결하는 것이
가능하다. 도관 터널의 초음파는, 특히 신체검사의 신뢰도가 떨어
지는 비만 환자들에서 깊은 커프의 관련성을 평가하는데 유용한 수
술 전 평가 도구이다. 초음파 상에서 깊은 커프가 연루된 감염을 가
진 것을 확인된 환자들은 도관 제거술을 받아야 한다. 또한 복막염
이 동시 발생한 환자들은 도관 보존 대상이 되지 않는데 이는 감염
이 점막을 통해 이미 확산되었음을 나타내기 때문이다.

a. 상개절제(unroofing)-커프 셰이빙

감염된 도관 터널을 덮고 있는 피부 및 피하 조직의 상개절제는 고름의
배액, 육아 조직의 변연 절제, 그리고 얕은 커프의 셰이빙을 가능하게 한
다. 셰이빙 된 튜빙 세그먼트를 포함한 도관은 절개의 안쪽 면으로부터
나와서 무균 접착성 스트립들을 가진 인접 피부에 고정됨으로써 이 위치
에 안정화된다. 이 상처는 개방된 상태로 두며, 식염수를 적신 거즈를 이
용한 습건식 드레싱(wet-to-dry dressing)을 실시하고(하루 1~2회), 이차
치료를 통한 회복을 도모한다.

감염의 강도에 따라서 시술은 치료실이나 수술실에서 국소 마취 또는
전신 마취 하에서 실시될 수 있다. 상개절제-커프 셰이빙의 주요 장점은
투석을 중단시키지 않는다는 점이다.

b. 도관 이음(splicing)

얕은 커프를 넘어 확장되지 않은 만성 피부 출구 감염에 대한 대안적인
외과적 치료 방법은 도관 이음으로 연결된 감염된 외부 튜빙 세그먼트를
교체하는 것이다. 이것은 피부 주름 안쪽이나 느슨한 피부 접힘부 정점,
또는 벨트 라인 아래와 같이 감염이 용이한 부위에 설치된 잘못 선정된

피부 출구 위치에 대해 선호되는 회수 방법이 될 수 있다. 이러한 상황에서, 단지 상개절제-커프 셰이빙만을 실시할 경우 피부 출구 위치가 쉽게 감염되는 결과를 초래할 수 있다. 이음 도관 세그먼트는 상복부 또는 흉부를 포함하여 보다 안정된 피부 출구 위치로 돌릴 수 있다. 이 절차는 보다 방대한 절제와 터널링을 요구하기 때문에, 수술실에서 국소 또는 전신 마취 하에 시행하는 것이 최선이다.

피부 준비 후 감염된 피부 출구는 드랩(draping) 동안 주요 수술 영역으로부터 분리시켜, 새로운 도관 및 상처의 오염을 예방하기 위해 최종 단계에 관리된다. 근막 수준에서의 도관의 연루되지 않은 커프간 세그먼트를 노출시키기 위해 이전 삽입 부위 흉터를 통해 절개를 만든다. 도관은 커프간 세그먼트에서 분할되어 깊은 커프 쪽의 2.5 cm 절단 끝을 보존한다. 이음 세그먼트 용으로 사전 형성된 백조목 구부림이 있거나 없는 단일 또는 이중 커프 도관을 사용할 수 있다. 새 도관을 적절한 길이로 자른 다음, 이 세그먼트를 원래 도관의 깊은 커프 쪽 절단 끝에 티타늄 커넥터를 이용하여 연결시킨다. 이 이음 도관의 외부 세그먼트는 감염된 피부 출구로부터 멀리 떨어진 적당한 출구 위치로 터널을 통해 통과시킨다. 이 상처를 닫고 드레싱을 실시한다. 최종 단계에서 이전 도관의 바깥 부분을 제거하고, 상처의 변연을 절제하고, 열린 상태로 식염수 습건식 드레싱으로 처리한다. 감염된 상처가 아물 때까지 2~4주 동안 항생제 투여를 계속한다. 복막투석은 시술 후 즉시 재개할 수 있다.

2. 도관 감염-관련 복막염

피부 출구와 터널 감염의 깊은 커프로의 진행은 복막염의 동시 발생을 초래할 수 있다. 드물게 복막염은 만성의 깊은 커프 감염을 일으키고 초기에 터널 감염으로 나타나는 역행 방식으로 진행될 수 있다. 초음파는 깊은 커프 관련성을 평가하는데 있어서 도움이 될 수 있다. 도관 감염-관련 복막염은 도관 제거를 통해 최선으로 관리된다. 복막염에 대한 항생제 치료는 27장에서 논의된다. 투석 도관의 재삽입은 복막염에 대한 항생제 치료 완료 후 4~6주에 실시될 수 있다.

VII. 만성 복막 도관의 관리

일차적으로 외부화된 도관들의 술후 관리는 그것들이 즉시 사용되는지 또는 상처 치료 및 커프의 고정 조직 내증식을 위해 2주 지연이 요구되는지 여부에 따라서 다양하다.

A. 도관 세척

즉시 사용되지 않는 도관들은 혈액과 섬유소 부스러기를 씻어내기 위해 삽입 후 72시간 안에 1 L의 용액(식염수 또는 투석액)으로 세척해야 한다. 유출액이 다량의 혈액을 포함할 경우, 깨끗해질때까지 세척을 반복해야 한다. 개통성을 보장하기 위해, 투석이 시행될 때까지 매주 세척을 반복하는 것이 좋다. 세척액에 첨가된 헤파린(1,000 단위/L)은 초기 술 후 기간 동안 도관의 섬유소전(fibrin plugging)을 예방하는데 도움이 된다.

B. 술후 도관 고정과 드레싱

도관 고정 봉합이 사용되지 않기 때문에, 의료용 무균 접착성 스트립들을 이용하여 도관을 복벽에 고정하는 것이 중요하다. 피부 출구와 수술 상처를 보호하고 도관을 추가적으로 고정하기 위해 충분한 크기의 비폐색성 장벽 드레싱을 도관 설치 과정 동안 적용해야 한다. 또한 피부 출구에서 도관이 당겨지는 것을 예방하기 위해서 운반세트를 복벽에 고정시켜야 한다. 드레싱이 깨끗하고 온전하며 피부 출구가 안정된 것으로 보이는 한, 환자가 만성 피부 출구 치료를 위한 프로토콜을 따르도록 지시를 받을 때까지는 일주일마다 드레싱을 교체한다. 언제든지 피부 출구에 변화가 생기면, 출구 관리 방법을 변경해야 한다.

C. 장기적 도관과 피부 출구 치료

적절한 상처 치료를 위해서 도관 설치 후 4~6주 동안 환자들의 신체활동은 가벼운 활동들로 제한을 해야 한다. 피부 출구 치료에 문제가 없을 경우, 대부분의 환자들은 3~4주 내에 샤워를 재개할 수 있다. 이것은 대개 만성 피부 출구 치료 과정의 시행과 일치한다. 대부분의 피부 출구 치료 프로토콜들은 비자극성, 비독성 방부제를 이용한 세척과 무피로신(mupirocin) 또는 겐타마이신(gentamicin)과 같은 예방적 항균제 연고 또는 크림의 사용을 포함한다. 피부 출구에 대한 무균 드레싱이 권장된다. 피부 출구가 물 속에 잠기는 욕조 목욕과 수영은 피하는 것이 좋다. 수영을 허용하는 기관들은 대개 그 장소를 적절히 염소 처리된 개인 풀 또는 바닷물로 제한한다. 수영을 하는 동안 문합술 장비 또는 유사한 기구로 피부 출구와 도관을 덮고 활동 후 정해진 피부 출구 치료를 실시하는 것이 권장된다. 환자들은 도관이 "생명줄"임을 기억하고, 그들의 복막 접근로가 수영 동안 잠재적인 오염원에 노출될 때 일어날 결과들을 고려해야 한다.

D. 매입 도관 관리

도관 매입을 받는 환자들은 48시간 후 샤워를 재개할 수 있다. 적절한 상처 치유를 위해서 도관 설치 후 4~6주 동안 격렬한 활동들을 피할 필요가 있다.

매입 도관의 외부화는 적절한 치료실에서 국소마취 하에서 무균 기법을 이용해 실시되는 임상 시술이다. 적절한 매입 기법이 시행되었을 경우, 도관 튜빙은 도관이 장래의 피부 출구에서 일시적으로 외부화된 동안, 시술 동안 형성된 절개 흉터에서 쉽게 촉지되어야 한다. 애매한 경우, 얕은 커프로부터 올바른 거리에 있는 도관 튜빙을 식별하기 위해 초음파검사를 이용할 수 있다. 피부를 마취하고 도관 손상을 피하도록 절개를 하는데 있어서 주의를 기울일 필요가 있다. 매입 트랙으로부터 도관을 확인하여 꺼내기 위해서 hemostat 절개가 사용된다. 튜빙의 막힌 끝을 잘라내고, 도관 어댑터를 삽입하고, 운반세트를 부착한 후, 유동성을 테스트한다. 섬유소 덩이들을 제거하기 위해서 도관을 60 mL 주사기와 식염수로 강하게 세척을 해야 될 수도 있다. 유동성이 만족스럽지 않을 경우 섹션 VI.A에서 설명한 대로 관리되어야 한다. 매입 도관의 외부화에 따른 피부 출구 치료는 일차적으로 외부화된 도관에 대해 설명한 것과 동일하다.

VIII. 도관 제거 및 이차 매입

A. 급성의 커프 없는 도관들의 제거

복막염에 대한 우려 때문에, 급성의 커프 없는 도관들은 3일 이내에 제거되어야 한다. 복부에 대한 배액이 실시되고 남은 봉합을 제거한 후, 도관을 가만히 들어낸다. 새로운 도관을 삽입하기 전에 2~3일 동안 복막에 휴식기를 줄 것을 권장한다. 교체 도관의 삽입 부위는 안쪽과 측방 위치 중 하나를 교대로 선정해야 하며, 이전 부위로부터 최소한 2~3 cm의 거리를 유지해야 한다.

B. 만성 도관들의 제거

Dacron 커프들의 고정 조직 내증식은 2~3주까지 일어나기 때문에, 더 오랜 기간동안 매입되어 있었던 만성 도관들은 수술실이나 또는 적절한 시술 공간에서 외과적 절제를 통해 제거해야 하며, 특히 깊은 커프가 근육층에 위치해 있을 때 그러하다. 근막 결함은 복벽 탈장을 예방하기 위한 봉합 복원을 필요로 할 것이다.

C. 만성 도관의 이차 매입

때로 환자들이 투석을 중단할 만큼 충분히 신기능을 회복해서 도관 제거가 실시되지만, 회복이 영구적일 것으로 예상되지 않는 경우, 도관을 제거하는 대신 이차 매입이 대안이 될 수 있다. 이차 매입을 통해서 즉시 사용할 수 있는 준비된 복막 접근을 유지함과 동시에 도관 유지의 불편함과 비용을 한동안 피할 수 있다. 이 접근방법은 유동 기능 이상이나 도관 주변 누출과 같이 새로운 도관 설치로 인한 합병증들을 피하면서 또한 장래에 긴급 혈액투석을 위해 중심정맥도관을 설치해야 하는 필요를 피할 수 있다.

수행되는 시술은 연결된 외부 세그먼트가 매입되는 이외에 도관 이음과 유사하다. 피부 준비 후, 기존 피부 출구 및 도관은 드레이핑 동안 일차 수술 영역으로부터 분리되며, 최종 단계에서 이음 도관과 상처의 오염을 예방하기 위해 관리된다. 도관의 커프간 세그먼트를 노출시키기 위해서 이전 삽입 부위 흉터를 통해서 절개를 만든다. 도관은 커프간 세그먼트에서 분할되어 깊은 커프 쪽의 2.5 cm 절단 끝을 보존한다. 이음 세그먼트 용으로 사전 형성된 백조목 구부림이 있거나 없는 단일 또는 이중 커프 도관을 사용할 수 있다. 새 도관을 적절한 길이로 자른 다음, 이 세그먼트를 원래 도관의 깊은 커프 쪽 절단 끝에 티타늄 커넥터를 이용하여 연결시킨다. 이 이음 도관의 외부 세그먼트는 새

피부 출구에서 일시적으로 외부화된 후, 매입 도관 섹션에서 설명한 바와 같이 피하 터널을 통해 통과시킨다. 이 상처를 닫고 보호한 후, 이전 도관의 남은 바깥 부분을 제거하고, 이전 피부 출구의 상처 잘라내고 봉합한다.

Suggested Readings

Attaluri V, et al. Advanced laparoscopic techniques significantly improve function of peritoneal dialysis catheters. *J Am Coll Surg*. 2010;211:699–704.

Brown PA, et al. Complications and catheter survival with prolonged embedding of peritoneal dialysis catheters. *Nephrol Dial Transplant*. 2008;23:2299–2303.

Brunier G, et al. A change to radiological peritoneal dialysis catheter insertion: three-month outcomes. *Perit Dial Int*. 2010;30:528–533.

Crabtree JH. Rescue and salvage procedures for mechanical and infectious complications of peritoneal dialysis. Int J Artif Organs. 2006;29:67–84.

Crabtree JH, Burchette RJ. Effective use of laparoscopy for long-term peritoneal dialysis access. *Am J Surg*. 2009;198:135–141.

Crabtree JH, Burchette RJ. Comparative analysis of two-piece extended peritoneal dialysis catheters with remote exit-site locations and conventional abdominal catheters. *Perit Dial Int*. 2010;30:46–55.

Crabtree JH, Burchette RJ. Peritoneal dialysis catheter embedment: surgical considerations, expectations, and complications. *Am J Surg*. 2013;206:464–471.

Flanigan M, Gokal R. Peritoneal catheters and exit-site practices toward optimum peritoneal access: a review of current developments. *Perit Dial Int*. 2005;25:132–139.

Gadallah MF, et al. Peritoneoscopic versus surgical placement of peritoneal dialysis catheters: a prospective randomized study on outcome. *Am J Kidney Dis*. 1999;33:118–122.

Ghaffari A. Urgent-start peritoneal dialysis: a quality improvement report. *Am J Kidney Dis*. 2012;59:400–408.

Gokal R, et al. Peritoneal catheters and exit-site practices toward optimum peritoneal access: 1998 update. *Perit Dial Int*. 1998;18:11–33.

Hagen SM, et al. A systematic review and meta-analysis of the influence of peritoneal dialysis catheter type on complication rate and catheter survival. *Kidney Int*. 2014;85:920–932.

McCormick BB, et al. Use of the embedded peritoneal dialysis catheter: experience and results from a North American center. *Kidney Int*. 2006;70:538–543.

Miller M, et al. Fluoroscopic manipulation of peritoneal dialysis catheters: outcomes and factors associated with successful manipulation. *Clin J Am Soc Nephrol*. 2012;7:795–800.

Penner T, Crabtree JH. Peritoneal dialysis catheters with back exit sites. *Perit Dial Int*. 2013;33:93–96.

Simons ME, et al. Fluoroscopically-guided manipulation of malfunctioning peritoneal dialysis catheters. *Perit Dial Int*. 1999;19:544–549.

Twardowski ZJ, et al. Six-year experience with swan neck presternal peritoneal dialysis catheter. *Perit Dial Int*. 1998;18:598–602.

Vaux EC, et al. Percutaneous fluoroscopically guided placement of peritoneal dialysis catheters—a 10-year experience. *Semin Dial*. 2008;21:459–465.

Xie J, et al. Coiled versus straight peritoneal dialysis catheters: a randomized controlled trial and meta-analysis. *Am J Kidney Dis*. 2011;58:946–955.

Web References

PD catheter placement using ultrasound and fluoroscopic guidance. http://www.homebybaxter.com/how/home-therapies-institute/webinars-on-demand/pdcatheter-placement-ultrasound.html

Percutaneous insertion of peritoneal dialysis catheters with radiological guidance(buried & not buried). http://ukidney.com/nephrology-videos/item/170-videopercutaneous-insertion-of-pd-catheter

Peritoneal dialysis access—catheters and placement. http://www.homebybaxter.com/how/home-therapies-institute/webinars-on-demand/peritoneal-dialysi-

saccess-catheters.html
Peritoneal dialysis catheter insertion at the bedside. http://ukidney.com/nephrology-videos/item/1214-peritoneal-dialysis-catheter-insertion-at-thebedside

복막투석(PD)은 급성 신손상 환자들에서 처음 성공적으로 사용된 신대체요법 방식이다. 하지만 1970년 이후 급성 혈액투석의 편리성이 높아지면서 이것의 사용이 점차 줄었으며, 현재는 낮은 비용과 최소한으로 요구되는 인프라로 인해 주로 개발도상국들에서 시행되고 있다. 하지만 최근에 특정 급성 신손상 환자들을 관리하는데 있어서 복막투석에 대한 관심이 높아지고 있으며, 한 메타 분석에 따르면 그 결과가 혈액투석과 유사한 것으로 나타났다 (Chionh, 2010).

I. 적응증

A. 장점들

복막투석은 급성 신손상에서 혈액투석에 비해 몇 가지 장점들을 제공한다. 이것은 기술적으로 단순하며, 최소한의 인프라를 필요로 하며, 비용이 적게 든다. 이것은 혈관 접근이 어려운 환자에게 더 나은 옵션이 될 수 있다. 용질과 수분 제거가 점진적이며, 불균형 증후군, 심혈관 스트레스 및 혈압의 갑작스런 저하가 발생할 위험이 적다. 이러한 잠재적 이점들은 다시 신장 및 심장 허혈, 체액 및 전해질 불균형 및 두개내 체액 이동의 위험을 줄일 수 있다. 체외 순환이 필요하지 않으며, 따라서 혈액이 합성 튜빙과 막에 노출됨으로 인해 생길 수 있는 잠재적 염증 촉진성 변화들을 줄인다. 종합하자면, 이러한 요인들은 신기능의 보다 조속한 회복을 위해 유익할 수 있다.

잘 알려진 적응증들(용량 과부하, 전해질 장애, 요독성 증상 또는 산-염기 교란) 이외에, 급성 복막투석은 울혈성 심부전(CHF) 기능분류 IV를 가진 환자들에서의 체액량을 유지하고, 고체온증 또는 저체온증을 관리하며, 괴사성 췌장염을 복막 세척으로 치료하는데 사용될 수 있다. 급성 복막투석은 '긴급 시작 복막투석'으로 설명되는 시나리오인, 요독증 또는 체액 과부하를 수반하는 긴급한 진행된 만성 신질환 사례들에서 그 사용이 증가하고 있다.

지진과 같은 자연 재해 상황에서, 여러 희생자들에서 급성 신손상이 발생하고 인프라가 파손되어 전력, 깨끗한 물 및 물 처리 시설을 이용하는데 제한이 있을 때, 복막투석은 생명을 구하는데 중요한 신장 대체 방식이 될 수 있다. 표 24.1은 급성 신손상 환자들을 복막투석으로 치료하는데 있어서의 장점들과 단점들을 제시하고 있다.

B. 한계들

복막투석은 최근 복부 수술을 했거나, 대형 복부 탈장, 무력성 장폐색, 복강내 유착, 복막 섬유증, 또는 복막염 환자들에서 비교적 금기시되고 있다. 용량과 용질 제거가 느리고 때로 예측 불가능하기 때문에, 복막투석은 급성 폐 부종, 생명을 위협하는 고칼륨혈증 및 약물 과용과 같은 특정 긴급 상황을 치료하는데 있어서 체외혈액정화 기법만큼 안전하거나 효율적이지 못하다. 복막투석이 과이화(hypercatabolic) 급성 신손상에서 적절한 용량을 달성할 수 있는 능력은 논란이 되고 있다. 몇몇 저자들은 이러한 상황들에서의 복막투석의 적합성에 우려를 표한다(Phu, 2002). 하지만 과이화 급성 신손상 환자들에서, 특히 강도 높은 복막투석 치료법이 사용되었을 경우, 복막투석과 관련된 긍정적인 결과들에 대한 보고들이 있다(Chitalia, 2002; Ponce, 2012b).

복막투석은 복강내압을 증가시키며, 이것은 횡경막 운동 손상을 초래하여 폐의 유순도와 환기를 저하시킬 수 있으며, 이것은 호흡부전을 일으키거나 악화시킬 수 있다. 하지만 복막투석을 받는 환자들은 대체적으로 폐활량과 호흡량을 유지하며, 폐 감소가 없는 환자들에서 복막

TABLE 24.1 급성 신손상에서 복막투석의 장점과 단점들

장점들	단점들
시작하기가 간단하다.	적절한 복막 청소 능력을 갖춘 온전한 복강이 필요하다.
장소와 상관없이 시작할 수 있다.	과이화(hypercatabolic) 환자들에서 적합하지 않을 수 있다.
전문 인력이 필요 없다.	심각한 급성 폐 부종 또는 생명을 위협하는 과나트륨혈증 환자들에게 부적절할 수 있다.
혈관에 접근할 필요가 없다.	초미세여과 및 청소를 정확히 예측할 수 없다.
비싼 장비가 필요 없다.	감염(복막염)이 발생할 수 있다.
혈액이 플라스틱에 노출되지 않는다.	젖산염이 표준 완충제로 사용된다.
항응고 처리를 할 필요성이 없다.	단백질 손실의 우려가 있다.
혈액 손실을 최소화한다.	고혈당을 악화시킬 수 있다.
신기능 회복에 대한 부정적 영향이 적을 수 있다.	호흡계를 손상시킬 수 있다.
특정 환자들에게 특별히 유익할 수 있다 (아동 또는 심부전, 혈역학적 불안정, 출혈 체질 환자들)	
연속 신장 대체 요법의 한 형식이다.	

투석이 환기 장애를 일으키는 경우는 드물다. 급성 신손상에서 복막투석의 또 하나의 있을 수 있는 한계는 관련된 단백질 손실이 영양결핍을 악화시킬 수 있다는 점이다. 복막투석을 받는 급성 신손상 환자들에 대해 경구적이든 비경구적이든 단백질 보충(1일 1.5 g/kg)이 권장된다.

복막투석액에서의 높은 포도당 농도는 심지어 비당뇨병 환자들에서도 고혈당을 초래할 수 있다. 이것은 인슐린의 정맥, 피하, 또는 복강내 투여를 통해 쉽게 교정될 수 있다. 복막염이 잠재적 문제이다. 이전 연구들은 높은 빈도의 복막염을 보고했다. 하지만 개선된 도관 이식 기법, 연결 및 자동화 방법들로 인해 발생률이 낮아졌으며 위험은 급성 신손상에 대한 체외혈액정화에서의 감염률과 비슷하다(Ponce, 2011a).

II. 기술적인 측면들

A. 복막 접근

안전하고 효율적인 복강 접근은 복막투석의 성공에 중요한 요인이다. 오랜 기간 동안, 침상에서 투관침을 이용한 강성 도관의 삽입이 급성 복막투석을 위한 복막 접근의 표준 기법이었다. 이 기법은 여전히 세계 여러 나라들에서 일반적으로 사용되고 있지만, 유연하며 커프가 달린 Tenckhoff 도관 삽입을 위한 단순한 시술이 도입되면서 그것의 사용이 줄어들고 있다. Tenckhoff 도관 삽입술은 복막투석을 위한 최적의 접근로를 제공한다. 가용성에 따라, 단일 또는 이중 커프 Tenckhoff 도관 - 직선형 또는 백조목 - 가 급성 신손상에 사용될 수 있다. 강성 도관에 비해 Tenckhoff 도관의 장점들은 낮은 누출 발생률, 보다 큰 직경의 중공, 투석액 유속을 개선하는 측면 구멍들, 그리고 폐색 감소와 복막염 발생 감소 등을 포함한다. 또한 강성 도관들은 3~5일 후 제거해야 하지만, 유연성의 커프가 달린 도관들은 무기한으로 설치될 수 있다. 따라서 환자의 신기능이 회복되지 않을 경우, 도관이 만성 투석에 사용될 수 있다. 물론 유연성의 커프가 달린 도관들이 가용하지 않거나 너무 비싼 자원 부족 환경에서 강성 탐침을 가진 대안적 도관이나 또는 심지어 비위관 또는 외과적 배출관과 같은 급조된 옵션들을 사용해야 할 필요가 있을 수 있다.

Tenckhoff 도관들은 침상에서, 지정 치료실에서, 또는 수술실에서 국소마취 하에 삽입될 수 있다. 이전에 복부 수술을 받았던 환자에서는, 복강경 또는 개방 기법이 선호되며, 이것은 대개 수술실과 외과의를 필요로 한다. 이전 수술을 받은 적이 없는 환자들에서는, 어떤 특정 삽입 방법이 다른 것에 비해 더 낫다고 입증된 바가 없다. 오히려 이식 방법은 기술, 장비 및 소모품들의 현지 가용성을 바탕으로 결정되어야 한다. 침상에서의 삽입은 유도 철선과 '벗겨내는' 집(sheath)을 가진 변경된 Seldinger 접근 방법을 활용하는데, 이것은 많은 신장 전문의들이 사용하는 방법이다. 도관은 맹목 시술로 삽입되며 따라서 이 방법

은 정중선 외과적 흉터나 복강내 유착을 암시하는 이력을 가진 환자들
에서는 가능하면 피해야 한다. 도관 삽입 방법의 자세한 내용은 23장
을 참고하라.

B. 복막투석 용액

상업적으로 제조된 복막투석 용액들이 최적인데, 이는 이들이 수액 혼
합에서의 오류 및 오염의 위험을 최소화하며, 표준화되고 일반적으로
용납되는 연결을 포함하고 있기 때문이다. 물류 문제 또는 비용으로
인해 이것들이 가용하지 않을 경우, 현지에서 혼합한 수액을 사용할
수 있지만, 용액들의 무균 생산 및 혼합과 무균 연결 기구의 사용이 필
수적이다. 그와 같이 현지에서 준비한 복막투석 수액들은 생리학적 정
맥수액에 포도당과 중탄산염을 첨가하여 제조할 수 있다.

표 22.1은 표준 복막투석 용액들의 성분을 나타낸다. 비교적 쉽게
투석 수액으로 전환될 수 있는 다른 상업용 정맥 용액들로는 Ringer's
lactate 용액, Hartmann 수액, 1/2 생리식염수, Plasmalyte B 등이 있
다. 표준 복막투석 용액들은 대개 완충액으로 젖산염을 사용한다; 이
것은 주로 간 및 근육 pyruvate dehydrogenase 효소들을 통해 중탄산
염으로 전환된다. 심각한 급성 신손상 환자들(쇼크, 불량한 조직 관류
상태, 간부전 등을 가진 이들)에서, 젖산염의 중탄산염으로의 전환 기
능이 손상되어 대사성 산증을 악화시킬 수 있다. 그와 같은 환자들에
서는 중탄산염을 함유한 복막투석 용액들이 선호될 수 있다. 하지만
오직 한 소규모 연구에서 20명의 급성 신손상 환자들에게 젖산염 기반
또는 중탄산염 기반 복막투석을 적용했는데, 중탄산염 복막투석 용액
이 대사적 산증 교정에 더 효과적이며 더 높은 혈역학적 안정성을 보
였지만 표준 젖산염 용액과 비교했을 때 환자 치료 결과에 차이가 없
었다(Thongboonkerd, 2001).

C. 복막투석 양식

투석액 주입 및 배액 과정은 복막투석 교환기(cycler)를 이용하여 자동
화될 수 있다. 이 시스템의 장점은 합병증들의 위험을 줄이기 위해 훈
련된 직원에 의해 설치될 수 있다는 점이다. 이것은 모든 사이클들이
자동이기 때문에 간호 시간을 줄이며, 복막염 위험이 낮다는 보고가
있다. 자동 교환기들은 급성 신손상에서 복막투석을 수행하는데 널리
사용되어왔는데, 특히 고용량 복막투석(HVPD: high-volume perito-
neal dialysis)이 사용될 때 자주 사용된다. 하지만 자원이 충분하지 않
을 때, 교환기가 가용하지 않거나 지나치게 비쌀 수 있다.

사용할 복막투석의 유형 선택은 의료진 및 간호 팀의 경험, 가용한
자원들, 기법의 안전성과 효용, 그리고 개별 환자의 필요를 기초로 해
야 한다. 그림 24.1과 표 24.2는 급성 신손상에 적용 가능한 다양한 기
법들을 예시하고 있다.

1. 간헐적 복막투석(IPD: Intermittent PD)

이 복막투석 기법은 역사적으로 급성 신손상에 가장 빈번하게 사용되어왔으며, 아직도 가장 보편적이어서 세계의 여러 지역들에서 일반적으로 사용되고 있다. 환자들은 48~72시간 동안 또는 때로 더 오랜 시간 동안 치료되며, 빠른 설치와 체액의 배액, 그리고 30~60분의 거치 시간을 보인다. 전통적으로 투관침 스타일의 복막투석 도관이 사용되고 투석 치료가 완료된 후 제거되지만, Tenckhoff 도관이 더 나은 옵션이며 가용성이 증가하고 있다. 도관이 제거되면 투석이 중단되기 때문에, 주당 소규모 용질 제거가 제한적이며 과이화상태의 중한 급성 신손상 환자들에게 부적합할 수 있다. 이 문제를 다룬 최근의 대규모 연구들은 아직 없다. 모델링 결과에 따르면, IPD는 잔여신기능의 정도에 따라 꽤 광범위한 임상적 상황들에서 적절한 양의 투석을 제공할 수 있다(Guest, 2012).

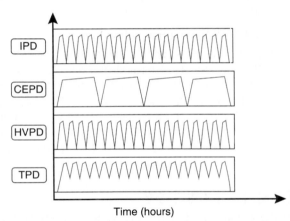

Time (hours)

그림 24.1 급성 신손상 환자들에 사용되는 복막투석 기법들. IPD, 간헐적 복막투석; CEPD 연속 평형 복막투석; HVPD, 고용량 복막투석; TPD, 조류성 복막투석.

TABLE 24.2 여러 유형의 복막투석과 특성들

PD 유형	요소 청소율 (mL/분)	거치 시간 (분)	양/ 사이클	총량 (L)	세션 기간 (시간)	주당 세션수	주당 Kt/V
IPD	12-20	30-60	2 L	30-48	24	2-5	–
CEPD	10-15	180-300	2 L	8-16	24	7	1.8-2.1
TIDAL	10-15	10-30	2 L fill	12-30	18-24	7/ duration	Variable cycle volume
HVPD	15-20	35-60	2 L	36-44	24	7	3.5-3.8

2. 연속 평형 복막투석(CEPD:Continuous equilibrated PD)

이 유형의 복막투석은 CAPD와 유사하다. 거치 시간은 일반적으로 2~6시간이며, CEPD는 수동으로 또는 교환기를 이용하여 실시될 수 있다. 1980년대 이후로 이 방법을 이용하여 제한된 수의 환자들이 성공적으로 치료되었음을 알리는 여러 보고들이 있었다. 이 방법을 이용한 저분자 청소율과 체액 제거율은 교환 빈도 및 양에 따라 다르며, 환자의 임상적 상태에 기초하여 결정될 필요가 있다.

3. 조류성 복막투석(TPD: Tidal PD)

TPD는 전용 교환기를 이용하여 실시된다. TPD에서는, 복막투석 용액이 처음 대량 주입되고 이어 거치량의 일정 부분을 배출하는데 보통 최초 용량의 50~75%이며, 이것은 새 용액으로 대체되어 각 사이클에서 최초 복강내 양을 회복한다. TPD는 CEPD에 비해 보다 높은 저분자 용질 청소율을 가져올 수 있지만 모든 연구에서 이것이 확인된 것은 아니다. TPD는 또한 복부로부터의 투석액 배액에 따른 통증의 빈도를 줄일 수 있다.

4. 고용량 복막투석(HVPD: High-volume PD)

HVPD는 높은 저분자 용질 청소율을 얻기 위해 설계된 연속 방식이다. 이것은 자동 교환기와 Tenckhoff 도관을 필요로 한다. 매일 전달되는 복막투석 용액 총량은 36~44 L이며, 30~50분의 거치 시간을 사용한다. HVPD의 효능은 브라질에서 위중한 급성 신손상 환자들이 참여한 몇몇 전향적 연구들에서 검증되었다. HVPD를 통해 매주 3.8 ± 0.6의 Kt/V를 전달할 수 있으며, 사망률은 간헐적 또는 확장 일일 혈액투석으로 치료된 급성 신손상 환자들에서와 대략 비슷했다(Gabriel, 2008).

III. 급성 복막투석 처방과 용량

급성 신손상 환자의 치료를 위한 복막투석의 처방과 용량에 대해서는 명확이 정의된 바가 없고, 치료 수단을 비교할 만한 연구의 수가 제한적이며, 연구들도 방법론적으로 결점을 갖고 있으며, 투석 용량이 매우 다양하게 제시되었다(Chionh, 2010).

자원이 뒷받침되고, 띠를 가진 도관이 이용 가능하다면 일 Kt/V urea 0.5(주당 3.5) 정도의 HVPD를 이용하면, 매일 혈액투석을 하는 것과 비슷한 정도의 결과를 낼 수 있으며, 용량을 높게 설정한다고 해서, 예후가 좋아지는 것은 아니다(Gabriel, 2008). 문헌고찰에 따르면 급성 신손상 환자의 대부분에서 일 Kt/V 0.3(주당 2.1) 정도의 높은 용량은 필요하지 않으며, 대부분의 환자에서 완화된 CEPD 정도면 충분하다(Cionh, 2010; Ivarsen, 2013). 이는 자원이 제한되어있고, 비용문제가 중시되며, 급성 신손상이 다발 장기부전을 동반한 수술 후 합병증보다는, 감염이나, 수분 부족, 산과적 문제 등으로 많이 발생하는 개발 도상국에서 이용하기

에 좋다

치료의 첫 24시간 중 교환 시간은 환자의 임상 상태에 따라 결정되어야 한다. 고칼륨 혈증, 수분과다, 대사성 산증을 교정하기 위해서는 1.5~2 L로 교환주기를 짧게(1~2시간마다) 하는 것이 필요하다. 이후에 4시간 이내에서 교환주기를 늘려갈 수 있다, 초미세여과는 포도당 용액을 조절하거나, 저류시간을 짧게 하여 조절할 수 있다.

A. 급성 복막투석의 처방.

날마다 환자의 투석 요구량이 변하기 때문에 24시간에 한 번씩 복막투석 처방을 신중하게 하고 필요에 따라 재평가해서 처방을 고쳐야 한

TABLE 24.3	급성 복막투석 처방 견본

A. 간호처방
1. 치료 기간 _____시간
2. 교환 용적 : _____L
3. 투석액을 37℃로 데우세요.
4. 교환 시간 : 주입 10분
   저류 _____분
   20분 배액하거나 끝까지 배액
   투석액을 복강에 남기지 마세요.
5. 수분 섭취와 배설을 수분 섭취량-배설량 기록지에 철저하게 기록하세요.
6. 투석액 평형을 복막투석 기록지에 기록하세요.
7. 사용되는 투석액 평형을 _____L로 유지하세요.
8. 투석액 농도 : _____%
9. 투석액 내로의 첨가물
   약물   용량   주기
   _____, _____/2 L, 매교환시 또는 _____ 회마다
   _____, _____/2 L, 매교환시 또는 _____ 회마다
10. 헤파린 : 1,000 units/2 L, 교환시마다 : yes/no
11. 적절한 배액을 위해서 필요시 환자의 자세를 돌리거나 변경하세요.
12. 생체 징후는 매 _____시간마다 측정하세요.
13. 도관 관리와 소독은 이틀에 한 번씩 하세요.
14. 투석시 아침마다 도관으로부터 투석액을 15 mL를 뽑아서 총세포수와 세포 감별계산, 그리고 배양과 감수성 검사를 보내세요. : yes/no

B. 채혈처방
1. 투석하는동안 BUN, Cr, HCO_3, Na, K, Cl, glucose를 오전 8시, 오후 6시 하루 두 번

C. 다음과 같은 경우 바로 보고하세요.
1. 투석액의 흐름이 약할 때
2. 심한 복통과 복부팽창
3. 선홍색의 피가 섞여 있거나 탁한 투석액이 배액될 때
4. 도관출구 주위로 투석액의 누출이 있거나 화농성의 분비물이 있을 때
5. 수축기 혈압이 _____mmHg 이하일 때
6. 호흡수가 _____/분 이상이거나 심각하게 호흡이 짧을 때
7. 체온이 _____℃ 이상일 때
8. 두 번 연속적으로 positive 교환일 때
9. 한 번이라도 1,000 mL 이상의 positive 교환일 때
10. 만약 _____시간에 걸쳐 _____이상의 negative 교환일 때

BUN, blood urea nitrogen

다. 표준화된 '급성 복막투석 처방' 양식(표 24.3)은 투석 교환을 시행하고 간호사에게 투석 절차의 내역이 완벽하고 명료하게 전달되게 하는데 도움이 된다.

1. 교환 용적

교환 용적의 선택은 일차적으로 복강의 크기에 의해 결정 된다. 보통 평균 체격의 성인은 2 L 교환에 적용하나 체격이 작거나 폐질환이 있는 환자, 복벽 탈장이나 서혜부 탈장이 있는 환자에서는 교환용적을 줄여야 한다. 급성 복막투석의 시작은 2 L 교환이 표준처방이지만, 복막투석 도관삽입 후 일부 신장내과 의사는 투석액의 누출 위험성을 줄이기 위해서 첫 몇 교환은 적은 용적(1~1.5 L)으로 시작하는 것을 선호하기도 한다. 교환 용적이 클수록 청소율과 초미세여과율을 극대화 할 수 있으므로 가능한 큰 교환 용적을 사용하고 합당한 이유 없이 교환 용적을 줄이면 안 된다. 체격이 크거나 극도의 분해대사(catabolic) 상태인 환자에서는 가능하다면 투석효율을 증가시키기 위해 2.5~3 L 교환 용적이 요구되기도 한다.

2. 교환 시간

교환 시간은 주입, 저류, 그리고 배액 시간을 합친 시간이다. 급성 복막투석에서 투석 효율을 극대화하기 위해 1시간 주기가 가장 많이 사용되지만, CEPD에서는 더 긴 시간이 필요하다.

a. 주입 시간

주입은 중력에 의해 이루어지며 보통 5~10분 정도 걸린다(분당 200 ~300 mL). 주입 시간은 주입되는 양과 환자의 복부 위에 위치하는 투석액 높이에 의해 영향을 받는다. 주입관이 꼬여 있거나, 복강 내 조직이 도관 끝에 너무 밀착되어 저항이 증가하였을 때 주입 시간은 길어진다. 급성 복막투석을 시작할 때 어떤 환자는 투석액 주입 시 통증이나 경련을 느끼기도 한다. 이것은 투석액의 고농도 또는 산성 pH 특성으로 야기되기도 하며, 이러한 문제들은 대개 시간이 지나면 해결이 되지만 증상이 심한 경우에는 투석액의 주입 속도를 천천히 함으로써 증상이 완화되기도 한다. 그러나 투석 효율을 극대화하기 위해서는 주입 시간을 최소한으로 하는 것이 좋다. 차가운 투석액은 불편감을 유발하므로 투석액을 주입전에 37℃ 정도로 데우는 것이 좋다.

b. 저류 시간

총 교환 용적이 복강내에 있는 시간이 저류 시간이다(즉, 주입 끝 시간에서 배액 시작 시간까지). 급성 병색을 보이는 분해대사(catabolic)상태 환자에서 급성 복막투석을 시작하면서 60분 교환 시간을 유지하기 위한 저류 시간은 30분이다. 교환양이 2 L이면 하루에 48 L의 용액이 교환된다. 평균적인 복막 이동 특성을 가진 환자에서 배액된 투석액의 요소 농도는 혈장 요소 농도의 50~60%가 될 것이다(1시간 후의 D/P 비율은

0.5~0.6). 시간당 2 L의 교환을 할 경우에 일일 혈장 요소 청소율은 약 24~29 L(0.5~0.6×48 L/일)이고 주당 혈장 요소 청소율은 168~202 L 정도가 될 것이다. 환자가 극심하게 분해대사(catabolic) 상태가 아니라면 조금 더 긴 저류 시간(1.5~5시간)을 종종 사용한다. 4시간 교환시간(3.5시간 저류)을 사용하는 경우 투석액의 평균 요소 농도는 혈장의 90% 정도이다(4시간후의 D/P 비율은 0.9). 이렇게 되면 혈장 요소 청소율은 최소 하루에 11 L (0.9×12 L/일), 주당 77 L가 된다. 하루 1L 당 초미세여과율을 고려하면 주당 6.3 L의 청소율을 더하게 되어 주당 총 청소율은 83 L가 된다. 주당 Kt/V urea 의 개념(다음에 기술한다)으로 보면, 주당 83 L의 청소율은 곧 $(K \times t)$ 를 뜻한다. 즉, 70-kg의 남자 환자가 42 L의 V를 갖고 있다면 주당 $(K \times t)/V$ 는 83/42로 대략 2.0이 된다.

c. 배액 시간

배액은 중력에 의해 이루어지며 20-30분 걸린다. 배액 시간은 총 배액량, 배액에 대한 저항 그리고 환자 복부와 배액 주머니와의 높이 차이에 따라 결정된다. 복부가 큰 몇몇 환자에서 복강내 투석액이 충분히 차지 않아서 첫 교환시 배액이 잘되지 않는다(자주 1~1.5 L만 배액 된다). 현저한 복부팽창이 없는 한 2 L의 두 번째 교환은 조심스럽게 주입한다. 이후의 배액은 보통 정상적으로 이루어진다.

3. 투석액 포도당 농도 선택

a. 표준 1.5% 포도당(glucose monohydrate)

이와 같은 포도당의 농도는(대략 1,360 mg glucose/dL, 75 mmol/L) 환자에 따라 다르긴 하지만, 보통 2 L 교환 용적과 60분 교환 시간으로 투석을 시행시, 시간당 50~150 mL를 제거할 수 있는 삼투력을 갖는다. 이 초미세여과율은 1.2~3.6 L/일의 수분제거를 가능하게 한다.

b. 고농도 포도당

고농도 포도당을 사용하면 더 많은 수분제거가 가능하다. 4.25% 포도당은 시간당 300~400 mL의 초미세여과율을 가진다. 울혈성 심부전 환자나 과도한 용적과다 상태에서 급속한 수분 제거를 위해 이용할 수 있다. 지속적으로 4.25%를 사용하면 이론적으로 하루에 7.2~9.6 L의 수분제거가 가능하지만, 이 경우 심한 고나트륨혈증을 일으킨다. 실제적으로는 이 정도의 수분제거가 필요한 경우는 거의 없다. 원하는 초미세여과에 수준에 따라서 포도당 용액을 조절 할 수 있다 (1.5%, 2.5%, 4.25%). 환자가 적절한 용적상태(euvolemia)에 도달하면 모든 교환에 1.5% 용액만 사용할 수 있다.

4. 투석액의 첨가물

다른 첨가물질을 투석액 내로 주입할 때는 투석액의 오염과 복막염을 예방하기 위해서 철저한 무균 조작이 필요하다.

a. 칼륨

표준 복막투석액에는 칼륨이 함유되어 있지 않다. 환자가 심한 분해대사

(catabolic) 상태가 아니라면, 일반적으로 첫 번째 교환 이후 K 농도는 정상범위 안에서 유지된다. 사실상 급성 복막투석 환자에서 K 손실은 매우 높다. 이러한 제거는 심한 K 결핍과 이로 인한 심혈관계 불안정을 초래할 수 있다. 투석액에 K을 보충해줌으로써 이러한 현상을 예방할 수 있다. 보통 K이 4 mM 이하인 경우, 저칼륨혈증을 예방하기 위해 4.0~5 mM 의 칼륨을 투석액에 추가한다.

b. 헤파린

급성 복막투석에서 섬유소 덩어리에 의한 도관 폐쇄로 투석액의 흐름 장애를 관찰할 수 있다. 이것은 도관 삽입과 동반된 미세출혈이나 도관에 의한 복막 자극에 의해서 일어난다. 헤파린(500~1,000 units/ L)의 투석액 첨가는 이런 문제점을 예방하거나 치료하는데 도움이 된다. 한편, 헤파린은 복막을 통해 전신으로 흡수되지 않아 출혈 위험성을 증가시키지 않는다.

c. 인슐린

투석액으로부터 포도당이 체내로 흡수되므로 급성 복막투석을 하는 당뇨 환자에게는 인슐린 보충이 필요할 수 있다. 인슐린은 피하주사나, 혈관주사, 또는 투석액에 첨가하여 주입할 수 있다. 혈당 수치를 세밀하게 감시하면서 인슐린을 환자의 요구량에 알맞게 투여해야 한다.

d. 항생제

복강내 항생제 투여는 효과적이며, 혈관이 좋지 않거나 복막염이 있는 환자에서 또 다른 투약 경로가 될 수 있다. 일반적으로 전신 감염 치료를 위해 복강내 항생제 주입을 하지는 않는다.

B. 급성 복막투석에서 투석 용량 측정

급성 신부전 환자에서 급성 복막투석이 적절한 청소율을 제공하는지 확인하는 것이 중요하다. 일반적으로 혈중 요소의 Kt/V를 사용한다. 이것은 투석액과 혈중 요소 농도를 측정하여 D/P 비율을 계산하여 하루 총 투석액 배액양을 곱하고, Watson 식(25장에 기술) 등을 이용하여 추정한 체내 총 수분양으로 나누어 계산한다. 하지만 급성 신손상 환자는 종종 수분과다 상태로, 요소의 분배 용적이 실제 수식으로 계산된 것보다 높을 수 있다.

제공된 KT/V의 측정

$$Kt/V = 요소\ 청소율 \times \frac{시간}{요소의\ 분포용적}$$

$$= \frac{투석액\ 요소\ 평균\ 농도(mg/dL)}{혈중\ 요소\ 평균\ 농도(mg/dL)}$$

$$= \frac{24시간동안의\ 배액량(mL)}{요소\ 분포용적\ 예측치(mL)}$$

주당 Kt/V urea를 위해서는 여기에 7을 곱하면 된다

IV. 합병증

급성 복막투석 중 여러 가지 기계적, 감염성, 기술적, 대사적 문제들이
발생할 수 있다.

A. 기계적 합병증

불완전한 배액은 복강내 투석액 축적을 유발함과 동시에 불편감, 복부
팽창, 심지어는 호흡곤란까지 야기시킨다. 투석관과 관련된 문제로 인
해 배액이 충분이 되지 않는 것이 대부분 원인이나, 복강내 유착이나
장마비 등도 원인이 될 수 있다. 따라서 환자의 배액 주기를 관찰하면
서 배액 시기 동안 투석액을 완전히 배액하는지 확인해야 한다. 기계
적인 문제는 급성 복막투석 환자의 10% 정도에서 발생한다.

B. 복막염

복막염은 급성 복막투석에서 4~41% 정도까지 발생할 수 있다. 이는
대개 48시간 이내에 나타나며, 폐쇄된(closed) 배액 시스템보다 개방
된(open) 시스템에서 더 자주 발생한다. 복막염 원인이 주로는 그람
양성 균주이지만, 급성 복막투석에서는 그람 음성균이나 진균 관련 복
막염 발생이 더 높은 빈도를 보인다. 이는 환자들이 여러 가지 항생제
를 장기간 투여 받는 상태 등의 선행인자 뿐만 아니라 급성 복막투석
을 받는 환자의 상태가 위중함을 반영하는 것으로 생각된다

C. 고혈당

복막투석 중에 흡수되는 포도당의 양은 환자 개개인의 복막 투과성과
사용하는 포도당 농도에 따라 매우 다양하다. 빠른 이동군에서는 포
도당이 보다 빨리 흡수된다. 하루에 4회 교환주기를 갖는 CAPD에서
는 주입된 포도당의 60~80%를 흡수한다. APD에서처럼 교환이 빠
르게 이루어지면, 포도당 흡수는 교환횟수가 많아질수록, 저류시간이
짧아질수록 감소한다. 31명의 HVPD로 치료받는 31명의 급성 신손
상 환자를 대상으로 한 연구에서 포도당 흡수는 35% 정도였다(Goes,
2013). 복막투석 환자에서 고혈당을 피하거나 줄이기 위해서는 투석
환자의 총 에너지 섭취량을 계산할 때 투석액에서의 포도당 흡수를 함
께 고려해야 한다. 또한 고혈당이 확인되면, 혈당 관찰을 더 자주(6시
간마다) 시행하며 인슐린 주입(피하, 정맥, 복강내)을 고려해야 한다.
HVPD를 시행하는 환자를 대상으로 한 연구에서, 인슐린의 정맥내
주사나 복강내 주사를 사용 모두에서 포도당 농도는 130 mg/dL (7.2
mmol/L) -170 mg/dL (9.4 mmol/L) 정도로 잘 조절되는 것으로 나
타났다.

D. 고나트륨혈증

물수송체를 통한 물의 이동으로 인해 나트륨의 선별계수(sieving coef-
ficient)는 낮기 때문에, 복막투석으로 초미세여과된 나트륨 농도는 대
략 70 mmol/L 정도이다. 잦은 고농도 투석액 사용으로 인한 수분 소

실 증가는 고나트륨혈증을 일으킬 수 있다. 손실에 대한 보상으로 정맥으로 저장성 수액을 주거나, 5% 포도당 용액을 사용하여 손실의 절반을 보상해 주면 고나트륨혈증의 진행을 예방할 수 있다.

E. 저알부민혈증

급성 복막투석의 잦은 교환으로 인해 투석액으로 단백질 손실이 하루에 10~20 g 정도까지 될 수 있고 복막염이 합병되어 있을 경우에는 이것의 2배까지 손실될 수 있다. 따라서 경구 또는 정맥으로 영양공급을 조기에 시작해야 한다. 일반적으로 투석에 의한 단백질 소실이 급성 신손상의 복막투석을 제한하는 이유가 되지는 않는다.

V. 응급으로 복막투석을 시행하기 위해 필요한 구조기반들

급하게 복막투석을 시작하기 위해서는 여러 가지 요소가 갖추어져야 한다(Ghaffari, 2013a). 우선 Tenckhoff 도관을 바로 삽입할 수 있는 의료진이 있어야 한다. 다음으로 센터의 투석담당의사의 의지가 중요한데, 기존 말기 신질환 환자가 급성으로 요독증과 수분과다 상태에 있을 때 응급으로 복막투석을 진행하려는 결단이 필요하다. 세 번째로 급성 요독증과 수분과다를 조절하기 위해 단 며칠 동안만이라도 누운 상태에서 교환기를 이용하는 등의 저용량 급성 복막투석을 할 수 있는 여건이 되어야 한다. 네 번째로 복막투석을 시작하고 나면 바로 환자를 잘 교육할 수 있는 의지와 능력이 필요하다. 그게 어렵다면 장기간 입원을 통해 관리되어야 한다. 이러한 요건들은 응급 복막투석 프로그램이 병원의 의료진과 일선의 복막투석 관리자 간의 긴밀한 협조와 유연성, 그리고 무엇보다 열정 있는 신장내과 전문 의료진의 통합 리더쉽이 있을 때 가능함을 시사한다.

References and Suggested Readings

Arramreddy R, et al. Urgent start peritoneal dialysis: a chance for a new beginning. *Am J Kidney Dis.* 2014;63:390–395.

Asif A. Peritoneal dialysis access: related procedures by nephrologists. *Semin Dial.* 2004;17:398–406.

Bai ZG, et al. Bicarbonate versus lactate solutions for acute peritoneal dialysis. *Cochrane Database Syst Rev.* 2010;8:CD007034.

Burdmann EA, Chakravarthi R. Peritoneal dialysis in acute kidney injury: lessons learned and applied. *Semin Dial.* 2011;24:149–156.

Chionh CY, et al. Acute peritoneal dialysis: what is the 'adequate' dose for acute kidney injury? *Nephrol Dial Transplant.* 2010;25:3155–3160.

Chionh CY, et al. Use of peritoneal dialysis in AKI: a systematic review. *Clin J Am Soc Nephrol.* 2013;8:1649–1660.

Chitalia VC, et al. Is peritoneal dialysis adequate for hypercatabolic acute renal failure in developing countries? *Kidney Int.* 2002;61:747–757.

Gabriel DP, et al. High volume peritoneal dialysis for acute renal failure. *Perit Dial Int.* 2007;27:277–282.

Gabriel DP, et al. High volume peritoneal dialysis vs daily hemodialysis: a randomized, controlled trial in patients with acute kidney injury. *Kidney Int.* 2008;73:87–93.

George J, et al. Comparing continuous venovenous hemodiafiltration and peritoneal dialysis in critically ill patients with acute kidney injury: a pilot study. *Perit Dial Int.* 2012;31:422–429.

Ghaffari A, Kumar V, Guest S. Infrastructure requirements for an urgent-start peritoneal dialysis program. Perit Dial Int. 2013a;33:611-617.

Ghaffari A, et al. PD first: peritoneal dialysis as the default transition to dialysis therapy. *Semin Dial.* 2013b;26:706-713.

Goes CR, et al. Metabolic implications of peritoneal dialysis in patients with acute kidney injury. *Perit Dial Int.* 2013;33:635-645.

Guest S, et al. Intermittent peritoneal dialysis: urea kinetic modeling and implications of residual kidney function. *Perit Dial Int.* 2012;32:142-148.

ISPD Guidelines: peritoneal dialysis for acute kidney injury. *Perit Dial Int.* 2014;34:494-517.

Ivarsen P, Povlsen JV. Can peritoneal dialysis be applied for unplanned initiation of chronic dialysis? Nephrol Dial Transplant. 2014, in press. Phu NH, et al. Hemofiltration and peritoneal dialysis in infection-associated acute renal failure in Vietnam. *N Engl J Med.* 2002;347:895-902.

Ponce D, Balbi AL. Peritoneal dialysis for acute kidney injury: a viable alternative. *Perit Dial Int.* 2011a;31:387-389.

Ponce D, et al. Different prescribed doses of high-volume peritoneal dialysis and outcome of patients with acute kidney injury. *Adv Perit Dial.* 2011b;27:118-124.

Ponce D, Balbi AL, Amerling R. Advances in peritoneal dialysis in acute kidney injury. *Blood Purif.* 2012a;34:107-116.

Ponce D, et al. High volume peritoneal dialysis in acute kidney injury: indications and limitations. *Clin J Am Soc Nephrol.* 2012b;7:887-894.

Ponce D, et al. A randomized clinical trial of high volume peritoneal dialysis versus extended daily hemodialysis for acute kidney injury patients. *Int Urol Nephrol.* 2013;45:869-879.

Thongboonkerd V, Lumlertgul D, Supajatura V. Better correction of metabolic acidosis, blood pressure control, and phagocytosis with bicarbonate compared to lactate solution in acute peritoneal dialysis. *Artif Organs.* 2001;25:99-108.

25 복막투석의 적절성과 만성 복막투석 처방

이소연 역

만성 복막투석의 처방에는 여러 가지 요소가 관여한다. 처음 투석을 시작할 때 지속적 외래 복막투석(CAPD), 교환기 또는 자동 복막투석(APD)과 그 외 다른 방법들 중에서 복막투석의 방식을 선택해야 한다. 또한, 청소율, 초미세여과, 그리고 영양/대사 요구량을 기반으로 한 특이 처방을 선택해야 한다. 문맥에서 흔히 사용되는 '적절도(adequacy)'라는 용어는 보통 투석을 통해 여과되는 정량을 특이적으로 나타내고 있으나 전반적인 투석 처방의 질을 더 넓게 반영하기 위해 사용될 수 있다. 21과(생리), 22과(장비)에서 이미 논의된 사항에 대하여는 다시 반복하여 기술하지 않을 예정으로 이전 과들의 내용을 참고하면 된다.

I. 복막투석 치료 방법의 선택사항(표 25.1, 그림 25.1)

A. 복막투석 치료의 선택사항

1. 지속적 외래 복막투석(CAPD)

지속적 외래 복막투석은 집에서 시행할 수 있다는 편리함, 상대적으로 저렴한 비용, 그리고 투석 기계로부터 자유로울 수 있다는 이유 때문에 지금까지의 만성 복막투석법들 중 가장 인기 있는 복막투석 방법이다. 이는 지속적인 치료와 안정적인 생리적 상태를 유지할 수 있게 한다. 대부분의 환자들에서 체액량의 조절과 혈압의 정상화가 잘 이루어진다.

많은 환자들에게 있어 지속적 외래 복막투석의 주요한 단점은 30~40분 가량 소요되는 조작이 여러번(보통 하루 4번) 필요하다는 점이다. 집에서 멀리 떨어진 곳에서도 조작이 가능하나, 무균처치와 장비들의 사용을 위해 집에 돌아와 투석을 시행하게 되므로 일상 생활의 제한을 받게 된다.

투석액의 교환을 친척이나 돌봐주는 사람이 시행해 주는 경우에는 조작의 빈도가 문제가 될 수도 있다. 다른 요인들로는 복강내 압력의 증가로 인한 복막 저류량의 한계와 용질 청소율의 제한도 발생할 수 있다. 과거에는 1년에 한 번 정도의 빈도로 발생하는 복막염이 주요한 단점이었으나 수액 주입관과 연결 기구들의 개선으로 발생률이 많이 감소하여 최근의 성공적인 프로그램들에서는 3년에

TABLE 25.1 전형적인 CAPD와 APD의 처방 비교

	CAPD	APD with Day Dwell	APD without Day Dwell
사용된 복막용액 (L/wk)	56-72	70-120	84-120
투석 시간 (hr/wk)	168	168	70
기계 사용 시간 (hr/wk)	0	63-70	63-70
조작수 /wk	28	14	14
Kt/V urea/wk	1.5-2.4	1.5-2.6	1.2-2.0
CrCl (L/wk)	40-70	40-70	25-50

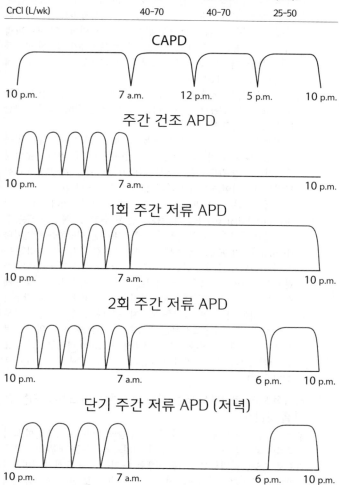

그림 25.1 여러 종류의 도식화된 CAPD와 APD 처방들

한 번 또는 더 적은 횟수의 복막염이 발생하고 있다고 보고하였다.

2. 자동 복막투석(APD)

지난 10~15년 사이에 많은 인기를 얻게 된 자동 복막투석은 최근 많은 부유한 나라들에서 다수의 환자들이 사용하고 있는 투석 방법이다. 지속적 외래 복막투석과 비교하여, 자동 복막투석의 장점은 하루에 4번 시행해야 하는 개폐(on-off) 조작을 2번으로 줄일 수 있다는 점과 주간에는 조작이 필요없다는 점이다. 모든 장비들의 준비와 연결을 개인적으로 시행할 수 있으므로 심리적으로 적응하는 데 도움을 주며 환자의 피로와 치료 포기(burn out)를 감소시킨다. 자동 복막투석은 지속적 외래 복막투석을 시행하면서 일상 생활의 방해나 불편을 느끼는 활동적인 환자에게 매우 매력적인 치료 방법이 될 수 있다. 또한 투석 시행을 도와주는 보조자가 필요한 환자들(예를 들면, 어린이, 의존적인 고령자, 그리고 요양원 거주자들)에게 있어 최선의 치료법이다.

CAPD와 비교하였을 때, 자동 복막투석의 가장 주요한 단점들로는 교환기(cycler)가 필요하다는 점, 더 많은 경비, 그리고 약간 더 복잡하다는 점을 들 수 있다.

전통적으로 자동 복막투석은 낮 동안 투석액을 저류하고 있는 지속성 교환기 복막투석(CCPD)과 낮에는 복막을 비워 건조하게 유지하는 야간 간헐적 복막투석(NIPD)로 나눠질 수 있다. 이러한 방법들에 대하여는 이미 21과와 22과에서 기술 되었다.

자동 복막투석의 대체 방법으로 조류성 복막투석(TPD; tidal peritoneal dialysis)가 있다. 처음에는 투석액으로 복강을 채운 후 주기적인 간격으로 부분적인 투석액의 배액을 시행하는 방법이다 (Fernando, 2006). 조류성 복막투석의 주요한 목적은 일반적인 투석액의 유입과 배액에 관련한 투석 시간의 손실을 피함으로써 소분자량 용질의 청소율을 향상시키는 것이다. 조류성 복막투석은 매우 많은 양의 복막투석액을 사용하지 않는 한 표준 자동 복막투석과 비교하여 청소율의 장점을 보이지 않는다. 요즘 조류성 복막투석은 야간 교환 시에 발생하는 배액 통증을 최소화 하기 위해 주로 사용되고 있다. 큰 교환 용적을 사용하는 조류성 복막투석의 주요한 단점으로는 비용 증가와 복잡함이 있으며 이 때문에 널리 사용되지 않는다.

B. 지속적 외래 복막투석 또는 자동 복막투석: 어느 투석 법을 선택 할 것인가?

투석법을 결정할 때에는 환자의 선호도와 함께 의학적으로 적절한 복막투석 처방의 제공을 고려해야만 한다. 환자의 선호도는 생활방식, 직장, 거주지, 다양한 복막투석 방법을 시행할 수 있는 능력, 교환기 장비와의 편안함, 그리고 가족과 사회의 지지 정도를 기반으로 한다. 지속적 외래 복막투석과 다른 종류의 자동 복막투석 중에서 선택할 때, 과거에는 복막 수송 상태와 이로 인한 청소율의 영향 그리고 체액 제거량을 매우 중요하게 생각하였으나, 현재는 이러한 것들이 과대평가되었으며 생활방식 요인들이 가장 강조되어야 한다고 받아들여지고 있다.

자동 복막투석은 체액 상태의 관리를 위하여 지속적 외래 복막투석보다 더 좋다고 생각되어 왔다. 하지만 짧은 주기의 저류시간을 가지는 자동 복막투석에서 나트륨 체 거름 현상(26과 참고)이 더 분명하게 나타났고, 긴 시간동안 저류하는 자동 복막투석에서는 총 체액량 재흡수의 위험으로 인하여 나트륨 제거의 적절도에 문제가 생길 수 있다. 최근 한 연구에서는 지속적 외래 복막투석과 비교하여 자동 복막투석을 시행하는 경우 더 적은 양의 염분이 제거되고 수축 기 고혈압의 유병률이 더 높다고 하였으나, 무작위로 시행되지 않은 연구이며, 이러한 결과가 보편화 될 수 있다는 의견 일치는 없었다(Rodriguez-Carmona, 2004). 염분과 수분의 제거는 지속적 외래 복막투석과 자동 복막투석 모두에서 세심한 주의를 필요로 하며 초기의 선택법을 정당화하는 요인으로 삼기에는 증거가 불충분하다.

복막염의 위험은 지속적 외래 복막투석과 다양한 자동 복막투석법 중에서 선택 시 고려해야 하는 또 다른 의학적 인자이다. 20여 년 이상 전에 시행된 무작위 연구에서 자동 복막투석 시 복막염이 덜 발생하였다. 그러나 이후로 투석 방법들이 변화하면서, 현재는 복막염을 더 잘 야기하는 투석 법에 대한 의견 일치는 없는 상태이다.

세 번째 고려해야 하는 사항은 비용이다. 지속적 외래 복막투석이 자동 복막투석보다 더 적은 비용이 든다. 투석 프로그램들은 경제적 제약을 고려해야만 하며 일부의 경우 환자들이 약간의 비용 또는 모든 비용을 부담하게 될 수도 있다.

II. 처방의 선택

A. 청소율 목표

1. 주 1회의 Kt/V Urea(요소 투석 적절도)

복막투석에서의 청소율 목표를 용어로 표현하자면 주간의 요소 제거율(Kt)를 환자의 예측되는 요소의 분포 용적(V)로 표준화하는 것이라 할 수 있다. 최근의 가이드라인들에서는 혈액투석 적절도(Kt/V)의 최소한의 목표치를 1.7로 삼고 있다. 이전에는, 비연속적인 형태의 복막투석을 위한 목표치를 2.0 또는 그보다 더 높게 정하였으나, 시행된 증거들에 따라 가이드라인의 기준이 더 낮아지게 되었다. 특히 무작위 연구인 ADEMEX 연구(Paniagua, 2002)에서는 복막투석의 양이 많든 적든 간에 환자들 가운데 결과의 차이를 보이지 않았다. ADEMEX 연구에서 더 적은 양의 투석을 시행한 투석 적절도가 1.6인 그룹과 비교하였을 때 더 많은 투석을 시행한 환자 군의 평균 주간 투석 적절도(Kt/V)는 2.1이었다. 현재의 가이드라인들은 지속적이며 비연속적인 형태의 복막투석(예, 야간 간헐적 복막투석)을 위한 목표치가 다르게 설정되어 있지 않으며 복막 수송 상태에 따른 다른 목표치를 가지고 있지 않다. 홍콩에서 시행된 유사한 연구(Lo, 2003)에서도 고용량의 복막투석의 이점을 찾는데 실패하였다.

2. 주 1회의 1.73 m² 당 크레아티닌 청소율(CrCl)

이전의 가이드라인은 투석 적절도(Kt/V) 목표치와 더불어 주간의 크레아티닌 청소율(CrCl)의 목표도 설정 하였다. 크레아티닌 목표치는 매주(weekly) 체표면적인 1.73 m²으로 나누어 교정하며 매주 60/1.73 m²L이내의 범위에 있도록 하였다. 요독증 물질이 요소보다 약간 더 큰 분자량(113 vs. 60 Da)을 가지며 확산에 의하여 빠르게 제거되지 않으므로 요독증 물질을 모델로 한 별개의 크레아티닌 목표치를 설정하게 되었다. 대부분의 현 가이드라인들의 목표치들이 투석 적절도(Kt/V)와 비교하여 추가적인 가치를 보이지 않으므로 더 이상 최소 레벨의 주간 크레아티닌 청소율(CrCl)을 구할 것을 권고하고 있지 않다. 그러나 미국이 아닌 유럽의 가이드라인들에서는 요소보다 약간 더 큰 분자들의 청소율을 반영하여 매주 45/1.73 m²L 를 추가적인 주간 크레아티닌 청소율(CrCl)의 목표치로 제안하고 있다(Dombros, 2005).

3. 적절도의 목표에 잔여신기능을 포함해야만 할까?

잔여신기능이 클수록 환자의 생존율이 우위함에 대하여는 반복적으로 보여져 왔다. 사실상, 전형적인 임상적 사용을 위한 최소한의

TABLE 25.2	복막투석에서 청소율 지수 계산공식

Kt/V:
Kt = 총 Kt = 복막 Kt + 신장 Kt
복막 Kt = 24시간 투석액의 요소질소양 / 혈청요소질소
신장 Kt = 24시간 소변 요소질소양 / 혈청요소질소
V (Watson 공식사용)
V = 2.447 - 0.09516A + 0.1704H + 0.3362W(남자)
V = -2.097 + 0.1069H + 0.2466W(여자)
A = 나이(년); H = 신장(cm); W = 체중(kg)[a]
크레아티닌 청소율(CrCl):
CrCl = 1.73m² BSA로 교정된 총 CrCl
총 CrCl = 복막 CrCl + 신장 CrCl
복막 CrCl = 24시간 투석액의 크레아티닌 양/ 혈청 크레아티닌
신장 CrCl[b] = 0.5 (24시간 소변 크레아티닌 양/ 혈청 크레아티닌 + 24시간 소변 요소질소 양 / 혈청 요소질소)
체표면적(BSA, DuBois 공식사용)
BSA(m²) = 0.007184 × W[0.425] × H[0.725]
BSA = 체표면적(m²), W = 체중(kg)[a], H = 신장(cm)

[a] 신체 계측(Anthropometric; 부록 B의 평균 표준 또는 이상 체중)이 실제 체중 대신에 V나 BSA의 계산을 위하여 사용될 것이다.
[b] 복막투석 적절도 목적으로 신장의 'CrCl'이 평균 소변의 크레아티닌과 요소 크레아티닌 청소율의 평균이다.

범위의 처방에서 복막 청소율을 위한 유사 생존 효과를 보이는 것은 어려웠다(Churchill, 1995). 일부에서는 복막 청소율만을 생각하여 주간의 투석 적절도(Kt/V) 목표치를 1.7로 설정할 것을 제안하였고, 잔여 신 청소율은 귀중한 보너스로 생각해야 한다고 하였다. 하지만 KDOQI, 캐나다, 유럽의 가이드라인들은 목표에 도달하기 위하여 복막과 신장의 투석 적절도(Kt/V)를 합할 수 있다고 권장하고 있다.

4. 지속적 외래 복막투석과 자동 복막투석을 위한 같은 투석 적절도 (Kt/V) 목표치

자동 복막투석이 더 간헐적으로 시행되기 때문에 외래 지속 복막투석보다 더 높은 청소율 목표치가 필요하다는 기존의 생각은 부당하

TABLE 25.3   CAPD와 APD에서 청소율 계산의 예

1. 잔여신기능이 없는 66 kg의 50세 남자환자가 CAPD로 하루 4회, 2.5 L 교환을 시행하고 있고 환자의 순 초미세여과는 1.5 L 이다. 환자의 V는 Watson 공식에 의해 36 L이고, 체표면적은 DuBois 공식에 의해 1.66 m² 이다. 혈청 요소질소는 70 mg/dL (25 mmol/L), 혈청 크레아티닌은 10 mg/dL (884 mcmol/L)이다. 24시간 동안 수집한 투석액 내의 요소 질소(포도당으로 교정한 후)와 크레아티닌 수치는 각각 63 mg/dL(22.5 mmol/L)와 6.5 mg/dL(575 mcmol/L)이다. 환자의 Kt/V와 크레아티닌 청소율을 계산하시오.

> Kt urea/d = 24시간 배액양 × D/P 요소 = 11.5 L × 63/70 = 10.35 L/d.

> 하루 Kt/V = 10.35 L/36 L = 0.288 L

> 주간 Kt/V = 0.288×7 = 2.02 L

하루 크레아티닌 청소율 = 24시간 배액양 × D/P 크레아티닌 = 11.5 L × 6.5/10 = 7.48 L/d. 1.73 m² BSA로 교정 = 7.48 × 1.73/1.66 = 7.80 L/d. 주간크레아티닌청소율 = 7.8 × 7 = 55 L/wk

2. APD을 시행하는 63 kg의 48세 여자 환자가 밤에 교환기를 이용하여 2.4 L 용적으로 5회 교환을 시행하고 낮 시간에 6시간 동안 2 L 저류하여 투석을 시행하고 있다. Watson 공식에 의한 환자의 V는 32 L, 체표면적은 DuBois 공식에 의해 1.60 m²이다. 환자의 24시간 배액양은 15 L로 순 초미세여과는 1 L 이다. 수집된 투석액의 요소질소는 48 mg/dL (17.1 mmol/L)이고 포도당으로 교정된 크레아티닌은 4.5 mg/dL(398 mcmol/L)이다. 환자의 오후 중간의 혈청 요소질소는 65 mg/dL (23.2 mmol/L)이고 혈청 크레아티닌은 9 mg/dL (796 mcmol/L)이다. 환자의 소변 요소와 크레아티닌 청소율 각각 2 mL/min와 4 mL/min 이다.

환자의 총 주간 Kt/V와 크레아티닌 청소율을 계산하시오.

> 복막 Kt = 하루 배액 양 × D/P 요소 = 15 L × 48/65 = 11.1 L

> **복막 Kt/V** = 11.1 L/32 L = 0.35/d = 2.45/wk

> 신장 요소 청소율 = 신장 Kt 요소 = 2 mL/분 = 20 L/wk

> **신장 Kt/V** = 20/32 = 0.63/wk

> **총 Kt/V** = 복막더하기신장 Kt/V = 2.45 + 0.63 = 3.08/wk

복막 크레아티닌 청소율 = 하루 배액 양 × D/P 크레아티닌 = 15 L × 4.5/9 = 7.5 L. 1.73 m² BSA로 교정 = 7.5 × 1.73/1.60 = 8.1 L/d = 57 L/wk

신장 크레아티닌 청소율 = 신장 요소 및 크레아티닌 청소율의 평균 = 2 mL/min과 4 mL/min의 평균 = 3 mL/min = 30 L/wk

> 1.73 m² BSA로 교정 = 30 × 1.73/1.60 = 32.4 L/wk

> **총 크레아티닌 청소율**/1.73m² = 57 + 32.4 = 89.4 L/wk

D/P, dialysate/plasmal; UF, ultrafiltration.

고 불필요한 복잡함만 보인다고 생각되어 지고 있다.

B. 청소율의 측정(표 25.2)

복막투석에서의 청소율은 Kt/V 요소(urea)와 추가적인 $CrCl/1.73 \text{ m}^2$ 로 측정될 수 있다.

양측 청소율들은 복막과 잔여신장 요소로 구성된다. 복막투석에서 잔여 신기능이 혈액투석보다 더 길게 유지되고 청소율의 더 큰 비율을 차지한다.

1. 주 1회의 Kt/V Urea(요소 투석 적절도)의 측정

복막의 Kt/V는 복막투석액 24시간 수집과 복막액 요소 함량의 측정으로 계산된다. 이것은 동일한 24시간 동안의 혈장 요소 농도 평균치로 나누어지며 청소율 용어인 Kt로 표현한다(표 25.3). 지속적 외래 복막투석 환자의 경우 대부분에서 비교적 항상 변함없는 수치를 유지하므로 혈청 요소 채취 시기가 중요한 요소는 아니다. 자동 복막투석에서는 하루 종일 혈장 요소가 일정하게 유지되지 않으므로 전형적으로 투석액 교환을 하지 않는 낮 시간 중인 오후 1시에서 5시 사이에 측정하는 것이 하루의 평균 혈장 요소 농도를 근사하게 나타내므로 가장 좋다.

잔여 신 Kt/V Urea(요소 투석 적절도)는 24시간 소변을 수집하여 같은 방법으로 측정된다. 복막과 신장 2가지 Kt 를 합하여 하루의 총 Kt가 되며 총 체액 수분량인 V에 의해 표준화된다. Watson이나 Hume-Weyers 표준 공식을 사용하여 총 체내 수분량인 V를 예측할 것을 권고하고 있다. 이 공식들은 환자의 나이, 성별, 신장, 그리고 체중에 근거한다(표 25.2). 그리고 나서 일일 Kt/V Urea 값이 산출되며, 여기에 7을 곱하면 일주일의 수치가 된다. V의 계산에서 Kt의 표준화를 위하여 실제 체중을 사용하여 계산하기 보다는 부록 B에서 기술되어 있는 이상적 또는 표준 체중을 사용하여 V를 계산할 것을 추천한다. 그리하면 비만한 환자들에서 목표에 도달하기가 쉬워지며 청소율 요구량이 신체의 지방에 비례하여 증가하지 않는다고 생각하는 대부분의 경우에 적절하다. 반대로 영양 결핍인 마른 환자들은 청소율이 표준화나 이상적인 체중에 의하여 교정 된다면 목표를 도달하기 위하여 더 많은 투석이 요구된다. 이러한 체중들은 부록 B에 기술된 것처럼 인체 계측적으로 계산되며 표준화 또는 이상적인 체중 값을 표준화한 V값을 계산하기 위하여 Watson 공식을 사용해야만 한다.

2. 주 1회의 1.73 m² 당 크레아티닌 청소율(CrCl) 측정

크레아티닌 청소율 (CrCl)의 측정은 Kt/V와 유사하다(표 25.2와 25.3). 다시, 배액된 투석액을 24시간 동안 수집하여 크레아티닌을 측정하여 복막의 구성 요소를 계산하며 이것을 혈청 크레아티닌으로 나눈다. 신장의 CrCl이 복막 요소들에 더해지는 방법은 Kt/V

urea의 과정과는 다르다. 잔여신장의 CrCl은 대부분의 환자에서 실제 사구체 여과보다 현저하게 과대평가된다. 그러므로 총 CrCl을 얻기 위하여 복막 청소율에 소변 요소와 크레아티닌 제거율의 평균을 합하는 방법이 통상적으로 사용된다. 하루의 총 '크레아티닌 청소율'은 DuBois나 Gehan 그리고 George의 공식을 사용하여 추산된 총체표면적(BSA)인 $1.73 \, m^2$으로 교정하여 사용한다(부록 B에 나와있다). 하루의 청소율 값에 일주일의 CrCl/$1.73 \, m^2$ 값을 구하기 위하여 7을 곱한다. Kt/V Urea에서 부록 B의 체중을 사용하여 조정된 BSA 값을 계산하는데 사용한 것과 같은 방법으로 표준화 또는 이상적인 체중을 구할 수 있다.

a. 포도당을 포함하고 있는 투석액에서 크레아티닌을 측정할 때의 분석적인 문제점

투석액에서의 높은 포도당 농도는 생화학적인 분석에서 인위적으로 크레아티닌을 높게 측정 할 수 있고 각 실험실에서는 각자의 경험을 통해 수정해야 한다. 크레아티닌 함유량을 알고 있는 사용하지 않은 투석액에 다양한 덱스트로오스 농도를 소량 첨가하여 분석을 시행함으로써 적절한 교정 인자를 유도해낼 수 있다.

3. 측정의 빈도

KDOQI에서는 복막투석 환자들의 경우 투석 시작으로부터 1개월 내, 이후로는 4개월마다 또는 환자의 임상적인 상태나 복막투석 처방의 중요한 변화가 있은 후에도 Kt/V urea를 측정할 것을 권유하고 있다. 소변의 청소율은 복막투석의 양이나 횟수가 증가할 때에는 2개월마다 측정해야만 한다. 어떠한 경우에는 이러한 요구사항이 지

TABLE 25.4	복막투석 환자에서 청소율을 결정하는 요인

1. 비처방요인:
　잔여신기능
　체격
　복막이동 특성
2. 처방요인:
　a CAPD:
　　교환 횟수
　　저류 용적
　　투석액 농도
　b APD:
　　낮 저류 횟수
　　낮 저류 용적
　　낮 저류 투석액 농도
　　교환기 시행 시간
　　교환기 횟수
　　교환기 저류 용적
　　교환기 저류 투석액 농도

나치게 부담스러울 수 있으며 목표에 도달하여 안정적인 상태가 유지되는 환자들의 경우에는 절충점으로써 6개월마다 청소율을 측정할 수도 있다.

C. 청소율의 결정인자들(표 25.4)

표준 복막투석 처방에서 일주일의 총 Kt/V urea는 전형적으로 적게는 1.2 많게는 3.0 범위 안에 든다. 유사하게, CrCl /1.73 m^2은 일주일마다 적게는 30 L에서 많게는 150 L의 수치를 보인다. 이러한 변동의 주요한 원인은 잔여신기능이다.

1. 잔여신기능

잔여신기능은 복막투석 초기에는 쉽게 총 청소율의 50%만큼으로 설명할 수 있다. 안지오텐신 전환효소 억제제(ACEI)나 안지오텐신 수용체 차단제(ARB)를 지속 외래 복막투석 환자에게 치료로 사용하여 잔여신기능이 보존 될 수 있다는 무작위 조절 연구들의 결과들이 있다(Li 2003b). 아미노글리코시드, 방사선 조영제, 그리고 비스테로이드 소염제와 같은 잠재적인 신 독성 약물의 노출을 최소화 하는 것이 언제나 현명하다. 체액량 결핍도 피해야만 한다. 자동 복막투석 보다 지속 외래 복막투석에서 잔여기능을 보존하는 것이 더 낫다고 제안되고 있으나 일관된 소견은 아니다.

2. 복막 이동 특성

복막 이동 특성은 청소율의 중요한 결정인자이며 오랜 시간 동안 저류하고 있는 지속 외래 복막투석 보다 자동 복막투석에서 짧은 기간의 순환으로 인해 혈장과 투석액 사이의 용질의 평형이 특히 더 많이 제한된다(Blake, 1996). 복막 수송은 21과에서 논의되었던 복막평형검사(PET)를 사용하여 측정한다. 일반적으로 저이동군에서 높은 청소율에 도달하기 위해서는 오랜 기간 많은 양의 투석액을 저류하고 고이동군에서는 짧은 기간의 저류가 필요하게 된다. 그러나 이러한 차이점들은 크레아티닌과 비교하여 요소에서는 덜 나타난다. 왜냐하면 저이동군에서도 요소는 저 분자량에 의해 상대적으로 빠른 확산을 하기 때문이다. 저이동군의 청소율이 상대적인 고이동군이 도달하는 청소율보다 낮을지라도 나름의 역할을 다하고 있으며 이동상태는 현재 지속적 외래 복막투석에서의 환자의 결정요인과 생존기술로 인식되고 있다. 이러한 이유의 일부는 초미세여과의 중요성과 초미세여과와 심혈관계 유병율과의 상호작용 때문일 것이다.

3. 체격

청소율의 지표는 체표면적이나 총 체액량으로 교정되며 이러한 점은 중요한 결정인자이다. 실제 체중보다 표준 또는 이상적인 체중이 조정된 V와 조정된 BSA의 계산에 사용되었을 때, 현 체중의 영향은 감소되었다. 큰 체격은 높은 청소율의 목표치를 도달하는 것이 힘든데 반하여 이러한 환자가 더 나쁜 결과를 보이는지에 대하여는 논란의 여지가 있다.

D. 만성 복막투석에서 목표 청소율에 도달하기 위한 처방 전략

1. 지속적 외래 복막투석(CAPD)

전형적인 초기의 지속적 외래 복막투석 처방은 매일마다 2 L씩 4차례 투석하는 것이다. 어떠한 기관들에서는 체격이 큰 환자들 특히 잔여신기능이 적은 경우에는 2.5 L씩 4차례로 시작하기도 한다. 만약 환자의 체구가 작거나 잔여신기능이 꽤 많은 경우에는 2 L씩 3회로 시행하기도 한다. 서구 국가들보다 평균 체중이 적게 나가는 홍콩에서는 대부분의 모든 환자들에서 처음에 2 L로 3회 투석을 시행하여 좋은 결과를 보고하였다. 일부 기관들에서 아이코덱스트린이 사용 가능하면 일상적인 야간 저류를 위하여 사용하기도 하나 더 많은 비용이 들기 때문에 오직 고이동군이나 밤에 수분의 재흡수가 임상적인 문제가 되는 환자들에게 사용한다.

만약 측정한 청소율이 예상과 다르게 낮다면, 의미 있는 변동과 잠재적인 실수가 있다는 가정 하에 반복적으로 측정해야만 한다. 만약 청소율이 목표에 도달하지 못하였다면 처방 변경을 고려할 필요가 있다. 전략의 선택 시 청소율 요구량의 증가, 환자의 복막 이동 상태, 체액량, 그리고 영양/대사 고려사항을 참작해야 한다. 아마도 대부분의 환자 또는 돌봐주는 사람의 생활습관에 영향이나 지장을 주는 처방은 불 순응이나 치료 포기 그리고 연속적인 기술의 실패를 야기할 수 있어 중요하다. 지속적 외래 복막투석 환자에서 복막투석 적절도(Kt/V)를 증가시키기 위한 3가지 방법이 있다(표 25.4). 교환 용적 늘리기, 교환 횟수의 증가, 그리고/또는 투석 용액의 농도를 증가시켜 초미세여과를 상승시키는 것이다.

a. 교환 용적 늘리기

제공되는 총 용액 양이 매일 증가하면서 저류량이 늘어나 여과율이 증가하나 많은 저류량은 요소나 크레아티닌 평형을 약간 감소시킨다. 예를 들어 큰 환자에게서 주입하는 양을 2 L 4회에서, 2.5 L 4회로 변경한 경우 보통 복막투석 적절도(Kt/V)가 18%에서 20%로 상승한다. 그러나 체격이 작은 환자에게서는 특히 3 L 저류액이 사용되는 경우 평형에 있어 큰 감소가 발생하고 청소율 증가의 백분율도 감소하게 된다. 일반적으로 소변이 나오지 않는 체격이 큰 환자들(>75kg)에서는 청소율의 목표치에 도달하기 위하여 적어도 2.5 L의 저류량이 요구된다(Virga, 2014). 어떤 프로그램들은 환자들에게 많은 저류량의 투석액을 사용하여 시작하는 것을 선호하나 또 다른 경우에는 잔여신기능이 사라질 때까지 2 L저류액을 사용하다가 변경하기도 한다. 많은 저류량 사용의 단점은 몇몇 환자들에서 요통, 복부 팽만감 그리고 심지어는 숨가쁨을 호소할 수 있다는 점이다. 환자가 적은 용적에 익숙해지기 전에 복막투석 초기부터 많은 교환 용적을 사용하면 이러한 단점을 최소화할 수 있다. 이론상으로는 복강내 압력의 증가로 탈장과 누출의 위험이 증가될 수 있으나 실제로 증가하는 경우는 적었다. 복강내 압력의 증가는 이론상으로 초미세여과를 억제하나 더 많은 양을 사용하면 포도당 삼투압 경사가 오래 지속되어 부분적으로 상쇄가 될 수 있다.

b. 하루 교환 횟수의 증가.

대부분의 지속적 외래 복막투석 환자들은 하루 4회의 투석액 교환을 시행한다. 투석 교환의 횟수를 4회에서 5회로 증가시켜도 일반적으로 평균 수송 특성이 85%에서 90% 가량인 요소 평형에 주요한 효과를 보이지 않는다. 만약 환자가 하루 5회의 교환을 충분한 간격을 가지고 시행하면서 각 교환마다 최소 4시간의 저류 시간을 갖지 않으면 이와 같은 요소 평형을 유지 할 수 없다. 크레아티닌의 평형 곡선이 저류 시작 이후 4시간이 경과해도 계속 증가하기 때문에 배액된 투석액의 크레아티닌 농도가 현저하게 감소할 것이다. 그러므로 교환 횟수의 증가는 저류 용적을 증가하는 것보다 덜 효과적이며, 특히 크레아티닌 청소율에 있어서 그러하다.

교환 횟수를 5회로 증가하는 것의 추가적인 단점은 환자의 생활습관의 방해와 순응도의 저하나 과로가 야기될 수 있다는 점이다. 또한 일반적으로 2.0 L 크기의 투석액에 비하여 2.5 L의 투석액이 더 비싸지 않은 반면에 하루 5회의 투석교환은 4차례 교환에 비하여 25%의 비용 증가가 있다.

c. 투석 용액의 농도(tonicity) 증가

이 방법은 초미세여과율과 청소율 모두를 증가시킨다. 많은 병원에서 투석액 농도를 증가하는 방법을 사용하고 있으나 고혈당, 이상지질혈증, 비만유발과 장기간 사용으로 인한 복막 손상이 발생할 수 있다는 우려가 있다.

2. 자동 복막투석(APD)

자동 복막투석 시작 처방은 기관들에 따라 꽤 다양하다. 전형적으로 하루의 시작 용량은 10이나 12 L이나 환자의 체격이 큰 경우에는 15 L도 사용한다. 전형적인 교환시간은 8~10시간이고 낮 시간의 교환기를 통한 저류량은 보통 2 L이며 또는 체격이 큰 환자에서는 2.5 L 이다.

만약 환자가 좋은 잔여신기능을 가지고 있거나 체격이 작다면 야간 간헐적 처방을 시작할 수도 있다. 반면에 초기에는 낮 시간 동안 투석액을 저류시키다가 고이동군에서의 체액의 재흡수를 피하기 위하여 점차 저류 기간을 줄여 볼 수 있다. 그리고 하루 중 일부를 '건조'하게 두거나 두 번째 저류를 추가해 볼 수도 있다. 만약 아이코덱스트린의 사용이 가능하다면 일상적으로 낮 시간의 저류에 사용할 것이나 고이동군이나 당뇨병 또는 비만 환자들에서 대사 문제가 우려되거나 체액의 재흡수 문제가 있는 경우에 처방해 볼 수도 있을 것이다.

자동 복막투석에서의 복막 청소율은 몇 가지의 다른 전략에 의해서도 증가될 수 있다(표 25.4)(Durand, 2003). 유용한 순서대로 다음과 같이 나열해 볼 수 있다:

a. 낮 시간 동안 복강내 투석액 저류의 시행.

야간 간헐적 복막투석 환자들에게서 청소율을 증가시키는 가장 좋은 방법은 낮 시간에 투석액 저류를 추가하는 것이다. 이러한 방법은 Kt/V와 CrCl 모두를 증가시키나 크레아티닌의 평형이 긴 저류시간에 더 의존적이기 때문에 CrCl에 대한 효과가 더 크다. 일반적으로 야간 간헐적 복막투석 환자에게 낮 시간에 투석액의 저류를 추가함으로써 주간 복막투석의 Kt/V와 CrCl이 25%에서 50%까지 증가하며 비용 대비 매우 효율적이다(Blake, 1996). 비록 현재 정도의 Kt/V 요소 청소율 목표에서는 필요할 가능성이 낮으나 두 번째나 세 번째의 주간 저류를 추가함으로써 청소율의 증가를 달성할 수 있다. 이러한 추가적인 교환들은 도킹스테이션(docking-station) 접근법을 사용하거나 환자에게 더 편리하다면 통상적인 수기 방법인 지속적 외래 복막투석 배관을 사용할 수 있다. 기계적인 증상은 최소화하면서 청소율은 최대화 하도록 낮시간 동안의 저류 용적을 조정 할 수 있다. 이러한 방법은 환자의 추가적인 조작이 필요하다는 점과 낮 시간의 일부분은 복강 내 용액을 넣고 있어야 한다는 단점이 있다.

b. 교환 횟수의 증가

일반적으로 자동 복막투석에서 혈액과 투석액 사이의 농도 기울기를 최대화하기 위하여 교환을 더 빈번하게 시행하여 청소율을 증가시킨다(Perez, 2000; Demetriou, 2006). 그러나 교환 횟수가 9시간의 치료 동안 6~9회를 넘기는 경우 투석 시간의 대부분을 배액과 채우기에 보내게 되어 청소율의 증가가 최소화될 수 있다. 빈번한 투석액의 교환은 고이동군에서 더 이점이 많고 크레아티닌 보다 요소에서 더 유용하다. 도관의 기능에 의해서도 영향을 받을 수 있다. 복막에 지속적으로 적은 양의 투석액을 유지하는 것이(즉, 조류성 복막투석) 빠른 순환을 하는 경우 청소율의 유지에 도움이 될 수 있다.

c. 교환기에서의 저류액 양의 증가

지속적 외래 복막투석에서와 같이, 자동 복막투석에서도 청소율을 증가시킨다. 왜냐하면 교환기를 사용하는 동안 환자들은 누워있기 때문에 더 쉽게 많은 투석액 저류용적을 잘 견뎌낼 수 있다. 만약 사용하는 투석액의 총 용적이 같다면 보다 큰 용적을 사용하여 적은 횟수로 교환하는 것이 적은 용적으로 더 자주 교환하는 것 보다 좀 더 높은 청소율을 얻을 수 있다(즉, 교체 시간 당 4×2.5 L를 사용하는 것이 5×2 L 사용하는 것 보다 더 좋다.).

d. 교환기 사용 시간

보편적으로, 환자가 자동 복막투석에 더 긴 시간을 보낼 경우 각각의 저류 시간이 길어져 투석액과 혈액 사이의 더 완전한 평형이 이루어져 청소율이 증가한다.

e. 투석액 농도의 증가

지속적 외래 복막투석에서와 같이, 자동 복막투석에서도 주간이나 야간의 초미세여과를 증가시켜 청소율을 향상할 수 있다. 그러나 포도당과 연관한 합병증에 대한 우려로 이러한 사용의 접근에 제한이 있다.

E. 점진적인(incremental) 처방 대 최대(maximal) 처방.

청소율의 목표치를 고려할 때 복막투석의 처방은 2가지로 구분 될 수 있다. 점진적으로 증가시키는 접근 방법은 특히 초기에 복막투석이 시작되었을 때 적절하며 잔여신장의 청소율과 목표된 청소율 사이에서 차이를 보일 때 사용되어야만 한다고 제안하고 있다(Viglino, 2008). 그러므로 환자는 처음에는 하루에 오직 두 세 번의 지속적 외래 복막투석 교환을 하거나, 적은 양, 야간 간헐적 복막투석 처방이나 심지어는 일주일에 하루 투석을 쉬는 것이 요구될 수도 있다. 또 다른 방법은 처음부터 환자들이 복막투석만으로 목표에 도달할 수 있도록 충분한 처방을 하는 방법으로 소위 최대 처방법이라 불린다. 이 접근방법은 잔여신기능을 시간이 지나면 불가피하게 사라지게 될 일시적인 보너스로 간주한다.

점진적으로 증가시키는 접근 방법의 장점은 환자가 투석을 시작할 때 비용이 덜 들고 많이 힘들지 않다는 점이며 적은 술기를 필요로 하는 한 총 포도당의 노출과 복막염을 줄일 수 있다. 단점으로는 도달한 총 청소율이 목표 레벨 아래로 떨어지지 않는 것을 확실히 하기 위하여 잔여신기능의 규칙적인 감시를 필요로 한다.

F. 경험적(empirical) vs. 계획된(modeled) 접근법.

복막투석의 처방 시 고려할 또 다른 사항은 상업적으로 사용 가능한 소프트웨어 프로그램들을 적절한 처방의 모형 제작을 위하여 사용하거나 경험적 방법으로 복막투석을 진행하는 것이다. 모형적 접근은 환자의 인체 측정 학 자료의 수집, 복막평형검사(PET)를 이용한 복막 수송의 측정, 그리고 잔여신기능의 수량화가 있다. 전형적으로 복막 액의 제거와 흡수에 관한 특정한 계산을 위하여 24시간 동안 투석 유출액을 수집해야 한다. 컴퓨터 프로그램은 타당한 정확도로 자료를 사용하여 가능성 있는 다양한 처방들로 도달할 수 있는 청소율을 예측한다. 또한 프로그램은 원하는 청소율에 도달하기 위한 적절한 처방을 제안하기도 한다. 이러한 접근방법을 사용하더라도, 계산된 청소율과 실질적인 청소율 사이에 차이가 존재할 수 있어 여전히 실질적인 청소율을 측정해야 한다.

대체할 수 있는 또 다른 방법은 경험적인 처방법이며 의사가 환자의 체격, 잔여신기능, 그리고 복막이동 특성 정보를 이용하여 합당한 복막투석 처방을 내리는 것이다. 경험적인 처방을 시행한 후 청소율을 측정하여 평가하며 필요하다면 처방을 조정한다. 계획된 처방법의 장점은 시행착오가 더 적고 환자를 위해 적절한 처방이었는지 조기에 식별할 수 있으며 환자의 불편과 비용을 줄일 수 있다는 점이다. 경험적인 방법은 의사들이 순전히 숫자상의 자료보다 환자에게 더 집중하게 된다는 이론적 장점이 있다. 실제적으로 임상에서는 이 두 가지 접근법이 모두 복합적으로 사용되고 복잡한 상황의 경우 자동 복막투석 환자들에게서 계획된 방법이 특히 사용된다.

G. 복막투석에서의 처방과 관련된 주의사항.

의사들이 복막투석에서 적절한 청소율과 체액의 제거를 달성하고자 할 때 직면하게 되는 몇 가지의 흔한 위험요소들이 있다.

1. 잔여신기능의 소실

흔한 문제로 잔여신기능을 충분히 밀접하게 감시하지 않으면 의사들이 자각하지 못한 채 매우 낮은 레벨로 감소하게 될 수 있다. 그리하여 환자들은 상당한 기간 동안 부적절한 처방으로 투석을 시행할 수 있다. 매 2~3개월 마다 잔여 신 청소율을 측정하거나 잔여신기능과 독립적으로 충분한 복막투석 청소율에 도달할 수 있도록 최대의 처방법을 선택하여 문제점을 해결하는 것이 최선이다.

2. 비순응(noncompliance)

만성 복막투석 환자의 청소율이 권장되는 목표치를 넘었음에도 불구하고 혈청의 요소나 칼륨의 농도가 기대와 다르게 높거나 때때로 요독 증상이 나타나기도 한다.

이러한 경우 가장 가능성이 높은 것은 환자의 투석에 대한 비순응이다. 검사를 위한 투석액 수집이 시행되는 날에는 환자는 투석 치료에 대한 순응도가 좋아 높은 청소율을 보이게 된다. 그러나 다른 날에는 투석 교환을 빠뜨리거나 교환하는 시간을 짧게 한다. 이러한 문제점을 확인하기 위한 검사는 어디에도 없으며 높은 수준의 의심이 요구된다. 연속적인 24시간 투석액과 소변의 크레아티닌 배설량의 측정이 문제를 규명하는데 도움이 될 것이다. 기저 값과 비교하여 총 크레아티닌 청소율이 증가한 환자에서는 투석 치료에 대한 비순응을 의심해야만 한다. 이러한 점의 근거는 순응도가 낮았던 날들에 투석을 통해 배설되어야 하였던 크레아티닌이 축적되어 수집한 날의 크레아티닌이 인위적으로 높은 값을 보이게 된다는 것이다. 총 크레아티닌의 배설의 증가에 대한 대체적인 설명으로는 제지방 체중(lean body mass)의 증가가 있으나 만성 투석 환자들에게서 흔하게 발생하지는 않는다. 복막투석 환자에서 투석 치료에 대한 비순응의 유형으로 유념해야 할 것은 다음과 같다(Bernardini, 2000).

a. CAPD 교환 빠뜨리기
b. CAPD 교환 시 부적절한 교환 시간 간격
c. 사용하지 않는 복막 액을 배액 주머니로 직접 흘려 보냄으로써 CAPD 교환 시의 저류 용적을 감소함
d. 교환기 치료를 빠뜨리기
e. 자동 복막투석에서 교환 시간을 줄이기
f. 자동 복막투석에서 주간 저류를 빠뜨리거나 줄이기

3. 좋은 청소율에도 불구하고 높은 혈청 크레아티닌

이러한 현상은 흔한 시나리오이다. 환자의 일주일 요소 Kt/V는 1.7보다 높으나 혈청 크레아티닌은 12~16 mg/dL를 넘게 된다(약 1,000~1,500 mcmol/L). 여기에는 몇 가지 가정들이 있다. 첫 번째는 처방에 잘 순응하지 않은 경우이다. 만약 이러한 경우라면, 혈청 요소와 칼륨 또한 높을 것이다. 두 번째 가능성은 높은 Kt/V와 낮은 CrCl이 일치하지 않는 경우이다. 대부분 저이동군이나 낮 시간 동안 투석액을 저류시키지 않은 자동 복막투석에서 잔여신기능이 사라지는 경우를 흔하게 보인다. 이러한 경우 CrCl의 측정으로 확인할 수 있다. 또한, 흔한 세 번째 가능성은 낮은 청소율때문이 아니라 실제 지방제외 체중의 높은 백분율을 나타내는 크레아티닌의 생성이 많아서 혈청의 크레아티닌이 두드러지게 증가하는 경우이다. 이러한 점은 매주 1.73 m²마다 45~50 L 보다 높은 소견을 보이는 CrCl의 측정과 제지방 체중이 예측된 수치보다 상대적으로 높은 백분율을 보임으로써 증명될 수 있다. 이런 상황의 환자들은 현저한 근육질 체격을 가지지 않고 다소 마른 체격을 가진다. 이러한 상황의 식별은 도움이 된다. 왜냐하면 복막투석에서 높은 크레아티닌 생성이나 제지방 체중의 백분율을 보이는 경우 좋은 예후를 가지기 때문이다. 상승된 혈청 크레아티닌으로 인하여 부적절한 청소율로 진단 하거나 혈액투석으로 투석 방법을 변경하게 되는 실수를 범하지 않도록 주의해야 할 것이다.

4. 무뇨 환자에서의 낮 건조 자동 복막투석

어떠한 환자들은 잔여신기능이 소실될 지라도 낮 동안 대부분 또는 모든 시간을 '건조' 상태로 두어도 일주일 동안의 요소 적절도(Kt/V)를 1.7보다 높게 달성할 수 있다. 이러한 환자들은 전형적으로 신체 사이즈가 작고 고이동군이나 고평균 이동군인 경우들이다. 이러한 경우에는 Kt/V가 목표치보다 높은 경우에도, 중 분자 물질의 청소율은 잔여신기능이 없는 경우 투석 시간에 의존하게 되므로 주기적으로 Kt/V가 측정되지 않을 때에는 낮아질 우려가 있다. 복막투석이나 혈액투석 모두 중 분자 물질의 청소율 목표로 권장되는 수치는 없으며 중 분자 물질의 청소율이 중요하다는 높은 레벨의 임상적인 증거도 없다. 그러나 야간 간헐적 복막투석과 비교하여 지속적으로 시행되는 방법인 지속적 외래 복막투석이나 주간 동안 투석액을 저류하는 자동 복막투석이 중 분자 물질의 청소율에 있어서 더 나은 방법일 것이라는 관점이 있어 왔다. 이러한 질문에 대하여 확실한 정답은 없으나 적어도 소변이 나오지 않는 환자들에게 야간 간헐적 복막투석을 처방할 때는 이러한 점에 대하여 유념해야만 한다.

5. 지속 외래 복막투석에서 자동 복막투석으로의 부적절한 변경

때때로 지속적 외래 복막투석의 부적절한 투석을 위한 만능 해결책이 자동 복막투석이라고 간주하기도 하지만 만약 처방이 부적절하게 이루어 진다면 자동 복막투석에서 문제들이 더 악화될 수 있다. 이러한 사항들은 특히 저이동군에 해당하며 자동 복막투석을 하면서 낮 동안 2차례 투석액을 저류하도록 처방하지 않는 한 자동 복막투석이 지속적 외래 복막투석 보다 높은 청소율을 보이지 않는다. 또한, 지속적 외래 복막투석에서 자동 복막투석으로 변경한 환자들은 요소의 적절도(Kt/V)는 같으나 CrCl은 더 낮다.

6. 수분 제거에 대한 관심 부족

복막투석 처방에서 자주 수분제거를 소홀히 하게 된다. 복막투석 처방이 좋은 청소율을 보여도 환자의 체액 상태와 혈압을 정상으로 유지하기 위한 초미세여과가 충분하지 못할 수 있다. 이와 같은 현상은 특히 장 시간 동안 투석액을 저류 하여 총 수분의 흡수를 야기한 경우에 고이동군과, 고평균 이동군의 환자에서 나타난다. 이러한 경우 지속적 외래 복막투석과 자동 복막투석에 아이코덱스트린을 사용하여 장 시간 투석액을 저류 하는 방법과 자동 복막투석에서 낮 시간에 단기간 저류를 하는 처방, 이렇게 2가지의 처방이 사용될 수 있다.

TABLE 25.5   nPNA의 계산 예

Bergstrom 공식

1. PNA (g/d) = 20.1 + 7.5 UNA (g/d)

또는

2. PNA (g/d) = 15.1 + 6.95 UNA (g/d) + 투석액에 의한 단백질 손실(g/d)

      UNA (g/d) = 소변 요소 손실(g/d) + 투석액에 의한 요소 손실(g/d)

투석액에 의한 단백질 손실을 모를 경우, 공식(1)을 이용하고, 아는 경우 공식(2)를 이용한다. PNA를 체중에 의해 교정한 것을 nPNA라 한다. 실제 체중을 사용한 경우 영양실조인 환자에서 높게 측정되고 비만인 환자에서는 낮게 측정될 수 있다. 인체계측표에 의해 이상 체중으로 교정하는 것이 권장된다.

예:
CAPD를 하루 4회 × 2.5 L 시행하는 60 kg 남자의 24시간 배액양은 12 L이고 배액 된 투석액의 요소질소수치는 58.3 mg/dL 이다. 총 요소질소 = 12×58.3×10 = 7000 mg = 7 g 요소질소
24시간소변이 500 mL이고 560 mg/dL이므로 = 2800 mg = 2.8 g 요소질소
총 UNA = 7 + 2.8 = 9.8 g/d
투석액에 의한 단백질 손실 측정 량 8 g/d

그러므로 ;
PNA = 15.1 + 6.95(9.8) + 8 = 91.2 g/d
실제 체중에 의한 nPNA = 91.2/60 = 1.52 g/d
그러나 환자는 몸무게 감소가 있었고 인체계측표에 의한 이상 체중은 72 kg이다.
이것을 근거로한 nPNA 91.2/72 = 1.27 g/kg/d

UNA, urea nitrogen appearance; PNA, protein nitrogen appearance.

III. 포도당-보존 전략들

지난 수십 년 동안, 복막투석액의 고장성 포도당액 노출로 인한 유해한 결과들에 대한 관심이 증가하여 왔다(Holmes, 2006). 포도당의 노출이 지속되면 막의 기능이 악화되어 초미세여과의 감소를 보인다는 강력한 증거들이 있다. 또한, 전신의 포도당 흡수가 고혈당, 고인슐린혈증, 비만 그리고 이상지질혈증을 유발하거나 악화시킬 수 있다고 알려져 있다. 포도당-보존의 전략들은 다음의 범주들로 나뉘어 질 수 있다:

A. 일반적인 전략들

이러한 접근법은 많은 양의 초미세여과와 고장성 포도당의 필요를 줄이기 위한 방법이다. (1) 염분과 수분의 제한; (2) 많은 소변양을 유지하기 위한 고용량의 루프 이뇨제의 처방; (3) 잔여신기능을 보존하기 위한 조정 방법들(안지오텐신 전환효소 억제제(ACEI)나 안지오텐신 수용체 차단제(ARB), 신독성 약물, 조영제 노출, 그리고 체액 용적 결핍의 회피); 그리고 (4) 체지방 질량의 증가로 체중의 증가가 발생하였을 때 부적절한 고장성 포도당의 사용을 피하기 위한 목표 체중의 상향 조정

B. 비-포도당 투석액 전략들

포도당 대신에 아이코덱스트린 이나 아미노산을 함유하는 투석액으로 대체하는 것이다(Paniagua, 2009; Li, 2013). 고장성 포도당의 회피가 포도당-보존 전략에서 가장 중요한데 반하여 포도당의 과다 노출을 최소화하면서 체액량 과다를 피하는 것 사이의 평형을 잘 유지해야 할 필요가 있다.

IV. 복막투석의 영양적인 쟁점들

복막투석 환자의 영양 상태 평가를 통해 환자의 생존과 다른 결과들을 예측할 수 있다고 반복적으로 보여져 왔다. 고위험군 환자를 확인하고 적절한 개입과 함께 시술의 목표 대상을 확인하기 위하여 영양상태 지표들을 주기적으로 확인하도록 추천하고 있다.

A. 영양 지표들

1. nPNA (Normalized protein nitrogen appearance)

Kt/V를 계산하는데 사용되던 24시간 동안 수집된 투석액과 소변을 사용하여 쉽게 측정된다. 이와 같은 방법은 안정된 상태에서의 질소의 배설은 단백질의 섭취에 비례한다는 점에 근거하고 있다. 질소와 단백의 배설로부터 nPNA를 예측하기 위하여 다양한 공식들이 유도 되었다. 이 중 Bergstrom에 의하여 만들어진 공식이 가장 좋다고 할 수 있다(1998)(공식과 표본 계산 표 25.5를 참고). 과거에는, PNA 예측치는 실제 체중에 의하여 보정되었으나 마르고 영양 결핍이 심한 환자에서는 nPNA가 오해할 만큼 높은 값을 보

이고 비만한 환자에서는 부적절하게 낮은 값들을 보인다(Harty, 1994). 현재는 인체 계측의 표들을 기반으로 한 바람직하거나 이상적인 체중에 따른 교정이 선호된다. 복막투석 환자에서 추천되는 목표 nPNA는 하루 체중 kg 당 1.2 g이나, 종종 적은 섭취로도 질소 평형을 유지하는 많은 환자들에서 이와 같은 수치는 불필요하거나 비현실적으로 높을 수 있다. nPNA가 감소하거나 하루 체중 kg 당 0.8 g 보다 적은 레벨로 감소할 때는 부족한 영양상태가 동반된 것은 아닌지와 함께 그 원인을 확인 해야만 한다.

2. 칼로리 섭취

단백의 섭취와 같이 쉽게 측정할 수 없기 때문에 때때로 칼로리의 섭취는 복막투석 환자들에게서 등한시된다. 복막투석 환자들에게서 칼로리의 섭취는 식이의 섭취와 투석액에서 흡수된 포도당의 칼로리를 합한 조합이다.

제안되는 목표는 하루 35 kcal/kg이고; 전형적으로 투석액으로부터 10%에서 30%의 포도당을 흡수한다. 흡수되는 포도당의 정확한 양은 투석액 농도, 저류 시간, 그리고 사용된 투석액 용적과, 뿐만 아니라 주입된 포도당이 흡수되는 비율에 영향을 미치는 환자의 복막평형검사 상의 복막이동 특성과도 연관된다. 에너지 섭취량의 측정은 식이 평가 그리고 흡수된 포도당의 정량화가 요구된다. 후자는 원래 투석액에 존재하는 양에서 배출된 투석액의 포도당의 양을 빼서 직접 계산할 수 있다.

3. 혈청 알부민

이것은 복막 환자들의 생존율에 있어 가장 강력한 예측인자 중 하나이다. 이러한 집단 군에서 혈청 알부민은 영양 상태의 표지보다 더 많은 것을 의미한다. 혈청 알부민은 투석액을 통한 알부민 소실에 영향을 주는 복막평형검사의 복막 투과도 상태와 C-반응성 단백과 같은 급성 염증 반응의 혈청 농도에 의해 평가되는 전신적인 질환이나 염증에 의해 주로 영향을 받는다(Yeun, 1997). 위의 요소들과 비교할 때, 식이 단백의 섭취가 혈청 알부민에 주는 영향은 적다.

4. 주관적 영양상태 평가(SGA)

이 단순한 임상적 측정 도구는 침상에서 쉽게 시행 될 수 있고 환자의 과거력 청취와 이학적 검진을 통해 환자 결과를 예측할 수 있다. 31과에 주관적 영양상태 평가(SGA)에 대하여 자세히 서술되어 있다.

5. 크레아티닌 배설

24시간 동안의 소변과 배액 된 투석액의 수집으로 측정한 총 크레아티닌 함량으로 청소율을 계산하며 제지방 체중(lean body mass)을 추정하는데 사용할 수 있다(Keshaviah, 1995). 이러한 크레아티닌 배설량의 추정치는 환자 결과를 예측하고 낮거나 감소하는 값을 통하여 위험에 처한 환자를 식별하게 한다.

B. 영양실조의 치료

31장에서 자세하게 논하였다.

1. 아미노산을 함유한 투석액

복막 내 아미노산은 오랫동안 공부되어 왔고 미국을 제외한 많은 나라들에서 사용되었다. 지속적 외래 복막투석이나 자동 복막투석에서 '마지막 투석액'으로 선택되어 전형적으로 낮 시간 동안 저류를 위해 한차례 2 L가 주입되었다. 만약 6시간 동안 있었다면 약 85%의 아미노산 함유량이 흡수되었다. 음식을 투석액의 저류 시간 동안 섭취하여 흡수되는 아미노산을 최대한 이용하였다. 이러한 전략은 요소 평형을 개선시켰으나 중요한 임상적 결과에 있어 현저한 효과를 보인 증거는 적었다. 지금까지 가장 성적이 좋은 무작위 연구에서는 복강 내 아미노산이 특히 여성에서 더 나은 장 기간의 영양 지표 유지와 연관이 있다고 하였으나 삶의 질이나 양에 이로운 효과를 감지하기에 충분히 큰 규모의 연구는 없었다(Li, 2003a).

References and Suggested Readings

Bergström J, et al. Calculation of the protein equivalent of total nitrogen appearance from urea appearance: which formulas should be used? *Perit Dial Int.* 1998;18:467–473.

Bernardini J, et al. Pattern of noncompliance with dialysis exchanges in peritoneal dialysis patients. *Am J Kidney Dis.* 2000;35:1104–1110.

Blake PG, et al. Recommended clinical practices for maximizing peritoneal clearances. *Perit Dial Int.* 1996;16:448–456.

Blake PG, et al; CSN Workgroup on Peritoneal Dialysis Adequacy. Clinical practice guidelines and recommendations on peritoneal dialysis adequacy 2011. *Perit Dial Int.* 2011;31:218–239.

Churchill DN, et al. Adequacy of dialysis and nutrition in continuous peritoneal dialysis [The CANUSA study]. *J Am Soc Nephrol.* 1995;7:198–207.

De Fijter CW, et al. Clinical efficacy and morbidity associated with CCPD rather than CAPD. *Ann Intern Med.* 1994;120:264–271.

Demetriou D, et al. Adequacy of automated peritoneal dialysis with and without manual daytime exchange. *Kidney Int.* 2006;70:1649–1655.

Diaz-Buxo JA. Enhancement of peritoneal dialysis: the "PD Plus" concept. *Am J Kidney Dis.* 1996;27:92–98.

Dombros N, et al. European Best Practice Guidelines for Peritoneal Dialysis. 7. Adequacy of peritoneal dialysis. *Nephrol Dial Transplant.* 2005;20(suppl 9):24–27.

Durand PY. APD schedules and clinical results. *Contrib Nephrol.* 2003;140:272–277.

Fernando SK, et al. Tidal PD: its role in the current practice of peritoneal dialysis. *Kidney Int Suppl.* 2006;103:S91–S95.

Guest S. Intermittent peritoneal dialysis: urea kinetic modeling and implications of residual kidney function. *Perit Dial Int.* 2012;32:142–148.

Harty JC, et al. The normalized protein catabolic rate is a flawed marker of nutrition in CAPD patients. *Kidney Int.* 1994;45:103–109.

Holmes C, et al. Glucose sparing in peritoneal dialysis: implications and metrics. *Kidney Int Suppl.* 2006;103:S104–S109.

Johansen KL, et al. Anabolic effects of nandrolone decanoate in patients receiving dialysis: a randomized controlled trial. *JAMA.* 1999;281:1275–1281.

Keshaviah PR, et al. The peak concentration hypothesis: a urea kinetic approach to comparing the adequacy of continuous ambulatory peritoneal dialysis and hemodialysis. *Perit Dial Int.* 1989;9:257–260.

Keshaviah PR, et al. Lean body mass estimation by creatinine kinetics. *J Am Soc Nephrol.* 1995;4:1475–1485.

Li FK, et al. A 3 year prospective randomized controlled study on amino acid dialysate in patients on CAPD. *Am J Kidney Dis.* 2003a;42:173–183.

Li PK, et al. Effects of an ACEI on residual renal function in patients receiving CAPD: a randomized controlled trial. *Ann Intern Med.* 2003b;139:105–112.

Li PK, et al. Randomized controlled trial of glucose sparing peritoneal dialysis in diabetic patients. *J Am Soc Nephrol.* 2013;24:1889–1900.

Lo WK, et al. Effect of Kt/V on survival and clinical outcome in CAPD patients in a randomized prospective study. *Kidney Int.* 2003;64:649–656.

Paniagua R, et al. Effect of increased peritoneal clearance on mortality rates in peritoneal dialysis: ADEMEX, a prospective randomized controlled trial. *J Am Soc Nephrol.* 2002;13:1307–1320.

Paniagua R, et al. Icodextrin improves fluid and metabolic management in high and high-average transport patients. *Perit Dial Int.* 2009;29:42–32.

Paniagua R, et al. Ultrafiltration and dialysis adequacy with various daily schedules of dialysis fluids. *Perit Dial Int.* 2012;32:545–551.

Perez RA, et al. What is the optimal frequency of cycling in APD? *Perit Dial Int.* 2000;20:548–556.

Sarkar S, et al. Tolerance of large exchange volumes by peritoneal dialysis patients. *Am J Kidney Dis.* 1999;33:1136–1141.

Rodriguez-Carmona A, et al. Compared time profiles of ultrafiltration, sodium removal and renal function in incident CAPD and APD patients. *Am J Kidney Dis.* 2004;44:132–145.

Viglino G, et al. Incremental peritoneal dialysis: effects on the choice of dialysis modality, residual renal function and adequacy. *Kidney Int Suppl.* 2008;108:S52–S55.

Virga G, et al. A load volume suitable for reaching dialysis adequacy targets in anuric patients on 4-exchange CAPD. *J Nephrol.* 2014;27:209–215.

Woodrow G, et al. Comparison of icodextrin and glucose solutions for daytime dwell in APD. *Nephrol Dial Transplant.* 1999;14:1530–1535.

Yeun JY, et al. Acute phase proteins and peritoneal dialysate albumin loss are the main determinants of serum albumin in peritoneal dialysis patients. *Am J Kidney Dis.* 1997;30:923–927.

26 복막투석에서의 체액 용적 상태와 수분과다

이소연 역

복막투석 환자들에서 수분과다는 전반적인 부종, 폐 부종, 그리고 고혈압으로 나타난다. 수분과다는 좌심비대에 기여하고 모든 투석 환자들의 사망의 주요한 원인인 심혈관질환의 주된 요인이다. 또한 저알부민혈증, 영양실조, 염증 그리고 동맥경화와 연관이 있다(Demirci, 2011); 그리고 특히 오랜 기간의 복막투석 환자들에게서 나타나는 기술적 실패(technique failure)의 주요한 원인이다(Woodrow, 2011).

I. 수분상태의 평가

주로 임상적 진찰을 기반으로 하며 기껏해야 대략적인 추정을 할 수 있다. 복막투석을 위한 목표 체중이나 '건체중'은 정상 혈압이 잘 유지되고, 부종이 없는 상태에서, 혈액투석에서와 같이 시행착오를 통해 결정된다. 복막환자들이 혈액투석 환자들보다 낮은 빈도로 진찰을 받게 되는 경향이 있어 이러한 과정이 더 오래 걸리며 잘 이루어지지 않을 수 있다. 환자들의 빈번한 임상적 재평가가 요구된다.

수분상태를 평가하는 방법들로는 생체 임피던스, 혈청 뇌나트륨 이뇨펩티드(BNP), 그리고 하대정맥이나 폐의 초음파가 있다. 생체임피던스 분석은 비교적 단순한 장비와 전극의 부착 그리고 낮은 전압의 전류를 적용하여 시행된다. 이러한 방법은 체외 수분량과 체내 수분량의 추정을 가능하게 한다. 어떠한 기관들에서는 이러한 방법들의 사용을 정당화하기 위한 높은 수준의 근거 없이 임상적으로 사용하기도 한다(John, 2010). 혈청 BNP 농도는 환자 결과의 예측을 위하여 임상적으로 사용하고 있으나 심장의 손상으로부터 수분과다 상태를 확실히 구분하지는 못한다 (Granja, 2007; Wang, 2007).

II. 수분과다의 기전

복막투석 환자에서 수분과다는 부적절한 처방, 환자의 불순응, 잔여신기능의 소실, 기계적인 문제, 그리고 복막 기능 이상에 의해서 야기될 수 있다. 어떠한 한 가지 요인만으로 복막투석 환자 개개인의 수분과다가 설명될 수 없다는 것을 인식하는 것이 중요하고 복막과 연관한 초미세여과 부전(ultrafiltration failure; UFF)이 모두 수분과다에 기여한다고 생각하지 않아야 한다.

III. 복막 기능 이상과 초미세여과 부전의 진단

UFF는 교정된 복막평형검사(modified PET)에서 <400 mL의 초미세여과 용적과 연관한 수분과다로 정의할 수 있다(Ho-dac-Pannakeet, 1997). 교정된 복막평형검사는 평상시 사용하는 2.5% 투석액을 사용하는 대신 4.25% 투석액을 저류하도록 한다(21과에서 기술된다). 초미세여과 양이 400 mL를 초과하거나 유의한 수분과다의 임상적인 증거가 없는 경우에는 UFF로 진단할 수 없다. UFF는 도관의 기능이상과 누출이 배제될 때까지 진단이 내려져서는 안 된다. modified PET에서 >400 mL의 초미세여과 양은 보통 정상 복막기능을 의미하며 만약 수분과다가 존재한다면, 표 26.1에 나열되어 있는 비막성 원인들에 세심한 관심을 쏟을 필요가 있다.

만약 UFF가 진단된다면, 다음 단계는 교정된 4.25% PET의 결과를 사용하여 환자의 용질 투과도 특성을 재검토하는 것이다(또는 매우 유사한 결과를 보이는 standard PET).

A. 고이동군(high transporter)에서의 UFF (I 형)

이러한 상황에서, 투석액의 주입 후 덱스트로오스 농도는 빠른 흡수에 의하여 빠르게 감소하여 수분을 제거하도록 작용하는 농도 차이의 소실을 보인다. 이러한 원인이 가장 흔하며, 종종 제1형 UFF라 불려진다. 전형적으로 복막투석을 시작한지 3년 또는 그 이상이 지난 후에 발생한다. 효율적인 복막 표면적의 증가는 복막투석 시간 동안의 막 혈류의 증가로 나타난다고 여겨진다. 어떤 환자들에서 이러한 현상이 다른 환자들보다 더 큰 규모로 발생한다. 간질 섬유화의 기여와 결과적으로 두꺼워진 막이 더 많이 인식되고 있다(Davies, 2005). 제1형 UFF의 원인들로 고농도의 포도당이 막에 축적된 노출을 하게 되는 것과(Davies, 2001) 낮은 PH, 젖산, 유독성 포도당 분해 물질과 같은 생체에 부적합한 복막투석액이 있다. 다른 원인으로 누적된 복막염 발생이나 요독 증상에서 일반적으로 보여지는 전신 염증과 관련이 있을 수 있다. 또한 제1형 UFF는 급성 복막염 환자들에게서 급성 막의 염

TABLE 26.1	복막투석 환자에서의 수분과다의 원인들

부적절한 투석액의 선택
막 수송 상태에 맞지 않은 처방
    포도당 포함 투석액의 낮 혹은 야간 저류의 연장
    수송상태에 대한 APD 방식의 조절 실패
    icodextrin 포함 용액의 사용 실패
복막투석 처방에 비순응
잔여신기능의 손실
복부 누출
도관 기능이상
부적절한 혈당 조절
복막기능부전

증이 발생하는 동안과 그 직후에 일시적인 수송 상태의 증가로 인하여 잠시 동안 발생할 수 있다.

B. 저이동군(low transporter)에서의 UFF(II형)

이 그룹의 환자들은 작은 용질 청소율의 감소와 수분 제거의 감소를 보인다. 또한 제2형 UFF라 불리며 덜 흔하다. 막 표면 면적의 감소를 반영하고 종종 심한 복막염이나 다른 복막 내 합병증 후에 생겨난 유착과 반흔으로 인하여 발생한다. 이러한 환자들에서 유의한 잔여 신기능이 있지 않는 한 복막투석을 지속하기 어렵다.

C. 정상 범위의 투과도의 UFF(고평균 이동군(high-average transporter))

이 그룹에서는 불충분한 수분 제거의 기계적인 원인들을 배제하기 위하여 다시 한 번 주의 깊게 고려해야만 한다.

1. 복막액 림프 재흡수의 증가가 어떤 환자들에서는 원인이 되며 제 3형 UFF라고 불린다. 림프액의 재흡수는 복강으로부터 덱스트란 (dextran) 70의 소실율을 측정하여 정량화할 수 있으나 임상 실험에서는 드물게 시행되며 다른 질환들을 배제함으로써 진단할 수 있다.

2. **물수송체(aquaporin)의 결핍**

홍미로우면서 드물게 발견되는 물수송체 결핍 상태에서 유사한 패턴이 보여질 수 있다. 1.5% 덱스트로오스 투석액 2 L와 비교하여 4.25% 덱스트로오스 투석액 2 L를 30~60분 가량 저류한 상태에서 투석액 나트륨 농도의 변화를 측정하여 진단할 수 있다. 왜 저류 초기에 투석액의 나트륨이 감소하는 것일까? 투석액의 포도당 농도가 높을 때, 나트륨이 아닌 수분을 수송하는 물수송체 경로를 통해 주로 삼투적으로 UF가 일어난다. 결과적으로 4.25%의 포도당을 저류할 때 투석액 나트륨 농도가 5~10 mmol/L 만큼 조기 감소하게 된다. 이러한 점은 혈액과 투석액 사이의 나트륨 농도 차를 야기하고, 저류가 진행되면서 나트륨 확산에 의해 투석액의 나트륨 농도가 다시 상승하게 한다(표.21.7). 만약 물수송체를 매개하는 수분 투과의 장애가 있다면, 4.25% 투석액에서의 나트륨의 초기감소가 발생하지는 않을 것이다. 1.5%의 투석액 저류와 비교하여 4.25% 투석액을 30~60분 저류한 경우 <5 mmol/L의 나트륨 농도 차이가 있을 것이다(Smit, 2004; Ni, 2006).

IV. 수분과다의 예방과 치료

복막투석 환자 개개인에서 수분과다의 다양한 원인이 공존한다. 예를 들면, 일부에서 초미세여과의 실패가 있을 수 있으나 과다식이, 염분 섭취나 좋지 못한 혈당 조절도 있을 수 있다. 그러므로 최선의 관리를 위한 다양한 치료적 또는 예방적 전략들을 필요로 할 것이다.

A. 일반적인 대책

1. 염분 제한

특히 잔여신기능이 감소할 때 염분과 수분의 제한에 대하여 환자들이 교육을 받는 것이 중요하다. 조절 안 되는 고혈압이나 수분 조절의 문제들이 있는 경우 하루 <100 mmol (2.3 g)의 나트륨의 섭취가 권유된다(Ates, 2001).

2. 높은 농도의 포도당 용액을 언제 사용해야 할 지에 대한 환자 교육

환자들은 보통 목표 체중에 도달하기 위하여 덱스트로오스 농도를 복막투석 용액으로 선택하거나 조정하도록 가르쳐진다. 고장성 용액을 충분히 사용하지 않는 경우에는 체액 과다를 야기할 수 있을 것이다. 그러나 잦은 고농도 덱스트로스 용액의 선택이 염분을 제한하는 것보다 체액의 조절을 위하여 선호되는 방법이 되어서는 안된다. 고농도 덱스트로오스 용액의 과다한 사용은 복막 기능의 악화, 당 흡수의 증가, 혈당과 지질 조절의 악화와 비만을 야기시켜 악영향을 줄 수 있다.

3. 빈번한 임상적 평가

환자들은 규칙적으로 평가되어야만 하고 그들의 목표 체중을 재검토해야 한다. 복막투석 환자들에서 포도당 흡수에 의한 조기의 체중 증가 경향이 있을 수 있으며 비현실적인 체중에 도달하기 위한 과다한 고농도의 포도당 사용을 피하기 위해 목표 체중을 조정 할 필요가 있다. 복막투석 과정의 후기에 소변량이 감소하면서 수분과다의 비율이 증가할 수 있으므로 임상의는 이것을 인식하고 그에 맞춰 변경할 필요가 있다. 이러한 변화를 발견하기 위해서 한가지 검사를 신뢰할 수 없으므로 임상적 검진과 시행착오가 최선의 접근 방법이라 할 수 있다.

4. 좋은 혈당 조절

수분의 제거를 위하여 요구되는 복막을 통한 포도당의 농도 차이를 유지하는데 도움이 될 것이다.

5. 잔여신기능의 보존

청소율과 수분의 제거를 위하여 중요하다. 복막투석 환자들에서 안지오텐신 전환효소 억제제와 안지오텐신 수용체 억제제가 청소율과 소변 양 면에서 잔여신기능을 보존한다는 임상 시험 증거가 있다. 잔여신기능이 있는 환자들에게 metolazone을 사용하던지 안하던지 간에 고 용량의 루프 이뇨제의 사용이 소변 양과 나트륨과 수분의 제거를 증가시킬 것이다. 신독성 물질과 체액 감소 상태는 잔여신기능을 보호하기 위해 피해야만 한다. 생체에 적합한 복막투석 용액은 여러 개의 주머니 백 기술(multipouched bag technology)에 근거하여 낮은 양의 포도당 분해 생성물을 보이며 어떤 무작위 연구들에서는 잔여신기능을 더 잘 보존하는 것과 연관이 있다고 제안하였다(Johnson, 2012). 그러나 이러한 용액들의 사용으로 인한 초미세여과의 감소가 적어도 일부분에서는 더 걱정거리이다(Blake, 2012).

6. 복부 누출

28장 참고.

7. 도관의 기능이상

23장 참고.

8. 복막 기능의 보존

복막염 발생의 감소와 높은-덱스트로오스-농도 복막투석액 노출의 회피는 장 기간의 복막 기능을 보존하는데 도움이 될 것이다. 적은 포도당 분해 생성물 농도를 보이는 '생체 적합한' 복막투석 용액들에 대한 무작위 연구들은 이러한 용액들이 기존의 복막투석 용액을 사용하였을 때 보다 막의 기능을 보존할 수 있다는 증거를 보이지 못하였다.

B. UFF의 관리

1. 고이동군(UFF type I)

투석액의 덱스트로오스 농도 차를 유지하기 위하여 짧은 저류 시간이 요구되므로 1~1.5시간의 단기간의 저류가 프로그램 된 자동 복막투석이 가장 좋을 것이다. 지속적 외래 복막투석과 자동 복막투석에서 덱스트로오스를 함유한 투석액의 장 기간의 저류를 피해야만 한다. 자동 복막투석에서 단 기간의 주간 덱스트로오스 저류가 사용될 수 있다. 그러나 지속적 외래 복막투석과 자동 복막투석 모두에서 오랜 기간의 저류를 위한 방법으로 아이코덱스트린의 사용이 더 적절한 방법일 것이다.

a. 아이코덱스트린

덱스트로오스 대신에 초미세여과를 위한 농도 차의 형성을 위하여 탄수화물 중합체(carbohydrate polymer)가 사용된다. 아이코덱스트린은 천천히 림프 계를 통과하게 될지라도 막을 투과하여 흡수되지는 않는다. 그런 이유로 오랜 투석액의 저류 시간 동안 지속적인 초미세여과를 허용하면서 농도 차는 유지된다. 아이코덱스트린은 자동 복막투석에서 14~16시간의 저류와 지속적 외래 복막투석에서의 장 시간의 야간 저류를 위하여 이상적이다. 아이코덱스트린의 사용은 체액 상태의 향상을 보였으며(Davies, 2003), 초미세여과 부전과 고이동군의 환자들에서 생존기법이 상당히 지속(Takatori, 2011)될 수 있게 하였다. 이것의 사용은 또한 생체임피던스로 측정된 세포 외액과 세포 내액 비율의 감소를 보였다(Woodrow, 2004).

b. 복막의 휴식

제1형 UFF에서 복막투석의 일시적인 중단에 따른 복막기능의 향상을
보인 증례들이 입증되었다. 기전은 불분명하나 복막투석 휴식 동안 혈류
증가의 해결과 연관있을 것이다.

2. 저이동군 상태에서의 UFF

이러한 환자들은 자동 복막투석이나 아이코덱스트린의 사용으로
UFF를 해결하지는 못할 것이다. 일반적으로 혈액투석으로의 전환
이 필요하다.

3. 평균 이동군 상태에서의 UFF

림프계의 흡수를 줄이거나 손상된 물수송체의 기능을 교정하기 위
한 특정한 방법은 없다. 일반적으로 이러한 UFF 형태는 염분과 수
분의 제한, 이뇨제 그리고 재흡수되는 체액량의 보상을 위한 총 초
미세여과율의 증가와 같은 전반적인 대책으로 관리된다. 이러한 접
근법은 짧은 시간의 저류와 오랜 시간 동안의 아이코덱스트린 저류
의 사용을 포함할 것이다. 아이코덱스트린은 초미세여과가 오로지
비아쿠아포린 채널을 통해서만 거의 일어나므로 특히 물수송체의
결손이 있는 경우 유용할 것이다(La Milia, 2006).

V. 포도당-보존 전략들

복막 레벨에서, 고장성 포도당의 노출은 막의 신혈관형성을 유발하고 고이
동군에서의 UFF의 유사체 패턴을 보인다는 실험실 연구들로부터의 증거
가 있어왔다. 현재 임상적 연구들은 더 고장성인 포도당에 오랜 기간 노출된
복막 환자들에게서 더 적은 양의 포도당에 노출된 환자들에 비해 고이동군
의 특성을 갖게 되는 것을 보여왔다(Davies, 2001). 포도당의 전신적인 부하
는 29장에 자세히 나와있듯이 해로울 수도 있다. 이러한 이유로 포도당 노
출의 최소화를 위한 전략에 대하여 더 강조하게 되었다. 고농도의 포도당을
덜 사용하는 것을 필수적으로 포함한다(Johnson, 2012; Li, 2013). 처음에
는 이러한 접근이 초 미세여과를 더 적게 하고 수분과다의 위험을 증가시킬
것으로 기대되었다. 그러나 포도당 보존과 수분의 조절 사이에서 균형을 찾
는 것이 가능하다. 효과적인 포도당 보존 전략들은 염분과 수분의 제한, 체
액 유지를 위한 루프 이뇨제의 사용, 그리고 잔여신기능의 보존을 위한 레닌
안지오텐신계의 차단제의 사용이 포함된다. 아이코덱스트린은 하루 노출되
는 포도당의 감소를 허용하며 더 오랜 기간 동안 안정된 막 기능을 가지게
한다고 제안하는 연구들이 있다(Davies, 2005). 또한 복막 내 아미노산은 하
루 한 번의 덱스트로오스 저류를 대체할 수 있다.

VI. 복막투석에서의 고혈압과 저혈압

A. 고혈압

초기에는 지속적으로 시행하는 복막투석이 혈액투석보다 혈압 조절

이 더 잘 된다고 주장되어 왔다. 이것은 복막투석 인구에 관한 초기의 보고들에서 확실히 증명되었다. 그러나 최근에는, 복막투석의 기간 중 특히 잔여신기능이 소실되었을 때 항 고혈압제 약물의 요구량이 증가한다는 것이 증명되었다(Ortega, 2011).

1. 자동 복막투석시의 염분제거와 고혈압

자동 복막투석에서 염분제거가 약간 더 적게 일어난다. 왜냐하면 짧은 기간의 투석액 저류의 교환은 나트륨 체 거름으로 인하여 나트륨 농도가 여전히 낮은 상태에서나 또는 나트륨 확산으로 이러한 현상을 교정하는 기회가 있기 전에 투석액이 배액되는 것을 의미하기 때문이다(Rodriguez-Carmona, 2004). 이에 대한 염려가 증가해왔으나, 지금까지의 연구들은 일관되게 지속적 외래 복막투석과 자동 복막투석 환자들 사이에서 혈압 조절의 차이를 보이지 않았다(Boudville, 2007).

2. 치료

초기의 치료는 체액량의 조절에 집중해야만 한다. 심장 보호제 외에 항고혈압약제는 이러한 접근이 성공적이지 않을 때에만 소개되어야 한다. 루프 이뇨제, 안지오텐신 전환효소 억제제, 그리고 안지오텐신 수용체 차단제와 같이 소변량이나 잔여신기능에 이로운 효과를 가지는 제제들을 더 선호해야 한다. 많은 환자들에서 약제의 선택은 허혈성 심질환과 같은 동반된 의학적 상태에 의하여 결정될 것이다.

B. 저혈압

한 코호트 연구에서 복막투석 인구들의 저혈압 발생은 13%의 환자들에게서 드물지 않게 보이고 있었다(Malliara, 2002). 저혈압의 원인들은 때때로 불분명하나, 약 20%의 증례들은 심부전에 이차적으로 발생하였다. 추가적인 40%는 혈류량의 저하로 인하였을 것이고 잔여 신기능이 잘 유지되거나 용적 충만에 전형적으로 반응하는 경우 이러한 환자들에서 저혈압을 인식하는 것이 중요하다. 심장 원인으로 저혈압이 있는 환자들과 원인이 밝혀지지 않는 증례들은 높은 초기 사망률을 보이면서 예후가 나쁘다. 미도드린(midodrine)이나 플루드로코르티존(fludrocortisone)과 같은 약제들이 사용되어 왔으나 장기간 사용의 이점이 증명되지는 않았다. 물론 새로 발생한 저혈압이 패혈증이나 급성 심장 손상을 나타낼 수도 있다.

References and Suggested Readings

Ates K, et al. Effect of fluid and sodium removal on mortality in peritoneal dialysis patients. *Kidney Int.* 2001;60:767–776.

Blake PG. Balance about balANZ. *Perit Dial Int.* 2012;32:493–496.

Boudville NC, et al. Blood pressure, volume, and sodium control in an automated peritoneal dialysis population. *Perit Dial Int.* 2007;27:537–543.

Davies SJ, et al. Peritoneal glucose exposure and changes in membrane solute transport with time on peritoneal dialysis. *J Am Soc Nephrol.* 2001;12:1046–1051.

Davies SJ, et al. Icodextrin improves the fluid status of peritoneal dialysis patients: results of a double-blind randomized controlled trial. *J Am Soc Nephrol.* 2003;14:2338–2344.

Davies SJ, et al. Longitudinal membrane function in functionally anuric patients treated with APD: data from EAPOS on the effects of glucose and icodextrin prescription. *Kidney Int.* 2005;67:1609–1615.

Demirci MS, et al. Relation between malnutrition inflammation atherosclerosis and volume status: the usefulness of bioimpedance in peritoneal dialysis patients. *Nephrol Dial Transplant.* 2011;26:1708–1716.

Granja CA, et al. Brain natriuretic peptide and impedance cardiography to assess volume status in peritoneal dialysis patients. *Adv Perit Dial.* 2007;23:155–160.

Ho-dac-Pannakeet MM, et al. Analysis of ultrafiltration failure in peritoneal dialysis patients by means of standard peritoneal permeability analysis. *Perit Dial Int.* 1997;17:144–150.

John B, et al. Plasma volume, albumin and fluid status in peritoneal dialysis patients. *Clin J Am Soc Nephrol.* 2010;5:1463–1470.

Johnson DW, et al. Effects of biocompatible versus standard fluid on peritoneal dialysis outcomes. *J Am Soc Nephrol.* 2012;23:1097–1107.

La Milia V. Sodium kinetics in peritoneal dialysis: from theory to clinical practice. *G Ital Nefrol.* 2006;23:37–48.

Lee JA, et al. Association between serum n-terminal pro-brain natriuretic peptide concentration and left ventricular dysfunction and extracellular water in continuous ambulatory peritoneal dialysis patients. *Perit Dial Int.* 2006;26:360–365.

Li PK, et al. Effects of an angiotensin-converting enzyme inhibitor on residual renal function in patients receiving peritoneal dialysis: a randomized, controlled study. *Ann Int Med.* 2003;139:105–112.

Li PK, et al. Randomized controlled trial of glucose-sparing peritoneal dialysis in diabetic patients. *J Am Soc Nephrol.* 2013;24:1889–1900.

Malliara M, et al. Hypotension in patients on chronic peritoneal dialysis: etiology, management, and outcome. *Adv Perit Dial.* 2002;18:49–54.

Mujais S, et al. Evaluation and management of ultrafiltration problems in peritoneal dialysis. International Society for Peritoneal Dialysis Ad Hoc Committee on Ultrafiltration Management in Peritoneal Dialysis. *Perit Dial Int.* 2000;20(suppl 4):S5–S21.

Ni J, et al. Aquaporin-1 plays an essential role in water permeability and ultrafiltration during peritoneal dialysis. *Kidney Int.* 2006;69:1518–1525.

Ortega LM, Materson BJ. Hypertension in peritoneal dialysis patients: epidemiology, pathogenesis and treatment. *J Am Soc Hypertens.* 2011;5:128–136.

Paunuccio V, et al. Chest ultrasound and hidden lung congestion in peritoneal dialysis patients. *Nephrol Dial Transplant.* 2012;27:3601–3605.

Rodriguez-Carmona A, et al. Compared time profiles of ultrafiltration, sodium removal and renal function in CAPD and APD patients. *Am J Kidney Dis.* 2004;44:132–145.

Sharma AP, Blake PG. Should fluid removal be used as an index of adequacy in PD? *Perit Dial Int.* 2003;23:107–108.

Smit W, et al. Quantification of free water transport in peritoneal dialysis. *Kidney Int.* 2004;66:849–854.

Takatori Y, et al. Icodextrin increases technique survival rate in peritoneal dialysis patients with diabetic nephropathy by improving body fluid management: a randomized controlled trial. *Clin J Am Soc Nephrol.* 2011;6:1337–1344.

Wang AY, et al. N-terminal pro-brain natriuretic peptide: an independent risk predictor of cardiovascular congestion, mortality, and adverse cardiovascular outcomes in chronic peritoneal dialysis patients. *J Am Soc Nephrol.* 2007;18:321–330.

Woodrow G. Volume status in peritoneal dialysis patients. *Perit Dial Int.* 2011;31 (suppl 2):S77–S82.

Woodrow G, et al. Abnormalities of body composition in peritoneal dialysis patients. *Perit Dial Int.* 2004;24:169–175.

27 복막염과 출구감염

이소연 역

I. 복막염

A. 발생률

복막염은 복막투석의 취약점으로 남아있다. 복막염은 복막투석에서 16%의 사망에 '기여하는 인자'이다. 더욱이 거의 30%의 증례들을 차지하는 치료 실패의 가장 흔한 원인이다. 미국에서 1980년대와 1990년대 초기의 지속적 외래 복막투석 환자들의 총 복막염 발생률은 인-년 당(per patient-year) 1.1~1.3건이었다. 환자 훈련, 복막투석 운반 시스템, 예방적 대책이 향상되면서, 복막염의 비율이 세계적으로 감소하였다. 현재 많은 기관들에서 복막염 위험의 비율은 인-년 당 0.2~0.6건 또는 20~60 인-월(20~60 patient-months) 복막투석 당 1건을 보였다(Piraino, 2011). Y자 세트와 이중 분리된 백의 도입으로 복막염, 특히 그람 양성 균주에 의한 발생이 많이 감소하였다(Monteon, 1998; Li, 2002). 지속적 외래 복막투석의 Y자 세트에서 사용되는 채우기 전에 세정하기(flush-before-fill)와 같은 방법을 자동 복막투석에서도 효과적으로 사용할 수 있다. 지속적 외래 복막투석과 자동 복막투석에서의 복막염의 비율은 일반적으로 다르지 않다. 자동 복막투석에서 주간에 '건조'하게(즉, 주간 저류가 없는) 유지하는 경우가 주간 저류가 있는 경우와 비교하여 감염의 위험이 낮을 것이다. 현재 International Society for Peritoneal Dialysis (ISPD)의 복막투석과 연관한 감염들에 대한 권고에서는 모든 프로그램에서 적게는 매년마다, 이상적으로는 매달 한 번씩 감염률에 대하여 집중관리 해야만 한다고 주장하고 있다(Piraino, 2011).

B. 발병 과정

1. 감염의 경로

a. 관내 (intraluminal)

복막염은 교체 세트에서 백으로 또는 도관에서 연결하는 교체 세트로의 조작 중 실수에 의하여 가장 흔하게 발생한다. 도관의 내강을 통하여 세균이 복강 내로 접근하는 것을 허용하게 되는 것이다. 전형적으로 연관된 균 주들은 응고효소 음성 포도알균(*Coagulase-negative staphylococci*)이나 유사 디프테리아균(*diphtheroids*)이다.

b. 관 주위(periluminal)

피부 표면에 존재하는 세균은 복강 도관 길을 따라서 복강 내로 들어갈 수 있다. 보통 연관된 균주들은 황색포도알균(*Staphylococcus aureus*)과 녹농균(*Pseudomonas aeruginosa*)이다.

c. 장으로부터의 원인(Bowel source)

장으로부터 기원하는 세균은 장벽을 거쳐 이주하여 복강으로 들어갈 수 있다. 복막염 에피소드의 일반적인 기전은 설사하는 상태나 대장의 기구조작과 연관이 있을 것이고 감돈 탈장(strangulated hernia)에서도 보여 질 수 있다. 전형적인 균주는 대장균(*Escherichia coli*)과 클렙시엘라(Klebsiella) 종이 있다.

d. 혈행성(Hematogenous)

복막염은 세균이 혈류를 통하여 원격 장소에서 복강 내로 파종되는 방법으로는 덜 흔하게 일어난다. 여기에서의 전형적인 균주는 사슬알균(streptococci)과 포도알균(staphylococci)이다.

e. 질 경유(Transvaginal)

이러한 경우는 흔하지 않으나 질에서부터 자궁의 관들을 거쳐 복강 내로 상행감염이 발생할 수 있다. 이러한 경로를 통해 칸디다(candida) 복막염이 일어나기도 한다.

2. 숙주 방어의 역할

복막 호중구는 앞에서 말한 어떠한 경로들을 통해서든 복강 내로 들어온 세균들과 싸우는 역할을 하기에 현재 몇 가지 요인들에 의해 침입한 세균을 식균하거나 죽이는 효과를 변화시키는 것으로 알려져 있다.

a. 투석액의 산도(PH)와 삼투압농도

표준 복막투석 용액은 5에 가까운 산도를 가지며 어떤 포도당 농도를 사용하는 지에 따라서 정상 혈청보다 1.3~1.8배의 삼투압을 보인다. 비생리적인 조건들은 복막의 호중구가 세균을 포식하고 죽이는 능력을 억제할 수 있다. 고 삼투압, 낮은 산도, 젖산 염 이온이 함께 초과산화산물(superoxide)을 억제한다. 현재 새로운 정상 산도의 '생체 적합한' 용액이 복막염의 비율을 낮춘다는 일부 증거가 있으나 출판된 연구들에서 지속적인 결과를 보인 것은 아니다(Cho, 2014).

b. 복막투석액의 칼슘 농도

복강 대식세포의 항균 작용은 칼슘과 콜레칼시페롤(cholecalciferol)에 의해 향상된다. 활성형 비타민 D는 복막염의 비율을 낮춘다고 보고되어 왔다(Kerschbaum, 2013). 복막투석에서 1.25 Mm (2.5 mEq/L) 칼슘 농도의 사용은 혈관의 석회화를 줄이고 무력성 뼈질환(adynamic bone disease)이 향상될 수 있어 인기를 얻게 되었다. 낮은 칼슘 농도 투석액의 사용이 표피포도알균(*Staphylococcus epidermidis*) 복막염의 위험을 증가시키는 것이 보고되었으나(Piraino, 1992), 이후로는 확증하는 보고가 출판되지 않았다.

TABLE 27.1 복막염 환자들에서의 미생물 동정 빈도	
Organisms Identified	Percentage (%)
Gram-positive organisms	**40 – 50**
S. aureus	11 – 12
Coagulase-negative staphylococcal species	12 – 30
Gram-negative organisms	**20 – 30**
Pseudomonas sp.	12 – 15
E. coli	6 – 10
Fungi	**2 – 4**
Mycobacterium	**~1**
Polymicrobial growth	**~10**
Culture-negative	**~15**

C. 원인

적절한 배양 기술을 사용하면 복막염의 증상과 징후 그리고 상승된 복막 호중구 수가 있는 복막 액의 90%이상에서 균주가 동정될 수 있다. 원인이 되는 균주는 보통 세균이지만 진균 복막염도 때때로 발생한다 (표 27.1).

D. 진단

적어도 다음의 3가지 소견 중 2가지가 존재해야만 한다; (a) 복막염증의 증상과 징후, (b) 호중구(>50%)가 우세하여 복막액의 세포 수가 (>100/mcL) 증가한 혼탁한 복막액 (c) 그람 염색이나 배양에 의하여 복막 삼출물의 세균이 증명됨.

1. 증상과 징후

가장 흔한 증상은 복통이나 때때로 매우 경미하다. 다른 증상들로는 오심, 구토, 그리고 설사가 있다(표 27.2). 특히 고령에서 때때로 유일하게 나타나는 증상들로는 비교적 갑자기 잔여신기능이 소실되는 것과 자세에 따른 저혈압이 있다. 반면에 복통은 투석 환자들에게서 복막염과 관련 없는 복부 원인들에 의해서 있을 수 있다. 이식 실패 후 스테로이드 치료를 중단하고 투석을 시작한 환자들의 경우에는 부신기능의 결핍으로 인한 복통을 고려해야만 한다.

2. 복수

a. 액체의 혼탁

복수는 일반적으로 세포수가 50~100/mcL (50~100 × 10^6/L)를 넘을 때 혼탁해진다. 대부분의 환자들은 적절한 복통과 함께 갑자기 혼탁 액이 발생하는 경우 복막염의 증거가 충분하며 항균 치료 시작의 근거가 된다. 그러나 백혈구 수의 증가 보다 다른 요인들이(예를 들면, 피브린, 혈액, 또는 드물게 악성종양이나 유미(chyle))로 인하여 흐린 복막액이 야기될 수도

TABLE 27.2	복막염의 증상들 및 증후들	
증상/ 징후		**Percentage (%)**
증상		
복통		95
구역과 구토		30
발열감		30
오한		20
변비 또는 설사		15
징후		
탁한 투석액		99
복부 압통		80
반동 압통		10-50[a]
체온 상승		33
백혈구증가증		25

[a] 염증의 심한 정도와 발생시점과 의학적 평가 사이의 흘러간 시간의 정도에 따라 다양함

있다. 때로는 오랜 기간 저류(자동 복막투석 환자들에서의 주간 저류 후와 같이) 후 배액 된 복수는 복막염 없이도 혼탁하게 보일 수 있다. 반대로, 비교적 투명한 복수라고 완전히 복막염을 배제할 수 없다. 칼슘통로 차단제의 사용에 의한 혼탁액이 보고된 적이 있으며, 짐작하건대 복수의 중성지방 농도 증가로 인한 것으로 생각된다(Ram, 2012).

b. 복수 세포수의 감별계산 시행의 중요성

복막염은 보통 복수에서의 호중구의 절대 수와 백분율의 증가와 연관이 있다. 때때로 혼탁액을 야기하는 복수의 높은 세포 수는 복막의 단핵구나 호산구 수의 증가 때문에 나타날 것이다(앞으로 나올 내용을 보라). 그러나 대부분의 증례들은 복막염과 연관이 없고 항균 치료가 필요하지 않다. 이러한 이유로 복수 샘플의 감별 세포 수 검사를 시행해야만 한다. 액체는 측정 전에 특별한 원심분리기(예를 들어, cytospin, Shandon, Inc., Pittsburgh, PA)로 돌려지고 침전물은 라이트 염색으로 착색된다.

c. 검체의 취득

1. 지속적 외래 복막투석 환자

복막 유출액으로 가득 찬 배액 백을 분리 후 내용물을 섞기 위하여 수차례 거꾸로 들어준다. 배액된 백의 연결 단자에서 검체(7 mL)가 흡인되고 ethylenediamine tetraacetic acid (EDTA)가 담긴 관에 옮겨진다.

2. 자동 복막투석 환자

주간 저류액을 복부에서 처음 배액하고 배액된 백에서 샘플을 가져와서 전형적인 세포 수를 쉽게 구할 수 있다. 야간 간헐적 복막투석을 하는 경우, 환자의 복부에 액체가 남아 있을 수 있다. 이러한 경우 복수 샘플은 복강의 도관을 통하여 직접 획득될 수 있다. 포비돈-요오드로 도관을 조심스럽게 세척 한 후에 조심스럽게 무균적으로 주사기를 연결하여 2~3 mL의 액체가 도관 내강에서 뽑아지고 버려진다. 복수 샘플(7 mL)은 두 번째 주사기를 사용하여 도관에서부터 뽑아

진다. 샘플은 EDTA가 함유된 관에 주입된다. 만약 이러한 방법으로 체액이 불충분하게 얻어진다면, 1 L나 그 이상의 투석액을 복부에 주입하고 배액한 유출액에서 샘플을 얻을 수 있다. 이러한 희석된 검체의 절대적인 복수의 세포 수가 낮을지라도 분획 수는 도관을 통해 획득한 검체와 유사하다.

3. 저장 시간

EDTA가 들어있는 샘플 튜브에 담겨지기 전에 여출액 검체가 3~5시간 이상 보관되었다면 다양한 세포 종류들을 형태학적으로 식별하기가 매우 어려울 수 있다.

d. 복막염에서의 복수 세포 수

지속적 외래 복막투석의 절대적인 세포 수는 대개 <50미만이며 종종 <10 cells/mcL일 때도 있다. 낮 동안 복강을 '건조 상태'로 두는 자동 복막투석 환자들에서 특히 잔류 투석액량이 적은 경우에 도관을 통하여 직접 얻어진 투석 전 검체에서 더 높은 정상 세포 수를 보일 것이다. 정상적으로 복강 백혈구 수는 주로 단핵구(단핵세포, 대식세포, 그리고 때로는 림프구)이고 호중구의 백분율은 15%를 넘지 않는다. 50%를 넘는 값은 복막염을 암시하며 35%를 넘는 값을 보일 때에는 복막염을 의심해야만 한다. 더 흔한 세균성 복막염에서와 같이 진균 복막염에서도 호중구의 백분율은 증가하며 심지어 결핵성 복막염에서도 마찬가지이다.

염증성 설사나 활동성 장염(충수돌기염 이나 게실염)환자, 골반 내 염증질환 환자, 월경 또는 배란 중이거나 최근 골반 내진을 받은 여성들에게서 때때로 복막염 없이도 복수에서 호중구의 백분율이 상승되어 있다.

e. 복수의 단핵구증

만약 지속적인 복수의 단핵구증이나 림프구증이 있다면 결핵성 복막염을 고려해야만 한다. 복수 단핵구증은 복수의 호산구증과 함께 발생할 수 있다.

f. 복수의 호산구증

복수의 호산구 수는 복막투석 환자들에게서 증가되어 있어 혼탁액을 야기하고 복막염을 의심하게 한다(Humayun, 1981). 보통 복수 단핵구 수 또한 증가되어 있다. 복수 호산구증은 대부분 복막 도관의 삽입 후에 자주 일어난다. 아이코덱스트린 투석액으로 치료를 시작한 환자들에게서 간헐적으로 무균의 복막염이 발생하는 것을 볼 수 있다. 복막강 공기의 자극 효과(예를 들면, 개복술 시에 나타나는)와 유출된 가소체(plasticizer)는 복막투석 용액의 용기나 배관으로 부터 복막에 도달하며 또 다른 의심할 수 있는 원인이라 할 수 있다. 이러한 경우들에서 대체로 2~6주 내에 호산구증이 종종 자연스럽게 호전된다. 또한 복수 호산구증은 드물게 복막염의 치료 기간 동안 발생한다. 복막에서 진균과 기생충 감염과 연관한 호산구증이 발생한 증례보고가 여러 개 있어 왔다.

g. 복수의 배양

복막염이 의심되는 환자에서의 복수 배양검사 양성률은 배양검사의 기술에 달려 있다. 배양 음성 복막염 횟수는 >20%를 넘지 않아야만 한다.

1. 저장

복수는 즉각적으로 배양되어야만 한다; 그러나 감염된 액체가 실온에 있었거나 어느 기간 동안 냉장 보관되었더라도 병원성 균이 종종 차후의 배양검사에서 자라기도 한다. 만약 검사실로 즉각적인 전달이 불가능하다면, 접종된 배양 병들은 이상적으로 37도에서 배양되어야만 한다.

2. 표본 용적

배양을 위해 보내진 복수의 용적은 적어도 50 mL이상이어야만 하고 양이 많을수록 배양의 양성률이 증가한다.

3. 표본 준비

일정 부분이 미생물을 농축시키기 위하여 원심분리 된다(예를 들면, 15분 동안 3,000 g). 상층액은 따라내고 침전물은 3~5 mL의 무균 식염수에서 재 부유되고 표준의 혈액 배양 배지에 접종된다(호기성과 혐기성). 빠른 배양 기술 (예를 들면, Septi-chek, BACTEC)이 활용된다.

4. 양성 배양검사의 산출량

임상적인 복막염을 보이는 환자들에서 얻어진 70-90%의 투석액 검체에서 24~48시간 내에 특정 미생물의 양성 배양 소견이 보여진다. 까다로운 유기체(fastidious organisms)의 경우에는 더 많은 시간이 필요 할 수 있다.

5. 배양검사 산출량의 향상

이것은 저장성 용해(hypotonic lysis)를 통하여 이루어질 것이다. 원심분리된 침사는 100 mL의 멸균 수에서 세포성 요소들의 용혈을 유도하기 위하여 재 부유된다. 이러한 것은 호중구로부터 세균을 방출하며 이미 항생제를 투여받은 환자들에서도 양성 배양의 기회를 증가시킨다.

6. 위 양성 결과의 발생률

매우 민감한 배양 방법으로 약 7%의 배양들에서 임상적인 복막염 없이 양성 소견을 보일 수 있으나 유의성은 불분명하다.

h. 그람 염색

복수 침전물의 그람 염색은 유용하나 배양에서 복막염으로 증명된 증례들의 절반 이하에서 양성을 보인다. 그람 염색은 또한 진균 복막염의 진단에 유용하다. 형광 아크리딘 오렌지 염료로 염색하면 세균 유기체들의 가시성(visibility)이 상승하는 것으로 보고 되었다.

i. 혈액 배양검사 시행의 필요성

정기적인 배양검사는 환자가 패혈증이거나 급성 수술적 복부 상태가 의심되는 경우가 아니고서는 필요하지 않다.

E. 치료

1. 초기 관리

a. 항균 치료의 선택

경험적 항생제는 그람 양성균과 그람 음성균을 모두 치료할 수 있어야 한다. 반코마이신(vancomycin)이나 세파졸린(cefazolin)과 세파로신(cephalothin) 같은 1세대 세팔로스포린계(cephalosporin)와 함께 세프타짐(ceftazime) 이나 아미노글라이코시드(aminoglycoside)와 같은 항생제를 복합하여 사용한다. 일반적으로 기관에 따른 경험적 치료의 선택은 복막염을 야기한 미생물의 감수성의 현지 이력에 의존하여 결정하는 것을 추천한다.

1. 그람-양성

1세대 세팔로스포린계(예, cefazolin)는 반코마이신 저항 균주의 출현으로 인하여 종종 반코마이신보다 선호된다. 비록 잔여신기능이 있는 환자에서는 복막 내로 투여하는 세파졸린 용량의 25% 증량이 권유되나 하루 15 mg/kg로 편리하게 투여될 수 있다(Manley, 1999). 반코마이신의 대체약제로 나프실린(nafcillin)과 클린다마이신(clindamycin)이 있다. 반코마이신은 1차 약제로 사용될 수 있으나 특히, 메치실린 내성 황색포도알균(MRSA)이나 페니실린/세팔로스포린계 알레르기가 있는 경우에 베타락탐계 저항 균주를 가지는 환자들을 위해 보류될 수 있다. 시프로플록사신(cifporfloxacin)은 단독 그람 양성 감염을 위하여 추천되지는 않는다.

2. 그람-음성 또는 불분명한 경우(indeterminate)

그람 염색은 보통 진단적이지 않기에 그람 음성 균주들은 3세대 세팔로스포린이나 아미노글라이코사이드로 치료해야 한다. 비록 단기간의 아미노글라이코사이드 사용은 잔여신기능에 악영향을 끼치지 않을 것이나(Liu, 2005), 이론적으로 아미노글라이코사이드는 잔여신기능이 있는 환자들에게는 신 독성을 야기하므로 피해야만 한다(Shemin, 1999). 비록 청력 전정계 독성에 대한 걱정이 남아 있을 수 있으나, 아미노글라이코사이드는 잔여신기능이 없는 환자들에게서 사용될 수 있다. 표 27.3에서는 세프타지딤과 세파졸린의 복합 사용에 기반을 한 샘플 처방이 나열되어있다.

b. 항균 약제의 투여 방법과 스케줄

1. 복강 내(IP) vs. 경구(PO) 또는 정맥 내(IV)로 투여하는 항균 치료

복막염의 치료를 위하여 복강 내 항생제의 주입이 정맥이나 경구 투여보다 선호된다. 하지만 임상적으로 전신 패혈증의 증거가 있을 때는 정맥 내 항생제가 사용되어야만 한다.

2. 부하 용량

지속적 유지 복막투석으로 치료하는 경우 항균제의 부하 용량(loading dose)은 주로 복강 내로 투여된다(표 27.4). 만약 환자가 위독해 보인다면, 정맥으로 주사하는 부하 용량이 사용되어야만 한다. 아미노글라이코사이드의 부하 용량은 보통 겐타마이신(gentamicin)과 토브라마이신(tobramycin)은 1.5 mg/kg이며 아미카신(amikacin)은 5 mg/kg이다. 만약 환자가 상당한 통증이 있고 평소의 교환량을 견딜 수 없다면, 복강 내 적은 용량의 투석액을 주입하여 부하 용량을 주입할 수 있다(예를 들면, 1 L). 자동 복막투석 환자들에게 정맥으로 부하 용량이 투여될 수 있으나 복막액을 통하여 주입하여 적어도 4-6시간 저류할 수 있다.

3. 항균제의 유지 용량

부하 용량이 주어진 후에, 매 교환마다 유지 용량의 항생제가 추가되어 지속적 외래 복막투석이나 자동 복막투석의 스케줄이 지속된다(표 27.4). 어떤 기

27.3 원인균을 알지 못하는 성인 복막염의 초기 치료 처방 예

CAPD(연속적 투약 방법)
1. 투석액을 배출하여 세포수를 측정하고 배양검사를 한다. 연결관(transfer set)을 교환한다.
2. 부하용량: 1,000 mg ceftazidime, 1,000 mg cefazolin, 그리고 1,000 units heparin 을 함유하는 2-L 투석액을 주입한다.
3. 3-4시간동안 저류시킨다. 패혈증처럼 보이는 환자는 부하량을 복강내 주입보다는 정맥 내로 투여한다.
4. CAPD 스케줄을 계속하고, 환자가 힘들어 하지 않으면 평상시 교환액 용적을 사용한다. 각 투석액 주머니에 125 mg/L ceftazidime, 125 mg/L cefazolin, 그리고 500-1,000 units/L 헤파린을 첨가한다.

CAPD(간헐적 투약 방법)
1. 투석액을 배출하여 세포 수를 측정하고 배양검사를 한다. 연결관을 교환한다.
2. 부하용량: 연속적 투약 방법과 같음.
3. 일반적인 CAPD 스케줄을 계속하고, 환자가 힘들어 하지 않으면 평상시 교환액 용적을 사용한다. 각 야간 교환시마다 ceftazidime 1,000 mg과 cefazolin 1,000 mg을 주입한다. 만약 투석액에 섬유소나 피가 보인다면 각 교환 주머니 마다 헤파린을 첨가한다.

관들에서는 자동 복막투석 환자들을 지속적 외래 복막투석으로 변경하기도 하지만 일상적으로 변경하지는 않는다. 지속적 외래 복막투석 환자들에게 유지 항생제는 하루 한 번 간헐적인 용량으로 투여될 수 있다. 자동 복막투석 스케줄의 환자들에서 항생제는 주간의 저류를 통해 편리하게 주입될 수 있다. 낮 건조 자동 복막투석 스케줄을 시행하는 환자들은 일시적으로 항생제의 주입이 쉬운 지속적 외래 복막투석으로의 전환을 고려해 볼 수 있다. 또는 잠시 동안 적은 양의 투석액(예를 들면, 1 L)을 낮 동안의 저류하도록 추가할 수 있다. 교환기를 통한 항생제 청소율의 증가로 복막염의 치료기간 동안 자동 복막투석을 지속하는 환자들의 경우 더 많은 항생제의 용량이 필요하다(Manley and Bailie, 2002)(표 27.5에 예들이 주어져 있다.).

4. 항균제 용량의 가이드라인

제안되는 몇 가지 항균제들의 부하와 유지 용량들은 표 27.4에 나열되어 있다. 투석액에 추가되는 유지용량 항생제의 지속적 또는 간헐적 투여는 똑같이 효과적이다. 지속적인 투여를 위하여 같은 용량의 항생제가 매일 투석 용액 백에 추가된다. 대신에 더 많은 용량을 12시간이나 24시간마다 한 개의 백에 추가하기도 한다(또는, 반코마이신의 경우, 매4-5일마다). 어린이들을 대상으로 한 무작위 연구에서 간헐적인 반코마이신의 투여는 지속적인 반코마이신의 투여만큼이나 유용하였다(Schaefer, 1999). 아미노글라이코사이드의 하루 한 번 투여는 투여의 용이, 효율의 증가, 그리고 잠재적으로 적은 독성과 같은 여러 가지 장점이 있다. 세균을 죽이는 비율의 증가와 연관하여 지속적인 후기 항생 효과(postantibiotic effect)는 하루 한 번의 투여를 이용하여 얻어진다. 그러나 항생제의 최저 혈중 농도들(trough concentration)은 낮을 것이고(예로 24시간 마다 한 번 투여 후) 후기 항생제 효과의 정확한 기간은 알려져 있지 않아서, 특히 잔여신기능이 있는 환자들에서 이러한 투약방법 형태의

T A B L E 27.4	복막염 (CAPD)에서의 항생제 부하 그리고 유지 용량들	
	간헐적 (교환할 때마다, 하루에 한 번)	**지속적** (mg/L, 전부 교환)
Aminoglycosides		
Amikacin	2 mg/kg	LD 25, MD 12
Gentamicin, netilmicin, or tobramycin	0.6 mg/kg	LD 8, MD 4
Cephalosporins		
Cefazolin, cephalothin, or cephradine	15 mg/kg	LD 500, MD 125
Cefepime	1,000 mg	LD 500, MD 125
Ceftazidime	1,000–1,500 mg	LD 500, MD 125
Penicillins		
Ampicillin, oxacillin, or nafcillin	ND	MD 125
Amoxicillin	ND	LD 250–500, MD 50
Penicillin G	ND	LD 50,000 units, MD 25,000 units
Quinolones		
Ciprofloxacin	ND	LD 50, MD 25
Others		
Vancomycin	15–30 mg/kg every 5–7 d	LD 1,000, MD 25
Daptomycin	ND	LD 100, MD 20
Linezolid	Oral 200–300 mg q. d.	
Antifungals		
Fluconazole	200 mg IP every 24–48 hr	
Amphotericin	NA	1.5
Combinations		
Ampicillin-Sulbactam	2 g every 12 hr	LD 1,000, MD 100
Trimethoprim-Sulfamethoxazole	160 mg/800 mg oral twice daily	
Imipenem-Cilastin	1 g b. i. d.	LD 250, MD 50

b. i. d., 하루에 두 차례; LD, 부하용량 단위 mg; MD, 유지용량 단위 mg; NA, 해당되지 않음 ND, 데이터 없음.

a 잔여신기능이 있는(하루소변량 >100 mL로 정의함) 환자들에서의 신 청소율과 연관한 약물의 용량: 경험적으로 용량이 25% 증량되어야만 한다.

Adapted from Li et al. Peritoneal dialysis related infections recommendations: 2010 update. *Perit Dial Int*. 2010;30:393-423.

TABLE 27.5	APD 환자에서 간헐적 용법의 항생제 용량
Drug	**IP dose**
Vancomycin	부하 용량 30 mg/kg IP 를 장시간 저류, 매 3-5일마다 15 mg/kg 용량을 반복적으로 장시간 저류(혈청수준(serum trough level)을 15 mcg/mL위로 목표를 잡음)
Cefazolin	매일 20 mg/kg IP 를 장시간 주간 저류
Tobramycin	부하용량 1.5 mg/kg IP 를 장시간 저류, 이후 0.5 mg/kg IP 를 매일 장 시간 주간
Fluconazole	200 mg IP 를 매 24-48hr 마다 한 번 교환
Cefepime	1 g IP 매일 한 번 교환

Adapted from Li et al. Peritoneal dialysisrelated infections recommendations: 2010 update (2010).

타당성에 우려가 있다(Low, 1996).

하루 한 번 세팔로스포린을 투여하는 것에 관심이 있어 왔다. 1~2 g의 세파졸린을 매일마다 복강 내로 투여하는 것이 시도되었다(Lai, 1997; Troidle, 1997). 그러나 복강 내로 주사 된 세팔로스포린의 농도가 대부분의 균주들의 최소 억제 농도(MIC) 이하로 떨어질 수도 있다. 아미노글라이코시드와 다르게 세팔로스포린은 후기 항생 효과가 없어서 간헐적인 투여보다 하루에 한 번 투여할 때 치료 실패가 더 많을 것으로 생각된다(Fielding, 2002). 일반적으로, 지속적인 세팔로스포린의 투여가 선호되나, 간헐적 투여 또한 전반적으로 사용되고 있다.

5. 투석액에서 항생제의 안정성

반코마이신, 아미노글라이코시드, 그리고 세팔로스포린은 같은 투석액 백에 섞어질 수 있으나 아미노글라이코시드는 페니실린과 함께 투여될 수 없다. 비록 높은 주위 온도가 안정적인 기간을 줄이더라도, 반코마이신(25 mg/L)은 실온의 투석액에 28일 동안 보관되어도 안정적이다. 겐타마이신(8 mg/L)는 14일 동안 안정적이나 헤파린과 혼합 시 안정기간이 줄어든다. 세파졸린(500 mg/L)은 실온에서 적어도 8일 또는 냉장 보관 시에는 14일동안 안정적이다; 헤파린의 첨가로 인하여 불안정해지지 않는다. 세프타지딤은 덜 안정적이고; 125 mg/L의 농도에서 실온에서는 4일 또는 냉장 보관 시에는 7일 동안 안정적이고 200 mg/L의 농도에서는 냉장보관 시 10일 까지 안정적이다.

c. 헤파린

복막염은 종종 복수에서 섬유소(피브린) 응고를 형성하는 것과 연관 있으며 도관 폐색의 위험이 증가한다. 대부분의 기관들은 500~1,000 unit/L의 헤파린을 복막염이 해결되고 섬유소 응고가 여출액에서 보이지 않을 때까지 투석액에 첨가한다.

d. 니스타틴

대다수의 진균 복막염 사건들은 항생제 치료에 의해 시작되며 항생제 치료 중의 진균 예방은 높은 진균 복막염 확률을 보이는 치료 과정에서 캔 다다 복막염과 같은 몇몇 증례들을 예방할 수 있을 것이다. 몇 개의 연구들에서 항생제 사용 기간 동안 진균 복막염의 예방을 위하여 경구 니스타틴의 예방적 사용 실험을 시행하였고 엇갈리는 결과를 보였다. 우리는 진균 복막염 발생의 확률이 높은 경우에는 니스타틴의 예방적 사용이 고려되어야만 한다고 믿고 있다.

e. 지속적 외래 복막투석과 자동 복막투석 스케줄의 대체

지속적 외래 복막투석 환자들은 일반적으로 초미세여과가 부적절하지 않는 한 기존의 정상 교환 스케줄을 지속한다. 어떠한 기관들은 지속적 외래 복막투석과 자동 복막투석 환자들 모두에게 중등도 또는 심한 복막염이 발생하였을 때 초기 24~48시간 동안 교환기를 통하여 3~4시간마다 항생제를 함유한 투석액을 교환하여 치료하는 것을 선호한다. 자동 복막투석 환자들에게 경도에서 중등도의 복막염이 있을 때는 지속적으로(모든 교환에 첨가) 또는 간헐적으로(주간 저류에만 첨가) 항생제를 주입하면서 스케줄의 변화없이 할 수 있다. 어떤 경우에는 지속적 외래 복막투석으로 변경하기도 하지만 만약 그들이 집에서만 치료를 받는 환자들이라면 문제가 될 수 있다. 자동 복막투석을 지속하게 되는 경우의 항균제의 용량은 표 27.5에 나와있다. 환자를 입원시킬지에 대하여는 환자의 신뢰도, 복막염의 심한 정도와 선택된 치료 스케줄과 같은 여러 인자들에 의존하여 결정하게 된다. 현재 대부분의 기관들에서는 다수의 경우 외래에서 관리되고 있다.

f. 이차성 복막염의 고려

적지만 유의한 비율의 복막염 환자들에게서 심각한 기저 복강 내 질환(예를 들면, 소화성 궤양 천공, 췌장염, 충수돌기염, 이나 게실염)이 있을 것이다. 복부 내 존재하는 복수는 이러한 상태와 연관하여 국소압통을 흔히 감출 수 있다. 만약 복부 내 기저 질환의 발생이 의심이 되는 경우라면 흉부 방사선이 시행되어야만 한다. 입 위 흉부 방사선에서 존재하는 자유복강 내 공기는 최근 개복술이나 연결 세트의 교환을 시행하지 않은 지속적 외래 복막투석 환자에게서는 이상한 소견이며 내장의 천공의 존재를 의미하는 것일 수 있다. 그러나 자유 복강 내 공기는 교환기를 사용하여 치료 받는 환자에게는 더 흔하게 있을 수 있다.

g. 아밀라아제(amylase)와 리파제(lipase)

투석 환자들에게서 췌장염이 의심될 때 정상의 3배 이상으로 증가된 혈청의 총 아밀라아제 값은 췌장염이 존재하는 것을 암시한다. 투석 환자에서는 단지 약간 또는 진단하기 어려울 정도의 경미한 혈청 총 아밀라아제의 상승을 보여도 매우 심한 췌장염이 있을 수 있다. 복수 아밀라아제 농도는 복막투석을 받는 환자들에게서 쉽게 얻어질 수 있고 심한 췌장염에서도 복수 아밀라아제가 약간만 증가할 수 있으므로 췌장염의 민감한 지표가 아니다. 그럼에도 불구하고, 유출액의 아밀라아제 농도가 >100 unit/dL일 때 췌장염이나 복부 내의 다른 심각한 문제를 시사 할 수 있다.

투석 환자들의 약 50%에서 혈청 리파제의 활성이 증가된다(정상의 2

배까지 높게). 아이코덱스트린 복막투석액을 사용하는 복막투석 환자들에게서 급성 췌장염을 진단하기 위해서는 아밀라아제보다 리파제를 측정하는 것이 더 나을 것이다.

h. 복강 투과도의 연속적인 변화

복막염 동안, 수분, 포도당, 그리고 단백질의 복막 투과도가 증가한다. 투석액으로 부터의 빠른 포도당 흡수는 초미세여과의 양을 줄이고 수분과다를 야기할 수 있다. 높은 투석액의 포도당 농도가 짧은 저류시간이 적절한 초미세여과를 유지하기 위해 필요할 것이다. 복막염이 있으면 포도당의 흡수가 더 빠르기 때문에 고혈당이 야기되므로 혈당을 주기적으로 측정하여 감시해야 하며 인슐린 용량을 조정하지 않는 한 당뇨병 환자들에게서 고혈당이 심해질 수 있다. 복막염이 있을 동안 단백 소실은 일시적으로 증가한다.

i. 변비

변비는 복막염 기간동안 흔하며 정수된 투석액의 배액을 어렵게 하는 것과 함께 그 자체로도 복막염 발생의 위험인자이다. 만약 변비가 있다면, 변비를 더 야기하거나 악화시킬 수 있는 칼슘을 함유하는 인 결합제를 일시적으로 중단해야만 한다.

2. 복막염이 아닌 복강 오염의 초기 관리

복강의 세균 오염 후 대부분 균주의 잠복기는 약 12~48시간이다. 만약 무균적 투석 방법이 지켜지지 못한 경우가 발생하였으면, 복막염이 발생하는 것을 예방하기 위해서 즉각적인 항생제 치료를 시작하는 것이 권장된다. 투석액 연결 세트를 반드시 교체해야 하며 항포도알균 항생제가 들어있는 복막액으로 복강을 씻어내야만 한다. 단기간의(1에서 2일) 경구 항생제치료(예를 들면, 시프로플록사신)이 투여될 수 있다. 그러나 이러한 과정들이 복막염의 예방을 위하여 효과적이라는 기록은 없다.

3. 환자의 경과와 초기 배양검사 결과에 근거한 복막염 관리의 변화

효과적인 치료로 환자들은 12~48시간 내에 임상적으로 호전되기 시작하고 총 세포 수와 복수의 호중구 백분율은 감소하기 시작해야 한다. 삼출액의 시진으로도 충분하지만 48시간 내에 호전이 없다면 세포 수의 측정과 배양검사의 반복이 필요하다. 원인 세균의 분리와 항생제 감수성의 결정은 일반적으로 2~3일 내에 얻어진다. 어떤 까다로운 유기체들(예를 들면, 겐타마이신(gentamicin), 메치실린 내성 황색포도알균(MRSA))에서는 더 오랜 배양 기간이 필요할 것이다. 한 가지의 균주가 70~90%의 증례에서 분리되었다(표 27.1).

a. 그람 양성균의 배양

만약 포도알균, 표피 포도알균이나 사슬알균 종이 확인되었다면 한 가지의 항생제 치료를 지속하는 것이 추천된다. 만약 아미노글라이코시드가 초기에 주어졌다면 이제 중단할 수 있다. 1세대 세팔로스포린에 저항이 있다고 보고된 많은 표피포도알균과 같은 균주 들은 복강 내에서 도달하는 항생제 농도에 민감하다. 그러므로 만약 환자가 치료에 임상적으로 반응하면, 항생제 요법을 변경할 필요는 없다. 만약 장구균 종이 배양되면, 감수성 검사에서 반코마이신(vancomycin)에 내성을 나타내고 있어 리네졸리드(linezolid)나 quinupristine/dalfopristine이 필요한 경우가 아니라면, 일반적으로 암피실린(ampicillin)이나 반코마이신에 아미노글라이코시드를 추가하여 사용한다.

1. 치료 기간

만약 환자가 즉시 호전되고 있다면, 응고효소 음성 포도알균과 장구균 복막염의 항생제 치료는 총 14일 동안 지속되어야만 한다. 포도알균 복막염은 항균제의 사용이 3주 동안 요구되고 리팜핀(rimfampin)이 포도알균 복막염의 재발이나 반복을 예방하기 위하여 함께 고려되어야만 한다. 리팜핀은 cytochrome P450 (CYP3A4)를 유도하므로 이러한 경로를 통하여 대사되는 다른 약제를 복용하는지 여부에 대하여 유념해야만 한다. 포도알균 복막염과 동시에 출구나 터널 감염이 있을 경우 도관의 제거 없이는 항생제에 반응하지 않을 것이다.

2. 비강 보균과 황색포도알균의 감염.

포도알균 복막염이 발생하는 환자들은 주로 이러한 균주의 비강 보균자이다. 비강 보균의 박멸이 이러한 세균에 의한 추가적인 복막 감염을 막는데 도움이 될 것이다. 비강 내로 무피로신(매 4주마다 5일 동안 하루 2번씩)이나 경구 리팜핀(매3개월마다 5일 동안 하루 2번 300 mg)을 투여한다. 무피로신과 리팜핀 내성의 증가가 흔하다. 보균상태의 박멸은 항생제 치료 후에 적절한 배양검사를 반복하여 확인 해야만 한다.

b. 그람 음성균의 배양

그람 음성균주의 회복은 임상적으로 호전되고 있는 환자에서 여러 가지로 중요한 영향을 가진다: (a) 그람 음성 감염들(특히 녹농균 종)은 박멸이 어렵고 복막염 재발의 위험이 높다, (b) 그람 음성 복막염은 예상치 못한 복부 내 병리적 상태의 징후일 수도 있다, 그리고 (c) 지속된 아미노글라이코시드의 치료는 귀 전정기관 독성의 위험을 가진다.

만약 한 가지, 비 녹농균 종을 찾게 된다면, 비록 어떤 기관들에서는 2가지 제제의 사용을 선호할 지라도, 주로 초기의 복막염은 복강 내 3세대 세팔로스포린이나 아미노글라이코시드 단독 또는 다른 한가지의 적절한 항생제를 사용하여 치료할 수 있다. 만약 녹농균 종이 발견 된다면, 2가지 항생제를 사용해야만 한다. 보통, 복막 내 아미노글라이코시드는 3세대 세팔로스포린을 함께 복막 내로 투여하거나 항녹농균 활동을 가지는 반합성 페니실린(예, piperacillin)의 정맥 내 투여가 함께 지속되어야만 한다. 반합성 페니실린은 생체 외 아미노글라이코시드를 불활성화할 수 있고, 복막 내 함께 주입하는 것은 피해야만 한다. 다른 대체 약제로는 시프로플록사신(또 다른 quinolones), 아즈트레오남(aztreonam), 이미페넴(imipenem), trimethoprim-sulfamethoxazole이 있다. 녹농균 복막염은 2/3 가까이에서 도관의 제거를 필요로 한다(Bunke, 1995). Fluoroquinolones(예를 들면 시프로플록사신과 오플록사신)은 경구 투여로 유효한 투석액 내의 약물 농도 레벨에 도달할 수 있다는 장점이 있으나 위장관으로부터 적절한 흡수가 이루어지게 하기 위해서는 인산염(phosphate) 결합 제산제와 동시 투여를 피해야 한다.

1. 치료 기간

합병증이 없는 경우, 그람 음성 복막염의 치료 기간은 적어도 2주에서 3주를 선호한다. 만약 복막 도관이 제거되었다면, 특히 녹농균에서 적절한 항생제(PO나 IV)를 또 다른 2주 동안 지속해야만 한다.

2. 복강 내 아미노글라이코시드의 독성

그람 음성 복막염을 치료하기 위하여 아미노글라이코시드를 장기간(2주) 사용하는 것이 필요하다. 평소에는(부하 용량 후에), 4~6 mg/L의 겐타마이신, 토브라마이신(Tobramycin)이나 네틸마이신(netilmycin)을 복막투석 용액에 첨가한다. 이와 같은 방법은 일정한 혈청 약물 농도를 유지시키거나 이독성 및 전정 독성(otovestibulotoxicity)을 야기할 수 있다. 한 개의 백에 매 24시간마다 더 높은 용량을(예를 들면, 20 mg/L의 겐타마이신이나 토브라마이신) 추가하는 것은 혈청 농도를 일정하게 2 mg/L보다 높게 하는 것을 피할 수 있고 복강 내 아미노글라이코시드의 투여에 의한 독성을 줄일 수 있다.

3. 대체 약제

많은 그람 음성 균주들은 아즈트레오남, 새로운 세팔로스포린, 퀴놀론, 이미페넴이나 반합성 페니실린에 감수성을 보인다. 이러한 대체 약제들의 사용은 초기 치료나 장기간의 치료가 필요한 복막염에서 고려되어야만 한다.

4. Stenotrophomonas (이전의 Xanthomonas) 종의 감염

Stenotrophomonas maltophilia 감염의 주요한 위험인자는 이전의 광범위한 항생제의 사용이다. 이들은 주로 내성을 많이 갖는 균주들이다. 보통 cotrimoxazole을 포함하는 2가지의 항생제 치료가 요구되며 최소 3~4주까지 연장하여 치료해야 하고 주로 도관의 제거가 필요하다(Szeto, 1997).

c. 여러 균(polymicrobial) 복막염

일상적으로, 다수의 그람 양성 균주들에 의한 복막염은 항생제 치료에 반응할 것이다. 약 60%의 감염에서는 도관의 제거 없이도 호전된다(Szeto, 2002b).

반면에 만약 특히 혐기성 세균과 연관한 다양한 장내 균주들이 자란다면 복강 내 농양이나 복부 장관의 천공을 고려해야야 한다. 천공된 게실, 자궁관 난소의 농양, 담낭염, 충수돌기염, 천공된 궤양, 그리고 췌장염이 감별진단에 모두 포함되어야만 하며 이러한 경우 사망률의 위험이 증가한다(Kern, 2002). 초기의 관리는 그람 양성, 그람 음성, 혐기균주들을 목표로 한 3가지 항생제의 치료를 통하여 이루어질 수 있다. 복강 내 아미노글라이코시드, 복강내 반코마이신, 그리고 경구나 정맥주사를 통한 메트로니다졸을 통상적으로 사용한다. 수술적 평가를 하고 개별화된 치료를 해야만 한다.

d. 배양-음성 복막염

만약 24시간째 배양 검사들이 음성이라면, 대부분은 세균 감염이 있으나 원인이 되는 균주가 배양 샘플에서 자라는데 실패하였을 것으로 볼 수 있다. 때때로, 5~7일이 지난 후에야 배양되기 시작하는 경우도 있으므로 배양기간은 그 정도로 길게 잡아야 한다. 치료는 환자가 임상적으로 호전되고 있는지 여부에 의존한다. 비록 현재의 ISPD에서는 14일 동안 초기의 2가지 항생제를 지속하는 것을(Li, 2010) 권고하고 있으나, 많은 관계자들은 만약 3일 후 환자가 호전되고 있다면 그람 음성균을 위한 항생제(예를 들면, 세프타지딤이나 아미노글라이코시드)를 중단할 것을 추천하고 있다. 호전되지 않는 배양 음성 복막염 환자들은 효모균, 항산균, 그리고 진균과 같은 드문 균들을 찾기 위해 특이 배양기술을 사용하여 다시 배양해야만 한다. 만약 투석 프로그램의 배양 음성 복막염이 >20%의 확률을 보인다면 배양 방법을 다시 검토해야만 한다.

결핵균(Mycobacterium tuberculosis)의 감염이나 비결핵성 마이코박테리아(Non-Tuberculosis Mycobacteria)의 감염이 때때로 배양 음성 복막염에서 있을 수 있다. 마이코박테리아 복막염이 의심될 때, 배양기술에 특별히 주의해야만 한다. 고체 배지(Lowenstein-Jensen agar)와 액체 배지(Septi-cheK, BACTEC, etc.)를 사용하여 많은 양의 유출액(50~100 mL)을 원심분리한 후 침전물을 배양하면 진단의 민감도가 향상될 수 있다. 적절한 치료가 제공될 때에는 의무적으로 시행하지 않으나 종종 도관의 제거가 요구된다. 이러한 경우에 치료를 위하여 여러가지 약제 요법(보통 isoniazid, rifampin, ofloxacin, 그리고 pyrazinamide)가 사용된다. Streptomycin과 Ethambutol은 일반적으로 투석 환자에게 권장되지 않는다.

e. 진균 복막염

진균 복막염은 심각한 합병증이며 최근 세균성 복막염으로 항생제 치료를 받은 경우 강하게 의심해야만 한다. 다른 진균 복막염의 악화 요인들로는 당뇨병, 면역억제제(예를 들면, 면역저하제, HIV 감염), 그리고 영양 결핍, 특히 낮은 혈청 알부민 농도가 있다. 칸디다가 가장 일반적으로 배양되는 균주이나 많은 종류의 진균이 원인이 될 수 있다. ISPD는 진균이 그람 염색이나 배양검사에서 확인되자마자 즉각적인 도관의 제거(Li, 2010)와 함께 적어도 10일 동안 항진균제 치료를 권고하고 있다. 이후 환자는 혈액투석 치료를 지속하게 된다. 환자들은 적어도 모든 임상적 복막염의 증거가 가라앉은 상태로 적어도 1주가 지난 상태에서 4~6주 후에 새로운 도관을 삽입할 수 있다.

도관의 제거에 추가하여 유착 형성의 제한을 위한 시도로, flucytosine, miconazole, fluconazole, ketoconazole, itraconazole, 또는 voriconazole과 같은 지속적인 항진균제의 경구 투여가 사용될 수 있다. Voriconazole이나 posaconazole은 실 모양의 진균이 배양되었을 때, amphotericin B의 대체 약제이나 두가지 모두 칸디다 복막염을 위하여 단독으로 사용할 수 없다(도관이 제거 되었을 지라도). 이러한 약제들의 추천 용량은 용량을 감량해야만 하는 flutocytosine을 제외하고는 정상 신기능의 환자와 같다(35과를 보아라). 많은 나라들에서 flutocytosine의 경구제제 사용이 불가능하다는 점과 높은 비용이 진료에 영향을 줄 것이다.

4. 난치성 복막염(refractory peritonitis)과 도관 제거의 적응증

난치성 복막염은 5일간의 적절한 항생제 사용 후에도 복막염 치유에 실패한 경우를 의미한다. 도관의 제거는 환자의 이환율을 줄이고 복막을 보존하기 위하여 필요하다. 초음파, 컴퓨터 단층촬영술, 또는 gallium 스캔의 적응증은 복부 내 농양이 의심되는 경우 또는 도관이 제거되는 시점이나 그 이후에 수술적 탐색술과 배액이 필요할 때이다. 보통 항생제에 잘 반응하지 않는 환자들은 오랜기간 동안 항생제에 노출되어 중복감염(superinfection), 이환율, 복막 손상의 위험이 증가하게 되는 것 보다 도관을 제거하는 것이 선호된다. 도관 제거 이후에 새로운 도관을 삽입하기 직전까지 안전한 시간 간격에 대하여는 논란의 여지가 있으며 진균 복막염이나 터널감염이 존재하는 지와 복막염의 정도에 따라 달라질 것이다. 보존적인 치료 방법은 4~6주 기다리는 것이다. 복막투석 재개는 약 절반의 환자들에게서 가능하나 적절한 투석과 초미세여과를 달성하기 위하여는 투석 처방의 변화가 필요할 것이다(Szeto, 2002).

5. 재발성, 회귀성, 반복적 복막염(Relapsing, recurrent, and repeat peritonitis.)

재발성 복막염(relapsing peritonitis)은 항생제 치료의 중단 4주 이내에 같은 균주에 의한 복막염을 의미한다. 주로 표피포도알균이나 그람 음성 균주들이 연관되나 재발성 배양 음성 복막염도 흔하다. 재발하는 그람 음성 복막염의 증례들에서 수술적 탐색의 여부와 관계없이 특히 녹농균 감염의 경우에는 도관의 제거를 강력히 고려해야만 한다. 만약 약제로만 환자를 치료하기로 결정하였다면, 반드시 아미노글라이코시드가 간헐적으로 투여되거나 대체 약제를 사용해야만 한다. 덜 심한 감염에서는 예전의 도관 제거와 함께 새로운 도관을 동시에 삽입하여 혈액투석을 필요하지 않도록 하는 것이 가능하다. 새로운 도관은 이전 도관 출구에서 떨어진 곳에 삽입해야만 한다. 이러한 접근은 특히 응고효소 음성 포도알균으로 인한 재발성 복막염의 관리에 유용할 것이다.

최근의 연구들은 재발성(relapsing)과 회귀적(recurrent) 복막염 사건들이 다양한 범위의 세균에 의하여 야기되며 2가지의 뚜렷한 임상적 양상을 나타낼 가능성이 있음을 제안하고 있다(Szeto, 2009). 특히, 회귀적 복막염(recurrent peritonitis)의 사건들이 재발성 복막염(relapsing peritonitis)보다 더 나쁜 예후를 가진다. 비록 일반적으로 recurrent peritonitis는 항생제에 만족할 만한 반응을 보이지만, relapsing, recurrent 또는 repeat peritonitis의 치료와 함께 추가적인 relapsing 또는 repeat peritonitis의 발생 위험을 상당히 가진다

(Szeto, 2011b).

a. 섬유소 용해 효소

스트렙토키나제와 유로키나제는 몇몇의 연구자들에 의하여 불응성(refractory) 또는 재발성(relapsing) 복막염의 치료에 사용되어왔다. 이러한 제제들은 복막내의 도관을 따라 있는 섬유소에 갇혀있는 세균들의 방출을 유발하여 감염의 박멸을 가능하도록 사용되었다. 통제 연구들에서는 이러한 접근이 도관의 제거와 교체에 비교하여 효과적이라고 증명되지는 않았다(Williams, 1989).

6. 도관 폐쇄가 동반된 복막염

도관폐쇄는 종종 복막염과 동반된다. 23장에서 관리에 대하여 논의하고 있다.

7. 예방적 항균제의 사용

예방적 항균제 사용은 복막염을 예방하지 않는다; 출구 감염의 환자들에게게서도 해당되는 사실이다. 그러나 단기간의 전신적 예방적 항생제의 사용은 다음과 같은 경우에는 이롭다: (a) 도관 삽관 전(vancomycin or cefazolin); (b) 치과 술기(amoxicillin 2 g)나 대장내시경, 대장 용종절제술, 자궁경, 담낭절제술(ampicillin에 aminoglycosides 추가)과 같은 침습적인 술기 동안의 균혈증 예방을 위하여; (c) 우연한 오염 후.

8. 예방

예방적 항균제의 사용은 위에서 논의되었다. 투석액 백을 찌르는 것은 오염과 연관하여 고 위험 술기이다: '채우기 전에 흘려 보내기'로 오염의 위험을 줄일 수 있다. 이중 커프가 있는 도관들은 포도알균이 배꼽 주위에서 복막으로 이동하는 것의 추가적인 장벽을 제공하며 한 개의 커프가 있는 도관보다 분명히 복막염의 위험을 줄이는데 뛰어나다. 복막염의 예방을 위하여 표준의 이중 커프 실리콘 도관보다 확실히 더 나은 도관이 있지는 않았다.

수술 전후의 몇 가지 대책은 복막염의 발생을 줄이기 위하여 도움이 될 것이다(Crabtree, 2005). 피부 출구는 아래 측이나 측면을 향해야만 한다. 피하 터널 절개는 투석 도관의 직경을 넘지 않아야만 한다. 피하 커프는 출구로부터 2~3 cm에 위치해야만 한다. 출구 부위는 도관 출구로서의 가장 작은 크기의 구멍이어야만 한다. 출구 부위에서는 도관의 고정을 위한 봉합 선이 없어야만 한다.

저칼륨혈증은 장내 복막염 위험의 증가와 연관되므로 만약 존재한다면 치료 되어야만 한다. 심한 변비와 장염 그리고 복막염은 장내 세균과 연관이 있다. 어떠한 세균성 장염이든지 만약 존재한다면 치료하는 것이 타당하다. 최근의 관찰 연구에서는 락툴로오스(lactulose) 치료가 복막염의 위험을 낮출 것이라고 제안하였다(Afsar, 2010).

훈련 방법은 복막투석 감염의 위험에 본질적인 영향을 끼치며 훈련은 표준의 가이드라인을 따라야만 한다(Bernardini, 2006); 각각의 복막투석 프로그램은 트레이너를 준비하고 특이 커리큘럼을 만들기 위해서 표준 ISPD 가이드라인들에 자문을 구해야만 한다. 각 프로그램은 또한 일상적인 환자의 재교육을 얼마나 어떻게 자주 시행할지도 결정해야만 한다; 이것에 관하여는 발행된 연구가 없다. 복막염과 도관 감염에 따른 경우나 손재주, 시력, 예민한 정신의 변화가 생겼을 때에는 재교육이 고려돼야만 한다. 매 복막염 사건 마다, 원인을 찾아내기 위한 근본 원인의 분석을 시행하는 것이 필요하며 중재적 시술이 미래의 재감염을 방지하기 위해 계획될 수 있다.

II. 출구와 터널 감염

약 1/5 복막염 사건들이 일시적으로 출구와 터널 감염과 연관된다(Piraino, 2005). 발적만으로는 감염을 의미할 수도 그렇지 않을 수도 있으나, 출구의 농성 배액은 일반적으로 감염의 존재를 의미한다.

A. 발생률

출구 감염의 발생률은 대략적으로 24~48 인-월(patient-months) 마다 1차례 발생한다. 이전에 감염이 있던 환자들은 더 높은 빈도의 발생률을 가지는 경향이 있다.

B. 원인과 발병 과정

출구 감염은 <20% 환자들에게서 우세한 원인균인 포도알균과 녹농균, 표피포도알균에 의하여 일어난다. 약 45%의 환자들은 포도알균의 비강보균자이고 비강보균자들은 출구 감염과 복막염과 연관이 있다(Luzar, 1990a, 1990b). 보균 상태의 박멸은 효과적인 치료에 도움이 된다.

C. 치료

발적만 있거나 발적과 함께 농양 배액이 있는지에 따라 치료가 정해진다. 보통 발적만 있을 경우에는 고장성 식염수, 과산화수소나 2%의 무피로신 연고의 도포 치료로도 충분하다. 무피로신 연고는 폴리우레탄 도관에서는 사용되어서는 안 된다(예를 들면, 많은 도관들은 Vas-Cath나 Cruz cathter from corpak에서 만들어진다). 왜냐하면 무피로신 연고의 폴리에틸렌 글리콜이 폴리우레탄을 분해하고 도관을 망가트릴 것이기 때문이다. 시프로플록사신 이용액(otologic solution)이 폴리우레탄 도관에서는 사용될 수 있으나 출구 감염의 치료 효과에 대하여는 잘 알려지지 않았다(Montenegro, 2000).

농성 배액과 함께 출구 감염이 있는 경우의 치료는 문제가 더 많다. 감염은 피하 터널로 진행할 수 있고 도관 구역의 검사는 초음파로만 분명히 나타난다(Vychytil, 1999). 치료는 그람 염색과 배양의 결과를 근거로하여 시행해야만 한다. 출구 배액의 그람 염색과 미생물학적 배양 소견은 초치료의 가이드가 될 수 있다. 만약 그람 양성 균주가 발견되었다면, 세팔로스포린이나 항포도알균 페니실린 경구 제제가 1차 치료제이다. 배양검사와 감수성에 근거한 적절한 항생제를 1주간 사용해도 호전이 없다면, 하루마다 600 mg의 경구 리팜핀이 추가될 수 있다. 만약 2주 내로 감염이 호전되지 않는다면, 수술적 접근(부분적 외벽의 절제, 바깥 커프의 절제, 또는 도관 제거)이 필요할 것이다. 만약 터널 감염이 존재한다면, 특히 혼재하는 복막염이 있을 때는 도관의 제거가 때때로 필요하나, 항생제 투여와 함께 조기 커프의 절제가 상당한 비율의 도관 구제(catheter salvage)를 보일 것이다(Suh, 1997).

만약 그람 음성 균주가 있다면 치료는 감수성 결과에 기반하여야만 한다. 경구 quinolones 제제는 유용하나 약 복용 2시간 이내에 다원자의 양이온들(칼슘, 철분, 아연, 제산제)의 섭취를 피하기 위하여 신경써야만 한다. 더 심한 녹농균 감염들이 있는 경우, 복막 내 세프타지딤이나 아미노글라이코시드가 필요할 수 있다. 어떻든 간에, 항생제 치료는 출구가 완전히 정상으로 보일 때까지 지속되어야만 한다. 최소 치료기간은 2주이고 녹농균에 의해 발생한 출구감염은 아마도 3주의 치료가 필요할 것이다.

녹농균에 의한 출구감염이 있다면 조기에 도관 제거가 고려되어야만 하며 만약 터널 감염이 있다면 한 번의 시술로 다른 부위에 새로운 도관으로 교체하는 것도 가능하다. 표 27.6에 출구 감염 치료를 위한 적절한 경구 항균제 용량이 나열되어 있다.

D. 예방

포도알균 비강 보균자의 항생제 프로토콜은 포도알균 도관 감염의 위험을 줄이는데 효과적이다. 프로토콜에서는 리팜핀(5일간 600 mg 경구제제), 무피로신(하루 2회 5일 동안 매4주마다), 그리고 trimethoprim-sulfamethoxazole(주3회 단일제제)를 포함하여 사용한다. 무작위 조절 연구에서, 5일동안 매 3개월마다 주어진 600 mg 리팜핀 경구제제가 도관의 감염들을 줄이는데 효과적이었다(Zimmerman, 1991). 다 기관 무작위 연구에서(Mupirocin Study Group, 1996), 비강의 무피로신 요법이 포도알균 비강 보균자들에게서 이 균주로 인한 출구 감염의 유의한 감소를 보였다; 그러나 그람 음성 감염들과 터널감염의 발생률의 증가 그리고 복막염에 영향이 없어서 출구 감염의 총 발생률은 감소하지 않았다.

도관 감염(그리고 이와 같은 복막염)의 예방은 출구 관리의 일차적 목표이다. 출구에 항생제 크림(무피로신이나 겐타마이신)을 모든 환자에게 사용하는 것을 지지하는 충분한 자료들이 있다. 2가지의 임상 연구에서, 매일마다 무피로신 연고가 출구에 도포되어, 출구 감염과 복막염이 과거 대조군과 비교하여 감소하였다(Bernardini, 1996; Thodis, 1998). 또 다른 연구에서(Bernardini, 2005), 무피로신 크림과 같이 겐타마이신 크림은 포도알균 감염의 예방에 효과적이고 녹농균과 다른 그람 음성 도관 감염들을 줄였다. 복막염들, 특히 그람 음성

TABLE 27.6	출구 및 터널 감염에 대한 경구 항생제 용량
Amoxicillin	250–500 mg b.i.d.
Cephalexin	500 mg b.i.d.
Ciprofloxacin	250–500 mg b.i.d.
Clarithromycin	250–500 mg b.i.d.
Dicloxacillin	250–500 mg b.i.d.
Fluconazole	200 mg once daily
Flucloxacillin	500 mg b.i.d.
Flucytosine	2-g load, then 1 g PO, q.day
Isoniazid	300 mg once daily
Linezolid	600 mg b.i.d.
Metronidazole	400 mg b.i.d. for <50 kg 400–500 t.i.d. for >50 kg
Ofloxacin	400 mg first day, then 200 mg once daily
Pyrazinamide	35 mg/kg per day (given as b.i.d. or once daily)
Rifampin	450 mg once daily for <50 kg 600 mg once daily for >50 kg
Trimethoprim/sulfamethoxazole	80/400 mg once daily

b.i.d., two times per day; PO, orally; t.i.d., three times per day.
Reproduced from Piraino B, et al. Peritoneal dialysis-related infections recommendations: 2005 update. Perit Dial Int. 2005;25:107-131.

균주에 의하여 야기된 경우는 35%가량 감소하였다. 그람 양성과 그람 음성 감염 모두에 효과가 있기 때문에, 매일마다 젠타마이신 크림을 출구에 바르는 것이 복막투석 환자들의 예방적 선택으로 지지되어 왔다. 그러나 지속적인 사용 후의 아미노글라이코사이드의 내성 위험에 대하여는 평가되지 않았다.

출구 감염의 발생률이 이중 커프 도관에서 낮은지에 대하여는 다소 논란이 있다(Nessim, 2010; Segal, 2013). 도관 삽입의 방법은 중요할 것이다. 삽입 후 수주 동안은 도관을 피하에 함몰되도록 남겨두었다가(23과를 보아라) 사용 전에 밖으로 꺼내는 것은 출구 감염의 확률을 줄일 것이다. 클로르헥시딘 대 포비돈-요오드 용액의 사용은 어린이들의 출구 감염의 감소에 유의한 연관이 있다(Jones, 1995). 또한 폴리헥사나이드(polyhexanide) 용액이 포비돈-요오드(povidone-iodine)보다 나아 보인다(Nunez-Moral, 2014).

References and Suggested Readings

Afsar B, et al. Regular lactulose use is associated with lower peritonitis rates: an observational study. *Perit Dial Int*. 2010;30:243–246.

Ballinger AE, et al. Treatment for peritoneal dialysis-associated peritonitis. *Cochrane Database Syst Rev*. 2014;26:CD005284.

Bernardini J, Price V, Figueiredo A; International Society for Peritoneal Dialysis (ISPD) Nursing Liaison Committee. Peritoneal dialysis patient training. 2006. *Perit Dial Int*. 2006;26:625–632.

Bernardini J, et al. A randomized trial of Staphylococcus aureus prophylaxis in peritoneal dialysis patients: mupirocin calcium ointment 2% applied to the exit site versus cyclic oral rifampin. *Am J Kidney Dis*. 1996;27:695–700.

Bernardini J, et al. Randomized, double-blind trial of antibiotic exit site cream for prevention of exit site infection in peritoneal dialysis patients. *J Am Soc Nephrol*. 2005;16:539–545.

Bunke M, et al. Pseudomonas peritonitis in peritoneal dialysis patients: the Network 9 Peritonitis Study. *Am J Kidney Dis*. 1995;25:769–774.

Cho Y, Johnson DW. Peritoneal dialysis-related peritonitis: towards improving evidence, practices, and outcomes. *Am J Kidney Dis*. 2014;64:278–289.

Cho Y, et al. Biocompatible dialysis fluids for peritoneal dialysis. *Cochrane Database Syst Rev*. 2014;27:CD007554.

Choi P, et al. Peritoneal dialysis catheter removal for acute peritonitis: a retrospective analysis of factors associated with catheter removal and prolonged postoperative hospitalization. *Am J Kidney Dis*. 2004;43:103–111.

Crabtree JH, et al. A laparoscopic method for optimal peritoneal dialysis access. *Am Surg*. 2005;71:135–143.

Daugirdas JT, et al. Induction of peritoneal fluid eosinophilia and/or monocytosis by intraperitoneal air injection. *Am J Nephrol*. 1987;7:116–120.

Elamin S, et al. Low sensitivity of the exit site scoring system in detecting exit site infections in peritoneal dialysis patients. *Clin Nephrol*. 2014;81:100–104.

Fielding RE, et al. Treatment and outcome of peritonitis in automated peritoneal dialysis, using a once-daily cefazolin-based regimen. *Perit Dial Int*. 2002;22:345–349.

Gadallah M, et al. Role of preoperative antibiotic prophylaxis in preventing postoperative peritonitis in newly placed peritoneal dialysis catheters. *Am J Kidney Dis*. 2000;36:1014–1019.

Humayun HM, et al. Peritoneal fluid eosinophilia in patients undergoing maintenance peritoneal dialysis. *Arch Intern Med*. 1981;141:1172–1173.

Jones LL, et al. The impact of exit-site care and catheter design on the incidence of catheter-related infections. *Adv Perit Dial*. 1995;11:302–305.

Kern EO, et al. Abdominal catastrophe revisited: the risk and outcome of enteric peritoneal contamination. *Perit Dial Int*. 2002;22:323–324.

Kerschbaum J, et al. Treatment with oral active vitamin D is associated with decreased risk of peritonitis and improved survival in patients on peritoneal dialysis. *PLoS One*. 2013;8:e67836.

Lai MN, et al. Intraperitoneal once-daily dosing of cefazolin and gentamicin for treating CAPD peritonitis. *Perit Dial Int*. 1997;17:87–89.

Li PK, et al. Use of intraperitoneal cefepime as monotherapy in treatment of CAPD peritonitis. *Perit Dial Int*. 2000;20:232–234.

Li PK, et al. Comparison of clinical outcome and ease of handling in two double-bag systems in continuous ambulatory peritoneal dialysis—a prospective randomized controlled multi-center study. *Am J Kidney Dis*. 2002;40:373–380.

Li PK, et al. Peritoneal dialysis-related infections recommendations: 2010 update. *Perit Dial Int*. 2010;30:393–423.

Li PK, et al. Infectious complications in dialysis—epidemiology and outcomes. *Nat Rev Nephrol*. 2012;8:77–88.

Low CL, et al. Pharmacokinetics on once-daily IP gentamicin in CAPD patients. *Perit Dial Int*. 1996;16:379–384.

Lui SL, et al. Cefazolin plus netilmicin versus cefazolin plus ceftazidime for treating CAPD peritonitis: effect on residual renal function. *Kidney Int*. 2005;68:2375–2380.

Luzar MA, et al. Exit-site care and exit-site infection in continuous ambulatory peritoneal dialysis (CAPD): results of a randomized multicenter trial. *Perit Dial Int*. 1990a;10:25–29.

Luzar MA, et al. Staphylococcus aureus nasal carriage and infection in patients on continuous ambulatory peritoneal dialysis. *N Engl J Med*. 1990b;322:505–509.

Manley HJ, et al. Pharmacokinetics of intermittent intraperitoneal cefazolin in continuous ambulatory peritoneal dialysis patients. *Perit Dial Int*. 1999;19: 67–70.

Manley HJ, Bailie GR. Treatment of peritonitis in APD: pharmacokinetic principles. *Semin Dial*. 2002;15:418–21.

Montenegro J, et al. Exit-site care with ciprofloxacin otologic solution prevents polyurethane catheter infection in peritoneal dialysis patients. *Perit Dial Int.* 2000;20:209–214.

Monteon F, et al. Prevention of peritonitis with disconnect systems in CAPD: a randomized controlled trial. The Mexican Nephrology Collaborative Study Group. *Kidney Int.* 1998;54:2123–2138.

Mupirocin Study Group. Nasal mupirocin prevents Staphylococcus aureus exit-site infection during peritoneal dialysis. *J Am Soc Nephrol.* 1996;7:2403–2408.

Nessim SJ, Bargman JM, Jassal SV. Relationship between double-cuff versus single-cuff peritoneal dialysis catheters and risk of peritonitis. *Nephrol Dial Transplant.* 2010;25:2310–2314.

Núñez-Moral M, et al. Exit-site infection of peritoneal catheter is reduced by the use of polyhexanide: results of a prospective randomized trial. *Perit Dial Int.* 2014;34:271–277.

Piraino B, et al. A five-year study of the microbiologic results of exit site infections and peritonitis in continuous ambulatory peritoneal dialysis. *Am J Kidney Dis.* 1987;4:281–286.

Piraino B, et al. Increased risk of Staphylococcus epidermidis peritonitis in patients on dialysate containing 1.25 mmol/L calcium. *Am J Kidney Dis.* 1992;19:371–374.

Piraino B, et al. Peritoneal dialysis-related infections recommendations: 2005 update. *Perit Dial Int.* 2005;25:107–131.

Piraino B, et al. ISPD position statement on reducing the risks of peritoneal dialysis-related infections. *Perit Dial Int.* 2011;31:614–630.

Ram R, et al. Cloudy peritoneal fluid attributable to non-dihydropyridine calcium channel blocker. *Perit Dial Int.* 2012;32:110–111.

Schaefer F, et al. Intermittent versus continuous intraperitoneal glycopeptide/ceftazidime treatment in children with peritoneal dialysis-associated peritonitis. The Mid-European Pediatric Peritoneal Dialysis Study Group (MEPPS). *J Am Soc Nephrol.* 1999;10:136–45.

Segal JH, Messana JM. Prevention of peritonitis in peritoneal dialysis. *Semin Dial.* 2013;26:494–502.

Shemin D, et al. Effect of aminoglycoside use on residual renal function in peritoneal dialysis patients. *Am J Kidney Dis.* 1999;34:14–20.

Suh H, et al. Persistent exit-site/tunnel infection and subcutaneous cuff removal in PD patients. *Adv Perit Dial.* 1997;13:233–236.

Szeto CC, et al. Xanthomonas maltophilia peritonitis in uremic patients receiving continuous ambulatory peritoneal dialysis. *Am J Kidney Dis.* 1997;29:91–96.

Szeto CC, et al. Feasibility of resuming peritoneal dialysis after severe peritonitis and Tenckhoff catheter removal. *J Am Soc Nephrol.* 2002a;13:1040–1045.

Szeto CC, et al. Conservative management of polymicrobial peritonitis complicating peritoneal dialysis—a series of 140 consecutive cases. *Am J Med.* 2002b;113:728–733.

Szeto CC, et al. Recurrent and relapsing peritonitis: causative organisms and response to treatment. *Am J Kidney Dis.* 2009;54:702–710.

Szeto CC, et al. Persistent symptomatic intra-abdominal collection after catheter removal for PD-related peritonitis. *Perit Dial Int.* 2011a;31:34–38.

Szeto CC, et al. Repeat peritonitis in peritoneal dialysis: retrospective review of 181 consecutive cases. *Clin J Am Soc Nephrol.* 2011b;6:827–833.

Thodis E, et al. Decrease in Staphylococcus aureus exit-site infections and peritonitis in CAPD patients by local application of mupirocin ointment at the catheter exit site. *Perit Dial Int.* 1998;18:261–270.

Troidle L, et al. Two gram intraperitoneal cefazolin for the treatment of peritonitis. *Perit Dial Int.* 1997;17(suppl 1):S40.

Vychytil A, et al. Ultrasonography of the catheter tunnel in peritoneal dialysis patients: what are the indications? *Am J Kidney Dis.* 1999;33:722–727.

Williams AJ, et al. Tenckhoff catheter replacement or intraperitoneal urokinase: a randomized trial in the management of recurrent continuous ambulatory peritoneal dialysis (CAPD) peritonitis. *Perit Dial Int.* 1989;9:65–67.

Yu AW, et al. Neutrophilic intracellular acidosis induced by conventional lactate-containing peritoneal dialysis solutions. *Int J Artif Organs.* 1992;15:661–665.

Zimmerman SW, et al. Randomized controlled trial of prophylactic rifampin for ww-peritoneal dialysis-related infections. *Am J Kidney Dis.* 1991;18:225–231.

28 탈장, 누출, 그리고 피낭성 복막 경화증

이소연 역

복강 내 투석액의 주입은 복막 내 압력(IAP)의 증가를 동반한다. 이러한 증가의 2가지 주요 결정 인자들은 투석액의 용적과 저류기간 동안의 환자 자세이다. 반드시 누운 자세는 주어진 투석액 용적에서 가장 낮은 복강 내 압력과 연관이 있으며 앉아있는 경우에는 가장 높다. 더욱이 기침, 굽히기, 대변 볼 때 힘주는 행동들은 복부 내 압력을 일시적으로 증가시킨다. 증가된 복부 내 압력은 복막투석 환자들에게서 다양한 기계적인 합병증을 야기할 수 있다.

I. 탈장 형성

A. 발생률과 원인 인자들

탈장의 발병률과 유병률은 평가하기 어렵다. 무증상이거나 이학적 검진을 대충하는 경우에는 놓칠 수 있다. 복막투석을 하는 시간 동안 많게는 10~20% 환자들에서 탈장이 발생 할 수 있다고 제안되었다.

잠재적인 위험인자들은 표 28.1에 나열되었으며 발살바 수기(valsalva maneuver)나 등장성 힘주기(isometric straining)와 같은 활동과 많은 용적의 투석액을 포함한다. 더욱이, 복벽 근육의 상태악화(deconditioning)는 벽의 긴장도를 증가시키고 탈장 형성에 취약하게 만든다.

B. 탈장의 종류

복막투석 환자에게서 다양한 종류의 탈장이 발생할 수 있다. 표 28.2에

TABLE 28.1	탈장의 위험인자

대 용적 투석액 사용
좌위(sitting position)
등축성 운동(isometric exercise)
발살바법(Valsalva maneuver): 예, 기침, 변 볼 때 힘주기
최근 시행한 복부수술
도관 주위 누출 또는 혈종
비만
근육손상(deconditioning)
다산부(muliparity)
선천 해부학적 결손

TABLE 28.2	탈장의 위험인자

복측(ventral)
상복부(epigastric)
도관 주위(pericatheter)
배꼽(umbilical)
샅굴(직접과 간접)
넙다리부
Spigelian
Richter's
Foramen of Morgagni
방광류(cystocele)
장류(eneterocele)

나열되어 있다. 간접 샅굴 탈장(indirect inguinal hernia)은 정상적으로 막혀 있는 고환집막(processus vaginalis)이 열려있어 장이나 투석액이 흘러나와서 발생한다. 남자에게서 더 호발한다. 소년들의 경우 한 쪽의 고환집막이 열려있는 경우에는(간접 탈장을 야기), 다른 측 또한 열려있으므로 복구시에는(아래를 참고) 양측을 모두 시행해야 한다.

C. 진단

위에서 말한 바와 같이, 탈장은 종종 임상적으로 눈에 잘 보이지 않는 경우가 있으므로(잠재적인) 더 잘 보이게 하기 위하여 일어서서 '아래로 힘주기'를 하는 것이 복강 내 압력을 증가시키므로 유용하다. 도관 주위로 발생한 탈장은 혈종, 장액종(seroma) 또는 농양에 의한 종괴와 감별하는 것이 중요하다. 이러한 경우는 초음파 상 액체로 내부가 차 있어 고체 양상의 탈장과 구분할 수 있다. 음낭충만(scrotal fullness)의 간접 샅굴 탈장은 음낭수종(초상돌기를 통해 새어나온 액체나 투석액이 음낭에 고인 경우)과 내인성 음낭(intrinsic scrotal)이나 고환(testicular)의 질병과도 감별해야 한다.

탈장의 위치 확인을 위하여 조영제를 사용하는 컴퓨터 단층촬영술(CT)이 도움이 된다. Omnipaque 300 조영제 100 mL를 복막투석액 2 L에 섞어서 복강 내로 주입한다. 조영제가 탈장 주머니 안으로 들어가는 것을 돕기 위하여 투석액 주입 후 2시간 동안 충분히 활동하며 걸어다니도록 하는 것이 중요하다. CT 스캔은 이러한 과정 이후에 시행된다. 간접 샅굴 탈장의 경우에 생식기 부위를 촬영하는 것이 중요하다. CT 스캔은 조영제의 흔적 위치에 따라 초상돌기를 따라 아니면 전방의 복벽(아래를 참고)을 통해 복막투석액이 누출되는지를 확인하여 음낭부종의 원인을 확인할 수 있다. 이러한 과정은 전 복벽의 탈장과 투석액 누출 여부를 감별진단할 수 있다. 배꼽탈장과 같은 다른 종류의 탈장들은 육안적인 확진이 가능하므로 CT 스캔이 통상 필요하지 않다.

자기공명영상(MRI)이 복벽과 생식기 누출의 진단에 유용하며 종래의 방사선 조영제에 알레르기가 있는 환자들에게도 도움이 될 것이다. 투석액 자체가 MRI 영상에서 밝은 백색으로 보인다.

D. 치료

특히 배꼽탈장과 같이 작은 탈장들은 장의 감돈(incarceration)이나 꼬임(strangulation)을 유발할 위험이 크다. 이러한 병변들은 수술적으로 치료해야 한다. 만약 탈장 부위가 복원되지 않거나 특히 압통이 발생하였을 때 즉시 의학적 자문을 구해야만 함을 환자에게 강력히 경고하고 교육시켜야 한다. 복막염을 보이는 모든 환자들은 세균이 복강내로 누출되어 복막염의 원인이 될 수 있으므로 모든 복막염 환자에서 작은 꼬임 탈장 유무를 확인해야만 한다. 또한 방광류(cystocele)나 장류(enterocele)와 같은 크기가 큰 탈장은 수술 방법으로 치료할 수 있다. 자궁탈출증(uterine prolapsed, 실제로 탈장은 아님)은 때때로 페세리(pessary)로 일부 교정할 수 있으나 궁극적으로는 자궁절제술이 필요하다.

탈장의 수술적 교정 후 창상 치유를 돕기 위하여 복강 내 압력은 가능한한 낮게 유지해야만 한다. 잔여신기능이 어느 정도 유지되는 환자의 경우(예를 들면, 10 mL/min이나 그 이상), 복막투석을 일주일 정도 중단하였다가 1주 정도 소량(예, 1 L)을 주입하면서 복막투석을 다시 재개할 수 있다. 환자에게서 요독 증상이나 고칼륨혈증이 발생하는지 주의 깊게 관찰해야 한다. 만약 자동 복막투석이 가능하다면, 낮은 복강 내 압력을 유지하면서 바로 누운 자세로 투석을 할 수 있다. 만약 잔여신기능이 적거나 없다면, 복막투석액 주입량을 소량씩 사용하면서 수술 후에 투석을 시작해야 한다. 대체방법으로 창상이 완전히 회복될 때까지 2~3주 정도 복막투석을 일시적으로 중단하고 혈액투석을 시행할 수도 있다.

재발되는 탈장 환자에서는 격렬한 육체적 활동을 줄이거나 복막투석의 횟수를 늘리고, 복막투석액 주입량을 감량 또는 혈액투석으로의 전환을 고려해야 한다.

만약 환자의 전신상태가 불량하거나 수술을 거부한다면, 기계적 탈장의 보조 역할을하는 트러스(truss)나 코르셋(corset)을 이용하여 탈장부위를 지지해줄 수 있다. 환자에게 감돈이나 염전의 증상에 대하여 경고해야만 한다.

II. 복벽과 도관 주위의 누출

이러한 합병증(투석액 누출)의 발생 빈도가 정확히 알려져 있지 않으나 탈장보다는 적다. 위험인자들은 표 28.1에 열거된 바와 유사하다. 적절하지 못한 수술 방법이 도관 주위 누출의 발생과 연관될 수 있다.

A. 진단

복벽의 누출은 임상적으로 진단하기 어렵다. 주입된 양보다 나온 투석액의 양이 적을 때, 초미세여과의 실패로 오인할 수 있다(21장을 참고). 복벽의 조직에 투석액이 축적되면서 체중 증가가 흔히 관찰된다. 누출량의 감소, 체중 증가, 복부융기, 그리고 전신 부종이 동반되지 않는 경우 복벽을 통한 투석액 누출을 의심해야 한다. 이학적 검사는 환자가 서 있는 상태에서 시행하여 복부의 비대칭성 유무를 관찰해야만 한다. 허리밴드와 투석 관 등에 의해 눌려 생겨난 깊은 자국들과 함께 'Boggy 쳐진' 양상을 보일 수도 있다.

도관 주위 투석액 누출은 평소 소독 과정에서 도관 출구 부위가 젖어(투석액) 있는 경우 진단할 수 있다. 소변 담금 띠를 젖은 부위에 두는 검사를 시행할 경우 포도당에 강한 양성을 보일 것이다. '탈장 형성(I,C 부분)'에서 기술된 바와 같이 조영 CT 스캔을 통해 진단할 수 있다.

B. 치료

도관주위의 누출은 대개 도관 삽입술 후 합병증으로 발생한다. 환자는 배액을 하고 적어도 24~28시간 동안 복막투석을 중단해야만 한다. 오랫동안 복막투석을 중단할수록, 누출이 저절로 치유될 가능성이 커진다. 만약 필요하다면, 혈액투석을 받아야만 하며 복막투석은 수일 이후에 다시 시작될 수 있다. 대부분의 경우에, 투석액의 누출은 저절로 치료된다. 만약 누출이 지속된다면, 도관을 제거하고 다른 부위에 다시 도관을 삽입하며 특별한 관리를 해야만 한다. 분명한 감염의 징후가 있지 않는 한, 도관 누출을 위하여 예방적 항균제를 사용하지 않는다.

도관 주위의 누출과 다르게 복벽의 투석액 누출은 복막투석 도관 삽입 초기 또는 장기간 복막투석을 유지하던 중에도 발생할 수 있다. 반듯이 누운 자세(supine)의 자동 복막투석은 대개 축적된 투석액을 해결하게 해준다. 만약 완전한 복벽의 파열로 누출이 야기된다면, 야간 간헐적 복막투석 요법이나 혈액투석으로 전환해야만 한다. 때때로, 복벽의 결손은 일시적인 야간 간헐적 복막투석 과정 후에 치유되고 이후에 지속적 외래 복막투석(CAPD)을 다시 재개할 수 있으며 수술로 복벽의 결함을 고치기도 한다.

여성의 경우 질을 통한 투석액 누출이 발생하기도 한다. 근막의 결손을 통해 투석액이 누출될 수 있으며 이러한 경우에는 야간 간헐적 복막투석이나 혈액투석으로의 전환이 요구된다.

III. 생식기 부종

A. 병인

복막투석액은 2가지 경로를 통하여 외부 생식기로 누출될 수 있다: 한가지는 열려있는 초상돌기(processus vaginalis)를 따라 고환집막(tunica vaginalis)까지 아래로 이동하여 음낭수종(hydrocele)을 보인다. 또한 이러한 첫 경로에서는 투석액이 고환집막의 벽을 박리되게 할 수 있으며 음낭(아니면, 덜 흔하게 음순) 벽 자체의 부종을 보인다. 2번째 경로는 도관 삽입과 관련된 복벽의 결손을 통해 투석액이 누출되는 경우이다. 이러한 경우 투석액은 복벽의 하부를 따라서 투석액이

누출된다. 그리하여, 음경 꺼풀(foreskin)과 음낭(scrotum), 또는 불두
덩(mons pubis)의 부종을 야기하게 된다.

B. 진단

생식기 부종은 환자가 아프고 고통스러워서 초기에 의료진에게 빠른
치료를 받을 수 있게 한다. CT Peritoneography는 생식기 부종(예를
들면, 전방의 복벽이나 초상돌기)을 야기하는 투석액 누출 경로를 증
명하기 위하여 시행돼야만 한다. 또는 방사성 동위원소 물질 3~5 mCi
의 technetium이 표지된 알부민 콜로이드를 투석액에 섞어 환자에게
주입하여 섬광조영술을 통해 누출 경로를 추적한다.

C. 치료

복막투석을 일시적으로 중단해야 한다. 침상 안정과 음낭의 거상이 도
움이 된다. 생식기 부종을 유발하지 않으면서 필요에 따라 누운 상태
에서 투석액 주입량을 줄인 자동 복막투석을 시행하거나 일시적인 혈
액투석을 시행할 수 있다.

열려있는 초상돌기를 통한 투석액의 누출은 수술로 교정할 수 있다.
만약 복벽을 통한 누출이 있다면, 도관을 교체하는 것이 좋을 수 있다.
바로 누운 자세에서 적은 용량을 사용하거나 주간 저류 없이 시행하는
자동 복막투석은 복부 내 압력을 낮추며 반복적인 누출의 기회를 낮출
수 있다.

IV. 호흡기 합병증

A. 물가슴증(hydrothorax)

복막투석 환자의 일부에서 복강 내 압력이 증가함에 따라 투석액이 복
막에서 흉강으로 누출되어 투석 누출액으로 구성된 늑막액을 유발한
다. 이러한 합병증을 물가슴증이라 한다.

1. 발생빈도와 유발 요인

흉수는 적거나 무증상이기 때문에, 물가슴증의 발생빈도는 알려져
있지 않다. 그러나 물가슴증이 탈장보다 덜 흔한 것으로 알려져 있
다. 반쪽가로막의 결손은 투석액의 누출을 야기하며 첫 투석 교환
부터 발생하는 선천적 결손과 후기 합병증으로 발생하는 후천적 결
손이 있다. 물가슴증은 아마도 좌측의 반쪽 가로막이 대부분 심장
과 심장막에 덮여있기 때문에 오른쪽에서 거의 독점적으로 발생
한다.

2. 진단

물가슴증의 증상은 무증상의 흉수에서부터 심한 호흡곤란까지 다양
하다. 복막투석 치료의 시작부터 급성 호흡곤란이 발생할 경우 이 질
환을 생각해야만 한다. 진단을 하거나 증상의 완화를 위하여 흉수천
자가 시행될 수 있다. 종종 찾기 어려울 지라도, 흉수의 매우 높은 포

TABLE 28.3	물가슴증 치료의 수술적 선택

늑막유착(pleurodesis)
    Talc
    Oxytetracycline
    Autologous blood
    Aprotonin-fibrin glue
횡격막 복원
    결손부 휘갑치기(oversewing)
    패치보강법

도당 농도도 대부분 진단할 수 있다. 그렇지 않은 경우에는 전형적으로 여출액(transudative)에서 다양한 수의 백혈구를 보인다.

Technetium을 이용한 방사성 핵종 스캔이 도움이 될 것이다. Technetium이 표지 된 알부민 콜로이드(5mCi)가 투석액에 첨가되고 환자에게 주입된다. 후면 촬영은 0, 10, 20, 그리고 30분에 시행되고 전면 촬영은 30분에 시행된다. 주입된 표지자가 저류되는 동안 복부 내 압력을 증가시켜 흉강으로 들어가게 하기 위하여 환자가 걸어 다니는 것이 중요하다. 만약 조기 촬영에서 감마카메라로 흉강 내 표지자의 움직임이 관찰되지 않는다면, 후기(2~3시간) 영상들이 필요할 것이다. 복부 내를 조영하는 CT 스캔 또한 사용될 수 있다.

3. 치료

만약 호흡기 증상들이 있다면, 복막투석은 즉시 중단되어야만 한다. 흉수의 포도당을 측정하여 진단을 해야 하는 경우에는 흉수천자가 필요할 수 있다.

최종적인 치료는 반쪽 가로막의 결손의 복구나 흉막의 소멸(흉막유착술)을 수반한다. 드물게, 투석액 자체가 흉강 내에서 자극제로 작용하여 흉막유착을 야기하여 1~2주 이후에 복막투석을 재시행 할 수도 있다. 가끔 복부 내 압력이 낮은 (적은 용량, 앙와위 자세) 자동 복막투석은 재발 없이 시행될 수 있다. 흉강으로의 체액의 이동은 압력에 의하므로, 환자를 바른 자세로 눕게 하는 것이 도움이 된다. 물가슴증 치료의 수술적 선택은 표 28.3에 나열되어 있다.

B. 호흡 역학의 변화

경도로 감소한 기능적 잔기 용량(functional residual capacity)을 제외하고는 복막투석 환자에서의 폐 기능의 변화는 없다. 동맥의 산소포화도는 지속적 외래 복막투석의 시작 시에 일시적으로 약간 감소하는 소견을 보여왔다.

복막투석은 폐쇄성 폐질환의 환자들에서 호흡기 증상을 악화시키지 않는다. 상승된 복강 내 압력으로 인한 횡격막의 긴장성 신전은 실제로는 환자의 호흡 기전을 도울 것이다.

V. 요통

A. 발병

복강의 투석액의 존재는 복부 내 압력을 증가시키고 신체 중심의 중력을 앞으로 움직이게 하여 요추와 척추 주위 근육의 전만 긴장을 형성한다. 이러한 소인은 개개인에서 변화된 척추 역학에 의한 궁둥 신경통(sciatica)이나 후방 면 증상(posterior facet symptoms)의 악화를 야기할 수 있다. 전 복부 근육의 이완이 이러한 효과를 악화시킬 것이다.

B. 치료

급성기에는 침상 안정과 진통제가 중요하다. 어떤 환자들은 더 빈번하게 소량의 투석액을 교환하여 이득을 본다. 만약 가능하다면, 자동 복막투석에서 낮동안 적은 양을 저류하거나 아예 주간 저류를 하지 않는 것이 환자들에게 권장된다. 왜냐하면 앙와위의 투석이 요추의 전만 긴장도를 완화하기 때문이다. 이상적으로, 환자들은 복부와 등의 신전 운동을 해야만 하나, 현실적으로 어려운 경우가 많다.

VI. 과충만

과충만은 용적율을 채우기 위해 매우 많은 양의 투석액을 저류하여 복강 내 압력이 증가하여 급성으로 발생한 증상과 임상적 사건으로 정의된다. 예를 들어, 만약 2 L 용적을 채우는 환자에게 말기-저류량이 4 L라면 비율이 2.0을 넘게 되며 이러한 소견은 중요할 것이다. 전형적인 증상들로는 급성 복부 불편감이나 호흡곤란이 있다. 이전에 저류된 투석액의 적절한 배액 없이 새로운 투석액이 주입되는 상황에서 대부분 발생한다. 우연히 발생하기도 하나, 도관 누출의 기능이 좋지 않은 경우와 더 연관이 있을 것이며 많은 양의 초미세여과물도 원인이 될 것이다. 과충만은 어린이, 자동 복막투석 환자, 특히 조류 처방이 사용되는 경우, 그리고 최소한으로 설정된 배액 알람이 꺼진 환자들에게서 더 흔하게 발생한다. 새로운 교환 기들은 주간 저류의 완전한 저류 없이 투석액의 교환을 시작하는 것이 더 어렵게 되어 있으며 축적되는 초미세여과의 배액을 위한 예방책이 될 수 있다. 무증상의 과충만 사건은 꽤 흔하며 심한 과충만이 드물게 사망과 연관되기도 한다.

VII. 피낭성 복막 경화증(encapsulating peritoneal sclerosis)

A. 유병율과 원인 인자들

피낭성 복막 경화증(EPS)은 드물지만 장기간 복막투석의 치명적인 합병증으로 1~3%의 환자들에게서 보고되었다. 초기 염증단계는 모호한 복부 불편감, 빠른 투과 상태로의 변화, 혈성 누출액, 그리고 염증의 징후, 적혈구 생성인자 —내성 빈혈과 C-반응성 단백의 상승이 연관된다.

염증단계는 복막염과 같은 '2번째 타격'이 있던 없던 간에 섬유화 고치가 천천히 소장의 피막을 형성하는 경화단계로 진행할 수 있다. 이러한 두 번째 단계에서 환자는 전형적인 체중 감소와 반복적인 장폐색을 보인다.

EPS의 가장 강력한 위험인자는 복막투석의 기간이다. 비록 총 유병율이 낮을지라도, 5년 후, 10년 후에는 더더욱 발생율이 증가하게 된다. 또한 젊은 나이에 복막투석을 시작한 경우는 독립적인 위험인자이다. 혈액투석이나 신이식을 시행한 환자들은 여전히 취약한 상태이다. PD 복막염의 종류나 횟수, 또는 사용된 투석액의 종류나 강도가 EPS와 연관이 있지는 않다. 루푸스나 혈관염과 같이 자가면역/염증성 기저질환을 가진 환자들은 더욱 취약할 것이다.

B. 진단과 치료

EPS의 염증 단계는 오랜 기간의 복막투석 환자에게서 새로운 혈성 누출액, 유입과 유출 시의 통증, 또는 전반적인 복부 통증을 보일 때 고려해야만 한다. 경화 단계는 반복적인 장 폐색이 있는 경우 고려해야 한다. 앞에서 말한 바와 같이, 환자는 더 이상 복막투석을 할 수 없으며 염증 표지자는 상승할 것이다.

복막의 두꺼워짐, 매어짐, 조영, 석회화와 함께 장의 누에고치화가 보이는 경화 단계에서는 영상이 도움이 된다. 그러나 복막의 두꺼워짐은 오랜 기간의 복막투석에서는 언제든지 보여질 수 있어서 이 소견만으로 EPS를 진단할 수는 없다. 주기적인 CT 검사를 오랜 기간 동안 복막투석을 시행한 환자들에게 시행하는 것이 도움이 되지는 않았다.

염증 단계의 EPS는 적절한 용량의 코르티코스테로이드로 가장 잘 치료된다. 이 치료를 고려할 때 다른 감염의 원인들이 배제되어야만 한다. 치료기간이 불명확하고 증상에 따라 조정될 수 있다. 어떠한 연구들에서는 항섬유화 효과를 가지는 타목시펜이나 mTor 억제제의 추가를 제안하였다. 어떤 경화 조건에서든, 이미 광범위한 반흔을 형성한 때보다는 염증 단계 동안 더 나은 적절 약물 치료 농도(therapeutic window)를 보인다.

혈액투석으로 전환을 해야만 하는지에 대해서는 불분명하다. 한편으로는, 혈액투석이 EPS를 야기하는 과정의 지속적인 노출을 줄일 수 있다. 반면에 복부를 건조하게 둠으로써 복막투석이 제공하던 염증 매개물질 들의 '씻어냄'은 중단된다.

복부의 고치가 형성되거나 반복적인 장 폐색이 있는 환자는 수술이 필요할 것이다. 장 열상, 분변 복막염, 그리고 수술적 사망율이 모두 높으므로 환자들의 수술적 방법에 익숙한 외과의사에게 자문을 구하는 것이 매우 중요하다.

References and Suggested Readings

Balda S, et al. Impact of hernias on peritoneal dialysis technique survival and residual renal function. *Perit Dial Int*. 2013;33:629–634.

Chow KM, et al. Management options for hydrothorax complicating peritoneal dialysis. *Semin Dial.* 2003;16:389–394.

Cizman B, et al. The occurrence of increased intraperitoneal volume events in automated peritoneal dialysis in the U.S.: role of programming, patient/user actions and ultrafiltration. *Perit Dial Int.* 2014;34:434–442.

Davis ID, et al. Relationship between drain volume /fill volume ratio and clinical outcomes associated with overfill complaints in peritoneal dialysis episodes. *Perit Dial Int.* 2011;31:148–155.

Dimitriadis CA, Bargman JM. Gynecologic issues in peritoneal dialysis. *Adv Perit Dial.* 2011;27:101–105.

Goldstein M, et al. Continuous ambulatory peritoneal dialysis: a guide to imaging appearances and complications. *Insights Imaging.* 2013;4:85–92.

Goodlad C, et al. Screening for encapsulating peritoneal sclerosis in patients on peritoneal dialysis: role of CT scanning. Nephrol Dial Transplant. 2011;26: 1374–1379.

Lew SQ. Hydrothorax: pleural effusion associated with peritoneal dialysis. *Perit Dial Int.* 2010;30:13–18.

Martinez-Mier G, et al. Abdominal wall hernias in end-stage renal disease patients on peritoneal dialysis. *Perit Dial Int.* 2008;28:391–396.

Prischl F, et al. Magnetic resonance imaging of the peritoneal cavity among peritoneal dialysis patients, using the dialysate as "contrast medium." *J Am Soc Nephrol.* 2002;13:197–203.

Shah H, Chu M, Bargman JM. Perioperative management of peritoneal dialysis patients undergoing hernia surgery repair without the use of interim hemodialysis. *Perit Dial Int.* 2006;26:684–687.

29 복막투석의 대사, 산-염기, 그리고 전해질

이소연 역

복막투석이 요독증의 다양하고 많은 결과를 효과적으로 조절하는 동안, 치료 자체로써 말기 신질환 환자의 건강에 중요한 여러가지 대사적 지표들에 특유한 효과를 보인다.

I. 고혈당

복막투석에서 초미세여과는 가로지르는 복막 장벽에 결정질의 삼투압이나 교질삼투압을 가하여 유도된다. 이것은 자연적으로는 가질 수 없는 복막투석 용액의 포도당 농도로 달성된다; 또한 어떤 처방들은 하루 한 번 아이코덱스트린(icodextrin)이나 아미노산을 기본으로 하는 투석용액을 사용하여 치료한다. 전신 대사 효과들을 야기하는 복막투석의 저류 과정동안 각각의 이러한 물질들이 전신적으로 흡수된다. 포도당이나 아이코덱스트린을 바탕으로 하는 복막투석 용액 치료는 의무적으로 하루 50-150 g의 탄수화물 흡수를 발생하게 한다. 더 고장성 용액들을 많이 사용하거나 빠른 복막의 용질 전달율을 보이는 개개인에서 필연적인 (obligatory) 탄수화물의 흡수는 더 높다. 흡수된 아이코덱스트린은 대사되어 포도당이 아닌 다양한 올리고당(oligosaccharides)과 이당류 말토오스(disaccharide maltose)로 대사된다(Moberley, 2002).

당뇨병이 있는 일부 개인들에서는 이러한 의무적인 흡수가 혈당의 조절을 더 악화시키며 상당한 치료의 조정이 요구된다. 하루 총 인슐린 양의 증가, 인슐린의 시작 또는 이전에 이와 같은 치료가 필요하지 않던 개인들에서 다른 포도당 강하 치료가 추가되는 것이다. 이런 이유로 당뇨병 환자에서 복막투석을 시작한 후 첫 수주 동안이나, 기본투석액의 포도당 농도가 증가하였을 때, 반드시 집에서 자주 혈당 모니터링을 해야만 한다. 악화된 혈당 조절이 복막투석 환자들에서 더 나쁜 결과와 연관이 있다하나, 연관인지 아니면 원인과 결과인지에 대하여는 불분명하다(Duong, 2011).

얼마나 많은 복막투석이 새롭게 발병한 당뇨병의 유병율을 증가시키는지를 결정하기에는 자료가 제한되어 있으나, 한 중국의 연구에서 약 8%의 비당뇨병 환자들에게서 당뇨병이 생겨났다고 보고하였다(Szeto, 2007). 그러므로 혈장 포도당 농도는 비당뇨병 복막투석 환자들에게서도 1~3개월마다 측정되어야만 한다.

포도당이 포함된 투석 용액이 혈당의 조절을 악화시키듯이, 포도당을 조금만 사용하는 요법은 혈당 조절을 향상시킬 것이다. 일반적으로 이러한 포도당-보존 전략(glucose-sparing regimen)은 한 번의 포도당 교환을 아이코덱스트린으로 대체하는 것으로 구성되어 있다; 아이코덱스트린의 긴 저류 동안의 많은 초미세여과는 다른 저류 기간 동안 낮은 포도당 농도의 투석액 사용을 가능하게 한다(Paniagua, 2008). 포도당을 기본으로 하는 두 번째 교환을 아미노산 투석액으로 대체하는 것은 더 나아가 전신 포도당의 흡수를 줄일 수 있게 한다. 최근 완료된 무작위 연구인 IMPENDIA에서 포도당을 함유하는 2개 백을 한 개는 아이코덱스트린, 또 한 개는 아미노산으로 대체한 교환 요법으로 치료하였을 때, 개인의 당화혈색소(HbA1c)는 전체적으로 포도당만을 기본으로 한 투석액으로 치료받은 군과 비교하여 0.6% 낮은 소견을 보였다(Li, 2013). 포도당 절약 요법은 성공적인 혈당 조절이 어려운 당뇨병을 치료받고 있는 복막투석 시행자들에게서 고려돼야만 한다.

II. 체중 증가:

복막투석에서 증가된 체중의 효과는 복잡하다. 혈액투석 환자들에게서 증가된 체중은 향상된 생존율과 연관이 있으나 복막투석 환자들에서는 증거가 상반되고 비만이 도관 문제와 출구 감염을 야기할 것이라는 염려가 있다(Johnson, 2012). 환자들은 종종 투석 방법에 상관없이 투석의 시작 후에 체중이 증가한다; 일반적으로 제지방 체중보다는 지방의 증가를 반영한다. 이러한 체중 증가는 적어도 어느 부분에서는 투석의 시작과 함께 요독성 식욕부진의 개선에 따른 식이 에너지와 단백 섭취의 증가로 인해 야기된다. 복막투석 치료를 받는 환자들에서 몇몇의 체중 증가는 필연적인 전신의 탄수화물 흡수에 의해 야기된다. 그러나 대면 비교(head-to-head comparison)에서는 혈액투석을 받는 개인들과 비교하였을 때, 복막투석 치료를 받는 환자들이 더 유의한 체중 증가를 보일 것이라는 생각을 뒷받침하지 못하였다(Lievense, 2012). 자동 복막투석에서의 긴 주간 저류나 지속적 외래 복막투석의 야간 저류시 포도당을 아이코덱스트린으로 교체하는 것이 체중 증가의 감소를 야기하나 이러한 차이는 체지방보다는 총 체내 수분량의 차이를 반영할 것이다. 제한된 자료들에서 투석의 방법에 따른 과다 제지방이 축적되는 위치에 차이가 있다고 제안하고 있으며 복막투석 환자들은 내장 지방에서 큰 증가를 보인다고 하고 있다; 임상적인 적절성은 불분명하다(Choi, 2011). 불확실 하더라도 과다한 체중 증가를 피하기 위하여 더 고장성 포도당 투석액에 노출되는 것을 제한하는 것이 바람직할 것이다.

III. 복막 단백 소실:

복막투석 동안, 혈액의 단백질-주로 알부민-은 복막 장벽을 지나 농도경사를 따라 투석액으로 내려가며 투석액에서 배액되면서 소실된다. 복막투석에서의 하루의 단백 소실은 평균 6~8 g이고 복막염시에는 상당히 증가한다. 이러한 필연적인(obligatory) 일일 손실의 결과로, 복막투석 치료를 시작한 환자에서 혈청 알부민은 감소할 것이고 종종 혈액투석 치료를 시행하는 환자들보다 낮을 것이다.

매일의 복막 단백 소실은 일반적으로 교정 불가능하며 임상적 관련성은 불명확하다. 모든 사망률의 원인(all-cause mortality), 심혈관계 사건들 또는 단백-에너지 소모와 더 높은 일일 복막 단백 소실과의 연관에 대한 증거는 거의 일관성이 없다(Balafa, 2011). 게다가 복막투석 치료 환자에서의 낮은 혈청 알부민이 혈액투석 환자들보다 더 큰 위험에 처하게 하는 것으로 보이지 않는다. 이러한 모든 고려사항들은 복막투석이 환자들에게서 안전하게 잘 지속될 수 있다는 것을 제시하고 있으나 치료로 인한 알부민 농도 감소는 어느 정도 있을 수 있다.

Ⅳ. 지질이상:

유지 투석을 받는 환자들에게서 이상지질혈증은 높은 유병율을 보이며 요독증의 순수 효과(net effect), 신 질환의 기저 원인(예를 들면, 당뇨병 신증, 다른 단백뇨를 보이는 신 질환), 그리고 투석 방법의 잠재적이고 이질적인 효과를 반영한다. 복막투석의 필연적인 탄수화물의 흡수와 복막 단백의 소실은 복막투석 환자들의 지질검사에 부정적인 영향을 줄 수 있다. 복막투석 환자들에서 기술된 지질이상은 전체 그리고 저밀도 지단백 콜레스테롤, 중성지방, 지 단백(a), 그리고 아포지질 단백질 B의 증가를 포함한다(Prichard, 2006).

현재 복막투석 치료를 받은 환자들에게서 지질이상의 심혈관계 위험 기여도는 잘 알려져 있지 않다. 심장과 신장 보호 연구인 SHARP (The Study of Heart and Renal Protection)은 지질 강하가 심혈관계 사건과 사망률에 끼치는 영향을 검사하는 유일한 임상적 연구로 연구에 등록된 9,270명 중 등록 시기에 복막투석을 시행한 환자는 496명이었다. 임상 연구에서 Simvastatin/ezetimibe 치료는 더 적은 심혈관계 사건을 보였으나, 심혈관계 사망률이나 전-원인 사망률(all-cause mortality)에 있어서는 유의한 효과를 보이지 않았다(Baigent, 2011). 구체적으로, 복막투석 치료를 받는 소집단에서 결과에 있어 유의한 차이를 보이지 않았다. 이 연구는 일반 집단 군에서와 같이 복막투석을 포함한 신 질환 환자들의 지질 강하로 인한 임상적 이점이 크지 않음을 암시하고 있다. 그러나 심한 고중성지방혈증이 복막투석 환자에서 췌장염의 위험을 높이는 것과 연관 있으므로 위험을 줄이기 위해 치료가 필요하다고 언급하는 것이 중요하다.

제한된 자료에서는 복막투석 환자의 약물치료가 이상지질혈증의 개선에 일반 인구와 같이 효과적이라는 것을 보여주고 있다. 또한, 어떤 연구들은 복막투석 처방의 변경이 지질 이상을 개선할 수 있는지에 대해 조사하였다. 한 번의 포도당 투석액 교환을 아이코덱스트린으로 대체하여 혈청 총 콜레스테롤의 미미한 효과를 보여주었다. IMPENDIA 연구에서는 한 번의 교체를 아이코덱스트린이나 아미노산 복막투석액으로 변경하는 포도당 보존 요법으로 혈청 중성지방과 아포지단백질 B의 유의한 감소를 보였다

(Li, 2013). 이러한 복막투석 요법의 변경은 지질이상의 치료가 필요한 선택된 개개인들에서 고려돼야 할 것이다.

V. 저칼륨혈증/고칼륨혈증:

10-30%의 복막투석 환자들에서 낮은 혈청 칼륨 농도를 보인다고 보고되었다. 저칼륨혈증의 높은 출현율에는 여러가지 잠재적인 원인들이 있다. 원인들로 칼륨이 첨가되지 않은 복막투석액으로 인한 투석 중 많은 칼륨의 제거, 부적절한 식이 섭취, 의무적인 포도당 흡수에 의한 인슐린 방출과 막 횡단이동, 이뇨제 치료받는 환자에서의 신장을 통한 소실, 그리고 하제의 사용으로 인한 위장관의 소실이 있다(Zanger, 2010).

관찰 연구들에서는 저칼륨혈증이 복막투석 환자들에서의 그람 음성 복막염 위험의 증가와 모든-원인, 심혈관계, 그리고 감염과 연관한 사망률의 상승과 연관이 있다고 증명되어 왔다(Torlen, 2012). 저칼륨혈증의 교정이 이러한 위험들을 개선할 수 있는지에 대하여는 알려져 있지 않다. 아마도 칼륨의 경구 보충이 저칼륨혈증의 교정을 위한 가장 쉽고 안전한 방법일 것이다. 주사 가능한 염화칼륨의 복막 내로의 주입으로 저칼륨혈증을 교정할 수 있으나, 접촉-오염으로 인하여 복막염의 고 위험에 환자를 노출시킨다. 비록 스피로놀락톤(spironolactone)과 같은 무기질코르티코이드 수용체 길항제의 사용 고려가 관심을 끌고 있으나, 이러한 약제 치료를 받은 복막투석 환자들에게서 혈청 칼륨 농도의 교정에 유의한 효과를 보이지 않았다. 복막투석 환자에서는 현저한 고칼륨혈증이 흔하지 않으며, 전형적으로 복막투석 처방을 잘 따르지 않는 것과 연관이 있다.

VI. 대사성 산증:

만성 신질환에서 진행하는 배설 능력의 소실은 신장의 산 배설의 감소와도 연관이 있다. 이런 이유로 투석을 시작하는 시기의 환자에게서 종종 대사성 산증을 볼 수 있다. 표준의 포도당과 아이코덱스트린을 기본으로 하는 투석액은 젖산염을 완충액으로 가지고 있다. 이러한 용액으로 치료하는 동안, 중탄산염이 복강으로 들어가며 각각의 교환을 통하여 제거되고 젖산염은 전신으로 흡수된다. 흡수된 젖산염은 중탄산염으로 대사되며 요독성 대사성 산증을 교정한다. 중탄산염을 기본으로 하는 복막투석액은 통상적으로 세계의 일부에서 사용 가능하다; 이러한 용액으로 치료된 환자들에게서, 중탄산염의 전신 흡수는 대사성 산증의 교정을 담당한다.

사용된 완충액과 상관없이, 복막투석은 주 3회 기관에서 시행되는 혈액투석보다 대사성 산증을 더 완전하게 교정한다. 하지만 소수의 복막투석 환자들에서는 교정이 불완전하게 이루어질 수 있다. 교정되지 않은 대사성산증은 단백-에너지 소실과 골감소증에 기여한다는 증거가 있다. 또한, 최근의 관찰 연구에서는 지속적으로 낮은 혈청 중탄산염 농도를 보인 복막투석 환자들에게서 모든-원인이나 심혈관계 사망률의 위험이 높은 것을 증명하였다(Vasishta, 2013). 이러한 자료들은 복막투석을 시행하는 환자들에게서 지속적인 대사성 산증의 치료를 주장한다.

몇 개의 임상적 연구들은 복막투석 환자들에게서 대사성 산증의 치료가 가지는 임상적인 장점에 대하여 실험을 하였다(Mehrotra, 2009; Stein, 1997). 이러한 연구들은 더 높은 총 양성 질소 평형, 유의한 체중 증가, 중간 팔 둘레의 증가, 그리고 입원의 감소와 치료가 연관이 있는 것을 나타낸다. 유지 투석을 하는 환자들의 사망 위험에 대사성 산증의 치료가 어떤 영향을 가지는지에 대하여는 알려져 있지 않다. 복막투석을 하고 있는 환자들은 나트륨 중탄산염을 경구로 복용하는 것이 대사성 산증 교정에 가장 효과적인 방법이고 적어도 혈청 중탄산염 농도가 22 mmol/L에 도달하도록 해야만 한다.

VII. 저나트륨혈증/고나트륨혈증:

저나트륨혈증이 복막투석에서는 꽤 흔하며 한 기관에서는 최근 15%의 유병율을 보고하였다(Dimitriadis, 2014). 전위하는 저나트륨 혈증(나트륨이 적은 액체가 세포들에서부터 세포 외액으로 이동)은 혈당이 6 mmol/L증가할 때마다 약 1.3 mmol/L의 혈청 나트륨이 감소하며 고혈당으로 인하여 발생할 수 있다. 아이코덱스트린은 같은 기전에 의하여 혈청 나트륨의 2~3 mmol/L 감소를 보인다. 투석하는 환자들의 희석 저나트륨혈증은 일반적으로 과다 수분 섭취를 반영한다고 생각하였다. 그러나 복막투석의 최근 연구들에서는 희석 저나트륨혈증이 감소된 세포 사이 질량의 지표로 더 자주 제안되고 체중 소실, 칼륨 고갈, 그리고 영양 결핍과 연관이 있다고 하였다(Cherney, 2001; Dimitriadis, 2014). 그러므로 저나트륨혈증이 환자의 영양 평가를 위한 지표가 될 수 있다. 드물게, 심한 고중성지방혈증이 있는 경우 혈청 나트륨을 염광도계측법(flame photometry)으로 측정하였을 때의 저나트륨혈증은 인위적일 수 있다.

반면에 복막투석 치료는 고나트륨혈증을 유발할 수 있다. 복막투석 환자들에서는 물수송체나 복막 모세혈관의 내피세포 사이 공간들을 통하여 액체가 제거된다(21장 참고). 수분제거를 위한 상대적인 물수송체의 기여도는 복막투석 저류과정의 초기에 가장 크고, 동시에 다른 나트륨이나 용질들의 제거와는 연관이 없다. 짧은 저류시간, 특히 고장성 투석액의 자동 복막투석 처방은 나트륨에 비해 더 많은 수분을 제거할 가능성이 있고 고나트륨혈증을 야기할 수 있다. 최신의 복막액 요법과 연관한 고나트륨혈증의 유병율은 알려져 있지 않고, 고장성 투석용액을 사용하여 시간마다 교환하면서 치료받은 >10%의 환자들에게서 고나트륨혈증이 발생한다. 고나트륨혈증은 갈증을 유도할 수 있고 더 많은 수분의 섭취를 자극하며 복막투석 처방시 고장성 투석액으로 자주 교환하는 것을 피하는 것이 알맞을 것이다.

VIII. 미네랄 대사의 이상:

무기질 대사 이상에 대한 완전한 범위의 논의를 위해서는 36장을 보아라. 여기에서 의논할 내용은 복막투석에 특이적인 주제들로 제한되어 있다. 거의 20여년 전부터 시행된 연구들에서 복막투석을 시작한 환자들이 혈액투석을 유지하는 환자들보다 더 무력성 뼈질환을 가질 것이라고 나타내고 있다. 작고 비교적 낮은 질의 연구들에서 저-칼슘 투석액(2.5 meq/L [1.25 mM]의 사용으로 위험을 개선할 수 있다고 나타나 있다. 압도적인 대다수의 환자들은 저-칼슘 복막투석 용액으로 현재 치료받고 있고 칼슘 원소를 함유하지 않는 인 결합제 사용의 증가로 상황이 변하였다. 동시대의 연구들에서 복막투석을 시행하는 환자들의 골 조직을 검사한 적은 없으므로 현재 무력성 뼈질환의 유병율은 불분명하다.

References and Suggested Readings

Baigent C, et al. The effects of lowering LDL cholesterol with simvastatin plus ezetimibe in patients with chronic kidney disease (Study of Heart and Renal protection): a randomized placebo-controlled trial. *Lancet.* 2011;377:2181–2192.

Balafa O, et al. Peritoneal albumin and protein losses do not predict outcomes in peritoneal dialysis patients. *Clin J Am Soc Nephrol.* 2011;6:561–566.

Cherney DZ, et al. A physiological analysis of hyponatremia: implications for patients on peritoneal dialysis. *Perit Dial Int.* 2001;21:7–13.

Choi SJ et al. Changes in body fat mass after starting peritoneal dialysis. *Perit Dial Int.* 2011;31:67–73.

Dimitriadis C, et al. Hyponatremia in peritoneal dialysis: epidemiology in a single center and correlation with clinical and biochemical parameters. *Perit Dial Int.* 2014;34:260–270.

Duong U, et al. Glycemic control and survival in peritoneal dialysis patients with diabetes mellitus. *Clin J Am Soc Nephrol.* 2011;6:1041–1048.

Fried L, et al. Recommendations for the treatment of lipid disorders in patients on peritoneal dialysis. ISPD guidelines/recommendations. *Perit Dial Int.* 1999;19:7–16.

Johnson DW. What is the optimal fat mass in peritoneal dialysis patients? *Perit Dial Int.* 2007;27(suppl 2):S250–S254.

Li PK, et al Randomized controlled trial of glucose sparing peritoneal dialysis in diabetic patients. *J Am Soc Nephrol.* 2013;24:1889–1900.

Lievense H, et al. Relationship of body size and initial dialysis modality on subsequent transplantation, mortality and weight gain of ESRD patients. *Nephrol Dial Transplant.* 2012;27:3631–3638.

Mehrotra R, et al. Effect of high-normal compared with low-normal arterial pH on protein balances in automated peritoneal dialysis patients. *Am J Clin Nutr.* 2009;90:1532–1540.

Mehrotra R, et al. Adverse effects of systemic glucose absorption with peritoneal dialysis: How good is the evidence? *Curr Opin Nephrol Hypertens.* 2013;22:663–668.

Moberley JB, et al. Pharmacokinetics of icodextrin in peritoneal dialysis patients. *Kidney Int Suppl.* 2002;81:S23–S33.

National Kidney Foundation. K/DOQI Clinical Practice Guidelines for managing dyslipidemias in chronic kidney disease. http:www.kidney.org/professionals/KDOQI?guidelines_lipids/toc.htm (Last accessed, August 25, 2014).

Paniagua R, et al. Icodextrin improves fluid and metabolic management in high and high-average transport patients. *Perit Dial Int.* 2009;29:422–432.

Prichard SS. Management of hyperlipidemia in patients on peritoneal dialysis: current approaches. *Kidney Int Suppl.* 2006;103:S115–S117.

Stein A, et al. Role of an improvement in acid base status and nutrition in CAPD patients. *Kidney Int.* 1997;52:1089–1095.

Szeto CC, et al. Oral sodium bicarbonate for the treatment of metabolic acidosis in peritoneal dialysis patients: a randomized placebo-control trial. *J Am Soc Nephrol.* 2003;14:2119–2126.

Szeto CC, et al. New onset hyperglycemia in nondiabetic chinese patients started on peritoneal dialysis. *Am J Kidney Dis.* 2007;49:524–532.

Torlen K, et al. Serum potassium and cause-specific mortality in a large peritoneal dialysis cohort. *Clin J Am Soc Nephrol.* 2012;7:1272–1284.

Vashishta T, et al. Dialysis modality and correction of metabolic acidosis: relationship with all-cause and cause-specific mortality. *Clin J Am Soc Nephrol.* 2013;8:254–264.

Zanger R. Hyponatremia and hypokealemia in pateints on peritoneal dialysis. *Semin Dial.* 2010;23:575–580.

PART IV

임상적 문제 분야
CLINICAL PROBLEM AREAS

이소연 역

　　말기 신장질환 환자들은 여러 가지 사회심리적인 스트레스에 의해 영향을
받는다. 이러한 것들은 질환과 치료의 영향, 기능적 제한과 성 기능장애, 식이
제한, 시간 속박, 그리고 사망에 대한 두려움이 포함된다. 추가적으로, 결혼
갈등, 가족과 병원 행정직원이나 의료인들과의 껄끄러운 대인관계, 그리고
치료 비용과 실업과 같은 사회 경제적인 걱정들이 포함된다.

　　약 10%의 입원한 말기 신장질환 환자들은 기저 정신 질환을 가지고 있다.
다른 만성 질환들에 비교하여 정신 질환으로 인한 입원율이 더 높다. 흔한 문
제들로는 우울증, 치매 그리고 섬망, 정신증, 인격과 불안 장애들, 그리고 물
질 남용이 있다.

I. 우울증

　　우울증은 가장 흔할 뿐만 아니라 투석 그리고/또는 약물 요법의 비순응 야
기의 위험과 자살의 위험으로 인하여 가장 중요한 문제이기도 하다. 우울
증은 잘 진단되지 않거나 치료되지 않을 수 있을 것이다. 가장 최근 버전인
정신 질환을 위한 진단과 통계적 매뉴얼(DSM 5)에서는 주요 우울 질환은
적어도 2주 동안, 환자가 우울한 감정을 거의 매일 경험하거나 일상 활동들
에 대한 관심이나 즐거움이 소실되고 다음의 추가적인 증상들 중 적어도 4
가지가 있는 경우 진단할 수 있다: (a) 의미 있는 체중 감소나 체중 증가 또
는 식욕 장애, (b) 불면증이나 수면과다를 포함하는 수면 패턴의 변화, (c)
정신운동 초조 또는 지연, (d) 피로, (e) 무가치한 기분이나 과한 자책감, (f)
집중 감소 또는 (g) 죽음이나 자살에 대한 생각의 반복. 마지막 기준인 (g)
는 가장 특징적이며 다른 어떤 기준들과 같이 요독증 그 자체와도 연관이
있다.

　　어떤 조사자들은 투석 환자들에서 많게는 10~50%에서 우울증이 발생
한다고 예측하였다. 선별 도구들로는 Beck 우울 척도(BDI)와 자기보고
식 해밀턴(Hamilton) 우울 척도가 있다. 기저 의학적 문제들이 없는 환자
들의 경우, BDI 점수 < 9점인 경우는 우울증이 없거나 경도, 10~18점은
경도에서 중등도, 19~29점은 중등도에서 중증이며, 그리고 ≥30은 중증
의 우울증이라 할 수 있다. 말기 신장질환 환자들에서 권장되는 우울증의
진단 기준 점수는 더 높아서 BDI 점수가 ≥14~16일 때 의미 있는 질환을
나타낸다.

투석 환자에서 기저 우울증을 선별하는 것은 치료 계획의 중요한 요소이다. 우울 정동은 여러 가지 면에서 치료의 결과에 영향을 준다. 자살 위험에 추가적으로, 우울증은 투석 처방에 있어 낮은 순응도, 면역기능의 이상 또는 식욕부진과 나쁜 영양 상태로 이끌 수 있다. 우울한 정동은 복막염의 높은 유병율과 연계되어 왔다. 우울증이 사망률의 위험을 증가시키는지 대하여는 논란이 있다. 어떤 연구들은 여러 가지 의학적 위험인자들이 분석에서 포함된 후에도 기저 우울증 동반 증상은 사망률의 증가와 연관이 있다고 하였다.

말기 신장질환 환자들은 다른 만성 질환들을 가진 환자들과 다른 자살 행동을 보일 수 있다. 그들의 자살율은 일반적인 미국 인구보다 높다. 주요한 위험인자들로는 이전 정신 질환의 병력, 최근의 입원, 75세 이상 남성, 백인이나 아시아 인종, 술과 약물 의존이 있다. 말기 신장질환 환자들은 짐작하건대 약물 요법의 비순응이나 그들의 투석 접근 부위의 조작으로 더 쉽게 자살을 저지르거나 시도하는 것으로 추정된다.

A. 치료 선택

우울증의 치료 선택으로는 약물치료, 인지 행동 치료를 포함하는 심리 치료, 전기경련 치료가 있다. 불행하게도 말기 신장질환 환자들은 종종 큰 임상 연구들에서 배제되기 때문에, 항우울제의 효과에 대한 자료는 한정되어 있다.

1. 약물요법

a. 선택적 세로토닌 재흡수 억제제(SSRIs)와 삼환계 항우울제(TCAs)

SSRI의 치료는 치료적 이득이 있는지 결정될 때까지 적어도 4~6주 동안 지속되어야만 한다. 만약 효과가 없다면 같은 계통의 다른 항우울제나 다른 계통의 약제로의 교체가 타당한 조치이다. SSRI는 전형적으로 항콜린성 증상을 TCA보다 적게 야기하고 심장 전도의 이상과 연관이 없다는 장점을 가진다. TCA는 과량을 복용하면 사망이 가능하며 잠재적인 자살 위험을 가진다. 그러나 SSRI를 복용하는 경우 말기 신장질환과 요독으로 인한 기존의 혈소판의 결손과 관련이 있어 출혈의 증가가 가능하다. 또한 SSRI는 투석 환자에게서 흔한 증상인 오심과 구토를 악화시킬 수 있다.

전형적으로 SSRI는 간으로 배설되고 높은 단백질 결합을 보이며 말기 신장질환 환자에서 평소 용량의 2/3로 줄이도록 권하고 있다. SSRI는 혈관긴장도의 효과로 체위 연관 또는 투석간의 저혈압을 줄이는 추가적인 이점이 있다. 첫 번째로 사용 가능한 SSRI인 fluoxetine이 이 군에서 가장 많은 연구가 이루어졌다. 비록 자료들은 단 기간의 연구에 국한되어 있으나, 하루 20mg의 용량의 fluoxetine이 주로 투여될 수 있다. 이 군의 다른 약제로는 paroxetine, sertraline, 그리고 citalopram이 있다.

b. 선택적 노르에피네프린 재흡수 억제제(SNRIs)

SNRIs라고 불리는 다른 종류의 항우울제의 예로 Venlafaxine과 bupropion hydrochloride가 있다. SNRI는 주로 신장을 통하여 배설되므로, 말기 신부전 환자에서 조심스럽게 사용되어야 한다. Bupropion은 신장을 통하여 거의 완전히 제거되는 활성 대사산물을 가지고 있다. 이러한 대사산물들은 투석 환자들에게 축적될 수 있어 간질의 발생에 취약할 수 있다.

c. 단가 아민 산화 효소 억제제(MAOIs)

MAOIs는 다양한 부작용을 가지며 저혈압을 야기할 수 있는 잠재력이 있어 말기 신장질환 환자들은 가능하면 피해야만 한다.

2. 비약물적 선택

여러 가지 형태의 정신 치료(인지 행동 치료(CBT), 대인관계, 지지적, 그리고 그룹 치료)는 심리적 고통을 관리하기에 효과적일 것이다. 만성 신질환 환자들의 치료에 대한 자료들은 적다. 개인별 정신 치료(인지 행동, 대인관계, 지지)는 환자에게 문제가 있다는 것을 확인하고 치료를 찾기 위한 의사의 격려를 수용하는 경우에 유용하다. 최근의 무작위 교차 연구에서 65명의 혈액투석 환자들은 CBT 치료를 받는 환자들에서 Beck 우울 척도(BDI II) 검사와 Hamilton 우울 척도 검사에서 우울증 점수의 유의한 향상을 보였다. 또한, CBT로 인한 삶의 질 점수의 개선과 투석 간 체중 증가의 감소도 있었다. '투석 환자'가 되었다는 것에 대한 감정이나 불편한 생각에 대처하는 방법으로 부정이 흔하였다. 환자가 치료에 순응하지 않을 때, 부정이 행동에 있어 부분적인 역할을 할 것이며 이러한 환자들은 정신과적 개입을 통한 이점이 있을 것이다. 그러나 이러한 환자들은 '무엇인가 잘못되었다'는 암시(implication)에 따라 치료에 저항할 수도 있다. 이러한 형태의 치료를 환자들이 받아들이도록 동기를 주는 것은 어려울 수 있다. 환자가 편한 상태로 적절한 치료를 받을 수 있도록 하는 한 가지 방법으로는 말기 신질환 환자로 살아가면서 받는 스트레스에 대한 관리로써 치료를 소개하는 것이다. 약물 치료와 함께 지지적 정신 치료는 재발을 줄이기 위해서 중요하다. 그룹 치료는 또한 긍정적인 영향을 가질 것이다. 한 비조절 연구(uncontrolled study)는 투석실의 그룹세션 치료에 참여한 환자들에게서 환자 생존율의 향상과 연관을 보였다. 마지막으로, 전기 경련 요법은 금기에 해당하지 않는다면, 심한 난치성(refractory) 우울증이 있는 환자들에게서 사용될 수 있다.

II. 치매/섬망

신경 인지 장애들은 말기 신질환 환자들에서 흔하다. 인지 결핍은 기저 요독증과 40장에서 자세히 기술되어 있는 동반되는 기본적 의학 상태들과 관련이 있을 것이다. 의사들은 진행된 치매를 보이는 환자들의 투석의 중단에 대하여 가족들과 의논을 시작해야만 한다. 잘 지내는 것에 실패한 환자들이나 특히 고령의 환자들에서 투석을 중단하는 것은 비교적 흔하다. 이상적으로 의사 결정 능력의 장애가 되는 질환들이 발생하기 전에, 신 대

체 치료를 시작하는 환자들에게 사전지침이 제공되어야만 한다. 미국의
신장 내과 의사 연합에서 지지하고 있는 공유된 의사결정에 관한 가이드
라인들이 도움이 되는 자료들이다.

III. 불안과 행동장애

불안 장애는 말기 신질환 환자들에서 흔할 수 있으며 삶의 질에 대한 환자의
낮은 지각과 연관이 있다. 한 센터 연구에서 70명의 혈액투석 환자들의
불안 장애의 유병율은 45%이었다. 소수의 환자들에서 투석직원에게 지장
을 주는 행동들이 발생하나 모든 투석실의 방해가 될 수도 있다. 어떤 이유
로 환자가 화가 났는지 이해하고 가능성 있는 해결책을 분석하는 시도가 중
요하다. 불안 상태는 정신 요법과 행동 기법을 통해 치료해야만 한다. 적대
감과 공격성이 환자나 다른 사람들에게 피해가 되는 위협으로 제기된다면
한계 설정과 경계 형성이 다른 무엇보다 가장 중요하다. 적대감과 공격적인
행동은 편집증(paranoia), 관계생각(referential thinking), 심지어는 섬망 연
관 상태와 같은 기저 정신의학 증상의 표현일 수도 있다. 만약 의심되는 환
자가 존재한다면, 정신과 의사에게 자문을 구해야만 한다.

　만약 이러한 대책이 효과적이지 않다면, 단기 작용하는 lorazepam,
alprazolam과 같은 벤조디아제핀제제(benzodiazepines)를 제한된 기간
동안 처방할 수 있다. 벤조디아제핀은 간을 통해 대사되지만 SSRI에서
와 같이 낮은 용량에서부터 시작하는 신중을 요한다. Diazepam과 chlor-
diazepoxide의 사용은 약물학적 활성 대사산물로 대사되므로 투석 환자
에서는 회피해야만 한다. 지속성 제제들은 혈액투석에 의하여 제거되므
로 벤조디아제핀 대신에 바비튜레이트를 사용해서는 안 된다. 때때로 급
성으로 초조한 환자들을 위하여 haloperidol과 같은 항정신병약제가 요
구된다. Haloperidol은 신장으로 배설되지 않으므로 보통 용량 조절이 필
요하지 않다. 투석 환자 군에서의 risperidone이나 olanzapine과 같은 비
정형 항 정신병 약제들의 효과에 대해서는 아직 거의 알려진 바가 없다.
Gabapentin이 불안을 위하여 현재 사용되고 있지만 이러한 적응 증으로
FDA의 승인을 받지는 못하였다. Gabapentin은 변하지 않은 상태로 신
장을 통하여 배설된다. 말기 신장질환 환자에서 gabapentin의 청소율은
감소한다. 말기 신장질환과 만성 신질환 환자들에서의 양극성 장애에서
요구되는 리튬은 빈번한 혈청 농도의 확인을 필요로 한다. 리튬은 투석으
로 제거되므로 매 투석 치료의 종료 후에 투여해야 한다. 발프로산은 다른
감정조절제로 때때로 양극성 장애를 치료하기 위하여 사용된다. 이 약물
의 자유형의 혈청 농도는 신기능의 장애가 있는 환자에게서 증가된 소견
을 보였다. 글루코코르티코이드(glucocorticoid) 유발 정신증의 위험 때
문에 정신증 병력이 있는 잠재적 신이식 환자들은 글루코코르티코이드를
투여 할 때의 주의를 해야만 한다. 다른 스테로이드-보존 약제가 임상적으
로 가능하면 사용되어야만 한다.

IV. 말기 신장질환 인구에서의 다른 사회심리적인 문제들

A. 결혼 문제

단지 몇 개의 연구들에서만 말기 신장질환 환자들에서의 결혼 관계를 평가하였다. 한 연구에서는 말기 신장질환 환자들을 포함하는 50% 이상의 부부가 결혼 불화를 경험한다는 것을 발견하였다. 결혼 갈등은 말기 신부전 환자들의 중요한 스트레스 인자일 것이다. 결혼 갈등은 환자의 질병의 부담에 대한 지각과 환자가 투석 처방을 지키지 않는 정도와 연관이 있다. 결혼 만족과 갈등은 특히 여성 환자들에서 두드러진다. 한 연구에서 혈액투석을 받는 여성 말기 신장질환 환자들에서 결혼 만족의 레벨이 높을수록 생존율의 향상을 보였다. 남자들에서는 결혼만족도가 결과와 관련이 없었다.

B. 성기능 장애

말기 신장질환 환자들은 요독 효과, 신경병증, 자율신경 기능장애, 혈관 질환, 우울증 그리고 약물에 의하여 높은 성기능 장애의 유병율을 가진다. 또한 시상하부-뇌하수체-성선 축의 장애를 빈번하게 접한다. 문제들로는 감소된 성욕, 발기부전, 월경장애, 그리고 불임을 포함한다. 대략 70%의 투석 치료를 받는 남자들에게서 발기부전(impotence)이 발생한다고 알고 있으며, 투석을 시작할 시점의 남자들은 발기부전의 가능성에 관하여 상담을 해야만 한다. 의사와의 더 나은 의사소통을 하게 되고, 그러므로 우울증의 가능성을 줄일 것이다. 투석 치료를 받는 여성들은 보통 불임과 월경의 장애를 가진다. 혈액투석 치료 시작 후의 불규칙한 생리 주기는 흔하다. 여성 말기 신장질환 환자의 가장 흔한 월경 장애는 무 배란이다. 치료에 연관한 정보는 39장을 보아라.

C. 사회경제적인 문제

신 대체 요법을 시작한 후 절반 이상의 말기 신장질환 환자들은 일을 지속하지 않는다. 전문적인 직업을 가지고 있는 경우에는 일의 스케줄에서 더 큰 유연성을 가지며 일을 지속할 가능성이 더 있다. 실업은 개인에게 중요한 정신적 영향을 가질 수 있으며 아마도 우울증의 발생이 높아지는데 기여할 것이다.

D. 재활

운동은 환자의 전반적인 행복한 감각을 향상시키기 위해 중요한 역할을 할 것이다. 특별히 디자인된 운동 프로그램들은 신체 장애가 있는 환자들이 이용가능하며 투석 기관이나 의사의 일정한 방문 동안 홍보되어야만 한다. 다른 고려해야 하는 치료 방법들로는 스트레스 감소/이완 운동과 특히 분열적이고 불안정한 환자들에서 성공적으로 사용된 바이오피드백(biofeedback)이 있다.

E. 삶의 질(QOL)

의료직원과 가족들은 환자의 삶의 질에 대한 지각을 확인하는 것이 필수적이다. 투석의 시작과 중단에 관한 결정을 내릴 때 특히 중요하다. 그들의 삶의 질을 높게 평가하는 환자들은 행복감이 증가할 것이며 그들의 투석 처방에 더 잘 따를 것이다. 말기 신질환 환자들의 삶의 질 평가에 사용되어 온 여러 가지 다른 척도들이 있으며 SF-36, 질병 효과들의 질문(Illness Effects Questionnaire), Karnofsky 척도, 삶의 만족 척도(Satisfaction with Life Scale), 그리고 KD-QOL or 신 질환-삶의 질 척도(Kidney Disease Quality-of-Life scale)를 포함한다. 이러한 척도들은 주로 주관적 측정으로 구성된다. 적혈구 생성 인자의 치료는 투석 환자들의 삶의 질을 향상하였다. 성공적인 신이식을 받은 말기 신장질환 환자들은 이식에 실패하거나 투석 치료를 받는 환자들에 비하여 삶의 질을 더 높게 평가하였다. 최근 삶의 질에 대한 환자 인식과 연관한 투석 처방의 강화 효과를 평가하는 여러 가지 임상 연구들이 있어왔다. Frequent Hemodialysis Network (FHN)는 강화된 주 6회의 투석 대비 통상의 주 3회 투석 치료가 삶의 질과 우울증 점수에 주는 영향을 평가하였다. 비록 많은 삶의 질의 영역 측정에서 적은 변화가 있었을 지라도, SF-36과 BDI 점수에서는 주 6회 투석 군에서 향상을 보였다. 의사들은 그들의 의학적 결정이 환자의 삶의 질에 줄 영향에 대하여 강력히 고려해야만 하며 환자들과 그들의 가족과 함께 문제들에 대하여 깊이 의논해야만 한다. 추가적으로 진료에 대한 환자의 만족은 평가되어야만 하는 삶의 질의 중요한 면이다.

Suggested Readings

American Psychiatric Association. *Diagnostic and Statistical Manual of Mental Disorders* 5th ed. Arlington, VA: American Psychiatric Publishing; 2013.

Atalay H, et al: Sertraline treatment is associated with an improvement in depression and health-related quality of life in chronic peritoneal dialysis patients. *Int Urol Nephrol.* 2010;42:527–536.

Blumenfield M, et al. Fluoxetine in depressed patients on dialysis. *Int J Psychiatry Med.* 1997;27:71–78.

Castaneda C, et al. Resistance training to reduce the malnutrition-inflammation complex syndrome of chronic kidney disease. *Am J Kidney Dis.* 2004;43:607–616.

Chertow GM, et al. In-center hemodialysis six times per week versus three times per week. *N Engl J Med.* 2010;363:2287–2300.

Cohen SD, et al. Screening, diagnosis, and treatment of depression in patients with end-stage renal disease. *Clin J Am Soc Nephrol.* 2007;2:1332–1342.

Cukor D, et al. Psychosocial aspects of chronic disease: ESRD as a paradigmatic illness. *J Am Soc Nephrol.* 2007;18:3042–3055.

Cukor D, et al. Anxiety disorders in adults treated by hemodialysis: a single-center study. *Am J Kidney Dis.* 2008;52:128–136.

Cukor D, et al. Psychosocial intervention improves depression, quality of life, and fluid adherence in hemodialysis. *J Am Soc Nephrol.* 2014;25:196–206.

Daneker B, et al. Depression and marital dissatisfaction in patients with end-stage renal disease and in their spouses. *Am J Kidney Dis.* 2001;38:839–846.

Dheenan S, et al. Effect of sertraline hydrochloride on dialysis hypotension. *Am J Kidney Dis.* 1998;31:624–630.

Dogan E, et al. Relation between depression, some laboratory parameters, and quality-of-life in hemodialysis patients. *Ren Fail.* 2005;27:695–699.

Finkelstein FO, et al. Depression in chronic dialysis patients: assessment and treatment. *Nephrol Dial Transplant.* 2000;15:1911–1913.

Friend R, et al. Group participation and survival among patients with end-stage renal disease. *Am J Public Health.* 1986;76:670–672.

Gee CB, et al. Couples coping in response to kidney disease: a developmental perspective. *Semin Dial.* 2005;18:103–108.

Hedayati SS, et al. A practical approach to the treatment of depression in patients with chronic kidney disease and end-stage renal disease. *Kidney Int.* 2012;81:247–255.

Holley JL. Palliative care in end-stage renal disease: focus on advance care planning, hospice referral, and bereavement [Review]. *Semin Dial.* 2005;18:154–156.

Kimmel PL. Just whose quality-of-life is it anyway? Controversies and consistencies in measurements of quality-of-life. *Kidney Int.* 2000;57(suppl 74):113–120.

Kimmel PL, et al. Marital conflict, gender and survival in urban hemodialysis patients. *J Am Soc Nephrol.* 2000;11:1518–1525.

Kimmel PL, et al. Multiple measurements of depression predict mortality in a longitudinal study of chronic hemodialysis patients. *Kidney Int.* 2000;57:2093–2098.

Kimmel PL, et al. Depression in end-stage renal disease patients treated with hemodialysis: tools, correlates, outcomes, and needs. *Semin Dial.* 2005;18:73–79.

King K, et al. The frequency and significance of the "difficult" patient: the nephrology community,s perceptions. *Adv Chronic Kidney Dis.* 2004;11:234–239.

Kolewaski CD, et al. Quality-of-life and exercise rehabilitation in end stage renal disease. *CANNT J.* 2005;15:22–29.

Kouidi E, et al. Exercise renal rehabilitation program: psychosocial effects. *Nephron.* 1997;77:152–158.

Kurella M, et al. Chronic kidney disease and cognitive impairment in the elderly: the Health, Aging and Body Composition Study. J Am Soc Nephrol. 2005;16:2127–2133.

Kurella M, et al. Suicide in the end-stage renal disease program. *J Am Soc Nephrol.* 2005;16:774–781.

Lopes AA, et al. Depression as a predictor of mortality and hospitalization among hemodialysis patients in the United States and Europe. *Kidney Int.* 2002;62:199–207.

Moss AH, et al. Palliative care [Review]. Am J Kidney Dis. 2004;43:172–173. Painter P. Physical functioning in end-stage renal disease patients: update 2005 [Review]. *Hemodial Int.* 2005;9:218–235.

Patel SS, et al. Psychosocial variables, quality of life and religious beliefs in end-stage renal disease patients treated with hemodialysis. *Am J Kidney Dis.* 2002;40:1013–1022.

Patel S, et al. The impact of social support on end-stage renal disease. *Semin Dial.* 2005;18:89–93.

Renal Physicians Association. *Shared decision making (guideline regarding withdrawal from dialysis and palliative care).* Available at http://www.renalmd.org/. Accessed September 12, 2006.

Shidler NR, et al. Quality-of-life and psychosocial relationships in patients with chronic renal insufficiency. *Am J Kidney Dis.* 1998;32:557–566.

Snow V, et al. Pharmacologic treatment of acute major depression and dysthymia. American College of Physicians-American Society of Internal Medicine. *Ann Intern Med.* 2000;132:738–742.

Tawney K. Developing a dialysis rehabilitation program. Nephrol Nurs J. 2000;27:524–539. Turk S, et al. Treatment with antidepressive drugs improved quality-of-life in chronic hemodialysis patients. *Clin Nephrol.* 2006;65:113–118.

Unruh ML, et al. Health-related quality-of-life in nephrology research and clinical practice. *Semin Dial.* 2005;18:82–90.

Watnick S, et al. The prevalence and treatment of depression among patients starting dialysis. *Am J Kidney Dis.* 2003;41:105–110.

Wilson B, et al. Screening for depression in chronic hemodialysis patients: comparison of the Beck Depression Inventory, primary nurse, and nephrology team. *Hemodial Int.* 2006;10:35–41.

Wu AW, et al. Changes in quality-of-life during hemodialysis and peritoneal dialysis treatment: generic and disease specific measures. *J Am Soc Nephrol.* 2004;15:743–753.

Wuerth D, et al. Chronic peritoneal dialysis patients diagnosed with clinical depression: results of pharmacologic therapy. *Semin Dial.* 2003;16:424–427.

Wuerth D, et al. The identification and treatment of depression in patients maintained on dialysis. *Semin Dial.* 2005;18:142–146.

I. 만성 신질환 환자들에서의 단백질 에너지 소모(Protein Energy Wasting; PEW)의 원인

대사와 영양의 장애는 만성 신질환 환자들 특히, 투석 치료를 유지하는 환자들에서 흔하다(Ikizler, 2013). 이러한 장애는 만성 신질환(CKD)의 단백질 에너지 소모(PEW)라 불린다. 이 증후군을 보이는 환자들은 입원율과 사망율의 증가를 보인다(Kalantar-Zadeh, 2004). PEW의 여러 가지 원인들(표 31.1)로는 영양 섭취의 감소; 대사성 산증, 투석-연관 이화작용, 요독증 물질과 같은 대사 장애; 당뇨병과 심혈관질환과 같은 동반 질병이 있다(Carrero, 2013). PEW은 혈액투석과 복막투석의 1/3 가량 환자들에게 영향을 준다(Pupim, 2006). 신 질환에서의 PEW의 후유증은 다양하고 권태감, 피로, 불량한 재활, 창상 치료의 기능이상, 감염 감수성의 증가, 심혈관질환 위험의 증가, 그리고 입원율과 사망률 상승을 포함한다. 대부분의 경우에서, 염증 표지자의 혈청 농도가 증가하고 만성 염증의 다양한 원인들이 존재할 것이다(Kaysen, 2001). 전 염증성 사이토카인(cytokine)은 영양 섭취의 억제와 함께 식욕부진을 야기할 수 있다(Kaizu, 2003). 또한, 만성 염증은 사이토카인-매개 과신진대사와 총 단백이화작용(catabolism)의 증가를 야기하는 인슐린 동화작용(anabolism)의 내성과 관련이 있다(Siew, 2010). 성장호르몬(GH)과 인슐린유사성장인자-I (IGF-I) 축의 분열은 단백 합성의 감소를 야기시킨다. 증가된 렙틴(leptin) 농도들은 중추 효과로 식욕부진을 악화시킬 것이다.

A. 비만

골격근의 소실, 동등한 체중보다 적은 체중이나 적은 신체질량지수가 사망률을 가파르게 증가시킨다는 증거 때문에, 만성 신질환 환자들의 소모(wasting)에 대하여 항상 관심을 가져왔다. 그러나 유지 투석 치료를 시작하는 환자들 중에서 비만 유병율의 증가가 관찰되기도 한다(Kramer, 2006). 비록 전통적인 비만은 신체 질량 지수로 측정하여 정의되어 왔으나, 신체 질량 지수로는 정상이나 과체중인 투석 환자들이 체지방의 백분율로 측정시에는 비만으로 발견되기도 하였다(Gracia-Iguacel, 2013). 관찰 방식의 연구들에서의 분석 기법과 비만의 정의, 그리고 교란의 차이 때문에, 투석 환자에서의 생존율에 대한 비만의

TABLE 31.1 신 질환 소모(wasting)의 원인들

영양분 섭취량 감소
지나친 식이제한
위 배출의 연장과 설사
병발하는(intercurrent) 질환과 입원
혈액투석하는 당일의 음식섭취 감소
소화불량을 일으키는 약물들(인 결합제, 철분제)
복막투석액의 포도당부하에 따른 음식물 섭취 억제
부적절한 투석
재정적인 제한
신체적인 제한들로 인한 식사의 준비 및 진행의 어려움
나쁜 치아 건강 및 치주 질환
식사 섭취와 삼킴을 손상시키는 신경학적 질환들
우울증
미각의 변화

소실의 증가
위장관의 혈액소실(100 mL 혈액 = 14-17 g 단백)
투석 간 질소 소실(혈액투석 6-8 g 아미노산/ 1회 ; 복막투석 8-10 g 단백/일)
심한 단백뇨(>8-10 g/d)

단백분해대사(catabolic) 작용의 증가
병발하는 질환과 입원
당뇨병과 심혈관질환, 감염을 포함한 다른 의학적 질병(comorbidities)
대사산증(단백 분해대사를 촉진)
혈액투석과 연관된 분해대사(catabolic) 작용(염증 사이토카인들의 활성에 의해)
성장호르몬/인슐린 성장인자 내분비 축의기능장애
다른 호르몬의 분해대사작용(부갑상샘 호르몬, 코티졸, 글루카곤)

효과에 관한 연구들은 이해하기 어렵다(Stenvinkel, 2013).

II. 영양 평가

A. 환자 면담과 이학적 검진

오심, 구토, 그리고 식욕부진 증상들뿐만 아니라 최근의 체중 변화도 원인을 알아내기 위하여 신중히 평가되어야만 한다. 체중 그리고/또는 음식 섭취에서의 변화와 같은 비요독증 원인들에 유념해야만 한다. 이러한 원인들은 심한 울혈성 심부전, 당뇨병, 다양한 위장관 질환, 그리고 우울증을 포함한다. 인 결합제와 경구 철분 제재는 소화불량과 다른 위장관 증상들을 야기할 수 있다.

B. 음식 섭취의 평가

환자의 음식 섭취에 대한 회상은 투석일과 비 투석일 모두에서 6개월마다 시행되어 결정되어야만 한다(Kopple, 2001); 투석일의 섭취는 일반적으로 20% 가량 낮다(Burrowes, 2003). 또한, 음식 빈도 설문지는 유용한 정보를 제공할 수 있다(Kalantar-Zadeh, 2002).

C. 영양 선별 도구들

다양한 선별 도구들로 Malnutrition Universal Screening TEST (MUST), Mini Nutritional Assessment (MNA)와 같은 도구들이 사용 가능하며 이러한 도구들은 간단한 환자 면담이 필요하다. 모든 선별 도구들에서 흔한 질문들로는 주어진 시간 내의 체중의 변화에 대한 정보, 경구 섭취 량, 또는 식욕의 결핍을 포함한다. 간단함과 확실성으로 인하여 더 포괄적인 MUST보다 적용하기 쉬운 영양실조 선별 도구(Malnutrition Screening Tool; MST)를 첫 번째 선택으로 제안한다. MST는 체중 감소에 대한 2가지 질문과 식욕에 대한 한가지 질문을 포함한다. 이러한 질문들의 점수를 모두 합하여 결과가 2보다 큰 경우 환자는 영양실조/PEW의 위험이 있으며 영양평가가 권장된다.

D. 영양 평가 도구들

1. 신체 구성

a. 체중과 신체질량지수

이상적 또는 평균 표준 체중(부록 B 참고)을 실제 체중과 비교해야만 한다. 투석 환자에서 실질체중(body weight)과 제지방체중(lean body mass) 모두 시간이 지나면서 감소하므로 이전 값과의 비교가 중요하다 (Di Filippo, 2006; Rocco, 2004). 비록 신체질량지수가 계산하기 쉽고 많은 영양학의 가이드라인에서 사용될지라도, 이러한 미터법(metric)이 특히 만성 신질환 환자들에서 지방의 질량과 체내 지방의 분포도를 예측하기에 좋지 않다는 점이 강조되어야만 한다.

b. 인체계측법(Anthropometry)

횡단적 단면연구에서 허리-골반 비율(WHR)과 피하지방 두께는 만성 신질환 환자의 비만 분류의 교정을 위하여 BMI보다 우수하다. 근육 질량을 예측하기 위하여 상완위(midarm circumference)를 사용하듯이, 피하지방 두께(skin fold thickness)는 이두근과 삼두근에서 측정되어 체지방의 추정 값을 제공한다. 이러한 측정들은 영양분을 잘 공급한 투석 환자들에서 정해진 참고 범위와 비교할 수 있다(Chumlea, 2003). 상완위나 삼두근의 피하지방 두께가 25번째 백분위수 아래의 값을 가지는 환자들은 영양실조일 것이다.

c. 생체 임피던스(Bioimpedance)

지속적인 교차 전류가 환자에게 적용되었을 때, 생체 임피던스의 분석은 저항(resistnce)과 유도저항(reactance)의 측정에 근거한다. 저항으로부터 체내 총수분량과 저항과 유도저항의 비율이나 기하학적 유도체인 위상각(phase angle)으로부터 총 체질량을 예측하기 위한 경험식이 사용된다. 위상 각은 영양 상태의 인체 측정학 측정과 혈청 알부민 농도와 강력히 연관 있다. 재현을 위해 생체 임피던스는 투석 치료 종료 120분 이내에 시행되어야만 한다(Di Iorio, 2004). 저 위상각의 측정은 증가된 사망률과 연관 있다(Mushnick, 2003). 생체 임피던스 분광학을 사용하는 국제 연구에서 모든 투석 환자들에서 마른 조직 지수(lean tissue index)의 장애가 보고되었으며 혈액투석 환자들보다 복막투석 환자들에서 더 잘 보존되었다(van Biesen, 2013).

d. 이중에너지 X선 흡수 계측법(DEXA)

이 검사는 골 밀도를 측정하기 위하여 발달되었으나 이후에는 지방과 실질체중 or 지방제외체중(fat free mass)를 포함하는 연 조직의 구성을 정량화하는데 적용되었다. DEXA 스캔은 오직 6~15분이 소요되고 최소한의 방사선 노출로 시간에 따른 변화를 연속적으로 추적관찰할 수 있다. 현재, 주로 연구목적으로 DEXA가 사용된다; 비용이 더 들며 DEXA의 결과가 진행한 신부전 환자의 결과와 연관이 있다는 자료는 없다. DEXA 소견들은 수분 상태를 고려하여 평가되어야만 한다.

2. 합성 지수(composite indices)

주관적 영양상태 평가(SGA; Subjective global assessment)는 병력, 증상, 이학적 지표들을 포함하는 영양 상태를 평가하는 임상적 방법이다. 병력 요소는 5가지 부분에 집중한다: (a) 이전 6개월 동안의 체중 소실의 백분율; (b) 식이 영양 섭취; (c) 식욕부진, 오심, 구토, 설사, 또는 복통의 존재; (d) 기능용량(functional capacity); 그리고 (e) 기저질환 상태 면에서의 대사 요구량. 이학적 지표들은 피하지방의 평가; 측두(temporal) 영역, 삼각근, 그리고 사두근의 근 쇠약; 발목이나 엉치(sacral) 부종의 존재; 그리고 복수의 존재의 여부를 평가한다. SGA는 재현성이 좋고 말기 신장질환(ESKD) 환자들에서의 결과와 많은 연관이 있다(Duerksen, 2000). 제안되어 온 다른 점수 체계는 객관적 요인과 주관적 요인을 복합적으로 사용하는 modified SGA (Churchill, 1996), 투석 영양실조 점수(Dialysis malnutrition score)와 영양실조 염증 점수(malnutrition inflammation score)(Kalantar-Zadeh, 2001)를 포함한다. 노인 영양 위험 지표(GNRI; Geriatric Nutritional Risk Index)는 오직 세 가지 지표들 - 체중, 키, 그리고 혈청 알부민 농도로 구성되어 있고 점수는 사망률을 예측한다(Kobayashi, 2010).

E. 검사실 검사들

1. 혈청 알부민

낮은 농도는 사망률의 강력한 예측인자이고 4.0 g/dL (40 g/L) 아래로 농도가 감소하면서, 입원 위험은 극적이며 기하급수적으로 증가한다. 사용되는 분석 방법은 결과들을 많게는 20%까지도 변화시킬 수 있다. 혈청 알부민 농도가 다른 영양 척도들과 미미한 연관이 있으며 저알부민혈증은 낮은 영양 섭취, 단백 소실, 증가한 이화작용 이나 이러한 기전들의 조합으로 발생할 수 있다. 추가적인 평가로는 신체검진, 식이 회상 그리고 급성기 반응물질들을(예를 들면, 혈장 C-반응성 단백)이 제한되지 않고 포함되며 환자의 적절한 관리를 위해 필요하다.

2. 투석 전 혈청 요소질소(serum urea nitrogen; SUN)

투석 전 SUN 농도는 요소의 형성과 제거 사이의 균형을 반영한다. 그러므로 낮은 SUN 농도는 투석이 매우 잘 시행되고 충분한 단백질을 섭취한 환자에게서도 또는 단백질 섭취가 부족하면서 부적절한 투석이 이루어진 환자에서도 발생할 수 있다. 또한 낮은 SUN 농도는 많은 잔여신기능이나 현저한 이화상태(예를 들면 급성 병색에서의 빠른 회복 기간)를 반영할 수 있다. 그러므로 SUN에서 직접적으로 단백질의 섭취를 추론하는 것은 어렵다.

3. 요소질소 양상(g)

이 측정법은 단백 섭취량을 예측하기 위하여 사용될 수 있다. 심한 이화작용이나 동화작용이 없는 상태의 요소질소 양상 비율은 단백질의 섭취를 반영하기 때문이다. 이화작용이나 동화작용의 환자에서의 단백질의 섭취는 각각 과다평가 또는 과소평가될 것이다. 3장에서 의논하였듯이, 혈액투석 환자에서 g은 투석 전, 후의 SUN을 사용하여 계산할 수 있다. 급성신부전의 환자에서 총체내수분량의 추정 후, g은 보통 24시간 간격의 두 시점에서 SUN을 측정하여 예측된다. 혈액투석과 복막투석 환자 모두에서 g을 사용하는 계산 방법은 소변과 사용한 투석액의 일정 부분을 수집하여 각각의 요소질소 양을 측정하는 것이다.

4. 총 질소 표현율로 부터 산출하는 단백질량

알고 있는 요소를 가지고 단백질로부터 질소 백분율로 주어지는 g에서 PNA를 계산하기 위하여 여러 가지 공식들을 사용할 수 있다. 투석 모델 프로그램은 보통 PNA를 '역동(kinetic)' 체중으로 정상화하며 역동체중은 요소 분포도 용적을 0.58로 나누어 예측한다. 역동 체중(보통 내부 번호이며 보고되지 않는다)은 언제나 해당되지는 않지만 평소 실제 체중에 가깝다. PNA를 역동 체중으로 나눈 경우 '표준화된(normalized)' PNA, 혹은 하루당 g/kg의 단위를 보이는 nPNA라 할 수 있다.

5. nPNA의 임상적 유용

결과를 예측하는 면에서 PNA의 사용에 대해 의문을 가져왔다. HEMO 연구의 관찰자료 세트와 같이, 혈청 알부민과 크레아티닌이 일단 조절되었을 때, PNA는 결과 면에서 추가적인 예측 능력이 설령 있다 해도 적었다. HEMO 연구에서 PNA는 식이 단백질 섭취의 매우 좋지 못한 예측인자였다. 사용된 식이 회상 방법이 관계를 보여주기에 충분히 민감하지 못하나 대체 설명으로는 사용 가능하다고 추정되었다.

6. 다른 검사 결과

혈청 트렌스페린(transferrin)은 거의 모든 투석 환자들에서 낮고 철분 저장, 염증의 존재 그리고 용적 상태의 변화에 영향을 받으며,

이러한 것은 영양상태의 좋은 지표가 아니다. 혈청 전알부민(pre-albumin) 농도는 전알부민과 레티놀 결합 단백의 상호작용과 감소된 신 청소율에 의하여 상승할 것이다. C-반응성 단백은 급성기 반응으로 알부민과 다른 내장 단백(visceral protein) 농도와 부정적으로 연관이 있다. 혈청의 알부민과 전알부민 농도가 낮을 때, 숨겨

TABLE 31.2	투석 환자를 위한 일일 식이 추천[a]	
영양소 혹은 물질	**혈액투석**	**복막투석**
단백질(g/kg)	>1.2	>1.2; 복막염시 >1.5
열량(sedentary, kcal/kg)	30–35[b]	30–35[b,c]
단백질(%)	15–25	
탄수화물(%)	50–60[d]	50–60[c,d]
지방(%)	25–35	
콜레스테롤	<200mg (0.52 mmol)	
포화 지방(%)	<7	
섬유질(g)	20–30	
Sodium	80–100 mmol[e]	
Potassium	< 1 mmol/kg if elevated	Usually not an issue
Calcium	2.0 g (50 mmol)[f]	
Phosphorus	0.8–1.0 g (26–32 mmol)[g]	
Magnesium	0.2–0.3 g (8–12 mmol)	
Iron	34장 참고	
Vitamin A	None	
β-carotene	None	
Retinol	None	
Thiamine (mg)	1.5	
Riboflavin (mg)	1.7	
Vitamin B6 (mg)	10	
Vitamin B12 (mg)	0.006	
Niacin (mg)	20	
Folic acid (mg)	>1.0	
Pantothenic acid (mg)	10	
Biotin (mg)	0.3	
Vitamin C (mg)	60–100	
Vitamin E	None	
Vitamin D	36장 참고	
Vitamin K	본문 참고	

[a]모든 섭취량은 표준화 체중에 근거하여 계산됨(예를들면, 같은 나이, 키, 그리고 성별의 정상 환자에서의 평균 체중)

[b]만약 < 60세이면, 35 kcal/kg wt./day; > 60세이면, 30–35 kcal/kg/wt./day

[c]투석액에서의 혈당 흡수를 포함

[d]탄수화물 섭취는 고중성지방혈증 환자에서 감소해야만 한다.

[e]1.0–1.5 g (43–65 mmol)의 낮은 염분 섭취는 복막투석 환자에서 더 혈압을 잘 조절하고 에너지 섭취를 유지하는 동안 더 낮은 포도당 투석액의 사용이 권유된다.

[f]칼슘–인 결합제의 칼슘원소 총량은 1,500 mg (37 mmol)/day를 초과하면 안되고 식이 칼슘을 포함한 하루의 총 칼슘 원소량은 2,000 mg (50 mmol)/day이다.

[g]혈청 인 농도가 >5.5 mg/dL (1.8 mmol/L)인 환자에서는 만약 상승해 있다면 인 결합제를 사용한다.

진 잠재적 염증을 알아내기 위해서 도움이 되는 CRP 농도를 체크
하는 것이 적절하다. CRP 농도는 말기 신장질환 환자들에서 임상
적 유용성이 감소하며 매우 다양하나 연속적인 CRP 측정이 가치
있는 정보를 제공할 것이다.

III. 식이 요구량

추천되는 평균 영양 섭취의 레벨은 표 31.2에 나열되어 있으며 권고들
은 일반적으로 National Kidney Foundation's (NFK) Kidney Disease
Outcome Quality Initiative (KDOQI) 2001 영양 가이드라인 (NKF,
2001)과 영양을 위한 European best practice와 일치한다(Dombros,
2005).

A. 개별적인 식이 처방의 필요성

'신장' 식이는 여러 가지 제한이 있어 식이를 지키는 것은 어렵고 이로
인한 스트레스가 많다. 처방된 식이는 각 환자의 선호하는 식품(palat-
ability), 비용, 동반하는 의학적 상태, 그리고 문화적인 식습관들이 다
르기 때문에 각 각의 환자를 위한 식이 처방은 개별화해야만 하다. 당
뇨병 투석 환자들에서의 특유의 영양적 문제들은 32장에 기술되어 있
다. 너무 지나친 제한은 영양 섭취 부족을 야기할 수 있으므로 피해야
만 한다. 영양 권장은 건강 관리 팀의 모든 멤버들에 의해서 강화될 필
요가 있다. 순응도에 대한 평가는 정기적으로, 더 정확히 말하면 투석
시작부터 매달마다 이루어져야 하며 이전에 비순응의 과거력이 있는
경우에도 시행되어야만 한다.

B. 실제 체중보다 동등(peer) 체중

PEW를 종종 갖는 투석 환자들에서의 식이 섭취 권장의 한가지 문제
는 분모에 사용할 체중의 선택이다. 예를 들면, 만약 환자의 신체 질량
이 줄어서 그나 그녀의 체중이 병전 체중인 90 kg에 비하여 현재는 50
kg이라면, 실제 체중에 근거한 '적절한' 양의 단백질이나 칼로리의 섭
취는 환자의 낮은 체중을 유지하게 할 것이나 요구되는 것으로 추정되
는 소실된 체중을 다시 얻기 위해 적절하지는 않을 것이다. 단백질과
칼로리 권장량은 환자로써 건강한 주체의 같은 성별, 키, 나이, 신체 골
격 크기의 평균 표준(또는 '동등') 체중(부록 B의 표 B.1과 B.2를 보아
라)에 근거해야만 한다. 반면에 비만한 환자들에서는 보정 체중이 사
용되어야 한다(Adjusted 체중 = Peer 체중 + 0.25 × (실제 체중 - 동
등체중).

예시: 심한 영양 결핍 상태의 혈액투석하는 35세 남자 환자는 60 kg
이다. 부록 B의 표를 이용하여 키 183 cm (72 in)로 이 중간-골격(건
강한)환자의 동등 체중은 84 kg이다. 우리의 요소 역동 모델 프로그램
은 그의 nPNA가 하루마다 1.2 g/kg이라 보고하였다. 위에서 의논한
바와 같이, nPNA는 환자의 '역동'체중에 근거한다. 이 환자는 충분한

양의 단백질을 섭취하고 있는가?

우리는 프로그램에서 V를 모델화하는 값을 발견하고 이 프로그램에서 사용된 '역동'체중을 찾기 위해 0.58로 나눠준다. 추정하기에 이 값은 60 kg이 될 것이다. 그리고 나서 하루마다 1.2 g/kg = 1.2 × 60 = 72 g으로 그의 PNA로 하루의 예측되는 단백질의 섭취량이 72 g인 것이다. 환자의 동등 체중으로 정상화하는 PNA를 계산하기 위해서 72를 84 kg으로 나눈다. 그의 PNA 동등 체중은 단지 72/84 = 하루 0.86 g/kg으로 부적당하다.

C. 투석의 적절도

적절도가 낮은 투석량의 전달은 식욕,영양섭취,영양 조치에 부정적 영향을 줄 수 있다. 적절한 투석의 공급은 감지하기 힘든 요독증을 교정하고 요독증 연관 식욕부진을 완화하고 과다 이화작용 또한 호전시킬 것이다. 이전에 말한 바와 같이, HEMO 연구에서 고용량(single - pool Kt/V~1.65)과 표준 용량(single - pool Kt/V~1.25)으로 투석하는 무작위 환자 군들을 비교하였을 때 단백질이나 에너지 섭취에서의 향상은 없었다. 비록 어떤 인체계측지표들의 감소가 높은 양의 투석에 지정된 경우에 더 적었을지라도 두 그룹 환자들에서 체중은 유사하게 감소하였다(Rocco, 2004). 고유량 그룹에 지정된 경우 측정할 수 있는 영양적 장점은 적었다. 주 3회 투석을 더 자주 시행하는 투석 스케줄로 변경하면 확연한 영양적 향상을 보인다는 과거의 연구들과 다르게 2개의 무작위 Frequent Hemodialysis Network 연구들에서는 매일 더 자주 짧게 또는 긴 야간 치료를 한 환자들에서 혈청 알부민이나 제지방 체중의 향상을 찾는데 실패하였다(Kaysen, 2012). 간헐적 혈액 여과 또는 혈액투석여과를 받는 환자들에서의 영양적인 향상이 주장되어 왔으나 지지하는 증거들이 비교적 약하다.

D. 단백질

KDOQI 가이드라인들에서 혈액투석과 복막투석 환자들은 하루에 1.2 g의 단백질/kg을(동등 체중을 사용) 섭취할 것을 권고하고 있다. 적어도 섭취된 단백의 50%는 높은 생물학적 가치가 있다. 이러한 레벨의 단백질 섭취는 종종 실제 진료에서 달성하기 어려우나 혈액투석 환자들의 30~50%는 체중 당 <1.0g의 단백질을 하루에 섭취한다고 보고하고 있다(Rocco, 2004).

E. 에너지

KDOQI 가이드라인들은 모든 61세보다 젊은 환자들이 하루에 35 kcal/kg을 섭취할 것을 권고하고 있다. 60세 보다 나이가 많은 환자들은 하루에 30~35 kcal/kg를 섭취하도록 권장하며 비 활동성의 환자들은 더 낮은 값이 권장된다. 이러한 섭취수준은 투석 과정에서 제공되는 칼로리들도 포함한다는 것을 유의해야 한다. 격렬한 일을 하는 환자, 요구되는 체중보다 많이 낮은 환자, 입원이 필요한 환자, 복막염이 있거나 다른 이화작용의 스트레스의 원인을 가지고 있는 환자들은 더

TABLE 31.3	CAPD와 APD 환자에서 주입양에 따른 흡수되는 포도당의 열량(Kilocalories) 측정		
주입량	%D 낮	%D 밤	흡수된 kcal
CAPD			
4 × 2.0 L	1.5% D	2.5% D	332
4 × 2.5 L	1.5% D	7.5% Icodextrin	187
4 × 2.5 L	1.5% D	2.5% D	386
4 × 3.0 L	1.5% D	2.5% D	432
APD (낮 저류)[a]			
3 × 2.0 & 2.0	2.5% D	1.5% D	299
3 × 2.5 & 2.5	2.5% D	1.5% D	350
3 × 3.0 & 3.0	2.5% D	1.5% D	396
3 × 2.5 & 2.5 + 2.5	Both 1.5% D	1.5% D	342
3 × 2.5 & Ico	7.5% Icodextrin	1.5% D	144

D, % dextrose of instilled solution; APD, automated peritoneal dialysis.
[a]APD 1,2,3 그리고 5 요법에서는 9시간의 야간 그리고 저녁의 3차례 투석액 교환과 마지막 투석액 채움(last-bag-fill)을 포함하며 자동 복막투석 요법4는 마지막투석액 채움과 일중(midday) 교환을 포함한다.
Adapted from Burkart J. Metabolic consequences of peritoneal dialysis. Semin Dial. 2004 17: 498-504. 추정값들은 아이코덱스트린을 저류할 경우의 포도당 소실이나 다당류의 대사로부터 얻어지는 kcal를 고려하지 않았다.

높은 양의 칼로리 섭취가 요구될 것이다. 이러한 레벨의 칼로리 섭취는 실제 진료에서는 도달하기 어렵다; 예를 들면, HEMO 연구에서 식이 회상에 기반한 평균 섭취량은 23~27 kcal/kg 였다. 일본 투석 환자들의 하루 평균 에너지 소모량인 24.6 kcal/kg와 자료들은 연관성을 보여준다(Kogirima, 2006). 이러한 것은 식이 회상에서 보여지는 것과 같이 평소 적게 보고하는 것과 연관이 있을 것이다. 더 자주 혈액투석을 시행하는 환자들에게서 KDOQI에서 권장되는 레벨의 식이 단백질과 에너지 섭취량이 달성되었다(Rocco, 2013).

복막투석 환자들에서 투석액으로부터의 흡수되는 상당한 양의 포도당은 총 에너지 섭취에 기여한다(표 31.3). 총 에너지 섭취는 각 저류량에 사용된 덱스트로오스의 백분율, 교환 시간, 저류의 양, 교환 횟수, 그리고 복막 수송의 특성에 연관하여 매일 이루어진다.

1. 탄수화물의 백분율

표 31.2는 식이 섭취의 50~60%(투석액으로부터 흡수된 포도당 포함)는 탄수화물이어야 한다는 사회적 통념을 반영하고 있다. 2,000-kcal의 식이에서 1,000 kcal 또는 250 g의 탄수화물을 나타낸다. 대부분의 복막투석 요법에서 300~400 kcal의 포도당이 정상적으로 흡수된다는 것을 감안할 때, 음식을 통하여 섭취되는 탄수화물의 백분율은 유사한 양만큼 감량되어야 할 필요가 있다. 고

중성지방혈증과 내당능장애는 복막투석에서 흔하고 혈액투석 환자들에서도 드물지 않다. 이런 환자들에서 탄수화물의 백분율이 더 줄어야 할 것이고 칼로리 부족이 있는 경우에는 먼저 단백질과 단일 불포화 지방의 섭취를 증가시켜야 한다(Arora, 2005).

F. 지질

혈액투석 환자들의 전형적인 치료 목표는 저밀도 지단백(LDL)콜레스테롤은 <100 mg/dL (2.6 mmol/L)이고 공복 중성지방 농도는 <500 mg/dL (5.7 mmol/L)이다. 치료적 생활습관의 변화는 식이, 체중감소, 신체활동의 증가, 금주, 그리고 만약 있다면 고혈당의 치료를 포함한다. 그러나 투석 환자들에서 낮은 LDL 콜레스테롤 농도는 향상된 심혈관계의 건강이나 생존율과 연관되어 있지 않다. 그러므로 이러한 권장은 증거에 근거하지 않으며 오히려 정상 신기능의 환자들에게 해당한다고 할 수 있다. 식이 구성 요소로는 <7%의 포화지방(saturated fat), 총 칼로리의 <10% 고도 불포화지방(polyunsaturated fat)과 <20% 단일 불포화지방(monounsaturated fat), 그리고 총 칼로리의 25~35%의 총 지방을 함유하는 식이가 평소 권장되어 왔다. 그러나 포화지방으로 인한 심혈관계 부작용에 따른 사회적 통념에 의하여 이 주제에 대하여 많은 논쟁이 있다(Chowdhury, 2014). 혈액투석 환자들에서 탄수화물은 총 칼로리의 50~60%를 넘어서는 안되며 복막투석 환자들에서는 탄수화물 섭취량이 더 적어야 할 것이다. 모든 투석 환자들은 하루에 20~30 g의 식이섬유를 소모하여 이상지질혈증과 위장관계 통과시간을 줄여야만 하며 고섬유질 식이는 심혈관계 사망률의 감소와 연관이 있다. Indoxyl sulfate와 p-cresol sulfate와 같은 많은 요독 물질들은 장내 세균에 의해 생성되고 위장관의 통과시간을 줄여 장 내 세균들이 이러한 독소들을 형성하는 것을 제한할 것이다. 지질 관리는 38장에 더 자세히 논의되어 있다.

G. 나트륨과 수분

대부분의 수분과다는 많은 양의 나트륨 섭취에 의하여 야기되므로 환자와 그의 가족에게 나트륨 제한의 중요성에 대하여 교육하기 위해 식이상담이 필요하다. 어떤 환자들에서는 수분 섭취를 야기하는 비-나트륨 원인들도 있으므로 찾아서 교정해야 한다. 과거 규제기관들은 건강한(만성 신질환이 아닌) 사람들은 하루에 식이 염분을 2.3 g (100 mmol)로 제한하도록 제안하고 있으며 고령, 미국 흑인들이나 만성 신질환 환자들은 하루 1.5 g (65 mmol)로 제한하도록 하고 있다(Institute of Medicine, 2004); 그러나 현재 심혈관계 이점을 야기하는 염분제한의 범위가 논쟁의 원인이 되고 있다(Institute of Medicine, 2013). 복막투석에서 나트륨으로 자극된 수분 섭취를 높은 포도당 농도의 투석액 저류로 제거 가능하나, 복막에 중대한 부작용을 야기할 수 있는 포도당 부하의 비용과 지질과 중성지방 농도를 생각할 때 적은 염분 섭취를 하는 것이 바람직하다. 소변이 나오지 않는 말기 신장질환 환자에서 수분의 섭취는 하루 1.0~1.5 L로 제한되어야만 한다. 추가적인 수분은 잔여신기능이 있는 환자에게서 하루의 소변 양에 근거하여 소비될 수 있다.

H. 칼륨

경도의 칼륨 제한(하루 4 g 또는 100 mmol)은 중등도의 잔여신기능이 있는 환자들에서 보통 필요하다. 고칼륨혈증은 때때로 산증이나 저알도스테론증이 존재하는 경우 비스테로이드 소염제(NSAIDs), 칼륨-보존 이뇨제, 안지오텐신 전환효소 억제제, 안지오텐신 수용체 차단제, 알도스테론 수용체 길항제, 또는 베타차단제의 투여시 문제가 된다.

무뇨증 복막투석 환자에서의 고칼륨혈증은 투석액이 칼륨을 포함하고 있지 않으므로 흔치 않다. 복막투석 환자들은 전형적으로 오직 미량의 칼륨 제한(하루 4 g이나 100 mmol)이 요구되거나 아예 제한하지 않는다. 잔여신기능이 제한된 혈액투석 환자들은 투석 전의 고칼륨혈증을 예방하기 위해서 더 적은 양의 칼륨 섭취(하루 2 g 이나 50 mmol)가 종종 요구된다. 매우 낮은 칼륨 (0 K 또는 1 K)의 투석액에의 노출을 제한하기 위한 관심이 필요하며 이러한 경우 부정맥과 돌연사의 위험과 연관이 있다.

I. 칼슘과 인

칼슘과 인의 식이 섭취와 고인산혈증의 관리에 대하여는 36장에 기술되어 있다. 중요한 이슈로 명심해야 할 필요가 있는 것들로는 식이 단백질 권장은 단백으로부터의 인 뿐만 아니라 가공된 식품으로부터의 첨가제와 보존제에 함유된 상당할 수 있는 인의 함량을 고려해야만 한다(Kalantar-Zadeh, 2010).

J. 비타민

1. 수용성 비타민

투석 환자들은 보충제가 주어지지 않는 한 수용성 비타민의 결핍이 발생 할 것이다. 비타민 결핍은 열악한 섭취, 약물과 요독에 의한 흡수의 방해, 변화된 대사, 그리고 투석액으로의 소실에 의하여 야기된다. 모든 투석 환자들은 표 31.2에 나열되어 있는 용량의 엽산과 비타민 B 보충제를 투여받아야만 한다. 고유량의 투석을 시행하는 환자들은 소실이 증가하기 때문에 더 집중적인 비타민 B의 보충이 필요하다(Kasama, 1996). 그러나 높은 농도의 엽산 보충은 호모시스테인 농도의 유의한 감소를 야기하지는 않는다(Ghandour, 2002). 아스코르빈산의 보충은 높은 용량의 경우 대사산물인 수산염의 축적이 발생하므로 하루 60~100 mg으로 제한되어야만 한다. 낮은 범위의 혈청 코발라민 농도에서 주사 투여가 가능한 비타민 B_{12}의 사용은 적혈구 생성 촉진인자 자극제의 필요량을 줄여주며 34장에서 논의된다.

2. 지용성 비타민

지용성 비타민들은 혈액투석이나 복막투석에 의하여 제거될 수 없다. 유지투석 환자에게 종합비타민제 보충은 지용성 비타민을 포함하지 않아야만 한다. 비타민 D의 용량에 대해서는 36장에 나와있다. 비타민 E는 유지투석 치료에서의 항 산화를 촉진해왔으며 이전 연구들에서 권장되어 왔으나 보충 치료가 염증 지표나 항 산화 스트레스의 변화를 야기하지는 않았다(Himmelfarb, 2014). 말기 신부전 환자들에게 주어지는 어떤 비타민이든지 주의 깊게 체크하여 비타민 A가 포함되지는 않았는지 확인해야만 한다. 높은 농도의 비타민 A는 요독증이 없는 개인에서 다양하고 심각한 부작용들을 발생하게 할 수 있다. 또한 비타민 A 과다증은 투석 환자들에서 빈혈과 지질, 칼슘의 대사의 이상을 야기할 수 있다. 최근 말기 신장질환 환자들에서의 혈관 석회화의 급속화의 중요한 원인으로 낮은 비타민 K 농도와 비타민 K의 재이용의 장애가 집중되어 왔다. 비타민 K는 2가지의 사용 가능한 형태로 초록잎 채소에서 발견되는 phylloquinone (K1)과 발효된 유제품에서 발견되는 menaquinone (K2)

TABLE 31.4	에너지 요구량 결정을 위한 조정 요소
임상 상태	**조정 요소**
기계 환기	
폐혈증 아닐시	1.10-1.20
폐혈증 동반	1.25-1.35
복막염	1.15
감염	
Mild	1.00-1.10
Moderate	1.10-1.20
Sepsis	1.20-1.30
연조직 손상	1.10
뼈골절	1.15
화상(체표면 면적 %)	
0%-20%	1.15
20%-40%	1.50
40%-100%	1.70

Recommendations adapted from Blackburn GL, et al. Nutritional and metabolic assessment of the hospitalized patient. *J Parenter Enteral Nutr.* 1977;1:11-22; Bouffard Y, et al. Energy expenditure in the acute renal failure patient mechanically ventilated. *Intens Care Med.* 1987;13:401-404;
Schneeweiss B, et al. Energy metabolism in acute and chronic renal failure. *Am J Clin Nutr.* 1990;52:596-601; Soop M, et al. Energy expenditure in postoperative multiple organ failure with acute renal failure. *Clin Nephrol.* 1989;31:139-145.

가 있다. Phylloquinone은 menaquinone으로 전환 될 수 있다. 식이 Menaquinone의 섭취는 불활성화 형태의 석회화 억제제와 탈인산화(dephosphorylated), 탈카복실화(uncarboxylated) 매트릭스 GIa 단백질과 역으로 연관된다.(dp-uc-MGP; Calluwe, 2014). 현재 phylloquinone (K1)이나 menaquinone (K2)의 보충이 각각 투석 환자들에서 혈관 석회화의 진행을 방해할 수 있는지 보는 2가지의 무작위 연구가 진행 중이다(Calluwe, 2014; Krueger, 2014).

IV. 신 질환이 있는 입원 환자들의 영양 요구량

A. 입원한 투석 환자들에서의 에너지 요구량

일반적으로 투석을 필요로 하는 대부분의 급성 신손상(AKI) 환자들은 30~40 kcal/kg의 에너지가 필요하다. 높은 농도의 칼로리 섭취는 영양의 관점에서 이점을 보이지 않았으며 총 질소 평형을 악화시키고 특히 환자들에게 폐 기능의 장애가 있다면 고탄산혈증을 야기할 수 있다. 단순방법으로는 하루의 30~35 kcal/kg의 기저요구량을 추정하고 1.1~1.7 범위 안에 드는 대사과다증이 존재할 때 사용되는 한 가지나 그 이상의 적정요인들로 곱하는 것이다. 이러한 적정 요인들 외에도 급성 신손상이 있는 급성 병색의 환자들에서의 에너지 소모가 정상 신기능의 급성 병색 환자들보다 높다고 보여지지는 않았다(Soop, 1989).

B. 단백 요구량

중병 상태에서, 아미노산은 단백의 분해를 막기 위해 주입되며 칼로리의 추가적인 출처가 되지는 않는다. 그러므로 하루 섭취 에너지의 일부로 포함되지 않는다. 입원 기간 동안 유지 투석이나 지속적 신 대체요법을 시행하는 급성 신손상이나 만성 신질환 환자에서 아미노산의 섭취는 하루 1.1~2.0 g/kg의 범위를 보여야만 한다. 심지어 매우 높은 질소 소실을 보일 때에도 높은 농도의 단백 보충을 하는 것은 이득이 없는 것으로 보였다. 더 높은 농도의 단백이 주어졌을 때, 질소 평형의 추가적인 향상은 나타나지 않았고 요소와 질소 폐기 생성물의 형성이 증가되었다.

C. 지질 요구량

보통 에너지 요구량은 단지 포도당의 투여만으로 달성되지 않는다. 하루에 투여되는 포도당 양은 체중 당 5 g/kg을 초과해서는 안되며 이 농도보다 더 많이 보충하면 포도당의 불완전 산화와 포도당이 지방으로 전환되는 것을 야기할 수 있다. 에너지 요구량의 평형은 지질에 의하여 제공된다. 지질은 낮은 삼투질 농도와 높은 특정 에너지 내용물을 가진다. 하루 체중 당 1.0 g/kg이나 그 이하의 양을 공급 함으로써 일반적으로 고중성지방의 위험을 감소시키면서 필수 지방산 결핍의 발생을 예방한다.

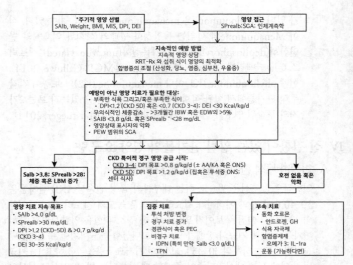

그림 31.1 환자의 영양 관리와 지원을 위한 알고리즘

BMI, body mass index; CHF, congestive heart failure; DEI, dietary energy intake; DM, diabetes mellitus; DPI, dietaryprotein intake; EDW, end-dialysis weight; GH, growth hormone; IBW, ideal body weight; IDPN, intradialytic parenteral nutrition; MIS, malnutrition inflammation score; ONS, oral nutritional supplementation; PEW, protein energy wasting; RRT, renal replacement therapy; Salb, serum albumin; SPrealb, serum prealbumin; SGA, subjective global assessment; TPN, total parenteral nutrition.

V. 치료

A. 일반적 언급

만성 신질환에서는 PEW의 가역적인 원인들을 열심히 찾고 교정해야만 한다(국제 사회에서 만들어진 신장 영양 대사의 치료 알고리즘을 위하여 그림31.1 참고). 부적절한 식이 단백질과 에너지 섭취는 만성 신질환의 PEW의 주요한 원인이고(Wang, 2003) 종종 식욕부진에 이차적으로 발생한다. 식욕부진의 원인들은 여러가지이다. 적절한 투석의 공급은 영양 상태의 향상을 위해 중요한 첫 단계이다; 그러나 더 자주 투석하는 것에 대한 자료가 영양의 매개변수(parameter) 연관한 투석량의 증가로 인한 이득과 관련이있다(Rocco, 2013). 다른 의학적 상태, 특히 감염과 염증, 산증, 병발증, 그리고 심혈관질환은 가능하면 확인하고 치료해야만 한다. 대사성 산증은 근육 단백질 이화작용의 증가와 필수 아미노산의 산화 자극에 의하여 PEW를 촉진한다. 그러므로 환자의 PEW에 연관하여 혈액투석 전 목표는 22~24 mmol/L 그리고 복막투석 전 목표는 >22 mmol/L를 제안한다(Stein, 1997). 투석에서의 중심 정맥도관의 사용을 포함하는 염증의 원인들은 가능하면 제거되어야만 한다. 또한 당뇨병위장애, 장염, 그리고 췌장 부전증을 포함하는 위장관 장애의 교정은 영양 상태를 향상시킬 것이다. 다른 고려사항으로는 이용 가능하고 준비할 수 있는 음식, 인종, 개인 선호 음식과 틀니나 의치의 교정 필요여부를 위한 평가가 포함된다. 일단 부족한 영양 상태의 가역적인 원인들이 확인되고 교정되면, 경구나 장관 외의 보충 형태의 조정이 고려되어야만 한다.

B. 영양상의 보충을 시작해야 하는 때

국제 사회에서 최근 신 영양과 대사와 관련한 만성 신질환의 영양 관리와 환자의 지원을 위한 권고사항을 게재하였다(Ikizler, 2013). 일단 예방적 그리고 예비된 교정 접근에 실패하면, 다음과 같은 영양 보충을 위한 처방의 적응증이 있다(그림 31.1).

1. 식욕 부진 그리고/또는 부실한 구강 섭취량
2. 식이 단백질의 섭취 (DPI) 하루 <1.2 g/kg, 식이 에너지 섭취(DEI) 하루 <30 kcal/kg
3. 혈청 알부민 농도 <3.8 g/dL또는 (만약 환자가 무뇨)혈청 전알부민 농도 <28 mg/dL
4. 의도하지 않은 체중 소실이 3개월 동안 이상체중(IBW)이나 투석 말 체중 (EDW)의 >5%
5. 시간에 따른 영양 지표의 악화
6. PEW 범위의 SGA

초기의 영양 보충은 만성 신질환에 특이적이어야만 하며 말기 신장질환의 식이 단백 섭취 목표는 >1.2 g/kg/day 이고 비 투석 만성 신질환 환자의 경우는 >0.8 g/kg/day, 하루의 목표 식이 에너지 섭취량은 30~35 kcal/kg, 혈청알부민 농도의 초기의 목표는 3.8 g/dL (38 g/L), 오랜 기간의 목표는 >4.0 g/dL (40 g/L)이다.

경구 영양 보충으로도 향상을 보이지 않는 환자들은 경구 영양 보충의 양 늘리기, 적응증에 해당시 관이나 피부경유 내시경 위창냄술이나 빈창자냄술을 통한 식이(Cano, 2009), 그리고 비 경구 시술을 포함하는 강화된 치료를 받아야만 한다. 투석간의 비경구 영양(IDPN)은 경구 섭취나 관을 통한 식이의 사용에도 반응하지 않거나 견딜 수 없는 환자들을 위하여 보류되어야만 한다(Cano, 2009). 보조 치료들로는 단백동화 호르몬, 식욕 촉진제, 항 염증 시술, 그리고 운동을 포함하며 고려해 볼 수 있다.

C. 경구 보충

혈액투석 중에 투여되거나(Kalantar-Zadah, 2013) 하루 2~3회 투여되는(주 식사 1시간 후를 선호) 경구 아미노산 보충제는 단 기간의 전신 단백 대사와 장 기간의 SGA, 혈청 알부민, 그리고 혈청 전 알부민(Stratton, 2005)뿐만 아니라 환자의 결과들(Weiner, 2014)도 향상을 보이게 한다.

유지투석 환자들에서 특별히 만들어진 몇 가지의 장관영양처방들

TABLE 31.5	투석 중 비경구 영양공급에 사용되는 "전형적인" 용액의 조성
구성성분	**양**
50% dextrose (D-glucose)	125 g (250 mL)
8.5% Crystalline amino acide (essential and nonessential)	42.5 g (500 mL)
20% lipids	50 g (250 mL)
Electrolytes	Sodium, phosphate, potassium sulfate, chloride, and magnesium with amount per IDPN bag adjusted for serum electrolyte levels
Vitamins	표 31.2 및 본문 참고
Insulin, regular	Adjusted/blood glucose levels
Caloric content	
50% dextrose	425 kcal/treatment
20% lipid emulsion	500 kcal/treatment
Total	925 kcal/treatment

IDPN, intradialytic parenteral nutrition.

이 사용 가능하다. 경구 영양 보충 선택의 다른 고려사항들로는 비용, 기호, 그리고 젖당내성이 있다.

D. 혈액투석 환자에서의 투석간 총 비경구 영양(IDPN)

1. 적응증과 이점

IDPN은 적절하게 투석이 이루어진 혈액투석 환자이면서 PEW가 있고 위장관을 통해 음식을 섭취하거나 흡수할 수 없는 경우 적응 증이 된다. IDPN은 급성 환경에서 단백의 동화작용을 증진한다. IDPN의 이득에 대한 논란이 보고되고 있다; 영양적인 보충과 PEW의 중증도 그리고 주어진 영양의 양 사이에 연관이 있다 (Cano, 2007).

2. 구성, 주입, 그리고 합병증

IDPN 용액은 보통 8.5%의 아미노산과 50% 덱스트로오스 250 mL가 덱스트로오스가 혼합되어 구성되어 있다. 혈액투석 과정의 전 시간 동안 정맥 점적 공간(venous drip chamber)로 주입된다. 추가적인 에너지는 지질 유탁액의 주입을 통하여 제공될 수 있다; 지질을 투여 받는 환자는 고중성지방혈증, 간 기능 검사의 변화 또는 그물내피계통의 손상을 주의 깊게 감시해야만 한다. 전형적인 IDPN의 구성요소는 표 31.5에 나와있다.

고 삼투질 농도의 IDPN 용액이 너무 빠르게 주입되면 통증을 동반한 팔의 경련이 발생할 수 있다(투석 기간이 연장될 필요가 있다). 빠르게 주입되고 있던 포도당을 함유한 IDPN이 갑자기 중

TABLE 31.6	말초정맥을 통해 공급되는 비경구 보충요법을 위한 "전형적인" 용액의 조성	

구성성분	양	
70% dextrose (d-glucose)	350 g (500 mL)	
8.5% crystalline amino acids (essential and nonessential)	42.5 g (500 mL)	
20% lipids or 10% lipids	100 g or 50 g (in 500 mL)	

Electrolytes (general guidelines)[a]

Sodium	본문 참고	
Chloride	본문 참고	
Potassium	<35 mmol/d	
Acetate	35-40 mmol/d	
Calcium	5 mmol/d	
Phosphorus	5-10 mmol/d	
Magnesium	2-4 mmol/d	
Iron	2 mg/d	
Vitamins	표 31.2 및 본문 참고	

Caloric content

Solution

Administration Rate:	40 mL/hr or 960 mL/d	60 mL/hr or 1,440 mL/d
70% dextrose	762 kcal/d	1,142 kcal/d
20% lipid emulsion (LE)	640 kcal/d	960 kcal/d
Total with 20% LE	**1,402 kcal/d**	**2,102 kcal/d**
70% dextrose	762 kcal/d	1,142 kcal/d
10% lipid emulsion (LE)	352 kcal/d	528 kcal/d
Total with 10% LE	**1,114 kcal/d**	**1,670 kcal/d**

[a] 투여되는 전해질의 특이 용량은 환자의 임상적 상태와 혈청 전해질 농도에 따라 조정되어야만 한다. 나열된 가이드라인은 아미노산의 주입에 의한 전해질들을 포함하고 있다. 약 140mmol/L 농도의 나트륨을 포함하고 있는 총정맥영양의 사용은 저나트륨혈증을 예방할 것이다. 그러나 적절한 용적의 조절을 위하여 매일 투석을 시행하거나 지속적 신대체요법이 요구된다.

단되면, 저혈당이 발생할 수 있다. 환자들은 저혈당의 예방을 위해 IDPN 주입의 마지막 30분 이내에 탄수화물을 섭취해야만 한다. 또한, 만약 환자가 포도당이 함유되지 않은 투석액으로 투석을 한다면, 혈액투석 과정이 종료될 때까지 IDPN을 중단하지 않아야만 한다.

3. 총 비경구 영양의 잠재적인 위험

특히 당뇨병 환자들에게서 저혈당과 고혈당이 예측되고 적절히 치료되어야 한다. 오랜 IDPN의 사용은 감염 위험의 증가, 지질 성분의 이상,그리고 근육보다 지방 조직의 축적을 보인다. 아미노산이 IDPN의 일부로 주어질 때, 전형적으로 Kt/V의 약 0.2만큼의 감소가 있을 것이다(McCann, 1999). 이러한 Kt/V의 감소는 아미노산 주입으로 투석 후의 혈청 요소질소 농도가 증가하는 것과 연관한 요소 생성의 급격한 증가로 인한 것으로 생각된다.

E. 총 정맥 영양법(TPN)

TPN은 경구 보충, 복막 아미노산 또는 IDPN으로 적절한 영양 섭취를 할 수 없는 심한 영양 결핍 환자들에게 사용된다. 전형적인 TPN 용액의 공식을 위한 일반적인 가이드라인은 표 31.6에 나열되어 있다.

1. 탄수화물

TPN에서 약 50~70%의 비단백질 칼로리는 포도당으로부터 제공된다. 포도당은 보통 투여하는 수분량을 최소화하기 위해서 70% D-포도당으로 제공된다. 정확한 양의 주어진 D-포도당은 각 환자에 적용되는 계산된 에너지 섭취량에 의존한다. 각 millimeter당 70%의 덱스트로오스는 2.38 kcal를 제공한다.

2. 아미노산

TPN 용액에 사용된 필수와 비필수 아미노산의 적절한 혼합에 대하여 많은 논쟁이 있다. 어떤 저자들은 필수 아미노산들이 다량의 필수,비필수 아미노산보다 더 효과적으로 사용될 수 있다고 보고하고 있다. 반면 다른 저자들은 필수 아미노산만 주입되었을 때 오심, 구토, 그리고 대사성 산증이 발생하였다고 보고하였다. 대부분의 상업적인 결정성 아미노산 용액은 필수와 비필수 아미노산의 혼합 형태를 제공한다.

3. 지질

지질은 TPN 용액에서 비단백질 칼로리의 50%까지 제공한다. 지질 유화액은 보통 10%와 20% 용액이 사용 가능하다; 후자는 2.0 kcal/mL를 제공한다. 그물내피계통 기능의 감소 위험을 줄이기 위해서 지질은 12시간에서 24시간 동안에 걸쳐 주어야만 한다. 어떤 저자들은 환자가 패혈증이거나 패혈증의 고 위험 상태라면 지질의 양을 50% 가량 줄일 것을 권장하고 있다. 급성으로 아픈 투석 환자들에서 선호되는 다불포화와 포화지방산의 비율에 대하여는 논란이 많으며 대부분의 저자들은 1.0에서 2.0 사이의 비율을 권고하고 있다. 만약 환자들이 심한 고중성지방혈증을 보인다면, 매일마다 투여하는 것 대신에 주 1회 또는 주 2회로 지질 용액을 투여할 수 있다.

4. 전해질

2가지 중요한 이온인, 나트륨과 염화물의 양은 지속 신 대체 치료(CRRT)가 시행되었는지 아니면 간헐적 혈액투석(IHD)를 시행하였는지에 의존한다. CCRT의 경우에 TPN 용액들은 다른 대부분의 주입액과 같이 140 mM에 가까운 나트륨 농도를 유지해야만 한다. IHD에서는 수분과다와 폐부종을 예방하기 위하여 더 낮은 TPN의 나트륨 농도는 종종 사용한다(40~80 mM). SLED(지속적 낮은 효율의 투석)는 저나트륨혈증을 예방하기 위하여 높은 TPN 나트륨 농도가 자주 사용될 수 있다. 혈청의 알칼리화가 필요할 때 전통적으로 중탄산염으로 대사되는 아세테이트를 TPN 용액에 추가한다. TPN용액에 의한 높은 포도당의 부하와 동화작용은 이온의 세포 내의 이동으로 인한 저칼륨혈증, 저인산혈증, 그리고 저마그네슘혈증을 야기할 수 있다. 그러므로 이러한 전해질의 혈청 농도는 자주 감시되어야만 하고 TPN 용액에 추가되거나 따로 주입되는 것이 필요하다.

5. 비타민

급성 신손상이 있는 환자들에서의 비타민 요구량에 관한 연구들이 적게 시행되어 왔다. 일반적으로 TPN 투여 동안의 비타민 보충은 유지 투석 환자들에게 제공되는 것과 유사해야만 한다(표 31.2).

6. 무기질과 극미량의 원소

효과적인 조혈작용을 위하여 철분은 제공되어야만 한다. 아연은 때때로 상처 치유의 가속화라는 증거에 기반하여 주어진다. 다른 미량의 원소들은 TPN이 3주이상 투여되고 있지 않는 한 대개는 보충할 필요 없다.

F. 복막투석 환자들에서의 복부 내 아미노산의 주입

1. 적응증과 이점

아미노산 투석액은 PEW가 있는 복막투석 환자들에서 경구 영양 보충이 힘들거나 적당하지 않은 경우 고려돼야만 한다. 아미노산 투석액의 이점에 대한 증거는 논란이 있다; 의미있는 저알부민혈증이 존재할 때 이득이 있을 것이다(Jones 1998).

2. 구성, 주입, 그리고 합병증

보통 아미노산 투석액은 필수 아미노산과 비필수 아미노산으로 구성되어 있다. 단백의 흡수를 최대화하기 위하여 지속적 외래 복막투석 (CAPD) 환자의 야간 교환 시나 지속적인 교환 복막투석 환자에서의 긴 주간 저류시 주어진다. 1.0% 아미노산 투석액의 삼투효과는 2.0%의 덱스트로오스 용액과 유사하다. 아미노산 투석액의 사용으로 인한 합병증으로는 식욕부진, 오심, 구토, 그리고 SUN 농도의 증가가 있으며 하루 한 번의 저류에 사용하는 경우보다 2회의 아미노산 투석액 저류를 하는 환자에서 더 흔하다.

F. 보조요법과 운동

다른 치료들로는 성장 호르몬, 합성대사 스테로이드, 운동, 식욕 촉진제, 그리고 항염증 중재시술을 고려할 수 있다. 이러한 시술들의 효과에 대한 증거는 약하다. 유지 투석 환자들에서 지구력 운동이 포도 당 소실율의 향상과 공복 혈청 인슐린 농도의 감소와 연관되어 왔다; 추가적으로 운동이 혈청 중성지방 값의 감소, 그리고 고밀도 지단백 (HDL) 콜레스테롤 농도의 증가와도 연관된다. 운동의 다른 이점들 로는 근육의 크기와 강도의 증가와 지구력의 향상이 있다.

References and Suggested Readings

Arora SK, McFarlane SI. The case for low carbohydrate diets in diabetes management. *Nutr Metab.* (Lond). 2005;2:16.

Burrowes JD, et al. Effects of dietary intake, appetite, and eating habits on dialysis and non-dialysis treatment days in hemodialysis patients: cross-sectional results from the HEMO study. *J Ren Nutr.* 2003;13:191–198.

Caluwé R, et al. Vitamin K2 supplementation in haemodialysis patients: a randomized dose-finding study. *Nephrol Dial Transplant.* 2014;29:1385-90.

Cano N, et al. ESPEN guidelines on enteral nutrition: adult renal failure. *Clin Nutr.* 2006;25:295–310.

Cano NJ, et al. Intradialytic parenteral nutrition does not improve survival in malnourished hemodialysis patients: a 2-year multicenter, prospective, randomized study. *J Am Soc Nephrol* 2007;18:2583–2591.

Cano NJ, et al. ESPEN Guidelines on Parenteral Nutrition: adult renal failure. *Clin Nutr.* 2009;28:401–414.

Carrero JJ, et al. Etiology of the protein-energy wasting syndrome in chronic kidney disease: a consensus statement From the International Society of Renal Nutrition and Metabolism (ISRNM). *J Ren Nutr.* 2013;23:77–90.

Chowdhury R, et al. Association of dietary, circulating, and supplement fatty acids with coronary risk: a systematic review and meta-analysis. *Ann Intern Med.* 2014;160:398–406.

Chumlea WC, et al; Nutritional status assessed from anthropometric measures in the HEMO study. *J Ren Nutr.* 2003;13:31–38.

Churchill DN, Taylor W, Keshaviah PR. Adequacy of dialysis and nutrition in continuous peritoneal dialysis: association with clinical outcomes. Canada-USA (CANUSA) Peritoneal Dialysis Study Group. *J Am Soc Nephrol.* 1996;7:198–207.

Di Filippo S, et al. Reduction in urea distribution volume over time in clinically stable dialysis patients. *Kidney Int.* 2006;69:754–759.

Di Iorio BR, et al. A systematic evaluation of bioelectrical impedance measurement after hemodialysis session. *Kidney Int.* 2004;65:2435–2440.

Dombros N, et al. for the EBPG Expert Group on Peritoneal Dialysis. European best practice guidelines for peritoneal dialysis. 8 Nutrition in peritoneal dialysis. *Nephrol Dial Transplant.* 2005;20(suppl 9):ix28–ix33.

Duerksen DR, et al. The validity and reproducibility of clinical assessment of nutritional status in the elderly. *Nutrition.* 2000;16:740–744.

Ghandour H, et al. Distribution of plasma folate forms in hemodialysis patients receiving high daily doses of L-folinic or folic acid. *Kidney Int.* 2002;62:2246–2249.

Gracia-Iguacel C, et al. Subclinical versus overt obesity in dialysis patients: more than meets the eye. *Nephrol Dial Transplant.* 2013;28(suppl 4):iv175–iv181.

Himmelfarb J, et al. Provision of antioxidant therapy in hemodialysis (PATH): a randomized clinical trial. *J Am Soc Nephrol.* 2014;25:623–633.

Ikizler TA, Cano NJ, Franch H et al. Prevention and treatment of protein energy wasting in chronic kidney disease patients: a consensus statement by the International Society of Renal Nutrition and Metabolism. *Kidney Int.* 2013;84:1096–1107.

Institute of Medicine. *Dietary reference intakes: water, potassium, sodium, chloride, and sulfate.* Washington, DC, National Academy Press, 2004.

Jones M, et al. Treatment of malnutrition with 1.1% amino acid peritoneal dialysis solution: results of a multicenter outpatient study. *Am J Kidney Dis.* 1998;32:761–769.

Kaizu Y, et al. Association between inflammatory mediators and muscle mass in longterm hemodialysis patients. *Am J Kidney Dis.* 2003;42:295–302.

Kalantar-Zadeh K, et al. A malnutrition-inflammation score is correlated with morbidity and mortality in maintenance hemodialysis patients. *Am J Kidney Dis.* 2001;38:1251–1263.

Kalantar-Zadeh K, et al. Food intake characteristics of hemodialysis patients as obtained by food frequency questionnaire. *J Ren Nutr.* 2002;12:17–31.

Kalantar-Zadeh K, et al. Appetite and inflammation, nutrition, anemia, and clinical outcome in hemodialysis patients. *Am J Clin Nutr.* 2004;80:299–307.

Kalantar-Zadeh K, et al. Understanding sources of dietary phosphorus in the treatment of patients with chronic kidney disease. *Clin J Am Soc Nephrol.* 2010;5:519–530.

Kalantar-Zadeh K, Ikizler TA. Let them eat during dialysis: an overlooked opportunity to improve outcomes in maintenance hemodialysis patients. *J Ren Nutr.* 2013;23:157–163.

Kasama R, et al. Vitamin B6 and hemodialysis: the impact of high flux/high-efficiency dialysis and review of the literature. *Am J Kidney Dis.* 1996;8:680–686.

Kaysen GA. The microinflammatory state in uremia: causes and potential consequences. *J Am Soc Nephrol.* 2001;12:1549–1557.

Kaysen GA, et al; and the FHN Trial Group. The effect of frequent hemodialysis on nutrition and body composition: frequent Hemodialysis Network Trial. *Kidney Int.* 2012;82:90–99.

Kobayashi I, et al. Geriatric Nutritional Risk Index, a simplified nutritional screening index, is a significant predictor of mortality in chronic dialysis patients. *Nephrol Dial Transplant.* 2010;25:3361–3365.

Kogirima M, et al. Low resting energy expenditure in middle-aged and elderly hemodialysis patients with poor nutritional status. *J Med Invest.* 2006;53:34–41.

Kopple JD. National kidney foundation K/DOQI clinical practice guidelines for nutrition in chronic renal failure. *Am J Kidney Dis.* 2001; 37(suppl 2):S66–S70.

Kramer HJ, et al. Increasing body mass index and obesity in the incident ESRD population. *J Am Soc Nephrol.* 2006;17:1453–1459.

Krueger T, et al. Vitamin K1 to slow vascular calcification in haemodialysis patients (VitaVasK trial): a rationale and study protocol. *Nephrol Dial Transplant.* 2014;29:1633-1638.

McCann L, et al. Effect of intradialytic parenteral nutrition on delivered Kt/V. *Am J Kidney Dis.* 1999;33:1131–1135.

Mushnick R, et al. Relationship of bioelectrical impedance parameters to nutrition and survival in peritoneal dialysis patients. *Kidney Int.* 2003;87(suppl):S53–S56.

National Kidney Foundation. *K/DOQI clinical practice guidelines for nutrition in chronic renal failure.* New York, NY: National Kidney Foundation, 2001.

Pupim LB, Cuppari L, Ikizler TA. Nutrition and metabolism in kidney disease. *Semin Nephrol.* 2006;26:134–147.

Rocco MV, et al; for the HEMO Study Group. The effect of dialysis dose and membrane flux on nutritional parameters in hemodialysis patients: results of the HEMO study. *Kidney Int.* 2004;65:2321–2334.

Rocco MV. Does more frequent hemodialysis provide dietary freedom? *J Ren Nutr.* 2013;23:259–262.

Siew ED, Ikizler TA. Insulin resistance and protein energy metabolism in patients with advanced chronic kidney disease. *Semin Dial.* 2010;23:378–382.

Soop M, et al. Energy expenditure in postoperative multiple organ failure with acute renal failure. *Clin Nephrol.* 1989;31:139–145.

Stein A, et al. Role of an improvement in acid-base status and nutrition in CAPD patients. *Kidney Int.* 1997;52:1089–1095.

Stenvinkel P, Zoccali C, Ikizler TA. Obesity in CKD—What Should Nephrologists Know? *J Am Soc Nephrol.* 2013;24:1727–1736.

Stratton RJ, et al. Multinutrient oral supplements and tube feeding in maintenance dialysis: a systematic review and meta-analysis. *Am J Kidney Dis.* 2005;46:387–405.

van Biesen W, et al. A multicentric, international matched pair analysis of body composition in peritoneal dialysis versus haemodialysis patients. *Nephrol Dial Transplant.* 2013;28:2620–2628.

Wang AY, et al. Important factors other than dialysis adequacy associated with inadequate dietary protein and energy intakes in patients receiving maintenance peritoneal dialysis. *Am J Clin Nutr.* 2003;77:834–841.

Wang W, et al. Outcomes associated with intradialytic oral nutritional supplements in patients undergoing maintenance hemodialysis: a quality improvement report. *Am J Kidney Dis.* 2012;60:591–600.

Weiner DE. Oral intradialytic nutritional supplement use and mortality in hemodialysis patients. *Am J Kidney Dis.* 2014;63:276–285.

32

당뇨병

이소연 역

미국의 새로 투석을 시작하는 모든 환자들 중 40% 이상에서 당뇨병이 있다. 이러한 유지 투석 그룹의 준비는 도전적인 업무가 될 수 있다. 이환율과 사망률이 비당뇨병 환자들과 비교하여 투석을 유지하는 당뇨병 환자들에서 높으며 심혈관질환과 감염이 사망의 주된 원인이다. 미국에서 투석을 유지하는 당뇨병 환자의 3년 생존율은 약 50%정도이다(USRDS, 2013).

I. 언제 투석 치료를 시작하는가

전하는 바에 따르면 신부전이 동반된 당뇨병 환자들을 신장내과 의사들에게 초기에 보내는 것이 결과를 향상시킨다. 이전의 가이드라인들은 진정한 요독 현상이 나타나기 전에 투석을 시작하도록 강조하고 있다(예측 사구체 여과율 [eGFR] ≤ 15 mL/min per 1.73 m^2).

그러나 최근 사망률과 투석 시작의 시점에 대하여 연구하고 있는 무작위 조절 실험인, IDEAL 연구에서는 대략 1/3의 환자가 당뇨병이었으며 투석 시작을 초기에 하거나 후기에 하는 경우 사이의 생존율 차이를 찾을 수 없었다(Cooper, 2010).

II. 혈액투석 대 복막투석

각 형태의 투석에서 볼 수 있는 잠재적인 문제들은 표 32.1에 나열되어 있다. 장기간 복막투석 하는 당뇨병 환자들은 투석액을 통한 다량의 포도당 투입으로 변화된 포도당 항상성이 더욱 손상되기 때문에 혈당 조절에 문제점이 발생할 것이다. 추가적으로 복강으로부터 흡수된 포도당은 식욕을 줄인다. 많은 복막투석 환자들은 복막투석 환자들에게서 권장되는 단백질의 양(하루 1.2 g/kg)을 섭취하기 어려워한다. 반면 지속적이거나 거의-지속적인 포도당의 복부 내 존재로 저혈당 사건의 유병율과 중증도는 혈액투석 환자들과 비교하여 지속 외래 복막투석(CAPD)과 자동 복막투석(APD)에서 감소된다. 감염(복막염, 출구와 터널 감염들)율과 도관 교체율은 복막투석을 하는 당뇨병과 비당뇨병 환자들에서 유사하다. 인슐린의 복강 내 투여는 복막투석 환자들에서 복막염의 위험을 약간 증가시키는 것으로 알려져 있으며, 비록 생리적인 면에서는 흥미로울 지라도, 현재는 잘 사용되지 않고 있다. 종종 혈액투석에서 동반되는 동맥 질환은 적

TABLE 32.1 당뇨병 환자를 위한 투석방법

투석의형태	장점	단점
혈액투석	매우 효율적임 의료기관에서 관리를 해줌 투석액을 통한 단백 손실이 없음	진행된 심장질환이 있는 경우 위험함 반복적인 동정맥루 수술이 필요함; 이로인해 수부허혈의 위험이 증가함 투석 중저혈압이 자주 나타남 투석 전 고칼륨혈증의 위험성 저혈당증이 생기기 쉬움
CAPD	심혈관계 안정성이 좋음 동정맥루 수술이 필요없음 혈청칼륨 조절이 쉬움 복강내 인슐린투여로 혈당조절이 용이함; 저혈당의 위험이 적음	복막염, 출구부위감염, 터널감염의 위험성은 비당뇨병환자와 유사함 투석액을 통한 단백질소실 복압의 증가로 탈장이나 복막액누출의 위험성 증가 시각장애로 인해 타인의 도움이 필요한 환자의 경우 어려움
APD	심혈관계 안전성이 좋음 동정맥루 수술이 필요없음 혈청칼륨 조절이 쉬움 복강내 인슐린투여로 혈당조절이 용이함 시각장애 당뇨병 환자에게 좋음 CAPD보다 복막염의 위험이 약간 적음	투석액을 통한 단백질소실

지속휴대복막투석(CAPD, continuous ambulatory peritoneal dialysis), 자동 복막투석

절하며 오래 지속할 수 있는 혈관 통로의 형성을 방해한다. 당뇨병이 없는 환자들과 비교하여 당뇨병 환자들에서의 자가혈관 동정맥루와 인조혈관 동정맥루의 생존율은 상당히 감소한다. 당뇨병 환자들 중 극히 일부에서 동측의 동정맥루의 형성 후 괴저가 발생하여 절단이 필요할 수도 있다; 이러한 경우는 즉각적인 동정맥루 결찰술의 적응증이 된다. 자율 신경계 기능이상이나 심장 이완 기능 이상 때문에 당뇨병 환자들은 혈액투석 동안 저혈압의 위험이 증가한다. 혈관 접근로의 문제와 저혈압 위험의 증가로 당뇨병 환자들이 비당뇨병 대조군보다 더 적은 양의 투석(분획적인 요소 청소율 [Kt/V] 면에서)을 받도록 야기할 수 있다.

복막투석이나 혈액투석에서 당뇨병 환자의 하지 절단은 빈번하다. 혈액과 복막투석 치료를 받는 환자들 사이에서 망막증의 진행율은 유사하다. 비록 시력장애가 지속 외래 복막투석 훈련을 방해하고 환자의 적절한 교환과정 시행을 어렵게 만들지라도, 맹인 당뇨병 환자들은 도와주는 사람 없이 지속 외래 복막투석의 시행을 훈련할 수 있다. 적절하게 가르쳤을 때, 복막염 발생의 위험은 시력이 정상인 당뇨병 환자들보다 단지 약간 더 높을 뿐이다. 시각적인 장애가 있는 환자들에서 투석액 용기를 복막 교환 세트에 연결하는 것을 돕기 위하여 몇 가지 장비들을 사용하는 것이 가능하다(22과를 보아라). 많은 자동 복막투석 스케줄은 오직 한 번의 '켜짐'과 '꺼짐' 술기 과정이 요구되기 때문에, 자동 복막투석은 맹인 당뇨병 환자들에서의 더 나은 치료 선택이다.

미국의 신장 자료 시스템(U.S Renal Data System)의 조기 보고들은 당뇨병 환자, 특히 여성 당뇨병, 혈액투석보다 복막투석에서 사망률이 더 높다고 제안하였다. 환자 선택편향(selection bias) 그리고/또는 부적절한 복막투석이 이러한 관찰들에 영향을 주었을 것이다. 다음의 큰 규모의 분석에서, 사망률 위험은 동반 질환이 없는 젊은 당뇨병 환자들에서는 혈액 투석이 복막투석보다 실제로 더 높았으나 고령, 특히 동반질환을 가진 당뇨병이 있는 혈액투석 환자들은 더 낮았다(Vonesh, 2004). 또한 이러한 결과들은 의심의 여지 없이 선택 편향에 의하여 영향을 받았다. 동반 이환과 영양 결핍은 투석 방법보다 사망률에 더 큰 영향을 가진다. 세심한 관리와 심혈관계 및 감염 이환의 예방은 환자 생존율의 상당한 개선을 보인다.

III. 식이

투석 치료의 방식이 무엇이든 간에, 당뇨병 환자들은 일반적으로 영양 결핍과 소모 흔적을 보인다. 만성 염증, 부적절한 식이섭취, 당뇨병위마비와 장병증, 그리고 이화작용 스트레스와 연관되는 빈번한 병발질환을 포함하는 여러 가지 요소들이 기여한다. 중한 질환 상태의 당뇨병이 있는 투석 환자들은 종종 조기의 강화된 영양지원이 요구된다.

A. 일상 식이 처방

31장의 비당뇨병 혈액투석과 복막투석 환자들에게 추천되고 있는 식이들은 당뇨병 환자들에게도 적용된다. 혈액투석 치료를 받는 소변이 나오지 않는 당뇨병 환자는 31장에 나와있는 엄격한 나트륨, 칼륨, 그리고 수분제한이 적용돼야만 한다. 단순당과 포화 지방의 섭취를 제한하기 위하여 특별한 노력이 있어야만 한다.

1. 탄수화물의 백분율

당뇨병 식이는 일반적으로 50~60%의 탄수화물 섭취를 권장하며 더 낮은 탄수화물 식이에 관심을 갖기도 한다(Arora, 2005). 복막투석을 하는 환자들은 복막투석의 포도당으로부터 공급되는 칼로리들을(보통 약 400 kcal) 식이 탄수화물 처방에서 빼야만 하고 고중성지방혈증이 있는 선택된 환자들에서 탄수화물의 모든 높은-당-지수(high-glycemic-index)를 피하도록 주력하는 것이 이로울 것이다.

2. 진행성 당화 종말 생성물들(AGEs)로부터의 식이 'glycotoxins'

고온에서 조리된 특히 높은 비율의 지방을 함유한 음식에서 AGE 농도가 증가되어 있다. 식이 섭취를 통한 AGE는 당뇨병 환자들의 나쁜 지질 성분과 염증 표지자와 연관이 있고(Uribarri, 2005) 아마도 혈액 접근로 혈전증의 위험 증가는 말기 신질환 환자들에서의 증가된 혈청의 AGE 농도와 관련있을 것이다. 어떤 이유든지간에 말기 신질환 환자들의 추가적인 음식의 제한은 높은 영양 결핍의 유병율로 조심해서 시행되야만 한다; 그러나 AGEs의 형성을 최소

화하는 음식 준비(튀기기와 광범위한 가열을 피하기)에 대한 관심
도 고려되어야 할 것이다.

B. 당뇨병위마비와 장병증

당뇨병위마비의 진단은 주로 오심, 구토, 조기포만감 그리고 식후 충
만과 같은 증상들에 근거하여 이루어진다. 다른 치료 가능한 상태들
이 유사한 증상을 가지므로 단지 위마비라고 하기 전에 상부위장관 내
시경을 시행해야만 한다. 위마비의 진단을 위한 전통적인 '가장 우수
한 검사(gold standard)'는 위 배출의 섬광조영술 측정(scintigraphic
measurement)이다. 그러나 섬광조영술은 환자를 방사선에 노출한다
는 결함이 있어 반복적 검사로는 이상적이지 않다(치료 반응의 추적관
찰을 위하여). 이러한 문제는 ^{13}C-labelled acetate와 octanoic acid 호
기 검사들을 통하여 극복할 수 있다. 당뇨병위마비는 저혈당과 고혈당
의 교대를 야기하는 부족한 음식의 섭취와 예측 불가능한 영양 흡수에
연관될 수 있다.

이러한 환자들은 적고 빈번한(하루 6번 까지도) 식이를 통하여 증상
들을 개선할 것이다. 투석을 하는 당뇨병 환자들에서 위마비의 약물학
적 치료는 만족스럽지 못하다. 적은 용량으로 투여하여(식사 전 5 mg)
결과를 보일 때까지 조금씩 증량하는 Metoclopramide가 주로 처음
에 처방되는 약제이다. 이 약물은 투석 환자에서 특히 고용량이 투여
된 경우에 높은 추체외로의 합병증 발생율과 연관이 있으며 효과는
종종 일시적이다. domperidone, motilin 작용제, 또는 ondansetron
과 같은 다른 '위장운동 촉진제'('prokinetic' gastrointestinal motility
drugs)가 시도될 것이다.

당뇨병장병증은 장관 신경계의 기능적 장애로 인하여 야기되며 장
통과 시간을 연장하거나 단축하는 소장과 대장의 운동 장애를 야기 할
수 있다. 설사를 초래한 당뇨병장병증은 허약, 나쁜 식이 섭취, 그리고 저
혈당과 함께 영양상태를 악화시킬 수 있다. 당뇨병장병증이 심한 경우들
에서는 장 내 세균과다(bacterial overgrowth)를 방지하기 위한 광범위
항생제(예를 들면, 하루 50이나 100 mg의 doxycycline)의 사용으로 치
료할 수 있다. 또한 loperamide hydrochloride(하루 10 mg까지)는 장
움직임을 감소시키는데 유용하다.

IV. 혈당의 조절

A. 만성 신질환에 의한 인슐린 대사의 변화

요독(당뇨병 그리고 비당뇨병)환자들에서 췌장 베타(β) 세포의 인슐린
분비의 감소와 말초 조직(예를들면, 근육)의 인슐린에 대한 반응이 감
소한다; 이러한 결과는 인슐린 저항의 증가에 의하여 발생한다. 인슐
린 저항은 거의 모든 요독 환자들에서 발생하며 고혈당을 보인다. 문
헌들에서는 간 포도당 합성과 흡수는 요독증에서 정상이고 수용체 후
결손을 통한 인슐린 저항의 원발 부위가 골격근이라고 제안하고 있다

(Castellino, 1992). 그러나 세포에 의한 칼륨의 흡수와 단백질 분해의 억제를 포함하는 많은 인슐린의 작용들은 신부전에서 유지된다.

건강한 개인에서 신장은 인슐린 대사의 중심이 된다. 인슐린은 사구체에 의해 자유로이 여과되며 60%는 사구체 여과로 40%는 세관주위 혈관들로부터 추출된다; 1%보다 적은 인슐린은 소변에서 변함없이 배설된다. 대략 췌장에서 하루에 생성하는 인슐린의 25%인, 약 6~8 단위의 인슐린은 매일 신장에서 분해된다. 인슐린 주사제는 간을 통과하며 직접 전신 순환을 하므로 외인성 인슐린을 투여 받는 당뇨 환자들에게서 신 대사가 항진된다. 감소한 신장 질량에 의하여 인슐린 이화작용의 속도가 감소하고 순환하는 인슐린의 반감기가 길어진다. 인슐린 청소율의 감소는 또한 간 대사의 감소에 의하여 매개된다. 이러한 모든 이상들은 유지 투석 치료의 시행 후에 부분적으로 교정된다.

1. 모든 투석 환자들에서의 당내성검사의 이상

모든 투석 환자들에서 요독증에 의한 인슐린 내성의 결과로 혈청 포도당 농도의 증가가 정상보다 더 크거나 연장되어 있기 때문에, 당뇨병의 진단을 위해 투석 환자들에게 포도당 부하 검사를 사용할 수 없다. 그러나 비당뇨병 혈액투석 환자들에서는 공복 혈청 포도당의 농도가 정상이다; 높은 농도는 당뇨병의 존재를 시사한다. 복막투석 환자에서는 투석액으로부터의 지속적인 포도당의 흡수에 의하여 진정한 공복 상태를 절대 달성할 수 없다. 이러한 그룹에서 복막염이 존재하지 않는 한, '공복' 혈청 포도당의 값은 4.25%의 덱스트로오스 투석액을 사용할 때에도 160 mg/dL (8.9 mmol/L)을 넘는 경우가 드물다; 높은 농도는 환자가 당뇨병임을 암시한다. 아이코덱스트린을 사용하는 지속 외래 복막투석 환자들은 포도당 탈 수소(dehydrogenase) 방법의 샘플 분석을 사용한 자가-분석(auto-analyzers)으로 혈청 포도당 값이 거짓되게 과대평가될 것이다(Tsai, 2010).

2. 인슐린에 대한 민감도의 증가

외인성 인슐린으로 치료받는 당뇨병 투석 환자들에서 인슐린 분해 대사 감소는 인슐린 저항성보다 더 큰 의미를 가진다; 즉 외인성 인슐린이 투여되었을 때, 인슐린의 효과는 강화되거나 연장될 것이다. 그러므로 평소보다 더 적은 양을 투여해야만 한다. 많은 용량의 정맥주사 인슐린(예를 들면, 15단위의 속효 인슐린)을 한꺼번에 투여하면 심지어 케톤증이 있을 때라도 심한 저혈당을 야기할 수 있다. 저혈당은 isophane insulin (NPH)와 insulin glargine과 같은 지속 인슐린의 투여 후에도 발생할 수 있다.

3. 고혈당

신기능이 없어지면 고혈당의 임상양상이 달라질 수 있다. '안전 밸브(saftry valve)' 효과를 보이던 당뇨(glycosuria)의 부재로 심한 고혈당(혈청 포도당 농도 >1,000 mg/dL [56 mmol/L])이 발생할 것이다. 삼투 이뇨에 의한 수분의 소실이 없기 때문에, 의식 상태의 변화를 동반하는 심한 고 삼투질 농도는 흔치 않다. 실제로 매우 심한 고혈당이 있더라도 투석 환자들은 종종 무증상이다(Al-Kudsi, 1982). 그러나 갈증, 체중 증가, 그리고 때로는 폐 부종이나 혼수가 증상으로 나타날 수 있다(Tzamaloukas, 2004).

인슐린 의존 투석 환자들에서 자주 심한 고칼륨혈증 혼수를 동반한 당뇨병 케톤산증이 발생할 수 있다. 케톤산증이 있든 없든 간에 고혈당의 관리는 신부전이 없는 환자들과 달라진다. 많은 양의 수액의 투여가 불필요하고 일반적으로 금기이다. 모든 고혈당의 임상과 검사실 이상들은 유일하게 요구되는 치료인 인슐린의 투여로 보통 교정된다. 심한 고혈당의 관리를 위해 면밀한 임상적인 감시를 하고 2~3시간 간격으로 혈청 포도당과 칼륨 농도의 측정을 하며 함께 저용량 속효성 인슐린(시간 당 2단위로 시작)을 지속적인 주입(continuous infusion)으로 투여할 수 있다. 만약 심한 고칼륨혈증이 있다면, 심전도를 촬영해야만 한다. 심한 폐부종이나 생명에 위협이 되는 고칼륨혈증이 있는 경우에는 고혈당의 환자에게 응급 투석이 필요할 것이다.

4. 저혈당

저혈당의 회피는 혈당 조절을 잘하기 위한 위한 속도제한 단계(rate-limiting step)이다. 저혈당의 치료는 반동 고혈당증과 불규칙한 혈당 조절을 야기할 수 있다. 저혈당에 기여하는 많은 요소들로는 수반되는 식욕부진에 의한 칼로리 섭취의 저하, 감소된 인슐린 청소율, 기능하는 신장 질량의 감소로 인한 포도당 신합성의 감소, 신부전의 자율 신경병증으로 인한 길항 호르몬 에피네프린 방출의 장애, 인슐린의 간 대사 감소, 그리고 혈청 포도당 농도의 감소를 증진하는 알코올, propranolol, 그리고 다른 비선택적 아드레날린 차단제와 같은 약물의 대사 감소가 있다. 추가적으로 저혈당 무인지증과 위 마비는 저혈당의 위험을 증가시킬 것이다. 당뇨병 환자들의 혈액투석 용액에는 언제나 약 90 mg/dL (5 mM)의 포도당이 함유되어 있다; 만약 포도당이 첨가되지 않았다면 혈액투석 기간 중이나 그 직후에 심한 저혈당이 야기될 수 있다(Burmeister, 2012). 더 높은(200 mg/dL, 11mM) 투석액의 포도당 농도는 고혈당의 빈도를 증가시킬 것이고(Raimann, 2012) 90 mg/dL의 선택사양보다 저혈당 사건으로부터 더 잘 보호하지는 못할 것이다.

B. 인슐린 치료

투석을 하는 당뇨병환자들에서 저혈당을 피하면서 적절한 혈당 조절을 달성하고 유지하는 것은 하나의 도전이라 할 수 있다. 만성적으로 투석하는 당뇨병 환자에서 적절한 혈당 조절은 공복 혈당은 140 mg/dL보다 낮고 식후 1시간 값은 200 mg/dL보다 적으며 당화혈색소는

7%~8% 사이인 경우이다. 여러 큰 연구들에서 혈당 조절과 생존 사이의 유의한 연관성을 찾지 못하였다. 그러나 엄격한 당 조절 시에 더 높은 저혈당의 위험이 있었다(Williams, 2010). 투석 환자에서의 가장 좋은 결과와 연관되는 당화혈색소 목표는 설정되지 않았다(KDOQI clinical practice guidelines, 2005). 혈색소 농도에 영향을 받지 않는 당화알부민의 측정이 이 환자군에서 더 정확히 혈당 조절을 평가한다고 제안되어 왔다. 그러나 아직 검사의 사용이 가능하지 않다. 당화혈색소에 대한 다른 문제로 적혈구 생성인자와 철분의 투여에 의해 영향을 (감소하는) 받을 수 있는 것이다(Ng, 2010).

비효소 글리코실화 단백질들을 야기하는 AGEs라 불리는 비가역적이고 느리게 형성되는 화합물들은 혈관 기저막의 구조와 기능을 변화시키고 성장인자들의 생성을 자극하고 그리고 세포 내 단백의 기능을 변화 시킨다. 복막투석 환자에서 복막의 AGE의 침착은 투과도의 증가와 투석액 단백의 과다 소실과 연관이 있다(Nakamoto, 2002).

1. 인슐린 요법

다음의 추천되는 용량은 신 질환 상태에서의 인슐린 용량을 위하여 만들어졌다(Snyder, 2004):

a. GFR이 50 mL/min보다 높으면 용량조절이 필요하지 않다.

b. GFR이 10~50 mL/min이면 인슐린의 용량을 25% 감량한다.

c. GFR이 10 mL/min보다 낮으면 50% 용량을 감량한다.

2. Glargine과 속효성 인슐린 사용의 예

예를 들면, 흔히 체중에 근거한 하루의 총 인슐린 용량은 0.6 단위/kg일 것이다(Murphy, 2009). 말기 신질환 환자를 위한 50%의 감량은 하루의 총 인슐린 양을 0.3 단위/kg으로 바뀌게 한다(Baldwin, 2012). 이러한 인슐린 양의 절반은 기저 인슐린으로 나머지 반은 식사 시간에 일시(bolus) 인슐린으로 투여한다. 이것은 아침에 기저 용량으로 0.15 단위/kg을 주고 나머지(0.15 단위/kg)를 식사 횟수에 따라 나눠서 속효성 인슐린으로 주었다; 아침, 점심, 그리고 저녁에 0.05 단위/kg. 70 kg의 환자에서 총 인슐린 용량은 70 kg × 0.3 단위/kg = 21 단위이다. 이 중 절반 또는 약 10 단위는 매일 하루 한 번 glargine으로 투여하고 남은 11단위는 하루 3번의 식사 동안 또는 매 끼마다 3~4단위의 속효성 인슐린으로 투여할 것이다.

3. NPH와 속효성 인슐린 사용의 예

속효성 인슐린과 NPH를 사용할 때, 하루의 총 용량은 21단위로 같으나, 하루 용량 중 2/3인 14단위는 NPH로 줘야만 하며, NPH 용량의 2/3인 9단위는 아침에 나머지 5단위는 취침 시간에 준다. 하루 총 용량 중 남은 7단위는 비 NPH인 속효성 인슐린으로 아침에 3단위 그리고 저녁에는 4단위를 준다. 아침에 투여한 NPH의 농도가 점심시간에 최고치에 도달하여 혈당을 조절하므로, 점심시간의 속효성 인슐린 투여는 필요하지 않다.

4. 다른 인슐린 조합들

새로운 기저와 속효성 인슐린 유사체들이 2015년에는 임상적인 사용이 가능할 것으로 기대되었으나 말기 신질환 환자에서는 연구되지 않았다(Danne, 2011).

5. 식사시간 인슐린의 알맞은 투여 시기

일반적으로 식사 시간의 인슐린은 식사 약 5분 전에 투여하나, 어떤 환자들은 식사 직후에 투여하는 것을 선호한다. 만약 식사를 전부 먹지 않았다면 인슐린의 용량을 감량할 수 있기에 어떤 면에서는 환자에게 더 안전하다. 예를 들어, 만약 50%의 식사만 먹었다면, 용량의 50%만을 투여하는 것이다. 식사 시간 인슐린 용량의 조절은 탄수화물 계산(만약 환자가 이 요법을 기꺼이 배우고 시행하기 원한다면)으로 교정하거나 보정계수척도(correction factor scale)를 사용하여 식사시간 인슐린 용량을 추가하거나 감하는(만약 환자가 기꺼이 매 식사 전에 혈당을 확인한다면) 방법을 포함한다.

6. 혈당 모니터링

혈당 농도를 주의 깊게 감시하고 개개인에 따른 인슐린 용량의 적절한 조정이 중요하다. 집에서 인슐린 치료를 받는 환자들은 적어도 하루 2회 아침과 취침 전 포도당 농도를 측정해야만 한다. 위의 2가지 요법 모두에서 타당한 인슐린의 '교정 용량'은 환자의 목표 혈당(예를 들면, 목표 농도가 150 mg/dL일 것이다)이 50 mg/dL씩 증가할 때 마다 1단위씩 추가 투여하는 것이다.

7. 인슐린 용량에 대한 혈액투석의 영향

혈액투석은 조직의 인슐린에 대한 민감도와 포도당에 대한 인슐린 분비 반응의 향상을 보여왔다(DeFronzo, 1978). 이러한 발생의 기전은 알려져 있지 않으나 호전된 산-염기 상태가 기여할 것이다. 혈액투석이 시작되었을 때, 향상된 조직 민감도와 증가된 간의 인슐린 대사 사이의 순 평형에 의존하여 환자의 인슐린 요구량이 변할 것이다. 이러한 상황에서는 인슐린 요구량을 쉽게 예측할 수 없으며 환자의 주의 깊은 관찰이 필수적이다.

혈액투석 환자들은 여러 가지 다른 인슐린 요법들을 혈당의 조절을 위하여 사용할 수 있다. 위에서 기술된 Glargine과 NPH에 근거한 요법을 치료 시작시 사용할 수 있다. 어떤 전문가들은 지속성 인슐린의 사용을 피해야만 한다고 생각하나, 다른 이들은 사용해야 한다고 생각하기도 한다. 그러나 투석 환자들에서의 다른 요법들간의 대면 비교는 없다.

투석일 대 비 투석일의 인슐린 치료에서, 평소의 기저 용량은 정상적으로 주어지나, 투석이 음식의 복용 시간을 변하게 하여 식사 시간 용량의 투여시점이 종종 변하게 된다.

8. 인슐린 용량에 대한 복막투석의 영향

복막투석액에 포함된 포도당은 혈당 강하 치료의 필요성을 증가시키고 고농도의 투석액으로부터 흡수된 포도당 부하와 인슐린 내성으로 인하여 종종 더 많은 양의 인슐린이 요구된다. 1.5% 덱스트로오스(glucose monohydrate, MW 198) 투석액은 예를 들면, 혈청보다 높은 $1,500 \times (180/198) = 1,364$ mg (76 mmol/L)의 포도당(MW180) 농도를 가진다. 반면에 어떤 복막투석 환자들은 탄수화물 섭취의 감소와 신장과 간의 인슐린 청소율의 감소로 지속되는 인슐린의 작용 기간에 의하여 예측보다 인슐린이 덜 필요할 수 있다.

현재는 드물게 사용되고 있을지라도 지속 외래 복막투석이나 자동 복막투석 치료를 받는 환자들에서 거의 정상 혈당을 유지하는데 복강내의 인슐린 투여가 도움이 될 수도 있다. 복강 내 경로의 사용은 지속적이거나 거의 지속적인 인슐린의 존재, 주사 투여 필요의 제거, 그리고 췌장의 인슐린이 간에 도달하는 방법과 유사한 문맥을 통해 간으로 공급되는 인슐린의 더 생리적인 경로와 같은 이점이 있다(Tzamaloukas, 1991). 단점으로는 인슐린을 백으로 주사하는 동안 투석액의 세균 오염의 잠재성과 투석액으로 소모되는 인슐린의 소실로 인하여 매일 더 많은 양의 인슐린이 사용되어야 한다는 점, 그리고 아마도 가장 큰 염려인 복막 섬유모세포 증식과 간의 피막하 지방증이 있다(Maxwell, 1991). 만약 복막 내 인슐린이 사용된다면 주입 부위에 남아있지 않고 전 량의 인슐린이 투석액으로 주입되는 것을 확실히 하기 위하여 긴 3.8 cm (1.5 in) 바늘이 사용된다. 투석액의 용기를 주사 후 적절히 혼합하기 위하여 여러 차례 거꾸로 들어야만 한다. 복막 내 인슐린 연구계획서에 대한 것은 이전 판의 교본을 참고하라.

때때로 복막투석액에 포함되어 있는 아이코덱스트린과 말토오스는 자가 측정 시 거짓 포도당의 증가를 야기하거나 방해함으로써 부적절한 치료의 야기가 가능하다는 점이 중요하다(Tsai, 2010; Firanek, 2013).

9. 인슐린 주입 펌프의 사용

빈번한 저혈당이 문제인 취약 1형 당뇨병 환자들에서는 지속적인 피하 인슐린 주사가 이득이 될 수 있다. 이러한 경우들에서는 혈액투석 직전이나 1시간 전에 인슐린 주입을 중단하고 투석을 완전히 마친 직후에 다시 재개한다(Atherton, 2004).

C. 경구 혈당 강하제와 비인슐린 주사제

이러한 제제들은 당뇨병 환자의 유용한 부가적인 치료이며 많은 신장내과 의사에 의해 사용되고 있다. 제안되는 제제들과 적절한 용량들은 표 32.2에 나열되어 있다. 2010년에 미국의 당뇨병이 있는 투석 환자들에서 시행된 조사에서 80%가 혈당조절 치료를 받고 있으며 이들 중 49/80은 인슐린 만으로 치료받았고 8/80은 인슐린과 경구제제, 그리고 23/80은 경구제제만 투여 받았다고 기록되었다. 2010년에 사용된 경구제제 중 대다수는 sulfonylurea 또는 thiazolidinediones이었으나 더 많은 정보와 경험과 함께 새로운 제제들의 사용이 가능해지면 변화할 수도 있을 것이다.

1. Sulfonylureas

Sulfonylureas는 인슐린 분비 촉진제로 췌장 베타 세포에 있는 칼륨 통로의 일부인 sulfonylurea 수용체에 결합한다. 연속적인 막의 탈분극에 의하여 칼륨 통로의 폐쇄를 야기하며 결국 전압 작동 칼슘 통로의 열림을 보인다. 이로 인하여 급작스러운 세포 내 칼슘이 증가하고 세포 내 분비 과립으로부터 이미 형성된 인슐린의 방출을 보인다. Sulfonylurea 1세대(acetohexamide, chlorprop-amide, tolazamide, and tolbutamide)는 더 이상 거의 사용되지 않는다. 2세대 약물들(glipizide, glyuride, and glimepiride)은 여전히 꽤 널리 사용되고 있다. 모든 2세대 sulfonylurea 약제들은 다양한 백분율의 신장 배설과 함께 간 대사를 거친다(Spiller, 2006). Glyburide와 glimepiride는 신장으로 배설되는 비교적 긴 반감기를 가지는 활성형 대사산물들로 말기 신장질환 환자에서는 권장되지 않는다. Glipizide의 대사산물은 적거나 아예 저혈당 효과가 없으며 2~4시간의 짧은 반감기를 가진다. 그러므로 신장 배설율이 높을 지라도 (80~85%) glipizide가 투석하는 환자들에서의 sulfonylurea 중 선택 제제이다. 그러나 sulfonylurea 계열 자체는 상대적으로 높은 저혈당 발생율을 보이며 추가적으로 투석 환자들에서 사용되는 많은 약물들이 sulfonyurea의 저혈당 작용에 있어 반작용(phenytoin, nicotinic acid, diuretics) 또는 증진(salicy-lates, warfarin, ethanol)효과를 보인다. 말기 신장질환 환자들에서 sulfonylurea가 적절하지 못한 다른 이유로는 약제의 작용 기전 (인슐린의 방출을 돕는 것)이 치료를 받는 환자들이 아직 내인성 인슐린을 생성한다는 것을 기반으로 하고 있기 때문이다. 제2형 당뇨병 환자들에서 c-peptide 측정에 의해 평가되는 내인성 인슐린은 최근 진단받은 경우 가장 높았으며 당뇨병의 유병율이 길어지면서 점차 감소하였다(Duckworth, 2001). 대부분의 투석 환자들은 꽤 긴 시간 동안 당뇨병이 지속되어 왔기에, 많은 사람들은 내인성 인슐린이 적거나 또는 아예 없으며 sulfonylurea에 반응할 수 없을 것이다.

2. Metformin

Biguanide 계열의 한 멤버인, metformin은 정상 신기능의 제2형 당뇨병 환자들에서 아마도 가장 널리 사용되는 경구 제제이고 여러 가지 뚜렷한 이점이 있다. metformin의 사용은 매우 낮은 저혈당 유병율, 체중 증가 대신 체중 감소, 그리고 혈청 지질에 대한 좋은 효과와 연관이 있다. 작용기전은 미토콘드리아의 호흡 효소 연쇄를 일시적으로 억제하여 간의 포도당 생성을 강력히 억제하는 것이다.

TABLE 32.2 만성 신질환에서의 당뇨병 약제들

약제	평상시의 비요독 용량	투석 환자 용량 (비요독용량%)
Insulins		
Short-acting		
Regular	0.2-1 units/kg/d SC b.i.d.-q.i.d.	용량 감량 (25 %-50%)
Lispro	0.2-1 units/kg/d SC b.i.d.-q.i.d.	용량 감량 (25 %-50%)
Aspart	0.2-1 units/kg/d SC b.i.d.-q.i.d.	용량 감량(정의되지 않음)
Intermediate-acting		
NPH	0.2-1 units/kg/d SC q24h-b.i.d.	용량 감량(정의되지 않음)
Long-acting		
Glargine	0.1-1 units/kg/d SC q24h	용량 감량(정의되지 않음)
Detemir	0.1-1 units/kg/d SC q24h	용량 감량(정의되지 않음)
Sulfonylureas		
Glipizide	2.5-20 mg PO q24h-b.i.d.	2.5-10 mg PO q24h-b.i.d. (50%)
Glimeperide	1-8 mg PO q24h	1 -4 mg PO q24h (50%)
Tolbutamide	250-3,000 mg PO q24h	동용량 (100%)
Glyburide	1.25-10 mg PO q24h	신부전시 피할 것
Thiazolidinediones[a]		
Rosiglitazone	4-8 mg PO q24h-b.i.d.	동용량 (100%)
Pioglitazone	15-30 mg PO q24h	동용량 (100%)
α-Glucosidase inhibitors		
Acarbose	50-100 mg PO t.i.d.	신부전시 비추천
Miglitol	50-100 mg PO t.i.d.	신부전시 비추천
Meglitinides		
Repaglinide	0.5-8 mg PO t.i.d.	0.5-4 mg PO t.i.d. (50%)
Nateglinide	60-120 mg PO t.i.d.	신부전시 피할 것
Biguanides		
Metformin	850-2,550 mg PO q24h-b.i.d.	신부전시 피할 것
Amylin analogs		
Pramlintide	30-120 mcg SC q.a.c.	동용량 (100%). 투석 환자에게 자료 없음
SGLT-2 inhibitor		
Canagliflozin	100 mg-300 mg q24h	만약 eGFR 45에서<60 mL/min/1.73 m², 100 mg 만약 eGFR <45 mL/min/1.73 m² 시 피할것

(continued)

32.2 만성 신질환에서의 당뇨병 약제들 *(continued)*		

약제	평상시의 비요독 용량	투석 환자 용량 (비요독용량%)
DPP-4 inhibitors		
Sitagliptin	100 mg q24h	만약 eGFR ≥30 mL/min/1.73 m² 이고 <50 mL/min/ 1.73 m², 50 mg (50%) 만약 eGFR <30 mL/min/1.73 m², 25 mg (25%)
Saxagliptin	2.5-5 mg q24h	만약 eGFR <50L/min/1.73m2 , 2.5mg (50%)
Linagliptin	5 mg q24h	동일
Alogliptin	25 mg q24h	만약 eGFR ≥30 mL/min/1.73 m² 그리고 <50 mL/min/ 1.73 m², 12.5 mg (50%) 만약 eGFR <30 mL/min/1.73 m², 6.25 mg (25%)
GLP-1 receptor agonists		
Exenatide	2 mg weekly SC Up to 10 mcg b.i.d. SC	만약 eGFR <30 mL/ min/1.73 m²시 회피
Liraglutide	Up to 1.8 mg q24h SC	진행된 신장질환에선 제한된 경험; 주의 요망

ª투석을 하지 않는 만성 신질환 환자들에서 수분저류가 야기될 수 있다.
SC, 피하주사; bid, 하루 2회; qid, 하루 4회; q24h, 매일; PO, 경구; tid, 하루 3회; q, a, c, 식전

그러나 metformin은 생명에 위험이 되는 젖산 산증의 합병증과 드물게 연관이 있다. 이러한 연관의 원인은 완전히 명확하지는 않으며 중요한 동반 질환을 가진 환자에서 산증이 대부분 보여진다. 그러나 현저하게 신기능이 감소한 환자들에게서는 위험이 증가한다. Metformin은 대사되지 않고 활성화된 약물로써 신장을 통해 90%가 배설된다(Spiller, 2006). 그러므로 혈청 metformin 농도는 크레아티닌 청소율이 감소한 환자에서 상당히 높다(Lipska, 2011). 투석하지 않는 만성 신질환 환자에서의 사용의 안전에 대하여 논란이 있다. 몇몇 연구에서는 GFR 45 mL/min에 이르기까지는 비교적 안전하게 사용할 수 있다고 제안하고 있으나 미국에서는 약물라벨에 혈청 크레아티닌이 남자에서는 1.5 mg/dL (130 mcmol/L) 여자에서는 1.4 mg/dL (124 mcmol/L) 보다 높은 경우 사용하지 않도록 경고하고 있다. Metformin은 투석 환자들에게서는 사용하지 않아야만 한다.

3. α -glycosidase inhibitors

미국에서 사용 가능한 2가지 α-glycosidase inhibitors로 acarbose와 miglitol이 있다. 장의 올리고당류에서 단순 당으로의 분해를 매개하고 흡수를 제한하는 장 효소들을 경쟁적, 가역적으로 억제하

는 일을 한다. 내인성 인슐린의 자극 없이 식후 혈당의 급등이 감소하므로 저혈당의 위험은 비교적 낮다. 적은 acarbose가 흡수되나 장에서 광범위하게 대사되고 어떤 경우에는 활동적인 약 1/3의 대사산물들은 흡수된다(Spiller, 2006; Reilly, 2010). 감소된 신기능을 가지는 환자들에서 혈청 acarbose의 농도와 그 대사산물은 증가할 수 있다. Miglitol이 acarbose보다 더 광범위하게 흡수된다. Miglitol은 소변에서는 대사되거나 배설되지 않는다(Spiller, 2006; Reilly, 2010). Acorbose나 miglotol 2가지 모두 e GFR이 25 mL/min per 1.73 m²보다 작은 환자들에서는 잘 연구되지 않았고 일반적으로 투석하는 환자들에서는 사용이 권고되지 않는다.

4. Peroxisome proliferator-activated receptor (PPAR) agonists

PPAR-γ 작용제들로는 rosiglitazone과 pioglitazone이 있다. 이러한 약제들은 표적 조직의 인슐린을 감작하고 근육과 지방 조직으로의 포도당 섭취를 증가시키며 간의 포도당 생성을 감소시킨다. 또한 항 염증, 혈관, 그리고 대사(저지질혈증)에 유익한 영향들을 가질 것이다.

Pioglitazone은 주로 간에서 대사된다. 96주에 걸쳐 투석 환자들에서 연구된 바로는 단독요법과 다른 항 당뇨병 경구 제제로 추가될 때 안전하고 효과적이라고 알려져 있다(Abe, 2010). 용량 감량이 필요하지 않다. Pioglitazone은 방광암과 연관이 있어 왔다. 미국에서 현재 방광암이 있는 환자에서는 사용을 피하라고 주의하고 있으며 방광암 기왕력이 있는 환자에서는 치료를 시작하기 전에 위험과 이점에 대하여 충분히 고려하라고 하고 있다.

Pioglitazone과 같이, Rosiglotazone은 주로 간으로 대사된다. Rosiglitazone은 모든 신기능 단계에서 효과적이다(Chapelsky, 2003). 한 그룹은 rosiglitazone에서 투석 간 체중의 증가를 발견하였으나 연구에서 진정한 대조군이 없었다(Chiang, 2007). 혈액투석 환자들에서 의미 있는 약물의 약동학적 변화는 없었고, 비투석일과 비교하여 투석 시 혈청 약물 농도의 차이는 없었기에 신기능의 변화로 인한 용량의 조절은 불필요하다고 제안하였다(Thompson-Culkin, 2002). 그러나 지속 외래 복막투석 환자 연구에서는 rosiglitazone의 반감기가 건강한 지원자들에 비하여 증가하였다(Aramwit, 2008). 2007년도에 심근 경색과 심혈관계 사망의 증가를 보이는 rosiglitazone에 연관한 다양한 사용 가능한 자료들의 검토가 미국에서 있었고 이 약제의 사용을 제한하였다(Nissen, 2007). 이러한 제한은 2013년 11월에 미국 FDA에 의하여 부분적으로 해지되었으나 rosiglitazone은 여전히 유럽이나 다른 몇 개의 국가의 시장에서 중단 상태로 남아있다. Pioglitazone과 rosiglitazone 모두 비 요독증 환자에서 체중 증가, 부종, 그리고 심부전과 연관이 있어왔다; 기전은 나트륨과 수분의 신장 정체의 증가로 생각되고 있다. Fibrates와 함께 glitazones이 주어졌을 때, 급성 근병증이 보고되었다.

5. Meglitinides

Repaglinide는 meglitinides 군의 화합물이며 인슐린 분비 촉진제로 작용한다. Sulfonylurea수용체에 결합하여 sulfonylurea와 같은 방식으로 기능하나 추가적인 β세포 결합 부위가 있으므로 다른 결합 측면을 가진다(Hatorp, 2002). 여러 가지 면에서 sulfonyurea와 다르다. 첫 번째, SUs보다 저혈당의 위험이 다소 적으며 1~1.5시간 반감기로 더 짧은 작용 시간을 가진다. 두 번째로 주로 불활성화된 대사산물의 담도와 분변 배설과 함께 거의 전적으로 간 대사를 통하여 제거된다. 오직 8%가 소변으로 배설된다. SUs와 같이 고도로 단백과 결합한다. 여러 연구들은 repaglinide 약동학에 대한 신 질환의 영향에 대하여 시험하였다(Marbury, 2000; Schumacher, 2001; Hatorp, 2002). 일반적으로 중등도의 신 질환에는 영향이 없다. 그러나 더 심한 신 질환에서 (GFR <30 mL/min) 반감기 제거의 상승에 의하여 약물 혈청 농도의 '커브 아래 면적(area under the curve)'이 더 높았다. 이러한 소견들에도 불구하고, 저혈당에 있어서는 차이점이 적었고, repaglinide는 신 질환이 있는 사람들에게서 금기는 아니나 저용량(0.5 mg)으로 시작하여 천천히 용량을 조정하는 것과 같이 사용시 주의가 요구된다. 연구들은 GFR이 < 20 mL/min (1.73 m²당)이거나 투석이 필요한 신 부전의 환자들에게서는 시행되지 않았다. SUs와 같이, 치료받고 있는 환자가 더 이상 내인성 인슐린을 생성하지 못할 경우에는 효과적이지 않다.

주로 분변으로 배설되는 repaglinide와 대조적으로, 다른 repaglinide인, nateglinide는 주로 활성형 대사 산물로 90%가 신장을 통하여 배설된다(Spiller, 2006; Reilly, 2010). 그러므로 투석 환자들에서의 nateglinide의 사용을 피하거나 매우 주의하여 사용해야 한다.

6. Glucagon-like peptide-1 (GLP-1) receptor agonists

2가지 사용 가능한 Glucagon-like peptide-1 (GLP-1) receptor agonists로 exenatide(하루 2회와 주 1회 투여가 가능한)와 liraglutide가 있다. GLP-1은 자연적으로 만들어지는 장 단백질이며 식사에 대한 반응으로 대장의 L-세포에서 분비된다. 다양한 작용을 가지며 내인성 인슐린의 분비 촉진, 내인성 글루카곤의 분비 억제, 위배출시간의 지연, 그리고 식욕의 억제가 포함된다. 인슐린과 글루카곤의 효과들은 혈당-의존적이고 고혈당이 존재하는 때에만 발생한다. 이러한 작용들은 적은 저혈당 위험(단독 치료로써)과 체중 감소와 함께 혈당 조절의 향상을 보인다. GLP-1은 dipeptidyl peptidase 4 (DDP-4)에 의하여 빠르게 분해된다. 그러나 exenatide와 liraglutide 모두는 분해-저항적이고 전신대사를 적게 거친다.

Exenatide는 주로 신장에 의해 배설된다. 신기능이 감소하면서 반감기는 증가한다. Exenatide는 일반적으로 경도에서 중등도의 신부전에서는 용량 조절없이 잘 사용되어 왔으나, 오심과 구토로 인하여 말기 신질환 환자에서는 사용하지 않는다 (Linnebjerg, 2007). GFR < 30 mL/min (1.73 m² 당)에서는 사용하지 않는 것을 추천한다. 또한 신이식을 받은 환자들에서는 주의가 권고된다. Exenatide는 대조군과 비교하여 임상적으로 적절히 노출된 쥐들에서 갑상선의 C 세포 종양의 증가된 유병율을 야기하였다. 사람에게서 수질 갑상선 암을 포함한 갑상선 C세포 종양이 야기되는지에 대하여는 알려져 있지 않다; 그렇더라도 수질 갑상선 암과 다발 내분비 샘 종양 2형의 가족력이 있는 환자들에서는 금기이다. 시판 후의 연구들에서 exenatide의 사용으로 인한 부정적 결과인 췌장염이 확인 되었다.

Exenatide와 대조적으로, liraglutide(대사산물)의 약 6%가 신장에 의해 배설된다; 약물의 역동학은 신 질환에 의한 변화가 적다 (Jacobsen, 2009). 그러나 비록 연구 대상의 수는 적었을 지라도, eGFR <60 mL/min (1.73 m² 당)에서 오심 유병율이 증가한다 (Davidson, 2011). 미국 표기에서는 용량조절이 요구되지 않으나 경험의 제한으로 진행된 신 질환 사람들에서는 주의하여 사용해야만 한다. Liraglutide는 수질 갑상선암, 다발 내분비샘 종양 2형, 그리고 췌장염과 연관하여 exenatide의 사용시와 같은 주의점을 가진다.

7. Dipeptidyl peptidase-4 (DDP-4) inhibitors

미국에서는 4가지의 DDP-4 억제제가 현재 사용 가능하다: sitagliptin, saxagliptin, linagliptin, 그리고 alogliptin이 있다. 그룹으로 빠르게 내인성 인크레틴 호르몬을 분해시키는 효소(DDP-4)를 억제하여 작용한다. 주요한 인크레틴은 glucagon-like peptide1 (GLP-1)으로 인슐린을 자극하고 글루카곤은 억제하며 위 배출을 지연시키고 식욕을 감소하게 하는 장 호르몬이다.

경구 sitagliptin용량의 약 75~80%가 소변에서 변하지 않은 상태로 배설되고 sitagliptin 농도들은 신기능이 감소하면서 현저하게 증가한다(Bergman, 2007). 이러하기 때문에, eGFR에 근거하여 용량을 조정하도록 권고하고 있다. 하루 100 mg용량이 eGFR >50 mL/min (1.73 m² 당)에서 주어질 수 있다. 이 용량은 eGFR이 50 mL/min (1.73 m² 당)보다 적은 경우 50 mg으로 줄여야만 하고 eGFR이 30 mL/min (1.73 m² 당)보다 적거나 투석하는 환자에서는 하루 25 mg로 감량해야만 한다(Arjona Ferreira, 2013). 이러한 감소된 용량들에서 sitagliptin은 투석하는 환자들에서 glipizide와 혈당 조절의 향상에 있어 유의한 효과를 가지면서 덜 심한 저혈당(0% vs. 7.7%)을 보였다. 이러한 소견들은 저혈당이 sitagliptin에서 훨씬 덜 흔하다고 한 이전의 연구들을 확인해주고 있다(sitagliptin으로 치료 받은 4.6%의 환자들과 glipizide로 치료받은 23%의 환자들을 비교)(Chan, 2008).혈액투석으로 제거되는 부분은 비교적 작아서 투석을 시작한지 4시간과 48시간의 이후 용량은 각각 13%와 4%였다. 그러므로 sitagliptin은 혈액투석의 시기와 관련 없이 투여할 수 있다(Bergman, 2007).

Saxagliptin, 2번째로 시장에 나온 DDP-4 억제제로 모화합물의 약 절반만큼의 효능이 있는 5-hydroxy saxagliptin의 주요한 활성형 대사산물을 가진다(Boulton, 2011). 약 75%는 소변으로 배설이 되고; 24%는 saxagliptin 그리고 36%는 5-hydroxy saxagliptin 그리고 부 대사산물이다. Saxagliptin과 5-hydroxy saxagliptin의 농도는 신기능의 장애에 따라 대사산물이 saxagliptin 자체보다 더 크게 증가하면서 상승한다. 이로 인하여, 용량의 조절이 권고된다. 완전한 5-mg 용량의 saxagliptin은 eGFR이 50 mL/min (1.73 m^2 당)보다 높을 때 사용되나 낮은 eGFR에서는 하루 2.5 mg로 감량해야만 한다. 흥미롭게도 혈액투석하는 환자들에서 saxagliptin 농도는 건강한 사람들보다 약간 더 낮으나 5-hydroxy saxagliptin은 더 높다. 혈액투석의 saxagliptin의 효율적인 제거로 인한 것으로 추측되고 있다. 4시간의 혈액투석은 약 23%의 saxagliptin을 제거하기 때문에, 투석 시간 이후에 줘야만 한다. Saxagliptin은 위약 (placebo)보다 중등도나 심한 신 부전이 있는 경우 혈당 조절에 있어 더 우수하였으나 말기 신질환의 환자에서는 위약보다 더 우위에 있지 않았다(Nowicki, 2011). 저혈당 사건이 있는 환자들의 백분율은 saxagliptin 치료를 받는 군(28%)과 플라세보 치료를 받은 군 (29%)에서 유사하였다(Nowicki, 2011).

세 번째로 사용 가능한 DDP-4 억제제인 linagliptin의 제거는 신장에만 의존하지 않는다. 변하지 않은 linagliptin의 신장 배설은 7%보다 적고 신 장애의 정도는 linagliptin 농도에 영향을 주지 않는다. 하루 5 mg의 용량은 신 질환이 있는 경우 조정될 필요가 없다(Graefe-Mody, 2011). 그러나 진행된 신 질환 환자들에서의 경험에는 제한이 있다.

약 10~20%의 alogliptin은 적은 약동학 활동을 가지는 화합물로 간에 의해 대사된다. 약 63%가 변하지 않은 채로 신장으로 배설된다. Alogliptin 용량은 eGFR이 30과 50 mL/min (1.73 m^2 당) 사이인 환자들에서는 표준 용량의 절반(하루 12.5 mg까지)으로 줄이고 eGFR < 30 mL/min (1.73 m^2 당)인 환자들이나 혈액투석을 필요로 하는 말기 신질환에서는 3/4 (하루 6.25 mg까지)으로 감량한다(Golightly, 2012).

인크레틴을 기반으로 하는 약제들에서 항당뇨병 제제의 인크레틴 분류와 관련하여 췌장 안전 신호에 대한 안전의식이 증가하였다. 미국의 FDA와 유럽 의학 단체(EMA)는 비임상 독성 연구들, 임상 자료, 그리고 이러한 약제들과 연관한 역학 자료들을 동등하게 재검토하였다. 두 단체에서 인크레틴 기반의 약제들과 췌장염이나 췌장암 사이의 연관성에 대한 주장은 그들의 검토와 불일치 했다고 동의하고 게재하였다(Egan, 2014).

8. Sodium glucose co-transporter 2 inhibitor

Canagliflozin과 dapaglifozin은 나트륨과 포도당 공동 운반 2 억제제이다. 이러한 약제들은 신장의 포도당에 대한 역치를 낮게 하여 소변의 포도당 배설의 증가에 의한 삼투성 이뇨를 야기하고 고혈당 환자들에서 혈청 포도당을 감소시킨다. 소변-의존 작용 기전으로 작용하는 이러한 약제들은 심한 신기능 장애가 있는 환자들에서는 효과적이지 않다.

9. Pramlintide

Pramlinitide는 인간 amylin의 합성 유사체이다. Amylin은 음식섭취에 대한 반응으로 인슐린과 함께 분비되며 췌장 β 세포에서 자연적으로 합성되는 호르몬이다. Amylin과 같이 Pramlintide는 식후 글루카곤의 상승을 예방하고 풍만감을 증가시켜 칼로리 섭취를 줄인다. 또한 Pramlintide는 위 배출을 느리게 한다. 신장에서 주로 활성형 대사산물로 대사된다. eGFR이 20 mL/min (1.73 m^2 당)까지 낮아진 신기능의 장애가 있는 환자들에서 용량 조절이 필요하지 않다. 투석 환자들에서의 사용에 대한 자료는 적거나 없다.

V. 고칼륨혈증

고칼륨혈증은 유지 혈액투석 치료를 받는 당뇨병 환자들에서 흔하게 일어난다. 결정인자들로는 인슐린 결핍과 내성(세포의 칼륨 포착 장애를 야기), 알도스테론 결핍(대장과 잔여 신 배설의 장애 야기), 대사성 산증(세포들을 가로지르는 양자-칼륨 교환의 증가를 야기), 고칼륨혈증을 야기할 수 있는 약제 투여, 고혈당으로 인한 세포 내부에서 세포 외부로의 수분 이동(칼륨이 세포 밖으로 이동하면서 수분도 함께 움직임을 야기함), 그리고 식이 칼륨의 과다섭취가 있다. 유지 복막투석 당뇨병 환자들에서 심한 고칼륨혈증은 덜 흔하게 발견된다. 당뇨병 환자들에서의 치료는 일반적인 투석 인구의 치료와 차이가 없으며 10장과 11장에서 논의하고 있다.

VI. 심혈관질환과 고혈압

A. 고혈압

고혈압의 유병율은 당뇨병이 있는 투석 환자들에서 높다. 높은 혈압의 조절이 심혈관계 후유증과 시력 악화의 예방을 위하여 중요하다. 대부분의 당뇨병은 용적-민감한 고혈압을 가지며 적절한 나트륨과 수분제한과 투석을 통한 과다 세포 외액의 제거로 조절된다. 당뇨병이 있는 투석 환자들에서의 고혈압 치료는 모든 환자들의 치료와 유사하고 33장에서 자세하게 논의하고 있다.

B. 관상 동맥 질환

당뇨병 환자들에서의 증가된 유병율에도 불구하고, 투석 환자들에서의 관상동맥우회술의 결과는 지속적으로 향상되었다. 그렇기는 하지만 말기 신질환 상태가 아닌 환자들과 비교하였을 때, 사망률은 거의 3배 가량 더 높은 상태이다(Parikh, 2010). 38장을 참고.

C. 말초 혈관 질환

투석하는 당뇨병 환자들에서 매우 높은 절단율을 가진다(O'Hare, 2003). 궤양 형성의 예방에 집중하는 규칙적인 관리와 절단의 위험을 최소화하는 족부 전문가에 의한 잦은 발 검진이 중요하다.

VII. 뇌혈관 질환

뇌졸중의 유병율이 당뇨병이 없는 환자군보다 당뇨병이 있는 투석 환자들에서 더 높다. 아스피린의 사용이 요독증이 없는 환자들에서의 뇌졸중의 위험을 줄여 왔음에도 불구하고, 당뇨병이 있는 투석 환자에서의 이와 같은 치료의 이점에 대하여는 알려진 바 없고 아스피린의 사용은 이론적으로 안구 내 출혈의 위험을 증가시킨다. Coumarine 항응고제는 또한 요독증이 없는 당뇨병 환자들보다 출혈의 위험이 더 있으며 혈관의 석회화와 칼시필락시스(calciphylaxis)의 추가적인 위험과 연관이 있다.

VIII. 투석하는 당뇨병 환자에서의 안구 문제들

A. 당뇨망막병증

거의 모든 제1형 당뇨병이 있는 말기 신질환 환자들에서 망막병증이 있다. 이러한 환자들에서, 만약 망막 검진(형광안저촬영술 포함하는)이 정상이라면, 신 질환의 다른 원인을 찾아야만한다. 제2형 당뇨병 환자들에서는 분명하지 않을 수 있다. 한 연구에서는 조직 검사에서 당뇨성 사구체경화증이 증명된 27명의 환자 중 단지 15명(26%)의 환자에서만 당뇨망막병증이 존재하였다(Parving, 1992). 다른 조직 검사 연구에서는, 심한 망막병증의 존재와 조직검사에서의 Kimmelsteil-Wilson 결절 사이에 밀접한 연관이 관찰되었다. 반면 망막병증이 없는 경우에는 결절성 경화가 아닌 토리사이질(메산지움)의 경화가 있었다. 그러므로 망막병증의 존재는 더 심한 신장의 병변이 있을 가능성을 증가시키는 것으로 보인다(Schwartz, 1998).

다수의 투석 환자들에서 볼 수 있는 고혈압은 당뇨성 망막병증의 진행을 가속화시키고 이 질환 자체로 망막이나 유리체 출혈을 야기할 수 있다. 고혈압성 망막병증(동정맥 교차부위의 폐색으로 인한 망막 정맥 분지의 폐쇄)에 이차적으로 발생하는 혈관 사건들은 시력의 급작스러운 감소를 야기할 수 있다. 고혈압의 조절이 더 드문 중심 망막 정맥과 동맥의 폐쇄와 같은 이러한 합병증을 예방할 것이다.

망막병증은 궁극적으로는 증식기로 진행한다. 증식기는 국소적인 저산소증에 의하여 발생한다고 생각하며 새로운 망막 혈관의 강한 증식이 특징적이다. 이러한 혈관들은 망막의 표면층에 위치하며, 유리체 출혈을 통해 시력의 상실을 야기하고 황반의 왜곡과 박리를 보인다. 증식성 망막증의 발견은 레이져 치료의 적응증이며 치료를 통해 박리 위험과 산소 요구를 줄인다(필수적이지 않은 망막의 부위를 파괴함). 증식성 망막증의 유리체 출혈은 빛의 경로를 폐쇄하고 망막 박리와 실명을 야기할 것이다. 유리체 절제와 다른 미세수술 기술들(망막 세포막의 제거, 망막의 재부착)은 1/3~1/2의 환자들에게서 시력을 향상시킬 수 있다. 이러한 조건에서 혈관 내피 성장 인자(VEGF) 억제제의 역할에 대한 증거들이 축적되고 있다(Osaadon, 2014). 레이저 광응고술에 숙련된 안과의사와의 적극적인 협력이 필요하다. 대부분의 말기 신질환의 당뇨병 환자들은 투석을 시작할 때 이미 망막증을 가지고 있다. 추가적인 레이저 치료와 주기적인 녹내장의 검진은 당뇨병 투석 환자들에서 종합적인 관리의 필수적인 구성요소이다.

B. 다른 안구 문제들

투석을 받는 당뇨병 환자들은 투석을 받는 모든 환자들에서 흔한 다른 눈 합병증의 대상이기도 하다. 결막염(conjunctivitis)과 각막염(keratitis)은 항생제, 항진균제, 또는 항바이러스제와 같은 안과 약제로 평소 용량으로 치료한다. 전신으로 투여하는 항생제의 용량은 투석에 조정해야만 한다. 띠모양 각막병증(band keratopathy; 각막-결막 석회화)은 고인산혈증이 조절되지 않는 당뇨병과 비당뇨병 투석 환자들 모두에서 이환될 것이다. '적안 증후군(red-eye syndrome)'은 인산칼슘 침착에 의한 결막의 자극으로 인하며 띠모양 각막병증이 병발할 것이다. 표재성 각막절제술(keratectomy)이나 ethylenediamine tetraacetic acid (EDTA) 의 국소적 도포와 함께 칼슘 침착의 킬레이션(chelation)이 난치의 경우들을 치료하기 위해 사용되었다. 투석환자의 녹내장(glaucoma)과 백내장(cataract)은 일반 인구와 같은 방식으로 치료한다. 사전의 안구 감시와 처치가 거의 모든 당뇨병 투석 환자들에서 적어도 보행의 시력을 유지하기 위하여 효과적이다.

IX. 발기부전

발기부전은 당뇨병 투석 환자들에서 흔하다. 당뇨병과 연관한 자율적 신경병증과 말초 혈관 질환은 보통의 요독증 경우들과 같이 작용한다(operative).

X. 신장이식을 위한 의뢰

이식의 금기가 존재하지 않는 당뇨병 환자들에게서 신이식은 향상된 생존율로 인하여 말기 신질환을 관리하는 최선의 방법이다(약 80%의 3년 생존율 vs. 50% 투석 유지하는 환자들의 3년 생존율). 이식 조건에 해당하는 투석 직전의 만성 신질환 당뇨병 환자들은 선제적 이식이 투석의 시작

후에 이식을 하는 것보다 선호된다. 생체 신이식이 사망한 공여자 신장보
다 선호된다. 확장된 신장 기증자의 사용으로 당뇨병 투석 환자들에서 성
공적인 이식의 수가 증가할 수 있다. 관상동맥조영술의 선별검사가 이식
전 검사의 일부로 필요하며; 어떤 환자들에서는 (특히 아직 투석을 시행하
지 않아 조영제 유발 신장병의 위험이 있는 경우) 도부타민 부하 심초음파
선별검사의 음성 소견으로도 충분할 것이다.

XI. 뼈질환

무력성 뼈질환은 말기 신질환의 당뇨병 환자들에서 흔하다(36장을 참고).

XII. 빈혈

혈액투석이나 복막투석에서 빈혈이 있는 당뇨병 환자들의 적혈구 생성
인자의 반응은 만족스럽다(34장을 참고).

XIII. 결론

말기 신질환의 당뇨병 환자들의 관리는 어려운 일이다. 투석 팀 멤버들에
추가로, 다른 분야(예를 들면, 혈관 수술, 족부학, 안과학, 신경학, 이식 수
술)의 대표자들이 필요하다. 신장내과 의사와 당뇨병 전문 간호사가 조화
롭게 일하고 모든 가능한 부전공으로 이루어진 당뇨병 팀의 존재는 이러
한 인구 집단에서 최상의 치료를 제공하기 위하여 매우 바람직하다.

References and Suggested Readings

Abe M, et al. Clinical effectiveness and safety evaluation of long-term pioglitazone treatment for erythropoietin responsiveness and insulin resistance in type 2 diabetic patients on hemodialysis. *Expert Opin Pharmacother*. 2010;11:1611–1620.

Adamis AP, et al. Changes in retinal neovascularization after pegaptanib (Macugen) therapy in diabetic individuals. *Ophthalmology*. 2006;113:23–28.

Agrawal A, Sautter M, Jones N. Effects of rosiglitazone maleate when added to a sulfonylurea regimen in patients with type 2 diabetes mellitus and mild to moderate renal impairment: a post hoc analysis. *Clin Therap*. 2003;25:2754–2764.

Al-Kudsi RR, et al. Extreme hyperglycemia in dialysis patients. *Clin Nephrol*. 1982;17:228–231.

Aramwit P, Supasyndh O, Sriboonruang T. Pharmacokinetics of single-dose rosiglitazone in chronic ambulatory peritoneal dialysis patients. *J Clin Pharm Therap*. 2008;33:685–690.

Arjona Ferreira JC, et al. Efficacy and safety of sitagliptin in patients with type 2 diabetes and ESRD receiving dialysis: a 54-week randomized trial. *Am J Kidney Dis*. 2013;61:579–587.

Arora SK, McFarlane SI. The case for low carbohydrate diets in diabetes management. *Nutr Metab (Lond)*. 2005;2:16.

Atherton G. Renal replacement and diabetes care: the role of a specialist nurse. *J Diab Nursing* 2004;8:70–72.

Baldwin D, et al. A randomized trial of two weight-based doses of insulin glargine and glulisine in hospitalized subjects with type 2 diabetes and renal insufficiency *Diabetes Care*. 2012;35:1970–1974.

Beardsworth SF, et al. Intraperitoneal insulin: a protocol for administration during CAPD and review of published protocols. *Perit Dial Int*. 1988;8:145

Bergman AJ, et al. Effect of renal insufficiency on the pharmacokinetics of sitagliptin, a dipeptidyl peptidase-4 inhibitor. *Diabetes Care*. 2007;30:1862–1864.

Boulton DW, et al. Influence of renal or hepatic impairment on the pharmacokinetics of saxagliptin. *Clin Pharmacokinet*. 2011;50: 253–265.

Burmeister JE, Campos JF, Miltersteiner DR. Effect of different levels of glucose in the dialysate on the risk of hypoglycaemia during hemodialysis in diabetic patients. *J Bras Nefrol*. 2012;34:323–327.

Castellino P, et al. Glucose and amino acid metabolism in chronic renal failure: effect of insulin and amino acids. *Am J Physiol*. 1992;262:F168–F176.

Chan JCN, et al. Safety and efficacy of sitagliptin in patients with type 2 diabetes and chronic renal insufficiency. *Diabetes Obes Metab*. 2008;10:545–555.

Chapelsky M, et al. Pharmacokinetics of rosiglitazone in patients with varying degrees of renal insufficiency. *J Clin Pharmacol*. 2003;43:252–259.

Charpentier G, Riveline JP, Varroud-Vial M. Management of drugs affecting blood glucose in diabetic patients with renal failure. *Diabet Metab*. 2000;26(suppl 4):73–85.

Chiang C, et al. Rosiglitazone in diabetes control in hemodialysis patients with and without viral hepatitis infection effectiveness and side effects. *Diabetes Care*. 2007;30:3–7.

Cooper BA, et al. The IDEAL Study: a randomized, controlled trial of early versus late initiation of dialysis. N Engl J Med. 2010;363:609–619.

Czock D, et al. Pharmacokinetics and pharmacodynamics of lispro-insulin in hemodialysis patients with diabetes mellitus. Int J Clin Pharmacol Ther. 2003;41:492–497.

Daniels ID, Markell MS. Blood glucose control in diabetics: II. Semin Dial. 1993;6:394.

Danne T, Bolinder J. New insulins and insulin therapy. *Diabetes Care*. 2011;34:661–665.

Dasgupta MK. Management of patients with type 2 diabetes on peritoneal dialysis. *Adv Perit Dial*. 2005;21:120–122.

Davidson J, et al. Mild renal impairment has no effect on the efficacy and safety of liraglutide. *Endocr Pract*. 2011;17:345–355.

DeFronzo RA, et al. Glucose intolerance in uremia. Quantification of pancreatic beta cell sensitivity to glucose and tissue sensitivity to insulin. *J Clin Invest*. 1978;62:425– 435.

Duckworth W, et al; for the VADT Investigators. The duration of diabetes affects the response to intensive glucose control in type 2 subjects: the VA Diabetes Trial. *J Diabetes Complications*. 2011;25:355–361.

Egan AG, et al. Pancreatic safety of incretin-based drugs—FDA and EMA assessment *N Engl J Med*. 2014;370:794–797.

Firanek CA, Jacob DT, Sloand JA. Avoidable iatrogenic hypoglycemia in patients on peritoneal dialysis: the risks of nonspecific glucose monitoring devices and drug-device interaction. *J Patient Saf*. 2013 Sep 27.

Flynn CT. The Iowa Lutheran protocol. *Perit Dial Bull*. 1981;1:100.

Goldberg T, et al. Advanced glycoxidation end products in commonly consumed foods. *J Am Diet Assoc*. 2004;104:1287–1291.

Golightly LK, Drayna CC, McDermott MT. Comparative clinical pharmacokinetics of dipeptidyl peptidase-4 inhibitors. *Clin Pharmacokinet*. 2012;5:501–514.

Graefe-Mody U, et al. Effect of renal impairment on the pharmacokinetics of the dipeptidyl peptidase-4 inhibitor linagliptin. *Diabetes Obes Metab*. 2011;13:939–946.

Graham GG, et al. Clinical pharmacokinetics of metformin. *Clin Pharmacokinet*. 2011;50:81–98.

Hatorp V. Clinical pharmacokinetics and pharmacodynamics of repaglinide [Review]. *Clin Pharmacokinet*. 2002;41:471–483.

Iglesias P, Diez JJ. Peroxisome proliferator-activated receptor gamma agonists in renal disease. *Eur J Endocrinol*. 2006;154:613–621.

Jackson MA, et al. Hemodialysis-induced hypoglycemia in diabetic patients. *Clin Nephrol*. 2000;54:30–34.

Jacobsen L, et al. Effect of renal impairment on the pharmacokinetics of the GLP-1 analogue liraglutide. *Br J Clin Pharm*. 2009;68:898–905.

K/DOQI Workgroup. K/DOQI clinical practice guidelines for cardiovascular disease in dialysis patients. *Am J Kidney Dis* 2005;45(suppl 3):S1.

Khanna R, et al. The Toronto Western Hospital protocol. Perit Dial Bull. 1981;1:101. Legrain M, Rottembourg J. The "Pitie-Salpetriere" protocol. *Perit Dial Bull*. 1981;1:101.

Lin CL, et al. Improvement of clinical outcomes by early nephrology referral in type II diabetics on hemodialysis. *Ren Fail*. 2003;25:455–464.

Linnebjerg H, et al. Effect of renal impairment on the pharmacokinetics of exenatide. *Br J Clin Pharm.* 2007;64:317–327.

Lipska KJ, Bailey CJ, Inzucchi SE. Use of metformin in the setting of mild-to-moderate renal insufficiency. *Diabetes Care.* 2011;34:1431–1437.

List JF, et al. Sodium-glucose co-transport inhibition with dapagliflozin in type 2 diabetes mellitus. *Diabetes Care.* 2009;32:650–657.

Little R, et al. Can glycohemoglobin be used to assess glycemic control in patients with chronic renal failure? *Clin Chem.* 2002;48:784–785.

Locatelli F, Pozzoni P, Del Vecchio L. Renal replacement therapy in patients with diabetes and end-stage renal disease. *J Am Soc Nephrol.* 2004;(suppl 1):S25–S29.

Marbury T, Ruckle J, Hatorp V. Pharmacokinetics of repaglinide in subjects with renal impairment. *Clin Pharmacol Therap.* 2000;67:7–15.

Maxwell R, et al. Insulin influence on the mitogenic-induced effect of the peritoneal effluent in CAPD patients. In: Khanna R, et al., eds. *Advances in Peritoneal Dialysis.* Toronto, Canada: University of Toronto Press; 1991:161–164.

McCormack J, Johns K, Tildesley H. Metformin's contraindications should be contra-indicated. *CMAJ.* 2005;173:502–504.

Murphy DM, et al. Reducing hyperglycemia hospitalwide: the basal-bolus concept. *Jt Comm J Qual Patient Saf.* 2009;35:216–23.

Nakamoto H, et al. Effect of diabetes on peritoneal function assessed by peritoneal dialysis capacity test in patients undergoing CAPD. *Am J Kidney Dis.* 2002;40:1045–1054.

Ng JM, et al. The effect of iron and erythropoietin treatment on the A1C of patients with diabetes and chronic kidney disease. *Diabetes Care.* 2010;33:2310–2313.

Nissen S, Wolsky K. Effect of rosiglitazone on the risk of myocardial infarction and death from cardiovascular causes. *N Eng J Med.* 2007;356:2457–2471.

Nowicki M, et al. Long-term treatment with the dipeptidyl peptidase-4 inhibitor saxagliptin in patients with type 2 diabetes mellitus and renal impairment: a randomised controlled 52-week efficacy and safety study. *Int J Clin Pract.* 2011;65:1232–1239.

O'Hare AM, et al. Factors associated with future amputation among patients undergoing hemodialysis: results from the Dialysis Morbidity and Mortality Study Waves 3 and 4. *Am J Kidney Dis.* 2003;41:162–170.

Oomichi T, et al. Impact of glycemic control on survival of diabetic patients on chronic regular hemodialysis: a 7-year observational study. *Diabetes Care.* 2006;29:1496–1500.

Osaadon P, et al. A review of anti-VEGF agents forproliferative diabetic retinopathy. *Eye (Lond)* 2014;28:510–520.

Parikh DS, et al. Perioperative outcomes among patients with end-stage renal disease following coronary artery bypass surgery in the USA. *Nephrol Dial Transplant.* 2010;25:2275–2283.

Parving HH, et al. Prevalence and causes of albuminuria in non-insulin-dependent diabetic patients. *Kidney Int.* 1992;41:758–762.

Phakdeekitcharoen B, Leelasa-nguan P. Effects of an ACE inhibitor or angiotensin receptor blocker on potassium in CAPD patients. *Am J Kidney Dis.* 2004;44:738–746.

Quellhorst E. Insulin therapy during peritoneal dialysis: pros and cons of various forms of administration. *J Am Soc Nephrol.* 2002;13(suppl 1):S92–S96.

Raimann JG, et al. Metabolic effects of dialyzate glucose in chronic hemodialysis: results from a prospective, randomized crossover trial. *Nephrol Dial Transplant.* 2012;27:1559–1568.

Reilly JB, Berns JS. Selection and dosing of medications for management of diabetes in patients with advanced kidney disease. *Semin Dial.* 2010;23:163–168.

Schomig M, et al. The diabetic foot in the dialyzed patient. *J Am Soc Nephrol.* 2000;11:1153–1159.

Schumacher S, et al. Single- and multiple-dose pharmacokinetics of repaglinide in patients with type 2 diabetes and renal impairment. *Eur J Clin Pharmacol.* 2001;52:147–152.

Schwartz MM, et al. Renal pathology patterns in type II diabetes mellitus: relationship with retinopathy. The Collaborative Study Group. *Nephrol Dial Transplant.* 1998;13:2547–52.

Shurraw S, et al. Glycemic control and the risk of death in 1,484 patients receiving maintenance hemodialysis. *Am J Kidney Dis.* 2010;55:875–884.

Sloan L, et al. Efficacy and safety of sitagliptin in patients with type 2 diabetes and ESRD receiving dialysis: a 54-week randomized trial. *Am J Kidney Dis.* 2013;61: 579–587.

Snyder RW, Berns JS. Use of insulin and oral hypoglycemic medications in patients with diabetes mellitus and advanced kidney disease. *Semin Dial.* 2004;17:365–370.

Spiller HA, Sawyer TS. Toxicology of oral antidiabetic medications. *Am J Health-Syst Pharm.* 2006;63:929–938.

St Peter W, Weinhandl ED, Flessner MF. Sitagliptin—another option for managing type 2 diabetes in dialysis patients? *Am J Kidney Dis.* 2013;61:532–535.

Thompson-Culkin K, et al. Pharmacokinetics of rosiglitazone in patients with end-stage renal disease. *J Int Med Res.* 2002;30:391–399.

Tsai CY, et al. False elevation of blood glucose levels measured by GDH-PQQ-based glucometers occurs during all daily dwells in peritoneal dialysis patients using icodextrin. *Perit Dial Int.* 2010;30:329–335.

Tzamaloukas AH, Oreopoulos DG. Subcutaneous versus intraperitoneal insulin in the management of diabetics on CAPD: a review. *Adv Perit Dial.* 1991;7:81–85.

Tzamaloukas AH, et al. Serum tonicity, extracellular volume and clinical manifestations in symptomatic dialysis-associated hyperglycemia treated only with insulin. *Int J Artif Organs.* 2004;27:751–758.

Uribarri J, et al. Diet-derived advanced glycation end products are major contributors to the body's AGE pool and induce inflammation in healthy subjects [Review]. *Ann N Y Acad Sci.* 2005;1043:461–466.

U.S. Renal Data System. *USRDS 2013 Annual Data Report: Atlas of Chronic Kidney Disease and End-Stage Renal Disease in the United States.* Bethesda, MD: National Institutes of Health, National Institute of Diabetes and Digestive and Kidney Diseases; 2013.

Vonesh EF, et al. The differential impact of risk factors on mortality in hemodialysis and peritoneal dialysis. *Kidney Int.* 2004;66:2389–2401.

Williams ME, et al. Glycemic control and extended hemodialysis survival in patients with diabetes mellitus: comparative results of traditional and time-dependent Cox model analyses. *Clin J Am Soc Nephrol.* 2010;5:1595–1601.

Windus DW, et al. Prosthetic fistula survival and complications in hemodialysis patients: effects of diabetes and age. *Am J Kidney Dis.* 1992;19:448–452.

Yale JF. Oral antihyperglycemic agents and renal disease: new agents, new concepts [Review]. *J Am Soc Nephrol.* 2005;16(suppl 1):S7–S10.

Yale JF, et al. Efficacy and safety of canagliflozin in subjects with type 2 diabetes and chronic kidney disease. *Diabetes Obes Metab.* 2013;15:463–473.

33

고혈압

이소연 역

고혈압의 치료는 투석 환자들에서의 심혈관 위험의 감소를 위한 중재(intervention)의 주요한 영역이다.

I. 정의와 측정

혈압은 보통 혈액투석하는 동안 측정되나 투석 전후의 혈압 측정은 혈압의 부하(BP burden)를 적절하게 반영하지 않는다. 투석 바로 직전의 측정들은 기저 평균 혈압을 과대평가하며 투석 이후의 혈압은 반대의 소견을 보인다. 그러므로 혈액투석 환자들에서 혈압의 진단과 감시를 위해 선호되는 방법은 병원 밖 혈압 감시(out-of-office BP monitoring)이다. 집에서의 혈압측정(home BP)과 24시간 보행 혈압 측정 검사(ABPM)를 적용할 수 있으나 ABPM은 어떤 특이한 혈압 문제가 있지 않는 한 일상적인 만성 혈액투석에서는 드물게 사용된다. 집에서 측정한 혈압에 근거한 예측이 투석 전과 후의 혈압보다 더 재현가능하고 투석 전 측정보다 더 ABPM과 연관이 있다(Agarwal, 2009). 게다가 집에서의 측정은 말초 기관(좌심실 비대[LVH])과 심혈관 예후를 투석 전, 후의 혈압 측정보다 더 잘 반영한다(Agarwal, 2009). 평균 4주 동안 주중 투석 시간 하루 후, 하루 2회, 한 번은 아침 그리고 다른 한 번은 자기 전 집에서의 혈압 측정은 고혈압의 진단을 위하여 적절하다고 고려된다(Agarwal, 2009). 혈압이 불안정 할때는, 측정 빈도를 더 높여야 한다. 주중 투석 간 혈압의 중간 값(midweek median intradialytic BP)은 투석 전이나 투석 후의 혈압보다 혈압부하(예를 들면., 평균 ABPM)의 주된 민감한 지표이며 가정 혈압 측정이 불가능한 경우에 적용될 수 있다(Agarwal and Light, 2010). ABPM이 시행되었을 때, 모니터링의 기간은 이상적으로 전체 투석 간의 간격(주 3회 스케줄에서는 44시간, 주중 세션 이후부터 시작)을 포함해야만 한다. 비록 일반적으로 긴 세션의 ABPM을 잘 견뎌내지 못할지라도, ABPM은 투석 환자에서 자주 변하는 야간 혈압의 프로파일에 관한 몇 가지 정보를 줄 수 있을 것이다. 그러나 이러한 인구 군에서 야간 혈압 저하 결핍의 교정(correcting lack of nocturnal BP dipping)에 연관한 효과적인 방법은 결정되지 않았다.

고혈압의 정의(표 33.1)는 측정의 방법에 의존한다(평균 가정 혈압: >135/85 mmHg; ABPM: >130/80 mmHg; 주중 투석 간 혈압의 중간

	투석 환자의 고혈압에 약물치료를 하는 적응증

정의

투석 환자에서의 고혈압은 우선적으로 집에서 측정한 혈압이나 ABPM을 주중 투석 사이에 측정한 것으로 정의해야 한다. 기준치는 유럽 고혈압 협회와 유럽 심장 협회에서 제안되었다 (Mancia 2013).

가정에서의 측정: 수축기 혈압 >135 mmHg 그리고 이완기 혈압 >85 mmHg
24시간 ABPM 측정(주중 투석 사이 기간): 수축기 혈압 >130 mmHg 그리고/혹은 이완기 혈압 >80 mmHg

만약 집에서의 혈압측정 또는 24시간 ABPM이 불가능한 경우 환자가 "건체중"에 맞춰진 상태라고 믿어지는 때의 **주중 투석 중** 평균 수축기 혈압 >140 그리고/혹은 이완기 혈압 >90 mmHg 으로 고혈압을 진단할 수 있다.

약물 치료 목표

동맥 압의 목표는 개개인마다 나이와 다른 질환, 심기능, 신경학적 상태를 고려해야 한다.

치료 목표: 가정 혈압 < 135/85 mmHg 혹은 24시간 ABPM < 130/80 혹은 투석 중 혈압의 중간값 < 140/90 mmHg

값: >140/90 mmHg). 평균 가정 혈압 >135/85 mmHg은 혈액투석과 복막투석 환자 모두에서 유효한 한계점으로 고려된다. 방문시마다(visit-to-visit)의 높은 혈압의 변동성은 말기 신질환(ESKD) 환자들에서 흔하고 사망률의 강한 예측인자이다(Rossignol, 2012). 이러한 환자군에서의 혈압의 변동성을 낮추는 방법은 체계적으로 평가되지 않았다.

II. 병태 생리

A. 세포 외 용적(extracellular volume)의 증가와 나트륨 저류는 고혈압의 주요한 원인이다.

만성적인 체액량의 증가와 사망률 사이의 관계는 잘 확립되어 있다 (Wizemann, 2009). 투석 환자들에서 세포외액의 용적 팽창과 이완 기능 장애가 연관이 있으며(Joseph, 2006), 심각한 심질환의 표지자이 기보다 얼마만큼의 용적과다가 원인이 될 수 있는지에 대하여 항상 불분명한 상태이다. 최근 관심은 피하 공간과 다른 장기들에서의 나트륨의 비삼투성 축적에 향하여 왔다. 고혈압이 있는 사람에서 근육에 나트륨의 비삼투성 축적이 발견되었다(Kopp, 2013). 그리고 30년 전부터 투석한 환자들에서 유사한 소견이 문서로 기록되었다(Montanari, 1978). 다양한 조직에서의 비삼투성 나트륨의 축적의 결과에 대하여 완전히 알려지지는 않았으나 증가한 나트륨의 저장은 혈관의 내피 성장 인자 C를 통한 염증과 심장 섬유화 과정(Mallamaci, 2008; Machnik, 2010)과 다른 기전들에 영향을 줄 것이다.

B. 부적절하게 높은 혈관 긴장도

동맥 평활근 세포들의 나트륨 축적은 증가된 혈관의 단단함에 기여를 할 것이다. 높은 교감신경 활성이 특징적인 상태인 수면 무호흡증은 투석 환자들에서 대단히 흔하고 혈관수축과 야간성 고혈압과 연관이 있다. 질환이 있는 신장으로부터 기원한 구심성의 신호(afferent signals)에 의해 유발되는 교감신경의 과다활동(sympathetic overactivity)은 레닌-안지오텐신계의 2차적인 활성을 야기하고 말기 신질환에서 보여지는 높은 말초 혈관 저항에 중요한 역할을 할 것이다. 사실상, 투석 환자들에서 양측의 신장 절제술을 시행한 후에 극적으로 혈압과 교감신경 활동이 감소하고(Converse, 1992) 신장의 교감 신경 섬유들의 고주파 차단술이 유사한 효과를 생기게 한다는 보고들이 있다(Schlaich, 2013). 내인성 nitric oxide synthase의 억제제인 asymmetric dimethyl-arginine (ADMA)는 투석 환자들에서 증가하며 높은 농도는 교감 신경계 활성과 연관이 있다(Mallamaci, 2004).

C. 고혈압과 좌심실 비대

고혈압을 치료하는 대부분의 이유들은 뇌졸중과 심혈관 사건의 위험을 줄이기 위함이다. 심혈관 사건과 사망률을 위한 한 가지 유명한 대리결과(surrogate outcome)는 좌심실 비대의 존재였고 많은 연구들은 체액량 과다의 감소 그리고/또는 투석 환자들의 항고혈압 약제 치료가 좌심실 질량의 변화를 야기할 수 있는지에 대하여 집중하였다. 정상 농도의 혈압을 가지는 투석 환자들에서도 상당한 좌심실 비대가 있을 수 있다는 것을 깨닫는 것이 중요하다(Mominadam, 2008). 그리고 세포외 액의 상태를 최적화할 때, 혈압의 조절뿐만 아니라, 심장 구조와 기능의 최적화 또한 목표로 삼아야 한다.

III. 치료

A. 예방

1. 나트륨과 수분의 제한

대부분의 수분 섭취는 염분의 섭취에 의해 야기되고 영양 권고사항에 대하여는 31장에서 논의되고 있다. 환자들은 하루 5 g (2 g or 87 mmol의 나트륨)으로 염화나트륨을 제한하도록 격려되어야만 한다. 또 다른 나트륨의 출처는 투석 전 혈청 농도보다 높은 투석액의 나트륨으로부터의 확산으로 인한 증가가 있다. 많은 시설에서는 환자의 투석 전 나트륨 농도가 130에서 145 mmol/L까지 다양할 수 있음에도 불구하고, 같은 농도의 투석액 나트륨을 모든 투석 환자들을 위하여 사용하는 경향이 있다. 혈청보다 더 높은 투석액 나트륨의 사용은 체액 감량의 혈역학적인 내성을 향상시킬 것이나 갈증과 투석 후의 수분 섭취를 증가하게 할 수 있다. 이러한 경우는 투석 간의 체중 증가를 야기하고 다음 투석 시에는 더 높은 초미세여과를 필요로 할 것이다. 어떤 신장내과 의사들은 발전한 투석기계의 도움으로 'sodium profiling'의 사용을 선호한다. 투석 시작 시에는 혈청 나트륨 농도를 환자의 혈청 나트륨 농도보다 높게 설정하고 치료 중 점차적으로 투석액의 나트륨을 줄이며 투석 종료 시의 투석액의 나트륨은 처음의 혈청 농도보다 낮아진다. Sodium profiling은 치료 중 시간-평균(time-average) 투석액의 나트륨 레벨이 초기 혈청 농도를 초과하지 않는다는 조건하에, 더 높은 투석액의 나트륨이 투석 간 체중 증가 효과를 최소화하고 혈역학적 안정성 면에서 이점들을 보인다.

낮춰진 투석액의 나트륨 단위 폭(140부터 137 mM)은 체액과 연관한 입원율 뿐만 아니라 투석 간의 체중 증가도 줄일 것이라고 예비 자료들에서 제안하고 있다(Lacson, 2011).

2. 더 길거나 더 빈번한 투석 시간

16장에서 기술되어 있다. 빈번한 투석 스케줄과 긴 야간 투석은 실제로 고혈압이 있는 투석 환자들에서 혈압 조절을 향상시키고 좌심실 비대를 복구한다. 빈도 외에도 투석 시간의 증가는 초미세여과율이 천천히 이루어지게 하고 시간을 증가함으로써 원하는 투석 후 체중에서 투석을 마칠 수 있게 한다.

B. 염분과 수분과다의 교정

1. 건체중의 임상적 평가

이상적으로, 투석 치료는 환자들을 정상의 세포외액 용적으로 돌려 놔야만 한다. 임상적 관례에서 '건체중'은 저혈압, 근 경련, 오심과 구토를 유발하지 않는 수분 제거의 농도로 정의된다. 그러나 이러한 증상들은 얼마나 빠르게 수분이 제거되는 지와 사용된 투석 방법, 투석 전의 용적 상태, 그리고 동시에 사용한 약물치료(많은 항고혈압약제들은 수분제거시 심혈관계 적정 반사(reflex cardiovascular adjustments)의 장애를 보인다)에 의존하여 발생한다.

a. 수분과다의 교정 후 혈압저하의 시간 지연

세포외액을 낮추는 것과 현저하게 증가한 혈압의 교정 사이에 시간 지연이 있을 것이다(Charra, 1998). 이러한 이유로 만약 초기에 건체중을 낮춘 후에도 혈압이 감소하지 않으면, 고혈압의 원인에서 혈량과다증을 배제할 수 없다. 지체현상(lag phenomenon)은 투석 환자들에서 비삼투성 나트륨 축적이 발생할 것이라는 가정에 잘 들어 맞는다. 비록 여러 조직 공간들에서부터 나트륨이 제거되기 위해서 상당히 많은 시간이 필요할 지라도(이것에 대하여 연구가 잘 이루어지지는 않았다), 오래 지속된 체액 과다의 교정 후에도 고혈압의 호전이 지연되는 것은 혈관 리모델링(remodeling)으로 인할 것이다.

b. 빈번한 재평가의 필요

영양 결핍이나 동반 질환으로 인한 근육 질량의 소실이 체액 과다를 야기할 수 있기 때문에, 건체중과 영양상태는 자주 재평가가 되어야만 한다. 예를 들면 환자가 입원 후 투석실로 돌아왔을 때, 이전에 결정되었던 건체중은 병발하는 제지방 체중의 소실로 인하여 거의 항상 더 낮은 농도로 다시 맞출 필요가 있다.

2. 기술

a. 생체임피던스 분석(BIA)

건체중의 평가는 주관적인 임상 평가에 근거한다. 일반적인 임상적 기준 (부종, 경정맥 팽창, 폐 수포음의 존재)에 의하여 최적화된 건체중을 추적 하는 것은 어려울 것이다. 더욱이 부종은 간질 사이의 용적이 정상보다 1/3 가량 증가(예를 들면, 약 5 L)일 때까지 발견되지 않을 것이다. 현재 다중 주파수 생체 임피던스 분광학은 체액 측정을 위한 믿을만한 방법으 로 떠오르고 있다. 체성분 분석기(BCM, Fresenius Medical Care, 독일) 는 투석 환자들에게 매우 적합한 장치이다(Moissl, 2006). 수분과다의 최소화를 위한 BCM에 근거한 치료 정책의 적용은 투석 환경에서의 고 혈압의 조절을 위하여 사용되었다(Moissl, 2013). 무작위 대조군 연구에 서 BCM으로 가이드 된 체액 관리 접근은 좌심실 질량 지표와 혈관 경직 도의 명백한 호전을 야기하였다(Hur, 2013). 그러나 BCM으로 가이드 된 '건체중'의 사용이 생존율 또는 체액 연관 입원율의 감소를 증가시키는 가에 대한 증거는 없다.

b. 다른 방법들

투석 동안 적혈구 용적율(hematocrit)의 지속적인 기록(Crit-line Moni-tor)은 유용한 방법으로 고려되나, 이 장비의 전신적인 사용이 임상적인 결과의 향상을 보일 것이라는 가정과 다르게 임상적 연구에서 비 혈관 그 리고 혈관 통로와 연관한 입원율과 사망률이 더 높게 나타났다(Reddan, 2005). 초음파의 하대 정맥 직경이나 좌심방 직경의 측정은 모두 용적의 변화에 민감하나 투석 간의 혈압을 반영하지는 않으며(Agarwal, 2011) 그러므로 건체중의 평가를 위하여는 가치가 제한된다. 뇌 나트륨 이뇨 펩 티드(BNP)의 혈청 농도는 좌심실 질량을 크게 반영하며(Zoccali, 2001) 용적의 감시를 위해서는 적절하지 않다(Agarwal, 2013). 폐 울혈은 거의 모든 초음파 기계와 탐색자를 사용한 쉽게 적용하고 신뢰할 만한 초음파 기법으로 발견하거나 감시할 수 있다(Mallamaci, 2010). 폐 울혈은 사망 과 심혈관계 사건들의 강한 예측인자이다(Zoccali, 2013). 폐 초음파의 사용은 심질환이 있는 투석 환자들에서 건체중의 설정을 돕기에 이론적 으로 매력적이나, 입원율이나 사망률과 같은 결과의 향상에 대하여는 아 직 검증되지 않았다.

C. 흔한 임상적 문제들

1. 초미세여과 과다

지나치게 열성적인 초미세여과는 심한 저혈압과 심근경색이나 뇌 경색 그리고 장간막 허혈과 같은 참담한 심혈관 결과를 촉발시킬 수 있다. 비록 이러한 연관이 자연스러운 것인지에 대한 여부는 불 분명할지라도, 빈번한 투석 간의 저혈압 사건들은 사망률의 증가와 연관이 있다(Shoji, 2004). 또한 투석 중 저혈압은 '심근 기면(cardiac stunning; 심장 벽 움직임의 이상으로 나타남)'과 감정과 인지와 연관된 뇌 백색질의 감지하기 힘든 허혈 변화와 연관이 있다(Selby, 2014). 현저한 투석 시간의 연장 없이 초미세여과를 강화하면 고혈압의 조절은 향상시키지만 심혈관계 합병증으로 인한 입원과 동정맥루의 혈전을 증가시킨다(Curatola, 2011). 또한 낙상의 발생을 증가시킬 수 있다. 빠른 초미세여과 속도는 투석 중 저혈압의 위험을 증가시키며, 한 연구에서 초미세여과율이 시간 당 12.4 mL/kg 보다 큰 경우에 사망률의 증가와 연관이 있었다(Movilli, 2007). 투석 중 저혈압의 위험을 최소화하는 방법에 대하여는 12장에서 논의되었다. 혈액과 복막투석 환자 모두에서 세포외액의 감소가 잔여신기능의 감소와 연관이 있는 것이 다른 문제점이다. 소변량은 인, 높은 무게의 중분자, 그리고 단백질과 결합한 요독소와 연관한 제거와 함께 세포외액 용적의 급등을 피하기 위해서 중요하다. 상당한 잔여 소변 배출량이 있는 환자들에서 잔여신기능을 여전히 유지하면서 어떤 정도의 농도에서 세포외액의 용적의 최적화가 가능한지에 대하여는 불분명하다. 이러한 환경에서의 잔여 신기능의 소실은 불가피한 것일 것이다.

2. 투석 간과 투석 말의 고혈압

약 15%의 투석 환자들에서 발생할 수 있으며 높은 사망의 위험과 연관이 있어 왔다(Inrig, 2009). 이러한 장애는 여러 가지 요인에 의하며 준임상적(subclinical) 체액 과다를 반영할 것이다. 내피의 기능 이상뿐만 아니라 교감신경과 레닌-안지오텐신 과다활성은 이러한 조건과 연관되어 있다. 현재 시점에서, 이러한 것을 어떻게 치료할 지에 대하여는 분명하지 않다; 일화로, 어떤 환자들에서는 건체중 목표를 낮추는 것이 도움이 되나 이러한 환자들에게서 균일하게 체액과다가 생겨난 것이라고 결코 분명하게 말할 수는 없다.

3. 반복적인 고혈압

만약 용적의 제거로 잘 조절이 된 후에 고혈압이 재발한다면, 가장 가능성 있는 설명은 환자가 다시 체액 과다 상태로 돌아온 것일 것이다.

D. 항고혈압 약제의 사용

기본적으로 좌심실 비대가 있는 환자들에서 용적의 제거로 치료를 하는 것이 고혈압 약제 치료를 통한 혈압 저하보다 좌심실 비대를 감소하는데 더 효과적이다(Ozkahya, 2006). 여전히, 상당한 수의 투석 환자들은 항고혈압 약제 치료를 받고 관측 자료들은 이러한 치료들이 전체의 사망률을 줄일 것이라고 제안한다. 대부분의 기록된 자료들의 이점들은 레닌-안지오텐신-알도스테론(RAAS) 억제제나 베타차단제를 복용하는 환자들에게서 보고되었다. 혈액투석과 복막투석 환자들에서의 건당 처방되는 평균 항고혈압 약제의 수는 투석 기간 6개월째에

2.5개였다. 이러한 약물들의 처방 패턴은 투석의 방법에 따라 다양하였고 베타차단제, 레닌-안지오텐신계 길항제, 그리고 칼슘통로 차단제의 처방 패턴의 주요한 변화는 6개월째부터 발생하였다. 게다가, 처방 약제의 종류는 동반이환, 인종, 그리고 나이, 적게는 성별에 따라 다양하다(St Peter, 2013).

1. 안지오텐신 전환효소(ACE) 억제제와 안지오텐신 수용체 차단제 (ARBs)

이러한 약제들은 일반적으로 잘 허용된다(tolerated). 어떤 투석 환자들에서는 혈청 레닌 활동이 명백하게 높고 용적-팽창된 환자들에서는 부적절하게 억제되어 있다는 사실이 이러한 약제들의 사용을 위한 병태 생리학적 합리적 근거로 제공되었다. 안지오텐신 II 가 심지어 고혈압과 관계없는 경우에도 좌심실 비대와 강한 연루가 있기 때문에 이러한 분류의 약제들의 사용이 시작과 함께 좌심실 비대를 많이 가지고 있는 투석 환자들에서 특히 이론적으로 유용하다. 그러나 정상 혈압의 투석 환자들(Yu, 2006)과 좌심실 비대가 있으면서 정상이나 높은 혈압의 환자들(Zannad, 2006)에서 ramipril을 사용한 무작위의, 위약-대조군 연구들은 좌심실 비대의 호전을 보여주는데 실패하였다. 고혈압 투석 환자들에서, candes-artan (Takahashi, 2006) 또는 다양한 안지오텐신 수용체 차단제 (candesartan, losartan, or valsartan; Suzuki, 2008) 대(vs.) 위약의 개방-표지 무작위 연구(open-label randomized trials)들에서는 혈압 조절에 있어서는 ARB-치료 환자들이 대조군들과 거의 같은 소견을 보였지만, 사망과 심혈관계 사건들에서는 ARBs 사용이 유의한 위험의 감소를 보였다(약 30%).하나의 큰 개방-표지 연구에서 olmesartan을 이전에 심혈관계 합병증이 없는 고혈압이 있는 투석 환자들에서 사용하였을 때, 사망률과 심혈관계 사건에서의 이점을 보이는데 실패하였다(Iseki, 2013).

a. 부작용과 용량 조절

브라디키닌(bradykinin) 파괴를 방해하는 안지오텐신 전환효소(ACE) 억제제는 투석 중의 아나필락시스 작용의 유병율을 증가시키는데 연관이 있을 것이다. ACE 억제제는 신부전이 있는 환자들에서 고칼륨혈증과 연관이 있으나 만약 필요하다면 식이의 칼륨 함량의 작은 조절과 함께 종종 투석 환자들에서도 사용될 수 있다. 다른 부작용들로는 기침, 피부 발진, 미각의 변화, 그리고 드물게 무과립구증이나 혈관부종이 있다. 하부의 혈관부종과 기침의 위험은 ARB를 선호하게 하는 요인들이다. 빈혈의 악화와 적혈구 생성인자(EPO)의 내성은 ACE 억제제의 알려진 다른 부작용이다. 이러한 효과는 ACE에 의존하여 분해되는 생리적인 조절의 억제제인, N-acetyl-seryl-aspartyl-lysyl-proline의 축적에 의존한다. 많은 ACE 억제제(또는 그들의 활성 대사산물들)의 혈청 반감기가 신부전에서는 연장되기 때문에, 용량의 감량이 자주 요구된다. ARBs는 간에 의해 광범위하게 대사되고 용량조절이 요구되지 않는다.

2. 베타-, 알파/베타-, 그리고 알파 아드레날린 차단제

베타차단제는 높은 교감신경 활성의 심혈관 효과와 낮은 혈청 레닌 활동(PRA) 그리고 투석 환자들에서 높은 혈압을 야기하는데 모두 관여하는 안지오텐신 II에 대하여 길항작용을 한다. 많은 경우에 심근 경색이나 뇌졸중 환경에서의 심장 보호 효과가 기록되었다. 높은 혈청 노르아드레날린은 말기 신질환에서 심혈관계 사망률과 연관이 있다(Zoccali, 2002). Carvedilol, 알파/베타차단제는 수축 기능 장애가 있는 투석 환자들에서 이환율과 사망률을 줄인다(Cice, 2003). 안지오텐신 전환효소(ACE) 억제제인 Lisino-pril보다 베타차단제인 atenolol의 우수한 심장 보호 효과가 최근 HDPAL 연구에서 기록되었다(Agarwal, 2014). Lisinopril이나 atenolol을 투여 받은 무작위의 200명 투석 환자들의 연구에서 44시간 보행 혈압은 두 그룹에서 시간이 지나면서 유사하게 감소하였다(lisnopril로 치료받은 환자들에서 투석 후 체중의 감소가 증가하거나 다른 항고혈압제의 사용이 증가할지라도). 중요하게도 심혈관계 사건의 주요한 위험은 lisnopril 그룹과 비교하여 atenolol 군에서 절반으로 감소하였고 연구를 위한 안전 감시 보드에서는 연구의 조기 종료를 권장하였다.

a. 부작용과 용량 조절

알파차단제는 기립성 저혈압을 야기할 것이다. Prazosin은 첫 용량 복용 시의 실신과 연관이 있어 왔으므로, 처음 복용은 취침시간에 투여해야만 한다. 베타 아드레날린 차단제는 졸림, 기면, 그리고 우울증과 같은 부작용의 높은 발생률을 보인다. 비 선택적 베타차단제는 폐부종이나 천식의 경향이 있는 환자들과 이미 어떤 칼슘통로 차단제로 치료 받은 환자들에서 조심하여 사용해야 할 필요가 있다. 베타차단제는 혈청 지질에 부작용을 가지며 세포의 칼륨 흡수 부작용으로 혈청 칼륨 농도를 증가시키는 경향이 있을 것이다. 저혈당의 증상을 알아채지 못하게 하거나 인슐린 유발 저혈당을 증가시킬 수도 있다. 모든 약제들은 서맥을 유발하고 체액 결핍으로 인한 반사성 빈맥을 방해한다.

수용성 베타차단제인 atenolol, nadolol, 그리고 bisoprolol은 혈액투석에 의하여 제거되므로 우선적으로 투석 후에 투여돼야만 한다.

3. 칼슘통로 차단제

투석 환자들에서 이러한 약제들이 용적 내성 고혈압의 치료를 위해 빈번히 사용된다. 큰 메타 분석에서 고혈압 그리고/또는 심혈관 질환이 있는 환자들에서의 혈압 강하 약제들은 칼슘 길항제가 베타차단제, 안지오텐신 전환효소(ACE) 억제제, 그리고 안지오텐신 수용체 차단제와 같은 다른 계열의 항고혈압 약제보다 뇌졸중의 위험을 줄이는데 더 효과적이었고 심혈관질환 사건을 예방하는 데는 유사하게 효과적이었다(Law, 2009). 고혈압이 있는 투석 환자들을 대상으로 한 무작위 이중맹검 연구에서 amlodipine은 수축기 혈압이 9 mmHg 감소하였으며, 이완기 혈압은 19개월의 추적기간 동안 변화가 없었다. 이 연구에서 amlodipine 치료는 사망률(1차 유효성 평가) 위험의 감소(~35%)와 연관하여 통계적 유의성을 보이는데 실패하였으나, 병용 2차 유효성 평가(어떤 원인으로 인한 사망률이나 심혈관계 사건)와 연관해서는 47% 감소를 보였다(Tepel, 2008).

a. 부작용과 용량 조절

Verapamil은 심장 전도 문제들, 서맥, 그리고 변비를 야기할 수 있다. 칼슘통로 차단제는 베타 아드레날린 차단제와 함께 병용 시 울혈성 심부전의 악화가 가능하기 때문에 매우 주의하여 사용해야만 한다. 다른 부작용들로는 발목 부종, 두통, 홍조, 두근거림, 그리고 저혈압이 있다. 지속적으로 작용하는 조제 약품이 사용되어야만 한다. 칼슘통로 차단제는 주로 간에 의하여 배설되고 만성 신질환과 투석 시 약물 역동학의 프로필을 변화시키지 않기에(표 33.2) 용량 조절이 요구되지 않는다.

4. 교감신경 차단제(예를 들면, methyldopa, clonidine, guanabenz)

위에서 언급한 바와 같이, 투석 환자들에서는 긴장 교감 신경 활성이 증가되어 보인다. 그래서 뇌간의 알파-아드레날린 수용체들을 자극하여 교감신경의 유출을 차단하는 교감신경 차단제들은 이론적으로는 매우 매력적이다. Clonidine의 한 가지 이점은 자율신경병증에서 설사 치료로 유용하다는 점이다. 게다가, methyldopa와 clonidine은 중요하게 고려되는 가격 면에서도 비교적 저렴하다. 다른 항고혈압약제에 추가된 Moxonidine은 진행된 신부전의 환자들에서도 잘 사용되며 효율적인 면에서 nitrendipine과 비슷하다(Vonend, 2003). 이 약물의 낮으나 저혈압이 아닌 용량은 투석 환자들에서 지속적으로 교감신경 활동이 감소되었다고 직접 기록되었다(Hausberg, 2010).

a. 부작용과 용량 조절

이 분류의 약제들은 부작용을 가진다. Clonidine은 진정, 입 마름, 우울증, 그리고 기립성 저혈압을 포함한다. 마지막 부작용은 당뇨병 환자들에서 특정한 문제일 것이다. Clonidine은 갑자기 중단하였을 때, 반동성 고혈압을 야기할 수 있다. 이러한 부작용들은 피부를 통한 제제들로 상당히 감소될 것이다. Guanbenz와 guanfacine은 반동성 고혈압을 적게 야기할 것이나 더 비싸다. 한 임상적 연구에서는 moxonidine 그룹에서의 과다한 사망 때문에, 심부전에서의 moxonidine인 MOXCON의 사용을 중단하였다(Cohn, 2003). 반면에 같은 환경에서 베타차단제는 이로운 효과를 보였다. 그러므로 심부전이 있는 투석 환자에서의 이러한 약제의 사용은 부적절하다. Methyldopa는 간독성이나 혈액의 교차시험을 방해하는 직접 또는 간접 coombs 검사의 양성을 야기할 것이다. Methyldopa, clonidine, 그리고 guanfacine은 주로 신장을 통해 배설되고 용량 감량이 요구될 것이다. Methyldopa는 혈액투석을 통해 상당한 양이 제

| | TABLE 33.2 | 투석 환자에서의 항고혈압약제: 용량 및 투석을 통한 제거 | | |

약물	정제 크기 (mg)	투석 환자의 초기 용량 (mg)	투석 환자의 유지 용량 (mg)	투석을 통한 제거
Ca antagonists				
Amlodipine	5	5 q24h	5 q24h	No
Diltiazem extended release	120, 180, 240, 300, 360	120 q24h	120-300 q24h	No
Felodipine	5, 10	5 q24h	5-10 q24h	No
Isradipine	5	5 q24h	5-10 q24h	No
Nicardipine (slow release)	30	30 b.i.d.	30-60 b.i.d.	No
Nifedipine XL	30, 60	30 q24h	30-60 q24h	No
Verapamil	40, 80, 120	40 b.i.d.	40-120 b.i.d.	No
ACE inhibitors				
Captopril	25, 50	12.5 q24h	25-50 q24h	Yes[a]
Benazepril	5, 10, 20, 40	5 q24h	5-20 q24h	Yes[a]
Enalapril	2.5, 5, 10, 20	2.5 q24h or q48h	2.5-10 q24h or q48h	Yes[a]
Fosinopril	10, 20	10 q24h	10-20 q24h	Yes[a]
Lisinopril	5, 10, 20, 40	2.5 q24h or q48h	2.5-10 q24h or q48h	Yes[a]
Perindopril	4	2 q48h	2 q48h	Yes[a]
Quinapril	5, 10, 20, 40	2.5 q24h	10-20 q24h	No
Ramipril	1.25, 2.5, 5, 10	2.5-5 q24h	2.5-10 q24h	Yes[a]
Beta-blockers				
Acebutolol	200, 400	200 q24h	200-300 q24h	Yes[a]
Atenolol	50, 100	25 q48h	25-50 q48h	Yes[a]
Bisoprolol	2.5	2.5 q24h	2.5 q24h	Yes[a]
Carvedilol	5	5 q24h	5 q24h	Yes[a]
Metoprolol	50, 100	50 b.i.d.	50-100 b.i.d.	Yes[a]
Nadolol	20, 40, 80, 120, 160	40 q48h	40-120 q48h	Yesa[a]
Pindolol	5, 10	5 b.i.d.	5-30 b.i.d.	Yes[a]
Propranolol	10, 40, 80	40 b.i.d.	40-80 b.i.d.	Yes[a]
Adrenergic modulators				
Clonidine	0.1, 0.2, 0.3, TTS 0.2	0.1 b.i.d.	0.1-0.3 b.i.d., TTS weekly	No

(continued)

TABLE 33.2 투석 환자에서의 항고혈압약제: 용량 및 투석을 통한 제거 *(continued)*

약물	정제 크기 (mg)	투석 환자의 초기 용량 (mg)	투석 환자의 유지 용량 (mg)	투석을 통한 제거
Guanabenz	4, 8	4 b.i.d.	4-8 b.i.d.	No
Guanfacine	1, 2	1 q48h	1-2 q24h	No
Labetalol	100, 200, 300	200 b.i.d.	200-400 b.i.d.	No
Prazosin	1, 2, 5	1 b.i.d.	1-10 b.i.d.	No
Terazosin	1, 2, 5	1 b.i.d.	1-10 b.i.d.	No
Vasodilators				
Hydralazine	10, 25, 50, 100	25 b.i.d.	50 b.i.d.	No
Minoxidil	2.5, 10	2.5 b.i.d.	2.5-10 b.i.d.	Yes[a]
Angiotensin II receptor blockers				
Candesartan	4, 8, 16, 32	4 q24h	8-32 q24h	No
Eprosartan	400, 600	400 q24h	400-600 q24h	No
Irbesartan	75, 150, 300	75-150 q24h	150-300 q24h	No
Losartan	50	50 q24h	50-100 q24h	No
Telmisartan	40, 80	40 q24h	20-80 q24h	No
Valsartan	80, 160	80 q24h	80-160 q24h	No
Olmesartan	10-40	10 q24h	10-40 q24h	No

[a]혈액투석 중 제거되는 약제의 용량은 투석 후에 투여되어야만 한다.
표의 어떤 약제도 지속성 외래 복막투석 동안 상당 한 제거가 이루어지지 않는다.
q24h, daily; b.i.d., two times per day; q48h, every other day; ACE, angiotensin-converting enzyme; TTS, transdermal therapeutic system.

거된다. Guanabenz는 간으로 대사되고 신부전 환자에서 용량 조절이 필요하지 않다.

5. 혈관확장제 (예로, hydralazine, minoxidil)

이러한 약제들은 3세대 약제들이다. 일반적으로 반사성 빈맥을 야기하는 경향이 있기 때문에, 교감신경 차단제 또는 베타차단제 약물들이 필요하다. 2가지 약제의 부작용들은 주로 반사성 빈맥과 연관이 있고 두근거림, 어지럼증, 그리고 협심증의 악화가 있다. Hydralazine은 비싸지 않으며 효과적이나 하루 200 mg보다 많은 용량을 사용하면 루프스 양 증후군을 야기할 수 있다. 활성형 대사산물의 신장 배설의 감소 때문에, 최대 허용 용량은 투석 환자에서 감량되어야만 한다. Minoxidil은 심장막염과 연관이 있으며 일반적으로 다모증 때문에 여성들이 회피한다. Minoxidil은 보통 저항성 고혈압을 치료하기 위해서 보류된다.

IV. 고혈압의 긴급증(urgencies)과 응급증(emergencies)

A. 고혈압 긴급증(위기)

고혈압 긴급증이라는 용어는 치료하지 않는 상태로 수일간 두는 경우 심각한 이환 사건의 중대한 위험이 있는 환자들을 의미한다.

1. 치료

고혈압 긴급증의 이상적인 혈압 감소율은 부적절한 하강과 너무 빠른 하강의 위험들 사이에서 평형을 이루는 것이다. 만성 고혈압에서는 대뇌의 자동 조절이 상향 조절되어 있어 환자들은 뇌경색이나 실명을 악화시킬 수 있는 갑작스러운 혈압 저하에 대한 보상이 덜 이루어질 것이다. 이러한 이유로 갑작스러운 치료의 형태는 피해야만 한다. 속효성 제제인 nifedipine은 과거 심한 고혈압에서 1세대 약제로 사용되었다. 그러나 이 약제의 사용 후 심근, 대뇌, 그리고 망막 허혈이 현재 몇몇 보고들에서 기록되어 더 이상 추천되지 않는다. 지속적으로 작용하는 nifedipine이나 다른 지속형 칼슘 길항제, 또는 clonidine은 1세대 약제 대신에 사용해야만 한다. 만약 베타차단제, 안지오텐신 전환효소(ACE) 억제제가 이미 환자들의 치료에 사용되었다면, 조합된 약제들이 추가될 수 있다. 만약 경구 치료에 실패한다면, 비경구 약물이 사용되어야만 한다 (아래를 보아라).

B. 고혈압 응급증

만약 몇 시간 동안 지속된다면, 비가역적인 장기의 손상을 야기하는 동맥압의 증가로 정의된다. 고혈압 뇌병증, 고혈압 좌심실 부전, 협심증/심근경색과 연관한 고혈압, 대동맥 박리와 연관한 고혈압, 그리고 대뇌 출혈/뇌경색들이 이러한 응급증의 예이다. 고혈압 응급증은 비경구 약제들로 치료해야만 한다. 지속적 IV 주입으로 투여되는 Nitroprusside(처음에는 분당 0.3~0.8 mcg/kg에서 최대 분당 8 mcg/kg)는 주로 심부전과 대동맥류 박리에서 유용하나 신부전에서 유지되는 독성 대사산물(thiocyanate) 때문에 주의 깊은 감시가 요구된다. Cyanide 농도는 48시간마다 모니터링 해야 하며 10 mg/dL를 넘으면 안 된다. Thiocyanate 독성 증상은 오심, 구토, 근간대성 움직임, 그리고 경련이 있다. 일반적으로 주입은 48시간 보다 더 지속되면 안 된다. Nitroprusside와 이 약물의 대사산물 모두는 투석을 통해 빠르게 제거된다. Labetalol의 정맥 내 투여는 또한 심부전, 천식, 심방 차단이 없는 환자들에게서 고려될 것이다 (2 mg/min 부터 총 2 mg/kg). 천천히 정맥 내로 주어지는 hydralazine 10~20 mg는 충분히 시험해 본 대체 약제이나, 허혈성 심질환에서는 이 약물을 피해야만 한다.

References and Suggested Readings

Agarwal R. The controversies of diagnosing and treating hypertension among hemodialysis patients. *Semin Dial.* 2012;25:370–376.

Agarwal R. B-type natriuretic peptide is not a volume marker among patients on hemodialysis. *Nephrol Dial Transplant.* 2013;28:3082–3089.

Agarwal R, Light RP. Median intradialytic blood pressure can track changes evoked by probing dry-weight. *Clin J Am Soc Nephrol.* 2010;5:897–904.

Agarwal R, et al. Home blood pressure measurements for managing hypertension in hemodialysis patients. *Am J Nephrol.* 2009;30:126–134.

Agarwal R, et al. Inferior vena cava diameter and left atrial diameter measure volume but not dry weight. *Clin J Am Soc Nephrol.* 2011;6:1066–1072.

Agarwal R, et al. Hypertension in hemodialysis patients treated with atenolol or lisinopril (HDPAL): a randomized controlled trial. *Nephrol Dial Transplant.* 2014;29:672–681.

Charra B, Bergstrom J, Scribner BH. Blood pressure control in dialysis patients: importance of the lag phenomenon. *Am J Kidney Dis.* 1998;32:720–724.

Cice G, et al. Carvedilol increases two-year survivalin dialysis patients with dilated cardiomyopathy: a prospective, placebo-controlled trial. *J Am Coll Cardiol.* 2003;41:1438–1444.

Cohn JN, et al. Adverse mortality effect of central sympathetic inhibition with sustained- release moxonidine in patients with heart failure (MOXCON). *Eur J Heart Fail.* 2003;5:659–667.

Converse RL Jr, et al. Sympathetic overactivity in patients with chronic renal failure. *N Engl J Med.* 1992;327:1912–1918.

Curatola G, et al. Ultrafiltration intensification in hemodialysis patients improves hypertension but increases AV fistula complications and cardiovascular events. *J Nephrol.* 2011;24:465–473.

Grassi G, et al. Sympathetic nerve traffic and asymmetric dimethylarginine in chronic kidney disease. *Clin J Am Soc Nephrol.* 2011;6:2620–2627.

Hausberg M, et al. Effects of moxonidine on sympathetic nerve activity in patients with end-stage renal disease. *J Hypertens.* 2010;28:1920–1927.

Hur E, et al. Effect of fluid management guided by bioimpedance spectroscopy on cardiovascular parameters in hemodialysis patients: a randomized controlled trial. *Am J Kidney Dis.* 2013;61:957–965.

Inrig JK, et al. Association of blood pressure increases during hemodialysis with 2-year mortality in incident hemodialysis patients: a secondary analysis of the Dialysis Morbidity and Mortality Wave 2 Study. *Am J Kidney Dis.* 2009;54:881–890.

Iseki K, et al. Effects of angiotensin receptor blockade (ARB) on mortality and cardiovascular outcomes in patients with long-term haemodialysis: a randomized controlled trial. *Nephrol Dial Transplant.* 2013;28:1579–1589.

Joseph G, et al. Extravascular lung water and peripheral volume status in hemodialysis patients with and without a history of heart failure. *ASAIO J.* 2006;52:423–429.

Klassen PS, et al. Association between pulse pressure and mortality in patients undergoing maintenance hemodialysis. *JAMA.* 2002;287:1548–1555.

Kopp C, et al. Na magnetic resonance imaging-determined tissue sodium in healthy subjects and hypertensive patients. *Hypertension.* 2013;61:635–640.

Lacson E, et al. Lower dialysate sodium impacts weight gain and fluid overload hospitalizations [abstract]. *J Am Soc Nephrol.* 2011;22:93A.

Law MR, Morris JK, Wald NJ. Use of blood pressure lowering drugs in the prevention of cardiovascular disease: meta-analysis of 147 randomised trials in the context of expectations from prospective epidemiological studies. *BMJ.* 2009;338:b1665.

Machnik A, et al. Mononuclear phagocyte system depletion blocks interstitial tonicity- responsive enhancer binding protein/vascular endothelial growth factor C expression and induces salt-sensitive hypertension in rats. *Hypertension.* 2010;55:755–761.

Mallamaci F, et al. Analysis of the relationship between norepinephrine and asymmetric dimethyl arginine levels among patients with end-stage renal disease. *J Am Soc Nephrol.* 2004;15:435–441.

Mallamaci F, et al. Vascular endothelial growth factor, left ventricular dysfunction and mortality in hemodialysis patients. *J Hypertens.* 2008;26:1875–1882.

Mallamaci F, et al. Detection of pulmonary congestion by chest ultrasound in dialysis patients. *JACC Cardiovasc Imaging.* 2010;3:586–594.

Mancia G, et al. 2013 ESH/ESC Guidelines for the management of arterial hypertension: the Task Force for the Management of Arterial Hypertension of the European Society of Hypertension (ESH) and of the European Society of Cardiology (ESC). *J Hypertens.* 2013;31:1281–1357.

Moissl U, et al. Bioimpedance-guided fluid management in hemodialysis patients. *Clin J Am Soc Nephrol.* 2013;8:1575–1582.

Moissl UM, et al. Body fluid volume determination via body composition spectroscopy in health and disease. *Physiol Meas.* 2006;27:921–933.

Mominadam S, et al. Interdialytic blood pressure obtained by ambulatory blood pressure measurement and left ventricular structure in hypertensive hemodialysis patients. *Hemodial Int.* 2008;12:322–327.

Montanari A, et al. Studies on cell water and electrolytes in chronic renal failure. *Clin Nephrol.* 1978;9:200–204.

Movilli E, et al. Association between high ultrafiltration rates and mortality in uraemic patients on regular haemodialysis: a 5-year prospective observational multicenter study. *Nephrol Dial Transplant.* 2007;22:3547–3552.

Ozkahya M, et al. Long-term survival rates in haemodialysis patients treated with strict volume control. *Nephrol Dial Transplant.* 2006;21:3506–3513.

Reddan DN, et al. Intradialytic blood volume monitoring in ambulatory hemodialysis patients: a randomized trial. *J Am Soc Nephrol.* 2005;16:2162–2169.

Rossignol P, et al. Visit-to-visit blood pressure variability is a strong predictor of cardiovascular events in hemodialysis: insights from FOSIDIAL. *Hypertension.* 2012;9:339–346.

Schlaich MP, et al. Feasibility of catheter-based renal nerve ablation and effects on sympathetic nerve activity and blood pressure in patients with end-stage renal disease. *Int J Cardiol.* 2013;168:2214–2220.

Selby NM, McIntyre CW. How is the heart best protected in chronic dialysis patients? Protecting the heart in dialysis patients—intradialytic issues. *Semin Dial.* 2014;27:332–335.

Shoji T, et al. Hemodialysis-associated hypotension as an independent risk factor for two-year mortality in hemodialysis patients. *Kidney Int.* 2004;66:1212–1220.

St Peter WL, et al. Patterns in blood pressure medication use in US incident dialysis patients over the first 6 months. *BMC Nephrol.* 2013;14:249.

Suzuki H, et al. Effect of angiotensin receptor blockers on cardiovascular events in patients undergoing hemodialysis: an open-label randomized controlled trial. *Am J Kidney Dis.* 2008;52:501–506.

Takahashi A, et al. Candesartan, an angiotensin II type-1 receptor blocker, reduces cardiovascular events in patients on chronic haemodialysis—a randomized study. Nephrol *Dial Transplant.* 2006;21:2507–2512.

Tepel M, et al. Effect of amlodipine on cardiovascular events in hypertensive haemodialysis patients. *Nephrol Dial Transplant.* 2008;23:3605–3612.

Vonend O, et al. Moxonidine treatment of hypertensive patients with advanced renal failure. *J Hypertens.* 2003;21:1709–1717.

Wizemann V, et al. The mortality risk of overhydration in haemodialysis patients. *Nephrol Dial Transplant.* 2009;24:1574–1579.

Yu WC, et al. Effect of ramipril on left ventricular mass in normotensive hemodialysis patients. *Am J Kidney Dis.* 2006;47:478–484.

Zannad F, et al. Prevention of cardiovascular events in end-stage renal disease: results of a randomized trial of fosinopril and implications for future studies. *Kidney Int.* 2006;70:1318–1324.

Zoccali C, et al. Cardiac natriuretic peptides are related to left ventricular mass and function and predict mortality in dialysis patients. *J Am Soc Nephrol.* 2001;12:1508–1515.

Zoccali C, et al. Plasma norepinephrine predicts survival and incident cardiovascular events in patients with end-stage renal disease. *Circulation.* 2002;105:1354–1359.

Zoccali C, et al. Pulmonary congestion predicts cardiac events and mortality in ESRD. *J Am Soc Nephrol.* 2013;24:639–646.

34 혈액학적 이상

이소연 역

I. 빈혈

A. 원인

만성 신질환의 빈혈은 주로 적혈구 생성인자(EPO) 당단백 호르몬의 불충분한 생성으로 야기된다. 비록 EPO는 많은 신체의 조직들에서 생성될 수 있지만, 일반적으로 적혈구 생성을 위해 요구되는 EPO는 신장의 세관 근접한 내피세포에서 생성된다. 신장의 배설 기능이 소실되면서, 사구체 여과율의 감소와 연관하여 EPO 생성이 상대적으로 감소한다. 유발되는 빈혈의 심한 정도는 다양하나 만약 치료되지 않는다면, 말기 신질환(ESKD)에서의 적혈구 용적률(hematocrit)은 전형적으로 18~24%이다. 가장 으뜸은 EPO의 결핍이라는데 논란의 여지가 없으나, 다른 요인들도 중요하게 기여하는 역할들이 있을 것이다. 또한, 말기 신질환의 환자들은 요독증이 없는 다른 환자들에게서도 흔히 나타나는 빈혈의 원인들이 생길 수 있다.

B. 빈혈의 결과

1 증상

빈혈의 징후는 조직으로 가는 산소 공급의 감소와 심장의 보상적 변화들로 인한 효과에 의해 발생할 것이다. 가장 현저한 빈혈의 증상들은 피로와 호흡곤란이다. 증상들은 천천히 나타나며, 환자는 보상을 하기 위하여 그 또는 그녀의 활동을 점차 제약할 것이다. 환자의 전반적인 행복감(sense of well-being)은 감소한다. 다른 증상들로는 집중의 어려움, 어지럼증, 수면장애, 한랭불내성, 그리고 두통이 있다. 심장은 혈액의 산소-운반 능력 감소에 반응하기 위하여 심박출량의 증가와 좌심실 비대로 전신 산소 운반을 유지하고자 한다. 환자들은 이러한 단계에서 호흡곤란과 심계항진의 악화를 알아챌 것이다. 다른 문제들로 지혈기능의 이상, 면역기능의 장애 그리고 인지능력 및 성기능 감소가 있다. 협심증의 악화, 파행, 그리고 일과성 허혈 발작 또한 관찰될 것이다.

2. 이학적 검진

빈혈의 주요한 이학적 검사 소견은 창백함(pallor)으로 손바닥, 손톱

바닥, 그리고 구강의 점막에서 가장 잘 발견된다. 심장 혈류의 증가로 인한 수축기 박출 심잡음이 명치부위(precordium)로 들릴 것이다.

C. 치료

1. 약물

EPO 결핍은 말기 신장질환 환자들에서 빈혈의 주요한 원인이기 때문에, 적혈구 생성인자(EPO)를 대체하는 제제들이 치료의 주요한 역할을 한다. 이 책의 지난 판부터 이러한 제제들을 위해 선호되는 용어가 적혈구 생성 자극제로 변화되었다. 약제들은 적혈구 생성인자 유사체이거나 또는 다양한 방법들로 적혈구 생성을 자극할 것이다. 현재 미국과 다른 나라들에서는 상업적으로 사용 가능한 다양하고 많은 적혈구 형성인자 유사체들이 있다. Epoetin alfa (Epogen, Procrit)과 darbepoetin alfa (Aranesp)는 미국에서 지금 사용가능하고 methoxy-polyethyleneglycol-epoetin beta (Micera)는 유럽에서 광범위하게 사용되고 있으며 아마도 미국에서도 곧 사용 가능할 것이다. Peginesatide (Omontys)는 알레르기 반응들이 상당히 발생하여 미국에서는 현재 마케팅 되고 있지 않다. 원인에 대하여는 현재 연구 중이다. Epoetin alfa는 당단백으로 선천(native) 적혈구 생성인자들과 비슷하다. 이 제제는 DNA 재조합 기술에 의하여 생산되고 30,400 Da의 분자량을 가지며 정맥주사로 주입한 후 혈중 반감기는 약 8시간이다. Darbepoetin alfa는 증가된 탄수화물 함량을 가지는 적혈구 생성인자의 합성 유사체로 선천 적혈구 생성인자들과 비교하여 약 20% 가량의 분자량 증가를 보인다. 변화된 구조에 의하여 약물 역동학이 변하며 epoetin alfa와 비교하여 혈청 반감기는 약 3배 더 긴, 24시간이다. Micera는 약 5.5일로 현저하게 긴 혈청 반감기를 가진다. Peginesatide는 polyethylene glycol에 부착하는 합성 단백질로 적혈구 생성인자를 모방하나 EPO의 상동 아미노산 서열을 갖지 않는다. Biosimilars라 불리는 ESA의 생물학적 유사체들이 제조되어 왔으며 미국 밖에서 사용되고 있다. 이러한 제제의 안전성은 변동이 심하나 세심한 FDA의 정밀조사 하에 EPO 형태의 생물학적 유사체의 사용이 미국에서 가능해질 것이다.

현재 저산소증 유발인자-1(HIF-1; Hypoxia inducible factor-1)을 안정화하는 한 가지 새로운 종류의 ESA가 개발 하에 있다. 저산소증이 존재 시에 HIF의 합성이 증가하고 HIF는 EPO의 전사를 증가시키는 역할을 한다. 정상 산소 환경에 있을 때, HIF는 빠르게 분해되며 신장이 없는 환자들에서도 HIF를 안정화하는 약물들이 내인성 적혈구 생성인자의 생산을 증가시킨다. 이러한 약제들의 안전과 효율성이 증명 된다면, 이러한 약제들은 ESA의 중요하고 새로운 분류가 될 것이다.

2. 적혈구 생성 자극제로 빈혈 치료시의 이점

a. 결과에 미치는 영향

단면 연구와 후향 연구들은 혈액투석을 하는 환자들의 빈혈, 특히 혈색소 농도가 < 10 g/dL (100 g/L)일 때 사망률의 증가와 연관이 있다고 제안 하였다. 큰 임상 데이터 베이스 분석에서 사망률의 위험, 입원률, 그리고 입원일이 혈색소 농도가 >11 g/dL (110 g/L)일 때도 지속적으로 감소하 는 것을 보여주었다. 이러한 관찰 연구들과 대조적으로 중재적 연구들은 ESA 치료로 혈색소를 정상화한 후에도 향상된 결과들을 보이지 않았다. 사실상, 이러한 연구들의 심혈관계 결과들은 일반적으로 악화되었다(아 래를 보아라).

b. 수혈 연관한 합병증의 감소

ESA 치료 전에, 투석하는 환자들의 20% 가량에서 즉각적인 수혈반응, 바이러스 감염, 철분과다, 그리고 면역 감작의 부수적인 위험을 가지는 빈번한 수혈이 요구되어 왔다. 혈액 수혈의 비율은 ESA 치료의 사용으로 크게 감소하였다.

c. 삶의 질과 전반적인 행복감의 개선

다양한 평가 도구들을 사용하여 ESA로 치료받는 말기 신질환 환자들에 서 삶의 질과 기능적 상태의 향상이 기록되었다. 환자들은 피로감을 덜 느끼고 운동 능력은 증가하였다. ESA가 없던 시대의 장애가 되던 증상들 은 현재는 쉽게 관리되고 있다. 그러나 적절한 삶의 질을 위한 혈색소의 목표 농도는 완전히 알려져 있지 않다. 높은 혈색소 목표가 삶의 질을 향 상시키는지에 대하여는 불분명하다. 어떤 연구들에서는 혈색소가 정상 범위로 상승하면서 향상이 지속될 것이라 제안하고 있으나 다른 연구들 은 높은 혈색소 목표에도 불구하고 삶의 질의 향상을 찾지 못하였다.

3. 적혈구 생성 자극제 치료의 위험

여러 무작위 조절 연구들에서 만성 신질환 환자들의 비교적 높은 혈색소 목표치(13~15 g/dL, or 130~150 g/L)를 목표로 하는 ESA 치료의 안전성에 대하여 검사하였다. 이러한 연구들에서, 비교 그 룹들(대조군)은 낮은 혈색소를 목표로 하는 ESA 치료를 받거나 대 부분 위약을 투여 받았다. 4가지의 연구들이 특히 주목할 만하였다: Normal Hematocrit Trial (Besarab, 1998), CREATE (Drueke, 2006), CHOIR (Singh, 2006), 그리고 TREAT (Pfeffer, 2009) 이다. 4가지 연구 중 오직 한 연구(Besarab, 1998)가 투석 환자들에 서 시행되었고 다른 3가지 연구들은 eGFR이나 CrCl을 1.73 m² 으로 정상화한 값의 범위가 15~35 ml/min (CREATE), 15~50 (CHOIR), 또는 20~60 (TREAT)의 투석을 하지 않는 만성 신질 환자를 대상으로 하였다. 결과들은 어떤 면에서 일관성이 없었으며 일반적으로 높은 혈색소를 목표로 한 ESA 치료가 사망의 위험을 포함한 심혈관계 위험을 증가시키는 경향을 강하게 보였다.

혈색소 >13 g/dL을 목표로 하는 ESA치료의 피해에 대한 기전은 알려져 있지 않다.

더 낮은 혈색소 농도를 목표로 하는 ESA 치료의 이득과 위험에 대한 무작위 연구가 공식적으로 이루어지지 않았다. 이러한 높은 혈색소를 목표로하는 연구들의 사후 비교 분석(post hoc analysis)은 높은 혈색소 농도의 도달 그 자체가 위험 증가에 대한 원인이 아닐 것이라고 제안하였다. 이러한 연구들에서, 높은 용량의 ESA를 투여 받는 환자들에서 사망률이 더 높았으나 이러한 연관이 일반적인지에 대하여는 분명하지 않다. 높은 용량의 ESA를 필요로 하는 환자들, 흔히 ESA 내성 환자들에서는 악액질(cachexia)과 같이 증가된 질환의 중증도를 보이는 많은 표지자들과 증가된 농도의 혈청 염증 표지자들을 보인다. 그리고 ESA 내성은 생존율의 나쁜 예후와 연관이 있다. 위에서 언급되었던 한 무작위 연구에서는 (TREAT), 높은 혈색소 농도를 목표로 하는 ESA가 주어진 그룹에서 뇌졸중의 위험은 2배였고 종양의 위험 또한 증가하였다. 이러한 연구들의 결과는 FDA에서 ESA 상품에 'black box' 경고를 추가 삽입하도록 하였고, 다양한 가이드라인 위원회는 목표 혈색소를 더 낮게 변경하여 단지 부분적으로 빈혈을 교정하고 ESA를 삼가하여 사용하도록 내용을 변경하였다.

4. 적혈구 생성 자극제 치료의 적응증과 목표 혈색소

일반적으로 ESA 치료는 만성 신질환의 환자들의 혈색소가 10 g/dL (100 g/L) 보다 낮을 때에만 시작되어야만 한다. 말기 신질환 환자들에서의 적정한 혈색소 농도는 알려져 있지 않다. Kidney disease: Improving Global Outcomes (KDIGO)의 빈혈 가이드라인(2012)에서는 투석 환자들의 혈색소가 그저 >11.5 g/dL (115 g/L)을 넘지 않아야만 한다고 권장하고 있다. 이러한 권장은 현재 혈색소가 >11 g/dL인 경우 ESA 사용을 중단하도록 권유하는 FDA 처방 지시와 갈등이 있다. 투석 환자들의 합리적인 혈색소 목표는 9.5~11.5 g/dL (95~115 g/L)이다.

a. 목표 혈색소에 대한 용적의 효과

투석 시작 전에 혈색소가 평가되었을 때, 세포 외 용적이 높은 경향이 있고 그래서 희석으로 인하여 한 주간의 혈색소 농도가 비교적 낮게 측정될 것이다. 월요일/화요일의 투석 전 혈색소 농도는 일주일 중 가장 낮으며, 주중의 투석 전 농도에 비하여 약 0.3 g/dL (3 g/L)가량 낮을 것이다. 투석 직후의 혈색소 농도는 투석 전 농도보다 상당히 높을 수 있다. 그래서 매주의 시간-평균 혈색소(time-averaged weekly Hgb) 값은 주로 투석 전 횟수(pre-dialysis numbers)에 의하여 과소평가될 수 있다. 수분과다의 정도가 현저하게 변동이 있는 환자들에서 투석 전 혈색소의 변화는 적혈구 질량의 변화 보다 체액 상태의 변화를 반영할 것이다. 이러한 희석의 가능성을 혈색소 모니터링시 명심하고 ESA 용량을 조정할 때 이러한 정보를 사용해야만 한다. 같은 이유로 주 3회 투석에서 더 빈번한 투석 스케줄로의 변화는 혈색소의 적당한 증가를 야기할 수 있다. 이러한 혈색소의 증가는 적혈구 질량의 증가보다 투석 간 간격이 하루일때 검체를 채취함으로써 세포외액의 감소를 더 반영하고 있다고 할 수 있다. 마지막으로 만약 투석하지 않는 만성 신질환 환자들에서부터 투석을 받는 환자들까지의 혈색소 목표를 분석하려 한다면, 만성 신질환에서 혈색소 목표는 11 g/dL (110 g/L)이며 투석 환자들의 경우에는 희석효과로 인하여 투석전의 혈색소 목표값이 더 낮을 것이다.

5. 투여 경로

a. ESA의 피하 대 정맥주사 투여

피하(subcutaneous)경로는 치료의 효과를 향상시켜 특히 epoetin alfa와 같은 속효성 ESA의 요구 용량을(약 25%) 감소시킨다(Kaufman, 1998). Epoetin이 정맥으로 주어졌을 때, 짧은 반감기로 인하여 epoetin이 혈액으로부터 여과되기 전에 다른 약물들이 적혈구 생성인자의 수용체에 결합하지 않도록 할 것이다. 피하로 주어진 경우, epoetin의 혈청 반감기는 늘어나고 더 효과적인 수용체 결합과 더 큰 적혈구 생성 효과를 야기할 것이다. 피하로 투여할 때의 용량 감소 이점에도 불구하고, 미국의 대부분의 혈액투석 환자들은 정맥 내 경로를 통해 치료를 유지하고 있다. 주요한 이유로는 아마도 피하 주사의 불편감이 있으며 필요한 용량의 감량은 환자들에게 직접적으로 발생하는 이점이 아니기 때문이다. 더 긴 반감기를 가지는 ESA는 혈중에 더 긴 시간 동안 있어 약물이 적혈구 생성 인자 수용체에 결합하는 기회를 더 높게 해준다. Methoxy-polyethyleneglycol-epoetin beta, Peginesatide 또는 심지어 darbepoetin alfa는 피하투여의 필요나 이점이 없다. 혈액투석 환자들에서 어느 약제든지 정맥으로 투여하는 것이 Epoetin alfa의 피하 주사보다 환자들의 불편감을 줄이기 위하여 더 나은 선택으로 보인다. 복막투석 환자들은 피하 주사가 우위의 투여경로이다.

6. 용량

a. 초기 용량

말기 신질환 이전 기간(pre-ESKD)이라도, 만약 필요하다면 ESA의 치료는 이상적으로 시작되어야만 한다. 만약 이미 투석을 시작한 환자들에서 치료의 시작이 필요하다면, 혈액투석 환자의 합당한 epoetin alfa 용량은 주 3회 2,000~3,000 단위이고 복막투석 환자에서는 주1회 6,000단위일 것이다. Darbepoetin alfa의 전형적인 용량은 혈액투석 환자는 주1회 약 25 mcg이고 복막투석 환자는 2주마다 60 mcg이다. Micera의 전형적 용량은 매달마다 한 번 150 mcg를 투여하는 것이다. 특이 용량의 선택은 환자가 어떤 증상을 가지고 있는 지와 혈색소의 시작 농도에 따른 임상적인 판단이 요구된다. 혈색소 농도의 과다하게 빠른 증가는 고혈압의 악화 위험을 증가시키므로 피해야만 한다.

b. 조기 반응과 정체기 효과

치료의 시작기 동안, 혈색소는 1~2주마다 확인되어야만 하고 ESA 용량은 필요시 조정된다. 치료의 초기에 '정체(plateau)'효과가 매우 흔하게 발생한다; 혈색소의 증가가 멈추거나 ESA 용량의 증량이 치료 목표에 도달하기 위하여 요구된다. 반응이 둔화된 기간은 종종 철분의 결핍으로 인하여 발생한다. 혈색소의 목표 농도에 도달한 이후로는, 혈색소는 2~4주마다 확인되어야만 한다. 이러한 치료의 유지기 동안 ESA의 용량은 혈색소의 연속적인 변화에 근거하여 조정되어야 한다(그림 34.1).

환자의 ESA에 대한 반응은 지속적으로 재평가돼야만 한다. 대부분의 환자들은 주 3회 < 5,000 단위의 epoetin 용량에 반응하여 혈색소 값이 지속적으로 10 g/dL (100 g/L)이 될 것이다. 반면에 어떤 환자들은 치료에 상대적인 내성을 가지거나 갖게 될 것이다. 이러한 환자들은 ESA의 반응저하(hyporesponse)에 대하여 충분히 평가될 필요가 있다. 모든 환자들의 ESA 반응성은 시간에 따라 반응성 정도가 변화하므로, 지속적으로 평가돼야만 한다. 우리의 경험에 의하면 내성 발생은 철결핍이나 감염의 존재를 종종 시사한다.

미국의 ESA 사용 패턴의 자료들에서는 매주마다 투여하는 EPO의 평균 용량은 매주 약 7,000단위이고, darbepoetin은 매주 25 mcg이다 (Coritsidis, 2014). ESA 치료의 부작용은 높은 용량을 투여 받는 환자들에서 보고되었다. ESA 내성 환자들은 나쁜 결과를 보이는 선택된 그룹으로; 높은 용량의 ESA 사용과 관련하여 부작용이 증가한다고 할 수 있

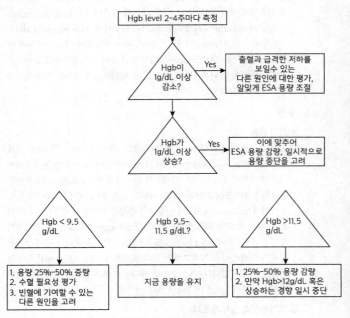

그림 34.1 투석 환자를 위한 혈색수 수치에 근거한 ESA 처방 흐름 도표

다. ESA의 반응은 높은 용량에서 정체기를 보이는 경향이 있고 매우 높은 용량의 사용은 경제적이지 못하다. 이러한 이유들로, 2012 KDIGO 가이드라인은 EPO-내성 환자들을 치료할 때, 일반적으로 체중에 근거한 EPO 용량의 4배를 넘지 않도록 권고하고 있다(KDIGO Anemia, 2012).

c. 개별화된 빈혈의 관리

ESA 사용의 약물 역동학은 복잡하며 도달한 혈색소 농도는 ESA 민감도뿐만 아니라 주어진 환자의 적혈구(RBCs) 평균 수명에 의존한다. 몇 가지의 알고리즘들은 혈색소가 요구되는 범위에 남아있게 하기 위한 최대 목표의 시간을 위하여 생성되었다. 개발 중의 알고리즘은 각 투석 세션의 광학 또는 초음파 혈액 선 감지기의 사용으로 측정한 예측되는 혈색소에 의하여 향상될 것이다. 이러한 알고리즘의 사용은 총 ESA 용량뿐만 아니라, 혈색소 변동성을 감소시킨다고 보고되었다(Lines, 2012; Gaweda, 2014).

D. 적혈구 생성 자극제 치료의 부작용

ESA 치료의 심혈관계 위험에 대한 기술에 대해서는 위의 3번 부분을 보시오.

1. 고혈압의 악화

ESA 치료로 빈혈을 부분적으로 교정하는 동안 흔하게 발생하는 문제이다. 어떤 환자들에서는 고혈압약제의 용량을 증가시킬 필요가 있을 것이다. 그러나 조절 안 되는 고혈압으로 인하여 ESA 치료를 중단하는 경우는 흔하지 않다. 위험인자들로는 기존의 고혈압, 빠른 혈색소의 증가, 선천 신장의 기능 장애, 그리고 치료 이전의 심한 빈혈이 있다. 고혈압 효과의 원인은 완전히 알려져 있지 않다. 기여할 수 있는 요인들로는 부분적인 저산소증으로 인한 혈관 확장의 부분적 전환, 세포질 효소 칼슘 농도의 증가, 증가된 혈청의 endothelin 농도, 레닌-안지오텐신-알도스테론 계의 활성화가 있다. 지속성 칼슘통로 차단제를 포함하는 다양한 항 고혈압제들은 ESA와 연관한 고혈압의 치료에 효과적이다.

2. 발작

적은 환자 수에서 고혈압과 연관하여 빠르게 혈색소가 증가하는 기간 동안 발생할 것이다. 현재 ESA 용량 프로토콜을 사용하는 환자들에서는 발작의 위험이 적다.

3. 이식편의 혈전

ESA치료나 다른 원인으로 인한 높은 혈색소 값에서의 혈액 점도의 증가는 투석기와 동정맥 이식의 혈전을 증가시킬 수 있다. 지금까지의 연구들에서 혈색소가 11~12 g/dL (110~120 g/L) 범위까지 상승하였을 때, 혈전 위험의 증가를 일관적으로 증명하지는 못하였다. 높은 혈색소의 영향에 대하여는 논란의 여지가 있다. 어떤 환자

들은 투석 치료 동안이나 이후에 상당한 혈색소 농축을 경험하게
되며 혈액 점도에 대한 효과와 혈관 접근로의 혈전 위험이 이러한
환경에서는 각별한 관심사항이 될 수 있다.

4. 뇌졸중

비교적 높은 혈색소 농도를 목표로 하는 몇몇의 ESA의 무작위 연
구들에서 뇌졸중의 위험은 증가되었으나 모든 연구들에서 이러한
소견을 보이지는 않았다.

5. Kt/V에 대한 효과

투석하는 동안 요소는 적혈구와 혈장 모두에서부터 제거되며 요소
청소율과 Kt/V-요소는 혈색소의 증가에 의하여 영향을 받지 않는
다. 크레아티닌과 인은 혈장으로부터 오직 투석기를 통한 혈액 통
과로 제거되며 혈색소가 증가하면서 어떠한 혈류속도에서든지 혈
장 혈류속도와 크레아티닌 그리고 인의 청소율은 비례하여 감소할
것이다.

E. 적혈구 생성 자극제 치료와 암

항암치료나 종양과 연관한 빈혈을 위한 ESA 치료 연구들에서 ESA 치
료가 전체(overall)와 무-진행 생존율(progression-free survival)을 감
소하게 할 수 있다는 증거들이 제안되었다. 종양 환자들에서의 ESA
치료 접근에 있어 의미 있는 변화를 야기하였다. 몇몇의 말기 신질환
환자들에서도 활동적 또는 과거 종양이 동반된 경우가 있기 때문에,
이러한 대상들은 의미가 있으며 치료 결정에 영향을 줄 수 있다(Haz-
zan, 2014).

그러나 자료들이 전반적으로 한결같지는 않다. 예를 들면, 5개의 출
간된 메타-분석 연구들에서는 ESA 치료가 완전 관해, 질병의 진행, 또
는 무-진행 생존율에 나쁜 영향을 주지 않았다. 그러나 어떤 유형의
암; 예를 들면, 방사선 치료를 받는 두경부 암과 연관된 연구들에서는
부작용이 나타났다. 잠재적인 피해가 증명된 연구들에서 ESA 치료들
은 상대적으로 높은 혈색소 농도(남자들에서 16 g/dL까지)를 목표로
하였다. 연구들에서 보인 ESA의 부작용에 대한 의문이 완전히 해결
되고 메타분석들을 통해 안심할 수 있을 때까지, 지속적으로 보존적인
치료 접근을 가져야 할 것이다.

과거 종양이 있던 말기 신질환 환자들에서는 위에서 말한 바와 같은
일반 말기 신질환 환자들에서 사용되는 혈색소 목표치를 조심스럽게
적용할 수 있다고 제안하고 있다. 활동성 종양이 있는 환자들에서는
항암치료를 받던 받지 않든 간에 치료에 있어 더 보존적인 접근을 권
유하고 있다. 이러한 것은 암 환자들에서의 무-질병 생존율과 혈전색
전증 위험의 증가에 대한 현 지식이 불분명하기 때문이다. 혈색소 목
표를 9~10 g/dL (90~100 g/L)으로 낮출 것을 권장한다. 증상이 있거
나 긴급한 빈혈 교정을 위하여는 수혈이 시행되어야만 한다.

F. 적혈구 생성 자극제 치료 반응 감소의 원인

1. 철결핍

ESA 치료의 부적절한 반응의 대부분의 중요한 원인은 철결핍이다. 철결핍은 치료의 시작부터 존재할 수 있으나 더 흔하게는 적혈구 생성 인자를 지원하기 위한 철분의 빠른 활용 또는 실혈의 결과로 치료 중에도 발생한다(표 34.1).

a. 실혈

혈액투석 환자들은 주로 만성 혈액 소실로 인하여 철결핍이 발생한다. 투석 선과 필터의 혈액 정체, 수술적 실혈, 혈관 접근로의 우연한 출혈, 실험실 검사를 위한 채혈, 그리고 위장관의 잠재적 출혈 사이에서 상당한 철분 소실이 있을 것이다. 총 실혈의 부담 때문에, 혈액투석 환자들에서 경구 철분제의 사용만으로 철분 저장을 유지하는 것은 매우 어렵다. 복막투석 환자들에서의 철분 소실은 확실히 적고 이러한 환자들은 종종 경구 철분제로 유지가 된다.

b. 기능적 철결핍

고갈된 철분 공급에 추가적으로, ESA 치료 동안의 철분 요구의 증가는 고갈된 철분 저장에 추가적인 부담을 주게 된다. ESA의 정맥주사 후, 적혈구 생성인자 비율의 증가에 의하여 즉시 많은 양의 철분 요구가 야기된다. 이러한 경우에는 체내 철분 저장량이 정상인 경우에도 철결핍이 발생할 수 있을 것이다. 이 현상은 '기능적 철결핍'이라 일컬어진다.

c. 염증 (세망내피계 봉쇄)

말기 신질환 환자들에서 잠재적인 염증이 종종 존재한다. 장의 철분 흡수를 감소시키고 조직의 철분 저장 가능성을 약화시키는 혈청 hepcidin 농도의 증가를 보인다.

TABLE 34.1 투석 환자에서의 철결핍의 원인

- 저장철의 고갈
- 만성적인 실혈
  1. 투석 라인과 필터에 의한 혈액의 정체
  2. 혈액 검사를 위한 혈액 채취
  3. 혈관 접근과 관련된 사고
  4. 수술 동안의 실혈
  5. 잠재적인(occult) 위장관 출혈
- 철분 섭취의 흡수 저하
  1. 인 결합제의 철 흡수 방해
  2. 히스타민-2 억제제, 양성자-펌프 차단제, 기능적 무산증으로 인한 철 흡수 저하
  3. 요독 장증은 철분의 흡수를 최적으로 하지 못하게 함
- 철분의 요구량 증가
  1. 적혈구 생성 자극제로 인한 적혈구 생산의 속도 증가로 인하여
  2. 저장 조직에서 철분의 방출 이상(reticuloendothelial blockade)

d. 식이 철분의 흡수 저하

투석 환자들에서의 철결핍은 식이와 약제 철분의 흡수 저하로 인하여 악화될 것이다. 그러나 대상에 대하여 논쟁이 있으며 연구들의 결과에 대하여도 논란의 소지가 있다.

2. 진단

a. 혈청 페리틴

페리틴은 비독성 형태로 세포 내 철분을 저장하는데 사용하는 단백질이다. 유리 철분은 유리기를 형성할 수 있기 때문에, 세포에 독성이 있다. 비록 페리틴의 기능은 혈중의 운반이 아니라 철분의 저장이며 대부분이 세포 내에 있을지라도, 어떤 경우에는 혈중에 나타나 철분 저장을 반영한다. 혈청 페리틴이 간에 의해 제거되기 때문에, 간 부전 시에 혈청 농도가 현저하게 증가할 것이다. 페리틴은 급성 염증 반응물질이므로, 증가된 혈청 페리틴의 더 흔한 원인은 다양한 종류의 염증이라 할 수 있다. 또한 어떤 종양이나 영양 결핍에서도 혈청 페리틴 농도가 높을 수 있다. 만약 혈청 페리틴 농도가 < 200 mcg/L라면, 철결핍의 가능성은 꽤 높다. 그러나 염증 반응이 존재할 때의 절대적 철결핍은 훨씬 더 높은 혈청 페리틴 레벨에서 존재한다.

b. 트렌스페린 포화도

트렌스페린은 혈 중에서 정상적으로 철분을 운반하는 당 단백이다. 빈혈의 진단에서 트렌스페린 농도를 직접적으로 측정하지 않는다. 대신에, 혈장의 철분 샘플 후에 총 철 결합능(TIBC)을 측정할 수 있다. 이러한 검사는 비 혈색소 형태로 얼마나 많은 혈 중 철분이 운반되는지를 측정하고 트렌스페린 농도를 간접적으로 반영한다. TIBC의 정상 값은 240~450 mcg/dL (43~81 mcmol/L)이다. 트렌스페린 포화도(TSAT)의 백분율은 혈청 철분을 TIBC로 나누어 계산하고 TSAT의 값은 정상적으로 약 30%로 20~50%의 범위에 든다.

c. 빈혈의 원인과 ESA의 내성을 진단하기 위한 혈청 페리틴과 TSAT의 사용

혈청 페리틴 농도와 트렌스페린 포화도(TSAT)의 백분율은 투석 환자들에서 철분 상태를 검사하기 위한 가장 널리 사용되는 2가지 검사이다. 그러나 두 검사 모두 이 환자군에서 철결핍을 평가하기 위하여 매우 정확한 검사는 아니다; 검사들은 오직 철분 상태의 어림 견적을 제공한다. 그러므로 환자들은 이러한 지표들에만 의존하여 집중적인 정맥 내 철분 치료를 해서는 안 된다. NFK/KDOQI의 빈혈 가이드라인은 환자의 임상적인 상태, 혈색소 농도, 그리고 ESA반응성이라는 맥락에서 철분 검사를 해석해야만 한다고 제시하고 있다. 2012 KDIGO 만성 신질환에서의 빈혈 가이드라인은 ESA치료 동안 적어도 3개월마다 철분 상태(TSAT와 혈청 페리틴)를 평가할 것을 제안하고 있다. 그러나 이러한 가이드라인들은 ESA 용량을 시작하거나 증량, 실혈, 정맥 철분제 투여 후 반응 평가 그리고 철분 저장이 고갈되는 다른 상황들에서는 농도를 더 자주 측정하도록 권장하고 있다.

우리가 보는 바로는, 혈액투석 환자들에서의 철분 치료의 강화는 혈청 페리틴 < 200 ng/mL 또는 TSAT < 20%에서 고려돼야만 한다. 복막투석 환자들에서는 TSAT >20% 그리고 혈청 페리틴 >100 ng/mL을 유지하도록 권장하고 있다. 정맥주사로 철분이 투여되었을 때는 보통 적어도 1주 후로 철분 검사가 연기돼야만 한다. 기능적 철결핍은 낮은 TSAT와 함께 정상 또는 증가된 페리틴 농도를 보일 수 있다. 염증과 세망내피계 봉쇄에서 전형적으로 페리틴 농도는 증가하나 혈청 철분이 감소하면서 TSAT는 정상일 것이다. 그러나 염증 소견이 혈청의 transferrin 을 낮출 수 있어 TSAT가 종종 감소할 수 있다.

d. 망상적혈구 내 혈색소 량(CHr)

이 검사는 철분 평가를 위해 사용되는 다른 검사이고 적혈구 생성 농도에서의 철분의 유용성을 더 직접적으로 측정한다(Brugnara, 2003). 여러 연구들에서 비용 효과적이고 진단 정확도에 있어 더 좋은 농도를 보이며 다른 검사들보다 철분 상태의 변동성을 더 적게 보인다고 기록되었다(Fishbane, 2001). CHr 값이 < 29~32 pg/cell일때, 환자들은 보통 철결핍 상태이며 철분의 정맥주사 치료가 이롭다.

3. 철분 치료

a. 일반적 원칙

철분 치료는 말기 신질환에서 빈혈 치료의 필수적인 구성요소이다. 철분 정맥주사는 철결핍이 발생하였을 때마다 투여될 수도 있고 또는 철분 평형의 유지를 위하여 적은 용량들을 반복하여 투여할 수 있다.

b. 경구 철분제

경구 철분제는 안전하고 비교적 저렴하다. 그러나 이러한 보충제는 낮은 효용성과 변비, 소화불량, 복부 팽만감 또는 설사와 같은 고질적인 부작용들과 연관이 있다. 3가지 무작위 연구들에서는 혈액투석 환자들에서 경구 철분 제제를 위약 또는 철분 투여하지 않는 군과 비교하였다. 3가지 연구 모두에서 경구 철분제의 어떠한 효용성도 증명되지 않았다.

그러므로 경구 철분제는 대부분의 혈액투석 환자들에서는 사용되지 않아야만 한다. 복막투석 환자들에서 경구 철분제는 정맥주사보다 더 편리하다. 이러한 환자들은 만성 실혈을 덜 경험하므로 철분 저장을 유지하기 위하여 경구 철분제의 사용으로도 충분하다. 복막투석 환자들의 철분 정맥주사는 ESA에 내성을 보이고 혈청 페리틴이 < 100 ng/mL 그리고 TSAT < 20%인 경우에 사용돼야만 한다.

1) 용량과 투여

경구 철분제는 보통 ferrous sulfate, fumarate 또는 gluconate로 하루 200 mg 용량의 원소 철로 주어진다. 철분제의 투여시기는 중요하다. 이상적으로 최대의 효율성을 위하여 공복에 복용해야만 한다. 철분 흡수의 주요한 부위는 십이지장과 공장의 근위부이다. 위장관 증상은 십이지장에 한 번에 나타난 원소 철의 용량에 비례한다. 증상을 줄이기 위하여 경구 제제를 더 빈번한 간격으로 소아 용량으로 바꿔 투여하거나, 심지어는 음식과 함께 복용하는 변화가 요구될 것이다. 투석 시간(예를 들면., 투석 시작과 종료 시)동안 약제를 투여하여 환자의 순응도를 확실히 하는데 도움이 될 것이라고 제안하기도 하였다. 또 다른 방법으로는 취침 전에 경구 철분제를 투여하는 법이 있다. 경구 철분제의 흔한 문제로는 변비가 있으며 만약 필요하다면 변 연화제나 하제를 투여하여 부분적으로 관리할 수 있다. 어떤 철분제들에는 작은 용량의 아스코르빈산이 철분의 흡수를 향상하기 위해 함유되었다. 그러나 추가된 비타민의 이점에 대하여는 아직 성립된바 없다. 인 결합제, 제산제, 히스타민 2 길항제, 그리고 프로톤 펌프 억제제 모두는 경구철분 제의 흡수를 억제한다. 반면에 ferric citrate와 같은 새로운 인 결합제들은 철분을 함유한다. 투석 환자들에서 이러한 약제의 사용은 혈청의 인을 낮출 뿐만 아니라, 위장관을 통하여 측정가능한 양의 철분을 공급하여 정맥 추사 철분제 그리고 ESA의 요구량을 줄인다(Umanath, 2013).

c. 철분의 정맥주사

미국에서는 4가지 약제: Iron dextran, ferric gluconate, ferumoxytol, 그리고 iron sucrose의 사용이 가능하다. 정맥주사 철분제는 경구 철분제와 비교하였을 때, 가용성과 효능에 있어 우위에 있다. 혈액투석 환자들에서는 정맥 철분 주사의 투여 없이 목표 혈색소에 도달하기 어렵다. 결과적으로, 대부분의 투석 환자들은 정규적인 정맥 철분제가 요구될 것이다. 반면에 정맥주사 치료는 비용이 더 많이 들며 안정성의 측면에서 경구제제보다 불명확하다. 철분제의 정맥주사 용량 전략에 있어 2가지 방법이 흔하게 사용된다. 한 가지 방법은 철결핍이 확인된 경우 반복적으로 1,000 mg 용량을 8~10회 혈액투석마다 연속적으로 투여하여(repletion) 치료하는 것이다. 혈액투석 환자에서 철결핍이 흔하게 발생하므로, 대체방법으로 매주마다 25~100 mg의 유지 용량이 사용되기도 한다. 최근 관찰 연구에서는 보충하는 투여법이(repletion) 유지 용량의 투여와 비교하여 심혈관계 사건의 위험을 늘리지 않으면서(Kshirsagar, 2013b) 더 큰 효율을 보였다(Kshirsagar, 2013a). 그러나 보충 전략은 일시적 치료에 비하여 감염 위험이 더 클 것이다(Brookhart, 2013). 정맥주사 철분제가 복막투석 환자에서 요구될 때는, 250 mg의 철분을 1~2시간 동안 투여할 수 있다.

1) 철분 정맥주사의 안전: 일반적 고려사항

철분 정맥주사의 안전성을 이해하기 위한 가장 중요한 이슈는 이에 대하여 잘 연구되지 않았다는 점이다. 충분한 규모나 기간 동안 시행된 연구는 없었다. 철분의 산화 속성 때문에, 혈액 순환으로의 직접적인 철분의 주사는 안전성 의미에서 잠재적으로 중요하다. 적절한 연구 자료 없이, 정맥 철분 주사의 이점이나 위험의 평형을 유지하는 것은 어렵다.

2) 철분 정맥주사의 안전: 아나필락시스

철분 정맥주사의 가장 잘 이해된 합병증은 드물게 발생하는 아나필락시스-유형의 반응이다. 이러한 소견은 저혈압, 호흡곤란, 홍조, 그리고 요통이 갑자기 발생하는 것이 특징적이다. 덱스트란 철분제로 치료받은 환자들에서의 발생 비율은 0.7% 가량이다. 이러한 반응들은 덜 흔하게 관찰되고 비덱스트란 형태의 철분에서 더 경한 강도를 보이는 경향이 있다.

3) 철분 정맥주사의 안전: 감염

철분은 미생물을 위한 주요한 성장인자이고 정맥주사 철분 치료는 병원체들이 더 기꺼이 철분을 사용할 수 있게 해준다. 추가적으로 시험관 내 연구들에서 철분 치료는 백혈구 세포의 탐식 기능을 방해할 것이라고 제안하고 있다. 조기의 후향적 연구들은 혈액투석 환자들의 높은 페리틴 농도가 감염 위험의 증가와 연관이 있다는 것을 발견하였다. 반면에 큰 전향적 다 기관 연구(Hoen, 2002)에서는 혈청 페리틴이나 정맥 철분 치료가 세균혈증의 위험과 연관이 없었다. 이러한 주제들에 관한 현재의 문헌들은 결론에 이르지 못하였으나(Brookhart, 2013), 급성 감염기 상태에서는 철분의 정맥주사를 피하는 것이 신중한 접근일 것이다.

4) 철분 정맥주사의 안전: 산화

철분은 높은 산화 물질이고 정맥 내 철분 치료는 신체의 선천적 항산화계에 과중한 짐을 지우는 것과 같다. 비록 이러한 소견들의 임상적 유의성이 분명하지 않을지라도, 조직과 분자량의 산화적 손상은 분명히 실험적으로 증명되었다(Fishbane, 2014). 혈관 산화의 잠재적인 해로운 효과는 동맥 경화 과정의 가속화일 것이다.

d. 정맥 내의 철분제들

1) 철분 덱스트란의 정맥주사(iron dextran)

아나필락시스의 예상 위험이 높기 때문에, 일반적으로 철분 덱스트란의 사용은 오랜 기간 동안 안전하게 약제를 사용한 기왕력이 있는 환자들에서 고려된다. 현재 사용하는 모든 철분 덱스트란 형태에서 아마 그러할 것이나 특히 고 분자량의 품종에서 보일 수 있다(Chertow, 2006). 비요독증 환자들에서 정맥 내 철분 덱스트란 주사에 대한 즉각적인 알레르기 반응이 보고되었다. 아나필락시스는 주사 5분 이내에 주로 발생하나 45분이나 그 이상까지 지연될 수 있다. 이러한 이유로 에피네프린과 다른 아나필락시스 치료 방법들은 정맥 철분 덱스트란을 주입할 때 준비되어 있어야 한다. 중요하게도 Walters와 Van Wyck (2005)가 거의 모든 심한 반응은 테스트 용량이나 첫 치료 용량에서 발생한다고 보고하였다. 철분 덱스트란 주입에 대한 경한 즉각적인 과민 반응은 가려움증과 두드러기를 포함한다. 지연반응은 림프절 비대, 근육통, 관절통, 발열 그리고 두통으로 나타날 수 있다.

2) 글루콘산 제이철 나트륨(Sodium ferric gluconate)

글루콘산 제이철의 정맥주사는 미국에서는 1999년도부터 유럽에서는 수십년 전부터 사용된 철분의 비 덱스트란 형태이다. 위에서 논의한 바와 같이, 아마도 철분 덱스트란보다 부작용이 덜 빈번하며 덜 심하다. 일회량 노출 시의 심한 반응의 비율은 0.04%이고 1,321명의 환자들에서 13,151 용량의 반복적인 주입에서 심한 반응들이 관찰되지 않았다(Michael, 2002; Michael, 2004). 글루콘산 제이철 나트륨은 혈액투석 환자들에서 1,000 mg의 용량을 8번의 연속적인 치료에 걸쳐 나누어 투여한다(예를 들면, 125 mg/용량).

3) 철분 수크로오스(Iron sucrose)

철분 수크로오스의 정맥주사는 2000년도에 미국에서 승인되었으며 유럽에서는 수년 동안 사용되었다. 글루콘산 제이철 나트륨과 같이, 널리 사용되는 철분의 다른 비덱스트란 형태로 일반적으로 좋은 안전성과 효율성 프로필을 나타낸다고 보고된다. 8,583 용량의 약제를 투여 받은 665명의 혈액투석 환자들에서 심각한 부작용은 발생하지 않았다(Aronoff, 2004). 철분 보충 치료로서, 100 mg 용량을 10번 연속적으로 또는 매주마다 25~100 mg 용량으로 약물이 투여한다.

4) 투석액에 추가된 철분제

Ferric pyrophosphate citrate (Triferic)은 매 투석 시간마다 작은 양의 철분을 환자의 투석액에 추가하기 위한 목적으로 디자인 된 철분 화합물이다. 이 화합물의 예비 3상 연구 결과는 특히 ESA의 용량을 줄이는데 유망하였다(Lin, 2013). 미국에서는 2014년도에 이 화합물의 사용을 위하여 Triferic을 새로운 약제로 적용하고자 하였으나 아직 임상적으로 사용 가능하지 않다.

e. 다른 ESA 내성의 원인들

1) 출혈

ESA의 현저한 저 반응의 중요한 원인은 출혈이다. 때때로, 출혈은 위장관의 실혈과 같이 잠재적일 수 있을 것이다. 종종, 출혈은 수술 중인 환자나, 월경 중인 여성 또는 혈관 접근로를 포함한 사고가 있는 경우에 명백하다. 가능한 어떤 방법으로든 실혈을 제한하는 것은 지극히 중요하다. 추가적으로 대변의 잠재 출혈 검사는 설명 안 되는 ESA 내성이 존재할 때 시행돼야만 한다.

2) 적혈구 세포의 수명

적혈구 수명이 혈액투석 환자나 복막투석 환자에서 일반 인구보다 20~30% 더 짧다는 것은 잘 알려져 있다. 최근에 적혈구 수명의 단축의 정도와 ESA 내성 사이의 연관성이 발견되었으나 수명이 가장 짧은 환자들에서 적혈구 수명을 연장하기 위한 치료는 아직 고안되지 않았다(Dou, 2012).

3) 염증과 감염

감염에서와 같이, 염증 상태는 ESA 치료의 내성을 보인다. 투석하는 환자들에서, 염증의 기저 원인이 순조롭게 드러나지는 않을 것이다. 적혈구 전구체의 적혈구 생성인자 수용체들의 표현이 사이토카인 방출에 의하여 하향 조절될 것이다. 추가적으로, 만성 염증과 감염은 세망내피계로부터 방출되고 장의 철분 흡수를 감소시켜 사용 가능한 철분의 지장을 주는 헵시딘 형성을 증가시킨다(D'Angelo, 2013). 잠재적인 염증을 위한 완전한 표지자는 없으나 C-반응단백질(CRP)은 염증에 의하여 야기된 ESA의 반응저하를 예측하는데 도움이 되는 검사이다(Kalantar-Zadeh, 2003). 보유하고 있는 비 기능성 신장의 동종 이식편은 CRP 농도를 증가시킬 수 있고 EPO 내성의 원인이 될 수 있다(Lopez-Gomez, 2004). ESA 내성은 거대세포바이러스(CMV) 감염의 증거가 있는 환자에서 증가하나(Betjest, 2009), 역설적으로 C형 간염이 감염된 환자들에서는 줄어들 것이다(Seong, 2013). 또한 아프리카계 미국인 환자들에서 겸상 적혈구 형질이나 혈색소 C에서는 중등도의 높은 평균 ESA 용량이 요구된다(약 12%, Derebali, 2014). 설명되지 않는 ESA 내성 환자들에서 잠재적인 감염의 탐색이 이루어져야만 한다. 만약 감염이 존재한다면, 높은 용량의 ESA가 일시적인 내성을 부분적으로 이겨내기 위하여 효과있을 것이다. 잠재적인 감염 병소인 오래되고 기능하지 않는 동정맥 이식편의 감염 치료로 ESA 내성을 호전시킬 수 있다(Nassar, 2002).

4) 부갑상샘 기능항진증

부갑상샘 기능항진증은 ESA 내성의 원인일 것이다. 증가된 iPTH와 농도와 감소된 ESA 반응의 사이에 분명한 연관이 있다. 추가적으로 부갑상샘 절제술 후에는 ESA 반응이 향상된다(Al-Hilali, 2007). 부갑상샘 호르몬 자체가 적혈구 생성인자(EPO)를 억제하지는 않아 보인다. 병태생리의 이해가 불완전하나, 다양한 발병 원인의 복잡한 상호작용이 연관되어 보인다. 증가된 iPTH 농도를 가지고 있는 ESA 내성 환자들에서는 부갑상샘 항진증의 강화된 치료가 적응이 된다.

5) 비타민 D

자료에서는 낮은 혈청 25-hydroxyvitamin D를 보이는 투석 환자들에서 낮은 혈색소 농도를 보인다고 제안하였다. 사람들에서 강력한 헵시딘 억제제인 비타민 D를 사용한 치료는 빈혈 관리를 향상할 것이다. 비록 어떤 예비된 자료들에서는 비타민 D 치료가 어떤 경우에 사용될 수 있다고 제안하고 있을 지라도, 결과들은 아직 예비단계에 있으며 큰 무작위 연구들에 의한 확인이 요구된다(Icardi, 2013을 참고).

6) 상대적인 비타민 B_{12}의 결핍

설명되지 않는 ESA 내성이 있을 때, 비타민 B_{12}와 엽산 농도를 확인해야만 한다. 이러한 경우 매개변수의 더 정규적인 평가가 이루어질 수 있다. 프로톤 펌프 억제제를 복용하는 많은 투석 환자들은 보통 정상보다 낮은 B_{12} 농도와 연관이 있다고 알려졌으며, 강도 높은 고유량 투석과 혈액투석여과 치료가 비타민 B_{12} 농도를 낮추는 것을 보여왔다. 호주의 한 연구에서는 (Killen, 2014), 91/142 투석 환자들에서 혈청 비타민 B_{12}의 결핍을 나타내는 농도인 300 pmol/L 보다 적은 소견을 보였으며, 오직 5명의 환자들만 명백한 결핍을 나타내는 150 pmol/L 보다 적은 농도를 보였다. 매주마다 1,000 mcg의 hydroxycobalamin으로 단기과정의 3회 치료를 하였다. 만약 비타민 B_{12}가 300 pmol/L 보다 여전히 낮다면 치료를 반복하였다. Hydroxycobalmin 치료는 매주 11에서 5천 단위의 평균 EPO 요구량을 50%보다 더 감량하는 결과를 보였다. 철분의 정맥주사 요구량 또한 절반으로 줄었다. 저자들은 또한 cyanocobalamine (B_{12}의 흔한 경구 제제 형태)을 말기 신질환 환자들에게 cyanide 축적 때문에 투여하지 않아야 한다고 제안하나 hydroxycobalamine이 사용되었다. 이 연구에서, B_{12}는 근육 내로 투여되었고 피하 투여와 비슷한 결과를 야기하는지에 대하여는 분명하지 않다.

7) 부적절한 투석

요소 감소율(URR) 60~75% 범위 내에서 증가된 적혈구 용적과 높은 농도의 URR 사이의 연관은 적어보인다(Ifudu, 2000). 기관에서 또는 야간에 더 빈번한 투석빈도로 시행된 무작위 연구(예를 들면, FHN trials)들에서 ESA 반응을 증가시키는데 있어서 이점을 보이지 않았다.

8) 알루미늄 중독

알루미늄과 연관한 문제들이 투석 환자들에서 덜 흔할지라도, 여전히 특히 수년 동안 투석해온 환자들에서 문제가 발생할 수 있을 것이다. 적혈구 생성인자의 효과는 철분 이용의 장애와 연관한 소구성 빈혈(microcytic anemia)이다. 흥미롭게도 장의 알루미늄 흡수는 철결핍 환자에서 유의하게 증가하였다. 혈청 알루미늄 농도는 알루미늄 상태를 대략적으로 안내한다. 만약 결과에 이상이 있다면, deferoxamine 자극검사나 골 생검을 필요로 할 수도 있다.

9) 안지오텐신 전환효소(ACE) 억제제

안지오텐신 전환효소(ACE) 억제제는 만성 신질환 환자나 신이식 후의 환자들에서 EPO 생성을 줄일 것이다. 투석 환자들 중에서 ESA 반응의 감소는 이러한 제제들과 연관하여 일관되게 증명되지는 않았다.

10) 순적혈구무형성증

면역 매개 순 적혈구 무 형성증의 발생이 ESA 치료와 연관하여 주로 유럽에서 보고되었다. 세계적으로 ESA가 사용된 첫 10년 동안, 100만건 보다 더 많은 치료 횟수 중 오직 3개의 증례에서만 알려졌었다. 결과적으로 1998년도와 2003년 사이에 적어도 184개의 증례들에서 보고되면서 비율이 현저하게 증가되었다. ESA 연관 순 적혈구 무 형성증은 망상세포 수와 같이 혈색소가 빠르게 감소한다. 환자는 수혈에 의존하게 되며 골수는 적혈구의 전구체들이 보이지 않게 된다. 원인은 치료적 그리고 내인성 적혈구 생성인자들을 중화시키는 항 적혈구 생성인자 항체의 발생이다. 유럽에서 발생한 대부분의 증례들은 Eprex라는 상품명으로 팔린 epoetin alfa에서 발생하였다. 2002년도 증례에서 정점을 보인 이후로 전반적인 발생 수는 감소하였으나 산발적인 증례들은 지속적으로 발생하였다. 이러한 증후군의 원인은(왜 자가항체가 발생하는지) 아직 완전히 설명되지 않았다. 어떤 바이오약품의 복제약(biosimilar) 형태의 ESA는 적혈구 생성인자의 자가항체 형성의 위험과 더 큰 연관이 있었고, ESA 바이오 약품의 복제약 사용이 증가하면서 경계가 요구되고 있다.

11) 다른 혈액학적 질환들

투석하는 환자들은 비요독증 대상들과 같은 혈액학적 질환의 위험을 갖는다. EPO 결핍의 강조 때문에 다른 혈액학적 질환이 인식되지 않을 수도 있다. 아직 위에서 논의되지 않은 주요한 원인들로로 혈액 암, 골수 형성 이상 증후군, 그리고 용혈이 있다. ESA 내성 원인의 평가가 철저하게 이루어졌음에도 원인이 밝혀지지 않으면, 혈액학적 자문과 골수 생검이 혈액학적 질환의 배제를 위하여 고려되야 할 것이다.

TABLE 34.2	투석 환자에서 용혈의 원인

혈액투석 술기와 연관
   투석 용액
      오염 물질
      클로라민
      구리,아연
      질산염
      과열
      저삼투압
   살균기의 재사용(포르말린)
   꼬이거나 손상된 관-RBC에 외상
   RBC에 바늘 외상
   쇄골하 도관(모자상혈구, 분열적혈구)
인공 심장 판막 기능이상
부적절한 투석
지라과다증
연관된 질환들
   겸상 적혈구 빈혈증
   다른 Hemoglobinopathies
   혈관염 동반한 결체 조직 질환
약물 유발의
저인산염혈증

G. 적혈구 수혈

증상을 경험한 심한 빈혈 환자에서 농축 적혈구 수혈이 사용돼야만 한다. 출혈 요인의 동시 평가 없이 수혈이 이루어지지 않아야만 한다.

H. 카르니틴

카르니틴이 ESA 반응을 증진시킬 것이라 제안되어 왔다. 최근 다 기관 무작위 이중맹검, 위약 대조군 연구에서 카르니틴의 투여가 ESA 치료의 반응을 향상시키는데 실패하였다(Mercadal, 2012). 2012 KDIGO 만성 신질환의 가이드라인의 빈혈에서는 ESA 치료와 함께 보조제로 카르니틴의 사용을 권장하지 않는다.

I. 아스코르빈산

비록 문헌이 섞여 있을지라도 여러 연구들 통해 투석 환자들에서 아스코르빈산을 정맥 내 주입하는 것이 적혈구 생성인자의 반응을 향상시킨다는 것을 발견하였다. 전형적인 요법은 혈액투석 치료와 함께 주3회 비타민 C를 정맥주사하는 것이다. Deved(2009)는 메타-분석을 시행하였다. 적은 샘플 크기와 낮은 연구 질에 대하여 걱정하였으나 저자들은 아스코르빈산이 일반적으로 혈색소의 증가와 ESA의 용량 감소를 야기하는 것을 발견하였다. 비타민 C가 oxalate의 생성을 늘어나게 하므로 환자 선택과 치료 기간에 있어 적절한 주의가 필요하다고 하였다.

II. 용혈

A. 일반적인 설명

혈관 내 또는 혈관 외에서의 적혈구의 파괴는 때때로 투석 환자들의 빈혈에 기여할 것이다. 일반적으로 말하자면, 만성 신질환에서의 적혈구 세포의 생존이(건강한 군과 비교하여 약 30%로 [Ly, 2004]) 더 짧아지는 것으로 보인다. 적혈구 세포의 선천적인 이상으로 인한 것이 아니라 요독 환경으로 인한 것일 것이다.

B. 진단

만성 용혈은 증가된 혈청 LDH, 비포합 빌리루빈 또는 감소된 혈청 haptoglobin과 함께 고도의 ESA 내성을 보이는 환자에서 의심해야만 한다. 용혈의 감별 진단은 광범위하며 비요독증 환자들에서 볼 수 있는 용혈의 모든 원인들을 포함한다(표 34.2). 혈액투석 치료를 받는 환자들에서도 특이적인 여러 가지 원인이 있다. 때로는 용혈이 심각할수 있으며 관련 증상으로는 저혈압, 때로는 고혈압 그리고 복부, 흉부 그리고/또는 허리의 통증, 호흡곤란, 오심, 구토, 또는 설사, 그리고 투석 과정 중에 발생하는 뇌병증을 포함한다(Duffy, 2000).

C. 원인

가장 흔한 교정 가능한 용혈의 원인은 혈액투석계와 연관한 문제들에 의한 것이다. 잘못되거나 꼬인 혈액투석 도관이 적혈구의 기계적 손상을 야기할 수 있다. 투석액의 chloramine, 저장성이나 과다 가열한 투석액의 사용; 납, 아연, 또는 정수 공급의 질소 또는 재처리 후의 씻어지지 않은 formaldehyde들이 가능한 원인들이다. 기계/투석액에 근거한 화제들은 4장과 5장에서 논의되었다.

D. 치료

만약 급성, 심한 용혈이 의심되면, 즉시 투석을 종결해야만 한다. 순환 지지가 필요하다면 제공돼야만 하고, 고칼륨혈증(늦게 나타날 수도 있는)의 존재 여부를 확인하기 위해 심전도를 촬영하고 급성 심허혈 평가를 해야만 한다. 혈색소와 적혈구 용적, 혈청 화학 검사들 특히 칼륨의 확인을 위하여 혈액 샘플을 획득해야만 한다.

III. 지혈의 장애

A. 도입

혈관 손상에 의한 반응인 혈액 응고의 형성은 복합적이며 포유류 종에서 고도로 보존되는 과정이다. 혈소판 양의 감소나 기능의 장애는 피부와 점막과 같은 표면 부위들의 출혈을 야기할 수 있다. 응고계의 질환은 보통 근육과 관절과 같은 심부의 구조물의 출혈을 야기할 수 있다. 투석의 도입 이전부터 요독 환자들 사이에서 오래전부터 출혈 경향이 인식되어왔다. 투석은 부분적으로 지혈의 문제를 호전시키거나 반

상출혈, 혈관 접근로의 과다 출혈, 그리고 때로는 심한 출혈이 여전히
발생할 수 있다.

B. 병태생리

많은 인자들은 요독 항상성의 이상상태에 기여하며 가장 중요한 요인
으로 혈소판무력증(thrombasthenia)이 있다. 혈소판 수는 약간 감소
할 것이나 일반적으로 투석이 잘 이루어진 환자에서는 정상이며 심한
혈소판 감소증은 드물다. 혈소판 응집 능력은 떨어져있으며 아마도 감
소된 혈소판 과립의 아데노신 인산과 세로토닌 농도 그리고 트롬복산
A_2의 결손으로 인한 것일 것이다. 또한 혈소판 기능은 요독 환자들에
서 증가된 내피 산화질소 생성으로 방해될 수 있을 것이다(Remuzzi,
1990). 부착 수용체인 당 단백(GP) IIb-IIIa 복합체는 혈소판 혈전 형
성의 조절에 중요한 역할을 한다. 요독 환자들에서 GP IIb-IIIa수용
체 활성화에 장애가 있으나 활성화는 투석에 의하여 부분적으로 회복
된다. Von Willebrand factor (VWF)(빠른 혈류에서 혈소판의 부착
을 유지하는데 중요한)의 이상이 요독 항상성의 장애에 기여할 것이라
고 제안하였다. 그러나 연구 결과들은 일치하지 않았다. 아마도 빈혈
자체가 요독 출혈에 기여할 것이다; 비정상적으로 연장된 출혈 시간은
적혈구 용적이 >30% 증가되었을 때 유의하게 향상되었다. 투석 과정
자체가 혈소판의 수와 기능에 영향을 줄 것이다. 전자빔으로 살균되는
Polysulfone 투석기는 혈소판 수 감소의 원인이라고 보고되었으나 이
러한 효과는 어떤 막이 생성되었는지에 따라 다양하며 일관된 소견을
보이지 않았다. 항혈소판 약제들은 말기 신질환에서 혈소판 기능을 손
상시킨다. 혈액투석 환자들은 일반 인구보다 이러한 약제로 인한 출혈
합병증의 위험이 더 크다(Hiremath, 2009).

C. 평가

지혈 장애는 임상적인 징후라는 면에서 피부의 출혈시간(bleeding
time)을 검사하여 평가해야만 한다. 반상 출혈, 과다 혈관 접근로 출혈
또는 임상적으로 유의한 출혈 사건(출혈성 심장막염을 포함하는)이 있
는 환자들은 혈소판 수, 프로트롬빈 시간(PT), 부분적 트롬보플라스틴
시간(aPTT) 그리고 출혈 시간이 검사되어야만 한다.혈소판 수가 현
저하게 감소 하였을 때, 혈소판 기능이 이상이 있거나 만약 혈관 벽의
손상이 있을 때, 출혈 시간은 비정상이 된다. 출혈 시간이 10분 보다
더 늘어났을 때 출혈의 위험은 증가한다.

D. 치료

출혈을 경험하는 투석 환자들에서 요구되는 관리로는 (a) 실혈의 심한
정도의 예측, (b) 혈역학적 안정, (c) 필요한 경우 혈액제제의 수혈, (d)
출혈 원인의 확인, 그리고 (e) 혈소판 기능이상과 다른 출혈 경향에 기
여하는 인자들의 치료가 있다. 이전에 투석이 덜 된 환자들에게 투석
을 강화하였을 경우 종종 출혈 경향의 호전을 보인다. 동결침전물의

투여(고 농도의 von Willebrant factor의 혈청 추출물)는 혈소판 기능의 향상을 지속적으로 야기하지는 않는다. 한 연구에서는, 5명의 치료받은 환자들 중 2명에서 정상 출혈 시간을 보이고 양호한 결과를 보였다Triulzi, 1990). 데스모프레신(desmopressin, 항이뇨호르몬 합성제제)은 폰빌레브란트 인자(VWF) 다합체 방출의 증가를 보인다. 신체체중 당 0.3 mcg/kg의 용량을 50 mL의 생리식염수에 희석하여 30분 동안 주입한다. 잘 디자인된 연구에서 이러한 요법은 8시간 지속되는 출혈시간을 한 시간 이내로 줄여준다. 약물은 적은 혈관 수축 효과를 가지며 말기 신질환 환자들에서는 저나트륨혈증을 야기하지 않아야만 한다. 최종적으로, 반복적인 포합 에스트로겐의 정맥 내 주입은 의미 있게 출혈시간을 감소시킬 것이다. 더 현실적으로, 25 mg 포합 에스트로겐(Premarin) 경구 용량은 10일까지 출혈 시간을 정상화한다. 이러한 효과는 동결침전물 이나 데스모프레신의 상대적으로 짧은 작용 기간과 대조적이다. 우리는 심한 급성 출혈이 있는 투석 환자들에서 경험적인 데스모프레신의 사용을 권장한다. 반면에 포합 에스트로겐은 계획된 수술이나 모세혈관확장증이 있는 환자들의 만성 위장관 출혈의 치료에서 비정상인 출혈 시간을 교정하는데 도움이 될 것이다. 경구, 정맥주사 또는 경피성의 에스트로겐 단독(Sloand & Schiff, 1995), 또는 에스트로겐-프로게스테론 복합제들이 모두 사용되어 왔다(Boccardo, 2004).

References and Selected Readings

Alarcon MC, et al. Hormone therapy with estrogen patches for the treatment of recurrent digestive hemorrhages in uremic patients. *Nefrologia*. 2002;22:208–209.

Al-Hilali N, et al. Does parathyroid hormone affect erythropoietin therapy in dialysis patients? *Med Princ Pract*. 2007;16:63–67.

Aronoff G, et al. Iron sucrose in hemodialysis patients: safety of replacement and maintenance regimens. *Kidney Int*. 2004;66:1193–1198.

Besarab A, et al. The effects of normal as compared with low hematocrit values in patients with cardiac disease who are receiving hemodialysis and epoetin. *N Engl J Med*. 1998;339:584–590.

Betjest MGH, Weimar W, Litjens NHR. CMV seropositivity determines epoetin dose and hemoglobin levels in patients with CKD. *J Am Soc Nephrol*. 2009;20:2661–2666.

Boven K, et al. Epoetin-associated pure red cell aplasia in patients with chronic kidney disease: solving the mystery. *Nephrol Dial Transplant*. 2005;20(suppl 3):iii33–iii40.

Brookhart MA, et al. Infection risk with bolus versus maintenance iron supplementation in hemodialysis patients. *J Am Soc Nephrol*. 2013;24:1151–1158.

Brugnara C. Iron deficiency and erythropoiesis: new diagnostic approaches. *Clin Chem*. 2003;49:1573–1578.

Chertow GM, et al. Update on adverse effects associated with parenteral iron. *Nephrol Dial Transplant*. 2006;21:378–382.

Coritsidis GN, et al. Anemia management trends in hospital-based dialysis centers (HBDCs), 2010 to 2013. *Clin Therap*. 2014;36:408–418.

D'Angelo G. Role of hepcidin in the pathophysiology and diagnosis of anemia. *Blood Res*. 2013;48:10–15.

Daugirdas JT, Bernardo AA. Hemodialysis effect on platelet count and function and hemodialysis-associated thrombocytopenia. *Kidney Int*. 2012;82:147–157.

Derebail VK, et al. Sickle trait in African-American hemodialysis patients and higher erythropoiesis-stimulating agent dose. *J Am Soc Nephrol*. 2014;25:819–826.

Deved V, et al; Alberta Kidney Disease Network. Ascorbic acid for anemia management in hemodialysis patients: a systematic review and meta-analysis. *Am J Kidney Dis.* 2009;54:1089–1097.

Drüeke TB, et al, and the CREATE Investigators. Normalization of hemoglobin level in patients with chronic kidney disease and anemia. *N Engl J Med.* 2006;355: 2071–2084.

Dou Y, et al. Red blood cell life span and 'erythropoietin resistance'. *Kidney Int.* 2012;81:1275–1276.

Duffy R, et al. Multistate outbreak of hemolysis in hemodialysis patients traced to faulty blood tubing sets. *Kidney Int.* 2000;57:1668–1674.

Escolar G, Diaz-Ricart M, Cases A. Uremic platelet dysfunction: past and present [Review]. *Curr Hematol Rep.* 2005;4:359–367.

Fishbane S, et al. A randomized trial of iron deficiency testing strategies in hemodialysis patients. *Kidney Int.* 2001;60:2406–2411.

Fishbane S, Mathew A, Vaziri ND. Iron toxicity: relevance for dialysis patients. *Nephrol Dial Transplant.* 2014;29:255–259.

Foley RN, et al. Effect of hemoglobin levels in hemodialysis patients with asymptomatic cardiomyopathy. *Kidney Int.* 2000;58:1325–1335.

Furuland H, et al. A randomized controlled trial of haemoglobin normalization with epoetin alfa in pre-dialysis and dialysis patients. *Nephrol Dial Transplant.* 2003;18:353–361.

Gaweda AE, et al. Determining optimum hemoglobin sampling for anemia management from every-treatment data. *Clin J Am Soc Nephrol.* 2010;5:1939–1945.

Gaweda AE, et al. Individualized anemia management reduces hemoglobin variability in hemodialysis patients. *J Am Soc Nephrol.* 2014;25:159–166.

Gunnell J, et al. Acute-phase response predicts erythropoietin resistance in hemodialysis and peritoneal dialysis patients. *Am J Kidney Dis.* 1999;33:63–72.

Hazzan AD, et al. ESA treatment and cancer. *Kidney Int.* 2014;86:34-39.

Hiremath S, et al. Antiplatelet medications in hemodialysis patients: a systematic review of bleeding rates. *Clin J Am Soc Nephrol.* 2009;4:1347–1355.

Hoen B, et al. Intravenous iron administration does not significantly increase the risk of bacteremia in chronic hemodialysis patients. *Clin Nephrol.* 2002;57:457–461.

Icardi A, et al. Renal anaemia and EPO hyporesponsiveness associated with vitamin D deficiency: the potential role of inflammation. *Nephrol Dial Transplant.* 2013;28:1672–1679.

Ifudu O, et al. Adequacy of dialysis and differences in hematocrit among dialysis facilities. *Am J Kidney Dis.* 2000;36:1166-74.

Kalantar-Zadeh K, et al. Effect of malnutrition-inflammation complex syndrome on EPO hyporesponsiveness in maintenance hemodialysis patients. *Am J Kidney Dis.* 2003;42:761–773.

Kaufman JS, et al. Subcutaneous compared with intravenous epoetin in patients receiving hemodialysis. Department of Veterans Affairs Cooperative Study Group on Erythropoietin in Hemodialysis Patients. *N Engl J Med.* 1998;339:578–583.

Kaw D, Malhotra D. Platelet dysfunction and end-stage renal disease. *Semin Dial.* 2006;19:317–22.

Killen JP, Brenninger VL. Hydroxycobalamin supplementation and erythropoiesis stimulating agent hyporesponsiveness in haemodialysis patients. *Nephrology.* 2014;19:164–171.

Kshirsagar AV, et al. The comparative short-term effectiveness of iron dosing and formulations in us hemodialysis patients. *Am J Med.* 2013a;126:541.

Kshirsagar AV, et al. Intravenous iron supplementation practices and short-term risk of cardiovascular events in hemodialysis patients. *PLoS One.* 2013b;8:e78930.

Levin A, et al. Canadian randomized trial of hemoglobin maintenance to prevent or delay left ventricular mass growth in patients with CKD. *Am J Kidney Dis.* 2005;46:799–811.

Lines SW, et al. A predictive algorithm for the management of anaemia in haemodialysis patients based on ESA pharmacodynamics: better results for less work. *Nephrol Dial Transplant.* 2012;27:2425–2429.

Lin VH, et al. Soluble ferric pyrophosphate (SFP) administered via dialysate reduces ESA requirements in CKD-HD patients with ESA hypo-response, SA-OR082 [abstract]. *J Am Soc Nephrol.* 2013;24:90A.

Lopez-Gomez JM, et al. Presence of a failed kidney transplant in patients who are on hemodialysis is associated with chronic inflammatory state and erythropoietin resistance. *J Am Soc Nephrol.* 2004;15:2494–2501.

Ly J, et al. Red blood cell survival in chronic renal failure. *Am J Kidney Dis.* 2004;44: 715–719.

Macdougall IC, et al. Pharmacokinetics of novel erythropoiesis stimulating protein (NESP) compared with epoetin alfa in dialysis patients. *J Am Soc Nephrol.* 1999;10:2392–2395.

Mercadal L, et al. L-carnitine treatment in incident hemodialysis patients: the multicenter, randomized, double-blinded, placebo-controlled CARNIDIAL trial. *Clin J Am Soc Nephrol.* 2012;7:1836–1842.

Michael B, et al. Sodium ferric gluconate complex in hemodialysis patients: adverse reactions compared to placebo and iron dextran. *Kidney Int.* 2002;61:1830–1839.

Michael B, et al. Sodium ferric gluconate complex in haemodialysis patients: a prospective evaluation of long-term safety. *Nephrol Dial Transplant.* 2004;19:1576–1580.

Nassar GM, et al. Occult infection of old nonfunctioning arteriovenous grafts: a novel cause of erythropoietin resistance and chronic inflammation in hemodialysis patients. *Kidney Int Suppl.* 2002;(80):49–54.

Noris M, Remuzzi G. Uremic bleeding: closing the circle after 30 years of controversies? *Blood.* 1999;94:2569–2574.

Ofsthun N, et al. The effects of higher hemoglobin levels on mortality and hospitalization in hemodialysis patients. *Kidney Int.* 2003;63:1908–1914.

Parfrey PS, et al. Double-blind comparison of full and partial anemia correction in incident hemodialysis patients without symptomatic heart disease. *J Am Soc Nephrol.* 2005;16:2180–2189.

Pfeffer MA, et al, and the TREAT Investigators. A trial of darbepoetin alfa in type 2 diabetes and chronic kidney disease. *N Engl J Med.* 2009;361:2019-2032.

Pillon L, Manzone T. Accuracy of anemia evaluation is improved in a wide variety of acute and chronically ill patients by accounting for volume status. *J Am Soc Nephrol.* 2008;19:164A.

Pollak VE, Lorch JA. Macrocytosis in chronic hemodialysis (HD) patients [abstract]. *J Am Soc Nephrol.* 2005;16:477A.

Remuzzi G, et al. Role of endothelium derived nitric oxide in the bleeding tendency of uremia. *J Clin Invest.* 1990;86:1768–1771.

Rodrigue MF, et al. Relationship between eicosanoids and endothelin-1 in the pathogenesis of erythropoietin-induced hypertension in uremic rats. *J Cardiovasc Pharmacol.* 2003;41:388–395.

Roob JM, et al. Vitamin E attenuates oxidative stress induced by intravenous iron in patients on hemodialysis. *J Am Soc Nephrol.* 2000;11:539–549.

Singh AK, et al and the CHOIR Investigators. Correction of anemia with epoetin alfa in chronic kidney disease. *N Engl J Med.* 2006;355:2085-2098.

Sloand JA, Schiff MJ. Beneficial effect of low-dose transdermal estrogen on bleeding time and clinical bleeding in uremia. *Am J Kidney Dis.* 1995;26:22–26.

Spinowitz BS, et al. The safety and efficacy of ferumoxytol therapy in anemic chronic kidney disease patients. *Kidney Int.* 2005;68:1801–1806.

Triulzi DJ, Blumberg N. Variability in response to cryoprecipitate treatment for hemostatic defects in uremia. *Yale J Biol Med.* 1990;63:1–7.

Umanath K, et al. Ferric citrate as a phosphate binder reduces IV iron and erythropoietin stimulating agent (ESA) use, SA-PO-521 [abstract]. *J Am Soc Nephrol.* 2013;24:221A.

Van Wyck DB, et al. Safety and efficacy of iron sucrose in patients sensitive to iron dextran: North American Clinical Trial. *Am J Kidney Dis.* 2000;36:88–97.

Walters BA, Van Wyck DB. Benchmarking iron dextran sensitivity: reactions requiring resuscitative medication in incident and prevalent patients. *Nephrol Dial Transplant.* 2005;20:1438–1442.

Xia H, et al. Hematocrit levels and hospitalization risks in hemodialysis patients. *J Am Soc Nephrol.* 1999;10:1309–1316.

35 감염

최명진 역

I. 요독증에서 면역기능의 이상

A. 병인

투석 환자의 경우 림프구와 과립구의 몇 가지 기능 장애가 나타나는데, 알려지지 않은 요독소가 원인으로 생각된다; 때로는 영양결핍 또는 비타민 D 부족이 원인이 될 수 있다.

B. 임상적 결과

1. 감염에 대한 감수성 증가

a. 반복적인 세균 감염

세균 감염은 투석 환자에서 더 자주 발생한다; 이것은 면역체계의 기능이상보다는 정상적인 피부 및 점막 장벽의 반복적 손상과 연관된 것처럼 보인다.

b. 세균 감염의 중증도

혈액투석 환자에서 감염은 혈관 접근로 때문에 흔히 균혈증과 관련되어 있으며, 심내막염, 골수염, 경막외 농양과 같은 심각한 합병증이 발생할 위험성이 높다. 혈액투석 시행시 도관을 사용하는 경우 동정맥루나 인조혈관 사용과 비교했을 때 패혈증의 합병증으로 인한 입원과 사망이 3배 정도 증가한다고 알려져 있다. 복막투석 환자에서 복막염은 드물게 전신감염과 관련있다.

c. 투석기나 복막투석액의 역할

요독증에 의해 발생한 면역체계 결함 중 일부는 특정 투석기에 주기적으로 혈액이 노출되거나 저효율 투석기로 면역기능 억제제로 추정되는 물질의 제거가 감소하면서 초래된 것일 수도 있다. 하지만 HEMO 연구에 따르면 고효율 투석기를 사용하더라도 감염과 관련된 사망이 감소되지는 않았다(Allon, 2004). 복막투석의 경우 복막투석액 내의 옵소닌(면역글로불린과 보체) 제거뿐 아니라 높은 삼투압 및 포도당 분해 산물에 주기적으로 노출됨으로써 복강내 호중구 기능이 감소된다.

II. 요독증에서 체온조절 기능의 이상

A. 요독증 환자에서 기저 체온저하

약 50%의 혈액투석 환자에서 투석 전 체온이 정상보다 낮다. 그 이유는 아직 밝혀지지 않았다.

B. 감염과 관련된 발열반응 감소

발열원에 대한 체온 반응에 요독 그 자체가 영향을 끼치는 것처럼 보이지 않는다. 또한 자극된 요독성 단핵구에 의해 생산된 인터루킨-1 농도는 정상이다. 하지만 기저 체온저하 및 종종 동반되는 영양실조로 인해 일부 투석 환자에서 중증 감염은 발열 반응의 저하 또는 부재와 연관되어 있다.

III. 투석 환자에서의 세균 감염

A. 혈관 접근로와 관련된 것

1. 혈액투석 환자

혈관 접근로 감염에 대한 예방, 진단과 치료는 이 책 9장(중심정맥도관)과 8장(동정맥루와 인조혈관)에 기술되어 있다. 여기에서는 몇 가지 임상적 포인트를 강조하고자 한다.

a. 균혈증(bacteremia) vs. 발열반응(pyrogen reaction)

균혈증을 동반한 투석 환자는 대개 오한과 발열 증상을 보이며 매우 위중해 보인다. 하지만 간혹 감염 증상과 징후가 아주 미미하거나 없는 경우도 있다. 혈관 접근로 부위가 붉게 변하고 동통과 삼출물을 동반되는 소견이 관찰되면 그것이 감염의 원인이라고 판단하는데 도움이 되나, 많은 경우 감염된 혈관 접근로는 정상처럼 보일 수 있다. 투석 환자에서 패혈증 치료 지연은 이환율이나 사망률 증가의 중요한 원인이 된다. 일반적으로 중심정맥도관을 삽입한 환자에서 열이 나면 도관 관련 균혈증이 발생하였다고 가정하고 혈액 배양검사 결과가 나올 때까지 광범위 항생제로 치료해야 한다.

(1) 발열반응

투석 중 발생하는 미열은 실제 감염이라기 보다는 투석액 내 존재하는 발열원과 관련되어 있다. 시간에 따른 열의 추이는 발열 반응과 감염을 구분하는 데 다소 도움이 된다: 발열원에 의한 경우 환자는 투석 전에는 열이 나지 않다가 투석 중 열이 나게 되며, 투석 종료 후에는 열이 저절로 소실된다. 혈관 접근로와 관련된 균혈증이 있는 경우, 환자는 종종 투석 시행 전부터 열이 있으며 치료하지 않는 경우 투석 중 또는 후에도 열이 지속된다. 이 원칙의 한가지 예외는 도관 조작 (예를 들면 투석 시작 또는 종료) 직후에 발생하는 열과 오한으로, 이것은 도관 관련 균혈증을 의미한다. 고효율 투석(특히 중탄산염 투석액 사용과 동반하여) 및 투석막 재사용은 발열반응의 발생 증가와 관련이 있다. 혈액투석 환자에서 열이 나는 경우 발열반응이 의심되더라도 항상 혈액 배양검사를 시행해야 하며 감염이 배제되기 전까지 항균제를 투여해야 한다.

(2) 혈액투석기 또는 투석액으로부터 오염

균혈증은 간혹 혈액투석기의 오염 때문에 발생하는데, 이는 주로 그람 음성균에 의해 유발되며 간혹 진균에 의해 발생한다. 이는 정수처리과정, 배관시스템 또는 투석기 재사용 처리과정에서 소독이 제대로 이루어지지 않으면서 집단발병의 형태로 나타났다(Rao, 2009). 투석기 폐수관 포트의 오염이 원인이 된 경우도 있었다.

b. 예방적 항균제 투여

(1) 균혈증을 야기할 수 있는 침습적 시술 전 예방적 항균제 사용

아직 근거는 부족하나 혈액투석 환자의 비정상적인 혈관연결(vascular communication) 때문에, 균혈증 발생 위험이 상당히 높은 침습적 시술 전 혈액투석 환자에게 예방적 항균제를 투여한다. 여기에는 치과 치료(특히 발치); 식도협착 확장술, 식도 정맥류 경화요법, 담도 폐쇄에 대한 내시경적 역행성 담관조영술(일반내시경 시행시 조직검사 시행 유무와 관계없이 불필요)과 같은 위장관 시술; 방광경검사, 요도확장술, 경요도전립샘절제술과 같은 비뇨생식기 시술이 포함된다. 권장되는 항균제 투여법은 시술 1시간 전 아목시실린(amoxicillin) 2.0 g을 투여(또는 시술 30분 전 암피실린(ampicillin) 2.0 g 근주 또는 정주)하는 것이다. 페니실린(penicillin) 알러지가 있는 환자에서는 클린다마이신(clindamycin) 600 mg을 경구 또는 정주(치과 또는 식도 시술)하거나 반코마이신(vancomycin) 1.0 g을 정주(다른 위장관 시술과 비뇨생식기 시술)하는 것으로 대체할 수 있다.

(2) 장기간 투여하는 예방적 항균제

혈액투석 환자의 피부와 코에서 황색포도알균이 검출되는 비율은 약 50%이다. 비강 내 무피로신(mupirocin) 연고를 도포하는 것은 보균 상태를 박멸(탈군락화)하는 데에 효과적이며, 변수통제 없이 시행된 연구에 의하면 이를 통해 포도알균 감염의 발생을 감소시켰다. 결정분석에 따르면 모든 환자가 선별검사 없이 이 약제를 매주 사용하는 것은 감염률을 낮추며 비용대비 효과적이라고 제시하고 있다(Bloom, 1996). 하지만 장기간 사용 시 무피로신 내성 발생에 대해 심각하게 고려해야 한다. 일반적으로 메티실린 내성 황색포도알균을 포함한 황색포도알균에 대한 통상적인 박멸을 지지하기에는 근거가 부족하다.

한편 도관 출구 부위에 예방적 항균제 연고 국소도포, 도관 충전액의 예방적 사용, 세심한 도관 관리, 혈관 접근로 관리자와 품질향상 활동의 도입을 통해 도관 관련 균혈증이 감소하는 것이 입증되었다(Lok and Mokrzycki, 2011). 이는 특히 비강 내 황색포도알균 보균자에서 도움이 되었다. 투명한 필름으로 출구부위를 밀폐하는 상처치료는 출구부위 세균집락 형성 위험성이 높기에, 마른 거즈를 사용한 상처치료가 권장된다(Conly, 1989). 도관 사용과 관련된 모든 경우 환자와 간호사가 수술용 마스크를 착용하는 것은 감염성 비말전파를 감소시키고 도관 부위 오염을 줄일 수 있다.

c. 반코마이신 내성 그람양성균 감염

입원 환자에서 반코마이신 내성 장구균(vancomycin-resistant enterococci, VRE) 감염 유병률이 증가하면서 이에 대한 우려로 투석 환자에서 반코마이신 사용을 제한하자는 권고가 나오게 되었다. 항포도알균 페니실린과 세팔로스포린에 저항성이 있는 포도알균 미생물의 발생이 비교적 높기 때문에, 우리는 생명을 위협하는 황색포도알균 감염이 의심되는 경우(예를 들면 도관 관련 균혈증)에는 일차 치료제로 반코마이신을 사용한다. 항균제 감수성검사 결과에 따라 반코마이신을 수일 내에 중지하고 이후 변경된 항생제로 치료를 지속할 수 있다. 일부 세팔로스포린의 경우(예를 들면 세파졸린(cefazolin))에는 말기 신부전 환자에서 반감기가 연장되어 있어 투석 후 편리하게 투여할 수 있다.

2. 복막투석 환자

a. 예방적 항균제 투여

복막투석 환자에서는 예방적 항균제 사용에 대한 특별한 적응증이 없다. 일반적으로 혈관 접근로가 없다면 침습적 시술 전 항균제를 투여하지 않는다. 예방적 항균제를 장기간 투여하는 경우는 27장에서 언급하였다.

B. 혈관 접근로와 무관한 감염

1. 요로감염

투석 환자, 특히 다낭신장병을 가진 경우 요로감염의 발생률이 높다.

a. 임상양상

꿉뇨 환자에서 방광염의 증상은 요독증이 없는 사람과 유사하게 나타난다. 육안적 혈뇨는 아주 흔하게 나타나는데, 전체 환자의 1/3 이상에서 발생한다. 무뇨 환자에서는 치골 위 불편감 또는 악취가 나는 요도 분비물로 증상이 나타날 수 있으며 화농성 방광염으로 진행할 수 있다(아래 부분 참고).

b. 진단

꿉뇨 환자에서 배출된 소변량이 하루 몇 mL 뿐이라도 이 검체로 요로감염을 진단하기에 충분하다. 요도관 삽입과 방광세척은 감염을 유발할 수 있기에 증상이 있는 무뇨 환자에게만 시행한다. 농뇨가 관찰된다고 하여 요로감염을 진단하거나 배제할 수 있는 것은 아니다. 세균뇨가 관찰되지 않더라도 요로감염을 배제할 수는 없다. 소변 배양검사는 진단에 필수적이다. 요독증이 없는 환자에서와 같이 투석 환자도 적절하게 수집된 소변 검체에서 10^3개 이상의 집락이 관찰되면 요로감염을 시사하나, 투석 환자를 대상으로 한 좋은 연구는 아직 보고되지 않았다.

c. 치료

항균제는 원인 균주에 대한 항균제 감수성검사에 근거하여 사용하는 것이 바람직하다. 경험적 항균제 선택시, 말기 신부전 환자에서 안전하게 사용할 수 있고 안정적으로 요중 농도에 도달할 수 있는 페니실린, 암피실린, 세파렉신(cephalexin), 플루오로퀴놀론(fluoroquinolone) 또는 트라이메토프림(trimethoprim)을 사용한다. 트라이메토프림-설파메톡사졸(sulfamethoxazole)을 투여 전, 감수성이 있는 인구집단(아시아인과 지중해인)의 남자 환자를 대상으로 포도당-6-인산가수분해효소 결핍(glucose-6-phosphatase deficiency)에 대한 검사를 시행해야 한다. 투석 중인 여자 환자의 경우 요로감염 재발 시 대개 암피실린보다 트라이메토프림-설파메톡사졸을 선택한다; 트라이메토프림-설파메톡사졸의 경우 여성 요로감염의 원인균 대부분을 차지하는 장내 세균총에 대해 내성을 가진 미생물 발생이 적게 나타나기 때문이다.

투석 환자의 방광염 치료에서 가장 적절한 치료 스케줄은 아직 정립되지 않았다. 소변 배양검사는 반드시 치료 3~4일째 반복하고 배양검사 결과 균이 자라지 않으면 총 5~7일간 항균제 치료를 시행한다. 성인 다낭신장병의 경우 화농성 합병증 발생 위험성이 높기에 10일간 항균제 치료를 시행한다. 치료 종료 7~10일째 소변 배양검사를 재시행한다.

투석 환자에서 티카실린(ticarcillin), 독시사이클린(doxycycline), 술피속사졸 및 아미노글라이코사이드(aminoglycoside)의 약제가 적절한 요중 농도에 도달하기 어렵기에, 방광염 치료에 이런한 약제 사용이 권장되지 않는다. 그러나 요로감염의 원인이 된 병원균이 트리메토프림-설파메톡사졸, 세파렉신, 플루오로퀴놀론 및 페니실린에 저항성이 있고 항균제 감수성검사 결과 이 약제에 감수성이 있다고 판명되면 사용할 수 있다. 날리딕스산(nalidixic acid), 니트로퓨란토인(nitrofuration), 테트라사이클린(tetracycline) 또는 메테나민 만델레이트(methenamine mandelate)의 경우 반감기가 길고 독성이 있는 대사물질이 축적될 수 있기 때문에 무뇨 환자에서 금기이다.

반복적인 배양검사 및 항균제 감수성검사에서 내성이 관찰된다면 항균제를 조절이 필요하다. 감염의 원인이 되는 미생물이 여전히 초기 치료에 감수성을 보인다면, 가능한 약제용량을 늘리거나 방광내 항생제 투여를 고려한다. 사슴뿔돌(staghorn calculus)과 같은 감염원이 확인된다면, 영구적으로 요로감염을 치료하기 위해 이를 제거해야 한다. 세균 지속(bacterial persistence)은 요로계에 기인한 재발성 감염이다. 치료 종료 후 동일한 균주에 의한 감염이 다시 발생한다면 세균 지속을 의심해야 한다. 원인으로 감염된 물혹, 감염석(예를 들면 사슴뿔돌), 세균성 전립선염이 포함된다. 재감염(reinfection)은 다양한 간격으로 요로계에 유입된 동일 또는 다른 균주에 의해 발생한 재발된 감염이다. 재감염은 대개 인지가능한 해부학적 병변에 의한 것이 아니라 요로계 외부의 감염원, 특히 직장내 세균총의 유입에 의해 발생한다. 방광창자샛길(vesicoenteric fistula)과 방광질샛길(vaginal fistula)은 재감염의 드문 원인이다.

요로감염이 재발하는 환자는 모두 잔뇨, 요로협착, 방광출구 폐색 유무를 확인해야 한다. 세균 지속이 의심되는 몇몇 환자들은 신장 초음파와 단순 방사선 촬영을 시행해야 한다. 초음파 검사 소견이 불명확하다면 컴퓨터 단층촬영을 시행할 수 있으며, 이 때 조영제를 사용할 수 있다.

방광경 검사는 혈뇨가 있는 경우나 공기뇨(pneumaturia)가 있는 환자에서 방광창자샛길을 감별하기 위해 권고된다. 요도관 도자법(ureteral catheter localization study)은 세균 지속이 의심되는 경우 시행해야 한다. 감염의 원인이 될 만한 선천적 또는 후천적 해부학적 이상소견이 확인되면 수술로 병소를 제거해야 한다. 재감염이 반복되는 투석 환자에서 장기간 항생제 사용이 안전한지는 명확하지 않다. 저용량 트라이메토프림-술파메톡사졸과 세파렉신은 가장 안전하게 사용할 수 있는 약물로 알려져 있다.

d. 상부 요로감염과 화농성 합병증

투석 환자에서 상부 요로감염은 병원체가 요로계를 역행하면서 주로 발생하며, 드물게 혈행성으로 발생하기도 한다. 낭성 신장질환 환자, 특히 성인형 다낭신장병 환자의 경우 상부 요로감염과 합병증 발생에 더욱 취약하다. 감염된 물혹, 고름 신장(pyonephrosis), 신장주위 농양이 발생할 수 있다.

감염된 물혹, 신장 또는 신장주위 농양이 있는 환자의 경우 대개 배뇨 곤란, 반복적인 요로 감염, 열, 야간 발한, 복부 또는 옆구리 통증, 패혈증의 증상이 나타난다. 때때로 환자는 무증상일 수도 있다. 압통을 동반한 팽팽한 종괴가 옆구리 또는 복부에서 만져지기도 한다. 전신 증상을 동반하는 경우 수분 및 식이 섭취 저하, 발한, 열에 의해 탈수가 발생할 수 있다.

백혈구 증가는 흔히 관찰된다. 신 실질의 감염이 집합관과 연결되는 경우 소변 배양검사에서 원인균이 동정될 수 있다. 그러나 감염된 물혹이 요로계와 연결되어 있지 않거나 물혹이나 요석에 의해 요관이 완전히 막혀서 발생한 고름 신장이 존재하는 경우 소변 배양검사에서 음성으로 나타날 수 있다. 초음파 검사 또는 컴퓨터 단층촬영을 시행하여 감염된 물혹을 발견하고 항균제 치료에 대한 반응을 평가할 수 있다. 감염된 물혹의 위치를 확인하는 방법으로 인듐-111 백혈구 영상(indium-111 leukocyte imaging) 또는 갈륨-67 시트레이트 단일광자 단층촬영 (gallium-67 citrate single photon emission computed tomography (SPECT))의 장축 영상이 보고 되었는데, 이 방법은 초음파 검사나 컴퓨터 단층촬영으로 위치를 알아내지 못하는 경우 고려할 수 있다.

낭성신장병 환자의 상부 요로감염에 대한 항균제 치료는 최소 3주 이상 지속해야 한다. 다수의 항균제는 신장 물혹으로 잘 침투하지 못하는데, 항균제의 침투 정도는 물혹이 근위요세관(proximal tubule) 또는 원위요세관(distal nephron)에서 유래되었는 지에 따라 달라진다. 지용성 항생제인 트라이메토프림, 시프로플록사신(ciprofloxacin), 메트로니다졸(metronidazole), 클린다마이신, 에리트로마이신(erythromycin), 독시사이클린의 경우 유래가 다른 두 물혹의 플루이드(fluid)에서 적절한 살균 농도에 도달하는 것으로 보이며, 의심되는 균주에 따라 좋은 치료제가 될 수 있다. 시프로플록사신은 일부 환자에서 감염된 물혹을 살균한다고 알려져 있다. 일반적으로 아미노글리코시드, 3세대 세팔로스포린, 페니실린과 같은 비지용성 항균제는 다낭신장병의 감염 치료에 실패하였는데, 아마도 원위세뇨관에서 유래된 물혹 내로 약제가 침투하기 때문으로 생각된다.

성인형 다낭신장병 환자에서 (요도관 도자법을 통해 입증된) 한쪽에 국한된 지속 세균감염이 존재한다면 외과적으로 병소를 제거해야 한다. 고름 신장, 신장 및 신장주위 농양은 항균제 사용만으로 치료될 수 없으며 즉각적이고 확실한 수술적 개입이 필요하다. 내과적으로 불안정한 환자의 경우 감염된 물혹에 대해 방사선하 경피적 배농술을 시행하는 것이 적절할 수 있으나, 대부분의 국한된 농양에 대해서는 현재까지 수술이 최선의 방법이다. 만약 병변이 명확하다면 감염된 물혹에 대해 상계절제술(unroofing)을 고려해볼 수 있다. 신장 절제술(nephrectomy)은 감염된 물혹이 항균제 치료 또는 물혹 배농술에 반응하지 않는 경우에만 시행한다. 신장절제술이 지연되는 경우 이환율과 사망률이 증가한다.

e. 화농성 방광염 (Pyocystitis)

신경성 방광(neurogenic bladder)을 동반한 환자에서 화농성 방광염 (기능하지 못하는 방광 내 고름)은 예상하지 못한 감염의 원인일 수 있다. 무뇨 상태의 투석 환자에서 열나는 원인이 명확하지 않은 경우 항상 화농성 방광염을 의심해야 한다. 증상은 치골 위 또는 복부 통증, 악취가 심한 요도 분비물, 패혈증이 포함된다. 세심한 진찰을 통해 치골 위 압통과 팽창된 방광을 관찰할 수 있다. 말초혈액 도말검사에서 흔히 백혈구 증가가 관찰된다. 혈액 배양검사는 양성일 수도 있고 음성일 수도 있다. 방광에 도관을 삽입하면 농이 관찰되며, 배양검사 결과 대개 여러가지 세균이 뒤섞여 동정된다. 치료는 요도관 삽입을 통한 적절한 배농 후 감염이 소실될 때까지 간헐적인 도뇨 및 항균제 포함 용액으로 방광을 세척하는 것이다. 전신 증상이 있다면 반드시 배양 및 항균제 감수성검사 결과를 바탕으로 선택한 항균제를 정주해야 한다. 방광경검사 및 (가능하다면) 방광내압측정술(cystometrography)을 시행하여 방광출구 폐색, 거대방광게실, 신경성 방광을 배제해야 한다. 난치성인 경우 드물게 수술적 배농술이나 방광절제술이 필요할 수 있다.

2. 폐렴

투석 환자에서 폐렴은 주요한 사망 원인 중 하나이다. 병원에서 투석하는 환자는 반드시 그람음성균에 의한 감염 가능성을 고려해야 한다. 투석 환자의 경우 폐렴과 비슷하게 보이는 (현재는 드물게 발생하는) 폐석회화에 의한 특이한 폐침윤이 관찰될 수 있다. 체액과다는 종종 폐렴으로 오인될 수 있으며, 특히 양쪽 폐 침윤이 있는 경우 반드시 고려해야 한다. 이러한 병변은 한외여과를 증가시키면 호전될 수 있다. 감염이 없는 경우라도 요독과 관련된 염증 때문에, 보통 흉수는 삼출성으로 나타난다.

3. 복강내 감염

게실증과 게실염은 투석 환자에서 흔히 발생하며, 특히 다낭신장병 환자에서 그러하다. 감돈 탈장(strangulated hernia) 역시 흔히 나타난다. 복막투석 환자에서는 투석과 관련된 복막염과 복강 내 장기에 의한 복막염을 구분하는 것은 어려울 수 있다(27장 참고). 무결석담낭염(acalculous cholecystitis)이 보고된 적 있다. 장경색은 투석 중 또는 투석 간 저혈압으로 인해 발생할 수 있다. 장경색은 투석 환자에서 원인 불명의 난치성 속이 발생할 때 반드시 고려해야 한다.

4. 결핵

투석 환자에서 결핵 발생률은 일반인보다 10배 이상 높다. 혈액투석 환자에서 발생한 결핵은 폐외결핵이 흔해서 흉부 방사선 검사에서 특이한 소견 없이 발생할 수 있다. 피부의 아네르기(anergy) 때문에 투베르쿨린 시약에 대한 지연된 피부 과민반응이 종종 없거나 감소되기 때문에 진단이 어려울 수 있다. 인터페론 감마 분비검사(interferon-gamma release assay)를 이용한 새로운 면역학적 검사는 말기 신부전 환자에서 새로운 결핵 진단법의 가능성을 보여주었다(Segall and Kovic, 2010; Grant, 2012). 결핵과 관련하여 미세하고 비전형적인 여러 증상이 발생할 수 있다. 예를 들어 증상이 복수와 간헐적인 열로만 나타나거나 간비종대, 체중 감소 및 식욕저하로 나타날 수도 있다. 폐외결핵은 흉막이나 간 조직검사를 통해 전형적인 건락육아종(caseating granuloma)을 확인하거나 생검조직을 배양하여 결핵균을 확인함으로써 진단할 수 있다. 결핵이 강하게 의심되는 경우, 상태에 따라 경험적으로 항결핵제를 투여할 수 있다. 결핵을 동반한 투석 환자의 사망률은 40% 이상으로 보고되고 있다.

5. 리스테리아증(Listeriosis)

리스테리아증은 면역억제자가 아닌 숙주에서 드문 감염으로, 이 질환은 철분 과다를 동반한 혈액투석 환자에서 발생했다고 보고되었다.

6. 살모넬라(Salmonella) 패혈증

투석 환자에서 중증의 살모넬라 패혈증이 발생하였다고 언급되었다; 비요독 환자에서 살모넬라 장염은 거의 패혈증으로 진행하지 않는다.

7. 예르시니아(Yersinia) 패혈증

이 감염은 철분 과다로 데페록사민 킬레이트화 치료(deferoxamine chelation therapy)를 받는 투석 환자에서 발생할 수 있다.

8. 털곰팡이증(Mucormycosis)

때때로 치명적인 이 감염은 데페록사민으로 치료 중인 환자에서 드물게 발생한다.

9. 헬리코박터 파일로리(Helicobacter pylori)

말기 신부전 환자에서 흔히 상부위장관 합병증이 발생하나, 이 균

주에 의한 감염 유병률은 신기능 정상인 환자와 동일하다. 치료는
요독증이 없는 환자와 유사하다.

IV. 바이러스 감염

A. A형 간염

A형 간염은 대개 분변-경구경로로 전파되는 데, 투석 환자에서 A형 간
염의 발생률은 일반인보다 높지 않으며 이환된 경우 통상적인 임상 경
과를 보인다. A형 간염 후 만성으로 이환은 거의 발생하지 않는다.

B. B형 간염

1. 역학

a. 혈액투석 환자

현재 미국에서 B형 간염 발생은 현재 아주 낮다(Finelli, 2005). B형 간염
발생이 감소한 것은 혈액제제 투여 전 이 감염에 대한 선별검사를 시행하
고, 적혈구 생성 자극제 투여로 수혈 요구량이 감소하였기 때문이다. 하
지만 몇몇 인공신장실에서 B형 간염이 갑자기 급증한 경우도 있었다. 감
수성이 있는 혈액투석 환자는 모두 B형 간염 예방접종을 해야한다. 중요
한 것은 예방접종을 시행한 혈액투석 환자 중 50~60%에서만 항체가 생
성된다는 점이다. 바람직한 예방접종 방법은 아래에 기술되어 있다.

b. 복막투석 환자

복막투석 환자에서 B형 간염에 대한 위험은 매우 낮다. 그러나 복막투석
액으로 노출되면 B형 간염이 전파될 수 있다.

2. 임상 양상

투석 환자에서 B형 간염은 대부분 무증상이며, 흔히 권태만 있을
뿐이다. 황달이 나타나는 경우는 드물다. 감염의 유일한 징후는 명
확하지 않을 수 있는데, 혈청 AST (aspartate) 또는 ALT (alanine
aminotransferase)가 약간(2~3배) 증가하거나 심지어는 정상 범위
내에서 하한선에서 상한선으로 상승하는 것으로 나타날 수도 있다.
혈청 빌리루빈과 알칼리 인산 분해효소는 정상 또는 약간 상승할
수 있다.

3. 만성 B형 간염

투석 환자에서 B형 간염은 종종 장기화되며, 만성으로 진행하는 약
50%에서 B형 간염 표면항원(HBsAg) 양성으로 나타난다. 비투석
환자의 경우와 달리 임상적으로 지속성(또는 활동성) B형 간염으
로 진행하는 경우는 흔하지 않다. 혈청 페리틴 농도가 높은 경우 지
속성 감염의 발생 위험이 증가한다. B형 간염 표면항원이 양성이
고 바이러스 복제의 증거가 있으며 비정상적인 간세포 효소 및 간
조직 소견의 이상을 동반하는 경우 치료 대상이 된다. 대개 B형 간
염 DNA가 4~5 $\log_{10}$ copies/mL이면 치료 시작의 기준이 된다. 활

동성 질환인 경우 B형 간염 e 항원(HbeAg)이 음성이 될 수 있음을 인지하는 것이 중요하다. 인터페론(interferon), 라미부딘(lamivudine), 아데포비어(adefovir), 엔테카비어(entecavir)는 만성 B형 간염의 치료에 사용될 수 있다. 엔테카비어는 투석 환자에서 1차 약제로 추천된다. 모든 항바이러스 약제의 용량은 신기능에 맞추어 적절하게 조절해야 한다. 라미부딘, 아데포비어 및 엔테카비르는 각각 하루 100 mg, 10 mg, 0.05 mg씩 경구로 투여한다. 투석 환자에서 인터페론의 부작용을 고려할 때 뉴클레오티드(nucleotide) 또는 뉴클레오시드 유사체(nucleoside analog)가 더 나은 선택이다.

4. 정기적인 선별검사

혈액투석 환자의 경우 인공신장실 첫 방문 시 B형 간염 표면항원, 표면항체(anti-HBs) 및 코어항체(core antibody, anti-HBc)에 대한 선별검사를 시행해야 한다. 예방접종 투여 후 항체가 생성되지 않는 환자를 포함하여 B형 간염에 감수성이 있는 환자는 모두 매달 B형 간염 표면항원을 검사해야 하며, B형 간염 표면항체는 역가를 포함하여 매년 검사해야 한다. 만약 B형 간염 표면항원이 양성이라면 B형 간염 DNA를 검사해야 하며, 코어항체 양성이나 B형 간염 표면항체 및 표면항원이 음성인 경우 종종 감염될 수 있으므로 검사 적응증이 될 수 있다.

5. 예방

a. 바이러스에 노출될 가능성을 줄인다

B형 간염의 위험을 낮추기 위해 환자들과 인공신장실 직원들을 대상으로 역학적 원칙을 적용할 수 있다. 표 35.1은 몇 가지 예방 조치를 나열하였다. 어떤 센터에서는 다른 환자나 직원들에게 B형 간염 전파 가능성을 줄이기 위해 B형 간염 항원혈증을 동반한 환자는 집에서 혈액투석 또는 복막투석 치료를 할 것을 권고하기도 한다.

b. 예방 접종

아래 부분(35장 Section V) 참고

c. B형 간염 면역 글로불린

B형 간염에 감염된 환자의 체액에 노출되면 B형 간염 면역 글로불린을 투여해야 한다.

C. C형 간염

혈액투석 환자에서 C형 간염에 대한 항체(anti-HCV) 유병률은 정상인보다 높다. 최근 자료에 따르면 미국에서 혈액투석 시행 중인 환자의 8~10%가 C형 간염 항체를 보유하고 있다. 전 세계적으로 C형 간염의 유병률은 1%에서 63%에 이르기까지 다양하게 나타난다. 그러나 센터 간에도 C형 간염 검사 시행과 관련하여 상당한 차이가 있다(Meyers, 2003). 투석 환자에서 C형 간염의 발생률과 유병률이 높은 이유는 수혈 횟수, 투석 기간, 투석 방법(복막투석 환자에서 낮은 위험), 장기이식 시행받은 과거력, 정맥주사 남용의 과거력 등이 있다. 미국에서 1990년대 초 C형 간염 항체검사가 처음 도입된 후 감염률은 눈에 띄게 변하지 않았다. 아직까지 혈액투석기의 공유, 사용하는 투석막 종류, 투석막 재처리과정이 위험인자라는 증거는 없다. 이러한 이유로 미국 질병통제예방센터(the Centers for Disease Control and Prevention, CDC)에서는 C형 간염에서 전용 혈액투석기, 환자 격리, 투석막 재사용 금지를 권고하지 않는다. 그러나 관찰 연구에 따르면 C형 간염 감염률이 높은 인공신장실에서는 C형 간염의 신환 발생률이 높고, 감염 관리 조치를 시행하는 인공 신장실에서는 C형 간염의 발생률이 낮다고 보고되었다. 그러므로 감염 유병률이 높은 인공신장실에서는 C형 간염 양성 환자의 격리, 전용 혈액투석기 사용, C형 간염 감염된 환자 대상으로 투석막 재사용 금지와 같은 조치를 시행할 수 있다(Agarwal, 2011). 미국 질병통제예방센터에서는 모든 혈액투석 환자를 대상으로 투석 시작과 함께 C형 간염 항체검사를 시행하고, 음성인 환자들은 이후 6개월 간격으로 검사를 재시행할 것을 권고한다.

인공신장실 직원들의 C형 간염 유병률은 일반인(0~6%)과 비슷하다. 이들이 C형 간염에 노출되었을 때 예방을 위한 면역 글로불린이나 알파-인터페론 투여는 권고되지 않는다.

TABLE 35.1　인공신장실에서 시행되는 감염 조절의 실제

1. 환자와 인공신장실 직원에 대한 일반적인 예방책
   a. B형 간염 표면항원(HbsAg)와 표면항체(anti-HBs)에 대한 감시(본문 참고)
   b. B형 간염 표면항원 양성인 환자는 격리(사람면역결핍 바이러스와 C형 간염에 감염된 환자는 불필요)
   d. 투석기 재사용은 B형 간염 양성 환자에서 금지(C형 간염에서는 허용할 수 있으며 사람 면역결핍 바이러스에서는 아마도 가능할 것이다)
   e. 일반적인 예방책(아래 참고)
   f. 혈액이나 체액에 노출 시 프로토콜(아래 참고)
2. 일반적인 예방책
   a. 인공신장실 직원은 방수성 의류를 착용
   b. 혈액이나 체액에 노출될 가능성이 있을 때는 언제나 장갑을 착용
   c. 환자가 바뀌면 장갑을 교체하고 손을 씻어야 함
   d. 혈액이 튈 가능성이 있는 경우(예를 들어 투석의 시작과 종료, 혈액라인 교체)에는 보호 경과 안면 가리개를 착용
   e. 오염된 바늘의 뚜껑을 닫지 말 것; 적절한 용기에 즉각 처리
3. 혈액에 노출
   a. B형 간염 표면항원과 B형 간염 표면항체에 대한 검사를 투석 시작 직후 및 6주 뒤 시행
   b. 사람면역결핍 바이러스에 대한 검사(직원의 동의가 필요)를 투석 시작 직후, 6주 및 6개월 뒤 시행
   c. 만약 원인이 된 환자의 B형 간염 표면항원이 양성이거나 그 상태를 알 수 없을 경우, B형 간염 면역 글로불린을 투여
   d. 원인이 된 환자에서 사람면역결핍 바이러스에 대한 검사를 시행(환자에게 알림; 동의는 필요하지 않을 수 있다)

간조직검사가 수행된 대규모 연구가 없기에, 투석 환자에서 C형 간염의 자연 경과를 알기 어렵다. 간효소 검사(예를 들면 ALT)와 병리조직학적 중증도 간에 연관성은 적다. 다변량 분석 결과 C형 간염 환자의 경우 사망 위험성이 증가한다고 알려져 있는데, 주로 간경화와 간암에 의한 초과 사망 때문이다.

아주 최근까지(Gentile, 2014) C형 간염의 치료 선택은 차선에 불과했다. 알파-인터페론 투여시 대부분 환자에서 아미노기 전이효소 감소 및 간 병리조직소견의 호전을 보였는데, 약 40%에서 지속적 반응(sustained response)을 보였으며 반응률은 최소 신질환이 없는 환자와 비슷한 수준이었다. 그러나 부작용 발생은 심각하였다. 흔한 부작용으로 근육통, 두통, 피로, 우울증이 있으며 골수 억제, 췌장염, 심부전, 림프종과 같은 더 심한 부작용도 보고되었다. 이러한 이유로 투석 환자에서 치료에 대한 득실은 아직 불분명하다. 투석 환자에서 인터페론(인터페론 알파-2a)과 페그 인터페론 치료 시 치유율은 30~45%에 이른다. 리바비린(ribavirin)을 추가하는 것은 치유율을 높일 수 있으나, 말기 신부전 환자에서 약제 투여를 감당하기 어려울 수 있다(Esforzado and Campistol, 2012). 리바비린은 정상적으로 신장에서 배설되며 용량에 비례하여 용혈을 유발한다. 그러므로 반드시 약제를 감량하여 극도로 주의를 기울여서 사용해야 한다.

현재 C형 간염에 대한 치료는 심각한 간질환이 있으며 장기적 생존 가능성이 높은 환자, 특히 이식이 예정되어 있는 경우에 한하여 고려한다. 최근 보고된 메타분석에 따르면 인터페론 용량(≥ 3 × 10^6 주 3회), 6개월 이상의 치료, 치료 완료, HCV RNA의 기저치가 낮은 경우, 여성 그리고 조기 바이러스 반응(early virologic response)을 통해 바이러스에 대한 지속적 반응을 예측할 수 있다고 하였다(Gordon, 2009). 2008년 KDIGO 가이드라인에서는 사구체 여과율 < 15 mL/min/1.73 m^2에 해당하는 용량의, 표준화된 인터페론 단독 치료를 권고하였다. 처방은 (환자가 견딜 수 있다면) 인터페론 알파-2b를 주 3회 간격으로 3,000,000 단위씩 6~12개월동안 피하주사할 수 있다. 주요한 약제 부작용에 대해 면밀하게 감시하는 것은 필수적이다.

최근 인터페론 없이 직접 작용하는 항바이러스제들(daclatasvir, asunaprevir, dasabuvir, sofosbuvir, ABT/450/r-ombitasvir with or without ribavirin와 같은)을 병합하는 새로운 약제요법의 경우 높은 치유율이 보고되면서 비투석 환자에서 C형 간염을 치유할 수 있는 기회를 향상시켰다(Chung and Baumert, 2014; Gentile, 2014). 이러한 약제의 상당수는 간으로 배설되나 투석 환자에서 사용 경험은 아주 제한적이다. 이와 같이 C형 간염에 대한 발전된 주요 최신 치료법을 말기 신부전 환자에게 어떻게 그리고 어느 정도 적용할 수 있는지 알수 있을 때까지 어느 정도 시간이 필요할 것이다.

D. 거대세포바이러스(CMV)와 단핵구증(Mononucleosis)

이 감염들은 B형 또는 C형 바이러스에 의한 간염처럼 보일 수 있으나 투석 환자에서는 드물게 발생한다.

E. 인플루엔자

투석 환자는 인플루엔자에 감염되면 합병증 발생 위험이 증가되므로 반드시 예방접종을 해야 한다. 인플루엔자 예방 및 치료를 위한 항바이러스제 사용에 대한 내용은 아래 부분에 기술하였다.

F. 사람면역결핍 바이러스(Human immunodeficiency virus, HIV)

1. 발생률과 유병률

혈액투석 환자에서 사람면역결핍 바이러스 감염률은 증가하고 있으나, 일반인과 비교시 약간 높은 정도이다. 미국 말기 신부전 프로그램(U.S. ESKD program)에 따르면 사람면역결핍 바이러스 감염의 발생률은 안정적이다. 발생률과 유병률은 소수 집단이 많은 대도시에서 훨씬 높다.

2. 임상 양상

사람면역결핍 바이러스 양성인 투석 환자는 무증상일 수도 있고 후천면역결핍증후근(AIDS)의 모든 특성이 나타날 수도 있다. 사람면역결핍 바이러스와 관련된 신장질환이 신기능 저하의 중요한 원인일 수도 있다. 항레트로바이러스 요법(highly active antiretroviral therapy, HAART)을 통해 사람면역결핍 바이러스에 감염된 환자의 예후가 호전되었으며, 사람면역결핍 바이러스 양성 이외에 다른 임상 증상이 없는 다수의 환자는 투석을 시행하면서 수년간 생존할 수 있다.

3. 정기적인 선별검사

임상적으로 후천면역결핍증후근의 증거가 없는 혈액투석 환자들에게 정기적으로 사람면역결핍 바이러스 검사를 해야 하는지에 대해서는 의견이 분분하다. 미국 질병통제예방센터에서는 정기적인 검사가 필요없다고 되어있다. 하지만 일부 센터(특히 고위험 환자들을 치료하는 경우)에서는 사람면역결핍 바이러스에 대한 선별검사를 시행하고 있다. 검사 결과에 대한 비밀 보장의 문제는 다른 환자 및 의료진에 대한 위험성을 함께 고려하여 판단해야 한다.

4. 사람면역결핍 바이러스 양성인 환자의 투석

미국 질병통제예방센터의 권고안에 따르면 사람면역결핍 바이러스 양성 유무가 혈액투석과 복막투석의 선택에 영향을 미쳐서는 안된다. 그러나 집에서 투석을 한다면 다른 환자나 의료진의 감염 위험성이 줄어들 것이다. 사람면역결핍 바이러스 양성인 환자의 복막투석액은 감염성이 있다고 간주하고 주의해서 다루어야 한다. 미국 질병통제예방센터에 따르면 혈액투석을 시행하는 경우 정규 투석

시 노출되는 일반적인 체액에만 주의를 기울이면 된다고 권고한다. 또한 사람면역결핍 바이러스 양성인 환자만 사용하는 투석기를 따로 구분하지 않으며, 투석막의 재사용도 금지하지 않는다.

미국 질병통제예방센터의 권고안이 지나치게 관대하다고 여기는 많은 투석기관들은 사람면역결핍 바이러스 양성인 환자를 B형 간염 표면항원 양성인 환자와 같은 방법으로 치료한다(표 35.1 참고). 의료진의 피부와 점막에 사람면역결핍 바이러스 양성 혈액이 접촉한 뒤 감염이 발생하기 때문에 투석 시 일반적인 예방법의 중요성이 강조된다.

V. 예방접종

투석 환자의 경우 흔히 사용되는 예방접종에 대한 항체 반응이 적절하게 나타나지 않는다. 그럼에도 불구하고 거의 모든 투석 환자들에게는 폐렴사슬알균(pneumococcus), 인플루엔자, 간염에 대한 예방접종이 필요하다. 흔히 사용되는 예방접종에 대한 권장사항은 표 35.2에 나와있다. B형 간염을 제외한 대부분 백신의 투여량은 일반 인구 집단에서와 동일하다.

A. B형 간염 예방접종

B형 간염 표면항원 또는 B형 간염 표면항체가 양성인 환자를 제외하고 모든 투석 환자는 B형 간염 예방접종을 투여해야 한다. 예방접종의 성공률을 높이기 위해 투석 환자에서 B형 간염 백신의 용량을 정상인의 2배로 투여한다. 특히 항체가가 < 10 mIU/mL로 감소한 경우 추가 접종이 권장된다. B형 간염 기본접종은 B형 간염 표면항원을 40 mcg씩 4회(0, 1, 2, 6개월) 삼각근에 근주하면 완료된다. 볼기 근육에 백신을 투여하는 경우 항체생성이 안되거나 접종한지 6개월에서 1년 사이에 항체가 소실될 수 있기에 권장하지 않는다.

대체로 투석 환자의 B형 간염 예방접종 성공률은 50~60%로 일반인보다 낮게 보고된다. 일부 환자의 경우 볼기근육에 접종했거나 기본접종 스케줄을 완료하지 못했기에 반응이 없었을 수도 있다. 면역증강제(adjuvant vaccine)와 피내주사 백신의 유용성에 대한 연구는 지속되고 있다(Fabrizi, 2011).

TABLE 35.2	투석 환자에게 권장되는 예방접종
예방 접종	**접종 빈도**
인플루엔자 A, B	매년
파상풍, 디프테리아	매 10년마다 추가 접종
폐렴사슬알균	항체 반응에 따라 재접종
B형 간염	초기 접종은 총 4회를 2배 용량으로 좌우 삼각근에 나누어 주사
	재접종의 필요성에 대해서는 아직 밝혀지지 않았으나, 항체가 (antibody titer)가 떨어진다면 재접종 권고(본문 참고)

VI. 투석 환자에서 항균제 사용

표 35.3은 간헐적 혈액투석과 복막투석 치료 환자에서 흔히 사용되는 항생제, 항진균제 및 항바이러스제에 대한 용량 지침이다. 지속적 신대체요법을 시행하는 경우 약물 제거율이 증가하기 때문에 투석과 지속적 신대체요법에서의 적정 용량에 대한 계획수립이 다르다. 지속적 신대체요법 시 추가 용량에 대한 권장사항은 15장에서 기술하였다.

A. 페니실린(Penicillins)

대부분의 페니실린은 정상적으로 신장을 통해 상당량(40%~80%) 배설되고, 혈액투석과 복막투석을 통해 중등도 제거된다. 이런 이유로 대개 약제 감량과 투석 후 보충이 권장된다. 실제 투석 후 보충은 대개 불필요하며, 대신 투석 직후 약제를 투여할 수 있도록 투약 스케줄을 조절해야 한다. 이러한 일반적 규칙에서 두가지 예외는 나프실린(nafcillin)과 옥사실린(oxacillin)이다; 이러한 약제들은 모두 간과 신장을 통해 상당량 배설되기 때문에 간기능 저하가 동반되지 않는 한 감량은 불필요하다. 페니실린은 치료지수(therapeutic index)가 크기 때문에 혈청 약물농도 감시는 대개 불필요하다.

아목시실린-클라부라네이트(amoxicillin-clavulanate), 티카실린-클라부라네이트(ticarcillin-clavulanate), 피페라실린-타조박탐(piperacillin-tazobactam), 암피실린-설박탐(ampicillin-sulbactam)은 페니실린과 베타락탐 분해효소(ß-lactamase inhibitor)가 결합된 예이다. 이러한 복합제의 베타락탐 분해효소는 말기 신부전의 경우 긴 반감기를 보일 수도 있다. 클라부라네이트는 종종 아목시실린 또는 티카실린과 결합되는 베타락탐 분해효소이다. 클라부라네이트의 반감기는 신부전의 경우 0.75시간에서 5시간으로 증가하나, 이 약제는 투석으로 잘 제거된다. 표 35.3에서 짝이 되는 항균제에 대한 용량 권장사항은 항균제-클라부라네이트 조합에 대부분 적용할 수 있다.

티카실린은 클라불라네이트 없이 단독으로 더 이상 미국과 영국에서 사용할 수 없다. 혈액투석 환자에서 티카실린-클라부라네이트에 대한 권장량은 매 12시간마다 티카실린 성분 2 g을 투여하고, 매 투석 후 3.1 g(티카실린-클라부라네이트)을 보충한다. 다른 방법으로 중증 감염의 경우 추가적인 약제 투여없이 매 8시간마다 2 g씩 투여할 수 있다(Heintz, 2009). 지속적 신대체요법을 시행하는 경우 8시간을 초과하여 티카실린-클라부라네이트를 투여해서는 안된다. 클라부라네이트 성분은 간에서 제거되며, 투여 간격이 8시간을 넘어서면 베타락탐 분해효소의 소실이 초래될 수도 있다(Trotman, 2005). 체중이 60kg 미만인 환자는 체중을 기준으로 티카실린-클라부라네이트 용량을 결정한다.

신기능이 저하된 경우 타조박탐은 피페라실린에 비례하여 농축되며, 용량은 최적의 피페라실린 용량에 근거하여 결정한다. 혈액투석 환자에서 병원성 폐렴을 치료할 때 피페라실린-타조박탐은 더 자주(8시간 간격으로 2.25 g씩) 투여해야 한다. 피페라실린-타조박탐은 모드

TABLE 35.3 투석 환자의 (전신적) 항생제, 항바이러스제, 항진균제 약물 용량							
		Half-life					
Drug	Usual Nonuremic Dose[a]	Nonuremic Patient	Dialysis Patient	Dialysis Patient Dosage (% of Nonuremic Dose)	Usual Dialysis Patient Dosage	Post-HD Supplement	Dosage for CAPD[b]
		(hr)					
Antibiotics							
Penicillins							
Amoxicillin PO	250–500 mg q8h	0.7–1.4	7–21	50–80	250–500 mg q24h	DAD	250–500 mg q12h
Ampicillin IV	1–2 g q4–6h	1–1.8	7–20	50–80	1–2 g q12–24h	DAD	250 mg q12h
Ampicillin/sulbactam IV	1.5–3 g q6h	See ampicillin			1.5–3 g q12–24h	DAD	3 g q24h
Dicloxacillin PO	125–500 mg q6h	0.6–0.8	1.3	95–100	250 mg q6h	No	Same
Nafcillin IV	1–2 g q4h	0.5–1	1.2	100	1–2 g q4h	No	Same
Oxacillin IV	0.5–1 g q4–6h	0.3–1	0.3–1.0	95–100	0.5–1.0 g q4–6h	No	Same
Penicillin G IV/IM[c]	0.5–4 mU q4h	0.5–0.84	3.3–5.1	25–50	0.5–1 mU q4–6h or 1–2 mU q8–12h	DAD	Same
Penicillin V PO	250 mg q6h	0.5	4.0	50	250 mg q12h	No	Same

TABLE 35.3 투석 환자의 (전신적) 항생제, 항바이러스제, 항진균제 약물 용량 *(계속)*

Drug	Usual Nonuremic Dose[a]	Half-life Nonuremic Patient (hr)	Half-life Dialysis Patient (hr)	Dosage (% of Nonuremic Dose) Dialysis Patient	Usual Dialysis Patient Dosage	Post-HD Supplement	Dosage for CAPD[b]
Piperacillin IV	3–4 g q4–6h	1.0	3.3–5.1	50–70	2 g q8h	1g	3–4g q8h
Piperacillin/ tazobactam IV	3.375–4.5 g q6–8h	See piperacillin		50–80	2.25 g q12h, for HAP 2.25 g q8h	0.75 g	Same
Ticarcillin/ clavulanate IV	3.1 g q4–6h	1.1	12	50–80	2 g (ticarcillin) q12h or 2 g q8h without supplemental dose	3.1 g	3.1 g q12h
Cephalosporins							
Cefaclor PO	0.25–0.5 g q8h	0.5–1	2.8	50–80	250 mg q12h	250 mg	Same
Cefadroxil PO	0.5–1 g q12h	1.4	22	25–50	1–2 g q36h	0.5–1 g	Same
Cefazolin IV/IM	1–2 g q8h	2	40–70	50–80	0.5–1 g q24 or 1–2 g q48–72h	0.5–1 g	0.5 mg q12h
Cefdinir PO	600 mg q.d. or 300 mg q12h	1.7	?	?	300 mg q48h	300 mg	?

(계속)

TABLE 35.3 투석 환자의 (전신적) 항생제, 항바이러스제, 항진균제 약물 용량 (계속)

Drug	Usual Nonuremic Dose[a]	Half-life Nonuremic Patient (hr)	Half-life Dialysis Patient (hr)	Dialysis Patient Dosage (% of Nonuremic Dose)	Usual Dialysis Patient Dosage	Post-HD Supplement	Dosage for CAPD[b]
Cefepime IV	1–2 g q8–12h	2	13.5	25	1 g q24h × 1 then 1–2 g q48–72h or 2 g t.i.w.	DAD	1–2 g q48h
Cefotaxime IV	1–2 g q4–12h	1–1.5	15–35	50	1–2g q24h	DAD	1 g q24h
Cefotetan IV/IM	1–2 g q12h	3–5	13–25	80–95	0.25–0.5 g q24h on non-dialysis days	1g	1 g q24h
Cefoxitin IV/IM	1–2 g q6–8h	0.6–1	13–23	15	0.5–1 g q12–48h	1–2 g	1 g q24h
Cefpodoxime PO	100–400 mg q12h	2.2	9.8	25	100–400 mg t.i.w.	DAD	100–400 mg q24h
Cefprozil PO	500 mg q24h or 250– 500 mg q12h, or 250 mg t.i.d.	1.3	6.0	45	250 mg q24h	DAD	?
Ceftaroline IV	600 mg q12h	2.7	?	33	200 mg q12h	DAD	?
Ceftazidime IV/IM	2 g q8h	1–2	13–25	0–50	0.5–1 g q24h or 1–2 g q48–72h	1 g[d]	1 g load then 500 mg q24h

(계속)

TABLE 35.3 투석 환자의 (전신적) 항생제, 항바이러스제, 항진균제 약물 용량 *(계속)*

Drug	Usual Nonuremic Dose[a]	Half-life Nonuremic Patient (hr)	Half-life Dialysis Patient (hr)	Dosage (% of Nonuremic Dose) Dialysis Patient	Usual Dialysis Patient Dosage	Post-HD Supplement	Dosage for CAPD[b]
Ceftibuten PO	400 mg q24h	2	13–22	25–50	400 mg or 9 mg/kg (after each dialysis session)	DAD	?
Ceftriaxone IV	1–2 g q12–24h	5–9	12–16	100	1–2 g q12–24h	None	Same
Cefuroxime IV	0.75–1.5 g q8h	1–2	17	75	0.75–1.5 g q24h	DAD	Same
Cefuroxime PO	250–500 mg q12h	1–2	17	33	?	?	?
Cephalexin PO	0.25–1.0 g q6h	0.5–1.2	30	50–80	250 mg q12–24h	DAD	Same
Carbapenems/ monobactams							
Aztreonam IV	1–2 g q6–8h	1.7–2.9	6–8	50–80	LD of 0.5, 1, or 2 g then 0.25–0.5 g q6–8h; or 500 mg q12h	for severe infections 125–250 mg after dialysis	Same

TABLE 35.3 투석 환자의 (전신적) 항생제, 항바이러스제, 항진균제 약물 용량 (계속)							
		Half-life		**Dialysis Patient**			
	Usual Nonuremic Dose[a]	**Nonuremic Patient**	**Dialysis Patient**	**Dosage (% of Nonuremic Dose)**	**Usual Dialysis Patient Dosage**	**Post-HD Supplement**	**Dosage for CAPD**[b]
Drug		**(hr)**					
Doripenem IV	500 mg q8h	1.0	18	48	250 mg q24h, for PSA 500 mg q12h (on day 1) then 500 mg q24h	?	?
Ertapenem IV/IM	1 g q24h	4.0	>4.0	50	500 mg q24h	150 mg[j]	500 mg q24h
Imipenem/cilastin IV/IM	0.5 q6h	1.0	4	50	250–500 mg q12h	DAD	Dosed by weight
Meropenem IV	0.5–2 g q8h	1–1.5	6–8	25	500 mg q24h	DAD	0.5–2 g q24h
Fluoroquinolones							
Ciprofloxacin IV	400 mg q12h	3–5	6–9	90–100	200–400 mg q24h	?	?
Ciprofloxacin PO	IR 500–750 mg q12h; ER 500–1,000 mg q24h	3–5	6–9	90–100	IR 250–500 mg q24h; ER 500 mg q 24h	DAD	Same
Gemifloxacin PO	320 mg q24h	4–12	>7		160 mg q24h	DAD	Same
Levofloxacin IV/PO	750 mg q24h	6–8	76	25	750 mg once then 500 mg q48h	DAD	Same

TABLE 35.3

투석 환자의 (전신적) 항생제, 항바이러스제, 항진균제 약물 용량 (계속)

Drug	Usual Nonuremic Dose[a]	Half-life Nonuremic Patient (hr)	Half-life Dialysis Patient (hr)	Dosage (% of Nonuremic Dose) Dialysis Patient	Usual Dialysis Patient Dosage	Post-HD Supplement	Dosage for CAPD[b]
Moxifloxacin IV/PO	400 mg q24h	8-15 (IV) 12-16 (PO)	9-16	100	400 mg q24h	No	Same
Ofloxacin IV/PO	200-400 mg q12h	4-5, then 20-25	28-37	25	100-200 mg q24h	DAD	300 mg q24h
Aminoglycosides							
Amikacin IV	5-7.5 mg/kg q12h	1.4-2.3	28-86	80	본문 참고	본문 참고	본문 참고
Gentamicin IV	1-2.5 mg/kg q8-12h	1.5-3	36-70	50	본문 참고	본문 참고	본문 참고
Neomycin PO	0.5-2 g q6-8h	Avoid in renal failure					
Streptomycin IM	15-30 mg/kg q24h	5	30-80	15	7.5-15 mg/kg t.i.w. on dialysis days	DAD	본문 참고
Tobramycin IV	1-2.5 mg/kg q8-12h	2-3	5-70	30-75	1-2 mg/kg q48-72h	본문 참고	본문 참고
Macrolides and ketolides							
Azithromycin IV/PO	500 mg q24h × 1d, 250 mg q24h × 4 d	68-72	?	100	500 mg q24h × 1 d, 250 mg q24h × 4 d	No	Same

(계속)

TABLE 35.3 투석 환자의 (전신적) 항생제, 항바이러스제, 항진균제 약물 용량 *(계속)*

Drug	Usual Nonuremic Dose[a]	Half-life Nonuremic Patient (hr)	Half-life Dialysis Patient (hr)	Dosage (% of Nonuremic Dose) Dialysis Patient	Usual Dialysis Patient Dosage	Post-HD Supplement	Dosage for CAPD[b]
Clarithromycin PO	250–500 mg q12h	3–7	?	50	250 mg q12h	DAD	?
Erythromycin IV/PO	250–500 mg q6–12h	1.5–2	5–6	80–95	250–500 mg q6–12h	No	Same
Telithromycin PO	800 mg PO q24h	10	15	?	600 mg q24h	DAD	?
Glycopeptides							
Telavancin IV	10 mg/kg q24h	6.6–9.6	?	?	?	?	?
Vancomycin IV	15–20 mg/kg q12h	5–11	200–250	<10	1 g q4–7 d	본문 참고	본문 참고
Tetracyclines							
Demeclocycline PO	150 mg q6h or 300 mg q12h	Avoid in renal failure					
Doxycycline IV/PO	100–200 mg q12–24h	12–15	18–25	100	100–200 mg q12–24h	No	Same
Minocycline IV/PO	200 mg LD, 100 mg q12h	11–22	?	100	100 mg PO q12h	No	Same

TABLE 35.3	투석 환자의 (전신적) 항생제, 항바이러스제, 항진균제 약물 용량 *(계속)*			

		Half-life			Dosage (% of				
	Usual Nonuremic Dose[a]	Nonuremic Patient	Dialysis Patient (hr)	Dialysis Patient Dosage (% of Nonuremic Dose)	Usual Dialysis Patient Dosage	Post-HD Supplement	Dosage for CAPD[b]
Drug							
Tetracycline PO	250–500 mg q6h	8–11	57–108	80–95	?	No	?
Nitroimidazoles							
Metronidazole IV/PO	500 mg q6–8h	8	18–32	0–50	500 mg q8–12h	DAD	250 mg q6–8h or 500 mg q12h
Tinidazole PO	2g q24h	13	11.1–14.7	100	2 g q24h	1g	?
Diaminopyrimidines							
Pyrimethamine PO	25–50 mg q24h	80–95		100	25–50 mg q24h	No	?
Trimethoprim (T)/ sulfameth-oxazole(S) IV/PO	본문 참고	8–10 (T) 35 (S)	26 (T) 50 (S)	50	본문 참고	본문 참고	본문 참고

(계속)

TABLE 35.3 투석 환자의 (전신적) 항생제, 항바이러스제, 항진균제 약물 용량 (계속)

Drug	Usual Nonuremic Dose^a	Half-life Nonuremic Patient (hr)	Half-life Dialysis Patient (hr)	Dosage (% of Nonuremic Dose) Dialysis Patient	Usual Dialysis Patient Dosage	Post-HD Supplement	Dosage for CAPD^b
Antituberculars							
Ethambutol PO	15 mg/kg q24h	2.5–3.6	7–15	50	15 mg/kg q48h or 15 mg/kg t.i.w.	DAD	Same
Isoniazid IV/PO	300 mg q24h	0.5–1.5 (fast acetylators) 2.5–3.6 (slow acetylators)	2.3 7–15	100^f	300 mg q24h	DAD	Same
Pyrazinamide PO	15–30 mg/kg/d	9–10	?	50	25–35 mg/kg t.i.w.	DAD	?
Rifabutin PO	300 mg q24h	45	ND	50	150 mg q24h	?	?
Rifampin IV/PO	600 mg q24h	3.5	4.0	100	600 mg q24h	No	Same
Miscellaneous antibiotics							
Colistin	1.25–2.5 mg/kg q12h	2–3	48–72	100	1.5 mg/kg q24–48h	DAD	?
Clindamycin PO	150–450 mg q6h	2–3, 3.4–5.1 (elderly)	4.0	100	Same	No	Same

(계속)

TABLE 35.3 투석 환자의 (전신적) 항생제, 항바이러스제, 항진균제 약물 용량 (계속)

Drug	Usual Nonuremic Dose[a]	Half-life — Nonuremic Patient (hr)	Half-life — Dialysis Patient (hr)	Dialysis Patient — Dosage (% of Nonuremic Dose)	Usual Dialysis Patient Dosage	Post-HD Supplement	Dosage for CAPD[b]
Clindamycin IV	600–900 mg q8h	2.3, 3.3–4–5.1 (elderly)	4.0	100	400–900 mg q8h	No	Same
Dapsone PO	50–100 mg q24h	10–50		100	Pneumocystis pneumonia prophylaxis 50 mg q12h	DAD	?
Daptomycin IV	4–6 mg/kg q24h	8–9	30	50	4–6 mg/kg q48h[i] or 6 mg/kg t.i.w. after dialysis	DAD	Same
Linezolid IV/PO	600 mg q12h	4–5	6–8	70	600 mg q12h	DAD[c]	Same
Methenamine PO	1 g q6h (mandelate) 1 g q12h (hippurate)	Avoid in renal failure					
Nitrofurantoin PO	50–100 mg q6h	Avoid in renal failure					
Quinupristin/ Dalfopristin IV	7.5 mg/kg q8–12h	1.3–1.5	?	100	7.5 mg/kg q8–12h	No	Same
Spectinomycin IM	2–4 g once	1.2–2.8	4.7–29.3	50	2–4 g once	No	Same

TABLE 35.3 투석 환자의 (전신적) 항생제, 항바이러스제, 항진균제 약물 용량 (계속)

Drug	Usual Nonremic Dose[a]	Half-life Nonuremic Patient (hr)	Half-life Dialysis Patient (hr)	Dosage (% of Nonuremic Dose) Dialysis Patient	Usual Dialysis Patient Dosage	Post-HD Supplement	Dosage for CAPD[b]
Antivirals							
Acyclovir IV	5–10 mg/kg q8h	3.0	19.5	15–20	2.5–5 mg/kg q24h	DAD	Same
Acyclovir PO	200–800 mg 5x/day	3.0	19.5	15–20	200 mg q12h	DAD	Same
Amantadine PO	100 mg q12h	24	168–240	<10	200 mg q wk[g]	No	Same
Boceprevir	300 mg t.i.d.	3	3	100	300 mg t.i.d.	No	Same
Cidofovir IV	5 mg/kg weekly to every other week	Contraindicated with creatinine clearance ≤55 mL/min or serum creatinine >1.5 mg/dL					
Famciclovir PO	125–500 mg q8h–12h	2–4	3–24	25	125–250 mg t.i.w.	DAD	?
Foscarnet IV	60 mg/kg q8h × 3 wk, then 90–120 mg/kg q24h	3.0	?	50–100	45–90 mg/kg t.i.w.	DAD	?
Ganciclovir IV	5 mg/kg/d q12–24h	1.7–5.8	5–28	25	0.625–1.25 mg/kg/dose t.i.w.	DAD	Same

TABLE 35.3 투석 환자의 (전신적) 항생제, 항바이러스제, 항진균제 약물 용량 *(계속)*

Drug	Usual Nonuremic Dose[a]	Half-life Nonuremic Patient (hr)	Half-life Dialysis Patient (hr)	Dialysis Patient Dosage (% of Nonuremic Dose)	Usual Dialysis Patient Dosage	Post-HD Supplement	Dosage for CAPD[b]
Oseltamivir PO	75 mg b.i.d.	6–10	No data	<20	75 mg t.i.w.	DAD	30 mg q7d
Ribavirin PO	800–1,200 mg in two divided doses daily	24 (capsule), 120–170 (tablet)	?	50	200 mg q24h	No	Same
Rimantadine PO	100 mg q12h	25	40	50	100 mg q24h	No	Same
Valacyclovir PO	1–2 g q 8–12h	3.0	14	16	500 mg q24h	DAD	Same
Valganciclovir PO	900 mg q12–24h	Avoid in patients receiving hemodialysis					
Zanamivir PO	10 mg b.i.d.	2.5–5	18.5	100	10 mg b.i.d.	No	Same
Antiretrovirals							
Abacavir PO	300 mg q12h or 600mg q24h	1–1.5	?	100	300 mg q12h	No	?
Adefovir PO	10 mg q24h	7.5	15	10–30	10 mg q7d	DAD	?
Atazanavir PO	300–400 mg q24h	7.0	?	97.9	300 q24h[h]	?	?

(계속)

		Half-life		Dosage (% of			
Drug	**Usual Nonuremic Dose[a]**	**Nonuremic Patient**	**Dialysis Patient**	**Dialysis Patient**	**Usual Dialysis Patient Dosage**	**Post-HD Supplement**	**Dosage for CAPD[b]**
		(hr)		**Nonuremic Dose)**			
Darunavir PO	800 mg q24h	15	?	43	?	?	?
Delavirdine PO	400 mg q8h	5.8	?	100	?	?	?
Didanosine PO	25–60 kg: 200 mg q24h > 60 kg: 400 mg q24h	1.3–1.5	2.5–5	65–80	<60 kg: capsule not recommended >60 kg: 25 mg q24h	No	Same
Entecavir PO	0.5–1 mg q24h	128–149	?	87	0.05–0.1 mg q24h	DAD	Same
Efavirenz PO	600 mg q24h	40–55	?	100	?	?	?
Elvitegravir/cobicstat/em- tricitabine/tenofovir PO	1 tab q24h	4–13	?	?	Avoid in patients receiving dialysis		
Enfuvirtide SC	90 mg q12h	3.8	?	100	90 mg q12h	No	?
Emtricitabine PO	Capsule 200 mg q24h; Solution 240 mg q24h	10	>10	70	Capsule 200 mg q96h; Solution 60 mg q24h	DAD	?
Fosamprenavir PO	1400 mg q24h	7.7	?	?	1400 mg q24h	?	?

TABLE 35.3 투석 환자의 (전신적) 항생제, 항바이러스제, 항진균제 약물 용량 *(계속)*

TABLE 35.3 투석 환자의 (전신적) 항생제, 항바이러스제, 항진균제 약물 용량 (계속)

Drug	Usual Nonuremic Dose[a]	Half-life Nonuremic Patient (hr)	Half-life Dialysis Patient (hr)	Dialysis Patient Dosage (% of Nonuremic Dose)	Usual Dialysis Patient Dosage	Post-HD Supplement	Dosage for CAPD[b]
Indinavir PO	800 mg q8h	1.4–2.2	?	100	?	?	?
Lamivudine PO	150 mg q12h or 300 mg q24h	3–7	15–35	76	50 mg LD, then 25 mg q24h	No	Same
Lopinavir/ritonavir PO (1 tablet = 200 mg lopinavir and 50 mg ritonavir)	2 tablets q12h	3.67		100	2 tablets q12h	No	?
Maraviroc PO	300 mg q12h	14–18	?	100	300 mg q12h	?	?
Nelfinavir PO	1,250 mg q12h or 750 mg q8h	3.5–5	?	100	1250 mg q12h	?	Same
Nevirapine PO	200 mg q12h	25–30	?	56	?	200 mg	?
Raltegravir PO	400 mg q12h	9	?	100	400 mg q12h	DAD	?
Rilpivirine PO	25 mg q24h	50	?	100	25 mg q24h	No	Same
Ritonavir PO	600 mg q12h	3–5	?	100	?	?	?

(계속)

TABLE 35.3 투석 환자의 (전신적) 항생제, 항바이러스제, 항진균제 약물 용량 (계속)							
		Half-life					
Drug	Usual Nonuremic Dose[a]	Nonuremic Patient (hr)	Dialysis Patient (hr)	Dialysis Patient Dosage (% of Nonuremic Dose)	Usual Dialysis Patient Dosage	Post-HD Supplement	Dosage for CAPD[b]
Saquinavir	1,000 mg b.i.d. with 100 mg ritonavir b.i.d.	13	?	100	?	?	?
Stavudine PO	≥60 kg:40 mg q12h <60 kg:30 mg q12h	1.6	1.55-5.4	69	≥60 kg: 20 mg q24h <60 kg: 15 mg q24h	DAD	?
Telaprevir PO	1,125 mg q12h	4-11		?	?	?	?
Telbivudine PO	600mg q24h	40-49	?	?	600 mg q96h	DAD	?
Tenofovir PO	300 mg q24h	17	?	90?	300 mg q7d	DAD	?
Tipranavir PO	500 mg q12h	5.5-6	?	100	500mg q12h	?	?
Zidovudine PO	300 mg q12h	1.0	1.4	본문 참고	100 mg q6-8h		Same
Antifungals							
Amphotericin B cholesteryl sulfate complex (Amphotec)	3-4 mg/kg/d	28	?	100	?	?	?
Amphotericin B lipid complex (Abelcet IV	5 mg/kg q24h	173 (after multiple doses)	?	100	5 mg/kg q24h	No	Same

	Half-life		Dosage (% of Nonuremic Dose)			
		Half-life				
Drug	**Usual Nonuremic Dose**[a]	**Nonuremic Patient**	**Dialysis Patient** (hr)	**Dialysis Patient** Dosage (% of Nonuremic Dose)	**Usual Dialysis Patient Dosage**	**Post-HD Supplement**	**Dosage for CAPD**[b]
Amphotericin B liposome (AmBisome IV)	3–6 mg/kg q24h	7–10 (after a single 24h dosing interval)	?	100	3–6 mg/kg q24h	No	Same
Anidulafungin IV	100–200 mg day 1, then 50–100 mg q24h	40–50	?	100	100–200 mg day 1, then 50–100 mg q24h	No	?
Caspofungin IV	70 mg LD, 50 mg q24h	9–11	?	100	70 mg LD, 50 mg q24h	No	Same
Fluconazole IV/PO	150–800 mg q24h	30	?	100	200–800 q24h	DAD	?
Flucytosine PO	50–150 mg/kg/d in divided doses q6h	2–5	75–200	10–25	37.5 mg/kg q24–48h	DAD	0.5–1.0 g q24h
Griseofulvin PO (microsize)	500 mg q24h	9–24	?	100	?	?	?
Griseofulvin PO (ultramicrosize)	375–750 mg q24h	9–24	?	100	?	?	?
Itraconazole PO capsule	200–600 mg in divided doses daily	21	?	100	200–400 mg in divided doses daily	No	?

TABLE 35.3 투석 환자의 (전신적) 항생제, 항바이러스제, 항진균제 약물 용량 (계속)

(계속)

TABLE 35.3 투석 환자의 (전신적) 항생제, 항바이러스제, 항진균제 약물 용량 (계속)

Drug	Usual Nonuremic Dose[a]	Half-life Nonuremic Patient (hr)	Half-life Dialysis Patient (hr)	Dosage (% of Nonuremic Dose) Dialysis Patient	Usual Dialysis Patient Dosage	Post-HD Supplement	Dosage for CAPD[b]
Itraconazole PO suspension	100–200 mg q24h	21	?	100	?	?	?
Ketoconazole PO	200–400 mg q24h	8.0	8.0	100	200–400 mg q24h	No	?
Micafungin IV	50–150 mg q24h	11–21	?	100	50–150 mg q24h	No	?
Posaconazole PO Delayed-release tablet	300 mg q12h or q24h	26–31	?	100	300 mg q12h or q24h	No	?
Posaconazole PO Oral Suspension	100 – 400 q12h or q24h or 200 mg q8h Depends on indication	20–66	?	100	100–400 q12h or q24h or 200 mg q8h	No	?
Posaconazole IV	300 mg q 12–24h	Not recommended in patients with creatinine clearance ≤50 mL/min					
Terbinafine PO	250 mg q24h	Not recommended in patients with creatinine clearance ≤50 mL/min					
Voriconazole IV	6 mg/kg q12h LD, 4 mg/kg q12h	Not recommended in patients with creatinine clearance ≤50 mL/min					
Voriconazole PO	≥40 kg: 200 mg q12h	Variable and dose dependent	100		≥40 kg: 200 mg q12h	No	Same

TABLE 35.3	투석 환자의 (전신적) 항생제, 항바이러스제, 항진균제 약물 용량 (계속)					
		Half-life		Dialysis Patient		
	Usual Nonuremic Dose[a]	Nonuremic Patient	Dialysis Patient	Dosage (% of Nonuremic Dose)	Usual Dialysis Patient Dosage	Post-HD Supplement
Drug		(hr)				Dosage for CAPD[b]
	<40 kg: 100 mg q12h				<40 kg: 100 mg q12h	No Same

DAD, no post-HD supplement required, but on hemodialysis days schedule the usual dialysis patient dose after the dialysis session; HD, hemodialysis; CAPD, continuous ambulatory peritoneal dialysis; IM, intramuscular; IV, intravenous; LD, loading dose: PD, peritoneal dialysis (primarily CAPD); PO, oral; SC, subcutaneous: q24hr, daily; q.h.s., at bedtime: t.i.d., three time/d: b.i.d., two times/d: t.i.w., three times per week.

[a] 중등도에서 중증 감염의 치료에서 통상적으로 권장되는 용량

[b] 일반적인 투석 환자에서의 용량과 동일

[c] 용량은 적응증에 따라 크게 차이가 남

[d] 반감기가 연장됨으로써 주 3회 투석 후 투여가 가능

[e] 신원 코스의 초기에 추가 용량 투여를 고려할 수도 있음

[f] fast acetylator라고 알려진 환자에서 1g만큼을 피하는 것이 좋다

[g] 혈중 농도가 유지되지 않는다면 장기 투여를 피하는 것이 좋다

[h] 양에플로바이러스 조치로 환자에서만 부스터 치료로써 리토나비어 100 mg 1일 1회 투여를 권장

[j] 다음번 투석이 72시간 이상 지나서 예정되어 있다면 9 mg/kg 투여

[j] 혈액투석 6시간 이전에 투여되었다면 투석 후 150 mg 추가투여

Sources: Lexi-Drug, Lexi-Comp® [Internet database]. Hudson, OH: Lexi-Comp, Inc. Available at http://www.crlonline.com. Accessed April 10, 2014. Data from Facts and Comparisons. http://online.factsandcomparisons.com. Accessed April 23, 2013; Up to date. Available from http://www.uptodate.com/contents/search. Accessed April 23, 2013; Micromedex. www.micromedex.com/index.html. Accessed April 23, 2013; *The Sanford guide to antimicrobial therapy 2012*, 42nd ed. Antimicrobial Therapy Inc., Sperryville, VA, 2012; RA: Dosing of Antiretroviral Drugs in Adults with Chronic Kidney Disease and Hemodialysis. HIVinsite. Available at. http://hivinsite.ucsf.edu/insite?page=md-rr-18 Accessed Matzke GR, Dager WE. Antimicrobial dosing concepts and recommendations for critically ill adult patients receiving continuous renal replacement therapy or intermittent Pharmacotherapy. 2009;29:562–577; Stathoulopoulou F, et al. Clinical pharmacokinetics of oral acyclovir in patients on continuous ambulatory peritoneal dialysis. *Nephron*. 1996:Clinics Antimicorobial Dosing Reference Guide 2013. Available at http://bugsanddrugs.stanford.edu/documents/2013SHCABXDosingGuide.pdf. Accessed April 10, 2014.

에 관계없이 지속적 신대체요법을 통해 제거된다. 지속적 혈액여과에서 권장되는 용량은 6~8시간 간격으로 2.25~3.375 g 투여하는 것이며, 지속적 혈액투석시에는 6시간 간격으로 2.25~3.375 g 투여하며 용량은 약간 더 많다. 녹농균과 같이 저항성이 있는 병원균을 치료하는 경우 더 많은 용량이 필요하며 8시간 간격으로 4.5 g을 투여하는 대안적인 방법이 추천된다. 피페라실린에 비해 타조박탐의 제거율이 낮기 때문에 지속적 신대체요법을 시행하는 경우 타조박탐의 축적이 우려되는데, 피페라실린-타조박탐 대신 피페라실린을 단독 사용하면 이러한 걱정을, 특히 지속적 혈액여과에 의존적인 환자에서 최소화할 수 있다. 암피실린-설박탐은 피페라실린-타조박탐과 비슷한 약동학을 가지며 용량조절도 유사하다.

B. 세팔로스포린(Cephalosporins)

세프트리악손(ceftriaxone)은 단백질과 강하게 결합하며 간으로 대사되는 유일한 세팔로스포린 계열의 항생제이다; 따라서 이 약제는 투석 환자에서 용량 조절이 필요없다. 나머지 세팔로스포린은 신장으로 다량(예를 들어 30~96%) 배설되고, 대부분은 투석을 통해 어느 정도 제거된다; 그러므로 투석 환자에서 거의 대부분 감량이 필요하다. 작용시간이 긴 일부 세팔로스포린(예를 들면 세파졸린(cefazolin), 세프타지딤(ceftazidime))은 주 3회 투여할 수 있다(예를 들면 주 3회 혈액투석을 시행하는 환자에서 매 투석 후 투여). 세포테탄(cefotetan)은 간헐적 혈액투석 중인 환자에서 24시간 간격으로 비투석일에는 통상적인 용량의 25%를, 투석일에는 50%를 투여해야 한다.

최소억제농도(minimum inhibitory concentration, MIC)를 최대한 유지하기 위해, 하루 4 g의 고용량 세페핌(cefepime)을 녹농균 또는 생명을 위협하는 감염 치료제로 사용할 수 있다(Trotman, 2005). 세페핌 1 g을 8시간 간격으로 투여하는 경우 2 g씩 12시간 간격으로 투여할 때와 비슷한 정상상태(steady-state)의 농도에 도달한다(Heintz, 2009). 최소억제농도가 ≥ 4 mg/L인 그람음성 막대균에 의한 감염 치료시 세페핌 2 g을 8시간 간격으로 투여하는 것이 필요할 수 있다(Heintz, 2009). 세프타롤린(ceftaroline)은 가장 새로운 5세대 세팔로스포린으로, 메치실린 내성 황색포도알균에 대해 일부 작용하는 유일한 세팔로스포린이다. 이 약제는 피부 및 연부조직 감염 뿐 아니라 지역사회획득 폐렴의 치료제로 승인받았다. 그것은 다른 세팔로스포린 계열의 항생제와 같이 신장으로 제거되며 말기 신부전 환자에서 유의한 약제 감량이 필요하다.

지속적 혈액투석 및 혈액투석여과 시행시 세팔로스포린은 크레아티닌 청소율 30~50 mL/min인 환자의 권장량에 맞추어 투여한다. 세프타지딤에 대한 연구에서 세팔로스포린은 지속적 혈액투석여과를 통해, 지속적 혈액투석만큼 효율적으로 제거되지 않는 것처럼 보인다(Trotman, 2005). 지속적 혈액투석여과를 시행하는 경우 감수성 있는 병원균에 대해 약물 농도를 최소억제농도의 4배 이상 유지하기 위하여 세프타지딤은 부하 용량으로 2 g을 투여하고 3 g을 24시간 이상에 걸쳐 정주할 수 있다(Heintz, 2009). 모든 세팔로스포린이 지속적 신대체요법 시행 관련하여 연구된 것은 아니다; 그러나 유사한 약동학과 분자학적 특성에 근거하여 용량을 추론할 수 있다.

C. 카바페넴/모노박탐(Carbapenem/monobactams)

이미페넴(imipenem)은 실라스타틴(cilastatin)과 1:1 비율로 투여할 수 있다. 실라스타틴은 이미페넴을 빠르게 분해하는, 신장의 디펩티드 가수분해효소 억제제이다. 신기능이 저하된 경우 실라스타틴은 이미페넴보다 더 많이 축적된다. 이 때 실라스타틴의 반감기는 약 1~15시간으로 연장되어 있으나 실라스타틴은 투석으로 제거할 수 있다. 지속적 신대체요법 시행시 이미페넴/실라스타틴 250 mg을 6시간 간격으로 투여하거나 500 mg을 8시간 간격으로 투여하는 것이 권장되나, 더 저항성있는 감염에서는 500 mg씩 6시간 간격으로 투여하는 것이 필요할 수 있다(Trotman, 2005).

에르타페넴(ertapenem), 메로페넴(meropenem)과 도리페넴(doripenem)은 신장 분해에 저항성이 있어서 디펩티드 가수분해효소 억제제를 같이 투여하지 않는다. 에르타페넴은 그람 양성균, 그람 음성균 및 혐기성 균을 커버하는 넓은 작용범위를 가진다. 다른 카바페넴과 달리 에르타페넴은 녹농균과 아시네토박터(acinetobactor)에 대한 항균력이 부족하다. 에르타페넴은 1일 1회 투여라는 이점이 있으며, 신기능 저하 환자에서는 투여량을 50% 줄여야 한다. 메로페넴은 이미페넴/실라스타틴과 비슷한 항균범위를 가지며, 지속적 신대체요법 시행시 500~1,000 mg을 12시간 간격으로 투여하는 것이 권장된다. 도리페넴은 가장 최근에 나온 카바페넴으로, 말기 신부전 환자에서 혈액투석 4시간 동안 52%가 제거된다. 간헐적 혈액투석 환자에서 500 mg을 24시간 간격으로 투여하는 것이 권장된다; 그러나 녹농균 치료 시 첫날 12시간 간격으로 500 mg을 투여하고 이후 24시간 간격으로 500 mg을 투여하는 것이 권장된다.

아즈트레오남(aztreonam)은 오직 그람 음성균(녹농균 포함)만을 커버하는 유일한 모노박탐 항균제이다. 일반적으로 아즈트레오남은 가격 때문에 페니실린 및 세팔로스포린 제제에 모두 발진 과거력이 있거나 페니실린에 대한 즉시형 알레르기(즉 아나필락시스)가 있는 환자들에게 사용된다. 이 약제는 투석 환자 대상으로 부하용량 500 mg, 1 g 또는 2 g을 투여하고 이후 초기 투여량의 25%를 통상적인 간격(6~8시간 간격)으로 투여한다. 중증 또는 생명을 위협하는 감염의 경우에는 매 투석 후(유지용량에 추가로) 초기 투여량의 12.5%를 투여한다. 또 다른 방법으로 아즈트레오남 500 mg을 12시간 간격으로 투여한다(Heintz, 2009).

D. 플루오로퀴놀론(Fluoroquinolones)

목시프록사신은 그 이전의 플루오로퀴놀론에 비해 그람 양성균(특히 폐렴사슬알균)에 대해 더 나은 커버리지를 보인다. 대부분의 플루오로 퀴놀론은 모두 경구 및 정맥으로 투여할 수 있다. 목시프록사신은 간 헐적 혈액투석 또는 지속적 신대체요법 시행시 용량 조절이 필요없는 유일한 항균제이다. 레보프록사신(levofloxacin)은 지속적 혈액여과와 지속적 혈액투석여과를 통해서 제거되나 간헐적 혈액투석을 통해서는 제거되지 않는다. 지속적 신대체요법을 시행하는 경우 고용량 시프로 프록사신(ciprofloxacin)이 필요할 수 있다. 또한 경구 시프로프록사 신 서방형은 하루 한 번 투여하고 속효성 제제와 교체하여 사용할 수 없으며 요로감염에서만 사용이 승인되었다. 가티프록사신(gatifloxa-cin) 경구 제제 및 주사제는 심한 저혈당의 위험성 때문으로 2006년 사용 중지되었다.

E. 콜리스티메테이트(colistimethate; 콜리스틴, colistin)

콜리스티메테이트는 투여 용량에 비례하여 신독성 및 신경독성 발생 위험이 증가하여, 30년전 대부분 아미노글리코시드로 대체되었다. 최 근 보고에 따르면 콜리스틴에 의한 급성 신손상 발생률은 60%에 이 를 정도로 높다(Kubin, 2012). 그러나 콜리스틴은 녹농균과 아시네토 박터와 같이 다재내성을 가진 그람 음성균에 대해 효과를 나타내는 몇 안되는 약제 중 하나이다. 이것은 분자량이 크고 강하게 조직에 결합 되어 있기에, 투석을 통해 소량 제거된다. 비만 환자는 이상 체중(ideal body weight)에 근거하여 용량을 결정해야 하며, 권장량은 콜리스틴 을 기준으로 한다. 지속적 신대체요법을 시행하는 경우 콜리스틴 2.5 mg/kg을 48시간 간격으로 투여한다; 하지만 한 연구에 따르면 투석 액 혈류속도를 1 L/hr로 시행했을 때 48시간 간격으로 콜리스틴 2.5 mg/kg을 투여하는 것은 불충분할 수 있으며, 환자들은 콜리스틴을 24 시간 간격으로 투여하는 것을 잘 견딜 수 있었다고 한다. 약동학적 분 석에 따르면 지속적 혈액투석여과를 시행하는 경우 12시간 주기로 투 여하는 것이 권장된다(Li, 2005). 또한 기관지 확장증 및 낭성 섬유증 환자의 폐 균집락화/감염에 대해 콜리스틴을 분무 흡입제 형태로 사용 하기도 한다.

F. 아미노글리코시드(Aminoglycosides)

아미노글리코시드는 대개 90% 이상 신장으로 배설되기에 신기능이 저하된 경우 투여 간격을 현저하게 늘리는 것이 필요하다. 투석 시 약 50%의 약물 제거가 일어나며, 투석 후 아미노글리코시드를 보충하거 나 복막투석액에 추가하는 것이 필요하다. 이 약제들의 경우 치료지 수가 낮아서 투석 환자에서 이독증(otovestivulotoxicity) 발생 위험이 높다. 또한 잔여신기능 소실이 발생할 수 있는데, 이것은 임상적으로 중요하다. 말기 신부전 환자에서 투여 간격을 늘려 고용량의 아미노글리코시드를 사용하는 것은 권장되지 않는다. 모든 아미노글리코시드는 이상 체중에 근거하여 용량을 결정하며 비만 환자에서는 보정 체중(adjusted body weight)에 근거하여 용량을 결정한다.

1. 겐타마이신(Gentamicin)과 토브라마이신(Tobramycin)

a. 혈액투석 환자

주 3회 혈액투석을 시행하는 환자에서 부하용량으로 겐타마이신 2~3 mg/kg을 투여하고 다음과 같은 적응증에 따라 유지용량을 투여하는 것이 권장된다: 경한 요로감염 또는 시너지(다른 항균제를 아미노글리코시드와 같이 사용할 경우 시너지 효과 이용)에 대해 48~72시간 간격으로 1 mg/kg을 투여하는 것이 권장되며 혈액투석 전 또는 투석 후 농도가 < 1 mg/L인 경우 용량을 재조정해야 한다. 중등도 및 중증 요로감염의 경우 48~72시간 간격으로 1~1.5 mg/kg을 투여하는 것이 권장되며, 혈액투석 전 농도가 < 1.5~2 mg/L이거나 투석 후 농도가 < 1 mg/L인 경우 용량 재조정을 고려한다. 그람 음성 막대균에 의한 전신 감염시 48~72시간 간격으로 1.5~2 mg/kg을 투여하며, 혈액투석 전 농도가 < 3~5 mg/L이거나 투석 후 농도가 < 2 mg/L인 경우 용량 재조정이 권장된다. 겐타마이신과 토브라마이신은 일차적으로 신장에서 제거되나, 투석 환자에서는 신장 이외의 장기로 하루 20~30 mg 이상 배설된다고 보고되었다. 게다가 많은 투석 환자들은 약간의 잔여신기능이 남아있어 약물의 일부는 신장으로 제거된다. 투석 후 보충은 혈액투석으로 소실된 약물, 신장 이외의 약물 배설 및 잔여신기능을 통한 약물 배설을 대신해야 할 것이다; 따라서 투석 후 보충은 다양하게 적용될 수 있으며, 혈장 약물농도에 근거하여 조절해야 한다(아래 참고).

b. 복막투석 환자

지속적 외래 복막투석과 자동 복막투석 환자에서 복막염 이외의 감염을 치료하는 가장 쉬운 방법은 정맥주사로 일반적인 부하용량을 투여하고 이후 복막투석액에 4~6 mg/L를 추가하는 것이다. 방법은 간단하지만 아직 효능과 안전성에 대한 평가는 부족하며 장기적으로 투여할 경우 이독성의 위험이 있다. 지속적 외래 복막투석과 자동 복막투석 시행 환자에서 대체가능한 치료법은 일반적인 부하용량을 투여하고 혈청 약물 농도에 근거하여 추가적으로 소량 약물을 주사(정맥 또는 근육) 또는 복강 내로 투여하는 것이다.

c. 지속적 신대체요법(CRRT)

아미노글리코시드는 지속적 신대체요법을 통해 효과적으로 제거된다. 지속적 신대체요법을 시행 중인 환자에서 아미노글리코시드의 반감기는 약 18~60시간이다. 지속적 신대체요법을 시행하는 경우 부하용량으로 2~3 mg/kg을 투여한 뒤 아래와 같이 치료한다: 경한 요로감염 또는 시너지의 경우 24~36시간 간격으로 1 mg/kg을 투여(농도가 < 1 mg/L인 경우 용량 재조정)하고, 중등도 및 중증 요로감염의 경우 24~36시간 간격으로 1~1.5 mg/kg을 투여(농도가 < 1.5~2 mg/L인 경우 용량 재조

정)하며, 그람 음성 막대균에 의한 전신 감염에서는 24~48시간 간격으로 1.5~2.5 mg/kg을 투여(농도가 < 3~5 mg/L인 경우 용량 재조정)한다. 어떤 아미노글리코시드를 투여하더라도 치료 범위를 유지하고 독성을 피하기 위해 약물 농도를 확인해야 한다.

G. 아미카신(Amikacin)

아미카신 투여법은 겐타마이신 또는 토브라마이신과 유사하다; 하지만 부하용량은 반드시 5.0~7.5 mg/kg이어야 한다. 혈액투석 전 농도가 < 10 mg/L 이거나 투석 후 농도가 < 6~8 mg/L인 경우 용량 재조정이 권장된다(Heintz, 2009). 복막투석액에 추가하는 아미카신 권장 용량은 공식적으로 18~25 mg/L이였으나, 지금은 저용량의 아미카신을 사용하는 추세이다(예를 들면 복막염; 제27장 참고). 지속적 신대체요법을 시행하는 경우 아미카신의 권장량은 부하용량으로 10 mg/kg을 투여하고 유지량으로 24~28시간 간격으로 7.5 mg/kg을 투여하며, 약물 농도에 따라 추가적인 약물 조정이 필요하다. 그람 음성 막대균에 의한 중증 감염인 경우 약물 농도의 최고치 목표는 15~30 mg/L이고, 농도가 < 10 mg/L 일 때 용량 재조정이 권장된다(Heintz, 2009).

H. 스트렙토마이신(Streptomycin)

혈액투석 환자에서 투석 후 일반적인 투여량(비요독 환자 대상)의 절반을 투여해야 한다. 지속적 외래 복막투석 환자의 경우 복막투석액에 20 mg/L를 추가 투여한다. 지속적 신대체요법 시행시 24~72시간 간격으로 투여하고 약물 농도를 감시한다.

I. 아미노글리코시드의 혈청 농도 감시

복막염 치료를 위해 복강 내로 아미노글리코시드를 투여하는 경우를 제외하고, 아미노글리코시드를 투여하는 모든 투석 환자는 약물 농도를 추적 관찰해야 한다. 특히 최대 효능(maximal efficacy)이 가장 중요한 중증 감염과 장기간 아미노글리코시드 투여로 이독성 발생이 높을 것으로 예상되는 경우 혈청 농도 감시가 중요하다.

1. 아미노글리코시드의 최고 혈중 농도(peak level)

투석 환자에서 아미노글리코시드의 분포 용적은 비요독 환자와 유사하다; 그러므로 비슷한 최저 혈중 농도를 갖고 비슷한 용량을 투여한 비요독 환자와 최고 혈중 농도가 비슷해야 한다. 이상적으로 약물 주입이 끝나고 30분 뒤 혈액 검사를 시행하여 최고 혈중 농도를 얻어야 한다.

2. 아미노글리코시드의 최저 혈중 농도(trough level)

비요독 환자에서 아미노글리코시드의 투여 간격은 최저 혈중 농도(약물 투여 전 농도)에 따라 조절하는데, 겐타마이신 최저 혈중 농도가 > 2 mg/L인 경우 또는 토브라마이신의 최저 혈중 농도가

> 10 mg/L인 경우 독성과 관련되어 있다. 투석 환자의 경우 아미
노글리코시드의 약동학이 변하면서 투약에 어려움이 발생할 수도
있다. 예를 들어 혈액투석 후에 겐타마이신을 투여하는 경우 투석
의 빈도 뿐 아니라 겐타마이신의 투여량과 반감기에 따라 다음번
투석 전 농도가 달라질 수 있다. 매일 또는 격일로 투석을 시행하
는 경우 약 4.0~6.0 mg/L의 최고 혈중 농도는 > 2.0 mg/L의 투석
전 농도와 관련되어 있다. 따라서 최고 혈중 농도가 목표 범위 내에
있다면 투석 전 농도 > 2.0 mg/L를 수용할 수 있다. 투석 환자에서
투석 전 농도 > 2.0 mg/L가 이독성 발생을 예측할 수 있는지 알 수
없다. 7~10일 이상 장기간 치료를 시행하는 경우 이것은 중요한 고
려사항이 될 수도 있다.

복막투석 환자에서 복강 내로 장기간 아미노글리코시드를 사용
하는 경우 임의 시행한 혈청 약물 농도가 겐타마이신 또는 토브라
마이신의 경우 > 2 mg/L 또는 아미카신의 경우 > 10 mg/L과 같은
결과를 초래할 수 있다. 예를 들어 복막투석액에 6 mg/L의 겐타마
이신을 추가했을 때 안정상태에서 혈청 겐타마이신의 농도가 3~6
mg/L라는 결과가 발생할 수 있으며 이는 이독성을 유발할 수 있다.
아미노글리코시드는 복강내로 하루 1번 투여하거나 장기간 투여할
경우 아미노글리코시드의 복강 내 투여 용량을 줄일 것을 권장하고
있다.

3. 최소 억제 농도(Minimum inhibitory concentration, MIC)를 알때

미생물의 종류와 아미노글리코시드에 대한 최소 억제 농도가 결정
되어 있다면, 치료 전략은 최소 억제 농도보다 적어도 4배 이상 높
은 최고 혈중 농도에 도달해야 한다. 물론 어떤 경우에도 최고 약물
농도는 안전 한계점을 넘어서는 안된다. 그러나 몇몇 경우 최소 억
제 농도가 아주 낮아 치료 효과를 손상시키지 않으면서 아미노글리
코시드의 투여량과 혈청 약물 농도를 낮출 수 있다.

J. 매크로라이드(Macrolide)와 케톨리드(Ketolides)

에리트로마이신(erythromycin)은 비요독환자에서 5~20% 정도 신장
으로 배설되며 신기능 저하가 있어도 용량 조절이 필요하지 않다. 에
리트로마이신은 대부분 아지트로마이신과 클래리트로마이신으로 대
체되었는데, 이 약제들은 약제 부작용에 있어서 더 선호되고 약제간
상호작용이 더 적게 나타난다. 클래리트로마이신은 크레아티닌 청소
율이 30 mL/min 미만인 환자에서 50% 감량이 필요하며 투석 후 투
여한다. 단백분해효소인 아타자나비어와 리토나비어와 같이 클래리
트로마이신의 혈청 농도를 시킬 수 있는 약제를 병용하는 경우 추가적
인 용량 조절이 필요하다. 아지트로마이신은, 에리트로마이신처럼 간
헐적 혈액투석, 복막투석 또는 지속적 신대체요법을 시행하는 경우 용
량 조절이 필요하지 않다(Heintz, 2009).

케톨리드는 새로운 종류의 항균제로 매크로라이드와 유사하다. 텔리트로마이신(telithromycin)은 지금까지 미국 시장에서 유통된 최초이자 유일한 약제이다. 매크로라이드와 비교 시 케톨리드는 다제내성을 보이는 폐렴사슬알균, 황색포도알균(메치실린과 에리트로마이신에 감수성이 있는 균주에만), 헤모필루스 인플루엔자(Haemophilus influenzae), 모락셀라 카타랄리스(Moraxella catarrhalis), 클라미디아 폐렴균(Chlamydia pneumoniae), 마이코플라스마 폐렴균(Mycoplasma pneumoniae)에 추가적으로 작용한다. 현재 텔리트로마이신은 경증부터 중등도에 이르는 지역사회획득 폐렴에서만 사용을 승인받았다; 간독성과 치명적인 중증 근무력증 사례로 안정성 문제에 대해 미국 식품의약국에 보고되었고, 결과적으로 이전에 승인받은 급성 세균성 부비동염과 만성 기관지염의 급성 세균성 악화에 대한 치료 적응증이 취소되었다. 이 약제는 혈액투석 환자에서 하루 1번 600 mg을 투여하는 것이 권장되며, 신기능 저하와 간기능 저하가 동반된 경우 하루 1번 400 mg으로 감량하여 투여한다.

K. 글리코펩티드(Glycopeptides)

반코마이신은 투석 환자에서 중증 그람 양성 감염의 치료에 효과적이다. 반코마이신은 신장으로 배설되기 때문에 신기능이 저하된 경우 대체로 투여 간격이 증가하게 된다. 저효율 투석 시 약물 제거가 미미하기 때문에, 이전에는 신장의 약물 배설 기능이 없는 환자를 대상으로 7~10일 간격으로 약제를 투여하였다. 하지만 현재는 고효율 투석막을 일상적으로 사용하면서 다량의 반코마이신이 투석을 통해 체외로 제거되기에 투석 후 보충이 필요하다.

적절한 살균 농도를 보장하고 이독성을 피하기 위해 혈청 약물 농도를 측정하는 것이 필요하다. 이전에 흔히 사용된, 반코마이신의 최고 혈중 농도 및 최저 혈중 농도 목표는 각각 30~40 mg/L와 5~10 mg/L 이었으며, 통상적으로 반코마이산 1 g을 부하용량으로 투여하고 이후 매 투석 시 500 mg을 투여하였다. 그러나 이 경우 특히 체질량 지수가 높은 환자에서 종종 투여량이 부족하였다. 게다가 더 높은 반코마이신 최저 혈중 농도를 필요로 하는 항균제 내성 발생이 보고되었다(Vandecasteele and De Vriese, 2010). 현재 입원환자의 생명을 위협하는 감염 치료시 부하 용량으로 반코마이신 25~30 mg/kg(최대 2 g)을 투여하고 최저 혈중 농도에 맞추어 혈액투석 후 약제를 투여하는 것이 권장된다. 최저 혈중 농도가 10~15 mg/L 미만인 경우 혈액투석 후 반코마이신 500~1,000 mg 또는 5~10 mg/kg 투여가 권장된다(Heintz, 2009). 혈액투석 전 약물 농도에 근거하여 용량을 조절하는 방법은 다음과 같다: 투석 전 농도 < 10 mg/L인 경우 투석 후 1,000 mg 투여; 투석 전 농도 10~15 mg/L인 경우 투석 후 500~750 mg 투여; 투석 전 농도 > 25 mg/L인 경우 반코마이신을 중지한다.

반코마이신은 복막투석을 통해 극소량만 제거되며, 혈액투석 환자와 유사한 용량을 투여한다. 복막투석 환자에서 반코마이신을 복강내로 투여하는 경우 투석액에 15~30 mg/L을 추가하며, 전신적으로 투여하는 경우 부하용량으로 1,000 mg을 투여한 뒤 약물 농도를 추적 관찰하면서 48~72시간 간격으로 500~1,000 mg을 투여한다. 외래에서 치료하는 상대적으로 경한 환자는 일단 투석 후 약제를 투여하고 목표로 하는 최저 혈중 농도(예를 들어 다음번 투석 전 농도)에 도달하면 지속적인 약물 농도 감시가 불필요할 수도 있다(Pai and Pai, 2004).

지속적 신대체요법 시행시 권장되는 용량은 다음과 같다: 지속적 혈액여과의 경우 부하용량으로 15~25 mg/kg를 투여하고 이후 48시간 간격으로 1,000 mg을 투여하거나 24~48시간 간격으로 10~15 mg/kg을 투여; 지속적 혈액투석의 경우 부하용량으로 15~25 mg/kg을 투여한 뒤 24시간 간격으로 1,000 mg을 투여하거나 24시간 간격으로 10~15 mg/kg을 투여; 지속적 혈액투석여과의 경우 부하용량으로 15~25 mg/kg을 투여한 뒤 24시간 간격으로 1,000 mg을 투여하거나 12시간 간격으로 7.5~10 mg/kg을 투여한다. 지속적 신대체요법 시행시 반코마이신 농도가 < 10~15 mg/L인 경우는 모두 용량을 다시 조절해야 한다. 반코마이신 용량은 실제 환자 체중을 기준으로 한다.

메치실린 내성 황색포도알균에 대해 작용하는 글리코펩티드 주사제인 테라반신(telavancin)은 2009년부터 복합성 피부감염의 치료에 사사용되었다. 이 약제는 농도에 비례하여 살균 작용을 보이며 약 90%가 단백질과 결합한다. 2013년부터는 약제 감수성 있는 황색 포도알균에 의한 병원성 폐렴 및 인공호흡기 관련 폐렴에 대해 치료적응증이 확대되었다. 하지만 이 약제는 다른 치료가 부적합할 때만 제한적으로 사용해야 한다. 왜냐하면 폐렴이 발생한 신기능 저하된 환자에서 테라반신으로 치료한 경우 반코마이신에 비해 사망률이 증가했기 때문이다(Rubinstein, 2011). 테레반신의 경우 신독성과 잠재적 기형 발생 위험성이 있기에 이러한 내용이 블랙박스 경고문에 포함되어 있다. 기저 질환이 있거나 신기능 악화에 영향을 끼치는 다른 약물을 병용하는 경우 특히 신독성 발생에 취약하다. 크레아티닌 청소율이 < 50 mL/min인 환자에서 신기능에 따른 약제 조절이 필요하다. 하지만 크레아티닌 청소율 < 10 mL/min인 환자 및 혈액투석 환자에 대한 연구가 제한적이기에, 제약사는 이에 대한 정보를 제공하지 못한다.

L. 리네졸리드(Linezolid)

리네졸리드는 대부분 간에서 두개의 비활성 대사산물로 대사된다. 신장을 통해 투여량의 약 1/3 정도가 대사되지 않은 상태로 배설되나 신기능에 따른 용량 조절이 필요하지 않다. 두개의 일차 대사산물은 신기능이 저하된 경우 축적될 수 있으나, 임상적인 중요성은 알려지지 않았다. 장기간 약제 투여시 혈액학적 부작용(예를 들면 빈혈, 백혈구 감소증, 혈소판 감소증)과 신경학적 부작용(예를 들면 말초 신경염) 발생 여부를 감시하는 것이 권장된다. 투석 직후 리네졸리드를 투여하지 않았다면, 특히 치료 초에는 투석 후 보충을 고려할 수 있다. 그러나 간헐적 혈액투석, 복막투석 또는 지속적 신대체요법 시행 환자에서 투석 후 보충 또는 용량 용량조절에 대해 아직 권장되는 내용은 없다(Heintz, 2009; Trotman, 2005).

M. 댑토마이신(Daptomycin)

댑토마이신은 투석이나 지속적 신대체요법을 통해 쉽게 제거되지 않는 큰 분자로 구성되어 있다. 포도알균 균혈증에서 더 높은 용량인 6 mg/kg의 용량으로 24시간 간격으로 투여하는 것이 권장된다. 비만 환자에서 보정 체중에 근거하여 용량을 조절한다. 이전에는 혈액투석이나 지속적 신대체요법을 시행하는 경우 크레아티닌 청소율 30 mL/min 미만인 환자들에게 권장되는 용량과 동일한 용량을 투여하였다(Trotman, 2005); 그러나 이렇게 투여할 경우 지속적 신대체요법시 최고 혈중 농도가 낮아진다. 그러므로 지속적 신대체요법 시행시 감염 부위, 감염의 중증도 및 일반적인 약제 용량에 대한 반응에 따라 4~6 mg/kg의 약제를 24시간 간격으로 투여(또는 8 mg/kg의 약제를 48시간 간격)하는 것이 필요할 수 있다(Heintz, 2009). 다른 투여 방법으로 간헐적인 혈액투석 또는 복막투석 시행 시 주 3회 혈액투석 후 댑토마이신 6 mg/kg을 투여할 수 있다(Salama, 2010). 댑토마이신 투여 시 근육병과 횡문근융해증 위험 때문에 크레아티닌 포스포키나제(creatinine phosphokinase)를 기저치 측정 후 함께 매주 검사해야 한다.

N. 테트라사이클린(Tetracyclines)

테트라사이클린의 항동화 효과(antianabolic effect) 때문에 대개 이 약제는 신기능이 저하된 경우 사용하지 않는다. 테트라사이클린 사용 시 혈액 요소질소가 증가하고 산증이 악화될 수 있다. 테트라사이클린이 필요한 경우 독시사이클린(doxycycline)을 사용할 수 있다. 독시사이클린 역시 항동화효과를 갖는데, 독시사이클린에 대한 신장배설률(정상적으로 40%)은 테트라사이클린(60%)보다 더 적다. 독시사이클린은 투석을 통해 잘 제거되지 않으며, 간헐적 혈액투석, 복막투석 또는 지속적 신대체요법 시행 환자에서 투석 후 보충 또는 용량 조절이 필요하지 않다. 미노사이클린(minocycline)은 신장을 통해 소량 제거되며 통상적인 용량을 투여할 수 있으나 하루 200 mg을 초과해서는 안된다.

O. 글라이실사이클린(Glycylcyclines)

티제사이클린(tigecycline)은 글라이실사이클린이라고 불리는 새로운 계열의 항균제 중 처음으로 미국 식품의약국의 승인을 받은 약이다. 이것은 복합성 피부 및 피부조직 감염, 복합성 복강 내 감염과 지역사회획득 세균성폐렴의 치료에 권고된다. 티제사이클린을 승인받은 적응증 뿐 아니라 승인받지 못한 적응증에 대해 사용하는 경우 사망 위험이 증가한다는 2010년 분석 때문에 이 약제는 대체 가능한 다른 약제가 없을 때까지 보류해야 한다. 티제사이클린은 구조적으로 테트라사이클린과 유사하며 미노사이클린으로부터 비롯되었다. 그것은 그람양성균과 그람음성균 뿐 아니라 메치실린 내성 황색포도알균에 대해 작용한다. 티제사이클린은 간에서 제거되며 간헐적 혈액투석, 복막투석 또는 지속적 신대체요법 시행시 용량 조절이 필요하지 않다.

P. 디아미노피리미딘(Diaminopyrimidines)

트라이메토프림은 크레아티닌의 세뇨관 분비를 방해하기 때문에 신기능이 저하된 경우 혈청 크레아티닌을 증가시킬 수 있다; 하지만 실제 이것은 사구체 여과율(이눌린으로 측정)의 감소를 동반하지 않는다. 트라이메토프림은 정상적으로 80~90%가 신장을 통해 배설된다. 설파메톡사졸 정상적으로 20~30%가 신장으로 배설된다. 트라이메토프림과 설파메톡사졸은 혈액투석을 통해서 잘 제거되나 복막투석을 통해서는 잘 제거되지 않는다. 요로감염 치료 시 트라이메토프림 80 mg과 설파메톡사졸 400 mg가 포함된 저용량 정제(single-strength tablet)를 하루 2회 투여한다. 투석 환자에서 고용량 트라이메토프림과 설파메톡사졸 주사제를(예를 들어 폐포자충(pneumocystis carinii) 폐렴의 치료) 사용한다면 통상적인 용량(트라이메토프림 성분에 근거하여 하루 15~20 mg/kg)의 50%를 6~12시간 간격으로 분할하여 투여한다; 투석 환자에서 약제 투여시 백혈구 감소증의 발생이 증가할 수 있는데 주의깊게 관찰해야 한다. 지속적 신대체요법을 시행하는 경우 트라이메토프림을 2.5~7.5 mg/kg의 용량으로 매 12시간 간격으로 투여하는 것이 권장되며 용량은 적응증에 따라 달라진다. 위중한 폐포자충 폐렴 환자에서 지속적 혈액투석여과를 시행하는 경우 12시간 간격으로 10 mg/kg 이상의 약제를 투여하는 것이 필요할 수 있다(Heintz, 2009).

Q. 항결핵제

리팜핀(rifampin)은 황색포도알균에 의한 피부 출구감염과 복막염 치료에 사용된다. 투석 환자에서 리팜핀 하루 투여량이 600 mg 미만이라면 반감기 차이가 없기 때문에 용량을 조정할 필요가 없다. 복막염 치료에서 리팜핀을 경구로 투여했을 때 투석액 내 농도가 낮다는 점을 고려한다면 ISPD 권고지침에 따라 리팜핀의 복강내 투여 용량을 고려해야 한다. 이소니아지드(Isoniazid)의 신장 배설률은 환자가 약제를 아세틸화하는 것이 느린가(신장 배설 = 30%) 또는 빠른가(신장 배설 = 7%)에 따라 달라질 수 있다; 그러나 이 속도는 임상적 결과를 변화시키는 것처럼 보이지 않는다. 이소니아지드는 투석을 통해 잘 제거(50~100%)되기 때문에 투석 후 투여해야 한다. 신장을 통한 배설 감소는 투석 중 제거와 서로 상쇄되기 때문에, 일반적으로 투석 환자에서 용량 조절은 하지 않는다. 그러나 일부 저자들은 약간의 약제 감량 (예를 들어 하루 300 mg 보다는 200 mg로)을 권고하는데, 하루 300 mg을 투여받는 '천천히 아세틸화가 일어나는' 환자에서 이소니아지드 의 축적이 일어날 수 있기 때문이다.

에탐부톨(ethambutol)은 비요독 환자에서 주로 신장을 통해 배설된 다. 투석 환자에서는 투약 간격을 늘리는 것이 권고된다(표 35.3 참고). 투석 환자에서 피리진아마이드(pyrazinamide)는 크레아티닌 청소율이 30 mL/min 미만인 환자들과 동일한 용량을 투여한다.

R. 항바이러스제

뉴라미니데이즈 억제제(neuraminidase inhibitor)인 자나미비어 (zanamivir)와 오셀타미비어(oseltamivir)는 인플루엔자 A와 B의 예방과 치료에 사용되는 반면, 아다만타인(adamantines), 아만타딘 (amantadine), 리만타딘(rimantadine)은 높은 내성률 때문에 이 목적 으로 더이상 미국에서 사용되지 않는다(Fiore, 2011). 또한 아만타딘 은 파킨슨증과 약제유발 추체외로(extrapyramidal) 증상 치료에 사용 될 수 있다. 아만타딘은 거의 대부분 신장으로 배설되기 때문에 혈액 투석 환자에서 매우 신중하게 사용되어야 한다. 아만타딘은 분포면적 이 넓기 때문에 혈액투석 또는 복막투석을 통해 매우 천천히 제거된 다. 리만타딘은 주로 간으로 대사되고 25% 미만이 신장으로 대사되 지 않은 상태로 배설되며, 혈액투석을 통해서는 제거되지 않는다.

오셀타미비어는 크레아티닌 청소율이 < 60 mL/min인 경우 감량 이 필요하며 신기능 저하된 소아에서는 체중에 따른 용량조절이 필요 하다. 이 약은 용량에 비례하여 중대한 이상반응을 유발하는 것처럼 보이지 않는다(Aoki, 2012). 자나미비어는 흡입 투여하는데, 이 경우 전신적으로 흡수될 가능성이 적기 때문에 신기능에 따른 용량 조절이 필요하지 않다.

아시클로버(acyclovir), 팜시클로버(famiciclovir), 발라시클로버 (valacyclovir)는 모두 단순 포진과 대상 포진 감염 치료시 사용되며 신 기능이 저하된 경우 약제 감량이 필요하다. 아시클로버 약제 감량에 실패한 경우 심각한 중추신경계 독성이 발생할 수 있는데, 특히 지속 적 외래 복막투석 환자에서 그러하다(Stathoulopoulou, 1996). 잔여 신기능이 남아있는 경우 아시클로버 주사제는 세뇨관에서 불용성 결 정을 형성할 수 있으며, 이것은 급성 신손상을 유발할 수 있다(Perazel- la, 2003). 1~2시간에 걸쳐 아시클로버 주사제를 투여하는 경우 발생 위험은 감소한다(Laskin, 1983). 발라시클로버는 아시클로버의 전구 약물(prodrug)로, 이것은 약 55% 더 높은 생체이용률을 보인다(Perry and Faulds, 1996). 경구 팜시클로버는 펜시클로버(penciclovir)의 전 구 약물로, 펜시클로버는 국소치료제로만 사용 가능하다. 팜시클로버 는 높은 생체이용률 때문에 신기능이 저하된 경우 용량 조절이 필요하 며, 아시클로버와 유사한 독성학적 특성을 보인다.

현재 시도포비어(cidofovir), 포스카넷(foscarnet), 간시클로버(ganciclovir), 발간시클로버(valganciclovir)와 같은 몇몇 항바이러스제들은 거대세포바이러스(CMV) 감염 치료 및 이식 환자에서의 거대세포바이러스 예방적 치료에 사용된다. 시도포비어는 반감기가 65시간인 활동성 대사산물을 갖기에, 매주 투여가 가능하다. 크레아티닌 청소율 < 55 mL/min인 환자에서 이 약제는 금기이다(Lea and Brysom, 1996). 가장 심각한 약제 부작용은 판코니-양상 증후군(Fanconi-type syndrome)으로 나타나는 용량의존성 신독성이다. 시도포비어 투여 전 등장성 생리식염수 1L 를 1~2시간 동안 투여하고, 프로베네시드(probenecid) 2 g을 투여 3시간 전에, 1 g을 투여 후 2시간과 8시간에 투여하면 위험을 줄일 수 있다.

포스카넷은 주로 간시클로버에 저항성이 있는 거대세포바이러스 감염 치료에 사용된다. 이 약제를 경구제제로 사용할 경우 생체이용률이 낮기 때문에 주사제로만 사용한다. 포스카넷 사용시 신기능 저하는 〉10%에서 발생하며, 신세뇨관 세포에 대한 약제의 직접 독성 때문에 발생하는 것으로 여겨진다(Trifillis, 1993). 포스카넷은 고효율 투석을 2시간 반 동안 시행하는 경우 38% 제거된다고 알려져 있다. 포스카넷은 부하용량으로 투석 후 60~90 mg/kg을 투여하고 유지용량으로 45~60 mg/kg를 투여하며, 최고 혈중 농도 400~800 mcmol/L를 목표로 용량 조절하는 것이 권장된다. 지속적 신대체요법 시행시 크레아티닌 청소율 10~50 mL/min인 환자와 동일한 용량을 투여한다. 발간시클로버는 간시클로버의 전구 약물로, 간시클로버 경구 제제보다 더 높은 경구 생체이용률을 보인다. 간시클로버의 낮은 생체이용률 때문에 주사제가 더 흔히 사용된다. 제조사는 혈액투석 환자에서 발간시클로버 사용을 피하고 대신 간시클로버를 사용할 것을 권장하고 있다. 이 네가지 항바이러스제를 사용하는 동안 골수독성 발생 여부를 면밀하게 관찰해야 한다.

S. 항레트로바이러스제(Antiretrovirals)

뉴클레오시드/뉴클레오티드 역전사 효소억제제(nucleoside/nucleotide reverse transcriptase inhibitors, NRTIs)는 임상적으로 사용가능한 항레트로바이러스제의 첫 번째 종류였다. 지도부딘(zidovucine; azidothymidine 또는 AZT)은 사람면역결핍 바이러스/후천성면역결핍증후군 치료에 승인된 첫 번째 뉴클레오시드 유사체 역전사 효소억제제이다. 이 약은 대부분 간에서 비활성화된 글루쿠로나이드 대사체(glucuronide metabolite)인 GZDV로 대사되고 약 20%만이 신장에서 대사되지 않은 상태로 배설된다. 신기능이 저하된 경우 약제 배설 변화와 GZDV 축적이 나타나므로 독성 감소를 위해 약제 감량(일반적으로 50% 감량)이 필요하다. 말기 신부전 환자에서 하루 3회 100 mg을 투여한 경우 심한 과립구 감소증이 관찰되었다. 지도부딘과 그 대사체는 혈액투석 또는 복막투석을 통해 유의하게 제거되지 않는다.

다른 뉴클레오시드 유사체 역전사 효소억제제들(예를 들면 디다노신 (didanosine), 엠트리시타빈(emtricitabine), 라미부딘(lamivudine), 테노포비어(tenofovir), 스타부딘(stavudine)) 역시 신기능 저하시 용량 조절이 필요하다(표 35.3 참고). 아바카비어(abacavir)는 용량 조절이 필요하지 않은 유일한 뉴클레오시드 유사체 역전사 효소억제제이다. 테노포비어는 신독성을 유발할 수 있다고 보고되었는데, 이 약은 잔여신기능이 남아있는 환자에서 문제가 될 수 있다.

로피나비어/리토나비어(lopinavir/ritonavir)와 아타자나비어 (atazanavir)를 제외한 단백분해효소 억제제(protease inhibitor)인 다루나비어(darunavir), 포삼프레나비어(fosamprenavir), 인디나비어 (indinavir), 넬피나비어(nelfinavir), 리토나비어(ritonavir), 사퀴나비어(saquinavir), 티프라나비어(tipranavir)는 혈액투석을 시행하지 않는 신부전 환자에서 용량 조절이 필요하지 않다. 혈액투석 환자에서 대부분 단백분해효소 억제제에 대한 약동학적 평가는 시행되지 않았다. 간에서 제거됨에도 불구하고 혈액투석 환자에서 유의하게 낮은 혈중 농도를 보이는 아타자나비어, 로피나비어, 리토나비어에 대해서는 연구가 시행되었다. 항레트로바이러스제를 처음 사용하는 투석 환자의 경우 아타자나비어 300 mg과 리토나비어 100 mg을 하루 한 번 투여하는 부스터 치료(boosted therapy)가 권장된다. 그러나 왜냐하면 혈액투석 환자에서 아타자나비어 제거가 다소 증가하고 노출 정도가 감소한다는 증거 때문에, 레트로바이러스제를 사용한 적이 있는 투석 환자에서 아타자나비어 사용을 전적으로 피해야 한다. 혈액투석 환자에서 리토나비어와 로피나비어를 병용하는 경우 하루 2회 미만으로 투여해서는 안 된다. 투석 환자에서 리토나비어와 로피나비어 병용시 혈중 농도는 바이러스를 억제하기에 불충분할 수 있기에, 단백분해효소 억제제에 대한 내성유발 돌연변이를 가진 사람면역결핍 바이러스에 감염된 환자에서 주의를 기울여야 한다. 단백분해효소 억제제는 간의 시토크롬 P450 동종효소 시스템(cytochrome P450 isoenzyme system)을 통해 대사되기에 약물 간에 다양한 상호 작용이 존재하게 되며, 이에 대한 감시가 필요하다.

비뉴클레오시드 역전사 효소억제제(nonnucleoside reverse transcriptase inhibitors, NNRTIs)인 네비라핀(nevirapine), 델라비르딘 (delavirdine), 에파비렌즈(efavirenz), 릴피비린(rilpivirine)은 약제의 신장 배설에 한계가 있다는 점에서 불균질한 집단이다(표 35.3 참고). 연구가 제한적이어서 제조사는 투석을 안하는 만성 신질환 환자에서 네비라핀, 델라비르딘, 에파비렌즈의 투여 용량에 대한 정보를 제공하지 못한다. 네비라핀은 매 투석 후 200 mg을 추가 투여하는 것이 권장된다. 릴피비린은 광범위하게 단백질 결합을 하기 때문에 혈액투석 및 복막투석을 통해 유의하게 제거될 가능성이 적다.

엔푸버타이드(enfuvirtide)는 새로운 계열의 항레트로바이러스제 (즉, 융합 억제제(fusion inhibitor)계열)에 속해있다. 이 약제는 모든 계열의 항레트로바이러스제에 저항성을 보여, 구제치료(salvage therapy)가 필요한 환자를 위해 남겨둔다. 또한 이 약제는 피하로 주사하고 고가의 비용 때문에 사용이 제한된다. 엔푸버타이드는 만성 신질환 환자에서 용량조절이 필요하지 않다.

마라비록(maraviroc)은 경증 및 중등도 만성 신질환 환자에서 용량조절이 불필요한 케모카인 공동수용체 길항제(chemokine coreceptor antagonist)이다. 그러나 강력한 시토크롬 P450-3A 억제제 또는 유도제를 동시에 투여하거나 환자의 크레아티닌 청소율이 < 30 mL/min인 경우에는 마라비록을 투여하지 말아야 한다. 이 약제는 혈액투석을 통해 소량 제거되지만, 말기 신부전 환자에서 기립성 저혈압이 발생하면 용량을 하루 2회 150 mg으로 줄여야 한다.

랄테그라빌과 엘비테그라비어(elvitegravir)/코비시스텟(cobicistat)은 모두 숙주세포에 바이러스 DNA 도입 시 사용되는 바이러스 효소인 인테그레이즈(integrase)를 억제함으로써 작용한다. 랄테그라빌은 경증부터 중증에 이르는 만성 신질환 환자에서 용량 조절이 필요하지 않은 반면, 엠트리시타빈/테노포비어와 병합 사용되는 엘비테그라비어와 코비시스텟은 크레아티닌 청소율이 < 70 mL/min인 경우 투여를 시작해서는 안되며 크레아티닌 청소율이 < 50 mL/min인 경우 투여를 중지한다.

항레트로바이러스제 투약시 약갯수 증가에 따른 부담을 줄이기 위해 현재 몇가지 고정용량 복합제를 사용할 수 있다. 여기에 속하는 약제로 에파비렌즈/엠트리시타빈/테노포비어(efavirenz/emtricitabine/tenofovir), 지도부딘/라미부딘(zidovudine/lamivudine), 릴피비린/엠트리시타빈/테노포비어(rilpivirine/emtricitabine/tenofovir), 아바카비어/라미부딘(abacavir/lamivudine), 지도부딘/라미부딘/아바카비어(zidovudine/lamivudine/abacavir), 엠트리시타빈/테노포비어(emtricitabine/tenofovir)가 있다. 혈액투석 환자에서 일반적인 약제 조절의 원칙은 각각의 성분 약제에 따라 용량을 따로 조절하는 것이다.

T. 항진균제

수십년간 진균감염의 표준적인 치료제로 사용된 암포테리신 B 디옥시콜레이트(amphotericin B deoxycholate, 전통적인 암포테리신 B)는 신독성 위험 때문에 제한적으로 사용된다. 미국 식품의약국은 암포테리신 B 디옥시콜레이트와 비교시 낮은 독성을 보이는 3개의 지질계 암포테레신 B 제형들(Amphotec, Abelcet, AmBisome)의 사용을 승인하였다. 잔여신기능이 남아있는 환자에서 암포테리신 B을 장기간 사용하는 경우 신독성 발생 위험을 고려해야 한다. 모든 제형의 암포테리신은 투석을 통해 잘 제거되지 않으며, 결과적으로 어떤 방법으로 투석을 시행하든 용량을 조절할 필요가 없다.

전신적으로 투여되는 아졸(azole) 계열의 항진균제는 두 군으로 나

넌다. 플루코나졸(fluconazole), 이트라코나졸(itraconazole), 보리코나졸(voriconazole), 포사코나졸(posaconazole)이 포함된 트리아졸(triazole) 계열과 케토코나졸(ketoconazole)이 포함된 이미다졸(imidazole) 계열이다. 향상된 효능과 안전성 측면에서 이미다졸은 대부분 트리아졸로 대체되었고, 미국 식품의약국은 진균 감염의 1차 치료제로 케토코나졸을 사용하지 말라고 권고하였다. 이러한 약제 처방 시 다양한 약물 상호작용, 특히 시토크롬 P450 계열의 효소를 통해 대사되는 약제가 환자 복용약에 포함되어 있는지 신중히 검토해야 한다.

포사코나졸은 가장 광범위하게 작용하고 다른 약제와의 상호 작용이 적다; 하지만 경구 현탁액제제는 고지방식에 대한 의존도 때문에 생체이용률이 불규칙하다. 이것은 지연방출형(delayed release) 정제로 투여할 수 있으며 이것은 금식 환자에서 사용된다. 2014년 4월부터 주사제 사용이 가능해졌는데 크레아티닌 청소율이 < 50 mL/min인 환자들에서는 사용이 권장되지 않는다. 이트라코나졸과 보리코나졸은 불규칙한 생체이용률을 보이는데, 이는 캡슐 대신 현탁액 제제의 사용으로 다소 호전되었다. 고지방식과 함께 보리코나졸을 투여하는 경우 생체이용률이 감소될 수 있고, 또한 생체이용률은 유전적 요인에 의해 변할 수 있다. 보리코나졸은 침습성 아스페르길루스증의 치료의 일차 치료제이다. 경구용 보리코나졸은 신기능 저하에 따른 용량 조절이 필요없으나, 주사제의 경우 사이클로덱스트린 기제류(vehicle cyclodextrin)의 축적 때문에 크레아티닌 청소율이 < 50 mL/min인 경우 투여할 수 없다. 미국 감염학회 가이드라인에서는 아스페르길루스증, 히스토플라스마증(histoplasmosis), 블라스토마이코시스(blastomycosis) 치료시 이트라코나졸을 사용하는 경우 약물 농도를 감시할 것을 권장한다. 또한 보리코나졸과 각각 포사코나졸을 사용하는 경우에도 약물 농도를 감시하는 것이 보편화되었는데, 권장되는 최저 혈중 농도는 보리코나졸의 경우 1~5.5 mg/dL 이고 포사코나졸은 ≥ 0.7 mg/L이다.

플루코나졸은 생체이용률이 높고 비록 몰드(mold)에 대한 작용은 없으나 이스트(yeast)에 대한 효능이 높다. 신기능이 저하된 경우 용량 조절이 필요한 아졸 계열의 항진균제는 플루코나졸 뿐이다; 플루코나졸은 신기능 저하 환자에서 용량을 반으로 줄여서 사용하거나 동일한 용량으로 투여 간격을 48시간으로 연장시켜 사용할 수 있다. 플루코나졸은 용량에 의존적이기 때문에 (예를 들면 더 높은 용량, 더 높은 혈중 농도의 경우 미생물의 최소억제농도를 선회할 것이다) 투약간격을 조절하는 두 번째 방법이 더 적절할 수 있다. 예측가능한 생체이용률을 알고 있기에 플루코나졸의 경우 대개 약물농도를 감시하지 않는다 (Andes, 2009).

카스포펀진(caspofungin), 미카펀진(micafungin), 아니둘라펀진(anidulafungin)은 모두 에키노칸딘(echinocandin) 계열에 속해있는 항진균제이다. 암포테리신 계열과 아졸 계열의 항진균제는 진균의 세포질막에 작용하는 반면, 에키노칸딘 계열의 항진균제는 진균의 세포

벽에 작용한다. 이 계열의 약제는 플루코나졸에 저항성이 있는 칸디
다 글라브라타(Candida glabrata)와 칸디다 크루세이(krusei)의 치료
에 효과적일 뿐 아니라 다른 항진균제와 관련하여 부작용이 더 적다는
장점이 있다. 에키노칸딘 계열의 약제 작용범위는 비슷하며 칸디다 식
도염과 침습성 아스페르길루스증의 치료에 대해 모두 미국 식품의약
국의 승인을 받았다. 또한 모든 약제는 주사제로 사용되며, 중등도 이
상의 간기능 저하가 동반된 경우에는 약제 감량이 필요하나 신기능 저
하에 대해서는 용량 조절이 필요없다. 아졸 계열과는 달리 에키노칸딘
계열의 약제는 시토크롬 P450 계열의 효소와 유의한 상호작용을 하
지 않기에 결과적으로 약물 상호작용이 거의 없다. 하지만 카스포펀
진, 미카펀진을 투여하는 경우 칼시뉴린 억제제의 혈중 농도를 감시하
는 것이 권장된다.

U. 투석 후 보충

혈액투석 후 보충은 표 35.3에 나열하였다. 이것은 유지 용량에 투석
후 추가 투여한다. 여기에 제시된 용량은 전통적으로 4시간동안 시행
하는 혈액투석 치료에 맞추어져 있다. 매우 짧게 혈액투석을 시행하는
경우 투석에 의해 제거되는 약물은 투석 후 보충이 불필요할 정도로
적을 수 있으며, 이 경우 투약 시점을 투석 후로 설정하는 것이 권장된
다. 일반적으로 복막투석 환자는 혈액투석 환자의 약물 용량에 맞추어
치료할 수 있다. 지속적 신대체요법 시행시 약물 용량은 최근 다른 곳
에서 검토되었다(Heintz, 2009).

References and Suggested Readings

Agarwal SK. Hemodialysis of patients with HCV infection: isolation has a definite role. *Nephron Clin Pract.* 2011;117:c328–c332.

Allon M. Dialysis-catheter related bacteremia: treatment and prophylaxis. *Am J Kidney Dis.* 2004;44:779–791.

Andes D, et al. Antifungal therapeutic drug monitoring: established and emerging indications. *Antimicrob Agents Chemother.* 2009;53:24.

Aoki FY, et al. AMMI Canada Guidelines, "The use of antiviral drugs for influenza: guidance for practitioners 2012/2013". *Can J Infect Dis Med Microbiol.* 2012;23: e79–e92.

Ballantine L. Tuberculosis screening in a dialysis program. *Nephrol Nurs J.* 2000;27: 489–499; quiz 500–501.

Bloom S, et al. Clinical and economic effects of mupirocin calcium on preventing Staphylococcus aureus infection in hemodialysis patients. *Am J Kidney Dis.* 1996;27:687–694.

Bruchfeld A, et al. Pegylated interferon and ribavirin treatment for hepatitis C in haemodialysis patients. *J Viral Hepat.* 2006;13:316–321.

Chapman SW, et al. Clinical practice guidelines for the management of blastomycosis: 2008 update by the Infectious Diseases Society of America. *Clin Infect Dis.* 2008;46:1801.

Conly JM, Grieves K, Peters B. A prospective, randomized study comparing transparent and dry gauze dressings for central venous catheters. *J Infect Dis.* 1989;159: 310–319.

Degos F, et al. The tolerance and efficacy of interferon-alpha in haemodialysis patients with HCV infection: a multicentre, prospective study. *Nephrol Dial Transplant.* 2001;16:1017–1023.

Deray G, et al. Pharmacokinetics of 3'-azide-3 deoxy-thymidine (AZT) in a patient undergoing hemodialysis. *Therapie.* 1989;44:405.

Dinits-Pensy M, et al. The use of vaccines in adult patients with renal disease. *Am J Kidney Dis.* 2005;46:997–1011.

Esforzado N, Campistol JM. Treatment of hepatitis C in dialysis patients. *Contrib Nephrol.* 2012;176:54–65.

Fabrizi F, et al. Intradermal vs intramuscular vaccine against hepatitis B infection in dialysis patients: a meta-analysis of randomized trials. *J Viral Hepat.* 2011;18:730–737.

Finelli L, et al. National surveillance of dialysis-associated diseases in the United States, 2002. *Semin Dial.* 2005;18:52–61.

Fiore AE, et al, Centers for Disease Control and Prevention (CDC). Antiviral agents for the treatment and chemoprophylaxis of influenza—recommendations of the Advisory Committee on Immunization Practices (ACIP). *MMWR Recomm Rep.* 2011;60:1.

Gentile I, et al. Interferon-free therapies for chronic hepatitis C: toward a hepatitis C virus-free world? *Expert Rev Anti Infect Ther.* 2014;12:763–773.

Gordon CE, et al. Interferon for hepatitis C virus in hemodialysis—an individual patient meat-analysis of factors associated with sustained virologic response. *Clin J Am Soc Nephrol.* 2009;4:1449–1458.

Grant J, et al. Interferon-gamma release assays are a better tuberculosis screening test for hemodialysis patients: a study and review of the literature. *Can J Infect Dis Med Microbiol.* 2012;23:114–116.

Heintz BH, Matzke GR, Dager WE. Antimicrobial dosing concepts and recommendations for critically ill adult patients receiving continuous renal replacement therapy or intermittent hemodialysis. *Pharmacotherapy.* 2009;29:562–577.

Jaber BL. Bacterial infections in hemodialysis patients: pathogenesis and prevention. *Kidney Int.* 2005;67:2508–2519.

Kallen AJ, Jernigan JA, Patel PR. Decolonization to prevent infections with Staphylococcus aureus in patients undergoing hemodialysis: a review of current evidence. *Semin Dial.* 2011;24:533–539.

Kubin CJ, et al. Incidence and predictors of acute kidney injury associated with intravenous polymyxin B therapy. *J Infect.* 2012;65:80–87.

Laskin OL. Clinical pharmacokinetics of acyclovir. Clin Pharmacokinet. 1983;8:187.

Lea AP, Bryson HM. Cidofovir. *Drugs.* 1996;52:225.

Li J, et al. Pharmacokinetics of colistin methanesulfonate and colistin in a critically ill patient receiving continuous venovenous hemodiafiltration. *Antimicrob Agents Chemother.* 2005;49:4814–4815.

Li, PK, et al. Peritoneal dialysis-related infections recommendations: 2010 update. *Perit Dial Int.* 2010;30:393–423.

Lok CE, Mokrzycki MH. Prevention and management of catheter-related infection in hemodialysis patients. *Kidney Int.* 2011;79:587–598.

Marr KA, et al. Catheter-related bacteremia and outcome of attempted catheter salvage in patients undergoing hemodialysis. *Ann Intern Med.* 1997;127: 275–280.

Masuko K, et al. Infection with hepatitis GB virus C in patients on maintenance hemodialysis. *N Engl J Med.* 1996;334:1485–1490.

Messing B, et al. Antibiotic-lock technique: a new approach to optimal therapy for catheter-related sepsis in home-parenteral nutrition patients. *J Parenter Enteral Nutr.* 1988;12:185–189.

Meyers CM, et al. Hepatitis C and renal disease: an update. *Am J Kidney Dis.* 2003;42:631–657.

Novak JE, Szczech LA. Management of HIV-infected patients with ESRD. *Adv Chronic Kidney Dis.* 2010;17:102–110.

Pai AB, Pai MP. Vancomycin dosing in high flux hemodialysis: a limited-sampling algorithm. *Am J Health Syst Pharm.* 2004;61:1812–1816.

Patel PR, et al. Epidemiology, surveillance, and prevention of hepatitis C virus infections in hemodialysis patients. *Am J Kidney Dis.* 2010;56:371–378.

Perazella MA. Drug-induced renal failure: update on new medications and unique mechanisms of nephrotoxicity. *Am J Med Sci.* 2003;325:349–362.

Perry CM, Faulds D. Valaciclovir: a review of its antiviral activity, pharmacokinetic properties and therapeutic efficacy in herpesvirus infections. *Drugs.* 1996;52:754.

Rubinstein E, et al. Telavancin versus vancomycin for hospital-acquired pneumonia due to gram-positive pathogens. *Clin Infect Dis.* 2011;52:31–40.

Rao CY, et al. Contaminated product water as the source of Phialemonium curvatum bloodstream infection among patients undergoing hemodialysis. *Infect Control Hosp Epidemiol.* 2009;30:840–847.

Salama NN, et al. Single-dose daptomycin pharmacokinetics in chronic haemodialysis patients. *Nephrol Dial Transplant.* 2010;25:1279–1284.

Segall L, Covic A. Diagnosis of tuberculosis in dialysis patients: current strategies. *Clin J Am Soc Nephrol.* 2010;5:1114–1122.

Stathoulopoulou F, et al. Clinical pharmacokinetics of oral acyclovir in patients on continuous ambulatory peritoneal dialysis. *Nephron.* 1996;74:337.

Tokars JI, et al. National surveillance of hemodialysis associated diseases in the United States, 2000. *Semin Dial.* 2002;15:162–171.

Tong NKC, et al. Immunogenicity and safety of an adjuvanted hepatitis B vaccine in pre-hemodialysis and hemodialysis patients. *Kidney Int.* 2005;68:2298–2303.

Trifillis AL, et al. Use of human renal proximal tubule cell cultures for studying foscarnet- induced nephrotoxicity in vitro. *Antimicrob Agents Chemother.* 1993;37:2496.

Trotman RL, et al. Antibiotic dosing in critically ill adult patients receiving continuous renal replacement therapy. *Clin Infect Dis.* 2005;41:1159–1166.

Van Geelen JA, et al. Immune response to hepatitis B vaccine in hemodialysis patients. *Nephron.* 1987;45:216.

Vera EM, et al. Urinalysis in the diagnosis of urinary tract infections in hemodialysis patients. *J Am Soc Nephrol.* 2002;21:639A.

Vidal L, et al. Systematic comparison of four sources of drug information regarding adjustment of dose for renal function. *Br J Med.* 2005;331:263.

Vistide prescribing information. Gilead Sciences, Inc., Foster City, CA, USA; 1996.

Walsh TJ, et al. Treatment of aspergillosis: clinical practice guidelines of the Infectious Diseases Society of America. *Clin Infect Dis.* 2008;46:327.

Wheat LJ, et al. Clinical practice guidelines for the management of patients with histoplasmosis: 2007 update by the Infectious Diseases Society of America. *Clin Infect Dis.* 2007;45:807.

Zampieron A, et al. European study on epidemiology and management of hepatitis C virus (HCV) infection in the haemodialysis population. Part 3: prevalence and incidence. *EDTNA ERCA J.* 2006;32:42–44.

36 뼈질환

최명진 역

투석 환자에서 미네랄-뼈 축(mineral bone axis)은 깨져 있다. 이것을 가능한 최적화하기 위해 일반적으로 인 결합제, 활성화된 비타민 D 유도체, 칼슘 수용체 작용 약물 등 다양한 약들을 사용한다. 다량의 인이 흡수되는 것을 제한하기 위해 종종 식이제한이 필요하기도 하다. 만성 신질환 환자의 미네랄-뼈 질환(mineral bone disorder, MBD)을 어떻게 관리할 것인지 파악하기 위해, 병태생리를 이해하는 것이 도움이 될 것이다.

I. 병태생리

만성 신질환 초기에는 미네랄-골대사 항상성을 유지하기 위해 일차적으로 세 가지 호르몬(Fibroblast growth factor-23 (FGF-23), 칼시트리올 (1,25D 또는 1,25 dihydroxycholecalciferol), 부갑상샘 호르몬(parathyroid hormone, PTH)이 관여한다. 이러한 호르몬들은 충분한 무기질을 장에서 흡수하고 신장으로 적절하게 배설하며 뼈에서 지속적으로 무기질 침착과 리모델링이 일어날 수 있도록, 무기질인 칼슘, 인 그리고 소량의 마그네슘과 상호작용을 한다.

신기능이 저하될수록 무기질 대사항상성과 정상적인 골전환(bone turnover)을 유지하는 능력이 점차 소실된다. 가장 먼저 직면하는 문제는 식이를 통해 섭취한 만큼 인의 배설을 유지하는 것이다. 정상적인 기능을 하는 네프론의 수가 줄어들면서 각각의 네프론을 통해 여과되는 인 부하가 증가하며 인의 배설을 증가시키기 위해 FGF-23 호르몬이 분비된다. FGF-23은 뼈세포에서 생성되어 클로토-FGF 수용체 복합체(klotho-FGF receptor complex)에 작용함으로써 신세뇨관 세포의 기능에 영향을 끼친다. FGF-23은 신세뇨관에서 소디움-인 공동수송체(sodium-phosphate cotransporter)의 발현과 활성화를 감소시킴으로써 인산뇨 (phosphaturia)를 촉진시킨다. 이러한 운반체들은 정상적으로 여과된 인을 재흡수하는 기능을 하는데, 이를 하향조절(down regulation)함으로써 단위 네프론 당 인배설을 증가시켜 인의 과부하를 제한한다.

미네랄-골대사 항상성과 관련된 두 번째 호르몬은 칼시트리올이다. 칼시트리올은 체내에서 3단계 과정을 거쳐 합성된다. 첫 번째 단계는 피부에서 일어나는데, 자외선에 노출되면 7-하이드록시콜레스테롤(7-hydroxycholesterol)이 콜레칼시페롤(cholecalciferol, 비타민 D_3)로 변환된다. 콜레칼시페롤은 비활성화된 스테로이드 호르몬 전구체로, 간에서 스테로이드 링의 25번기가 수산화된 후 약하게 활성화된다. '25-D'라고 불리는 이것은 세 번째 단계를 거쳐 완전히 활성화된다. 마지막 수산화 과정은 다양한 조직에서 발생할 수 있으나 1,25-D가 합성되는 가장 중요한 부위는 신세뇨관이며 수산화효소(1-α hydroxylase)에 의해서이다. 1,25-D는 칼시트리올이라고 불리며 무기질 균형과 관련된 다양한 기능을 한다. 그것은 장에서 칼슘과 인의 흡수를 증가시키고, 신장에서 칼슘의 재흡수를 증가시키며, 부갑상샘 호르몬 생성을 억제한다. 또한 칼시트리올은 뼈의 무기질 침착을 돕는다.

만성 신질환 초기부터 칼시트리올 농도는 감소되어 있는데, 이것은 두 가지 기전으로 설명된다: (1) FGF-23의 혈중 농도 증가는 신세뇨관에서 1-알파 수산화효소를 억제하여 25-D가 1,25-D로 변환하는 것을 차단한다. (2) 정상적인 기능을 하는 신장 용적의 감소로 25-D가 1,25-D로 변환되는 양이 줄어든다. 만성 신질환 초기에 칼시트리올 농도가 감소하는 것은 어느정도 보상적이라고 할 수 있는데, 왜냐하면 칼시트리올 합성 속도가 느려지면서 장에서 인의 흡수가 감소하게 되고, 이것은 숫자가 줄어든 네프론들의 인 배설 부담을 경감시키기 때문이다. 또한 칼시트리올 농도가 저하되면 장에서 칼슘 흡수가 감소되어 고인산혈증이 직접 저칼슘혈증을 유발한다고 할 수 있다. 이러한 이유로 다소 경한 저칼슘혈증은 중등도 및 진행된 만성 신질환에서 흔히 볼 수 있다.

무기질 균형과 관련된 세 번째 호르몬은 부갑상샘 호르몬이다. 이것은 84개의 아미노산으로 구성된 펩타이드 호르몬으로, 분자의 N-말단 부위에 존재하는 첫 2개의 아미노산을 필요로 하는 부갑상샘 호르몬 수용체와 일차적으로 결합한다. 부갑상샘 호르몬이 분비되는 주된 자극원은 저칼슘혈증으로, 이것은 부갑상샘의 칼슘 감지 수용체(calicum sensing receptor)에 작용한다. 이를 통해 부갑상샘 호르몬은 다양한 방법으로 혈청 칼슘 농도를 유지하고자 한다: (1) 부갑상샘 호르몬은 신장에서 인의 재흡수를 감소시켜 소변으로 인의 배설을 증가시킨다. 이를 통해 혈청 인의 농도가 감소하면서 결과적으로 감소된 혈청 칼슘 농도를 높이는 경향을 보인다; (2) 부갑상샘 호르몬은 신장의 1-알파 수산화효소의 작용을 자극시켜 칼시트리올 생성을 높이고 장에서 칼슘의 흡수를 늘리는 결과가 나타난다; (3) 부갑상샘 호르몬은 뼈의 전환속도를 증가시키고 뼈에서 칼슘이 빠져나오게 한다. 부갑상샘 호르몬과 FGF-23은 모두 신장에서 인의 배설을 증가시키는 쪽으로 작용하나 칼시트리올 생성에 관여하는 1-알파 수산화효소에 대해서는 반대로 작용한다. 되먹임 회로에 의해 칼시트리올이 부갑상샘의 수용체에 작용하면 부갑상샘 호르몬 분비가 억제된다. 칼시트리올과 다양한 비타민 D 유사체를 사용하면 이러한 되먹임 회로에 작용하여 부갑상샘 호르몬 분비를 억제하는데 이를 생리학적, 약리학적으로 활용해볼 수 있다. 끝으로 고인산혈증에 의해 부갑상샘 호르몬 분비가 촉진된다.

사구체 여과율이 감소하고 칼시트리올 농도가 감소하면 장에서 칼슘과 인의 흡수가 감소하여 결과적으로 무기질 대사항상성을 유지하는데 도움이 된다. 신기능 저하에 따라 FGF-23, 칼시트리올, 부갑상샘 호르몬 수치가 변하더라도 만성 신질환 4, 5기가 되기 전까지 칼슘과 인이 정상범위에서 유지된다. 하지만 낮은 칼시트리올 농도, 저칼슘혈증, 고인산혈증은 모두 부갑상샘 호르몬 분비를 자극하고 부갑상샘 기능항진증을 악화시킨다. 결국 말기 신부전으로 진행하여 투석을 시작하게 되면 이러한 항상성을 유지하는 시스템이 붕괴되면서 매우 높은 FGF-23과 부갑상샘 호르몬 농도, 일괄적으로 낮은 칼시트리올 농도, 고인산혈증, 정상보다 낮거나 정상범위 하한값에 해당하는 칼슘농도가 관찰된다.

이러한 호르몬의 변화는 뼈의 생리에 부정적인 영향을 끼친다. 투석 환자에서 흔히 관찰되는 고인산혈증은 부갑상샘 기능항진증과 뼈질환의 발생 원인이 되며, 병태생리학적으로 심혈관질환의 발생과 악화에 영향을 끼치게 된다. 뼈의 무기질 침착이 저하된 경우 고인산혈증은 악화 요인으로 작용할 수 있으며 혈관 및 다른 조직의 석회화를 가속화시킬 수 있다. 동물 연구에 따르면 고인산혈증과 다른 요인들에 의해 유발된 높은 FGF-23 농도는 좌심실 비대를 유발한다고 보고되었다.

II. 고인산혈증의 조절

혈청 인 농도의 정상범위는 2.7~4.6 mg/dL (0.9~1.5 mmol/L)이다. KDIGO 가이드라인에서는 인의 조절이 잘 될 수록 예후가 더 좋다는 관찰연구 결과를 바탕으로, 투석 환자에서 투석 전 인 농도를 정상 범위 내에서 유지할 것을 권고하였다. 또한 고인산혈증은 부갑상샘 기능항진증을 자극하고 혈관 석회화를 촉진시킨다는 내용의 동물실험 연구가 보고되었다. 실제 임상에서 대부분의 의사와 영양사들은 투석 전 인 농도를 3.0~5.5 mg/dL (1.0~1.8 mmol/L) 범위에서 유지하려고 노력하고 있다.

무뇨 환자에서 주 3회 투석을 통해 제거되는 인의 양은 식사를 통해 흡수된 양보다 적기 때문에 고인산혈증이 발생한다. 이러한 이유로 주 3회 투석을 시행하고 정상적인 식사를 하는 거의 대부분의 투석 환자는 인 흡수를 제한하기 위해 식사와 함께 일정 종류의 인 결합제를 투여하게 된다.

주 3회 투석을 시행하는 환자에서 저인산혈증이 발생하는 것은 흔하지 않으며, 채혈 시 오류(예를 들어 투석 시작시 투석기 유입부가 아니라 유출부에서 채혈) 또는 과도한 인 결합제 사용에 의한 것이 아니라면 대개는 급격한 식사 섭취량 감소에 의한 것이다. 인 결합제를 중지한 후에도 투석 전 저인산혈증이 지속되는 환자의 경우 대개 단백질 섭취량이 적기 때문에 식사를 통해 단백질과 인 섭취를 늘릴 수 있도록 권장해야 한다. 인 보충제(K Phos Neutral, 8 mmol (250 mg)의 인, 13 mmol의 소디움, 1.1 mmol의 칼륨, 하루 1알로 시작)는 혈청 인 농도가 3.0 mg/dL (1.0 mmol/L) 미만으로 유지될 때 사용을 고려한다.

A. 식이 제한

혈청 인 농도를 조절하는데 있어서 인 섭취를 하루 800~1,200 mg으로 제한하는 것이 가장 중요하다. 가공식품에 포함된 보존제와 화학조미료에 포함된 무기 인산염은 자연식품에 들어가 있는 인보다 흡수율이 높다(Gutekunst, 2011). 적절한 식이 습관을 세우고 이를 유지하기 위해서는 박식한 영양사가 지속적으로 환자를 교육시키는 것이 최고의 방법이다. 인 함량이 높은 식품은 표 36.1과 부록 B를 참고하시오(Moe, 2011; Gutekunst, 2011). 식품의 인 함량은 단백질 함량에 비례하나 식물성 단백질원보다 동물성 단백질원의 경우 인의 흡수율이 더 높다(Moe, 2011).

B. 투석을 통한 인 제거

일반적으로 혈액투석은 투석 전 혈청 인 농도에 관계없이 투석 1회당 약 800 mg의 인이 제거된다. 고효율 투석기나 표면적이 넓은 투석기를 사용하거나 혈액투석여과를 시행하면 인의 제거율을 어느 정도 높일 수 있다(Penne, 2010). 혈액투석을 통한 인 제거에서 가장 중요한 것은 주당 총 투석 시간이다. 투석 시작 후 1시간 뒤 혈청 인 농도는 낮은 수준에서 안정화되는 경향이 있다. 요소 농도는 투석이 진행될수록 지속적으로 감소하는 것과 차이가 있다. 투석 중 혈청 인 농도가 안정적으로 유지되면 인은 약간 중분자 물질처럼 움직이게 되며, 투석 시간이 길어지면서 인의 제거가 지속적으로 호전되어도 지속된다. 투석 시작 1시간 동안 인의 제거가 나머지 시간들보다 많다는 점을 고려한다면, 인의 제거라는 측면에서 투석 횟수를 늘림으로써 추가적인 이득을 기대할 수 있다. 평균적인 환자의 경우 인 결합제를 사용하지 않고 투석 전 인 농도를 4.5 mg/dL 미만으로 유지하려면 주당 24~28시간 투석이 필요하다. 주당 24~28시간 이상 장기간 야간투석을 자주 시행하는 경우 저인산혈증을 예방하기 위해 투석액에 인을 첨가하는 것이 필요하다.

하루에 4회 2 L씩 투석액을 교환하는 복막투석 환자의 경우 하루에 약 300 mg의 인이 배설된다. 이 경우에도 식사를 통해 흡수된 인보다 투석으로 배설되는 양이 훨씬 적기에 대부분의 경우 인 조절을 위해 인 결합제를 사용해야 한다.

TABLE 36.1   인 함량이 특히 높은 음식[a]

유제품(우유, 요거트, 치즈)
내장육과 가공된 육류
콩류/완두
견과류/씨앗
통밀빵, 겨, 곡류
다양한 탄산 음료(특히 콜라)

[a]Appendix B를 참고

C. 잔여신기능의 유지

잔여신기능은 체내에서 인을 제거하는데 큰 역할을 하고 있다. 소변량이 하루 500 mL 이상 유지되는 환자는 대개 인 결합제 필요량이 적으며, 무뇨 환자보다 혈청 인 농도가 더 낮다(Penne, 2011).

D. 인 결합제

인 결합제는 식이제한과 더불어 인 조절에 중요한 역할을 한다. 이 약들은 위장관에서 인과 결합하여 불용성 복합체를 형성하거나 결합 후 수지 (resin)가 되어 작용한다. 인 제한 식이와 함께 적절한 투석을 시행하더라도 약 90%의 투석 환자는 인 조절을 위해 경구 인 결합제의 사용이 필요하다. 최근 관찰연구 결과에 따르면 인 결합제의 사용은 단순히 인 수치를 낮추는 것 이외에도 생존 연장과 영양상태 호전과 밀접한 관련이 있다고 보고되었다(Lopes, 2012; Cannata-Andia, 2013).

표 36.2는 일반적으로 사용되는 인 결합제를 정리한 것이다. 인 결합제는 크게 칼슘을 포함하는 것(탄산 칼슘, 칼슘 아세테이트)과 포함하지 않는 것(세벨라머, 란타늄, 탄산 마그네슘, 수크로페릭 옥시수산화물, 구연산 철, 알루미늄 포함 화합물)으로 구분된다.

1. 인 결합제의 등가선량(Equivalent dose)

다양한 비교연구 결과를 토대로 다양한 인 결합제의 결합능을 탄산 칼슘(calcium carbonate)과 비교한 대략적인 등가선량이 보고되었다(Daugirdas, 2011). PBED (phosphorous binding equivalent dose)를 사용하면 여러 개 또는 다른 종류의 인 결합제를 사용하는 경우 투여량을 비교할 수 있다. 최소한의 잔여신기능이 남아있고 전형적인 미국 임상실상에 맞추어 투석을 받는 환자들의 경우 PBED 평균은 약 6 g이었다(Daugirdas, 2012). 이것은 이 환자들의 인 조절을 위해 하루에 6 g의 탄산 칼슘이 필요하다는 것을 의미한다(표 36.3). 체구가 작거나 잔여신기능이 상당부분 남아있다면 평균 PBED 요구량은 약 4~5 g으로 조금 감소한다. 또한 여성이 남성보다 낮은데, 이것은 여성이 육류와 같이 인이 풍부한 음식을 덜 먹는 경향이 있기 때문이다.

2. 인 결합제와 관련된 칼슘부하(Calcium load)

인 결합제로써 칼슘 아세테이트(calcium acetate)는 중량대비 효과를 비교했을 때 탄산 칼슘만큼 효과적이었다. 한편 탄산 칼슘의 경우 칼슘 원소는 중량의 40%를 차지하는 반면 칼슘 아세테이트는 중량의 25%를 차지한다는 점에서 차이가 있다. 체구가 비교적 체구가 큰 무뇨 환자에서 하루 6 g의 탄산 칼슘이 필요하다고 가정했을 때 하루동안 투여되는 칼슘 원소량은 0.4 × 0.6 = 2.4 g이다. KDOQI와 KDIGO 가이드라인에서 제시하는 최대 총 칼슘 섭취량을 훨씬 초과한다. 칼슘 아세테이트를 사용하는 경우 하루 동안 투여되는 칼슘 원소량은 0.25 × 0.6 = 1.5 g으로 칼슘 부하가 다소

TABLE 36.2 인 결합제

Product	Trade Names	Dose (mg) per Tablet	Elemental Calcium	Maximum Dose per Day	Comments
Calcium carbonate	(Generic, Multiple Names)	Multiple doses	40% elemental calcium	1.5 g of elemental calcium/d	인 결합제로써는 식사와 함께 복용. 칼슘 보충을 위해서는 빈속에 복용.
	TUMS	500 mg	200 mg/tab	As above (7 tablets)	
	TUMS EX	750 mg	300 mg/tab	As above (5 tablets)	
	TUMS Ultra	1,000 mg	400 mg/tab	As above (3 tablets)	
	TUMS 500	1,250 mg	500 mg/tab	As above (3 tablets)	
	Os-Cal 500	1,250 mg	500 mg/tab	As above (3 tablets)	
	Os-Cal+D	1,250 mg	500 mg/tab	As above (3 tablets)	200 IU of vitamin D/tab
	Caltrate	600 mg	240 mg/tab	As above (6 tablets)	
Calcium acetate	PhosLo	667 mg	169 mg of elemental calcium/tab	As above (9 tablets)	탄산 칼슘보다는 약간 비쌈. 의사 처방이 필요함
Magnesium carbonate with calcium carbonate	MagneBind	200: 200 mg MgCO₃ with 400 mg CaCO₃	160 mg/tab	혈청 마그네슘 농도와 설사에 의해 용량이 제한됨.	1개의 정제에 85 mg의 마그네슘 원소가 포함됨. 투석액 내 마그네슘 농도를 반드시 조정해야 함.
Magnesium carbonate with calcium carbonate	MagneBind	300: 300 mg MgCO₃ with 250 mg CaCO₃	100 mg/tab	혈청 마그네슘 농도와 설사에 의해 용량이 제한됨.	1개의 정제에 85 mg의 마그네슘 원소가 포함됨. 투석액 내 마그네슘 농도를 반드시 조정해야 함.

(계속)

TABLE 36.2 인 결합제(계속)				
Magnesium carbonate + calcium acetate	Osvaren	435 mg of MgCO₃ and 235 mg of Ca acetate	60 mg/tab	칼슘 부하를 줄임; 마그네슘이 항산화와 같은 특성을 가질 수 있음. 미국에서 사용 불가.
Lanthanum carbonate	Fosrenal	250-mg and 500-mg tablets	0	다른 약제보다 많이 비쌈. 반드시 씹어서 먹어야 함. 1,250 mg t.i.d. 고용량 투여와 관련된 장기 간 연구가 시행되지 않음.
Sevelamer carbonate	Renvela	400-mg and 800-mg tablets and powder	0	다른 약제보다 많이 비쌈. 일반인에서 14g/d까지 테스트 완료됨. 위장관 불내강과 같은 약제 부작용 때문에 용량이 제한될 수 있음.
Sucroferric oxyhydroxide (PA21)	Velphoro	500 mg	0	철을 포함한 경구제로부터 철 흡수를 최소화시키기 위해 고안됨 3 g/d
Ferric citrate (JTT-751)	Not yet assigned	210 mg ferric iron	0	1알의 정제[Ferric citrate 1g]에 210 mg의 철 원소가 포함됨. 철분 관련된 혈액 지표가 의미있게 증가하는 것과 연관됨. 2.5 g/d ferric iron

Magnesium carbonate + calcium acetate 의 경우 MgCO₃는 435 mg이며 Ca acetate는 235 mg이다. Magnesium carbonate + calcium acetate 로 표기된 Osvaren 의 60 mg/tab 값은 칼슘 함량 컬럼에 해당한다.

$MgCO_3$ 및 Ca acetate, Fe^{3+} 관련 내용 포함.

감소하며, 이 값은 KDIGO 가이드라인에서 권장하는 최대 총 칼슘 섭취량(식품과 인 결합제에 포함된 칼슘을 모두 합산)의 상한값이다. 이러한 이유로 칼슘이 포함된 인 결합제 투여 환자에서 추가적인 약제가 필요하다면 칼슘이 포함되지 않은 인 결합제를 사용한다.

또 다른 전략은 인 결합 목적으로 마그네슘/칼슘 결합제를 사용하는 것이다. 미국에서 마그네슘과 탄산 칼슘의 결합제인 MagneBind가 건강보조식품으로 판매되고 있으며 종종 인 결합제로 미국 식품의약국 승인없이 오프라벨(off-label)로 사용된다. 탄산 마그네슘과 칼슘 아세테이트로 구성된 마그네슘/칼슘 결합제(Osvaren)는 성공적인 임상시험 결과를 바탕으로 유럽에서 승인을 받았다(de Fransico, 2010). 표 36.3에 제시된 것처럼 Osvaren의 경우 하루 PBED가 6 g일 때 하루 칼슘 부하량은 0.5 g이다. 마그네슘을 포함한 인 결합제는 칼슘 섭취량을 제한할 뿐 아니라 다음과 같은 두 가지 잠재적 이점을 갖는다: (1) 마그네슘은 항석회화(anticalcification) 인자로, 아직 이에 대한 근거가 부족하긴 하나 투석 환자에서 혈관 석회화를 지연시킬 수도 있다(Spiegel, 2009); (2) 생리적 혈청 농도를 초과하여 마그네슘을 투여하는 것이 득이 되는지 아직 분명하지 않지만, 혈청 마그네슘 농도가 높았던 투석 환자에서 사망률이 감소하는 경향을 보였다. 마그네슘을 복용하는 투석 환자에서 마그네슘 과잉이 문제가 되지 않는지 잘 관찰하는 것이 필요하다.

인 결합제 사용시 칼슘 흡수와 관련된 문제를 종식시키기 위한 더 효과적인 전략은 칼슘을 포함하지 않는 새로운 인 결합제를 사용하는 것이다. 가이드라인에서는 혈관 석회화 발생에 취약하거나 혈관 석회화가 관찰되는 환자에서는 칼슘이 포함된 인 결합제의 사용을 피할 것을 권장하고 있다; 상당수의 투석 환자, 특히 당뇨병을 동반한 경우 복부 방사선 검사에서 혈관 석회화가 관찰되거나 심장 판막의 석회화를 동반하고 있기에 실제 이를 시행하기는 어렵다.

3. 식사량에 따른 용량 조절

인 결합제는 식사와 함께 섭취하면 더 효과적이며 이때 투여되는 인 결합제의 양은 각각의 식사에서 부하되는 인의 부하량과 일치한다(Schiller, 1989). 알약의 갯수를 줄이려면 약 크기가 커져서 삼키기 어렵기에, 일부 인 결합제는 여러 개의 알약을 섭취하게 된다. 이것은 일부 인 결합제를 씹을 수 있는 형태로 만들거나 분말 형태로 음식에 뿌릴 수 있도록 제공함으로써 부분적으로 해결하고 있다.

III. 선택적 인 결합제

A. 칼슘을 포함한 인 결합제

이 약제들은 효과적인 인 결합능과 저렴한 가격 때문에 흔히 고인산혈증의 일차 치료제로 사용된다. 또한 칼슘 보충이 필요할 때 유용하

TABLE 36.3 하루 6.0 g의 인 결합제 등가 용량(phosphorus binder equivalent dose, PBED)에 도달하기 위해 필요한 인 결합제 용량				
Phosphorus Binder	Unit dose size (mg)	Phosphate Binder Equivalent Dose of One Tablet to 1 g Ca Carbonate	Dose of Binder Needed to Reach a PBED of 6 g/d of 6 g/d	Approximate Number of Tablets to Reach PBED of 6 g/d	Gram of Calcium in a 6-g PBED dose
Calcium carbonate	750	0.75	6.0	8	2.4
Calcium acetate	667	0.67	6.0	9	1.5
Osvaren (Mg carbonate + Ca acetate)	435/235[a]	0.75	–	8	0.5
Lanthanum	500[b]	1.0	3.0	6	0
Sevelamer carbonate	800	0.60	8.0	10	0
Sucroferric Oxyhydroxide (Velphoro)	500	1.6	1.5	3.75	0
Ferric citrate	210	0.64	2.0	9	0

PA2의 등가 용량은 세벨라머와 비교한 1개의 무작위 대조 연구 (Floege, 2014)를 통해 얻었으며, 맡은 연구를 바탕으로 한 다른 약제에 비해 그 값이 정확하지 않을 수 있다. 구연산 철의 경우 세벨라머 및 같은 아세테이트와 비교한 1개의 무작위 대조 연구 (Lewis, 2014)를 통해 얻었다; Osvaren은 미국에서 사용 불가.

[a] 각각의 정제는 435 mg의 탄산 마그네슘과 235 mg의 칼슘 아세테이트를 포함한다.

[b] 정제는 란타늄 카보네이트가 아닌, 란타늄의 무게로 판매된다.

다. 그러나 일반적으로 복용약이 하루에 1.5 g의 칼슘 원소를 초과해서는 안된다는 KDIGO의 권고사항에 따라 제한된다. 또한 투석 중 칼슘 밸런스를 양으로 유지하기 위해 투석액의 칼슘 농도는 2.25~2.5 mEq/L (1.12~1.25 mM)로 제한한다. 칼슘과 활성 비타민 D 제제를 병용하는 경우 50% 이상의 환자에서 고칼슘혈증이 쉽게 발생하기에 주의깊게 추적 관찰해야 한다(Schaefer, 1992).

1. 탄산 칼슘

탄산 칼슘(칼슘 원소로써 40%)의 경우 용량 및 제형이 다양하게 존재하며, TUMS(칼슘 원소 200 mg), Caltrate(칼슘 원소 240 mg), OsCal 500(칼슘 원소 500 mg)와 같은 약제들도 여기에 포함된다. 초기 약제 투여는 1~2정을 매 식사와 함께 복용하는 것이 권고된다. 하지만 하루 1.5 g를 초과하여 칼슘 원소를 투여하면 과도한 칼슘 부하와 고칼슘혈증의 위험이 늘어난다. 실제로 최대 총 칼슘 섭취 권장량을 초과하지 않고 탄산 칼슘만으로 인을 조절하는 것은 불가능하다.

TUMS의 경우 씹을 수 있는 형태이나, 일반적으로 탄산 칼슘은 삼키는 형태로 사용된다. 탄산 칼슘은 산성 환경에서 최대로 해리되며 프로톤 펌프 억제제 등의 약물을 사용하는 경우 용해도가 저하될 수 있다. 이 약제는 쉽게 사용할 수 있고 비용이 저렴한 장점이 있다. 일반적인 부작용은 고칼슘혈증, 변비, 오심이다.

2. 칼슘 아세테이트

칼슘 아세테이트(PhosLo, 칼슘 원소로써 25%)는 667 mg(칼슘 원소 169 mg)의 정제로 사용 가능하며, 초기 약제 투여는 2정을 매 식사와 함께 복용하며, 인조절을 위해 하루 1.5 g이 넘지 않는 범위에서 2~3주 간격으로 증량할 수 있다. 중량 대비 효과를 비교했을 때 탄산 칼슘과 칼슘 아세테이트는 인 결합제로써 두 약제의 효율은 비슷하다. 하지만 두 약제 내에 포함된 칼슘 원소를 계산하면 칼슘 아세테이트를 사용하는 것이 칼슘 부하가 더 적다는 것을 알 수 있다. 그러나 하루 6 g의 PBED에 도달하기 위해 칼슘 아세테이트를 단독으로 사용하는 경우 하루 1.5 g의 칼슘 원소를 투여하게 된다. 정제는 삼켜서 복용하며 부작용으로 고칼슘혈증, 오심, 변비가 있다.

B. 세벨라머 탄산(Sevelamer carbonate, Renvela)

세벨라머 탄산(렌벨라)은 장에서 이온 교환과 수소 결합을 통해 인을 제거하는 비알루미늄, 비칼슘 기반의 인 결합제이다. 용량은 400 mg, 800 mg 두가지이며 정제 및 과립 형태로 사용할 수 있으며, 초기 약제 투여는 800~1,600 mg을 매 식사와 함께 복용하는 것이 권고된다. 인 조절을 위해 하루 최대 13 g까지 증량할 수 있으나 이것은 약제 갯수 및 경제적 부담을 초래할 수 있다. 다른 약제는 세벨라머 투여 1시간 전이나 투여 후 3시간에 주는 것이 좋다. 이 약제는 포함되어 있지 않아서 고칼슘혈증 발생 위험이 있거나 칼슘 투여가 한계가 도달한 환자들에게 유용하게 사용할 수 있다. 또한 세벨라머는 투석 환자에서 저밀도 지단백 콜레스테롤 감소를 매개로 완전히 설명되지 않는, 다형질 발현성(pleiotrophic)의 이로운 항염작용의 특징을 갖는다(Rastogi, 2013).

주된 약제 부작용은 오심, 설사, 소화불량, 변비다. 세벨라머 사용시 저칼슘혈증이 발생할 수 있는데 이 경우 칼슘을 보충하며 사용한다.

C. 탄산 란탄(Lanthanum carbonate, Fosrenol)

탄산 란탄(포스레놀)은 미국에서 2005년부터 사용되었다. 이 약은 3가의 양이온으로 인과 이온결합을 하는 비알루미늄계, 비칼슘계 인 결합제이다. 약제는 250-, 500-, 750- 1,000 mg의 용량으로 사용 가능하며, 가루로 부서지기에 정제를 씹어먹을 수 있다. 초기 약제 투여는 하루 3번 500 mg로 시작하고 필요에 따라 증량할 수 있으나, 하루 3회 1,250 mg를 초과해서는 안된다. 란타늄은 체내로 거의 흡수되지 않으며 아직까지 독성 축적 또는 뼈대사에 악영향을 준다는 보고는 없다(Hutchison, 2009). 이 약의 주된 부작용은 다른 인 결합제와 비슷하며 위장관 불쾌감과 관련이 있다. 크기가 큰 정제를 여러개 삼켜야 했던 환자에게 이 약제는 씹어서 복용하기에 편리할 수 있으나 치아가 좋지 않은 환자들에게는 부담이 될 수 있다. 란타늄과 탄산 칼슘의 효과를 비교하는 유럽의 대규모 다기관 전향적 무작위 대조 연구에 의하면, 인 조절 정도는 두 그룹이 비슷하였으나 탄산 란탄을 사용한 그룹에서 고칼슘혈증 발생이 유의하게 낮았으며, 특히 고칼슘혈증의 위험성이 있는 경우 유용했다고 보고하였다(Hutchison, 2005).

란타늄과 세벨라머 모두 다른 인 결합제보다 비싸다. 아직 탄산 란탄의 장기적 안정성에 대해 논란이 있으나 1, 3, 6년 간의 후속 보고를 통해 만족할만한 장기적 안정성을 보여주었다(Hutchison, 2009).

D. 마그네슘/칼슘 결합제

미국에서 종종 오프라벨로 처방되는 Magnebind(탄산 마그네슘과 탄산 칼슘)과 유럽에서 투석 환자에서 사용이 승인된 Osvaren(탄산 마그네슘과 칼슘 아세테이트)이 있다. 마그네슘 투여와 관련된 잠재적 이점과 소소한 위험성은 앞에서 언급하였다.

E. 수크로페릭 옥시수산화물(Sucroferric oxyhydroxide; PA21 또는 Velphoro)

PA21은 철을 베이스로 한 인 결합제로써 칼슘과 알루미늄을 포함하지 않는다. PA21은 혈액투석 환자를 대상으로 제3상 임상시험을 완료하고 2013년 미국에서 인 결합제로 승인을 받았다(Floege, 2014). 이약은 500 mg의 씹을 수 있는 정제로 제공된다. 시작 용량은 하루 1.5 g (식사와 함께 1일 3정)이며, 최대 권장량은 하루 3 g이다. 구연산 철과 달리 Velphoro는 최소한의 경구 철이 흡수된다.

F. 구연산 철(Ferric citrate)

구연산 철 역시 칼슘과 알루미늄을 포함하지 않고 철을 기반으로한 인 결합제이다. 이 약제는 일본에서 만성 신질환과 말기 신부전 환자에서 사용을 승인받았고(Yokoyama, 2014a, 2014b), 2014년에는 52주 동안의 제3상 임상시험 결과를 토대로 미국에서 사용을 승인받았다 (Lewis, 2014). 구연산 철은 210 mg의 철 이온과 1 g의 구연산 철을 포함된 정제로 제공되며 하루 최대 12정(2.5 g 철 이온/day)까지 사용할 수 있다. 구연산 철로 치료받은 환자들은 혈청 철 검사(TSAT, ferritin)가 유의하게 호전되었다. 또한 철분 주사 요구량(철 베이스가 아닌 인 결합제를 사용한 대조군과 비교시 50% 감소)과 적혈구 생성 자극제 투여량(대조군과 비교시 24% 감소)이 감소하였다. 약의 제형과 상대적인 인 결합능은 표 36.2와 표 36.3에 나와 있다. 구연산 철은 철 결핍과 고인산혈증에 대한 치료가 모두 필요한 경우 효과적으로 사용될 수 있다. 하지만 철분 과다가 문제가 되는 경우 이 약제는 최선의 선택이 아니다.

G. 탄산 알루미늄(Aluminum carbonate)와 수산화 알루미늄 (Aluminum hydroxide)

1980년대 중반 알루미늄 축적이 독성수준에 이르러 혈액, 신경, 뼈의 합병증을 야기하기 전까지 알루미늄을 기반으로 한 인 결합제는 고인산혈증에 대한 일차치료제로 사용되었다. 결론적으로 이 약제는 더 이상 만성적으로 사용되면 안된다. 간혹 심한 부갑상샘 기능항진증 또는 고칼슘혈증 환자에서 인 농도와 칼슘 × 인 화합물 값이 심하게 상승되어 있는 경우 단기간 사용이 필요할 수 있다. 개발도상국에서는 아직도 이 약제가 고인산혈증 치료에 중요한 역할을 한다(Mudge, 2011). 이 약제를 구연산염과 같이 섭취하는 경우(Shohl 용액, 구연산 칼슘, 과일 쥬스, Alka-Selzer 소화제) 알루미늄의 흡수를 크게 높여 알루미늄 신경독성이 유발될 수 있다.

H. 1개 이상의 인 결합제의 사용

다른 종류의 인 결합제를 병용하는 경우 장점과 비용대비 효과를 기대할 수 있다. 약제 처방은 환자에 따라 개별화되어야 한다. 환자의 약 선호도, 약제 부작용 허용범위, 경제적 사정을 모두 고려하여 결정한다. 칼슘과 마그네슘의 경우 하루 총 섭취량을 고려하여 약제를 선정한다. 칼슘을 포함하는 인 결합제와 포함하지 않은 인 결합제를 적절히 조합하여 과도한 칼슘 노출 위험을 줄이고 인 조절 및 칼슘 보충이라는 목표를 달성할 수 있다.

IV. 혈청 칼슘의 최적화

혈청 칼슘 농도의 정상 범위는 8.4~10.2 mg/dL (2.10~2.55 mmol/L)이고, KDIGO 가이드라인은 투석 전 혈청 칼슘을 이 범위 안에서 유지할 것을 권고하고 있다. 칼슘 설정값은 환자에 따라 큰 차이를 보일 수 있다 (부갑상샘 호르몬 분비가 최대 50%일 때 칼슘 농도).

혈청 칼슘은 이온화된 상태 및 단백질에 결합한 상태로 순환한다. 표준 실험실 검사로 보고된 총 칼슘 농도는 이 두가지 형태를 모두 반영한다. 단백질 결합의 대부분은 알부민이기에, 단백질과 결합한 칼슘은 알부민 농도에 비례한다. 일반적으로 알부민이 1.0 g/dL만큼 떨어지면 총 칼슘 은 0.8 mg/dL(알부민 1.0 g/L에 대해 총 칼슘 0.20 mmol/L)만큼 감소한 다. 결과적으로 저알부민혈증이 동반된 경우 다음 식을 이용하여 총 칼슘 을 보정할 수 있다.

보정된 칼슘(mg/dL) = 총 칼슘 +(0.8 × (4.0-알부민 [g/dL]))

보정된 칼슘(mmol/L) = 총 칼슘 + (0.20 × (40-알부민 [g/L]))

새로 투석을 시작한 대다수의 환자의 경우 보정된 칼슘과 이온화된 칼 슘 농도는 약간 낮거나 정상 범위의 하한에 해당하였다. 저알부민혈증을 동반한 경우 보정된 칼슘을 계산하여 실제로 칼슘이 정상 또는 증가, 감소 되었는지 알 수 있다. 하지만 보정된 칼슘은 어떤 알부민 검사가 사용되었 는지에 따라 결과가 달라지며, 그 값은 총 칼슘과 비교시 이온화된 칼슘값 을 예측하는데 더 정확하지 않다고 알려져 있다(Gauci, 2008). 따라서 투 석 환자에서 총 칼슘의 사용이 권장되며, 결과에 따라 치료가 변한다면 이 온화 칼슘을 측정한다. 이전 KDOQI 가이드라인과는 달리 KDIGO 가 이드라인은 통상적으로 알부민으로 보정한 칼슘값을 사용하는 것을 권장 하지 않는다.

A. 고칼슘혈증

고칼슘혈증의 원인은 칼슘을 포함한 인 결합제의 과도한 사용 또는 장 내 칼슘 흡수를 증가시키는 비타민 D 유사체 사용에 기인한다. 부갑 상샘 호르몬 값이 낮은 경우 혈청 칼슘은 최고로 높은 범위의 값을 나 타내는데, 이것은 무형성골증(아래 참고)과 뼈의 칼슘 완충 능력 부족 을 반영한다. 자율적인 부갑상샘 조직으로 구성된 거대한 덩어리를 동 반하는 부갑상샘 기능항진증의 경우 드물게 경구 칼슘제나 활성화된 비타민 D 사용없이 고칼슘혈증을 유발할 수 있다. 이것을 삼차성 부 갑상샘 기능항진증이라고 한다.

B. 저칼슘혈증

보정안한 상태에서 총 칼슘이 감소한 이유는 저알부민혈증 때문이다. 보정된 칼슘이 낮은 경우 비타민 D 결핍으로 인한 장내 칼슘 흡수 저 하, 심한 고인산혈증, 시나칼셋과 같은 칼슘 수용체 작용 약물이 원인 이 될 수 있다.

C. 투석액의 칼슘 농도

대부분의 만성 혈액투석 환자에서 투석액의 칼슘 농도는 대개 2.5 mEq/L (1.25 mM)가 되어야 한다. 이를 통해 칼슘 밸런스를 중성으로 유지할 수 있다. 만성적인 고칼슘혈증을 조절하거나 부갑상샘 호르몬 농도가 낮은 경우 이를 자극하기 위해 2.25 mEq/L (1.12 mM) 이하의 낮은 칼슘 농도의 투석액을 사용하게 되는 데, 이 때 주의가 필요하다. 하지만 낮은 칼슘 농도의 투석액을 사용하는 경우 부갑상샘 기능항진증이 악화되면서 뼈의 무기질소실(demineralization)이 발생할 수 있다. 또한 매우 낮은 칼슘 농도의 투석액 사용은 QTc 연장 및 돌연사의 위험성 증가와 관련이 있다(11장 참고).

대부분의 환자에서 복막투석액의 칼슘 농도는 2.5 mEq/L (1.25 mM)가 되어야 한다. 칼슘 농도가 3.5 mEq/L (1.7 mM)인 복막투석액 역시 사용 가능하나, 정당한 치료 사유가 되는 만성 저칼슘혈증 환자를 위해 처방을 보류한다. 고농도의 칼슘이 포함된 투석액을, 특히 칼슘이 포함된 인 결합제를 투여 중인 환자에서 사용한다면 칼슘 밸런스가 만성적으로 양으로 유지되고 결과적으로 부갑상샘 호르몬이 억제되면서 혈관 및 조직의 석회화가 유발될 수 있다.

V. 혈청 25-D (25-hydroxycholecalciferol) 농도의 최적화

25-D는 간에서 콜레칼시페롤로부터 합성되며 비타민 저장을 반영한다. 이것은 투석 환자에서 종종 감소되어 있다. 비타민 D 결핍의 발생률이 높은 이유는 태양광선 노출 감소, 인 조절 목적으로 비타민 D 강화된 유제품 제한, 혹인(락툴로오스 불내성 빈도가 높고 검은 피부색은 자외선 노출시 비타민 D 합성의 효율을 감소시킴)에서의 높은 유병률로 설명된다. 그러나 혹인의 경우 단백질과 결합된 비타민 D 농도가 낮기에 상대적으로 생체활성이 높은 비결합 호르몬의 비율이 증가한다. 따라서 혹인 환자는 일반적인 검사를 통해 제시된 비타민 D 부족의 빈도와 결핍을 나타내지 않을 수 있다.

비록 신장에서 수산화효소의 활성이 떨어져 있으나 다른 장기에 존재하는 수산화효소의 작용으로 자가분비 및 주변분비 활동을 통해 칼시트리올이 합성되기 때문에, 비타민 D 결핍에 대한 치료는 적절하다. 비록 치료를 하더라도 정상범위에 도달하지 못하지만, 내인성 칼시트리올의 농도를 높이는 것으로 밝혀졌다(Jen, 2010). 치료는 우선 비타민 D 부족분을 보충하고 충분한 저장상태를 유지하는 것이다. 비타민 D 저장 정도는 25-OH 비타민 D를 통해 평가한다. 25-OH 비타민 D 농도가 > 30 ng/mL (> 75 nmol/L) 인 경우 정상으로 판정되며 농도가 < 30 ng/mL (< 75 nmol/L)인 경우 에르고칼시페롤 혹은 콜레칼시페롤을 투여한다.

낮은 25-D 농도에 대한 치료는 미국과 다른 나라들 사이에 차이가 있다. 가장 합리적인 치료법은 25-D의 천연 유도체를 보충하는 것으로, 동물 원료에서 추출한 화합물인 콜레칼시페롤이 사용된다. 콜레칼시페롤은 미국에서 건강보조식품으로 널리 사용되나 의약품으로 미국 식품의약국의 승인을 받은 것은 아니다. 충분한 저장 상태를 유지하기 위한 콜레칼시페롤의 섭취 권장량이 정해지지 않았으나, 하루 800~2,000 IU를 투여하는 것은 충분하고 안전할 것으로 사료된다. 에르고칼시페롤은 미국에서 처방약으로 사용 가능하다. 이것은 식물 기반의 스테롤(sterol)로 콜레칼시페롤과 구조적인 차이가 있으나, 간에서 25번째 위치에서 수산화되고 1-α위치에서 탈수산화되어 칼시트리올에 유사한 작용을 하는 생물학적 활성 화합물을 만든다. 일반적으로 에르고칼시페롤은 비타민 D_2로 불리고 콜레칼시페롤은 비타민 D_3라고 불린다. 혈청 25-D에 대한 대부분(전부는 아님)의 검사는 25-D_2과 25-D_3 화합물을 모두 인지한다. 에르고칼시페롤은 짧게는 매일, 길게는 매주 또는 매월 투여할 수 있으며 비타민 D 부족 정도, 체구, 환자의 비만 정도에 비례하여 투여량을 결정한다. 일반적으로 25-OH 비타민 D가 15~29 ng/mL (37~72 mmol/L)일 때 6개월간 매월 50,000 IU를 처방하며, < 15 ng/mL (< 37 mmol/L)인 경우에는 2~3개월동안 매주 50,000 IU를 처방하고 이후 매월 50,000 IU를 처방한다. 이것은 지용성 비타민이기 때문에 일반적으로 비만 환자들에게는 더 많은 양을 투여하거나 장기간 보충이 필요할 수 있다.

VI. 만성 신질환 환자의 뼈질환

일반적으로 뼈는 조율된 뼈회전(turnover), 즉 뼈모세포는 새로운 뼈 바탕질 단백질(유골, osteoid)을 생산하고 무기질을 침착하며 동시에 뼈파괴세포의 활동을 통해 재흡수가 일어난다. 콩팥 뼈형성 장애(renal osteodystrophy)의 조직학적 분류는 엉덩뼈 생검을 통해 얻은 정적 및 동적조직학적 특성에 근거하여 시행된다. TMV 시스템, 즉 뼈 회전율(T), 무기질 침착(M), 부피(V)로 생검을 평가하는 방법이 콩팥 뼈질환을 분류하는 최고의 방법으로 제시되고 있다. 테트라사이클린과 데메클로사이클린의 형광 라벨은 무기질화에 따라 일련의 선으로 침착된다. 이러한 형광 라벨을 1~3일간 투여하고 2~3주 후 재투여하면 뼈형성 속도를 측정할 수 있다. 예를 들어 뼈 회전율이 높은 경우 두 라벨 사이의 거리가 늘어난다. 무기질 침착은 유골의 부피, 증가된 유골 성숙 시간, 증가된 무기질 침착 지연시간을 조사하여 평가한다. 뼈 생검은 한 부위에서만 시행되기 때문에 뼈 부피는 가장 큰 오류가 발생하기 쉽다. 알루미늄 침착은 생검 표본을 솔로크롬 아즈린산(acid solochrome azurine)으로 염색하여 평가할 수 있다.

A. 섬유뼈염(Osteitis fibrosa)

부갑상샘 호르몬이 지속적으로 상승되어 있는 경우 이러한 형태의 콩팥 뼈형성 장애가 발생한다. 이것은 특징적으로 뼈모세포 및 뼈파괴세포의 숫자와 활동성이 증가하면서 뼈의 형성과 재흡수가 가속화된다. 섬유뼈염의 중증도는 대체로 부갑상샘 호르몬의 상승 정도 및 지속 시간에 비례한다. 경한 섬유뼈염은 뼈 강도가 커지고 무기질 대사와 관련하여 변화가 적기 때문에, 아마도 무형성 뼈질환(아래 참고)보다 나을 수 있다. 심한 섬유뼈염의 경우 뼈는 빠르게 주저 앉으면서 적절히 무기질화되거나 구조화되지 못한다. 이 경우 무기질화되지 않은 뼈(유골)의 양이 증가한다. 아교질(collagen)의 정렬은 일반적인 층 모양으로 정렬되지 않고 불규칙한 형태를 띤다. 이러한 '무층뼈(woven bone)'는 수산화 인회석(hydroxyapatite) 대신 무결정질의 칼슘 인산(calcium phosphorus)으로 미네랄화될 수 있으며, 결과적으로 그 뼈는 더 골절되기 쉽다.

심한 섬유뼈염의 가장 두드러진 증상은 뼈와 관절의 불편감이다. 관절주변 칼슘 침착과 전이성 석회화는 급성 관절염 또는 통증과 경직으로 이어질 수 있다.

방사선 검사에서 이상소견은 경한 경우 대개 관찰되지 않지만 심한 부갑상샘 기능항진증의 경우 항상 관찰된다. 손의 방사선 검사는 부갑상샘 기능항진증에 의한 뼈의 변화를 가장 신뢰할 수 있게 보여준다. 가장 특징적 변화는 재흡수에 의한 복막하부위(subperiosteal area)의 뼈의 소실로, 특히 두 번째와 세 번째 손가락의 요골측 부위에서 잘 관찰된다. 손가락 마디뼈 말단부에서 터프트(tuft) 미란이 관찰되는데, 심하면 손가락 둔화(blunting)으로 진행될 수 있다. 이것은 이전부터 잘 알려진 섬유뼈염의 특징적인 소견이다. 또한 골격뼈의 어느 부위에서든 뼈의 재흡수 소견을 관찰할 수 있는데, 머리뼈에서 '소금-후추' 소견과 긴 뼈, 특히 넙다리뼈의 작은 대퇴돌기에서 이를 관찰할 수 있다.

정렬되지 않은 채 가속화된 뼈의 형성은 섬유뼈염과 관련되어 있으며, 방사선학적으로 뼈경화증의 형태로 나타난다. 방사선 의약품을 사용하여 뼈동위원소 검사를 시행하면 골격뼈에서 동위원소 섭취가 증가된 소견이 관찰된다. 동위원소의 뼈/연조직 섭취 비율은 증가되어 있을 것이다; 그러나 뼈동위원소 검사는 대개 섬유뼈염의 진단적 검사로 거의 포함되지 않는다.

B. 무력성 뼈질환(Adynamic bone)

무력성 뼈질환은 뼈모세포 및 뼈파괴세포의 숫자가 감소하고 테트라사이클린 라벨링으로 측정된 뼈의 형성 속도가 느리거나 없는 것을 특징으로 한다. 유골의 두께는 정상이거나 얇아지는데, 이것은 골연화증과 다른 특징이다. 이와 관련된 검사실 소견으로 부갑상샘 호르몬 농도가 100 pg/mL (11 pmol/L) 미만으로 감소하고 뼈 특이적 알칼리 인산 분해효소의 감소, 이온화된 혈청 칼슘 농도의 미세한 상승이 관찰된다. 척추 및 말초 골밀도는 정상 또는 감소하는 경향을 보인다.

무력성 뼈질환의 원인은 아직 밝혀지지 않았으나, 투석 환자에서 지속적으로 부갑상샘 호르몬 농도가 낮은 것이 중요한 병인이 된다. 위험인자로 고령, 여성, 당뇨병 환자, 코카시아 인종이 있다. 무력성 뼈질환은 부갑상샘 호르몬 농도가 낮은 복막투석 환자에서 더 흔하다. 칼슘 농도가 2.5 mEq/L (1.25 mM)인 투석액을 사용하는 경우 무력성 뼈질환의 유병률과 부갑상샘 호르몬의 과잉 억제를 낮출 수 있다. 알루미늄은 현재는 드문 무력성 뼈질환의 원인이다.

무력성 뼈질환의 경우 이전에는 무증상이고 치료가 필요하지 않다고 여겨졌으나 현재는 섬유뼈염보다 더 높은 골절률을 보인다고 알려져 있다. 또한 무력성 뼈질환은 고칼슘혈증(뼈의 혈청 칼슘을 완충하는 기능 손상에 기인)과 혈관 및 다른 연조직의 석회화와 관련되어 있다. 병이 진행되기 전까지 대개 비외상성 골절로 인한 통증과 같은 증상은 나타나지 않는다.

C. 골연화증(Osteomalacia)

골연화증은 무력성 뼈질환처럼 뼈회전이 느리지만, 무기질 침착이 일어나지 않는 유골이 다량 존재한다는 점에서 차이가 있다. 신부전이 없는 경우 비타민 D 결핍이 골연화증의 대표적인 원인이며, 이것은 낮은 골량과 빈번한 골절이 발생하는 투석 환자에서 반드시 고려해야 한다. 이 병변은 알루미늄 중독 환자에서 처음 보고되었으며, 뼈에 알루미늄이 축척되면 뼈의 무기질 침착을 저해하고 또한 부갑상샘 호르몬을 억제한다. 알루미늄이 독성이 알려진 뒤 현재 알루미늄은 장기간 투여하는 인 결합제로 거의 사용되지 않으며, 알루미늄은 적절하게 처리된 투석액에 거의 포함되지 않는다. 결과적으로 알루미늄에 의한 골연화증 발생률은 현저하게 감소하고 있다. 드물게 골연화증은 철의 과부하로 설명된다.

D. 복합 병변(Mixed lesions)

일부 환자에서는 뼈생검 결과 조직학적으로 섬유뼈염과 골연화증이 동시에 관찰된다. 이러한 환자들은 종종 부갑상샘 호르몬 농도가 증가되어 있으며 뼈형성 및 무기질 침착이 저하되어 있다. 이러한 병변은 과거 알루미늄 중독이 동반된 환자에서 종종 관찰되었다.

E. 골다공증

투석 시작 시점의 환자 나이가 점차 증가하고 있으며, 대부분 골밀도 검사를 통해 진단된 골다공증을 동반하고 있다. 일반적으로 골다공증은 비스포스포네이트, 선택적 또는 비선택적 에스트로겐, 부갑상샘 호르몬 농도가 지속적으로 낮은 경우 사용하는 테리파라타이드(포스테오, Forteo), 비타민 D로 치료한다. 혈액투석 환자를 대상으로 이러한 치료에 대한 효과와 안전성은 아직 밝혀지지 않았다. 골다공증을 동반한 투석 환자에서 이러한 약제 처방 시 각별한 주의가 필요하다.

VII. 부갑상샘 호르몬 농도

A. 부갑상샘 호르몬 측정법

부갑상샘 호르몬은 다양한 조직에 존재하는 PTH1 수용체를 통해 신호전달 체계를 활성화시키는 84개의 아미노산 펩타이드(PTH (1-

84))로 구성되어 있다. 펩타이드의 질소(N) 말단부는 결합 및 수용체 활성에 필수적이나 대부분의 탄소(C) 말단부는 그렇지 않다. 부갑상샘 호르몬의 잘린 조각은 신장에서 **빠르게** 제거되지만 신기능이 저하된 경우 축적된다. 질소 말단부가 소실되었기 때문에 대부분의 잘린 조각은 PTH1 수용체를 활성화시킬 수 없다. 그러나 부갑상샘 호르몬의 잘린 조각은 대개 1980년도에 도입된 단일 항체 방사면역측정법을 통해 감지된다.

두 개의 독립된 항체를 사용한 온전한 부갑상샘 호르몬(intact PTH) 분석법을 통해 '있는 그대로'의 부갑상샘 호르몬 분자를 확인할 수 있다. 이러한 측정법은 분자의 중간구역에서 반응하는 '포착(capture)' 항체와 생물학적으로 활성화된 질소 말단부 근처에 결합하는 '식별(detection)' 항체로 구성되어 있다. 이러한 측정법의 사용은 부갑상샘 호르몬 조각에 의한 간섭을 완전히 제거하지는 못했으나 현저하게 낮추었다. 초기에는 이와 같은 두 개의 항체가 부갑상샘 호르몬(1-84)에만 결합한다고 생각되었다. 그러나 부갑상샘 호르몬(7-84)을 포함하는 몇개의 불완전한 조각들 역시 측정에 포함되어, 측정 초기에는 투석 환자에서 측정된 부갑상샘 호르몬 값의 절반 정도를 차지했다.

현재 다양한 '온전한' 부갑상샘 호르몬 측정법이 상업적으로 이용 가능하며, 전체 부갑상샘 호르몬 측정에 있어서 불활성화된 조각이 끼치는 영향이 크게 변하고 있다. 결과적으로 측정법에 따라 투석 환자의 온전한 부갑상샘 호르몬의 검사 결과에 차이가 나며(Souberielle, 2006; Cavalier, 2012) 부갑상샘 호르몬 농도가 높을수록 검사간 불일치가 더욱 커진다. 이러한 분석간 차이는 모든 검사에서 특정한 부갑상샘 호르몬 농도의 목표를 적용할 수 없으며, 같은 환자에서 다른 방식으로 검사가 시행되면(예를 들어 병원 외래 검사와 인공신장실 센터 검사) 다른 해석으로 이어질 수 있음을 의미한다.

일부에서는 첫 번째 아미노산 또는 거기에 가장 가까운 부위에 결합하는 식별 항체를 사용하여 측정하는데, 이것을 바이오 액티브 부갑상샘 호르몬((bio-active PTH(biPTH), whole PTH)이라고 한다. 부갑상샘 호르몬(1-84)에만 독점적으로 결합하기 때문에, 이 검사로 측정된 값은 온전한 부갑상샘 호르몬 값의 약 55% 수준이다. 이론적으로 바이오 액티브 부갑상샘 호르몬 측정은 온전한 부갑상샘 호르몬 측정법보다 우수해야 하나, 이것은 실제 임상에서 입증되지 않았다. 대부분의 검사실에서 온전한 부갑상샘 호르몬 측정법을 사용하고 있으며, 2009 KDIGO 가이드라인에서도 이론적으로 더 정밀한 바이오 액티브 부갑상샘 호르몬(1-84) 측정법보다는 온전한 부갑상샘 호르몬 측정법을 지속적으로 사용할 것을 권고하였다.

B. 부갑상샘 호르몬의 목표 농도

투석 환자에서 부갑상샘 기능항진증의 치료 목표는 심한 **뼈**질환과 골절의 원인이 되고 조직의 석회화를 야기하는 심한 부갑상샘 기능항진증의 발생을 예방하는 데 있다. 또한 부갑상샘 기능항진증에 대한 내과적 치료를 통해 부갑상샘 절제술의 필요성을 감소시키는 데 있다.

치료 목표는 내과적 치료에 대한 위험성과 균형을 이루어야 한다. 부갑상샘 기능항진증에 대한 과도한 치료로 인해 무력성 뼈질환이 유발될 수 있으며, 이로 인해 고칼슘혈증과 혈관 석회화가 쉽게 발생한다.

2009년 KDIGO 가이드라인에서는 투석 환자의 부갑상샘 기능항진증 관리에 있어서 권고안을 제정할 수 있는 충분한 임상결과가 부족함을 인정하였다. 여기에서도 치료의 장점과 잠재적 위험 사이에 균형을 권고한다. 투석 환자에서 고칼슘혈증과 저칼슘혈증을 피하면서 시간에 따라 안정적인 부갑상샘 호르몬 농도, 일반적으로 정상 범위의 상한선의 2~9배 범위(대부분 검사에서 대략 150~600 pg/mL [16~64 pmol/L])를 유지할 것을 권고하였다. 이것은 이전 KDOQI 가이드라인에서 권고하던 범위, 즉 150~300 pg/mL [16~32 pmol/L]보다 폭이 넓어졌다. 좁은 범위의 KDOQI를 목표로 하는 경우 많은 환자에서 과도한 뼈전환과 고칼슘혈증이 발생하므로, KDIGO의 경우 더 넓은 목표 범위를 권고하였다.

무력성 뼈질환이 유발될 가능성이 높기에 투석 환자에서 부갑상샘 호르몬 농도를 150 pg/mL (16 pmol/L) 미만으로 유지해서는 안된다. 활성화된 비타민 D, 시나칼셋, 칼슘을 포함한 인 결합제의 과도한 사용 뿐 아니라 높은 칼슘 농도(예를 들어 > 3.0 mEq/L [1.5 mM])의 투석액을 사용하는 경우 부갑상샘 호르몬 농도가 지속적으로 낮아질 가능성이 높다.

임상의는 각각의 환자의 부갑상샘 호르몬 농도가 뼈질환과 항상 연관된 것은 아니라는 사실을 기억해야 한다. 목표보다 높은 부갑상샘 호르몬 농도를 보인 환자에서 무력성 뼈질환이 관찰되며 부갑상샘 호르몬 농도가 목표 범위 내에서 유지된 환자에서 섬유뼈염이 드물지 않고(대개 경한 중증도를 보이더라도), 골연화증은 비타민 D 결핍에 의한 것으로 부갑상샘 호르몬과 거의 관련이 없다. 반복 측정한 부갑상샘 호르몬 결과와 관련이 없는 임상적 사건(예를 들면 골절, 고칼슘혈증)에 대한 추가적인 평가가 필요하다.

C. 뼈 특이적 및 총 알칼리 인산 분해효소

KDIGO 가이드라인은 뼈 특이적 알칼리 인산 분해효소와 같이 높은 골전환에 대한 또다른 지표를 추적 관찰할 것을 권고한다. 실제 임상에서 검사를 시행하는데 비용이 많이 들기 때문에, 이것을 정기적으로 측정하는 센터는 드물다. 뼈 특이적 알칼리 인산 분해효소를 포함한 혈청 알칼리 인산 분해효소가 정상인 것은 무력성 뼈질환의 유무를 예측하지는 못하지만, 환자가 높은 골전환을 동반하지 않았다는 이차적인 지표로 사용될 수 있다.

총 알칼리 인산 분해효소는 투석 환자에서 빈번하게 상승되어 있는데, 대개 부갑상샘 기능항진증에 의한 섬유뼈염 때문에 뼈 특이적 알칼리 인산 분해효소가 상승하기 때문이다. 그러나 알칼리 인산 분해효소는 다른 조직, 특히 간, 창자와 콩팥에서 주로 생성된다. 상승된 알칼리 인산 분해효소의 기원이 의심스러울 때에는 뼈 특이적 알칼리 인산 분해효소를 측정해 볼 수 있다. 대안적으로 GGT (gamma glutamyl transferase) 상승 여부를 확인해 볼 수 있는데, 이것은 알칼리 인산 분해효소의 상승이 간질환에서 기인했을 가능성을 제시하며 간담도에 대한 평가를 시행해야하는 적응증이 된다. 만약 GGT가 정상이라면 부갑상샘 기능항진증에 의한 뼈질환이 알칼리 인산 분해효소 상승의 원인일 수 있으며, 보다 집중적인 치료 적응증이 된다. 투석 환자 중 심한 부갑상샘 기능항진증을 동반한 경우 대개 총 알칼리 인산 분해효소와 뼈 특이적 알칼리 인산 분해효소는 상승해 있으며 성공적인 치료시 호전된다. 임상에서 부갑상샘 호르몬 농도가 정상 상한가의 2~9배 범위에 존재하고 정상 범위의 알칼리 인산 분해효소를 보이는 경우 부갑상샘 기능항진증에 의한 뼈질환이 없거나 경미한 상태이며, 결과적으로 부갑상샘 호르몬 농도를 낮추는 현재 치료를 늘릴 필요가 없음을 시사한다.

D. 혈청 부갑상샘 호르몬 농도를 낮추거나 높이기 위한 방법

36장 도입부에서 언급한 것처럼 만성 신질환 환자에서 부갑상샘 기능항진증이 발생하는 이유는 1,25-D 농도 감소(1,25-D는 부갑상샘 호르몬 억제), 저칼슘혈증(저칼슘혈증은 부갑상샘을 자극하여 부갑상샘 호르몬 분비), 그리고 고인산혈증(인은 부갑상샘을 자극) 때문이다. 따라서 비타민 D 수용체를 자극하거나, 혈청 칼슘을 높이거나, 다른 방법을 사용하여 칼슘 수용체를 활성화하거나, 혈청 인을 낮추는 것은 모두 부갑상샘 호르몬 농도를 낮출 수 있을 것으로 예상한다. 혈청 칼슘 농도를 정상 범위의 상한선까지 증가시키는 것은 한때 인기가 있었으나 현재는 혈관 석회화의 유발 및 악화 가능성 때문에 더이상 권장되지 않는다.

만약 부갑상샘 호르몬 농도가 목표보다 낮다면 이를 억제하는 약물(비타민 D 수용체 활성제 또는 시나칼셋 같은)의 용량을 줄이거나 혈청 칼슘 농도를 약간 낮추는 것(예를 들어 투석액 칼슘 농도를 낮추거나 칼슘이 포함된 인 결합제 사용을 피하는 것)은 부갑상샘 호르몬 농도를 상승시킬 것으로 예상한다.

E. 비타민 D 수용체 활성제

활성 비타민 D(칼시트리올)과 비타민 D 수용체 효능제(표 36.4 참고)는 용량에 비례하여 부갑상샘 호르몬을 억제한다. 치료 전 부갑상샘 호르몬 농도가 높을수록 정상 범위까지 부갑상샘 호르몬 농도를 억제하는데 더 많은 약물이 필요하다. 대개 약물은 매 투석시 주사제로 투여하지만 주 2~3회 경구 투여도 가능하다. 이러한 약들은 장에서 인의 흡수를 증가시킬 수 있기 때문에 고인산혈증을 동반한 환자에서 신중하게 투여되어야 하며, 가능하면 고인산혈증이 어느 정도 조절된 뒤

Medication	**Trade Name**	**Route**	**Dosing Information**	**Comments**
Calcitriol	Rocaltrol	PO	**시작용량:** 매일 0.25 mcg 또는 주 3회 0.5 mcg **투약범위:** 매일 0.25-2 mcg 0.25 mcg, 0.5 mcg 제형 사용 가능	최소 월 1회 칼슘, 인 농도 추적 관찰해야 함.
	Calcijex	IV	0.02 mcg/kg (또는 1-2 mcg)를 주 3회 투여 2-4주 간격으로 0.5-1 mcg씩 용량 조절	
Doxercalciferol	Hectorol	PO	**시작용량:** 주 3회 2.5-5.0 mcg 8주 간격으로 2.5 mcg씩 용량 조절 2.5 mcg 제형 사용 가능	비타민 D 호르몬 의 전구물질로 간에 서 대사되어 활성화된 1,25(OH)$_2$Vitamin D$_2$가 됨.
	Hectorol	IV	**시작용량:** 주 3회 2.5-5.0 mcg 8주 간격으로 1-2 mcg씩 용량 조절	투석 환자에서 경구 투여 는 주사제 투여보다 고칼 슘혈증, 고인산혈증이 더 잘 발생함.
Paricalcitol	Zemplar	PO	**용량:** 매일 1-2 mcg 또는 주 3회 2-4 mcg 매일 투여하는 경우 1 mcg씩 용량 조절 또는 주 3회 투여하는 경우 2 mcg씩 용량 조절	위약에 비해 칼슘과 인의 미세한 변화를 유발함.
	Zemplar	IV	주 3회 0.04-0.1 mcg/kg 또는 iPTH/80에 해당하 는 용량(mcg)만큼 투여	한 주간 투여되는 용량을 계산하여 주 1회 투여할 수 있음.

TABLE 36.4 흔히 사용되는 비타민 D 유사체의 특성

투여한다. 많은 관찰 연구에 따르면 칼시트리올 또는 비타민 D 수용체 작용 약을 사용하는 경우 생존율 증가와 연관되어 있으나(Duranton, 2013), 무작위 대조 연구를 통해 아직 증명되지 않았다.

1. 칼시트리올(Calcitriol; Calcijex, Rocaltrol; 1,25(OH)₂D₃)

칼시트리올은 천연화합물의 합성형태로, 일반적으로 혈액투석 환자는 매 투석 시 1~2 mcg를 정주하고 복막투석 환자는 주 2~3회 경구로 투여한다. 대개 이 약은 활성화된 비타민 D 화합물 중 가장 저렴한 제제이다.

2. 파리칼시톨(Paricalcitol; Zemplar; 19-Nor-1,25(OH)₂D₂)

파리칼시톨은 비타민 D 유도체로, 동물 실험에서는 고칼슘혈증과 고인산혈증에 대한 작용이 적다고 보고되었다. 사람을 대상으로 한 연구에서 파리칼시톨이 칼시트리올보다 우위에 있다는 증거는 부족하다. 대규모 후향적 코호트 연구에 따르면 투석 환자에서 칼시트리올 투여와 비교하여 파리칼시톨을 투여한 경우 생존율이 향상되었다고 보고하였다(Teng, 2003). 투석 당 투여량(mcg)으로 표현되는 초기 용량은 치료 전 온전한 부갑상샘 호르몬 농도를 120으로 나누어 계산할 수 있다. 만성 신질환 또는 복막투석 환자에서도 경구 파리칼시톨 제제를 사용할 수 있다. 온전한 부갑상샘 호르몬 농도가 500 pg/mL (53 pmol/L) 이하인 경우 초기 용량으로 매일 1 mcg 또는 주 3회 2 mcg을 투여할 수 있다. iPTH 농도가 500 pg/mL (53 pmol/L)보다 높은 경우 초기 용량으로 매일 2 mcg 혹은 주 3회 4 mcg을 투여할 수 있다.

3. 독세르칼시페롤(Doxercalciferol; Hectorol; 1α(OH)D₂)

독세르칼시페롤은 간에서 대사되어 1,25(OH)₂D₂로 활성화되는 비타민 D의 전구호르몬이다. 초기 용량으로 매 투석시 2.5~5.0 mcg을 정맥주사 또는 경구로 투여한다.

부갑상샘 호르몬 조절 목적으로 활성화된 비타민 D 제제를 투여하는 경우 연이어 측정한 호르몬 농도를 바탕으로 용량을 조절하는데, 초기에는 월 1회 시행하고 이후에는 분기별로 재평가한다. 고칼슘혈증(> 10.2 mg/dL [2.55 mmol/L])이 발생한다면 투여량을 30~50% 감량 또는 고칼슘혈증이 호전될 때까지 약제를 중지했다가 이후 저용량으로 재투여한다.

F. 칼슘 수용체 작용 약물(Calcimimetics)

이 약제는 부갑상샘의 칼슘 수용체와 결합하여 주위의 이온화된 칼슘에 대한 감수성을 증가시킨다. 결과적으로 부갑상샘 호르몬을 억제하고 혈청 칼슘 농도의 현저한 감소와 혈청 인 농도의 미세한 감소를 유발한다. 활성화된 비타민 D 제제와는 달리 이 약제는 혈청 칼슘과 인 농도를 낮춘다. 시나칼셋(Senisipar)은 현재 사용가능한 유일한 칼슘 수용체 작용 약물로 30, 60, 90 mg 정제가 있다. 약 2/3의 환자에서 약제 투여 후 2~4시간에 60~80%의 부갑상샘 호르몬 억제를, 투여 후 24시간에 30~50%의 억제를 관찰할 수 있었다. 부갑상샘 호르몬 농도는 약제 투여 후 12~24 시간 내에 측정해야 한다. 시나칼셋의 초기 투여량은 부갑상샘 호르몬 농도에 상관없이 매일 30 mg이며, 혈청 칼슘 농도가 < 8.4 mg/dL (2.1 mmol/L) 일 때 투여하면 안된다. 보정된 칼슘이 > 7.8 mg/dL (1.95 mmol/L)로 유지되는 범위에서 매월 또는 분기별로 부갑상샘 호르몬 농도를 측정하여 30 mg씩 약제를 증량해야 하며 하루 최대 180 mg까지 사용할 수 있다. 혈청 칼슘 농도 저하는 부갑상샘 호르몬 억제를 동반하며 약 5%의 환자에서는 7.5 mg/dL (1.87 mmol/L) 미만의 저칼슘혈증이 발생한다. 증상을 동반하는 저칼슘혈증은 드물게 나타나며, 치료는 공복에 500~1,000 mg의 칼슘 원소를 보충하거나 활성화된 비타민 D 제제를 추가하거나, 칼슘 농도가 3.0 또는 3.5 mEq/L (1.5 또는 1.75 mM)인 투석액을 사용함으로써 조절할 수 있다. 시나칼셋의 다른 부작용으로 오심, 구토, 발진이 약 30% 이상의 환자에서 관찰된다.

시나칼셋과 위약을 비교한 대규모 연구 결과에 따르면, 시나칼셋을 사용한 경우 지속적인 부갑상샘 호르몬 조절(6개월째 부갑상샘 호르몬 중앙값 300 vs 700 pg/mL [32 vs 74 pmol/L])과 혈청 칼슘 농도 감소(칼슘 중앙값 9.1 vs 9.9 mg/dL [2.27 vs 2.47 pmol/L])가 관찰되었다. 하지만 이 약제는 심혈관질환의 발생이나 사망률을 낮추지 못했다(EVOLVE Trial Investigators, 2012).

VIII. 기타 치료

A. 비스포스포네이트

이 약물들은 골다공증 환자에서 골밀도를 증가시킬 수 있는 반면, 투석 환자에서 충분히 연구되거나 효과가 입증되지 않았다. 비스포스포네이트는 뼈파괴세포를 억제함으로써 뼈의 재흡수를 감소시킨다. 이러한 뼈회전 감소는 무력성 뼈질환을 야기하기 때문에 투석 환자에서 유해할 수 있다. 일반적으로 이 약은 투석 환자에게 사용되지 않는다.

B. 테리파라타이드(Teriparatide)

부갑상샘 호르몬(1-34)의 합성 형태로, 이 폴리펩티드를 매일 피하로 주사할 경우 골다공증 환자에서 골밀도의 현저한 증가를 야기한다. 투석 환자를 대상으로 아직 연구되지 않았으나, 무력성 뼈질환의 경우 대개 부갑상샘 호르몬 농도가 감소되어 있기에 이 약제가 치료에 도움이 될 수 있다. 뼈회전 감소를 보이는 질환에서 테리파라타이드의 역할을 입증하는 추가적인 연구가 필요하며, 테리파라타이드는 아직 이 환자군을 대상으로 미국 식품의약국의 사용 승인을 받지 못했다.

IX. 부갑상샘 절제술

부갑상샘 호르몬 농도를 조절하려는 적극적인 노력에도 불구하고, 심한 부갑상샘 기능항진증 환자에서 부갑상샘 절제술이 필요한 경우는 계속되고 있다. 젊은 나이, 여성, 비당뇨병 환자, 복막투석 환자, 장기간 투석을 시행받은 환자에서 부갑상샘 절제술 시행률이 높았다(Foley, 2005).

A. 적응증

부갑상샘 기능항진증을 호전시키기 위해 고용량의 활성화 비타민 D 주사와 칼슘 수용체 작용 약물을 투여하였으나 치료에 실패한다면, 이것은 제거가 필요한 크고 억제가 안되는 부갑상샘의 존재를 시사한다.

부갑상샘 절제술의 적응증은 표 36.5에 나열되어 있다. 난치성 섬유뼈염이나 고칼슘혈증의 치료를 위해 부갑상샘 절제술을 고려하는 경우 부갑상샘 호르몬 농도가 아주 높을 것으로 예상되며 수술 전 이것을 입증하는 것이 중요하다(예를 들어 부갑상샘 호르몬 > 1,000 pg/mL [106 pmol/L]). 부갑상샘 호르몬 농도가 낮다면 칼시트리올이나 활성 비타민 D 유도체를 사용하여 억제해야 한다. 또한 부갑상샘 호르몬 농도가 낮거나 뼈 특이적 알칼리 인산 분해효소 농도가 정상 범위에 있다면 부갑상샘 절제술의 필요성에 의문을 제기해야 한다. 뼈 생검에서 다수의 뼈파괴세포의 존재, 테트라사이클린 라벨링의 증가, 최소한의 알루미늄 염색과 같은 현저한 섬유뼈염의 소견을 관찰할 수 있다.

B. 상대적 금기증

최근 연구에 따르면 부갑상샘 절제술 이후 뼈의 무기질화된 표면에 알루미늄 축적이 현저하게 증가한다고 밝혀졌으며, 알루미늄 부하가 있었던 환자에서 부갑상샘 절제술이 시행되면 안된다는 것을 시사한다. 장기간 알루미늄에 노출된 과거력이 있는 경우, 상당한 알루미늄 축적을 배제하기 위해 부갑상샘 절제술 이전에 뼈 생검을 시행해야 한다.

C. 수술 방법

부갑상샘 절제술은 복잡한 시도이며, 이 과정을 경험한 외과의사의 노력이 필요하다. 부갑상샘은 일반적인 4개가 아니라 3, 5, 6개까지 비정상적으로 위치할 수 있다. 수술 전 10-MHz 초음파 또는 탈륨-테크네튬(thallium-technetium) 동위원소 검사로 부갑상샘의 위치를 확인

TABLE 36.5   부갑상샘 절제술의 적응증

1. 혈청 인 조절 및 칼시트리올 치료를 포함하는 내과적 치료를 충분히 시행했음에도 불구하고, 섬유뼈염(osteitis fibrosa)이 심하게 진행하고 증상을 동반할 때 (골격근 통증, 골절)
2. 부갑상샘 호르몬 농도가 매우 높으면서 아래 내용 중 한 가지 이상을 동반할 때
   - 다른 이유로 설명되지 않는 고칼슘혈증이 지속될 때
   - 심한 난치성 소양증
   - 혈청 인 농도를 조절하려는 노력에도 불구하고 심한 연조직 석회화가 지속될 때
   - 특발성 파종성 피부괴사(칼시필락시스)
   - 정상적 기능을 소실한 관절염, 관절주위염, 자발적 인대 파열

할 수 있으나, 이 과정은 대개 필요하지 않다.

최근까지 최적의 수술 방법은 부갑상샘 부분절제술이였다; 수술 방법은 (1) 3개의 부갑상샘을 완전 절제하고 4번째 부갑상샘을 75% 절제하는 방법과 (2) 부갑상샘 전체를 절제하고 일부 부갑상샘 조직을 아래팔(forearm) 또는 복장 위(presternal area) 피하조직에 자가이식하는 방법(Kinnaert, 2000)이 있다. 두 가지 수술법은 모두 영구적인 부갑상샘 기능저하증, 뼈질환의 재발(또는 미해결) 또는 고칼슘혈증의 위험을 포함하는 부작용을 수반한다. 재발과 회복 실패는 귀찮은 문제이다. 종종 그 원인이 잔여 또는 이식된 부갑상샘의 기능항진 때문인지, 수술 후 예상하지 못한 추가적인 부갑상샘의 존재 때문인지 알 수 없다.

D. 화학적 절제

심한 이차성 부갑상샘 기능항진증 환자에서 부갑상샘의 퇴화와 적절한 부갑상샘 호르몬 분비를 유발하기 위해 경피적으로 부갑상샘에 에탄올이나 칼시트리올을 주사하는 방법이 사용되었다. 이것은 초음파 또는 색 도플러 혈류지도를 통해 시행되며, 수술 위험성이 높은 환자나 전문가가 있는 기관에서 시행을 고려할 수 있다(Kakuta, 1999). 되돌이 후두신경의 마비 위험은 낮다고 보고된다.

E. 수술 후 저칼슘혈증

부갑상샘 절제술 후 수시간 내에, 특히 수술 첫 날에 심한 저칼슘혈증이 발생할 수 있다. 저칼슘혈증의 심한 정도는 섬유뼈염의 정도에 비례하며, 수술 전 알칼리 인산 분해효소 상승 정도와 뼈 조직소견으로 예측할 수 있다. 혈청 칼슘 농도를 적절하게 유지하기 위해 경구 칼슘(하루 2~4 g) 이외에 다량의 칼슘 주사(하루 0.5~5.0 g) 및 칼시트리올(하루 2~6 mcg)의 경구 또는 정주 투여가 필요할 수 있다(Dawborn, 1983). 일부에서는 고칼슘혈증 동반 환자일라도 수술 며칠 전부터 칼시트리올과 경구 칼슘의 투여를 시작할 것을 주장한다.

X. 요독성 석회화 세동맥병증(Calcific uremic arteriopathy)

이것은 과거 '칼시필락시스'라고 알려진, 투석 환자에게 주로 관찰되는 드문 질환이다. 초기 증상이나 징후로 피부의 그물울혈반(livedo reticularis)과 극도의 통증을 동반한 자색빛의 붉은색 결절이 나타나는데, 이것은 궤양성, 괴사성 병변으로 진행한다. 위험인자로 여성, 비만, 코카서스 인종이 포함된다. 요독에 노출되면 혈관 평활근 세포가 변형되고 오스테오폰틴(osteopontin)과 코어 바인딩 팩터 알파(core binding factor alpha)와 같은 무기질침착과 관련된 요소의 발현이 증가된다(Moe & Chen, 2003). 칼슘과 인 농도가 증가하고 무기질침착이 더 진행하면서 결국 동맥석회화, 폐색 및 조직의 허혈로 이어진다. 조기에 질병을 발견하기 위해 강한 의심을 하는 것이 필요하다. 이 때 감별해야 할 질환으로 혈관염, 쿠마딘에 의한 피부괴사, 한랭글로불린혈증, 피부 석회증, 지방층염이 있다. 뼈동위원소 검사를 시행하면 판(plaque)만 있는 초기 요독성 석회화 세동맥병증의 97%에서 칼슘 침착을 식별할 수 있다고 보고하였다(Fine & Zacharis, 2002). 피부생검을 통해 세동맥 중막층의 특징적인 석회화를 관찰할 수 있다.

일단 진단이 되면 칼슘 포함 제제와 비타민 D 유사체 사용을 중지하고, 칼슘을 포함하지 않는 인 결합제를 사용하여 적극적인 인 조절을 시행해야 한다. 부갑상샘 기능항진증이 요독성 석회화 세동맥병증의 필요 조건은 아니지만, 이 질환을 동반하면서 부갑상샘 호르몬 농도가 증가(> 500 pg/mL (53 pmol/L)된 경우 부갑상샘 절제술이 권고되며, 실제 부갑상샘 호르몬 농도는 낮거나 정상 범위가 될 것이다. Calcium-regulatory matrix gal-protein을 억제하는 쿠마딘은 투여 중지해야 한다. 티오황산나트륨(sodium thiosulfate)은 주 3회 25 g을 정주하여 사용하는데 26%에서 병변이 완전히 소실되고, 47%에서 임상경과가 호전된다고 보고되었다(Nigwekar, 2013). 작용 기전은 아직 밝혀지지 않았다(O'Neill & Hardcastle, 2012). 파미드로네이트(palmidronate)를 사용하여 요독성 석회화 세동맥병증을 치료했을 때 빠른 임상적 호전을 보였다고 한다(Monney, 2004). 궤양성 병변에서 상처 관리는 매우 중요하며, 죽은 조직의 수술적 제거 및 항생제 치료가 필요할 수 있다. 고압산소(Basile, 2002)과 저용량 조직 플라스미노겐 활성제(Sewell & Pittelkow, 2004)를 사용할 경우 상처 치료가 호전된다는 단일 연구 보고도 있다.

XI. 알루미늄 독성

비알루미늄계 인 결합제의 개발과 정수과정 개선으로 최근에는 알루미늄 독성을 거의 볼 수 없다. 알루미늄 화합물에 지속적으로 노출된 환자 중에서 당뇨병, 철결핍, 소아, 알루미늄 흡수를 높이는 구연산염에 노출된 경우 알루미늄 축적 발생 위험이 증가한다. 알루미늄 관련 뼈질환은 낮은 부갑상샘 호르몬 농도, 고칼슘혈증, 정상 범위의 알칼리 인산 분해효소 농도와 함께 광범위한 뼈의 통증과 골절이 나타난다.

혈청 알루미늄 농도가 60~200 mcg/L (2,160~7,200 nmol/L)인 경우, 알루미늄 독성과 관련된 증상이 있는 경우, 과거 알루미늄 노출력이 있는 경우에는 부갑상샘 절제술 시행 전 데페록사민(deferoxamine) 검사를 통해 알루미늄 독성을 확진해야 한다. 알루미늄 관련 뼈질환 유무는 낮은 부갑상샘 호르몬 농도와 함께 5 mg/kg의 데페록사민 투여 후 2일째 혈청 알루미늄 농도가 50 mcg/L (1,800 nmol/L)만큼 증가하는 것으로 예상할 수 있다. 확진은 뼈생검 및 알루미늄 침착에 대한 섬유주 염색(trabecular staining)을 통해서 이루어진다.

알루미늄 독성이 발생한 경우는 모두 알루미늄 노출을 확인하고 이를 중지해야 한다. 데페록사민은 2달 동안 주당 5 mg/kg의 용량으로 투여할 수 있다. 알루미늄 농도가 200 mcg/L (7,200 nmol/L)보다 높은 경우 알루미늄과 관련된 뇌증을 예방하기 위해 고효율 투석기를 사용하여 집중 혈액투석을 시행한다. 일단 알루미늄 농도가 200 mcg/L (7,200 nmol/L) 미만으로 감소하면 데페록사민 치료를 시작할 수 있다. 데페록사민 치료의 부작용은 내이독성, 망막병증, 치명적인 털곰팡이 감염, 뇌병증의 촉진이 있다. 더 자세한 내용은 핸드북 제 4판을 참고하시오(D'Haese and DeBore, 2007).

References and Suggested Readings

Armas LAG, et al. 25-hydroxyvitamin D response to cholecalciferol supplementation in hemodialysis. *Clin J Am Soc Nephrol*. 2012;7:1428–1434.

Basile C, et al. Hyperbaric oxygen therapy for calcific uremic arteriolopathy: a case series. *J Nephrol*. 2002;16:676–680.

Bleyer AJ, et al. A case control study of proximal calciphylaxis. *Am J Kidney Dis*. 1998;32:376–383.

Cannata-Andia JB, et al. Use of phosphate-binding agents is associated with a lower risk of mortality. *Kidney Int*. 2013;84:998–1008.

Cavalier E, et al. Interpretation of serum PTH concentrations with different kits in dialysis patients according to the KDIGO guidelines: importance of the reference (normal) values. *Nephrol Dial Transplant*. 2012;27:1950–1956.

Chertow GM, et al. Sevelamer attenuates the progression of coronary and aortic calcification in hemodialysis patients. *Kidney Int*. 2002;62:245–252.

Cicone JS, et al. Successful treatment of calciphylaxis with intravenous sodium thiosulfate. *Am J Kidney Dis*. 2004;43:1104–1108.

Clark OH, et al. Localization studies in patients with persistent or recurrent hyperparathyroidism. *Surgery*. 1985;98:1083–1094.

Coen G, et al. PTH 1-84 and PTH "7-84" in the noninvasive diagnosis of renal bone disease. *Am J Kidney Dis*. 2002;40:348–354.

Cunningham J, Zehnder D. New Vitamin D analogs and changing therapeutic paradigms. *Kidney Int*. 2011;79:702–707.

Daugirdas JT, et al; the Frequent Hemodialysis Network Trial Group. The phosphate binder equivalent dose. *Semin Dial*. 2011;24:41–49.

Daugirdas JT, et al; the FHN Trial Group. Effects of frequent hemodialysis on measures of CKD mineral and bone disorder. *J Am Soc Nephrol*. 2012;23:727–738.

Dawborn JK, et al. Parathyroidectomy in chronic renal failure. *Nephron*. 1983;33:100–105.

D'Haese PC, DeBroe ME. Aluminum, lanthanum, and strontium. In: Daugirdas JT, Ing TS, Blake P, eds. *Handbook of Dialysis*, 4th ed. Philadelphia, PA: Wolters Kluwer; 2007:714–726.

de Francisco ALM, et al. Evaluation of calcium acetate/magnesium carbonate as a phosphate binder compared with sevelamer hydrochloride in haemodialysis patients: a RCT (CALMAG study) assessing efficacy and tolerability. *Nephrol Dial Transplant*. 2010;25:3707–3717.

Delmez JA, Slatopolsky E. Hyperphosphatemia: its consequences and treatment in patients with chronic renal disease. *Am J Kidney Dis*. 1992;19:303–317.

D'Haese PC, et al. A Multicenter study on the effects of lanthanum carbonate (Fosrenol) and calcium carbonate on renal bone disease in dialysis patients. *Kidney Int*. 2003;63:S73–S78.

D'Haese PC, et al. Use of low-dose deferrioxamine test to diagnose and differentiate between patients with aluminum-related bone disease, increased risk for aluminum toxicity, or aluminum overload. *Nephrol Dial Transplant*. 1995;10: 1874–1884.

Duranton F, et al. Vitamin D treatment and mortality in chronic kidney disease: a systematic review and meta-analysis. *Am J Nephrol*. 2013;37:239–248.

EVOLVE Trial Investigators, et al. Effect of cinacalcet on cardiovascular disease in patients undergoing dialysis. *N Engl J Med*. 2012;367:2482-2494.

Fine A, Zacharias J. Calciphylaxis is usually non-ulcerating: risk factors, outcome and therapy. *Kidney Int*. 2002;61:2210–2217.

Floege J. When man turns to stone: extraosseous calcification in uremic patients. *Kidney Int*. 2004;65:2447–2462.

Floege J, et al. A phase III study of the efficacy and safety of a novel iron-based phosphate binder in dialysis patients. Kidney Int. 2014;86:638–647.

Foley RN, et al. The fall and rise of parathyroidectomy in U.S. hemodialysis patients, 1992 to 2002. *J Am Soc Nephrol.* 2005;16:210–218.

Gallieni M, et al; Italian Group for the Study of Intravenous Calcitriol. Low-dose intravenous calcitriol treatment of secondary hyperparathyroidism in hemodialysis patients. *Kidney Int.* 1992;42:1191–1198.

Gauci C, et al. and the NephroTest Study Group. Pitfalls of measuring total blood calcium in patients with CKD. *J Am Soc Nephrol.* 2008;19:1592–1598.

Goldsmith D, Ritz E, Covic A. Vascular calcification: a stiff challenge for the nephrologists. *Kidney Int.* 2004;66:1315–1333.

Goodman WG, et al. A calcimimetic agent lowers plasma parathyroid hormone levels in patients with secondary hyperparathyroidism. *Kidney Int.* 2000;58: 436–445.

Gutekunst L. Restricting protein and phosphorus: a dietitian's perspective. In: Daugirdas JT. *Handbook of Chronic Kidney Disease*. Philadelphia, PA; Wolters Kluwer; 2011:127–140.

Hutchison AJ, et al. Efficacy, tolerability, and safety of lanthanum carbonate in hyperphosphatemia: a 6-month, randomized, comparative trial versus calcium carbonate. *Nephron Clin Pract.* 2005;100:c8–c19.

Hutchison AJ. Lanthanum carbonate treatment, for up to 6 years, is not associated with adverse effects on the liver in patients with chronic kidney disease stage 5 receiving hemodialysis. *Clin Nephrol.* 2009;71:286–295.

Jen G, et al. Prevention of secondary hyperparathyroidism in hemodialysis patients: the key role of native vitamin D supplementation. *Hemodial Int.* 2010;14:486–491.

Kakuta T, et al. Prognosis of parathyroid function after successful percutaneous ethanol injection therapy guided by color Doppler flow mapping in chronic dialysis patients. *Am J Kidney Dis.* 1999;33:1091–1099.

Kinnaert P, et al. Long-term results of subcutaneous parathyroid grafts in uremic patients. *Arch Surg.* 2000;135:186–190.

Lewis JB, et al. Ferric citrate controls phosphorus and delivers iron in dialysis patients. *J Am Soc Nephrol.* 2014; in press.

Lomashvili KA, et al. Phosphate-induced vascular calcification: role of pyrophosphate and osteopontin. *J Am Soc Nephrol.* 2004;15:1392–1401.

London GM, et al. Arterial calcification and bone hisomorphometry in end-stage renal disease. *J Am Soc Nephrol.* 2004;15:1943–1951.

Lopes AA, et al. Phosphate binder use and mortality among hemodialysis patients in the Dialysis Outcomes and Practice Patterns Study (DOPPS): evaluation of possible confounding by nutritional status. *Am J Kidney Dis.* 2012;60:90–101.

Lopez-Hilker S, et al. Phosphorus restriction reverses hyperparathyroidism in uremia independent of changes in calcium and calcitriol. *Am J Physiol.* 1990;259:F432–F437.

Moe SM, Chen NX. Calciphylaxis and vascular calcification: a continuum of extraskeletal osteogenesis. *Pediat Nephrol.* 2003;18:969–975.

Moe SM, et al. Vegetarian compared with meat dietary protein source and phosphorus homeostasis in chronic kidney disease. *Clin J Am Soc Nephrol.* 2011;6:257–264.

Monney P, et al. Rapid improvement of calciphylaxis after intravenous pamidronate therapy in a patient with chronic renal failure. *Nephrol Dial Transplant.* 2004;19:2130–2132.

Mudge DW, et al. Does aluminium continue to have a role as a phosphate binder in contemporary practice? *BMC Nephrol.* 2011;12:20.

Nastou D, et al. Next-generation phosphate binders: focus on iron-based binders. *Drugs.* 2014;74:863–877.

Navarro JF, et al. Relationship between serum magnesium and parathyroid hormone levels in hemodialysis patients. *Am J Kidney Dis.* 1999;34:43–48.

Nigwekar SU, et al. Sodium thiosulfate therapy for calcific uremic arteriolopathy. *Clin J Am Soc Nephrol.* 2013;8:1162–1170.

O'Neill WC, Hardcastle KI. The chemistry of thiosulfate and vascular calcification. *Nephrol Dial Transplant.* 2012;27:521–526.

Penne EL, et al; for the CONTRAST investigators. Short-term effects of online hemodiafiltration on phosphate control: a result from the randomized Controlled Convective Transport Study. *Am J Kidney Dis.* 2010;55:77–87.

Penne EL, et al. Role of residual renal function in phosphate control and anemia management in chronic hemodialysis patients. *Clin J Am Soc Nephrol.* 2011;6: 281–289.

Rastogi A. Sevelamer revisited: pleiotropic effects on endothelial and cardiovascular risk factors in chronic kidney disease and end-stage renal disease. *Ther Adv Cardiovasc Dis.* 2013;7:322–342.

Schaefer K, et al. Reduced risk of hypercalcemia for hemodialysis patients by administering calcitriol at night. *Am J Kidney Dis.* 1992;19:460–464.

Schiller LR, et al. Effect of the time of administration of calcium acetate on phosphorus binding. *N Engl J Med.* 1989;320:1110–1113.

Sewell LD, Pittelkow MR. Low-dose tissue plasminogen activator for calciphylaxis. *Arch Dermatol.* 2004;140:1045–1048.

Souberbielle JC, et al. Inter-method variability in PTH measurement: implication for the care of CKD patients. *Kidney Int.* 2006;70:345–350.

Spiegel DM, Farmer B. Long-term effects of magnesium carbonate on coronary artery calcification and bone mineral density in hemodialysis patients: a pilot study. *Hemodial Int.* 2009;13:453–459.

Teng M, et al. Survival of patients undergoing hemodialysis with paricalcitol or calcitriol therapy. *New Engl J Med.* 2003;349:446–456.

Ubara Y, et al. Histomorphogenic features of bone in patients with primary and secondary hypoparathyroidism. *Kidney Int.* 2003;63:1809–1816.

Wüthrich RP, et al. Randomized clinical trial of the iron-based phosphate binder PA21 in hemodialysis patients. *Clin J Am Soc Nephrol.* 2013;8:280–289.

Yokoyama K, et al. A randomized trial of JTT-751 versus sevelamer hydrochloride in patients on hemodialysis. *Nephrol Dial Transplant.* 2014a;29:1053–1060.

Yokoyama K, et al. Ferric citrate hydrate for the treatment of hyperphosphatemia in nondialysis-dependent CKD. *Clin J Am Soc Nephrol.* 2014b;9:543-552.

Web References

Uremic bone disease links. http://www.hdcn.com/crf/bone and http://kdigo.org/home/mineral-bone-disorder/.

37 영아, 소아 환자의 투석

최명진 역

영아나 소아를 대상으로 투석치료를 선택할 때 선택의 폭은 넓으며, 성인과 동일하게 다양한 치료법을 적용할 수 있다. 비록 성인보다 연구가 덜 이루어졌지만 청소율, 역동학 모델과 투석 적절도는 이론적으로 소아의 투석에 동일하게 적용된다. 대상 환자의 체중이 최대 50배까지 차이가 날 수 있으므로 투석 시행시 기술적인 고려가 필요하다. 또한 소아에게만 문제가 될 수 있는 투석 적응증과 합병증이 있다. 마지막으로 투석을 시행 중인 소아에 대한 지속적 관리는 복잡하며, 완전한 재활이라는 목표를 달성하기 위해 성장과 인지발달, 연령에 맞는 영양섭취를 위한 개입, 대사 합병증, 심리사회적 적응 측면을 함께 고려해야 한다.

I. 급성 투석

A. 적응증

영아와 소아, 청소년에서 급성 신대체요법의 적응증은 성인과 유사하며 다음과 같다.

1. 소변량 감소를 동반한 급성 신손상 환자에서 적절한 영양 공급 및 의학적 지원을 위해 수분이나 전해질 제거가 필요한 경우
2. 용적 과부하로 울혈성 심부전, 폐부종, 중증의 고혈압이 발생했으나 이뇨제 또는 다른 보존적 치료에 반응하지 않는 경우; 위중한 상태에서 체중의 20%를 넘는 용적 과부하가 있는 것은 독립적인 적응증이 될 수 있다.
3. 심전도 이상을 동반한 고칼륨혈증
4. 소디움 과다 및 체액량 증가의 위험 때문에 중탄산염 나트륨으로으로 대사성 산증을 안전하게 교정할 수 없는 경우
5. 증상이 있는 요독성 뇌증, 특히 경련에 주의
6. 요독성 심장막염
7. 종양에 대한 항암치료 합병증으로 종양융해증후군 또는 중증의 고요산혈증이 발생한 경우
8. 조기에 신기능이 회복될 가능성이 적고 요독증 악화가 예상되는 상황에서 혈액 요소질소 농도가 상승하는 경우 투석을 고려해야 하는 혈액 요소질소 농도는 나이에 따라 다르다; 영아의 경우 혈

액 요소질소 35~50 mg/dL (12~18 mmol/L)만 되어도 위험할 수 있으나 청소년의 경우 150 mg/dL (54 mmol/L) 이상인 경우 투석을 시작해야 함.

9. 중증의 유기산혈증이나 고암모니아혈증을 동반한 선천성 대사 이상 질환

10. 음독. 이와 관련된 체외치료 권고사항은 20장에서 기술함.

B. 급성 투석 방법의 선택

1. 급성 복막투석

급성 복막투석은 영아나 어린 소아에게 흔히 시행되며 다양한 장점이 있다. 그것은 복잡한 장비나 기술 전문가가 필요없다. 혈관 접근로, 프라이밍, 항응고제 사용과 같은 문제를 피할 수 있고 혈역학적으로 불안정한 경우는 드물게 발생한다. 작은 소아의 경우 지속적인 복막투석을 통해 효율적인 청소율을 달성할 수 있다. 이것은 종종 심폐우회술(cardiopulmonary bypass)을 사용하여 심장 수술을 시행한 영아에서 수액 과다를 조절하기 위해 보조적으로 시행된다. 그러나 중증의 고암모니아혈증, 고인산혈증, 고칼륨혈증은 좀 더 빠른 교정이 필요하며, 이 경우 혈액투석이 더 적합할 수 있다(때로는 지속적 혈액[투석]여과를 함께 사용할 수 있다). 게다가 복막투석에서 한외여과를 통한 체액 제거는 종종 예측하기 힘들고 울혈성 심부전 또는 폐부종이 있는 경우 빠르게 제거되지 않을 수 있다. 투석액이 누출되거나 복막염이 발생하면 급성 복막투석을 시행하지 못할 수 있다.

급성 신손상 발생시 복막투석 시행에 대한 적절한 권고안은 없으나, 이화작용과 관련된 스트레스 보상을 위해 지속적인 교환을 통해 청소율을 최대한 증가시키는 것을 목표로 한다. 처음에는 매 시간 교환할 수 있다; 전체 투석 시간 중 용질 교환보다는 주입과 배액에 드는 시간이 더 많이 소요되더라도 좀 더 자주 교환할 수 있다. 자동 복막투석기계를 통해 이 과정을 쉽게 할 수 있으며, 간호 인력의 수고와 반복적인 도관 개방을 줄일 수 있다. 대부분의 자동 복막투석기계는 영아나 어린 소아에게 적합한 소량의 투석액 교환을 할 수 있다. 교환기(cyder)를 사용할 수 없거나 150 mL 미만의 주입량이 바람직하다고 판단되는 경우, 다른 안전한 방법으로 Dialy-Nateset (Utah Medical Product, Gesco)를 고려할 수 있다. 이것은 대용량의 투석액을 폐쇄회로(환자의 복막투석 도관과 연결된 buretol 기구(멸균눈금실린더와 저울과 연결된 배액관으로 구성)에 연결하게 되어있다. Buretrol 기구에 필요한 양의 투석액을 채우면 환자에게 주입한다; 저류가 끝나면 투석액을 배액하고 무게를 측정하는데, 도관을 열지 않은 상태에서 이 과정이 반복된다. 이를 통해 영아와 아주 어린 소아에서 적은 양의 투석액 교환이 가능하며 폐쇄회로를 통해 수동으로 연속적인 복막투석을 시행할 수 있다.

복막액 교환량은 영아의 경우 30~50 mL/kg, 소아의 경우 1,100 mL/m²를 목표로 하고 있으나, 도관 삽입 직후 복막염의 원인이 되는 누출을 피하기 위해 교환량을 반 이하로 줄여서 시작한다. 매시간 투석액을 교환하면 1.5% 농도의 포도당 투석액을 사용하더라도 한외여과가 과도하게 일어날 수 있으므로, 체액량이 감소하고 급성 신손상이 지속되는 것을 예방하기 위해 경구 또는 비경구로 수액을 보충하는 것이 필요하다.

2. 급성 혈액투석

급성 혈액투석은 빠른 용질제거가 필요한 경우 또는 호흡제한이나 복강내 문제(최근 복강수술, 횡경막 탈장, 배꼽내장탈장(omphalocele), 위벽파열(gastroschisis)을 포함)로 급성 복막투석의 금기가 되는 경우 시행한다.

영아나 작은 소아를 대상으로 하는 급성 혈액투석은 경험과 기술을 겸비한 전문가가 필요하며 적합한 크기의 투석기, 혈액라인, 혈액투석용 도관이 필요하다. 매우 작은 소아의 경우 혈액이나 알부민을 사용하여 프라이밍(priming)이 필요할 수 있다. 환아 체구가 작은 경우 암모니아와 같은 용질제거가 빠르고 효율적으로 이루어지지만, 삼투성 물질이 너무 빠르게 이동하면서 경련을 유발할 수 있기에 주의해야 한다(성인보다 소아에서 흔하다). 투석기는 소아부터 후기 청소년을 대상으로 다양한 크기가 구비되어 있다(표 37.1); 그러나 매우 작은 투석기의 선택은 한정되어 있다.

3. 지속적 신대체요법

지속적 신대체요법은 미숙아부터 후기 청소년에 이르는 소아 환자에서 사용할 수 있다. 생리학적 원리는 성인과 다르지 않다(15장 참고); 환자가 작기 때문에 청소율이 아주 높으며, 신장 기능의 많은 부분을 대체한다. 영아와 소아를 대상으로 시행한 신대체요법에 대해 전향적 데이터 레지스트리를 활용하게 될 전망으로, 이를 통해 임상적 차이와 예후 인자에 대한 정보를 알게 될 것이다(Ashkenazi, 2013). 소아에서 급성 신손상으로 지속적 신대체요법을 시행하는 경우 용적과다가 사망의 독립적 위험인자라는 사실을 인지하고, 이를 고려하여 한외여과를 조절하였다. 지속적 신대체요법은 성공적으로 체외막 산소공급(extracorporeal membrane oxygenation support, ECMO)과 결합하여 영아에게 적용하였으며, free-flow system보다 용적 조절을 더 잘 할 수 있었다. 특히 지속적 신대체요법은 혈액투석이나 복막투석보다 인 청소율이 더 높기에 버킷림프종이나 급성림프구성백혈병을 동반한 소아에게서 발생한 종양용해증후군의 치료에 자주 사용된다.

문제는 작은 혈관으로 적절한 혈류량을 가진 혈관 접근로를 유지하는 것이며 이것은 종종 제한점으로 작용한다(표 37.2). 동정맥 혈액여과(arteriovenous hemofiltration)에 대한 오래된 보고가 있

TABLE 37.1	**소아용으로 적합한 저용량 투석기의 특징**							

Dialyzer	Priming Volume (mL)	Surface Area (m^2)	Urea Clearance (Q_B 200 or as Specified)	B₁₂ Clearance (at Highest Tested QB)	K_0A	Membrane	Manufacturer
Polyflux 6H	52	0.6	50 Q_B = 5,097	90	465 Q_B = 200	Polyflux (polyarylethersulfone, polyvinylpyrrolidone, polyamide)	Gambro
			100,136 Q_B = 150,167 Q_B = 200				
CA50, CA70	35, 45	0.5, 0.7	128 (147 Q_B = 300), 153 (175 Q_B = 300)	27, 36	243, 333	Cellulose acetate	Baxter
F3, F4, F5	28, 42, 63	0.4, 0.7, 1.0	125, 155 (183 Q_B = 300), 170 (206 Q_B = 300)	20, 34, 47	231, 364, 472	Polysulfone	Fresenius
Filtryzer B3-0.8A	49	0.8	163	61	404	PMMA	Toray

PMMA, polymethylmethacrylate.

TABLE
37.2 소아 체외 신대체요법 시 사용하는 도관

Patient Size	Catheter Size	Access Location
Neonate	UVC-5.0 F	Umbilicus
	UAC-3.5, 5.0 F	Umbilicus
	or 5.0 F single lumen	Femoral vein(s)
	or 6.5, 7.0 F dual lumen	Femoral vein(s)
3-15 kg	6.5, 7.0 F dual lumen	Femoral/subclavian vein
16-30 kg	7.0, 9.0 F dual lumen	Femoral/internal jugular/sub-clavian
>30 kg	9.0, 11.5 F dual lumen	Femoral/internal jugular/sub-clavian

UVC, umbilical vein catheter; UAC, umbilical artery catheter; F, French gauge.

으나 대부분의 센터들은 펌프를 이용한 정정맥 혈액여과가 더 신뢰할 만하며 회로 개존율도 더 길게 유지했다고 보고하였다. 이 경우 급성 혈액투석에서와 같이 전체 회로용적을 고려해야 하며, 이것을 계산했을 때 환자 혈액량의 10%를 초과한다면 반드시 혈액 또는 알부민으로 프라이밍을 고려해야 한다. 혈액으로 프라이밍을 한 경우 전해질 농도와 pH가 정상 범위에서 많이 벗어나 있기 때문에, 치료를 시작하면 많은 영아들은 혈액학적으로 불안정해질 수 있다. 제로-밸런스(zero-balance) 한외여과시 혈액으로 프라이밍을 하는 경우 가능한 생리적 범위에 가깝게 전해질 농도를 유지함으로써 초기의 혈액학적 불안정을 피할 수 있다고 제시된다(Hackbarth, 2005). 영아의 경우 혈액회로의 냉각이 문제가 될 수 있다; 회로용적이 증가해도 혈액 온열장치를 연결하여 사용해볼 수 있다. 소아에 적합한 혈액여과기는 표 37.3에 나와있다. 보충액양 오류를 피하기 위해 용적조절펌프나 자동저울을 통해 한외여과를 조절하는 데 이는 체격이 작은 무뇨 환자에서 치료가 수일간 지속될 때 유용하다.

소아 환자에서 Gambro Prismaflex (Gambro Lundia AB, Lund, Sweden), Braun Diapact (B. Braun Meical, Bethlehem, PA), NxStage (NxStage Medical Inc., Lawrence, MA)가 사용되며, NxStage의 경우 체구가 작은 환자에서 적합한 혈류속도가 허용되지 않는다. 몇몇 연구에서 상태가 중한 영아와 소아 환자를 대상으로 지속적 신대체요법을 성공적으로 시행했다고 보고하였다. 영아와 어린 소아에서는 한외여과 속도를 보충액 없이 5~30 mL/hr로 낮게 하거나, 또는 보충액을 사용하여 100~600 mL/hr 속도로 시행할 수 있다. 큰 소아들은 성인과 유사한 정도의 한외여과 및 보충액 속도를 견딜 수 있다. 시중에서 시판되는 중탄산염 투석액 또는 보충액(PrismaSol, PrismaSATE, [Gambro Lundia AB, Lund,

	Priming Volume (mL)	Surface Area (m²)	Ultrafiltration Rate (mL/min, $Q_B = 100$)	Membrane	Manufacturer
Hemofilter					
Minifilter Plus	15	0.07	1–8	Polysulfone	Baxter
Renafloll HF 400, 700	28, 53	0.3, 0.7	20–35, 35–45	Polysulfone	Minntech
Prismaflex, M60, M100 set	93, 152	0.6, 0.9	38,44	AN69	Gambro
Prismaflex HF20	60	0.2		PAES	Gambro

TABLE 37.3 소아에게 적합한 혈액 필터와 세트

AN69, acrylonitrile and sodium methallyl sulfonate; PAES, polyarylethersulfone.

Sweden], Accusol, [Baxter Healthcare, Deerfield, IL], Pureflow (NxStage Medical, Inc., Lawrence, MA), Normocarb (Dialysis Solutions Inc., Whitby,ON), Hemosol BO [Gambro Lundia AB, Lund, Sweden])은 가장 안전하게 선택하여 사용할 수 있다. 병원 약제팀에서 용액을 자체 조제하는 경우 실수가 발생하더라도 잘 포착될 수 있으나 현재 표준화된 용액이 시판되어 사용 가능하기에 더이상 적절하지 않다. 헤파린과 구연산염(citrate)은 효과적인 항응고제로 사용된다. 회로의 혈류속도에 따라 구연산염의 투여 속도를 조절하는데, 영아나 작은 소아의 경우 구연산염이 다량 투여될 위험이 있으며 장기 투여시 구연산염이 축적되면 '구연산염 고정' 또는 칼슘 투여에도 이온화 칼슘 농도가 낮게 유지되는 결과를 초래될 수 있다. 일정 농도의 중탄산염 보충액과 구연산염 항응고제를 동시에 투여하는 경우 치료 수일 뒤 대사성 알칼리증이 발생할 수 있다. 증례 보고에 따르면 5 kg 미만의 영아는 헤파린을 항응고제로 더 자주 사용하였다. 영아에서 항응고제로 전신적 헤파린을 사용하는 경우 성인보다 고용량을 사용하게 되며 활성화된 응고시간(activated clotting times, ACTs)으로 감시하는 것이 권고된다. 항응고제를 투여하지 않으면 회로수명이 유의하게 짧다.

II. 만성 투석

A. 적응증

만성 신질환에 대한 적절한 치료 목표는 전형적인 투석 적응증을 피하는 것이다. 빈혈, 산증, 부갑상샘 기능항진증, 성장 지연은 종종 내과적으로 치료 가능하기에, 신장내과 의사들은 적절한 투석 시작시기를 결정하기 위해 요독증이라고 하는 애매한 투석 적응증에 익숙해져야 한다. 예를 들면 활동 감소(덜 격렬한 활동), 낮잠 재개, 식욕부진 (체중 증가 부재 예상), 학교 생활에서 주의력 결핍, 발육표준치 도달 실패가 있다. 투석을 시작하는 사구체 여과율에 대해 아직 합의된 내용은 없다. 증상을 동반한 요독증, 보존적으로 치료되지 않는 고칼륨혈증, 고인산혈증, 영양장애 또는 성장부전과 같은 대사성 장애가 있다. 만성투석은 대개 신이식을 준비하는 동안 과도기적 치료이다.

B. 만성 투석방법의 선택

1. 소아 환자에서 만성 복막투석은 종종 가장 적합한 치료가 될 수 있다.

복막을 통한 용질 교환은 성인보다 소아에서 더 효율적이다. 복막 면적은 체표면적과 관련이 있으며 어린 소아는 용질 교환 가능한 면적이 성인에 비해 상대적으로 넓기 때문에 복막투석이 효율적인 치료가 될 수 있다. 아주 어린 소아들은 복막평형검사에서 고이동군 또는 고평균 이동군에 해당하는 경우가 더 많은데, 이것은 복막 특성의 차이보다는 용질 이동이 일어나는 복막 면적이 크기 때문인 것으로 생각된다. 이것은 복막평형검사 시행시 투석액을 1,000 ~1,100 mL/m²으로 주입하면 교정될 수 있다. 청소년들의 복막평형검사 결과는 성인에 더 가까운 결과를 보여준다. 당의 재흡수가 촉진되면 투석액과 혈장 간 삼투평형에 비교적 빨리 도달하게 되고 장기간 저류할 경우 한외여과가 제한된다. 저류시간이 짧은 자동 복막투석은 어린 소아들을 고평균 이동 상태에 적응시키고 나이가 있는 소아들의 치료 순응도를 호전시킬 목적으로 가장 흔히 사용된다.

복막투석의 또다른 장점은 기술적으로 쉽고 혈관 접근로(영아 또는 어린 소아에서 확보하기 어려운)가 필요없다는 점이다. 혈압과 체액량은 혈액투석보다는 복막투석을 통해 더 잘 조절된다. 복막투석을 시행하는 경우 병원에서 보내는 시간을 줄이고, 더 많은 시간을 학교 생활이나 연령에 따른 여러 활동을 하는데 사용할 수 있다. 부모들은 종종 복막투석을 하면서 아이들의 치료를 더 잘하고 있다고 느낀다.

a. 복막투석의 제한점

과거 복부수술을 한 경우, 특히 소아 말기 신부전의 원인이 된 복합 비뇨생식기 기형에 대한 수술 후 복강 내 유착이 발생하여 종종 복막투석이 불가능할 수도 있다. 그러나 아무도 이를 예측할 수 없으며, 대개 복막투석을 시행하는 것이 타당하다. 한 때 뇌실복강션트(ventriculoperitoneal shunt)는 복막투석의 상대적 금기증으로 여겨졌으나 다기관연구 결과에 따르면 복막염이 발생하더라도 상행감염 없이 성공적으로 투석을 시행하였다고 한다(Dolan, 2013). 요관창냄술(ureteristomy), 신우창냄술(pyelostomy), 돌창자창냄술(loop ileostomy)을 시행한 경우 출구부위 감염과 복막염 발생 위험이 높긴하나 복막투석의 절대적 금기증은 아니다.

b. 복막투석 환자의 이식

복막투석은 감염의 증가라는 위험 없이 신이식 시행 전까지 유지할 수 있다. 복막투석용 도관은 생체 신이식(이식편의 즉각적인 기능 수행을 가정)을 시행할 경우 수술 시 제거하며, 사체 신이식을 시행할 경우 종종 남겨두었다가 이식신의 기능이 좋을 때 제거한다. 도관 제거가 늦어지면 투석액이 없는 복강 내에서 복막염이 발생할 수 있다.

c. 복막투석의 합병증

소아 복막투석의 합병증은 성인과 유사하다(28~29장 참고). 복막투석 시행시 소아 환자와 가족들에게 특수한 문제가 발생할 수 있다. 수개월에서 수년 동안 보호자가 대신 복막투석을 시행하면서 지치게되고 가족 구성원간에 불화가 발생할 수 있다. 특히 청소년기에는 투석에 대한 순응도 감소가 흔히 발생한다. 복막투석 도관의 존재는 신체상에 부정적인 영향을 끼칠 수 있다. 소아는 어른보다 복막염 빈도가 높아서 치료가 복잡해진다. 성인에서는 코에 상주하는 포도알균을 박멸함으로써 출구부위 감염을 감소시킬 수 있었으나, 소아에서는 효과가 없는 것으로 나타났다. 횡경막에 선천적 기형이 존재하면 흉막과 복강 사이에 연결통로가 생긴다. 이 질환의 일부 환자에서는 일정기간 투석을 중단한 뒤 자동 복막 투석으로 바꾸면 복막투석을 유지할 수 있다. 일부 소아에서 투석액을 통한 과도한 포도당 흡수로 비만이 생기기도 한다. 이것은 신체상이나 혈중 지질 농도에 나쁜 영향을 주고 심혈관질환의 발생 위험이 증가한다. 일부에서는 만성적인 저알부민혈증이 발생하는데, 특히 복막염이 반복적으로 발생한 경우 그러하다. 저알부민혈증이 장기간 지속되는 경우 성장 장애 또는 제지방체중(lean body mass)에 어떠한 영향을 미칠지 아직 밝혀지지 않았다.

C. 급성과 만성 복막투석 치료를 위한 기구들

1. 젖산을 포함한 투석액은 지속적 외래 복막투석과 자동 복막투석에 따라 작은 환아에게 적절한, 다양한 용량으로 사용할 수 있다. 목표로 하는 칼슘 밸런스와 사용하는 인 결합제의 종류와 용량에 따라 1.25 mM와 1.75 mM의 칼슘 농도의 투석액이 사용된다. 한외여과 필요에 따라 일반적인 포도당 농도액(1.5%, 2.5%, 4.25%)을 선택한다. 포도당 흡수가 증가된 작은 소아의 경우 한외여과를 유지하기 위해 주로 투석액 교환시간을 짧게하는 방법을 사용하나, 포도당 농도가 높은 투석액을 사용하기도 한다. 영아나 어린 소아의 경우 주로 관급식을 통해 아미노산을 보충하지만 아미노산이 포함된 복막투석액을 사용할 수도 있다. 아이코덱스트린(icodextrin)을 포함한 투석액은 복막의 포도당 노출 제한 목적으로 소아에서 장시간 저류하여 사용한다. 중성의 pH를 띠는 중탄산염 단독 또는 중탄산염과 젖산이 조합된 투석액은 소아에게 안전하다고 알려졌으며, 원래의 복막상태 보존이라는 잠재적 이득을 기대할 수 있다. 산염기상태 및 영양학적 측면에서 새로운 투석액의 장기적 효과는 아직 알려지지 않았으며, 소아 복막투석 환자의 만성적 치료라는 관점에서 그 역할을 밝혀야 한다.

2. 복막투석 도관은 대개 1~2개의 커프를 가지며, 성인에서 사용
되는 Tenckhoff(끝이 구부러진 것과 일자형으로 분류), swan-
neck, Toronto-Western을 포함하여 거의 모든 구성으로 신생아
및 소아 크기에 맞추어 사용 가능하다. 소아에서 가장 흔히 사용
되는 것은 끝은 구부러지고 일직선의 터널을 갖는 Tenckhoff 도
관이다. North Amerian Pediatric Renal Trials and Collabora-
tive Studies에 의하면 커프가 2개인 도관을 사용하고 출구가 다
리쪽을 향하는 경우 복막염의 빈도를 줄일 수 있다고 한다.

a. 도관 삽입

소아 환자에서 만성 복막투석 도관 삽입은 거의 대부분 전신마취 후 외과
적으로 시행한다. 수술 경험이 있다면, 복강경을 통한 도관 삽입을 선호
한다. 복강경을 통해 도관을 삽입하면 도관이 최적의 위치에 있는지 직접
볼 수 있으며, 절개 부위와 회복 시간을 최소화할 수 있다. 몇가지 기술적
부분이 중요할 것으로 보인다.

1. 투석액 누출을 막기 위해 복막으로 도관 주위를 쌈지봉합법(pursestring
   suture)으로 봉하게 되며, 이것은 커프를 고정시키는 효과도 있다. 출구부
   위는 다리를 향하도록 하여 출구부위 감염을 줄이고 배액을 좋게 한다(그림
   37.1 참고).

2. 투석액 누출과 전위(displacement) 예방을 위해 두 번째 쌈지봉합법을 시
   행하여 뒤쪽 배곧은 근집(posterior rectus sheath)의 구멍을 닫고 뒤쪽
   배곧은 근집을 커프의 위쪽 부분에 고정시킨다(이것은 그림 37.1에 나와있
   지 않음).

3. 폐색을 막기 위해 부분적인 그물막절제술(omentectomy)을 시행한다.

4. 수술 중에 탈장 결함, 특히 고환 집막(tunica vaginalis) 개존이 있는지 살
   피고 교정한다.

5. 복막액이 자유롭게 유입, 누출되는지 확인하기 위해 수술 중 도관 기능검
   사를 시행한다.

상처 치유를 위해 2주 동안 도관을 사용하지 않고 관찰한다. 급성 복막투
석 또는 만성 신질환의 예상치 못한 임상적 악화가 발생하면 즉시 도관을
사용하게 되는데, 이 경우 조기에 투석액이 누출될 수 있다. 누운 상태에
서 투석액을 소량 교환하고 자동 복막투석을 시행하는 것은 투석액 누출
을 예방하는 데 도움이 된다.

b. 급성 임시도관을 삽입하는 경우 성인과 유사하게(23장 참고) 복강을 미
리 투석액으로 채운 후 시행한다. 이전에 사용된 임시도관은 만성 복막
투석 도관보다 딱딱해서 장이 손상될 수 있었다. 더 새롭고 유연한 급성
복막투석 도관이 개발되었고, 일부는 사용 시 낮은 투석액 누출과 감염률
을 보여주었다. 그러나 대부분의 병원은 급성 복막투석을 시행하더라도
만성 복막투석 도관을 수술로 삽입하며, 상태가 불안정한 환자는 중환자
실 침상 옆에서 도관을 삽입한다.

3. 교환기(cycler)는 소아 환자에서 복막투석을 용이하게 하는데, 모

든 기계는 심지어 영아에게 사용되는 소량의 투석액 교환도 충분히 시행 가능하다. 소아의 교환기 튜브는 일부 모델에서 사용 가능하다. 튜브 내 사강(dead space)으로 투석 효율이 감소되는 것을 줄일 수 있으며, 특히 200 mL 미만의 아주 적은 저류량을 교환할 때 중요하다.

D. 만성 복막투석 처방

1. 지속적 외래 복막투석

소아 환자에서 지속적 외래 복막투석 시행 방법은 성인과 유사하다. 주입량은 환자가 편안해하는 정도에 따라 달라진다. 복강 내 압력 측정이 필요할 수 있으나 출구부위가 치유되면 대부분 소아들은 불편감 또는 투석액 누출없이 체중 당 40~50 mL 또는 800~1,100 mL/m^2까지 잘 견딜 수 있다. 포도당 농도는 한외여과 필요량(수액 섭취량에서 소변량과 불감상실(insensible loss)을 뺀 값)에 따라 결정된다.

　a. 소아에서 지속적 외래 복막투석의 역동학적 모형화는 Kt/V-urea와 크레아티닌 청소율을 이용한다. 그러나 아직 적정한 청소율은 결정되지 않았다. NFK/KDOQI (2006 update) 가이드라인은 지속적 외래 복막투석을 시행 중인 소아의 경우 weekly Kt/V-urea 1.8을 권고하였다. 잔여신기능이 남아있는 경우 이를 정기적으로 측정해야 한다. 배액된 투석액과 소변량을 모아서 목표 청소율에 도달했는지, 신기능이 소실되면서 투석 적정성이 악화되는지 확인하기 위해서이다. 소변을 모을 수 없는 환자는 투석량 부족을 피하기 위해 잔여신기능이 없다고 가정한다. 다수의 환자들은 하루 4번 투석으로 만족할 만한 청소율과 한외여과에 도달할 수 있으나 일부에서는 더 많은 투석이 필요하다. 투석이 점점 부담이 되고 가족 생활에 지장을 주게 되면 투석처방을 제대로 이행하지 않고 투석액 교환을 놓치게 될 위험이 있다.

2. 자동 복막투석

용질 청소율이나 복막염의 위험성을 고려했을 때 자동 복막투석은 소아에게 적당한 복막투석 방법이다. 자동 복막투석은 낮에 복강을 비워놓고 밤에만 시행하는 방법(야간 간헐적 복막투석; nightly intermittent peritoneal dialysis, NIPD)와 낮시간에도 투석액을 저류하는 방법(지속성 교환기 복막투석; continuous cycling peritoneal dialysis, CCPD)이 있으며, 추가적으로 용질 및 수분제거가 필요하다면 낮에 1회 이상 투석액 교환을 실시할 수 있다. 낮시간에 투석액을 저류하는 방법은 잔여신기능이 없는 환자에서 중분자 물질의 제거를 향상시키기 위해 권고된다. 야간 간헐적 복막투석은 영양소 섭취를 호전시키고 탈장 발생 위험성을 감소시킬 수 있으나 복막평형검사에서 고이동군 또는 고평균 이동군에 해당하는 환자만 적합하다. 지속성 교환기 복막투석을 시행하면 낮시간 투석 시행으로 밤시간 투석 시간을 줄일 수 있으며 저이동군 또는 저평균 이동군에 해당하는 환자에서 청소율을 호전시킬 수 있다. 그러나

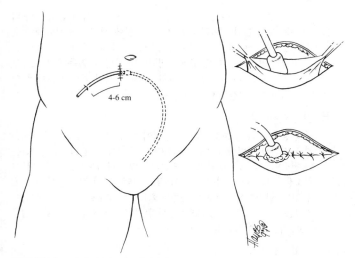

그림 37.1 소아에서 복막투석 도관 삽입법
소아에서 복막투석 도관을 심는 방법 중 하나. 쌈지봉합법은 복막 도관 삽입 시 총 두 번 사용되는데, 첫 번째는 도관 커프를 고정할 때이며 두 번째는 뒤쪽 배곧은 근집(posterior rectus sheath)을 폐쇄하여 복막을 닫을 때이다(Modified from Alexander SR, et al. Clinical parameters in continuous ambulatory peritoneal dialysis for infants and children. In: Moncrief JW, Popovich RP, eds. CAPD update. New York, NY: Masson, 1981.).

고이동군에 해당하는 경우 하루 내 저류시킨 투석액의 대부분 흡수된다. 복막평형검사에 따른 복막 성능에 따라 초기 처방이 달라지는데, 일반적으로 저류 시간 45분~2시간 간격으로 야간에 4~8회 교환한다.

a. 역동학 모델

지속성 교환기 복막투석과 야간 간헐적 복막투석 시행 중인 소아에서 복막투석의 전달에 대한 역동학 모형화는 수립되었으나, 적절한 청소율은 아직 정해지지 않았다. 목표 청소율(복막과 신장)은 weekly Kt/V-urea 1.8로 지속적 외래 복막투석과 같다. 투석액과 소변을 모아서 실제 처방한대로 투석량이 전달되는지 평가한다. 이것은 투석 처방이 변경될 때마다 시행하며 잔여신기능과 복막 투과성의 변화를 평가하기 위해 정기적으로 검사한다. 임상적으로 복막평형검사에서 고이동군 또는 고평균 이동군에 해당하는 환자들은 항상 이 값보다 높은데, 특히 잔여신기능이 남아있다면 더 높게 나타난다. 저평균 이동군에 해당하고 잔여신기능이 없는 청소년들은 적정한 청소율에 도달하기 위해 종종 낮시간의 추가 교환이 필요하다.

3. 조류성 투석(tidal dialysis)

조류 투석은 소아에서 사용된다. 이것은 투석 방법을 바꿀 필요가 있는 경계선상의 Kt/V를 가진 환자에서 크레아티닌 청소율을 증가

시킬 수 있다. 또한 조류 투석을 시행하는 경우 복강 전체를 다 비
우는 횟수가 덜 빈번하게 발생하기 때문에, 배액 후반부에 복통을
호소하는 소아의 경우 더 편하게 느낄 수 있다. 하지만 이 치료 중
소아가 곤란한 상황에 대해 간병인에게 알릴 수 없는 경우 호흡부
전과 복부의 과도한 충전(overfilling)이 발생할 위험이 있기에, 영
아에서는 현명한 선택이 아니다.

E. 만성 혈액투석

만성 혈액투석은 소아와 가족들이 집에서 적절한 치료를 하기 어려운
경우 적합한 방법이다. 또한 복막평형검사에서 저이동군에 해당하는
큰 청소년들의 경우 교환 횟수를 늘리지 않고 복막투석을 통해 충분한
청소율을 달성하기 어려운데, 이 경우 혈액투석이 적절한 대안이 될
수 있다. 혈액투석 치료는 소아들의 학교생활이나 놀이 등 일상생활에
지장을 초래하므로 인공신장실에서 혈액투석 치료를 받는 동안 집중
간호, 학습, 놀이치료 등을 제공해야 한다.

1. 혈액투석 기기

a. 혈관 접근로

작은 소아 환자들이 혈액투석을 성공적으로 시행하는데 있어서 혈관 접
근로는 가장 큰 제약이 된다. 작은 혈관으로 장기적 사용이 가능한 혈관
접근로를 만들어 유지하려면 헌신적이고 숙련된 외과 의사와 방사선과
의사가 필요하다. 병원에 따라 운용가능한, 경험이 많은 중재방사선과 또
는 외과 의사가 혈액투석용 도관을 삽입한다. 평생 투석을 시행해야 하
기 때문에 영구적인 혈관 접근로를 잘 보존하는 것은 매우 중요하다. 일
부 젊은 성인에서는 혈액투석 치료 후 몇 년까지(신이식 실패까지 기간만
큼) 소아투석 장비를 남겨놓기도 하며, 장기간 혈관 접근로에 대한 모든
가능성을 없애지 않도록 안전하게 확보해야 한다.

(1) 도관(표 37.2)

이중내강(double lumen) 혈액투석용 도관은 어린 소아에서 청소년까지
적절한 길이를 사용할 수 있도록 7F부터 14F까지 다양한 크기가 준비되어
있다. 임시용 또는 영구적 도관을 모두 사용할 수 있으며, 내경정맥 삽입을
위한 굽은 형태의 제품(precurved model)은 더 큰 사이즈로 사용 가능하
다. 도관 끝은 상대정맥과 우심방 사이에 위치해야 한다.

작은 영아와 신생아의 혈관 크기를 고려할 때 단일내강(single-lumen)
도관이 더 적절할 수 있다. 신생아의 경우 아직 혈관이 열려 있다면 배꼽 정
맥을 통해 대정맥으로 도관을 삽입할 수 있다. 이러한 도관은 대개 수주간
유지할 수 있다.

(2) 동정맥루와 인조혈관

큰 소아들의 경우 주로 사용하는 팔의 반대쪽 팔에 end-to-side 접합술로
요골동맥과 요골측피부정맥(cephalic vein)을 연결하여 동정맥루를 만드
는 방법이 흔히 사용된다. 혈관 크기가 작아 적절한 동정맥루를 만들기 어렵
다면 폴리테트라플루오르에틸렌(polytetrafluoroethylene; GoreTex 또는

Impra)를 사용하여 인조혈관을 만들 수 있다. 척수수막 탈출증(myelome-ningocele)을 동반한 소아는(혈관구조가 이를 지지할 정도로 충분히 발달한다면) 통증을 못 느끼기 때문에 허벅지에 인조혈관을 만드는 방법이 선호될 수 있다. 인조혈관이 하지에 있는 경우 학교생활을 하는데 큰 문제는 없으나 하지부종이나 비대증이 발생할 위험이 있다.

(3) 혈류

바람직한 혈류 속도는 선택한 투석기에 대한 요소 청소율 규격을 목표로 한다. 진행된 요독 환자에서는 증상을 동반하는 투석 불균형을 피하기 위해 초기 요소 청소율은 3 mL/min/kg로 하는 것이 현명하다. 처음 몇 번 치료를 시행한 뒤에는 요소 청소율을 높여도 잘 견딘다. 작은 혈관의 경우 성인에서보다 더 높은 정맥저항이 유발되고 결과적으로 혈류량 감소가 나타난다. 보통 작은 소아에서는 50~150 mL/min이고 큰 소아에서는 200~350 mL/min이다. 작은 도관은 동맥쪽 혈류 유입량이 적어 25~100 mL/min 까지 혈류량이 감소하기도 한다.

b. 투석기

소아에게 적합한 투석기의 목록이 제한적으로 제공된다(표 37.1).

c. 혈액라인

적절한 크기의 혈액라인은 회로용적 조절을 위해 필요하다. 전체 체외 회로용적이 환자 혈액량의 10%(> 8 mL/kg)를 초과한다면 혈역학적 안정화를 위해 대개 따뜻한 혈액(또는 알부민)으로 프라이밍을 시행한다. 통합된 혈액투석 기계를 사용하는 상황에서 작은 용적의 혈액라인을 찾는 것을 더 어려워졌다. 작은 용적의 혈액라인을 선택한다면 혈액 펌프가 선택한 라인에 대해 정확하게 영점을 조절하는지 확인하는 것이 중요하다. 신생아용 혈액라인은 현재 사용중인 대부분의 용적측정방식의 혈액투석 기계에 적합하지 않다.

d. 투석액

소아에서 혈액투석 시 중탄산염 투석액을 사용하는 것이 표준이다. 이것은 혈액학적 안정을 제공하고 투석 중 증상이 발생하는 빈도를 줄여준다. 근육량이 적은 소아들은 젖산이 다량 부하되면 이를 빠르게 대사시킬 수 없을 것이다.

e. 혈액투석 기계

혈액투석 기계는 용적측정방식으로 한외여과량을 조절할 수 있는 것이 필요하다. 한외여과 조절 시 수백 밀리리터의 작은 실수가 있는 경우 증상을 동반한 저혈압이나 만성적인 체액 과다를 유발할 수 있다. 혈류속도는 반드시 30~300 mL/min의 범위 내에서 정확하게 조절되어야 하며, 혈액펌프는 혈액라인의 크기에 따라 보정되어야 한다.

2. 만성 혈액투석 처방

체구가 작은 환자의 경우 요소 청소율 3 mL/min/kg를 목표로 하며 투석 불균형을 피하기 위해 주의가 필요한데, 혈류속도는 선택한 투석기의 규격과 환자의 혈관 접근로의 최대 혈류속도를 통해 계산된다. 요독증이 심하다면 초기 치료는 좀더 천천히 제거되도록 설정한다. 혈액 요소질소 농도가 매우 높다면, 혈액투석을 짧게 반복하여 시행하는 것이 바람직하다. 안정 상태가 되면 만성 투석처방을 하게 되고 환자는 좀 더 많은 양의 요소를 제거해도 잘 견디는데, 수분 제거는 종종 투석 중 증상 발생의 원인이 된다. 투석에 익숙해지고 주위 환기를 통해 대부분의 소아들은 2~4시간 지속되는 투석 시간을 견딜 수 있다.

a. 항응고제

영아와 소아에서 헤파린 주입법은 성인과 유사하다. 활성화된 응고시간이 기저치보다 150% 연장되면 혈액응고는 거의 일어나지 않는다. '저용량' 헤파린 주입법은 기저치보다 125% 이상 활성화된 응고시간을 연장시키는데 사용된다. 헤파린 초기 부하 용량은 대개 10~25 units/kg이고, 영아 또는 체중이 15 kg 이하인 소아는 더 많은 용량이 필요하다. 처음 20~30분동안 헤파린 유지 용량은 0.3~0.5 units/kg/min이고 활성화된 응고시간에 따라 추가 용량을 결정한다. 저분자량 헤파린은 만성 혈액투석 중인 소아에서 사용된다. 헤파린 유발 혈소판 감소증은 소아에서도 발생하며, 비록 보고된 증례는 적지만 다나파로이드(danaparoi), 히루딘(hirudin), 아가트로반(argatroban)을 사용하여 성공적으로 항응고를 시행하였다.

큰 소아들은 헤파린을 투여없이 투석을 성공적으로 시행할 수 있다. 투석막에 따른 응고 정도를 비교한 자료는 없다. 보통 응고는 투석기 크기에 비해 혈류 속도가 비교적 느린 소아에서 잘 발생한다. 등장성 식염수로 투석회로를 간헐적으로 씻어내는 경우, 부하되는 수액량만큼 동시에 한외여과가 일어나지 않으면 작은 소아에서 과도한 용적 투여가 발생할 수 있다.

b. 혈액투석의 역동학 모형화

혈액투석의 일반적인 3점법 요소 역동학 모형화(three point urea kinetic modeling)은 소아에게도 적용되며, 이것은 투석 치료의 효율 뿐 아니라 투석간 단백질 섭취(요소 생산량을 통해)를 평가하는데 유용하다. 소아에게 권장되는 단백 섭취량은 성인보다 많으며, 장기간 섭취량이 부족하면 성장과 신경학적 발달에 악영향을 끼쳐 문제가 된다. 역동학 모형화의 기술적 측면은 3장에 기술하였으며, 소아에서도 유사하게 적용된다. 정확한 측정을 위해 혈류속도를 낮춘 상태에서 혈액 채취 하는 것이 중요하며, 혈류 속도를 낮추는 시간은 바늘 또는 도관에서 채혈 부위까지 혈액양에 따라 결정된다. 소아 혈액라인의 경우 낮은 혈류 속도(60 mL/min)로 17초 동안 유지하면 적절하게 제거된다. 영아의 경우 낮은 혈류 속도(20 mL/min)로 12초 동안 유지하면 될 것으로 예상된다. 소아 투석은 도관 의존성이 높아 재순환 발생에 따른 치료 효율 감소가 우려된다.

c. 혈액투석 적절도

효율적인 청소율(즉, 상대적으로 높은 Kt/V)을 보이는 작은 환자들의 경우 투석 후 상당한 양의 요소 반등(urea rebound)과 함께 세포 내 공간 또는 상대적으로 관류 저하된 조직으로부터 요소 재평형(urea reequili-bration)이 발생한다. 따라서 단일 풀 모형화(single-pool modeling)에서는 투석량과 요소 생산량이 과도하게 평가된다. NKF KDOQI 2006 가이드라인에 의하면 성인 환자에게 최소 전달 single pool Kt/V는 1.2이다. 가이드라인에서는 단일 풀 모형화를 사용하여 치료 목표를 설정하고, 소아를 비롯하여 체구가 작은 환자의 경우 최소 투석양을 늘릴 것을 권고하였다. 소아에서 최소 전달 single pool Kt/V는 1.4~1.5 정도가 적절할 것으로 예상되며, 실제 임상에서 쉽게 달성할 수 있다. 유럽 베스트 프랙티스 가이드라인에서는 equilibrated Kt/V를 사용할 것을 권고하며, 이것은 spKt/V와 (3장에서 기술된) Tattersall equation을 사용한 투석속도를 통해 알 수 있다. 또 다른 방법으로 투석 15분 뒤에 채취한 혈액검체를 통해 추정할 수도 있다(Goldstein, 1999). 목표 투석양 결정 시 spKt/V 또는 equilibrated Kt/V 중 어떤 것을 사용하든 관계없이, 이 취약한 환자군을 치료할 때 더 많은 치료를 제공하고자 하는 면에서 실수할 수 있으므로 주의해야 한다.

작은 소아들은 체내 총 수분량에 비해 높은 체표면적을 갖기에 고용량의 Kt/V를 갖더라도 체표면적에 대한 투석량이라는 개념의 대안적인 척도가 필요할 것이다(Daugirdas, 2010). 잔여신기능은, 특히 체구가 아주 작은 환자의 투석 처방에 상당한 영향을 끼칠 수 있다. 사구체 여과율이 감소한다면 전반적 치료에 대한 적절도 확인을 위해 정기적으로 잔여신기능을 평가하는 것이 필요하다. 만약 소변 모으는 것이 어렵다면 의도하지 않은 투석양 부족을 피하기 위해 잔여신기능이 없다고 가정한다.

d. 합병증

(1) 투석 불균형과 경련

영아와 작은 소아들은 투석 불균형 증후군의 증상으로 성인보다 더 흔하게 경련이 발생한다. 이러한 이유로 초기 투석 치료 시 혈류속도와 1회 당 투석 시간을 제한한다. 첫 투석 치료시 요소 청소율 3 mL/min/kg 제공을 위해 적절한 크기의 투석기와 혈류속도를 선택하는 경우 요소가 너무 빠르게 제거되는 것을 피할 수 있다. 혈류속도는 종종 혈관 통로의 직경에 따라 제한될 수 있다. 투석 불균형 증후군을 예방하기 위해 투석액의 소디움 농도를 혈장과 같거나 약간 높게 유지하거나 투석 중 예방적으로 만니톨을 주입(0.5~1.0 g/kg body weight)하는 방법이 종종 사용된다.

(2) 저혈압

체중의 5% 초과하여 수분을 제거하는 경우 흔히 투석 중 저혈압과 경련이 발생한다. 그러나 투석 간 체중 증가는 무뇨 소아에서 유동식을 섭취하는 경우 또는 순응도가 안좋은 사춘기 때 흔하며, 이로 인해 투석 간 고혈압이 지속될 수 있다. 정상적으로 소아는 성인에 비해 혈압이 낮고 저혈압과의 경계가 근소한 차를 보이기 때문에, 용적 제거시 반드시 주의 깊게 감시해야 한다. 영아와 매우 작은 소아는 특별한 증후 없이 혈압이 쉽게 떨어지고 불편한 점을 표현하지 못한다. 한외여과만 단독 시행하거나 투석액 온도를 낮추는 경우 수분 제거를 용이하게 할 수 있다. 만약 저알부민혈증이 있다면 알부민(0.5~1.5 g/kg)을 주사함으로써 삼투압을 증가시키고 한외여과를 용이하게 할 수 있다. 반복적인 치료만이 안전하게 수분 제거를 할 수 있는 방법으로, 작은 소아는 체액과 혈압조절 목적으로 주 4~5회의 치료가 필요하다.

(3) 저체온증과 단독 한외여과

따뜻하게 데워진 투석액이 순환하지 않는다면, 체외순환로는 냉각기로 작용하여 혈액의 온도 및 소아 체온을 낮춘다. 투석 전반에 걸쳐서 지속적으로 체온을 감시해야 하는데, 특히 한외여과만 시행하는 경우에 그러하다.

III. 소아 말기 신부전 환자의 치료

A. 영양

포괄적인 영양 관리는 말기 신부전의 전반에 걸쳐 성장과 신체적 발달을 달성하는데 중요하다. 소아 투석 환자에게 권장되는 영양 권장량은 나이에 따라 다른데, 정상 어린이에 대한 영양 권장량(estimated energy requirement, EER)과 동일해야 한다. 영아의 1일 열량 권장량은 약 100 kcal/kg 이다. 이렇게 많은 섭취량을 위해서는 대개 보충이 필요하며, 일반적으로 영양 결핍과 성장 부전을 피하기 위해 유동식 인공영양을 시행한다. 큰 소아들은 비만이 더 큰 문제이며, 이식 후 부정적인 영향을 끼칠 수 있다. 따라서 이 나이의 환자군에서 영양상담은 영유아에서와 확연히 다를 것이다.

소아에서 단백질 필요량은 연령에 따라 다르며 성인보다 더 많다. 소아 투석 환자에 대한 하루 권장 단백질섭취량은 정상 어린이에 대한 단백질 권장량에 투석을 통해 소실되는 아미노산과 단백질의 추정치를 합한 양만큼이다. 경구 또는 위창냠술(gastrostomy)을 통해 조기에 보충제를 사용하는 것이 강조된다. 개별적 환자들은 1년 이상 치료 중이긴 하나, 아미노산이 포함된 복막투석액 사용과 관련하여 아직 사용경험이 제한적이다.

일반적으로 유지 복막투석 또는 혈액투석 중인 소아에게 수용성 비타민을 보충한다. 지용성 비타민의 경우, 비타민 A 대사물이 충분히 제거되지 않아 비타민 A 과다증 발생 위험성이 있기 때문에 보충하지 않는다. 종합 비타민제는 비타민 A가 포함되지 않은 것으로 적절하게 선택되어야 한다.

소아 환자에게 수분, 소디움, 인, 칼슘을 제한하는 것은 어렵다. 그러나 복막투석을 시행하는 경우 이러한 제한은 대개 불필요하다. 청소년은 거의 대부분 칼륨교환수지 및 인 결합제가 필요하지만, 효율적인 투석을 받는 일부 영아에서는 오히려 보충이 필요할 수도 있다. 혈액투석 환자에서 식이제한은 잔여신기능의 정도에 따라 달라지나, 엄격한 수분, 소디움, 칼슘 섭취의 제한을 달성하기 위해 항상 개별화된 식이지도가 필요하다. 이것은 영아에서 특별한 도전이 될 수 있는데, 무뇨 상태의 혈액투석 중인 영아의 경우 하루 수분 섭취량은 400~500 mL/m^2로 제한되며 영양학적 목표를 달성하기 위해 유동식은 농축해서 보충해야 한다. 그러나 다뇨가 동반된 영아는 체액상태 유지와 적절한 성장을 위해 수분 및 소디움 보충이 필요하다.

성인을 대상으로 한 장관영양제를 소아에게 투여할 경우 신중하게 사용해야 한다. 다행히 유청(whey) 기반의 인과 칼슘을 낮춘 영아용 유동실을 이용할 수 있다. 유동식에 알레르기나 불내성을 가진 영아는 특별한 도전이 된다. 영아와 어린 소아에서 구강 과민과 음식 회피는 흔하게 나타나며, 대개 언어치료와 함께 적절한 시기에 고형식을 접하게 하는 것이 필요하다.

B. 고혈압

만성 신질환을 동반한 소아에서 고혈압은 심혈관질환의 비율을 가속화시키는 특별한 문제이다. 적절한 용적상태와 연령에 적합한 혈압유지를 위해 주의를 기울여야 한다. 복막투석 중인 소아에서 혈압이 높은 것은 수분과 소디움의 과도한 섭취와 함께 부적절한 포도당 농도의 투석액 선택 때문에 발생한다. 고혈압은 대개 식이 상담, 보호자 교육, 집에서 체중과 혈압의 면밀한 감시를 통해 조절할 수 있다. 혈액투석 환자에서 고혈압은 투석 중 수분이 충분히 제거되지 않거나 소디움과 수분 섭취 제한에 실패하는 경우 발생한다. 투석 시간을 연장해도 고혈압이 지속되는 경우, 용이한 수분 제거를 위해 투석액 온도를 낮추거나 한외여과만을 시행해볼 수 있다. 순응도 저하가 반복적으로 문제가 된다면, 이것은 만성 질환을 대처함에 있어서 더 심각한 어려움을 의미하는 것이기에 환자와 가족을 대상으로 식이 및 심리 상담을 시행하는 것이 바람직하다. 정상적인 체액 상태를 유지해도 혈압이 높다면 항고혈압제제를 처방한다. 성인에서 처방되는 모든 항고혈압제제는 소아 투석 환자에서도 성공적으로 사용되고 있으며, 연령에 적합한 목표 혈압을 기준으로 용량을 조절하고 반복적으로 재평가한다.

C. 빈혈

혈액투석 중인 소아는 성인보다 빈혈이 더 흔하게 발생하는 경향이 있으며, 투석 시작 시 더 낮은 혈색소를 보인다. 소아는 적혈구 생성 자극제에 대한 반응이 좋으며 적응증, 투여경로, 잠재적 합병증은 성인과 유사하다. 체중 당 적혈구 생성 자극제 투여량은 성인보다 아주 어린 소아에서 종종 더 높다(150~300 unit/kg per week). 철결핍과 복막염 재발은 적혈구 생성 자극제에 대한 반응에 악영향을 끼칠 수 있으며, 재택치료에 대한 순응도 저하는 종종 문제가 된다. 말기 신부전을 동반한 소아 환자는 경구 또는 주사제로 철분 투여가 필요하다. 체구가 아주 작은 환자의 경우, 특히 주 3회 이상 혈액투석을 시행하면서 혈액투석 회로를 통해 혈액이 소실되는 것은 철결핍성 빈혈의 중요한 원인이 된다. 성인에서 거의 사용되지 않는 안드로젠 치료는 골단의 조기 폐쇄를 유발할 수 있기에 사춘기 이전의 소아에서 금기이다.

D. 성장

지속적 외래 복막투석 또는 자동복막투석 중인 소아 환자들의 성장에 대한 추적 연구는 거의 시행되지 않았다. 혈액투석과 복막투석 환자 간에 성장을 비교한 초기 연구에 따르면 복막투석이 더 유리한 것처럼 보였으나 확실한 대조연구는 아직 수행되지 않았다. 복막투석 환자의 경우 성장이 향상되는 것은 이차성 부갑상샘 기능항진증 감소와 관련이 있다. 다른 요인으로 복막투석 환자에서 영양소 섭취가 낮다는 점을 꼽을 수 있는데, 이때 영양 권장량보다 더 많은 열량을 섭취하는 것은 대개 득이 되지 않을 것이다.

1. 재조합 성장호르몬 치료

비록 투석을 시행하지 않는 만성 신질환 소아에서 재조합 성장호르몬 치료는 효과적이지 않았으나, 투석 중인 소아에게 투여 시 성장 속도를 증가시킨다는 증거가 있다. 다양한 투여법이 가능한데, 흔히 매일 0.05 mg/kg 또는 매주 30 IU/m²을 밤에 피하주사하는 방법이 사용된다. 재조합 성장호르몬 치료시 대퇴골두 골단분리증 (slipped capital femoral epiphyses)과 대사성 골질환의 악화가 발생할 수 있다. 이차성 부갑상샘 기능항진증은 반드시 치료 시작 전 조절되어야 한다. 흔히 성장호르몬 치료는 신이식시 중지했다가 이식편의 기능과 함께 성장속도를 재평가한다. 글루코코티코이드를 최소한으로 사용하거나 중지하는 것은 이식 후 성공적인 성장에 필수적이다.

2. 산증

대사성 산증은 말기 신부전 소아에서 흔하며, 복막투석보다 혈액투석 시 더 문제가 된다. 만성적 산증은 이화작용으로 제지방체중에 영향을 끼칠 뿐 아니라 성장호르몬/인슐린양 성장인자-1 축을 통해 뼈의 무기질화에 관여하여 성장을 저해할 수 있다. 혈청 중탄산염 농도를 22 mmol/L 이상 유지하기 위해 일부 소아환자들에게 경구로 탄산수소 나트륨이나 구연산 나트륨을 투여하거나 중탄산염 농도가 높은 투석액을 사용하여 이득을 보았다.

3. 콩팥 뼈형성장애(renal osteodystrophy)

투석 중인 소아 환자에서 혈청 칼슘, 인, 중탄산염, 부갑상샘 호르몬, 알칼리 인산 분해효소를 잘 조절하면 콩팥 뼈형성장애를 개선할 수 있다. 칼시트리올과 비타민 D 유사체는 부갑상샘 기능항진증과 관련된 뼈질환을 치료하는데 사용된다. 소아에서 시나칼셋 사용에 대한 소규모 증례보고가 있었으나, 가장 어린 환자를 대상으로 투여 용량과 예후에 대한 지침이 거의 없다. 고인산혈증은 식이조절과 인 결합제 투여를 통해 연령에 적합한 혈청 인 농도까지 조절해야 한다. 고인산혈증 또는 부갑상샘 기능항진증을 동반한 경우 인 섭취량은 나이에 따른 하루 권장 섭취량 또는 그 이하를 목표로 제한한다. 탄산 칼슘과 칼슘 아세테이트는 인 결합제로써 장기간 사용되었는데, 칼슘 과부하 및 말기 신부전 상태의 청소년 및 젊은 성인에서의 조기 심장 석회화의 위험성을 고려한다면 영아나 어린 소아에서도 세벨라머가 좋은 선택이 될 수 있다. 칼슘 아세테이트는 액상형으로 사용 가능하며, 세벨라머는 분말 형태로 되어 있어 영아나 어린 소아에서 용이하게 투약 가능하다. 알루미늄이 포함한 인 결합제는 만성 신질환을 동반한 영아나 어린 소아에서 뼈와 신경독성의 위험이 있기에 사용을 피해야 한다. 소아를 대상으로 란타늄 사용에 대한 장기적 안전성 평가에 대한 자료는 아직 보고된 것이 없다.

References and Suggested Readings

Ashkenazi DJ, et al. Continuous renal replacement therapy in children ≤10 kg: a report from the prospective pediatric continuous renal replacement therapy registry. *J Pediatr*. 2013;162:587–592.

Canepa A, et al. Use of new peritoneal dialysis solutions in children. *Kidney Int*. 2008;73:S137–S144.

Daugirdas JT, et al. Dose of dialysis based on body surface area is markedly less in younger children than in older adolescents. *Clin J Am Soc Nephrol*. 2010;5:821–827.

Dolan NM, et al. Ventriculoperitoneal shunts in children on peritoneal dialysis: a survey of the International Pediatric Peritoneal Dialysis Network. *Pediatr Nephrol*. 2013;28:315–319.

Fischbach M, Warady, B. Peritoneal dialysis prescription in children: bedside principles for optimal practice. *Pediatr Nephrol*. 2009;24:1633–1642.

Furth SL, et al. Peritoneal dialysis catheter infections and peritonitis in children: a report of the North American Pediatric Renal Transplant Cooperative Study. *Pediatr Nephrol*. 2000;15:179–182.

Goldstein SL, et al. Evaluation and prediction of urea rebound and equilibrated Kt/V in the pediatric hemodialysis population. *Am J Kidney Dis*. 1999;34:49–54.

Goldstein SL, et al. Quality of life for children with chronic kidney disease. *Semin Nephrol*. 2006;26:114–117.

Gorman G, et al. Clinical outcomes and dialysis adequacy in adolescent hemodialysis patients. *Am J Kidney Dis*. 2006;47:285–293.

Hackbarth RM, et al. Zero balance ultrafiltration (Z-BUF) in blood-primed CRRT circuits achieves electrolyte and acid-base homeostasis prior to patient connection. *Pediatr Nephrol*. 2005;20:1328–1333.

Kidney Disease Improving Global Outcomes. Clinical practice guildeline for chronic kidney disease-mineral and bone disorder (CKD-MBD). *Kidney Int*. 2009; 76(suppl 113):S1–S130.

Kidney Disease Improving Global Outcomes. Clinical practice guildeline for acute kidney injury. *Kidney Int*. 2012;2(suppl 1):1–138.

Kramer AM, et al. Demographics of blood pressure and hypertension in children on renal replacement therapy in Europe. *Kidney Int*. 2011;80:1092–1098.

Mendley SR. Acute dialysis in children. In: Henrich WL, ed. *Principles and Practice of Dialysis*, 4th ed. Philadelphia, PA: Lippincott Williams & Wilkins; 2009:641–652.

Monagle P, et al. Antithrombotic therapy in children: the Seventh ACCP Conference on antithrombotic and thrombolytic therapy. *Chest*. 2004;126(suppl 3):645S–687S.

National Kidney Foundation. KDOQI clinical practice guidelines for hemodialysis adequacy, update 2006. Guideline 8. Pediatric hemodialysis prescription and adequacy. *Am J Kidney Dis*. 2006;48(suppl 1):S45–S47.

National Kidney Foundation. KDOQI clinical practice guidelines for peritoneal dialysis adequacy, update 2006. Guideline 6. Pediatric peritoneal dialysis. *Am J Kidney Dis*. 2006;48(suppl 1): S127–S129.

Rees L, et al. Growth in very young children undergoing chronic peritoneal dialysis. *J Am Soc Nephrol*. 2011;22:2303–2312.

Schaefer F, et al. Peritoneal transport properties and dialysis dose affect growth and nutritional status in children on chronic peritoneal dialysis. Mid-European Pediatric PD Study Group. *J Am Soc Nephrol*. 1999;10:1786–1792.

Shmitt CP, et al. Effect of the dialysis fluid buffer on peritoneal membrane function in children. *Clin J Am Soc Nephrol*. 2013;8:108–115.

Smye SW, et al. Paediatric haemodialysis: estimation of treatment efficiency in the presence of urea rebound. *Clin Phys Physiol Meas*. 1992;13:51–62.

Sutherland SM, et al. Fluid overload and mortality in children receiving continuous renal replacement therapy: the prospective pediatric continuous renal replacement therapy registry. *Am J Kidney Dis*. 2010;55:316–325.

Symons JM, et al. Continuous renal replacement therapy with an automated monitor is superior to a free-flow system during extracorporeal life support. *Pediatr Crit Care Med*. 2013;14:e404–e408.

Warady B, et al. *Pediatric Dialysis*. Dordrecht: Kluwer Academic; 2004.

Warady BA, et al. Consensus guidelines for the prevention and treatment of catheter- related infections and peritonitis in pediatric patients receiving peritoneal dialysis: 2012 update. *Perit Dial Int*. 2012;32(suppl 2):S32–S86.

Web References

North American Pediatric Renal Trials and Collaborative Studies Annual Dialysis: https://web.emmes.com/study/ped/annlrept/annualrept2011.pdf.

Pediatric Continuous Renal Replacement Therapy website: http://www.pcrrt.com/.

최명진 역

말기 신부전 환자에서 심혈관질환에 의한 사망률은 일반인에 비해 10~30배나 높다. 예를 들면 30세의 투석 환자의 경우 일반 인구집단에 속한 80세 노인과 심혈관질환에 의한 사망률이 비슷하다. 아마도 이것은 높은 심혈관질환의 유병률, 당뇨병의 유병률 및 중증도 증가, 고혈압, 좌심실 비대 뿐 아니라 만성적인 체액 과부하, 고인산혈증, 빈혈, 산화 스트레스, 요독과 같은 비전통적인 위험인자 등이 반영된 결과일 것이다(표 38.1). 우리는 이번 장에서 심혈관질환의 전통적, 비전통적 위험인자에 대한 역학 및 치료, 허혈성 심질환, 심부전, 심막 흉수, 판막 질환, 그리고 부정맥에 중점을 두고 살펴볼 예정이다.

I. 전통적인 위험인자들

A. 고혈압

투석 환자에서 혈압 조절의 목표, 최적의 치료 방법, 항고혈압제제에 대한 자료는 아직 부족하다(Inrig, 2010). 이러한 내용은 제33장에서 더 자세하게 언급되었다.

B. 당뇨병

당뇨병을 동반한 투석 환자는 급성 관동맥 증후군(acute coronary syndrome)의 고위험군으로, 당뇨병이 없는 환자에 비해 관상동맥 중재시술 후 더 예후가 나쁘다. 게다가 심부전의 유병률도 증가한다. 아직 정확한 혈당 조절의 목표가 정해지지 않았지만 투석 환자에서 혈당 조절이 잘 안되는 것(당화혈색소로 평가)은 사망률 증가와 연관이 있다. 코호트 연구에 의하면 더 광범위한 동반질환을 가진 환자는 혈당 조절을 덜 엄격하게 하는 것이 적절할 수 있으나, 건강한 투석 환자의 경우 심혈관계 위험을 낮추기 위해 당화혈색소 역치를 8%로 하는 것이 합당한 목표일 수도 있다(Ricks, 2012). 제32장을 참고하시오.

C. 흡연

초기 만성 신질환 환자에서 흡연은 병의 진행과 관련되어 있고, 또한 투석 환자의 경우 잔여신기능 보존에 악영향을 끼칠 수 있다. 투석 환자에서 흡연은 전체 사망률과 강하게 연관되어 있고 심혈관질환과 관

	심혈관질환의 전통적인 위험인자와
T A B L E **38.1**	비전통적인 위험인자

전통적인 위험인자	비전통적인 위험인자
고령	세포외액 과다(ECFV overload)
남성	비정상적인 칼슘/인 대사
고혈압	비타민 D 부족
당뇨병	빈혈
흡연	산화 스트레스
이상지질혈증	염증
좌심실 비대	호모시스테인
육체적 활동 저하	영양실조
폐경	알부민뇨
심혈관질환의 가족력	혈전형성이 잘되는 요인들
	수면장애
	변화된 산화질소와 엔도텔린(endothelin) 균형
	마리노뷰파게닌(marinobufagenin)
	요독

련이 있다. 결정적으로 USRDS 자료에 의하면 과거 흡연자는 평생 비흡연자였던 사람과 같은 정도의 위험성을 갖게되며, 이것은 금연의 효과 및 직접적 개입의 중요성을 나타낸다.

D. 이상지질혈증

1. 지질 조성의 방식

이상지질혈증은 혈액투석 및 복막투석 환자를 포함한 모든 단계의 신장질환 환자에서 흔히 발생한다. 이상지질혈증, 특히 저밀도 지단백 콜레스테롤(low-density lipoprotein(LDL) cholesterol) 및 중성지방의 증가는 복막투석 환자에서 흔히 관찰되는데, 복막투석의 경우 포도당이 풍부한 환경에서 혈전이 더 잘 형성되는 지질 조성이 유발된다. 진행된 질환에서와 유사하게 투석 환자에서 총 콜레스테롤 또는 LDL 콜레스테롤과 사망 간의 관계는 U자 모양이다; 높은 콜레스테롤 농도를 보인 환자들은 혈전 발생의 위험성 때문에, 낮은 콜레스테롤 농도를 보인 환자들은 영양실조와 관련되어 콜레스테롤 농도가 높거나 낮은 경우 모두 사망 위험이 증가한다(Kilpatrik, 2007). 총 콜레스테롤과 특히 고밀도 지단백 콜레스테롤(high-density lipoprotein(HDL) cholesterol) 농도는 감소할 수 있으며, 혈전 생성을 잘하는 지단백 잔여물(lipoprotein remnants)과 지단백 a (lipoprotein (a))는 종종 증가해 있다.

투석 환자의 약 1/3은 고중성지방혈증을 동반하는데, 이것은 혈중 농도가 200 mg/dL (2.26 mmol/L)를 초과하는 것으로 정의하며 종종 600 mg/dL (6.8 mmol/L) 이상으로 보고된다. 이때 지단백 지방분해효소(lipoprotein lipase) 결핍이라는 확연한 이상 소견이 관찰되는데, 이것은 중성지방이 풍부한 초저밀도 지단백질(very low-density lipoprotein, VLDL)의 지방 분해를 감소시키고 혈전 생성을 잘하는 지단백질 잔여물을 다량 생산하는 결과를 초래한다. 저밀도 지단백 입자와 중성지방이 풍부한 것은 간의 지방분해효소의 부분적인 결핍을 나타낸다. 이러한 기본적인 결핍은 베타차단제, 고탄수화물 식이, 투석액에서 포도당의 흡수, 헤파린 사용, 심장질환으로 인한 간의 혈류 감소 등에 의해 악화될 수 있다.

2. 측정

이전에 시행한 적이 없다면, 모든 투석 환자를 대상으로 적어도 한 번 지질 조성을 측정하는 것은 의미있는 일이다. 이를 통해 즉각적으로 집중치료 또는 이상지질혈증에 대한 이차적 원인 검사를 시행해야 하는 심한 고콜레스테롤혈증 또는 고중성지방혈증(즉 1,000 mg/dL [11.3 mmol/L] 이상)을 진단할 수 있다(Miller, 2011). 최적의 지질검사는 중성지방 때문에 공복에 시행되어야 한다. 하지만 많은 경우 환자들이 오후 또는 저녁 때 투석치료를 받고 있으며 치료 효과에 대한 연구가 제한적이기 때문에, 임의로 시행하는 선별 검사가 가장 현실적이라고 할 수 있다.

현재 KDIGO 지질 가이드라인은 최근 미국 심장협회의 가이드라인과 유사하게 지질 강하 치료시 약제 용량 증가를 뒷받침하는 자료가 제한적이며 결과적으로 '발사 후 망각(fire-and-forget strategy)'과 같은 전략적 접근을 선호한다고 언급하였다(KDIGO Lipid Work group, 2013). 그런 이유로 이미 고용량의 스타틴 치료를 시행 중이라면 주기적으로 혈중 콜레스테롤 농도를 측정해야 하는 적응증이 따로 존재하지 않는다. 이후 언급될 스타틴의 심혈관질환 예방효과에 대한 연구결과를 고려했을 때 현재 스타틴 치료를 하지 않는 투석 환자에서도 주기적으로 혈중 콜레스테롤 농도를 측정해야 하는 적응증도 없다.

3. 치료

a. 원칙

이상지질혈증에 대한 치료법은 약물 치료와 생활습관 개선을 포함한다. 일반 인구집단과 동일하게 대부분 환자에서 1차적 치료는 식이 및 가능한 만큼의 운동을 포함하는 생활습관 조절이다. 지질 조성 변화에 있어서 생활습관 조절의 효용은 아직 불확실한 상태로 남아있으나 다른 가능한 이점들, 최소한의 위험, 그리고 약물치료 시행과 관련하여 결과에 있어서 명백한 이득이 없다는 점을 고려한다면 특히 이 치료법은 거의 결점이 없다.

식이 처방은 신장질환 환자 관리에 경험이 풍부한 영양사의 지도 하에 최적의 결과를 얻을 수 있다. 일반적으로 제 31장에서 나열한 권장사항을 따르게 된다. 이때 전체 칼로리의 약 25~35%를 지방으로 포함된 식사를 하는 것이 포함된다. 이 중 약 20%는 반드시 단일 불포화 지방산, 10%는 다불포화 지방산 그리고 포화지방산은 7% 미만이어야 한다. 고중성지방혈증을 동반한 경우 전체 탄수화물 섭취를 약간 줄이고 정제된 탄수화물을 제한하는 것이 필요하다. 추가적으로 알코올의 섭취는 단념해야 한다. 많은 투석 환자에서 영양 결핍의 위험에도 불구하고 적정 체중에 도달하기 위해 총 칼로리 제한이 필요한 집단이 소수 존재하는데, 특히 복막투석 환자가 여기에 해당한다. 복막투석 환자에서 염분 섭취를 제한할 경우 더 높은 농도의 포도당 투석액 사용을 줄일 수 있다; 이를 통해 포도당 흡수는 적어지고 고중성지방혈증에 대한 자극이 감소될 것이다(제29장 참고). 가능하다면 체력 단련과 규칙적인 운동이 추천되는데, 심혈관계 위험성 감소와 행복감의 증진이라는 결과가 나타날 수 있기 때문이다.

b. 스타틴 치료

투석 환자는 심혈관계 사건 발생의 고위험군에 해당하나 몇 가지 대규모 임상 연구 결과 치료를 통해 LDL 콜레스테롤이 상당히 감소했음에도 불구하고 스타틴 치료로 의미있는 이득을 보여주는 데에 실패하였다. 이 결과 이전 KDOQI 가이드라인과 달리 만성 신질환 환자의 지질 치료에 대한 2013년 KDIGO 가이드라인에서는 투석 중인 성인 만성 신질환 환자에서 스타틴 또는 스타틴/에제티미브(ezetimibe) 치료를 새로 시작하지 말라고 하였다.

이미 스타틴 치료를 시행 중인 투석시작 환자는 약제 투여를 지지속한다. 이것은 Study of Heart and Renal Protection (SHARP)의 결과에 근거하는데, 이 연구에는 투석 환자 외에도 6,000명이 넘는 만성 신질환 3b와 4기 환자들과 투석이나 이식이 필요한 상태로 진행한 환자 2,000명이 포함되었다. 일반적으로 스타틴/에제티미브는 이식 중에도 유지되었고 연구시작 시기에 투석을 시행하지 않았던 SHARP 연구 참가자에 대한 분석 결과 스타틴/에제티미브 치료는 의미있는 심혈관계 사건 감소와 관련되어 있었다. 이러한 환자들의 상당수는 투석시작 후에도 스타틴 치료를 지속했기 때문에 투석시작 시기에 스타틴 치료를 시행하던 환자들이 치료를 유지하는 것은 타당하다고 여겨진다. 이전에 스타틴 치료를 하지 않았던 투석 환자에서 급성 심근경색이 발생한 경우를 대상으로 시행된 연구는 없으나, 장기적으로 비교적 예후가 좋은 환자들을 대상으로 스타틴 치료를 시작하는 하는 것 역시 타당하다고 여겨진다.

불충분한 연구의 한 분야는 복막투석이다. SHARP 연구에서는 496명의 복막투석 환자가 포함되었으나 이를 제외하고는 임상 연구에 복막투석 환자가 포함된 적은 없었다. SHARP 에 의하면 복막투석 환자에서 이상지질혈증 치료에 대한 이득 관련하여 위약에 비해 어떤 경향성을 보였다. 성향점수매칭(propensity score matching)을 사용한 US Renal Data System observation Dialysis Morbidity and Mortality Wave 2 코호트의 사후비교분석(post hoc analysis)에서 복막투석 환자에 이상지질혈증 치료는 전체 및 심혈관계 사망위험의 의미있는 감소와 관련되어 있었다.

TABLE 38.2　사구체 여과율 감소에 따른 지질저하제의 용량 조절

약제	투석 환자에서의 용량 조절	특이사항
Statins[a]		
Atorvastatin	None	
Fluvastatin	↓ to 50%	GFR<30에서 반으로 감량
Lovastatin	↓ to 50%	GFR<30에서 반으로 감량
Pravastatin	No	GFR<60에서는 10 mg로 시작
Rosuvastatin	↓	GFR<30인경우 최대 10 mg/d로 감량; 5 mg/d로 시작
Simvastatin	See note	GFR < 10인 경우 5 mg/d로 시작해서 주의깊게 하루 10 mg 사용; 암로디핀(amlodipine)이나 다른 칼슘통로 차단제와 상호작용 고려
Bile Acid Sequestrants		
Cholestyramine	No	흡수되지 않음
Cholestipol	No	흡수되지 않음
Cholesevelam	No	흡수되지 않음
Fibrates[b]		
Bezafibrate	See note	진행된 만성 신질환에서 피브레이트와 스타틴 병용금기
Ciprofibrate	See note	
Clofibrate	See note	
Fenofibrate	See note	
Gemfibrozil	See note	
Miscellaneous		
Ezetimibe	No	None
Nicotinic Acid	↓ to 50%	혈당조절을 악화시킬수 있으며, 기립성 저혈압, 고요산혈증, 안면홍조를 유발할 수 있음; 인결합 효과가 나타남

[a]스타틴은 투석 환자에서 사용되는 다른 약제들과 상호 작용을 할수 있는데, 여기에는 칼시뉴린 억제제, 다양한 항생제, 그리고 잠재적으로 칼슘통로가 포함된다.
[b]패키지 인설트에 근거하여, 모든 피브레이트는 투석 환자에서 금기가 된다. 소규모 단기간 연구에서 투석 환자 대상으로 피브레이트를 안전하게 사용하였는데, 한 연구에서는 gemfibrozil을 1일 2회 600 mg을 투여하였고, 다른 연구에서는 fenofibrate를 심각한 약제 부작용 없이 하루 1번 100 mg을 사용하였다. 제2형 당뇨병 환자 9,795명을 대상으로 한 FIELD 연구는 fenofibrate를 하루 200 mg 사용한 군과 위약을 투여한 대조군을 비교하였는데, 만성 신질환 3기에 해당하는 519명의 환자에서는 약제 부작용이 나타나지 않았다.

요컨대, 가능한 자료에 근거하여 이미 치료 중인 환자에서 스타틴 사용은 용량과 약물 상호작용에 주의하면서 지속한다(표 38.2). 기대 여명이 긴 투석 환자(예를 들면, 이식 대기자) 또는 최근 급성 관동맥 증후군(acute coronary syndrome)을 경험한 투석 환자의 경우 이전에 스타틴을 처방받은 적이 없더라도 스타틴 치료를 하는 것이 적절하다고 저자들은 생각한다. 복막투석 환자를 대상으로 한 연구는 적으나 높은 혈전 발생 위험성을 나타내는 생리적 기전을 고려한다면, 복막투석 환자에서 '발사 후 망각'과 같은 전략적 접근은 역시 효과적일 수 있다(Goldfarb-Rumyantzev, 2007).

대개 투석 환자에서 스타틴 사용은 안전한 반면, 간의 싸이토크롬 P450 효소에 의한 공동 대사과정을 거치는 많은 약제를 병용하는 경우 스타틴의 혈중 농도가 상승된다; 여기에는 칼시뉴린 억제제, 매크로라이드 항균제, 아쫄 계열의 항진균제, 칼슘통로 차단제, 피브레이트, 니코틴산이 포함되며 심바스타틴과 약물 상호작용이 가장 많이 언급되었다. 가능한 약물 상호작용에 대해 각각의 환자에서 가능한 약물 상호작용를 평가해야 한다. 스타틴은 근육병증(myopathy)을 유발할 수 있으며 만성 신질환 환자에서 발생 위험이 증가한다. 특히 이것은 피브레이트와 병용 사용시 현저하게 나타기에 만성 신질환 환자에서 병용치료를 피해야 한다.

c. 고중성지방혈증의 치료

스타틴은 피브레이트 또는 니코틴 산에 비해 덜 효과적이나 혈청 중성지방 농도를 약간 낮추는 효과를 보인다. 반대로 담즙산 결합수지(bile acid sequestrants)는 실제 중성지방을 높일 수 있다. 투석 환자, 특히 중성지방만 단독으로 약간 증가해 있는 경우(< 500 mg/dL [<5.7 mmol/L]) 피브레이트나 니코틴 산 치료시 결과 호전을 입증하는 자료는 없으며, 이 경우 이 약제는 1차 치료제가 되어서는 안된다. 이에 대한 연구자료 부족에 기반하여 2013 KDIGO 진료 지침에서는 다음과 같이 언급하였다: "만성 신질환과 고중성지방혈증을 동반한 환자에서 피브레이트 유도체는 췌장염을 예방하고 심혈관계 위험성을 줄이기 위해 권고되지 않는다." 매우 심한 고중성지방혈증(> 500 mg/dL [>5.7 mmol/L])을 동반한 투석 환자에서 치료 결정에 도움을 주는 연구 결과는 아직 없다; 이러한 이유로 치료 결정시 심한 고중성지방혈증과 관련된 가능한 위험성과 치료와 관련된 이점과 사이에서 균형을 유지할 필요가 있다. 중요한 것은 투석 환자에서 이러한 약제에 대한 안정성을 충분히 조사하지 못했기에, 투석 환자에서 피브레이트 용량을 결정하는 적절한 자료 역시 없는 상태이다. 소규모 연구와 증례 보고에 따르면 스타틴 제제가 금기인 투석 환자에게 피브레이트를 사용하는 것은 안전할 수 있다. 물론 어느 정도 약제를 감량하는 신중함을 기해야 한다(표 38.2). 사용 가능한 피브레이트로는 겜피브로질(gemfibrozil), 베자피브레이트(bezafibrate), 시프로피브레이트(ciprofibrate), 클로피브레이트(clofibrate), 페노피브레이트(fenofibrate)가 있다.

d. 그 외 이상지질혈증 약제

스타틴과 피브레이트의 대안으로 사용할 수 있는 약제에는 담즙산 결합수지(인 결합제, 세벨라머를 포함), 니코틴 산, 그리고 에제티미브가 포함된다. 담즙산 결합수지는 다른 약제들의 흡수를 방해할 수 있다; 담즙산 결합수지는 일부 환자의 경우 중성지방을 증가시킬 수 있기 때문에, 혈청 중성지방 농도가 > 400 mg/L (>4.5 mmol/)인 경우 사용하면 안되며 > 200 mg/dL (>2.3 mmol/)인 경우 상대적 금기증이다. 투석 환자에서 용량 조절은 필요없다(표 38.2). 세벨라머는 같은 기전으로 총 콜레스테롤과 LDL 콜레스테롤을 낮추는 데 사용되며 동시에 인 결합제 사용이 필요한 경우 좋은 선택이 될 수 있다. 니코틴 산은 LDL 콜레스테롤의 감소에 효과적이지 않은 반면, HDL 콜레스테롤 증가를 위해 사용 가능한 약제 중 가장 효과적이며 또한 중성지방을 낮춘다. 그러나 심혈관질환이나 사망 결과에 있어서 니코틴 산 사용에 따른 이득 뒷받침하는 자료는 없다. 신장으로 상당량 배설되며, 말기 신부전 환자의 경우 용량을 약 50% 정도로 줄여야 한다. 잠재적 인 결합제로써 니코틴아미드(nicotinamide)의 가능성은 지금까지 지지되었으나, 이를 뒷받침할 자료는 불충분하다. 약제 부작용으로 고혈당이 발생할 수 있으며 기저 간질환 동반한 경우 또는 다량 사용한 경우 간독성이 발생할 수 있다. 홍조는 아스피린을 동시에 사용하거나 작용시간이 긴 약제를 사용하는 경우 덜해질 수 있다. 니코틴 산은 심한 고중성지방혈증(> 500 mg/dL, 또는 5.8 mmol/L) 발생 시 췌장염 예방 목적 또는 스타틴 치료가 금기가 되는 경우 1차 약제로 더 자주 사용된다. 에제티미브는 콜레스테롤 흡수를 억제하는 약이다. SHARP 연구에서 에제티미브를 심바스타틴과 병용했을 때 안정성을 확인하였으나, 신기능이 저하된 경우 이 약제 사용에 대한 자료는 많지 않다.

E. 좌심실 비대

1. 역학

좌심실 비대는 매우 흔하고, 신대체요법 시행 이전에 종종 발생하고 압력과 용적 과부하를 잘 반영한다(KDOQI CVD, 2005). 일반적인 투석 환자와 비교시 모든 면에서 건강했던 Frequent Hemodialysis Network studies에 속한 환자들의 경우에도 연구 시작시 30% 이상에서 좌심실 비대를 동반하였다. 좌심실 비대는 투석 환자에서 추후 발생할 수 있는 심혈관계 사건 및 사망의 독립적인 위험인자로 작용한다.

좌심실 비대는 대부분 일차적으로 동심성(concentric)이며, 이것은 고혈압, 경화된 혈관, 대동맥 판막 협착증 등 과부하된 압력에 대해 이차적으로 심근벽 두께가 일정하게 증가하는 것을 의미한다. 빈혈과 섭취된 소디움과 수액을 효율적으로 제거하지 못하여 발생한 용적의 과부하는 각각 편심성 비대(eccentric hypertrophy)를 유발할 수 있다. 그 결과 확장성 심근병증 및 궁극적으로 심장 수축

능력 감소로 이어진다. 이러한 환자들은 대체로 혈압이 낮은데, 이 것이 투석 환자에서 혈압과 사망 간에 관찰되는 'J-shaped' (또는 'U-shape') 관계를 설명하는 한가지 이유가 될 수도 있다.

대부분의 좌심실 비대는 비침습적으로 널리 사용되는 심초음파 를 통해 종종 진단된다. 심장 기능은 정상적인 체액상태에서 평가 되어야 하는데, 의미있는 체액 부족이나 과다는 모두 좌심실 심근 수축력을 감소시킬 수 있기 때문이다. 그래서 투석 환자는 투석간 기간에 이면성(2-dimentional, 2D) 초음파를 시행할 때 가장 유용 한 정보를 얻을 수 있다. 삼면성(3-dimentional, 3D) 초음파는 좌 심실 크기와 용적 평가시 좌심실 모양을 기하학적으로 추정하는 과 정을 피할 수 있기에 좌심실의 구조를 평가하는 데 더 유용한 반면, 최근 사용이 증가하는 심장 자기공명영상은 가장 정확하게 좌심실 구조에 대한 평가를 할 수 있다. 현재 새로 투석을 시작한 환자에게 선별검사로 심초음파 시행을 권고한다; 하지만 이것이 임상적 결과 를 호전시킨다는 근거는 없다.

2. 예방과 치료

몇몇 연구는 투석 환자에서 빈혈, 수축기 혈압 및 엄격한 용적 조절, 미네랄과 뼈질환의 치료, 안지오텐신 전환효소 억제제나 안지오텐 신 수용체 차단제 치료를 포함하여 위험인자들을 조절할 경우 좌심 실 비대가 경감될 수도 있다고 보고하였다. 빠른 속도의 동정맥루가 부적절한 심장의 리모델링을 유발하는지에 대해서는 관련 자료가 일 치하지 않는다. 좌심실 비대가 경감되면 심혈관계 사건이 감소하고 사망위험이 감소하는데, 다수의 사후비교분석에 따르면 임상시험 과 정에서 좌심실 비대가 경감된 경우 위험성이 감소함을 보여주었다. 따라서 투석 환자에서 좌심실 비대는 연구의 적합함을 결정하는 하 나의 요소이자, 또한 추후 심혈관계 및 사망위험 감소를 추론하기 위 한 대리적 성과(surrogate outcome)로 사용된다.

좌심실 비대를 동반한 투석 환자에서 레닌-안지오텐신-알도스 테론 시스템 억제 효과를 평가하는 가장 큰 연구는 397명의 혈액 투석 환자를 대상으로 포시노프릴과 위약을 무작위로 배정한 Fos-inopril in Dialysis Study로, 2년의 관찰기간 동안 심혈관계 사건 에 효과가 없었다고 보고하였다(Zannad, 2006). 그러나 다른 연구 에서는 좌심실 크기 감소 효과가 있다고 제시하였다. 만성 신질환 환자를 대상으로 적혈구 생성 자극제를 투여하여 혈색소 정상화를 목표로 하는 무작위 대조 연구들의 경우 좌심실 크기에 어떤 영향 도 끼치지 않았다. Frequent Hemodialysis Network study에 등록 된 혈액투석 환자 중 더 자주 혈액투석을 받는 경우 의미있는 좌심 실 크기의 호전을 보였다; 여기에 혈압, 용적, 인 또는 다른 요인들 의 조절이 호전되면서 어떤 영향을 끼쳤는지 아직 분명하지 않다.

II. 비전통적인 위험인자들

이것은 표 38.1에 기술되어 있다. 이 중 일부에 대한 상세한 논의는 핸드북의 범위를 넘어서는 것이나, 가장 관련있는 주제에 대해 간략하게 요약하였다. 용량조절은 12, 26, 33장에서 다루었다.

A. 미네랄 및 뼈질환

36장에서 언급한 미네랄 및 뼈질환은 다양한 방법으로 심혈관계에 영향을 끼칠 수 있다(Lau & Ix, 2013). 첫째, 부갑상샘 호르몬 증가와 칼시트리올 감소는 둘 다 심근에 직접 영향을 끼쳐서 비후를 촉진시킨다. 둘째, 고인산혈증과 뼈의 완충작용이 저하된 상태에서 양의 칼슘 밸런스 및 석회화 억제제 소실과 함께 요독 내 다른 요소들이 작용하여 혈관 석회화를 촉진시킬 수 있다. 셋째, FGF-23을 포함한 다른 호르몬들도 좌심실 비대를 촉진시킬 수 있으며, 혈관 석회화를 촉진시키기 위해 독립적으로 또는 다른 석회화 프로모터들을 통해서 작용한다. 혈관 석회화는 동맥의 중막(media)와 내막(intima)에 모두 발생하며, 혈관의 중막 석회화는 투석 환자에서 더 확연히 나타난다. 맥파 속도(pulse wave velocity) 증가에서 알수 있듯이 중막 석회화는 경화된 혈관과 관련이 있다. 이것은 심장의 후부하(afterload)를 증가시키고 좌심실 비대를 촉진시킨다. 심장 주기 중 조기 이완기 동안 수축기 압력파는 정상적으로 심장으로 반사하고 관상동맥의 충만을 촉진시킨다. 동맥이 경화되고 맥파 속도가 증가하게 되면 반사파가 늦은 수축기에 심장으로 되돌아오게 된다. 그 결과 관상동맥의 충만 효과가 소실되고 후부하 증가로 심장은 이전 수축으로부터 반사된 압력파에 맞서 펌프질을 하게된다.

혈관 석회화는 몇 가지 방법을 통해 진단될 수 있다. 단순 방사선 검사는 특이도는 높으나 민감도가 떨어지는 반면, 전자빔 컴퓨터 단층촬영(electron beam CT, EBCT) 또는 나선형 컴퓨터 단층촬영(spiral CT)은 민감도와 특이도 모두 높으나 반복 시행할 경우 방사선 노출이 문제가 된다. 경동맥 관찰을 위해 가장 흔히 초음파가 사용되는데 상대적으로 덜 비싸고 덜 침습적인 반면 숙련된 기사가 필요하고 시간에 따른 변화를 추적하는 데 정확성이 떨어질 수 있다. 이러한 검사 결과는 임상에서 의사결정과정에 영향을 끼치기에 시행하는 것이 정당화된다. 비록 몇몇 연구는 칼슘을 포함하지 않은 인 결합제가 칼슘 밸런스에 더 유리하다고 제시하고 있으나, 현재까지는 심장 석회화를 되돌릴 수 있는 신뢰할만한 방법은 없다. 음의 인 밸런스를 유지하는 투석 처방 역시 석회화 진행 속도를 늦출 수도 있다. 광범위한 혈관 석회화가 확인된 환자의 경우 칼슘을 포함한 인 결합제 사용을 제한하는 것은 합리적 치료방침이 될 수 있다. 이것은 36장에 더 자세히 기술되어 있다.

B. 빈혈

빈혈은 만성 신질환 환자, 특히 투석시작 시기에 흔하며 빈혈의 심한 정도는 좌심실 비대의 정도와 연관이 있다. 관찰 연구에서 높은 혈색소를 가진 환자들은 심혈관질환이 더 적게 발생하였으나, 적혈구 생성 자극제를 사용하여 혈색소를 정상범위보다 높게 유지한 경우 심혈관 질환의 위험성이 증가될 수도 있다. 빈혈에 대한 내용은 34장에 자세히 기술되어 있다.

C. 수면

40장에서 기술된 수면 이상은 투석 환자에서 아주 흔하게 관찰되며 관상동맥 질환과 관련되어 있다. 수면 무호흡과 관련하여 야간 저산소증의 발생은 심혈관질환 증가와 관련되어 있으며 잠재적으로 교정 가능한 위험인자에 해당한다.

D. 산화 스트레스와 염증

투석 환자와 관련된 수많은 요소들은 산화 스트레스와 염증 부하를 증가시킨다. 여기에는 투석 때 사용하는 도관, 기저 질환, 감염, 영양결핍 그리고 아마도 투석 시술 그 자체가 포함된다. 염증에 대한 보호기전이 저하되어 있으며, 여기에는 글루타티온(glutathione)과 같은 유리기 티올(free thiol)의 혈청 농도 감소가 포함된다. 기능하지 못하는 인조혈관과 이식신도 지속적인 염증 자극원이 될 수 있다. 이 경우 염증 또는 산화 스트레스를 감소시키기 위한 특별한 치료 전략이 널리 사용되거나 무작위 대조 연구를 통해 충분히 뒷받침되지 않았으며, 투석 환자에서 항산화치료의 잠재적인 이점에 대해 대한 연구 결과들은 실망스러웠다.

III. 허혈성 심질환

A. 개요

말기 신부전 환자에서 급성 심근경색과 급성 관동맥 증후군은 매우 흔히 발생하며 나쁜 예후와 관련있다. 대만에서 시행된 연구에 따르면 투석 환자에서 급성 관동맥 증후군 이후 1년 사망률이 30%이라고 보고하였으며, 미국 자료에 의하면 투석 환자가 급성 심근경색으로 입원한 경우 병원 내 사망률은 50% 이상이며(Herzog, 2007) 1년 사망률은 거의 60%에 이른다고 하였다.

　죽상동맥경화(atherosclerosis)과 동맥경화증(arteriosclerosis)은 모두 허혈성 심질환의 병태생리에 관여한다. 동맥 탄력성의 소실로 나타나는 동맥경화증은 종종 혈관 경직(vascular stiffness)과 동의어로 사용되는데, 좌심실 비대와 심근 산소요구량 증가가 나타나고 결국 심장내막밑 허혈에 의해 관상동맥의 관류 변화가 유발될 수 있다. 또한 작은 혈관을 침범하는 관상동맥 질환은 중요한 역할을 한다; 한 연구에 따르면 심근 허혈 증상을 호소한 당뇨병 투석 환자의 50% 이상은 큰 직경의 혈관에서 저명한 관상동맥 질환이 관찰되지 않았는데, 이것은 허혈의 원인이 작은 혈관 단독에 의한 것임을 보여준다.

B. 진단

투석 환자에게 현재 통상적으로 시행하는 선별검사는 권고되지 않으며, 심지어 증상이 없는 이식 대기자에 대한 선별검사도 논란이 된다. 투석 환자에 대한 수술 전 선별검사에 대한 지침은 아직 없는 상태로, 심혈관질환이 투석 환자의 흔한 동반질환임을 고려하여 일반인을 대상으로 한 권고지침을 따르는 것이 타당하다고 여겨진다. 대부분의 투석 환자는 운동 부하검사 시행시 유효한 수준까지 도달하기 어렵기 때문에, 이 경우 약물 부하검사를 시행한다. 기저 심전도의 이상소견이 흔하기에 핵의학검사나 심초음파를 사용하여 부하검사를 시행해야 한다. 잔여신기능 보존은, 특히 복막투석 환자에게 중요하기에 조영제 신독성 위험을 항상 고려해야 하나 투석 환자에서 혈관 조영술의 절대적 금기증은 없다.

트로포닌(troponin)을 비롯한 심근 효소의 만성적 증가가 동반될 수 있기에(DeFillippi, 2003), 급성 심근경색의 진단은 쉽지 않을 수 있다. 트로포닌의 만성적 증가는 지속적 손상(ongoing injury)과 잠재적인 허혈(subclinical ischemia)을 나타내는 더 나쁜 예후 인자일 수 있다. 미국 심장협회(American Heart Association)에서는 만약 만성적이라면, 신기능이 저하된 경우 심근 효소가 약간 상승한 것을 손상으로 분류해서는 안된다고 제시한다; 그러나 적절한 임상양상과 심근 효소의 증가 또는 감소를 동반한다면 대개 급성 심근경색 가능성을 고려해야 한다(Thygesen, 2012).

C. 예방

투석 환자를 대상으로 허혈성 심질환에 대한 1차적, 2차적 예방법을 평가한 임상 연구가 거의 없다. 만약 출혈 위험이 적고 혈압이 허용된다면, 아스피린, 베타차단제, 안지오텐신 전환효소 억제제나 안지오텐신 수용체 차단제, 질산염 제제는 모두 2차적 예방을 위한 치료제로 사용할 수 있다.

D. 치료

1. 협심증과 안정적인 관상동맥 질환의 관리

투석 환자에서 협심증에 대한 약물 치료는 일반 환자들과 동일하다. 설하 질산염, 장시간 작용하는 경구용 질산염, 베타차단제, 칼슘통로 차단제를 점진적으로 사용하는 것은 적절하다. 투석 환자에서 설하 및 경구 질산염 제제를 통상적 용량으로 사용할 수 있다.

허혈성 심근병증의 유무에 관계없이 정상적인 신기능과 관상동맥 질환을 가진 환자에서 죽상동맥경화성 심혈관질환의 2차 예방을 위해 아스피린 사용이 이득이 된다는 강력한 증거가 있는 반면, 신질환을 동반한 환자에서 아스피린 사용시 심부전이 악화된다는 상반된 결과도 있다. 이것은 아스피린 투여시 키닌(kinin)에 의해 매개되는 프로스타글란딘 합성이 억제되기 때문에 안지오텐신 전환효소 억제제의 이로운 효과가 약화되는 것과도 관련될 수 있다. 투석 환자를 대상으로 한 제한된 관찰연구에서 저용량 아스피린 사용 시 심혈관계 결과에 이로운 효과를 나타냄을 입증하지 못했으나, 이러한 연구들은 연구 설계의 한계가 있다. 동정맥루 개통과 아스피린 및 다른 항혈소판제제의 사용에 대한 임상연구에 따르면 아스피린과 클로피도그렐(clopidogrel) 사용이 해가 된다는 증거는 없으나 이득도 불명확하다. 관상동맥 질환을 동반한 환자에서 아스피린 사용시 의미있는 효과를 고려할 때, 관상동맥 질환을 동반한 투석 환자에서 아스피린 사용을 반대할 증거는 충분하지 않다.

2. 혈액투석 중 발생하는 흉통

투석 중 일차적으로 흉통이 발생한 경우 많은 치료법을 선택할 수 있다. 비강으로 산소를 공급하는 것은 도움이 될 수 있다. 만약 흉통이 혈압 저하와 관련이 있다면 초기 치료는 다리를 올리고 식염수를 조심스럽게 투여하면서 혈압을 올린다. 만약 혈압이 임상적으로 허용하는 만큼 증가한다면 설하로 니트로글리세린(nitroglyc-erin)을 투여해볼 수 있다. 가능한 흉통이 소실될 때까지 혈류속도를 줄이고 한외여과를 중지해야 한다. 또한 투석액 온도를 낮추는 것은 특히 투석 중 저혈압에 취약한 환자에서 심장 관류 유지에 도움이 될 수 있다(Selby, 2006). 만약 혈압이 허용된다면 투석 1시간 전에 2% 니트로글리세린 오인트를 투여하는 것이 도움이 될 수 있다. 투석 전 베타차단제와 경구 질산염 제제를 투여하는 것은 효과적일 수 있으나, 투석 중 저혈압 위험성이 증가하기 때문에 주의하여 사용해야 한다. 중요한 것은 투석 환자에서 아테놀롤(atenolol)과 같이 신장 배설이 지연되는 몇몇 베타차단제는 감량이 필요하다는 점이다. 가장 흔히 사용되는 베타차단제인 아테놀롤과 메토프롤롤(metoprolol)은 혈액투석 시 광범위하게 제거되는 반면, 카르베딜롤(carvedilol)과 라베타롤(labetalol)은 투석을 통해 소량 제거된다. 칼슘통로 차단제는 베타차단제가 금기가 되거나 불충분한 경우 유용하게 사용될 수 있다; 그러나 이 약제의 음의 심근수축력(negative cardiac inotropy)과 투석 환자에서 수축 기능 부전의 유병률이 높다는 점을 고려했을 때, 칼슘통로 차단제 특히 딜티아젬(diltiazem)이나 베라파밀(verapamil) 같은 비-디하이드로피리딘(non-dihydropyridines) 계열의 약제는 주의해서 사용해야 한다.

3. 혈관 재개통(Revascularization)

투석 환자에서 관상동맥 질환에 대한 최선의 치료는 아직 확실하게 정해진 것은 없다. 내과적 약물치료, 약물방출 스텐트, 일반 금속 스텐트를 포함하는 관동맥 중재술, 그리고 관상동맥 우회술은 모두 개별화된 환자 치료시 중요한 역할을 한다(Charytan, 2014).

관상동맥 우회술 시행시 수술 전후의 높은 위험성을 고려했을 때 만약 해부학적으로 접근 가능하고 내과적 치료에도 증상이 지속된다면, 이식 대기자가 아닌 환자 또는 관상동맥 우회술 시행시 수술 전후로 위험성이 높은 환자에서 관동맥 중재술이 더 나은 치료법이 될 수 있다. 관상동맥 우회술은 일반 환자군에서 장기적인 이득을 위해 단기간의 더 큰 위험을 감수하게 되며, 개별화된 치료법을 선택하는 경우 균형 유지가 중요하다. 관동맥 중재술 시행시 일반 금속스텐트보다 약물방출 스텐트가 더 효과적이라는 근거가 부족하며 스텐트 종류를 결정하는 가장 중요한 요인은 투석 환자가 클로피도그렐을 1년 이상 안전하게 사용할 수 있는 가에 달려 있다; 장기적으로 클로피도그렐 사용이 가능하다면, 관상동맥 중재시술의는 일반 환자 군과 초기 만성 신질환 환자에 대한 연구결과를 바탕으로 약물방출 스텐트를 선택할 것이다. 대부분의 시술에서 그러하듯 응급 시술시 더 예후가 나쁘다. 혈전 용해술과 글라이코프로테인 IIb/IIIa 길항제(glycoprotein IIB/IIIa antagonist)는 특히 중재술을 시행할 수 없는 경우 효과적이나 합병증으로 출혈 위험성이 증가한다.

IV. 심근병증과 심부전

A. 병태 생리

투석 환자에서 심부전은 매우 흔히 발생하며 많은 공통된 요인과 관련 있다. 아직 일반적으로 사용되는 심부전에 대한 정의는 없으나, 심부전은 대개 용적 과다, 폐부종 및 호흡곤란과 같은 특징을 보인다. 심부전은 좌심실 기능부전(수축기 기능부전) 또는 좌심실 구혈률은 정상이나 충전(filling) 장애가 있는 이완기 기능부전으로 나뉜다. 이완기 기능부전은 종종 좌심실 비대와 전신 고혈압과 연관되며, 이 둘은 모두 투석 환자에서 흔히 발생한다. 수축기 기능부전은 허혈성 심질환과 확장성 심근병증의 결과로 자주 발생한다. 투석 환자들은 특히 체액 증가에 취약하며, 현저한 체액 증가가 동반된 경우 폐부종은 심기능 저하를 나타내는 것이 아닐 수 있다. 그러나 투석간 체중 증가가 미미한 상태에서 빈번하게 폐부종이 발생하는 것은 심장 기능부전의 중요한 단서일 수 있다. 투석 중 저혈압은 추가적인 단서가 될 수 있는데, 심장 기능이 저하되면 혈관 내 용적 감소에 대한 적응 능력이 감소되어 투석 중 저혈압이 발생할 가능성이 높기 때문이다. 게다가 한외여과는 과도한 체액 축적을 허용하지 않기에 저혈압은 심부전의 유일한 임상적 표현이 될 수 있다.

심장의 기능부전은 임상적으로 진단하나, 심초음파는 수축기 또는 이완기 기능부전을 진단하는데 유용하다. 또한 심초음파를 통해 심부전의 원인을 알 수 있는데, 심근운동 장애는 허혈이나 경색을 나타내고 좌심실 비대는 이완기 기능부전을 유발할 수 있으며 판막 질환은 심장 형태에 영향을 끼친다. KDIGO 가이드라인에서는 투석 시작 후 건체중 에 도달한 시점과 그 후 매 3년마다 심초음파를 시행할 것을 권고하고 있다; 이러한 권고사항은 전문가들의 의견에 기초한 것이다 (KDOQI CVD, 2005).

B. 치료

투석 환자에서 발생한 심부전의 만성적 치료에 대한 연구는 충분히 시행되지 않았다; 그러므로 대부분의 권고사항은 일반 인구집단에서 추정하거나 작은 임상시험을 바탕으로 한 것이다. 통상적인 소디움 모델링을 피하는 것을 포함하여 소디움 섭취 제한은 중요한데, 대개 주 3회 혈액투석을 시행하는 스케줄에서 과도한 체액을 제거하는 능력은 제한되기 때문이다. 매일 혈액투석을 하거나 복막투석 하는 것을 포함하여 더 자주 투석 치료를 하는 것은 용적 상태를 최적화하는 데 도움이 된다. 일부 투석 환자의 경우 체액 과다와 증상이 있는 저혈압 사이에서 균형을 유지하는 것은 아주 어렵다. 투석 중 혈액 용적감시와 생체 전기 저항분석을 포함한 향후 새로운 기술들은 용적 상태를 최적화하는 데 명확한 기준을 제시하게 될 것이다. 우리는 투석 환자의 심부전 치료에서 약물 치료 보다는 거의 정상에 가까운 체액상태를 유지하는 것을 더 선호한다.

1. 전통적인 약물 치료

a. 안지오텐신 전환효소 억제제와 안지오텐신 수용체 차단제

안지오텐신 전환효소 억제제는 만성 신질환을 동반한 비요독성 환자들에게 유익하다고 알려져 있으며, 좌심실 크기를 감소시킨다는 한 메타연구 결과로 보아 투석 환자에게도 도움이 될 것으로 생각된다. 이 약제의 생존률 향상에 대한 연구 결과는 제한적이다. 이탈리아에서 시행된 1개의 소규모 연구에 따르면 좌심실 박출량이 40% 미만인 혈액투석 환자에게 안지오텐신 전환효소 억제제와 안지오텐신 수용체 차단제를 둘 다 투여한 경우 안지오텐신 전환효소 억제제를 단독으로 투여한 경우와 비교시 사망률에 있어서 이득이 된다고 보고했으나, 일상적으로 이 치료를 권고하기는 어렵다(Cice, 2010). 한편 올메사탄(olmesartan)과 위약의 효과를 비교한 한 편의 비교적 큰 규모의 무작위 대조 연구에서는 심혈관계 사건 발생율 및 사망이라는 측면에서 차이를 보여주는데 실패했다. 이 약제 사용 중 저혈압, 고칼륨혈증이 발생하면 큰 제약이 된다. 만약 환자가 안지오텐신 전환효소 억제제의 사용 금기증에 해당한다면 안지오텐신 수용체 차단제로 변경하여 사용한다. 안지오텐신 수용체 차단제는 투석을 통해 제거되지 않는 반면, 대부분의 안지오텐신 전환효소 억제제는 투석 시 제거된다.

b. 베타차단제

일반 인구 집단에서 심부전 치료의 또다른 근간이 되는 베타차단제 역시 투석 환자에서 이득이 불확실하다. 카르베딜롤의 경우 일반 인구 집단에서 심부전 치료제로 잘 연구되어 있는데, 이탈리아에서 시행된 연구에 따르면 좌심실 기능부전을 동반한 투석 환자에게 이 약제를 투여한 경우 사망률이 감소했다고 보고하였다(Cice, 2003). 카르베딜롤의 용량은 일반인과 동일하다. 주 3회 투석 후 리시노프릴(lisinopril)과 아테놀롤 투여를 비교한 1개의 소규모 연구(Agarwal, 2014)에 따르면 주요 결과 변수인 좌심실 크기 감소는 양쪽군 모두 비슷했다; 흥미로운 것은 이 연구에서 통계적 유효성을 검증하지 않은 이차 결과 변수였던, 사망과 심부전에 의한 입원은 아테놀롤로 치료한 환자군에서 더 적게 발생했다는 점이다. 리스노프릴의 투여 간격이 실제 임상에서의 사용과 차이가 있기 때문에, 이 연구로부터 치료결과를 이끌어내기는 힘들다. 아테놀롤을 포함한 몇 가지 베타차단제는 신기능이 감소하면 제거율이 확연히 감소하기 때문에 사용을 피하거나 사용 시 저용량을 투여하거나 투여 간격을 늘려야 한다(33장). 일반적으로 신장에서 대사되지 않는 베타차단제인 메토프로롤(metoprolol)과 카르베딜롤은 심박수와 혈압에 맞춰 안전하게 적정할 수 있다. 베타차단제 종류에 따라 투석에 의한 제거율이 다른데 아테놀롤과 메토프로롤 둘다 고유량 혈액투석에 의해 광범위하게 제거되는 반면, 카르베딜롤과 라베타롤은 혈액투석 시 제거율이 미미하다.

c. 알도스테론 억제제

스피로노락톤(spironolactone)과 에플레레논(epleronone)을 포함한 알도스테론 억제제는 심부전을 동반한 일반 환자군에서 유익했으며, 이미 잘 알려져있는 알도스테론의 동맥 심장 리모델링에 미치는 영향을 고려한다면 투석 환자에서도 유익할 것으로 생각된다. 하나의 소규모 연구에서 저용량의 스피로노락톤 사용이 임상적 호전을 가져온다고 보고하였으나(Matsumoto, 2014), 투석 환자를 대상으로 약제 사용의 안전성과 효능이 잘 연구되지 못했다. 신기능이 심하게 감소되어 있는 상태에서 안지오텐신 전환효소 억제제와 안지오텐신 수용체 차단제와 함께 알도스테론 억제제를 사용하는 경우, 이론적으로 고칼륨혈증 발생 위험이 증가된다.

d. 심배당체(cardiac glycosides)

디곡신으로 알려진 심배당체는 일반 환자군에서 종종 심부전 치료 시 사용되는데, 이 약제는 이환율 호전에 도움이 되나 사망률 호전은 보이지 않는다. 투석 환자에서 디곡신 사용 시 용량 및 농도를 감시하면서 신중하게 사용해야 한다. 유지 용량으로 저용량(0.0625 mg ~ 0.125 mg)의 디곡신을 격일로 투여한다. 일반적으로 부하 용량은 사용하지 않는다. 디곡신 농도에 영향을 끼칠 수 있는 다른 약제들이 많기에 약 처방이 복잡한 경우 주의해야 한다.

2. 동정맥루와 인조혈관의 역할

아래팔의 동정맥루는 종종 심장의 고출력(high output) 상태를 유발하며, 이 문제는 높은 혈류량을 보이는 윗팔의 동정맥루가 존재할 경우 더 자주 발생한다. 장기간 투석을 시행한 환자 치료 시 동정맥루 크기에 대해 관심을 기울이는 것이 필요하다. 손가락으로 동정맥루 또는 인조혈관을 세게 압박했을 때 서맥이 발생한다면 이것은 동정맥루가 심박출량 증가에 중요하게 작용하며, 또한 병리학적으로 기여한다는 것(branham's sign)을 의미한다. 이 검사의 특이도는 높지만 혈관 압박시 서맥이 유발되지 않을 경우 동정맥루가 심부전의 원인이 아니라고 할 수는 없다. 임상적으로 저명한 심부전의 발생에서 동정맥루가 관여한다는 정보는 제한적이나 동정맥루의 개통을 유지하면서 동정맥루의 혈류를 감소시키는 수술을 시행해 볼 수 있다.

3. 카르니틴(Carnitine)

L-카르니틴을 체중 당 20 mg의 용량으로 투석 후 주사하는 경우 심혈관질환에 미치는 영향은 대부분 밝혀지지 않았다. 이 약제의 치료 적응증은 고용량의 적혈구 생성인자 투여가 필요한 빈혈, 투석 중 저혈압, 근육 약화이다. 또한 증상이 있고 심장 수축력 감소가 관찰되며 표준적인 치료에 충분히 반응하지 않는 심근병증 치료 시 사용할 수 있다. L-카르니티의 다양한 치료 적응증에도 불구하고 현재까지 이 약제의 사용을 뒷받침하는 강력한 자료는 없다.

V. 심막 질환

간혹 만성 협착성 심장막염도 관찰되나 심막 질환 중 가장 흔한 형태는 급성 요독성 심장막염 또는 투석과 관련된 심장막염이다. 투석 환자에서 심막질환은 임상적으로 최대 20% 미만에서 발생한다.

A. 요독성 심장막염(Uremic pericarditis)

요독성 심장막염은 심장막염의 임상 증상이 신대체요법 시작 전 또는 8주 이내에 발생한 경우를 일컫는다. 요독성 심장막염은 신대체요법의 시작 적응증이 되며, 이에 대한 치료에 대한 반응이 아주 좋다.

B. 투석과 관련된 심장막염

투석과 관련된 심장막염은 환자가 투석 치료에 안정화된 이후 발생하는 증후군으로써, 요독성 심장막염보다 더 흔히 발생한다. 발생 원인은 아직 밝혀지지 않았으나, 적어도 불충분한 투석이나 용적 과부하에 의해 어느 정도는 좌우될 것이다. 그러나 고강도 투석을 시행해도 호전되지 않는다면 다른 원인이 존재할 가능성이 있다.

1. 임상 증상과 진단

심장막염의 가장 흔한 증상은 흉통인데, 대개 비스듬히 기대면 악화되고 앞쪽으로 숙이면 완화되는 흉막성 흉통의 양상을 보인다. 심장막염은 열, 오한, 몸살, 호흡곤란, 기침, 잠재적으로 심낭삼출 가능성을 나타내는 비특이적인 호흡기 증상으로 나타날 수 있다. 이학적 검사에서 심장막 마찰음(pericardial friction rub)이 관찰되기도 한다. 심낭 삼출을 동반한 심낭 질환이 혈역학적으로 중한 경우 특징적으로 저혈압이, 특히 투석 중에 나타날 수 있다. 경정맥 확

장, 기맥(pulsus paradoxus), 이 관찰되고 심음이 작고 멀리 들리기
도 한다. 흉부 방사선 검사에서 좌심실 비대와 구별하기 어려운, 증
가된 심장의 윤곽이 드러난다. 투석과 관련된 심장막염은 심외막
(epicardium)의 염증이 아주 적기 때문에 종종 광범위한 ST 분절
상승과 같은 전형적인 심전도 소견이 관찰되지 않을 수 있다. 심초
음파는 심낭 삼출을 확인하는데 유용하나, 유착성(adhesive), 비삼
출성(noneffusive) 심장막염을 동반한 경우 심낭 삼출이 없을 수도
있다.

2. 치료

a. 추적 관찰

증상이 없는 (100 mL 미만의 소량의 심낭 삼출은 투석 환자에게 아주 흔
히 관찰되며, 급하게 개입할 필요가 없다) 심낭 삼출량이 많은 경우 심낭
압전(tamponade)의 위험성이 있기에 연속적으로 심초음파를 시행하여
면밀히 추적 관찰해야 한다. 심낭 압전이 임박했다는 혈역학적 징후 및
심초음파 소견은 항상 신뢰할 만한 것은 아니다.

b. 고강도 혈액투석(Intensification of hemodialysis)

고강도 혈액투석은 치료의 근간이 되며, 약 50% 정도의 환자에서만 효
과적이다. 이것은 투석 빈도를 주 5~7일로 늘리고 인, 마그네슘을 포함한
전해질 상태 및 용적 상태에 주의를 기울이며 과도한 알칼리화를 방지하
는 과정이 수반되어야 한다. 출혈성 심낭 압전의 발생 우려 때문에 전통
적으로 투석 중 헤파린을 사용하지 않는다.

c. 보조적 약물 치료

경구 또는 비경구 글루코 코르티코이드와 비스테로이드 소염제를 포함
한 보조적 약물 치료는 대개 비효과적이며 권고되지 않는다.

d. 외과적 배액

심낭 압전은 전조 없이 빠르게 발생할 수 있기 때문에 적절한 시기에 다
량의 심막 삼출을 외과적으로 배농해야 할 필요성을 인지하지 못하면 엄
청난 결과가 발생할 수 있다. 그러므로 심초음파로 심낭 삼출의 크기를
추적 관찰하는 것이 필요하다. 심초음파로 추정되는 심낭 삼출의 양이
250 mL를 넘어서는 경우(후방쪽 echo-free space가 1cm 이상)에는 혈
역학적으로 이상이 없더라도 언제든 하부검상 심낭배액술(subxiphoid
pericardiostomy)을 통한 외과적 배액을 강력히 고려해야 한다. 심낭 압
전이 확실하게 나타나면 반드시 외과적 배액을 시행해야 한다. 하부검상
심낭배액술은 외과적 배액방법 중 최선의 선택이다(국소 마취 하에 심낭
속으로 큰 구경의 관을 삽입). 수일간 배액이 멈출 때까지 관을 유지한다.
심낭천자술 시행 시 초음파 없이 블라인드로 관을 삽입하는 것은 위험하
며, 생명을 위협하는 심낭 압전 환자에서 응급 치료를 제외하고는 허용되
지 않는다. 심낭천자술은 심낭 삼출을 제거하는데 사용되는 가장 흔한 방
법으로, 투시검사, 심초음파, 컴퓨터 단층촬영 유도 하에 시행된다. 흥미
로운 것은 출혈성 심낭 삼출액은 바늘을 통해서 잘 배출되지 않는다는 점

이다. 앞쪽 심막절제술(anterior pericardiectomy)는 일부에서 선호되었
으나 하부검상 심낭배액술에 의한 배액이 지속적으로 성공한다면 전신
마취와 흉곽 개구술(thoracostomy)과 같은 위험 요소는 불필요하다.

C. 협착성 심장막염(Constrictive pericarditis)

협착성 심장막염은 투석과 관련된 심장막염 또는 심막 질환의 흔치 않
은 합병증으로 나타날 수 있다. 또한 울혈성 심부전이 이렇게 나타나
기도 한다; 가장 좋은 감별법은 우심도자술(right heart catheteriza-
tion)을 시행하는 것이다. 이후에도 진단을 의심할 수 있으며, 전체 심
막절제술 시행 후 이에 대한 좋은 반응으로 입증할 수 있다.

D. 화농성 심장막염(Purulent pericarditis)

가끔 패혈증의 합병증으로, 특히 동정맥루 감염의 결과로써 화농성 심
장막염이 발견된다. 이러한 환자들은 항생제 치료와 더불어 종종 앞쪽
심막절개술이 필요하다.

VI. 판막 질환

A. 심내막염(Endocarditis)

감염성 심내막염은 혈액투석의 비교적 흔한 합병증이다. 정맥에 삽입
된 투석용 도관은 감염에 취약하며 심내막염은 도관 관련 균혈증의 흔
한 합병증이다; 삽입형 제세동기가 있는 경우 심내막염의 발생 위험이
증가한다. 최근 심내막염의 위험요인으로 추가된 것이 단추 구멍(but-
tonhole) 동정맥루 천자법이다. 앞에서 언급한 위험인자가 없더라도
심내막염은 투석 환자에서 흔히 발생한다. 대부분의 경우 원인 균주
는 그람 양성균(황색포도알균, 표피포도알균(S. epidermidis), 장구균
(enterococcus))이다. 판막 석회화를 포함하여 기저 판막질환이 존재하
는 경우 위험성이 증가할 수 있다. 예방법은 가능한 정맥관 사용을 피
하는 것이며 심내막염이 발생했다면 포도알균 균혈증에 대한 장기간
의 항생제 치료를 하며 출구 부위와 천자 부위 관리를 포함한 적절한
동정맥루 관리를 강화하는데 초점을 맞추고 있다. 많은 경우 급성 세
균성 심내막염은 황색포도알균과 다른 그람 양성균 균혈증을 더 복잡
하게 만들 수 있으며, 이러한 균혈증은 심내막염으로 간주하고 치료해
야 한다.

균혈증의 치료는 항포도상구균 약제[(메치실린 감수성이 있는 황
색포도알균은 나프실린 또는 이와 동등한 약제를 사용, 메치실린 내
성 황색포도알균은 반코마이신 사용)]를 근간으로 시너지 효과를 위한
추가적인 약제(예: 겐타마이신 또는 리팜핀)를 포함 또는 불포함시켜
4~6주간 시행한다. 동정맥루와 인조혈관 관련하여 정맥을 보존하고
도관 관련하여 지속되는 감염 위험을 인지하는 상태에서, 추가적인 정
맥 라인 확보를 피하기 위해 혈액투석 스케줄에 맞추어 투여할 수 있
는 1세대 세팔로스포린이 종종 사용된다. 장기간의 항균제 치료는 조

기 진단된 대부분의 균혈증 환자에서 감염에 의한 판막 격리(valvular sequestration)라는 합병증을 피할 수 있게 한다.

1. 증상과 징후

심내막염이 동반된 투석 환자는 항상 그런 것은 아니나, 대부분 열을 동반한다. 또한 심잡음, 백혈구 증가증, 감염성 색전도 동반한다. 그러나 투석 환자들의 경우 빈혈, 판막 석회화, 동정맥루로 인한 심잡음이 흔히 동반되기 때문에 심잡음에 대한 임상적 평가를 하기 어려울 수 있다. 투석 환자의 상당수가 정상적으로 체온이 낮기에, 감염 동반시 체온은 정상 범위보다 아주 약간 상승하거나 전혀 상승하지 않을 수도 있다.

2. 진단

심내막염은 주로 혈액배양검사 양성과 임상적 의심하에 진단한다. 경흉부 심초음파를 시행하거나 시야가 제한되는 경우 경식도 심초음파를 시행하는 데, 이것은 진단에 중요할 수 있다.

3. 치료

혈액투석 환자의 심내막염 치료는 대개 그람양성균을 목표로 하며 균의 약제 감수성에 따라 항균제를 조절한다. 투석용 도관을 가진 환자에서 열이 나면 대개 경험적 치료로 반코마이신을 투여하는데, 메치실린 내성 황색포도알균의 발생률이 높고 입원률이 높기 때문이다. 일부에서는 경험적으로 그람음성균을 커버하기 위해 아미노글리코시드 또는 3세대 세팔로스포린을 추가하기도 한다. 메티실린 감수성 황색포도알균에서는 나프실린과 같은 항포도상구균 페니실린 또는 세파졸린과 같은 1세대 세팔로스포린이 선호된다. 심한 황색포도알균 감염의 경우 시너지 효과를 위해 아미노글리코시드 또는 리팜핀과 같은 약제를 추가할 수도 있다. 아미노글리코시드 제제를 사용 시 이독성 발생에 반드시 주의를 기울여야 한다. 뎁토마이신과 같은 새로운 항포도알균 약제가 개발되었으나 신중하게 사용해야 하며, 항생제 다제내성균의 발생을 피하기 위해 감염내과 의사의 조언을 들어야 한다. 이 모든 경우 수액라인과 동정맥루 감염에 대해 강하게 의심해야 하며 가능한 빨리 중심정맥관을 제거해야 한다.

4. 판막 교체(Valve replacement)

말기 신부전은 판막 수술의 금기증이 아니다. 수술의 적응증은 일반 인구 집단에서와 동일하며, 판막 파괴의 진행, 심부전의 악화, 반복적인 색전증, 적절한 항생제 치료에도 반응하지 않는 경우가 여기에 해당한다. USRDS 자료에 의하면 세균성 심내막염 치료로 대동맥 또는 승모판 판막 교체술 후 병원 내 사망률은 약 14%에 달하며, 6개월 생존율은 약 60%로 조직판막과 기계판막 간에 차이는 없었다(Leither, 2013). 심내막염 시 경도관 대동맥 판막 교체술

(transcatheter aortic valve replacement)에 대한 역할은 아직 알려지지 않았으며, 현재 문헌들은 일반 인구 집단에서의 증례 보고에 한정되어 있다.

VII. 판막 석회화와 협착

A. 모륜판 석회화(Mitral annulus calcification)

모륜판 석회화는 많게는 투석 환자의 50%에서 발생하며 일반인의 경우 노인층에서 흔하다. 이것은 심초음파에서 승모판 후엽 기저부 근처에 균일하게 위치하며, 음영 증가된 뻣뻣한 밴드로 보이며 점차 진행하면 후엽 첨판을 포함한다. 전도 장애, 색전 현상, 승모판 질환 및 심내막염 위험성 증가와 같은 합병증 발생 위험이 증가한다. 아직 입증된 예방적 또는 치료법은 없다.

B. 대동맥 판막 석회화와 협착증(Aortic calcification and stenosis)

대동맥 판막 석회화는 투석 환자의 25~55%에서 발생한다. 위험인자는 다른 형태의 혈관 석회화의 위험인자와 유사하다. 판막 석회화는 점진적으로 대동맥 첨판 고정이라는 결과를 초래하고, 결국 흐름을 제한하게 된다. 대동맥 판막을 사이로 압력 경사가 발생할 정도로 판막 첨판이 두꺼워지면 기능적인 대동맥 판막 협착증이 발생하게 된다.

1. 증상과 징후

협심증, 울혈성 심부전, 실신이 심각한 대동맥 판막 협착증의 가장 대표적인 증상이다. 심장이 충전능력 감소라는 상황에 적응하지 못하기 때문에, 투석 중 저혈압이 반복되는 것이 진단의 실마리가 될 수 있다. 경동맥으로 방사되는 전형적인 수축기 심잡음이 존재하는데, 이것은 보통 S1 뒤에서 시작되어 S2 이전에 멈춘다. 추가적으로 S2는 고정성 또는 역설적 분열(fixed or paradoxical split)을 보일 수도 있다. 그러나 종종 대동맥 판막 협착증을 대동맥 경화증(aortic sclerosis)이나 양성 유속 심잡음과 감별하기 어려울 수도 있다.

2. 진단

심초음파와 심도자법에 의해 진단되며, 이것은 투석하지 않는 환자에서의 진단방법을 반영한다.

3. 판막 교체(Valve replacement)

대동맥 판막 석회화의 근본적 치료는 판막 교체술이다. 수술 시기는 예상되는 이득과 이미 알고 있는 위험에 달려있다. USRDS 연구에 의하면 조직판막과 기계판막 사용에 따른 사망률의 차이는 없었다. 투석 환자에서 판막 교체술(동시에 관상동맥 우회술 시행 여부에 관계없이) 후 사망률은 비교적 높다; 그러나 임상적으로 적응증이 되는데 수술하지 못하거나 정규 수술이 아닌 응급 수술을 하는 경우 대개 예후는 더 나쁘다. 지금까지 투석 환자는 임상연구에

서 제외되었으나, 몇몇 증례 보고를 통해 투석 환자를 대상으로 경
도관 대동맥 판막교체술(transcatheter aortic valve replacement)
이 성공적으로 시행되었다고 한다.

VIII. 심실 부정맥, 심정지 및 급사

A. 위험인자

투석 환자에서 높은 유병률을 보이는 많은 동반질환 역시 부정맥과 관
련이 있다. 여기에는 좌심실 비대, 방실 확장(chamber enlargement),
판막 이상, 허혈성 심질환이 포함된다. 추가적으로 심장 전도에 영향
을 끼칠 수 있는 칼륨, 칼슘, 수소 이온, 마그네슘을 포함한 양이온 농
도는 종종 비정상적이며 투석 시 혈청 농도가 빠르게 변하는 과정을
겪는다.

B. 심정지와 급성 부정맥(Cardiac arrest and acute arrhythmias)

심정지는 투석 환자에서 흔하게 발생하며 혈액투석 환자에서 연간 환
자 1,000명 당 49명, 복막투석 환자에서 연간 환자 1,000명 당 36명의
비율로 발생한다. 2013 USRDS에 의하면 투석 환자에서 심정지와
부정맥은 전체 사망의 25% 미만을 차지한다. 심정지 후 30일 생존율
은 오직 32%이며 1년 생존율은 15%이다. 치명적인 심정지의 위험성
을 감소시키기 위해 수액과 전해질 변화에 주의를 기울여야 한다. 부
정맥과 심정지 발생 위험은 포타슘 농도가 3 mEq/L (3 mM) 미만인
투석액을 사용하는 경우 증가하며, 가장 낮은 포타슘 농도의 투석액을
사용한 경우 가장 현저한 차이를 보였다. 가능하면 낮은 포타슘 농도
(< 2 meq/L (< 2 mM))의 투석액 사용을 피하라는 것이 많은 신장내
과 의사들의 의견이다. 최근 한 연구에 따르면 환자의 혈청 칼슘 농도
가 더 높은 경우 낮은 칼슘 농도의 투석액을 사용했을 때 급사의 위험
이 증가한다고 보고하였다. 마지막으로 많은 연구들에 의하면 주 3회
혈액투석보다 투석 간격이 긴 경우 급사 위험이 높으며 여기에 전해질
또는 용적 이상과 같은 문제가 관여되어 있음을 제시한다.

투석 중 급성 부정맥이 발생하면 투석을 중지하고 조심스럽게 혈액
을 체내로 밀어넣는다. 전문 심폐소생술 진료 지침에 의하면 불안정
한 리듬의 환자는 모두 제세동술의 적응증이 되며, 모든 투석 기관에
서는 자동 제세동기를 구비하여 직원 대상으로 사용법을 교육해야 한
다. 일반 인구 집단에서 심실 빈맥에 대해 1차적으로 사용하는 약물인
아미오다론은 투석 환자도 동일하게 투여한다. 기도 유지와 심장 감시
는 필수적이다. 프로카인아마이드(procainamide)와 class Ia에 해당
하는 다른 항부정맥제는 투석 환자에서 QT 연장과 다형성 심실빈맥
(torsades de pointes)을 유발할 수 있으므로 반드시 주의해서 사용해
야 한다.

투석 환자에서 삽입형 제세동기(implantable cardioverter defibril-
lator, ICD) 사용 시 이점에 대한 자료가 부족하다. 심실 부정맥의 고

위험군에게 삽입형 제세동기의 사용은 합리적이라고 판단되나 이는 감염과 중심 정맥 협착의 위험이 증가한다(Hickson, 2014).

C. 만성 부정맥

1. 심방 세동

심방 세동은 일반 인구 집단과 투석 환자에서 가장 흔한 부정맥으로 심장의 구조적 이상, 특히 좌심방 비대가 있는 경우 종종 발생한다. 발작성 또는 영구적 심방 세동의 유병률은, 투석 환자를 포함하여 진행된 만성 신질환 환자에서 약 30%로 추정된다.

a. 약물 치료

리듬 조절 및 심박수 조절에 대한 이점은 아직까지 불확실하다. 전통적으로 심방 세동 시 심박수 조절을 위해 디곡신, 베타차단제, 비-디하이드로 피리딘 계열의 칼슘통로 차단제, 아미오다론을 포함한 여러 약제가 사용되었다. 베타차단제나 딜티아젬과 같은 칼슘통로 차단제는 수축기 기능이 유지되는 환자에서 경우 심박수 조절에 좋은 선택제가 되나, 심기능이 저하된 경우 음의 심근수축력 때문에 금기가 될 수 있다. 이러한 환자에서 만성적으로 빈맥을 조절하는 것은 약제와 관련된 심근 수축력 저하를 상쇄하면서 균형을 유지하게 된다. 디곡신은 심박수 조절에 있어서 덜 효과적이지만, 수축기 기능부전을 동반한 환자에게 종종 사용된다. 역설적이게도 디곡신 사용 역시 부정맥 발생 위험을 높인다. 투석 환자에서 디곡신을 사용하는 경우 전해질 변동, 특히 저칼륨혈증을 최소화하기 위해 많은 노력이 필요하다. 대개 이러한 환자들은 3 mEq/L 칼륨 배스를 사용해야 한다. 아미오다론은 베타차단제와 칼슘통로 차단제로 심박수가 충분히 조절되지 않는 경우 최선의 선택일 수 있다. 중요한 것은 와파린, 아미오다론, 디곡신 간에 약제 상호작용 때문에 이러한 약제 병용시 주의가 필요하다.

b. 항응고제

만성적인 발작성 심방세동을 동반한 모든 투석 환자에서 와파린 치료의 득과 실은 각각의 환자를 기준으로 판단해야 한다. 투석 환자에서 심방세동시 항응고제 치료에 대한 일관된 자료는 없다. 최근 투석 환자에서 와파린 사용은 칼시필락시스와 관련이 있다고 보고되었다(와파린에 의한 피부괴사와 칼시필락시스 사이에는 병리학적으로 유사하다). 또한 와파린은 혈관 석회화의 위험성 증가와 관련이 있다. 심방세동 환자 관리에 대한 2014 미국 심장협회/심장학회/부정맥학회(AHA/ACC/HRS)의 가이드라인에 의하면 CHA2DS2-VASc score 2점 이상의 비판막성 심방세동을 동반한 투석 환자에서 와파린을 처방하는 것은 타당하다고 언급하고 있다; 권고사항의 강도에 내재된 것은 이러한 언급을 뒷받침하는 추가적인 연구가 필요하다는 것이다(January, 2014). 여기에서 복막투석 환자에서의 와파린 사용에 대한 언급은 없다.

2. 심실 부정맥과 이소박동(Ventricular arrhythmias and ectopy)

심실 부정맥과 이소박동은 투석 환자들에서 흔하다. 부정맥이 유발되기 쉬운 환자들의 경우 심장 치료가 일반 집단과 비교 시 어떻게 달라야 하는 지에 대한 자료는 없다. 투석 환자에서 삽입형 제세동기에 대한 이득은 아직 입증되지 않았으며, 비용편익에 대한 분석은 불확실한 상태로 남아 있다. 하지만 투석 환자의 경우 적응증에 된다면 삽입형 제세동기가 도움이 될 수도 있다. 대개 투석 환자는 아미오다론 치료에 잘 견디며, 일반 환자와 동일한 용량을 투여한다.

IX. 뇌졸중

뇌혈관계 질환 역시 만성 신질환 환자에서 매우 흔하며, 허혈성 및 출혈성 사건 모두 발생률이 높다. 임상적으로 확실한 뇌졸중이 없었더라도 무증상 병변과 뇌의 백색질환이 상당량 관찰될 수 있다. 만성 신질환 환자에서 심혈관질환의 존재는 인지기능 저하를 포함한 뇌혈관계 질환의 임상양상과 관련이 있다. 앞에서 언급했던 것처럼 신기능이 저하된 환자에서 심방세동의 발생 빈도가 높기 때문에, 투석 환자에서 와파린 및 다른 항응고제 사용과 관련하여 적절한 치료방침을 제시하는 충분히 검증된 임상 연구가 조속히 촉구된다.

References and Suggested Readings

Agarwal R, et al. Hypertension in hemodialysis patients treated with atenolol or lisinopril: a randomized controlled trial. *Nephrol Dial Transplant*. 2014;29:672–681.

Charytan DM. How is the heart best protected in chronic dialysis patients?: between scylla and charybdis: what is the appropriate role for percutaneous coronary revascularization and coronary artery bypass grafting in patients on dialysis? *Semin Dial*. 2014;27:325–328.

Cice G, et al. Carvedilol increases two-year survival in dialysis patients with dilated cardiomyopathy: a prospective, placebo-controlled trial. *J Am Coll Cardiol*. 2003;41:1438–1444.

Cice G, et al. Effects of telmisartan added to angiotensin-converting enzyme inhibitors on mortality and morbidity in hemodialysis patients with chronic heart failure a double-blind, placebo-controlled trial. *J Am Coll Cardiol*. 2010;56:1701–1708.

deFilippi C, et al. Cardiac troponin T and C-reactive protein for predicting prognosis, coronary atherosclerosis, and cardiomyopathy in patients undergoing long-term hemodialysis. *JAMA*. 2003;290:353–359.

Goldfarb-Rumyantzev AS, et al. The association of lipid-modifying medications with mortality in patients on long-term peritoneal dialysis. *Am J Kidney Dis*. 2007;50:791–802.

Herzog CA, et al. Clinical characteristics of dialysis patients with acute myocardial infarction in the United States: a collaborative project of the United States Renal Data System and the National Registry of Myocardial Infarction. *Circulation*. 2007;116:1465–1472.

Hickson LJ, et al. Clinical presentation and outcomes of cardiovascular implantable electronic device infections in hemodialysis patients. *Am J Kidney Dis*. 2014;64:104–110.

Inrig JK. Antihypertensive agents in hemodialysis patients: a current perspective. *Semin Dial*. 2010;23:290–297.

Iseki K, et al.; Olmesartan Clinical Trial in Okinawan Patients Under OKIDS (OCTO-PUS) Group. Effects of angiotensin receptor blockade (ARB) on mortality and cardiovascular outcomes in patients with long-term haemodialysis: a randomized controlled trial. *Nephrol Dial Transplant.* 2013;28:1579–1589.

January CT, et al. 2014 AHA/ACC/HRS Guideline for the Management of Patients With Atrial Fibrillation: Executive Summary: A Report of the American College of Cardiology/ American Heart Association Task Force on Practice Guidelines and the Heart Rhythm Society. *Circulation.* 2014, in press.

Kidney Disease: Improving Global Outcomes (KDIGO) Lipid Work Group. KDIGO Clinical Practice Guideline for Lipid Management in Chronic Kidney Disease. *Kidney Int.* 2013;(suppl 3):259–305.

K/DOQI. K/DOQI clinical practice guidelines for cardiovascular disease in dialysis patients. *Am J Kidney Dis.* 2005;45(suppl 3):S1–S153.

Kilpatrick RD, et al. Association between serum lipids and survival in hemodialysis patients and impact of race. *J Am Soc Nephrol.* 2007;18:293–303.

Lau WL, Ix JH. Clinical detection, risk factors, and cardiovascular consequences of medial arterial calcification: a pattern of vascular injury associated with aberrant mineral metabolism. *Semin Nephrol.* 2013;33:93–105.

Leither MD, et al. Long-term survival of dialysis patients with bacterial endocarditis undergoing valvular replacement surgery in the United States. *Circulation.* 2013;128:344–351.

Matsumoto Y, et al. Spironolactone reduces cardiovascular and cerebrovascular morbidity and mortality in hemodialysis patients. *J Am Coll Cardiol.* 2014;63: 528–36.

Miller M, et al. American Heart Association Clinical lipidology, thrombosis, and prevention committee of the council on nutrition, physical activity, and metabolism; council on arteriosclerosis, thrombosis and vascular biology; council on cardiovascular nursing; council on the kidney in cardiovascular disease. Triglycerides and cardiovascular disease: a scientific statement from the American Heart Association. *Circulation.* 2011;123:2292–333.

Ricks J, et al. Glycemic control and cardiovascular mortality in hemodialysis patients with diabetes: a 6-year cohort study. *Diabetes.* 2012;61:708–715.

Selby NM, et al. Dialysis-induced regional left ventricular dysfunction is ameliorated by cooling the dialysate. *Clin J Am Soc Nephrol.* 2006;1:1216–225.

Thygesen K, et al. Joint ESC/ACCF/AHA/WHF task force for Universal definition of myocardial infarction. Third universal definition of myocardial infarction. *J Am Coll Cardiol.* 2012;60:1581–1598.

Zannad F, et al. Prevention of cardiovascular events in end-stage renal disease: results of a randomized trial of fosinopril and implications for future studies. *Kidney Int.* 2006;70:1318–1324.

39 투석 환자에서의 산과학 및 부인과학

최명진 역

　말기 신부전 여자 환자에서 생식능력은 감소되어 있으나, 원치 않으면 피임이 필요할 정도로 임신 가능성은 높으며 만약 임신이 된다면 다학제 통합진료팀에 의한 세심한 관리가 필요하다. 시상하부-뇌하수체-난소의 호르몬축이 깨져 결과적으로 생식력 감소, 성욕 상실 및 비정상 자궁출혈에 영향을 끼친다.

I. 출산 조절

A. 적응증

　투석 중인 55세 미만의 여성 중 40%는 월경을 하는데, 이것은 무배란성 월경 또는 짧은 황체기가 특징적이다(Holley, 1997). 불임은 통상적으로 나타나며, 임신은 14~44세 여자 환자를 대상으로 1년에 0.3~1% 정도에서 발생한다. 적혈구 생성 자극제 사용과 고강도 투석을 통해 목표 Kt/V를 높이면 투석 환자에서 불임에 영향을 끼치는 호르몬 이상과 다른 요소들을 변화시켜 임신 빈도를 증가시킬 수 있다는 의견도 있다. 생식능력 향상을 위해 투석을 늘리는 것은 토론토 대학의 야간투석 프로그램을 통해 제안되었는데, 이때 환자들은 주 평균 36시간 투석을 했다(Nadeau-Fredette, 2013). 이 프로그램 결과 15%의 가임기 여성이 임신을 했다. 표준화된 투석 치료 중인 환자도 종종 임신을 하는데, 임신이 발생하면 환자 관리는 대단히 복잡해진다. 산아 제한은 임신을 원치않는 환자에게 권할 만하다. 환자에게 임신 위험이 높다는 것을 이해시키는 것은 어렵다. 투석 중 한 번 임신이 되었던 환자는 가끔 다시 임신이 되기도 한다. 투석 시작 전 신기능이 저하된 상태에서 임신을 했던 환자와 규칙적으로 월경을 하는 환자에서 임신 가능성이 높으나, 투석 치료 후 몇 년간 무월경 상태로 있던 환자에서도 임신이 일어난다.

B. 피임 방법

　다이아프램(diaphragm, 여성용 피임기구)과 콘돔은 일반인처럼 사용할 수 있다. 일반인에서 차단 피임법을 시행하는 경우 임신 발생률은 25~29%로 높으나, 투석 환자에서는 더 낮을 것으로 예상된다. 많은 여성들은 더 효과적이고 덜 번거로운 피임 방법을 선택할 수 있다.

경구피임약을 사용할 수 있으나 혈전정맥염이나 심한 고혈압의 과거력이 있는 경우 사용을 금해야 한다. 저용량의 에스트로겐 경구피임약은 혈전증이나 조절되지 않는 고혈압의 과거력이 없는 루프스 환자에서 사용할 수 있다. 구리와 레보노르게스트렐(levonorgestrel)을 함유한 자궁내 장치는 당뇨병, 당뇨병성 신증, 전신 홍반 루푸스, 다양한 심혈관계 위험인자를 동반한 여성 환자에서 사용할 수 있으며 혈액투석 및 복막투석 환자 모두에게 산아 제한을 위한 좋은 방법이다. 피임법에 대해서는 U.S. Medical Eligibiligy Critieria 또는 무작위 대조 연구에 의한 어떤 지침들이 제시된 것은 없다. 복막투석 중인 환자에서 자궁내 장치를 사용하는 경우 복막염의 위험성을 높일 수 있다는 일부 우려의 목소리가 존재하나 이에 대해서는 아직 잘 연구되지 않았다. 또한 에스트로겐이 동정맥루 개존율에 미치는 영향에 대한 연구 자료가 없어 우려하고 있다. 투석 환자에서 저에스트로겐혈증이 흔히 관찰되는데, 에스트로겐 투여 시 이론적으로 뼈를 보호하는 효과를 기대할 수 있다.

투석 중인 많은 환자들의 경우 무배란 출혈 기간이 연장되어 있는데, 이는 에스트로겐이 자궁내막에 미치는 영향과 관련이 있다. 자궁내막암의 경우 에스트로겐과 관련이 있는데, 에스트로겐-프로게스테론 주기적 순환은 자궁내막암의 위험을 낮출 수도 있다. 일반적으로 불임에 대한 치료는 시행되지 않는데, 임신은 산모에게 위험할 수 있을 뿐 아니라 여전히 결과가 좋지 않기 때문이다. 예외적으로 높은 임신율을 보이는 야간투석으로 전환을 고려해볼 수 있다.

II. 임신

A. 빈도와 결과

투석 치료를 받는 가임기 여자 환자에서 임신 빈도를 추정했을 때 사우디 아라비아는 연간 1.4%로 높았으며 일본은 연간 0.44%, 벨기에는 연간 0.3%로 낮았다(Nadeau-Fredette, 2013). 미국에서 투석 중인 여자 환자에서 임신 빈도는 연간 0.5%이었다(Okundaye, 1998). 정확한 이유는 알 수 없으나, 복막투석과 비교시 혈액투석 환자에서 임신이 2~3배 더 자주 일어났다. 선택적 유산을 제외하고, 투석 환자에서 임신을 하여 살아있는 아이를 출산할 가능성은 약 50%이다. 일단 임신 중기까지 도달하면 성공률은 증가하는데, 약 60~70%에 도달한다. 고강도 투석(intensive dialysis)을 하면 결과는 더 호전된다. 임신 후 투석을 시작한 경우 살아있는 아이를 낳을 가능성은 75~80%이다. 성공하지 못한 임신 중 68%는 자연유산에 의한 것이고, 13%는 사산, 16%는 주산기 사망, 3%는 산모의 생명을 위협하는 문제로 치료적 유산을 시행한 경우이다. 자연 유산의 약 40%는 임신 중기에 일어난다.

B. 진단

시기적절하게 임신을 진단하기 위해서는 강하게 의심하는 것이 필요하다. 무월경은 흔하며 오심과 같은 임신 초기 증상은 종종 대사성 또는 소화기와 관련한 문제로 여겨질 수 있다. 혈액 검사에 기반한 임신 검사(혈청 β-hCG 농도)는 이와 관련 증상에 대한 영상학적 검사를 진행하기 전 시행되어야 한다. 소변을 통한 임신 검사는 환자가 무뇨 상태가 아니어도 신뢰하기 어렵다. 혈액 검사에서도 위양성과 위음성이 발생할 수 있다. 체세포에서 생성되는 소량의 hCG는 임신 양성 판정의 경계에 도달할 정도로 신부전 환자에서 천천히 배설될 수도 있다. 종종 이러한 결과는 정규 수술의 취소로 이어지기도 한다. 임신주수보다 임신 중 β-hCG의 농도가 높게 측정되기 때문에 임신 주수는 초음파로 가장 잘 평가할 수 있다. 높은 β-hCG 농도를 제대로 인지하지 못하면 포상기태(hydatidiform mole)로 오진할 수 있고, 또한 높은 β-hCG 농도 때문에 실제보다 임신 주수가 진행된 것으로 판단하고 이 경우 태아의 심음이 들리지 않는다는 이유로 임신이 유지되지 못할 것이라는 잘못된 믿음을 줄 수 있다(Potluri, 2011). 위음성의 원인은 명확하지 않다. 이와 유사하게 다운증후군의 선별검사로 사용되는 혈청 알파-태아단백(α-fetoprotein) 검사도 임신한 투석 환자에서 가성으로 증가될 수 있으며, 비정상적인 결과를 확인하기 위해 핵형 분석(karyotyping)을 포함한 양수 검사를 시행해야 한다.

C. 임신 중 고혈압 치료

임신과 관련하여 투석 중인 임산부에게 나타날 수 있는 중대한 문제는 심한 고혈압이다. 임신한 투석 환자의 80%에서 고혈압(> 140/90 mmHg)이 관찰되며, 40%에서는 심한 고혈압(> 180/110 mmHg)이 관찰된다. 심한 고혈압의 75%는 임신 말기 이전에 발생한다. 임신한 투석 환자의 2~5%에서는 가속성 고혈압(accelerated hypertension)의 조절을 위해 중환자실 입원이 필요하다. 환자들은 교육을 통해 비투석일에 자신의 혈압을 측정하고, 혈압이 조금만 상승해도 보고해야 한다. 혈압 감시는 분만 후 6주까지 시행한다. 고혈압은, 심한 경우라도 임신 종료가 필요하지 않을 수 있다. 임신하지 않은 환자에서와 같이, 혈압 조절의 첫 번째 단계는 체액상태가 적절한지 확인하는 것이다.

1. 약물 치료

환자의 체액량이 적정한 상태에서 혈압이 140/90 mmHg 보다 높다면 α-메틸도파(methyldopa), 라베타롤, 칼슘통로 차단제 등 안전한 1차 약제의 사용을 고려할 수 있다. 베타차단제와 클로니딘(clonidine)에 대한 임상적 경험이 많지는 않지만, 아마도 아테놀롤을 제외한 이 약제들은 안전할 것이다. 하이드랄라진(hydralazine)은 1차 약제 중 어디든 추가할 수 있으나, 경구로 단독 투여시 효과가 없다. 안지오텐신 전환효소 억제제와 안지오텐신 수용체 차단제는 임신시 금기이다. 동물실험에서 이러한 약제들은 80~93%의 태아 소실률과 관련이 있었다. 사람에서 이 약제를 사용하는 것은 두 개골 골화의 결함, 이형성 신(dysplastic kidney), 신생아 무뇨, 폐의 저형성에 의한 사망과 관련이 있다. 임신 초기에 안지오텐신 전환효소 억제제에 노출되는 것이 선천적 기형 증가와 관련이 있다는 보고(Copper, 2006) 이후, 다른 연구에서는 상반된 결과나 나왔으나 임상에서는 임신 초기에 이 약제를 사용하지 않는다.

2. 전자간증 동반과 고혈압 위기(Hypertensive crisis)

유지 투석 중인 여자 환자들은 전자간증 동반에 대한 위험이 증가한다. 하지만 혈소판 감소증, 간효소의 증가, 미세혈관병 용혈성빈혈과 같은 HELLP (Hemolysis, Elevated Liver Enzymes, Low Pltelets) 증후군의 소견이 없다면 진단이 쉽지 않다.

고위험군 환자를 대상으로 전자간증 예방을 위해 저용량의 아스피린을 사용하는 것은 약간 도움이 될 수 있다. 비록 투석 환자를 대상으로 연구가 시행된 것은 아니지만, 이들은 초고위험군에 속해 있으며 하루 75 mg의 아스피린이 투여될 수 있다.

a. 항고혈압 약제

하이드랄라진 주사제는 임신 여성에서 고혈압 위기시 일차 선택약으로, 20~30분 간격으로 5~10 mg의 용량을 투여한다. 라베타롤은 좋은 대안적 약제로, 20 mg를 bolus로 투여한 뒤 30분 간격으로 최대 220 mg까지 반복 투여하거나 지속적 용법으로 분당 1~2 mg/min으로 시작하여 5~10 mg/hr 속도로 연이어 주입하여 최대 300 mg까지 투여한다.

b. 마그네슘

마그네슘은 전자간증을 동반한 여성에서 경련을 예방하는 데 있어 다른 항경련제보다 우월하나, 투석 환자에서는 특히 주의하여 사용해야 한다. 부하용량은 안전하게 투여될 수 있다. 추가적인 마그네슘은 투석 후 또는 저마그네슘혈증이 확인될 때까지 투여해서는 안된다. 마그네슘은 칼슘통로 차단제의 혈압강하 효과를 높이기에, 만약 마그네슘 투여가 필요하다면 칼슘통로 차단제 사용을 중지해야 한다.

D. 임신 중 투석 치료

1. 투석 방법

투석 방법에 따라 영아 생존율과 생존 태아의 임신주수를 비교했을 때, 혈액투석과 복막투석 환자간에 차이는 없었다(Okundae, 1998). 하지만 혈액투석이 투석량을 증가시키는 것이 더 쉬웠다. 최근 연구에 의하면 혈액투석시 성공률이 더 높다고 보고되었다. 투석 방법은 임신 때문에 바뀔 수 없지만 임신 상태에서 복막투석보다 혈액투석을 시작하는 것이 더 쉬울 수 있다. 복막투석을 선택한 경우 도관 삽입은 임신 중 어느 시기에서든 시행 가능하나, 즉각적인 도관 사용 및 복압의 증가는 도관 주변으로 투석액 누출 위험성을 증가시킬 수 있다. 태아 위치 변화와 관련하여 복막투석의 기계적 합병증이 발생한 경우도 있다. 일부 신장내과 의사들은 출산 예정일 근처에 이르면 복막투석에 추가적으로 혈액투석을 보충하는 방법을 선택한다.

2. 고강도 투석(Intensive dialysis)

고강도 투석을 시행할수록 영아 생존율이 증가한다는 보고가 늘어나고 있다. 아직 이상적인 투석 시간에 대해 밝혀지지는 않았다. 주당 20시간을 넘게 투석을 시행한 경우 그렇지 않았던 경우에 비해 확연한 결과 호전이 관찰되었을 뿐 아니라, 심각한 태아의 미성숙(prematurity)도 감소되었다(Hou, 2010). 영아 생존율은 주당 20시간 넘게 투석을 시행하는 경우 75%, 그렇지 않았던 경우에는 33~44%였다. 영아의 출생시 평균 임신주수는 주당 20시간 넘게 투석을 시행하는 경우 34주였던 반면, 그렇지 않았던 경우에는 30주였다. 심지어는 주당 48시간 동안 야간 혈액투석을 시행한 경우 영아 대부분이 생존하고 출산예정일 근처에서 태어나는 등 더 좋은 결과가 관찰되었다(Nadeau-Fredette, 2013). 미국과 캐나다의 임신 결과를 비교했을 때, 주당 투석 시간과 임신 결과 사이에 '투석량에 반응한 상관관계(dose response relationship)'가 도출되었다(Hladunewich, 2014). 주당 20시간과 주당 48시간이라는 투석량의 차이는 만족할만한 결과로 귀결될 수도 있다. 매일 투석을 시행하는 경우 매 투석시 체액 제거를 감소시켜 투석 중 저혈압 발생 위험을 감소시킨다. 또한 매일 투석을 시행함으로써 임신시 요구되는 고단백식이를 먹을 수 있다.

복막투석의 경우 투석의 강도를 늘리는 것이 쉽지 않다. 임신 말기가 되면 심한 복부 팽대로 힘들고, 오히려 투석액 교환량을 줄여야 할 수도 있다. 낮시간의 빈번한 투석액 교환과 밤시간 동안의 기계투석이라는 조합이 종종 필요하다.

고강도 투석을 시행하는 경우 전해질 이상이 유발되거나 프로게스테론 제거로 유해한 효과가 발생되는 것이 아닌가하는 의문이 일부에서 제기되었다. 분만 시작에 있어서 프로게스테론 농도 저하(withdrawal)가 중요한 역할을 한다. 임신 환자에서 투석 중 혈청 프로게스테론 농도는 다양하게 나타난다. Brost와 그 동료들(1999)은 임신한 투석 환자 7명을 대상으로 투석 전 및 투석 후 프로게스테론 농도를 측정하였다. 혈청 프로게스테론 농도의 변화는 52% 감소에서부터 8% 증가까지 다양하게 나타났다(Brost, 1999). 프로게스테론의 혈청 농도 변화는 가정 내 자궁운동 감시(home uterine activity monitoring)에서의 변화와 관련성이 없었다.

3. 투석액의 칼슘 농도

장기간 투석 후 연조직의 석회화 발생 위험을 인지하게 되면서 가장 흔히 사용하던 칼슘 농도 3.5 mEq/L (1.75 mM)의 투석액은 칼슘 농도 2.25 mEq/L (1.125 mM) 또는 2.5 mEq/L (1.25 mM)

의 투석액으로 교체되었다. 칼슘 농도 2.5 mEq/L (1.25 mM)의
투석액을 사용하는 경우 대개 환자들은 치료당 약 200 mg의 양의
칼슘평형에 도달한다. 태반에서 칼시트리올이 소량 생산되면서 혈
청 칼슘농도가 증가할 수 있다. 매주 투석 전 혈청 칼슘 농도를 측
정해야 한다. 태아는 태아의 골격 석회화를 위해 25~50 g의 칼슘이
필요하다. 25주 동안 칼슘 농도 2.5 mEq/L (1.25 mM)의 투석액
을 사용하여 투석을 시행하는 경우 충분한 칼슘을 제공하게 된다.
하지만 경구보충을 권장할만큼 조산이 흔하고 칼슘의 흐름도 변동
적이다. 인 결합제 사용이 필요하다면, 1~2 g의 칼슘 원소 내에서
충분히 소화해야 한다. 장기적으로 볼 때 연조직 석회화를 최소화
하기 위해 투석액의 칼슘은 낮아야하나, 임신이라는 단기간에는 태
아 골격을 위해 칼슘이 충분히 공급되어야 한다. 투석 환자에서 태
어난 아이 중 한명에서 골격계 이상이 보고되었다. 인 결합제 중에
서 칼슘을 포함한 인 결합제만이 임신 시 안전하다고 알려져 있다.
임신 중 세벨라머 탄산 또는 탄산 란탄을 사용했던 보고는 없었다.
란타늄은 태아 쥐에서 신경학적 독성을 보였다.

　　일부 환자에서 저인산혈증이 발생하기도 한다. 종종 인 결합제가
필요없게 되며, 투석액에 인을 추가(예를 들어 4 mg/dL [1.3 mM]의
인 또는 그 이상)하는 일이 발생하기도 한다. 인 결합제가 필요없다면
칼슘은 소량으로 식간에 투여될 수 있다. 임신 시 시나칼셋은 일부 일
차성 부갑상샘 기능항진증에 대해 국한되어 사용되었다. 혈청 칼슘
과 인 농도는 매주 추적 관찰해야 한다. 고칼슘혈증은 태아의 부갑상
샘을 억제하여 신생아 테타니(tetany)를 유발할 수 있다.

4. 투석액의 중탄산염 농도

표준화된 투석액으로 매일 투석을 시행하는 경우 이론적으로 알칼리
증 발생 위험이 있다. 동시에 호흡성 알칼리증을 갖고 있는 경우 대
사성 알칼리증의 위험이 증가한다. 그러나 일부 환자의 동맥혈 가스
검사를 보면 심한 대사성 알칼리증이 발생한 경우에만 보상적 고탄
산혈증이 관찰된다. 정상적인 임신을 한 경우 혈청 중탄산염 농도는
18~20 mmol/L이다. 25mM의 중탄산염을 포함한 투석액을 매일
사용하는 것은 알칼리증을 피하는데 있어서 가장 효과적이다. 이러
한 중탄산염을 이용하기 어렵다면, 한외여과를 증가시키거나, 생리식
염수로 부족분을 대체하여 중탄산염을 제거할 수 있다.

5. 투석액의 소디움 농도

임신 중 정상적인 혈청 소디움 농도는 약 134 mmol/L로 감소한다.
정상적으로 갈증을 느끼게 되며, 임신한 여성은 투석 끝 무렵 높게
증가한 혈청 소디움 농도를 정상화하기 위해 충분한 양의 물을 섭
취하려고 할 것이다. 매일 투석을 하는 경우 체액 제거는 소디움 모
델링이 불필요할 정도로 소량 시행한다.

6. 체중 증가 관찰

투석 중인 임신 환자에서 적정한 투석 후 체중을 결정하는 것은 쉽지 않은 문제이다. 이상 체중에 해당하는 임신 여성에서 권장되는 체중 증가는 11.5~16 kg이다. 이러한 체중 증가의 1.6 kg만이 임신 초기에 나타난다. 임신 중 혈액량은 50% 증가하나 정상적인 혈관 확장이 일어나면서 고혈압이 발생하는 것을 예방한다. 신기능이 저하된 임신 환자에서 혈액량이 적절하게 증가하지 못한다는 몇가지 증거가 있으나, 투석 중인 임신 환자를 대상으로 혈액량이 연구된 적은 없다.

임신 초기에 환자의 임신 전 건체중에 맞추어 투석을 시행하는 것은 힘들 수 있으나, 신체질량지수에 맞추어 0.9~2.5 kg 범위 내에서 체중 변화가 이뤄져야 한다. 임신 중기 및 말기에는 환자의 임신 전 신체질량지수에 따라 매주 0.3~0.5 kg의 체중 증가가 권장된다. 영양사는 임신기간 중 적절한 체중 증가에 대한 식이 권장지침을 제공한다. 신장내과 및 인공신장실 의료진에게 있어서 가장 중요한 문제는 투석간 체중 증가가 얼마나 되어야 체액 과다인지, 임신과 관련하여 바람직한 체중 증가가 어느 정도인지 결정하는 것이다.

매일 투석을 하는 경우 투석간 체중 증가는 소량이 되어야 하는데, 체중 변화의 대부분은 여전히 물이다. 매주 체액량이 과다한지 주의깊게 조사해야 한다. 매일 투석하는 경우 체액량과 관련된 고혈압은 최소화해야 하며, 특히 투석 중 혈압이 상승한다면 전자간증에 대한 검사를 반드시 시행해야 한다.

7. 헤파린 요법

임신시 체외순환로 또는 투석 접근로에서 응고는 종종 발생한다. 헤파린은 태반을 통과하지 않으며, 질출혈이 발생하지 않는다면 용량을 줄일 필요는 없다.

E. 빈혈 치료

임신 여성에서 빈혈은 조산 및 저체중 발생과 관련이 있다. 이 문제를 유발하는 혈색소 농도는 아직 정립되지 않았다. 투석 중인 임신 환자는 대개 빈혈의 악화를 경험한다. 정상 임신시 증가하는 적혈구 질량(red cell mass)은 적혈구 생성 자극제 용량에 의해 제한되나, 혈장량은 증가한다. 임신하지 않은 투석 환자의 혈색소 목표가 지속적으로 감소한 반면, 임신한 투석 환자에서의 혈색소 목표는 아직 명확하게 정립되지 않았다. 그러나 더 많은 데이터가 나올 때까지 우리는 세계 보건기구의 임신시 빈혈 기준인 혈색소 < 11 g/dL에 근거하여 혈색소 목표를 10~11 g/dL로 정하려고 한다.

1. 적혈구 생성 자극제(erythropoiesis stimulating agents, ESA)

이제는 통상적으로 임신기간 동안 에리스로포이에틴(erythropoietin)을 지속 투여한다. 에리스로포이에틴 사용 전, 임신 초기 후 임신 진행 단계에서 종종 수혈이 필요했다. 사용 가능한 적혈구 생성 자극제는 모두 미국에서 임신 중 카테고리 C로 분류된다(미국 식품의약국에서는 임신 중 약물위험도 카테고리를 A, B, C, D, X로 나누며 X는 가장 위험하다). 기관형성 시기에 적혈구 생성인자를 투여한 경우 출생 후 영아에서 선천적 이상이 보고되지 않았다. 동물 실험에서 500 units/kg 용량을 사용한 경우 선천적 이상이 발생하였다. 재조합 에리스로포이에틴은 태반을 통과하지 않으나 다베포에틴(darbepoetin)의 태반통과 여부는 아직 밝혀지지 않았다. 임신 시 다베포에틴을 문제없이 사용했다는 일부 증례보고가 있다. 에리스로포이에틴은 임신하지 않은 환자에서 고혈압과 관련되어 있으나, 임신 중 어떤 요소가 고혈압에 영향을 끼치는지 알기 어렵다. 임신 전부터 에리스로포이에틴으로 치료를 했다면 임신 후 에리스로포이에틴의 증량이 필요하다. 대개 임신을 알게될 무렵 혈색소가 감소한다. 우리는 혈색소 목표에 도달할 때까지 에리스로포이에틴의 용량을 25%씩 증량할 것을 권고한다.

2. 철분 치료

약리학적 용량의 적혈구 생성 자극제가 태아에게 어떤 영향을 미치는지 아직 알려지지 않았으나, 철결핍에 대한 치료의 단점은 일부 알려져 있다. 정상적인 여성이 임신을 하면 700~1,150 mg의 철분이 필요하다. 매일 투석을 시행하면 통상적인 양보다 많은 양의 철분 소실이 일어난다. 우리는 임신시 철분 요구량이 증가함을 밝혀냈고 이에 기반하여 철분제 주사를 투여하였다. 하지만 철분이 높은 비율로 태아에게, 특히 30주 이후에 이동하므로 우리는 1회 투여량을 62.5 mg으로 제한하였다. 미국 식품의약국에서는 글루콘산철(ferric gluconate)과 철분 수크로오스(ferric sucrose)을 임신 시 카테고리 B로 분류하였다.

3. 엽산

정상적인 임신시 엽산 요구량이 증가한다. 엽산 부족은 신경과 결손과 관련있다. 고강도 투석시 엽산 소실이 증가하며, 엽산 보충은 4배가 되어야 한다.

Ⅲ. 진통과 분만

투석 환자에서 태어난 영아의 80%는 조산이다. 조산의 이유로 조기 진통, 산모의 고혈압, 태아 가사(fetal distress)가 있으며 이 중 조기 진통이 가장 흔하다.

조기 분만을 예방하기 위해 연속적으로 경부 길이를 측정하고 일부에서 원형결찰(cerclage)을 시행한다. 조기 분만을 예방하기 위해 사용되는 프로게스테론의 경우, 아직 투석 환자에게 사용되지는 않았으나 조산 위험이 너무 높은 경우 약제 투여를 고려해볼 수 있다.

투석 환자에서 조기 분만시 터부탈린(tervutaline), 마그네슘, 니페디핀(nifedipine), 인도메타신(indomethacin) 제제를 사용하여 성공적으로 치료해 왔다. 마그네슘은 혈액투석 환자에서 주사제로 투여했으며, 복막투석 환자에서는 투석액에 섞어서 투여할 수 있다. 신기능이 감소된 경우 마그네슘은 특히 주의하여 사용해야 하며, 농도를 자주 측정해야 한다. 부하 용량을 투여하고, 용량 추가는 투석 후 또는 농도가 낮을 때에만 시행한다. 니페디핀과 마그네슘의 병용 투여는 심한 저혈압을 야기할 수 있으므로 피해야한다. 인도메타신 역시 성공적으로 사용할 수 있는데 반드시 양수과소증(oligohydramnios) 발생을 감시해야 하며, 태아의 우심실 비대 발생 여부를 잘 관찰해야 한다. 인도메타신은 단기간 치료에 사용될 수 있다. 모든 종류의 수축억제제(tocolytics) 역시 단기간 사용할 수 있는데, 조기 분만은 종종 재발하기에 인도메타신의 반복적인 사용은 문제가 될 수 있다. 잔여신기능이 남아있는 경우 인도메타신은 사구체 여과율을 더 악화시켜 투석량을 증가시키는 결과가 발생할 수 있다.

투석 환자의 영아는 종종 임신기간에 비해 작은데, 이러한 발육지연은 요독 그 자체에 의한 것인지 산모의 고혈압 때문인지 명확하지 않다. 야간 투석을 시행한 환자에서 자궁 내 태아발육지연이 감소한 것은 축적된 요독물질의 역할론을 제시한다. 투석 환자의 경우 사산 위험성도 증가하는데 출산 전 추적 관찰은 분만 후 생존 가능성이 있는 시기(26주)부터 가능한 빨리 시작해야 한다.

복막투석 환자에서 제왕절개 수술은 복막투석 도관을 남겨두고 복막외로 시행할 수 있으며, 복막투석은 분만 후 24시간 뒤부터 소량의 투석액 교환으로 시작하여 48시간에 걸쳐 증량한 뒤 원래 용량으로 시행할 수 있다. 만약 절개부위에서 누출이 발생한다면 2~4주간 혈액투석을 시행한다.

정상적으로 보이는 영아도 신생아 중환자실에서 관찰해야 한다. 출생 직후 영아는 임신기간에 비해 그들의 신장이 정상이더라도 엄마와 비슷한 정도의 혈액 요소질소/크레아티닌이 관찰되며 용질 이뇨(solute diuresis)가 발생할 수 있어 전해질 및 체액 상태에 대해 주의깊게 추적 관찰하는 것이 필요하다.

선천적 기형 발생의 위험이 증가하지 않는 것으로 보이나, 이후 성장과 발달에 대한 정보는 알려지지 않았다.

IV. 성교통(Dyspareunia)

일부 여자 투석 환자들은 에스트로겐 부족으로 질건조증이 발생하면서 성교통을 경험한다. 이 증상을 경험한 폐경 후 여자 환자를 대상으로 결합 에스트로겐 크림(conjugated estrogen cream), 에스트로겐 서방출형 질 내고리(sustained release intravaginal estrogen ring) 또는 저용량 에스트레겐 질정제(vaginal low-dose estrogen tablet)를 처방할 수 있다. 에스트로겐을 국소적으로 사용하는 경우 일반적으로 10 mcg의 에스트라디올(estradiol) 정제를 매일 1회 7일간 질정으로 투여하며, 이후 주 2~3회 투여한다. 2 mg의 에스트라디올을 포함된 질내고리는 삽입한 뒤 3개월마다 교체한다. 결합 에스트로겐 크림을 사용할 수도 있는데, 통상적으로 21일 동안 하루 0.5 g을 사용한 뒤 7일 간 중지한다. 다른 방법으로 크림을 주 2회 투여할 수 있다. 에스트로겐 크림은 유방 압통, 질출혈, 회음부 통증 과 같은 더 많은 약제 부작용과 관련되어 있다. 북미 폐경학회(The North American Menopause Society)에서는 국소적으로 에스트로겐 치료 중인 환자에게 프로게스테론의 사용을 권고하지 않는다. 투석 환자에서 경구 에스트로겐이 필요한 경우는 드물다. 에스트로겐은 투석 환자에서 매우 천천히 대사되기 때문에 경구제제가 필요한 경우 하루 용량으로 0.3 mg 의 결합 에스트로겐과 2.5 mg의 메드록시프로제스테론(medroxyproges-terone)을 투여하게 되면 성교통을 예방할 정도의 충분한 에스트로겐을 투여하게 된다. 이러한 병용요법시 파탄성 출혈(breakthrough bleeding) 이 발생한다면 프로게스테론을 5 mg으로 증량할 수 있다.

V. 성기능 장애

A. 빈도 및 원인

55세 이하의 여자 투석 환자 50%는 성적으로 활동적이다. 투석 중인 여자 환자의 대부분은 성기능 장애를 조금씩 경험한다. 그들은 성욕 의 저하, 오르가즘에 도달하는 능력의 저하를 호소한다. 적혈구 생성 자극제의 사용은 성기능 향상과 관련이 있는 것처럼 보이는데, 이러한 자료의 대부분은 남자 환자에서 수집된 것이다. 성기능 감소의 다양한 원인으로 고프로락틴혈증, 생식샘 부전, 우울, 부갑상샘 기능항진증과 신체상의 변화 등이 있다.

B. 고프로락틴혈증

30년전 시행된 연구에 의하면 여자 투석 환자의 75~90%에서 고프로락 틴혈증을 동반한다고 보고하였다. 프로락틴의 평균 혈청 농도는 성기능 정상 환자에 비해 성기능 저하 환자에서 높게 나타났다. 공식적으로 프 로락틴 농도를 재검하지 못했으나, 비공식적인 관찰에 의하면 고프로락 틴혈증의 빈도는 감소하는 것으로 알려져 있다. 도파민 길항제인 브로머 고크립틴(bromergocriptine)을 사용한 고프로락틴 치료는 (통제되지 않 은 제한된 연구에서) 투석 중인 남녀 환자 모두에서 성기능을 호전시켰 다고 보고하였다. 특히 혈액투석 환자는 이 약제의 혈압강하 효과에 취 약하기 때문에 이 치료는 널리 사용되지 않는다. 교정 가능한 신체적 문 제가 발견되지 않는 한, 투석 환자는 신기능에 이상이 없는 다른 환자처 럼 성장애 치료(sex therapy)를 의뢰해야 한다.

VI. 비정상 자궁출혈

2011년 세계 산부인과 연맹(the international Federation of Gynecology and Obsterics, FIGO)은 과거 기능성 자궁 출혈(Dysfunctional Uterine

Bleeding)이라고 부르던 것에 대해 새로운 용어를 개발하였고, 현재는 비정상 자궁출혈이라는 용어가 선호된다.

A. 빈도

사구체 여과율이 10 mL/min 미만으로 감소하면 많은 여성들은 무월경을 경험한다. 일단 투석을 시작하면 많게는 60%에서 월경을 다시 시작한다. 규칙적인 월경은 투석 초기보다 폐경 전 말기 신부전 여성에서 더 흔하게 관찰된다; 그러나 월경을 하는 말기 신부전 환자의 반이상에서 월경 과다를 호소한다. 혈액투석 및 복막투석을 시행하는 환자는 모두 유사한 월경 이상을 호소한다. 월경을 하는 환자의 약 60%는 불규칙한 월경 주기를 갖는다. 비정상 자궁출혈은 흔히 발생하며 자궁내막암의 초기 증상일 수도 있기에 중요하다. 에리스로포이에틴의 도입으로 비정상 자궁출혈의 치료가 상당히 쉬워졌으나, 출혈은 에리스로포이에틴 치료 중인 환자에서도 심한 빈혈로 이어질 수 있다.

B. 치료

1. 악성 여부 선별

치료는 나이와 그에 따른 상피성 악성 종양(carcinoma)의 위험성에 따라 달라진다. 혈액투석 중인 환자는 신장질환이 없는 환자에 비해 자궁내막 증식증과 악성종양의 빈도가 더 높을 수 있다는 의견이 제시되기에, 이에 대해 강하게 의심을 하는 것이 타당하다.

a. 40세 이상의 여성

비정상 자궁출혈이 발생한 40세 이상의 여성은 자궁내막 검사(endometrial sampling)를 시행해야 한다. 일반적으로 진료실에서 시행된 자궁내막 조직검사는 소파술(dilation and curettage, D&C)을 대신할 수 있는데, 진료실에서 조직검사를 통해 얻은 자궁내막 시료와 수술방에서 시행된 소파술 시료를 비교했을 때 조직병리학 소견 사이에 높은 상관관계가 있기 때문이다. 만약 자궁내막 조직검사로 진단이 되지 않거나, 조직검사가 음성으로 판정된 후에도 출혈이 지속된다면 추가적인 진단검사를 시행해야 한다.

b. 40세 이하의 여성

40세 이하 여성의 경우 암발생 위험은 비교적 적은데, 암 선별검사는 매년 자궁경부암 검사를 시행하는 것으로 대개 충분하다.

2. 항응고제

월경 중인 환자는 최소한의 용량으로 헤파린을 사용해야 한다. 헤파린을 사용하지 않고 투석을 시행하는 법은 14장에 기술되어 있다.

3. 복막투석 중 혈액이 섞인 복막투석액 관찰

월경 또는 배란 기간 중, 투석액은 붉게 관찰될 수 있다(Lew, 2007). 복막투석액에 헤파린 투여를 안하는 것 이외에 특별한 치료는 없다. 일부에서는 배란을 억제하는 치료가 필요할 정도로 심한 혈복강이 발생할 수 있다(Harnett, 1987). 또한 월경 또는 배란 기간동안 무균성 복막염(aseptic peritonitis)이 보고된 적도 있다 (Poole, 1987). 혈액이 섞인 복막투석액은 종종 산부인과적 시술 후 발생한다.

4. 빈혈의 치료

빈혈은 다른 투석 환자처럼 에리스로포이에틴으로 치료해야 한다. 심한 자궁출혈은 철분 요구량이 증가할 수 있으며, 추가적으로 철분제 주사를 투여해야할 수도 있다.

5. 호르몬 요법

호르몬 대체요법이 심혈관계 사건의 발생률과 말기 신부전 환자에서의 과도한 심혈관계 사망률을 증가시킨다는 연구 결과가 보고되면서, 호르몬 대체요법의 득보다 실이 더 클 수 있다(하단의 토의 부분 참고).

a. 레보노르게스트렐 자궁내 시스템(levonorgestrel intrauterine system; 미레나, Mirena)의 형태로 프로게스테론을 자궁내로 전달하는 것은 아마도 가장 안전한 치료로, 비정상 자궁출혈을 경험한 혈액투석 환자에게 1차 치료법이 된다. 일단 자궁내 장치를 주입하면 3개월 내에 소량의 월경이 발생해야 한다. 복막투석 환자에서 자궁내 장치를 삽입한 이후 복막염이 발생한 예가 보고된 적 있으며, 이러한 이유로 자궁내 장치를 삽입하기 전 예방적 항균제 치료를 받아야 한다(미국 심장병학회 권고지침에서는 심내막염 예방을 위해 자궁내 장치를 삽입하기 전 예방적 항균제 치료를 권고하지 않는다). 이 시스템은 굉장히 효과적이어서 대부분의 경우 전신적 호르몬 요법의 필요성을 줄일 것이다.

b. 경구피임제
경구피임제는 2차 치료제가 될 수 있으나, 혈압 조절이나 혈전 질환의 위험이 문제가 된다면 반드시 피해야 한다. 에스트로겐과 프로게스테론의 병합사용이 자궁암과 골다공증을 예방한다는 이론적 장점은 추후 논의하겠다.

c. 메드록시프로게스테론 아세테이트(Medroxyprogesterone acetate, Depo-Provera)
프로게스테론은 주 1회 데포-프로베라(Depo-Provera) 100 mg씩 4주간 근주하거나 월경주기 첫 10일 동안 매일 10 mg씩 경구투여할 수 있다. 이 약은 더 보존적 치료인 자궁 내 또는 경구 호르몬 치료에 반응하지 않는 만성적 월경과다 환자를 위해 치료를 유보한다. 대다수의 투석 환자는 출혈 경향을 보이기 때문에 정기적으로 근육주사를 투여하는 것은 바람직하지 않다. 게다가 투석 환자에서 메드록시프로게스테론 아세테이트를 근육 주사할 경우 반감기를 예측할 수 없다. 프로게스틴(progestin)은 무배란성 출혈에서 가장 잘 반응한다.

d. 생식샘자극호르몬 분비호르몬 효능제(Gonadotropin releasing hormone agonists)

이것들은 근주로 월 1회 투여(류프로렐린 아세트산염, leuprolide acetate)하거나 매일 비강내로 일정량 투여할 수 있다. 이러한 약제는 아주 고가여서 과도한 월경 출혈이 지속되거나 자궁내 프로게스테론, 경구피임제 또는 프로게스틴에 반응하지 않는 환자를 위해 사용을 유보해야 한다. 류프로렐린아세트산염을 2회 투여 받은 만성적인 투석 환자에서 난소 과배란이 발생한 경우가 1례 있다.

e. 고용량 에스트로겐 정맥주사

갑자기 과도한 출혈이 발생한 경우 고용량의 에스트로겐 치료를 할 수 있는데, 결합 에스트로겐(conjugated estrogen)을 25 mg씩 6시간 간격으로 정맥주사하게 된다. 출혈은 대개 12시간 내에 호전된다.

f. 데스모프레신(Deamino arginine vasopressin, DDAVP)

출혈시간이 연장된 급성 실혈 상태에서, 50 mL의 식염수에 데스모프레신 0.3 pg/kg를 섞어 4~8시간 간격으로 3~4회 투여한다.

6. 비스테로이드 소염제

비스테로이드 소염제는 배란이 일어나는 경우 효과적이다. 말기 신부전 환자에서는 무배란기(anovulatory cycle) 발생이 증가되어 있기에, 이 약제는 덜 효과적일 수도 있다. 또한 말기 신부전 환자의 경우 소화기계 합병증 발생 위험이 높다.

7. 자궁내막 절제술(Endometrial ablation)

자궁내막 절제술은 레이저를 이용한 자궁경 자궁내막절제(hysteroscopic endometrial ablation with laser), 광응고술(photocoagulation), 롤러볼(roller ball), 루프 절제(loop resection)와 같은 몇 가지 수술적 방법에 의해 시행될 수 있다. 자궁경부를 얇게 만드는 시술을 시행하기 전 환자는 3~4주 동안 다나졸(danazol)이나 생식샘자극호르몬 분비호르몬 효능제로 전처치를 시행한다. 시술은 영구적인 불임을 유발한다.

8. 자궁 절제술

의미있는 기능성 자궁출혈을 동반한 폐경 후 환자들에게 자궁절제술은 치료 선택 중 하나가 될 수 있다. 복강경을 통한 자궁절제술을 선택할 수 있으며, 복강경 수술을 하기에 평활근종이 너무 큰 경우 복강경을 통한 자궁절제술이 가능할 정도로 유섬유종(fibroid)의 크기를 감소시키기 위해 생식샘자극호르몬 분비호르몬 효능제를 투여할 수 있다. 환자와 예정된 수술에 대해 주의깊게 상의해야 하며, 동반된 의학적 문제나 수술 위험성에 대해서도 고려해야 한다. 레이저를 이용한 자궁내막 절제가 도입되면서 이제 자궁절제술은 자궁 유섬유종에 대한 2차 출혈 또는 수술을 정당화하는 자궁 및 골반내 병리소견이 있는 경우를 위해 유보해야 할 것이다. 신이식 후 종종 생식력을 회복하기 때문에, 신이식 대기 중인 폐경 전 여성에서 자궁절제술은 생명을 살리는 처치로만 시행되어야 한다.

VII. 호르몬 대체요법

투석 중인 말기 신부전 환자들은 신기능 저하가 없는 경우와 비교했을 때 평균 5년 일찍 폐경을 경험한다. 투석 환자에서 호르몬 대체요법의 효과는 확실하지 않다. 폐경한 투석 환자의 약 10%에서 호르몬 대체요법 시행 중이다. 대부분의 경우 호르몬 대체요법은 투석 치료 전 시행했다고 알려져있다. 호르몬 대체요법을 시행하지 않은 환자의 대부분은 그들의 담당의가 권고하더라도 그 치료를 시행하지 않았을 것이라고 말한다. 최근 호르몬 대체요법에 대한 위험성 보고 때문에 말기 신부전 환자에서 이 치료에 대한 우려가 제기되고 있다. The Women's Health Initiative Study에서는 정상적인 폐경 여성을 대상으로 장기간에스트로겐과 프로게스테론을 보충한 후 유방압, 폐색전증, 심부 혈전 정맥염, 관상동맥 질환 및 뇌혈관질환의 발생 위험이 증가한다고 보고하였다. 호르몬 대체요법을 시행했을 때 유일한 의학적 이점은 골절 위험이 감소하는 것이다.

다양한 소인의 골질환 역시 투석 환자에서 더 흔하고 심하게 나타나며 말기 신부전 여자 환자는 그렇지 않은 경우에 비해 심혈관질환의 발생률이 20배 높다. 고관절 골절 위험은 나이와 성별에 속하는 건강한 사람들과 비교했을 때 투석 환자에서 더 높게 나타났다. 규칙적으로 월경을 하는 투석 중인 젊은 여자 환자를 무월경 환자와 비교했을 때, 골밀도는 무월경 환자에서 의미있게 낮게 나타났다. 폐경 후 에스트로겐 부족을 동반한 투석 환자에서 골소실 예방 목적으로 매일 랄록시펜(raloxifine) 60mg을 복용하는 것은 효과적으로 사용되어 왔으며, 이 약은 호르몬 대체요법을 대체할 만큼 안전하게 제공된다.

호르몬 대체요법은 다른 치료에 의해 호전되지 않는 에스트로겐 부족에 의한 증상을 경감시키는 목적으로만 사용되어야 한다. 환자가 치료에 따른 위험성을 충분히 인지한 뒤 증상 완화의 중요성을 판단하여 결정하도록 해야한다. 심혈관질환 및 유방암의 위험성 증가는 호르몬 대체요법을 시행 중인 건강한 여성들이 치료를 지속할 정도로 적다. 불행히도 혈액투석 환자에서 호르몬 대체요법의 구체적인 위험에 대해 아직 밝혀진 것은 없으나, 건강한 여자 및 기저 심질환을 가진 여자 환자에 대한 데이터를 바탕으로 위험군 환자를 위한 조언을 할 수 있다.

조기 난소부전이나 수술로 조기폐경이 유발된 여자 환자들을 대상으로 여전히 호르몬 대체요법이 시행되고 있다. 폐경 후 정상범위 내에 난포자극호르몬(FSH)와 황체형성호르몬(LH)의 농도에 해당하던 환자도 이식 후 정상화 될 수 있기 때문에, 누가 폐경 상태에 있는지 알기 어려울 수 있다. 13명의 환자를 대상으로 한 소규모 연구에서, 폐경 전 투석 여성에 호르몬 대체요법을 시행한 경우 L2~L4 골밀도의 호전 뿐 아니라 성기능 및 일반적인 웰빙상태가 향상된 것을 관찰할 수 있었다.

호르몬 대체요법은 활동적인 간질환이나 심부 정맥 혈전증이 있는 경우 금기이다. 에스트로겐은 루프스 활성을 촉진시킬 수 있으며 다낭성신증을 가진 여성에서 간의 다낭성질환을 악화시킬 수 있다.

호르몬 대체요법을 처방한다면 용량은 여자 투석 환자에 맞추어 감량해야 한다. 에스트로겐 투여 시 에스트로겐 농도는 정상 대조군에 비해 투석 환자에서 증가한다. 투석 환자에게 경구 호르몬 대체요법을 시행시 신기능이 정상인 환자에게 투여하는 용량의 약 절반 정도를 투여하면 된다. 경피용 에스트로겐은 응고인자에 대한 영향이 적을 수 있다.

VIII. 부인과 신생물

A. 양성

자궁 유섬유종(uterine fibroid)이나 평활근종(leiomyomata)은 30세 이상의 여성의 80%에서 발생할 정도로 아주 흔하며, 이 중 약 25%에서 증상이 나타난다. 만성 신질환 환자에서의 발생률은 보고된 적이 없다. 자궁 유섬유종은 대개 불규칙한 과다 월경, 자궁 크기가 커지면서 주변 기관을 누르면서 통증, 압박감, 변비 등으로 증상이 나타난다. 크기가 작고 증상이 없는 평활근종은 경과관찰하며 지켜볼 수 있다. 치료 적응증은 증상이 있는 출혈, 통증 또는 압박감, 소변 저류, 비틀림(torsion), 급성 복통을 동반한 변성, 경부를 통한 탈출(prolapse), 폐경 후 크기 증가이다. 아직 가임기에 속하는, 유력한 신이식 대기자인 경우 출산능력 보존을 위해서 수술적으로 가능하다면 자궁절제술 보다는 근종절제술을 시행한다. 최근 미페프리스톤(mifepristone, RU486, 사후피임약)을 통한 내과적 치료, 성선자극호르몬 유리호르몬 효능제, 복강경을 통한 근종제거술, 자궁근종 용해술(myolysis), 자궁동맥 색전술 등과 같이 자궁절제술 이외 다양한 치료법이 가능해졌다. 복강경을 통해 근종제거술을 시행한 경우 추후 임신 시 자궁 파열의 위험성이 증가하기에, 임신 계획이 있는 환자에서는 시행하지 않는다.

B. 선별방법

투석 중인 여자 환자는 일반인에 비해 유방촬영술과 자궁경부암 검사를 정기적으로 시행할 가능성이 적다. 유방암의 발생률은 신질환이 없는 경우와 비슷한 반면, 자궁경부암의 발생률은 말기 신부전 환자에서 증가한다. 몇몇 최근 연구에서 말기 신부전 여성의 경우 그들의 생존기간이 줄어들면서 암 선별검사를 통한 기대 여명의 연장은 무시할 정도로 미미하다고 보고하였다. 이러한 시각은 말기 신부전 환자의 치료에서 생존을 연장시킬 수 있는 위대한 발전 가능성을 허용하지 않게 된다. 젊은 여성, 이식 대기 중인 여성, 유방암/난소암/자궁경부암의 발생 위험이 높은 여성들은 반드시 선별검사를 시행해야 한다. 자궁경부암의 발생 위험이 가장 높은 경우는 과거 신이식 또는 기저 질환의 치료와 관련하여 면역억제제 치료를 받았거나 최근 면역억제제 치료를 받고 있는 경우, 또는 후천성 면역결핍증후군에 걸린 경우이다. 이러한 여성들은 매년 자궁경부암 검사를 시행해야 한다.

C. 증상이 있는 여성에서 암검사

자궁내막암은 대개 비정상 자궁출혈로 나타나며, 이에 대한 조사 및 치료는 위에서 논의하였다. 난소암은 대개 모호한 복부 증상으로 발현하며, 향후 난소 종양으로 나타난다. 난소암에 의해 유발된 복부 불편감, 오심, 체중 감소는 처음에 요독 증상이나 투석 적절도 감소에 의한 것으로 오인할 수도 있다. 복막투석 환자에서 난소암은 혈액이 섞인 복막투석액, 복강내 세포 수 이상 또는 투석액 색깔의 변화로 나타날 수 있다. 초기에 완치 가능한 단계에서 난소암을 발견하기 위해 강하게 의심하는 것이 필요하다. 투석 환자에서 CA125 (cancer antigen 125)를 난소암의 선별 및 추적 관찰에 이용하는 것은 제한이 있다. 이것은 투석을 통해 효과적으로 제거되지 않을 뿐 아니라 중피세포에서 생성되기에, 특히 복막투석 환자에서 높은 농도로 상승되어 있다.

D. 진단 검사

1. 하부위장관 조영술

하부위장관 조영술 검사를 할 때 조영제를 희석하는데 사용되는 다량의 물은 정상적인 양의 1/4로 줄일 수 있다.

2. 컴퓨터 단층촬영

컴퓨터 단층촬영 또는 혈관 조영술이 필요한 경우 투석 환자에서 조영제를 주사로 투여하는 것은 금기는 아니다. 조영제 투여 후 혈장량과 삼투압이 증가될 수 있으며, 이와 관련하여 증상이 발생한다면 검사 후 즉시 투석을 시행하면 된다. 무증상인 경우 다음날 투석을 시행할 수 있다. 복부 컴퓨터 단층촬영이 필요한 복막 환자는 복강내 투석액 검사를 진행해야 한다.

3. 골반 및 복부 초음파

골반 또는 난소 병변이 의심되는 복막투석 환자는 해당 부위의 초음파 검사를 시행해야 한다. 방광을 팽창시키지 않고 골반의 병적 변화를 확인할 수 없는 경우에는 방광에 도관을 삽입할 수 있다.

4. 경질 초음파(Transvaginal ultrasound)

경질 초음파의 경우 골반내 기관으로 프로브(probe) 접근이 좋고 질원개(vaginal vault)가 비교적 얇아 높은 주파수로 검사를 시행하면 높은 해상도의 영상을 얻을 수 있기 때문에, 이를 통해 골반내 이상을 더 명확하게 확인할 수 있다. 한편 경복부 초음파 프루브는 골반내 기관에서 주요한 해부학적 장기간의 관계와 발생 가능한 병리소견 등 더 개괄적인 골반의 모습을 보여준다. 경질 초음파 프로브는 관심있는 장기에 대해 더 집중된 영상을 얻을 수 있는데, 불과 7~10 cm 깊이 내에서만 효과적이다.

경복부 골반 초음파와는 달리 경질 초음파는 환자의 방광이 비워져 있을 때 가장 잘 시행될 수 있다. 투석 중인 환자는 방광내로 도관을 삽입하고 수액을 채워넣기 전까지 방광이 채워지지 않기 때문에, 골반 내 병변이 의심된다면 우선 경질 초음파를 시행하고 이를 통해 충분한 정보를 얻지 못했다면 다음 단계로 경복부 골반 초음파를 시행한다. 복막투석 환자는 경복부 초음파를 시행할 경우 복강을 채워야 하며 경질 초음파를 시행하는 경우 비워야 한다.

5. 자기공명영상

투석 환자에서 복부 자기공명영상 시행하는 경우 투석액이 조영제처럼 사용되면서 조영제 없이도 검사를 시행할 수 있다. 이러한 이유로 자기공명영상이 복막투석 중인 여자 환자에서 복강과 골반부위의 발생가능한 해부학적 이상을 검사하는 데 있어서 최고의 진단법이 된다. 조영제인 가돌리늄(gadolinium)을 사용하여 자기공명영상 촬영 시 전신성 섬유화증(nephrogenic systemic fibrosis) 발생을 고려한 뒤 시행해야 한다. 검사 직후 투석을 시행을 하는 경우 전신성 섬유화증의 위험은 알려진 것보다 높지 않다는 보고가 있다 (Amet, 2014).

E. 치료

만성 신질환 환자에서 부인과적 암과 악성이 아닌 종양에 대해 시행할 수 있는 치료로 수술적 절제와 항암치료가 있다.

1. 수술

복막투석 환자에서 자궁경부암 검사보다 더 침습적인 부인과적 시술(예: 자궁내막 또는 자궁경부 원추생검법(cervical cone biopsy)은 복강을 비워놓은 상태에서 시행되어야 한다. 아래와 같이 예방적 항균제를 환자에게 투여해야 한다.

골반 또는 복강 수술을 받는 복막투석 환자에서 복강 내에 세균 오염이 없다면, 도관을 제 위치에 남겨 둔다. 만약 질식 자궁적출술에서와 같이 복강이 오염될 위험성이 낮으나 가능한 경우에는 1.0 g의 반코마이신과 1.0 g의 세폭시틴을 수술 직전 예방적으로 정주한다. 만약 녹농균이 서식하는 환자라는 사실을 알고 있다면, 여기에 토브라마이신 2.0 mg/kg 정맥주사를 추가해야 한다. 수술 후 도관 개존율 유지를 위해 복막투석액 500 mL로 3회 세척을 한다. 투석액이 붉게 나오지 않으면 줄씻기는 하루 1번으로 줄인다. 도관을 다시 사용하기까지 10일~2주를 기다리며 그동안 혈액투석을 시행한다.

2. 항암치료

투석 환자에서 항암치료에 대한 내용은 이 핸드북이 다룰 수 있는 범위를 넘어선다.

References and Suggested Readings

Amet S, et al. Incidence of nephrogenic systemic fibrosis in patients undergoing dialysis after contrast-enhanced magnetic resonance imaging with gadolinium-based contrast agents: the Prospective Fibrose Nephrogénique Systémique study. *Invest Radiol.* 2014;49:109–115.

Ansari N, et al. Gynaecologic Nephrology. *Am Med J.* 2013;3:147–160.

Barua M, et al. Successful pregnancies on nocturnal home hemodialysis. *Clin J Am Soc Nephrol.* 2008;3:392–396.

Brost BC, et al. Effect of hemodialysis on serum progesterone level in pregnant women. *Am J Kidney Dis.* 1999;33:917–919.

Cooper WO, et al. Major congenital malformations after first-trimester exposure to ACE inhibitors. *N Eng J Med.* 2006;354:2443–2451.

Dimitriadis C, Bargman J. Gynecologic issues in peritoneal dialysis. *Adv Perit Dial.* 2011;27:101–105.

Hampton HL, Whitworth NS, Cowan BD. Gonadotropin-releasing hormone agonist (leuprolide acetate) induced ovarian hyperstimulation syndrome in a woman undergoing intermittent hemodialysis. *Fertil Steril.* 1991;55:429.

Harnett JD, et al. Recurrent hemoperitoneum in women receiving continuous ambulatory peritoneal dialysis. *Ann Intern Med.* 1987;107:341.

Hladunewich MA, et al. Intensive hemodialysis associates with improved pregnancy outcomes: a Canadian and United States cohort comparison. *J Am Soc Nephrol.* 2014;25:1103–1109.

Holley JL, et al. Gynecologic and reproductive issues in women on dialysis. *Am J Kidney Dis.* 1997;29:685–690.

Holley JL. Screening, diagnosis, and treatment of cancer in long-term dialysis patients. *Clin J Am Soc Nephrol.* 2007;2:604–610.

Hou S. Daily dialysis in pregnancy. *Hemodial Int.* 2004;8:167–171.

Hou S. Pregnancy in women treated with dialysis: lessons from a large series over 20 years. *Am J Kidney Dis.* 2010;56:5–6.

Kajbaf S, Nichol G, Zimmerman D. Cancer screening and life expectancy of Canadian patients with kidney failure. *Nephrol Dial Transplant.* 2002;17:1786–1789.

Kramer HM, Curhan GC, Singh A. Permanent cessation of menses and post menopausal hormone use in dialysis dependent women. *Am J Kidney Dis.* 2003;41:643–650.

Lew SQ. Hemoperitoneum: bloody peritoneal dialysiate in ESRD receiving peritoneal dialysis. *Perit Dial Int.* 2007;27:226–233.

Lin HF, et al. Increased risk of cancer in chronic dialysis patients: a population based cohort study in Taiwan. *Nephrol Dial Transplant.* 2012;27:1585–1590.

Ma TL, Wang CL, Hwang JC. Recurrent peritonitis episodes in a continuous ambulatory peritoneal dialysis patient after gynecologic procedures. *Perit Dial Int.* 2012;32:113–114.

Mattix H, Singh AK. Estrogen replacement therapy: implications for post menopausal women with end-stage renal disease. *Curr Opin Nephrol.* 2000;9:207–214.

Nadeau-Fredette AC, et al. End-stage renal disease and pregnancy. *Adv Chronic Kidney Dis.* 2013;20:246–252.

Nakamura Y, Yoshimura Y. Treatment of uterine leiomyomas in perimenopausal women with gonadotropin-releasing hormone agonists. In: Pitkin RM, Scott JR, ed. *Clin Obstet Gynecol.* 36: 9/93

Navaneethan SD, et al. Prevalence and correlates of self reported sexual dysfunction in CKD: a metaanalysis of observational studies. *Am J Kidney Dis.* 2010;56:670–685.

Okundaye IB, Abrinko P, Hou S. A Registry for Pregnancy in Dialysis Patients. *Am J Kidney Dis.* 1998;31:766–773.

Poole CL et al. Aseptic peritonitis associated with menstruation and ovulation in a peritoneal dialysis patient. In: Khanna R, et al. eds. *Advances in Continuous Ambulatory Peritoneal Dialysis.* Toronto: Peritoneal Dialysis Bulletin; 1987.

Potluri K, et al. Beta HCG in a pregnant dialysis patient: a cautionary tale. *Nephrol Dial Transplant Plus.* 2011;4:42–43.

Shan HY, et al. Use of circulating antiangiogenic factors to differentiate other hypertensive disorders from preeclampsia in a pregnant woman on dialysis. *Am J Kidney Dis.* 2008;51:1029–1032.

Stengel B. Chronic kidney disease and cancer: a troubling Connection. *J Nephrol.* 2010;23:253–262.

Strippoli GFM, et al. Sexual dysfunction in women with ESRD requiring hemodialysis. *Clin J Am Soc Nephrol.* 2012;7:974–981.

Weisbord SD. Female sexual dysfunction in ESRD: an underappreciated epidemic? *Clin J Am Soc Nephrol.* 2012;7:881.

Web References

National Collaborating Center for Women's and Children's Health. Hypertension in pregnancy: the management of hypertensive disorders during pregnancy. CG107 Hypertension in pregnancy: full guideline, http://www.nice.org.uk/guidance/CG107. Accessed July 7, 2014.

40 신경계와 수면장애

최명진 역

　만성 신질환 환자들은 중추신경계와 말초신경계의 구조적, 기능적 위상을 위협하는 다양한 종류의 병태생리 과정에 노출되어 있다. 신경학적 기능 이상은 일시적 또는 만성적일 수 있으며, 다양한 범주의 체액성, 대사성, 염증성, 혈관성 손상들을 반영하는 것일 수 있다. 여기에는 말기 신부전을 유발한 기저 질환, 요독 그 자체 뿐 아니라 투석 과정의 다양한 단계의 투석 과정이 연관되어 있다. 이러한 요소들은 복합적으로 작용하여 환자가 실제 투석을 받지 않는 시간에 완전하고 독립적인 삶을 이끌어내는 한편, 신경인지 수행능력, 우울증, 건강과 관련된 삶의 질, 투석 과정을 견디는 능력에 영향을 끼치게 된다. 이 장은 뇌와 말초신경계에 대한 논의로 국한되며 수면장애와 하지불안 증후군과 같은 질환을 포함한다.

I. 중추신경계

　투석을 시행하는 요독 환자에서 중추신경계의 기능 이상이 발생하는 경우 요독 그 자체의 영향 뿐 아니라 발생할 수 있는 구조적 이상의 범주를 검토하는 것이 중요하다. 이러한 다수의 고려 사항은 종종 동시에 나타나며, 그 결과 복잡한 결과가 초래될 수 있다.

A. 두개내 출혈 및 허혈성 뇌졸중

　자발적 경막하출혈은 흔히 발생한다. 최근 몇 년동안 발생율이 증가했는데, 이것은 심방세동 환자에서 뇌졸중 예방 목적으로 항응고제 사용 증가와 연관된 것일 수 있다. 두개내 출혈 또는 거미막밑 출혈은 (심지어 투석 중에도) 흔하다. 거미막밑 출혈은 두개내 동맥류를 동반할 수 있는 다낭신장병 환자들에게는 특별한 문제이다. 두통은 투석 불균형 증후군과 초기 뇌출혈에서 모두 발생하나 회복 형태는 다르다. 두통이 새로 발생한 경우 컴퓨터 단층촬영이나 자기공명영상(이 경우 조영제 사용 제한을 감수해야 함)을 통해 두개내 출혈 가능성에 대해 조사가 필요하며, 헤파린 사용 없이 투석을 해야 한다. 허혈성 뇌출혈 및 출혈성 뇌졸중 모두 흔히 발생하며 치명적인 상태를 유발할 수 있는 데, 진단이 어렵지는 않다. 혈액투석 환자에서 뇌졸중이 발생한 경우 두개내 혈전용해술 또는 일차/이차 예방법 시행과 관련된 자료가 거의 없기에, 단기 및 장기 치료에 대해 논란이 있다. 뇌졸중이 발생한 경우 투석

환자에서 이러한 시술은 효능 및 안전성에 있어 일반인과 차이가 많이
날 수 있다.

B. 무증상 뇌구조 이상

자기공명영상으로 투석 환자의 뇌를 검사했을 때 몇 가지 병리소견이
관찰된다. 이러한 병리 소견은 대부분 무증상이거나(종종 특별한 검
사에 의해서 확인) 신경인지적 기능에서 아주 미세한 결함으로 나타날
수 있으며, 이것은 종종 진행하기도 한다. 이러한 변화의 대부분은 심
혈관질환의 전형적인 위험인자와 관련이 적고 주로 미세혈관 질환, 염
증, 관류상태 변화(일반적인 상태 및 일시적으로 혈액투석 중 발생)와
같은 다른 요인에 의해 유발된 것으로 보인다. 이것은 무증상의 뇌경
색부터 백질병변(leukoaraiosis)과 피질위축(cortical atrophy)과 같은
변화까지 다양하게 나타난다.

1. 무증상 대뇌경색증

Nakatani 연구팀은 투석 환자에서 무증상 대뇌경색증이 발생한
다는 가정하에 연구를 시행하였다. 이는 주로 피질하(subcortical)
와 열공(lacunar)에서 신경학적 결손 없이 발생한다. 하지만 이것
은 증상을 동반한 뇌경색이나 출혈성 뇌졸중으로 발현하는 위험
인자로 생각된다. 50명의 혈액투석 환자를 대상으로 한 연구에서
Nakatani 등(2003)은 흡연, 낮은 고밀도 콜레스테롤 농도, 높은 요
산 농도, 높은 간세포증식인자(hepatocyte growth factor)가 무증
상 대뇌경색증 발생의 위험인자라는 것을 밝혀냈다. 무증상 대뇌
경색증이 발생한 환자군은 심초음파에서 이완기말 심실중격두께
와 이완기말 후벽두께가 더 증가되어 있었고 좌심실 질량지수가 높
게 나타났다. 일반인과 비교시 무증상 대뇌경색증이 발생한 환자군
은 24시간 혈압측정에서 혈압이 더 높지는 않았으나, 이것이 건강
한 패턴의 야간 혈압 강하를 보여주지 못했다. 무증상 대뇌경색증
이 발생하는 기전 중 하나는 혈액투석 시 발생되는 미세방울인데,
투석기 내 공기알람이 울리지 않는 상태에서 대뇌 혈류로 유입되면
허혈성 손상을 유발할 수 있다(Forsbeg, 2010).

2. 뇌 위축

혈액투석 환자에서의 뇌(피질) 위축은 컴퓨터 단층촬영 또는 자기
공명영상에 대한 연구를 통해 알려졌다. 뇌 위축의 정도는 투석 기
간과 관련이 있다. 대뇌 혈류는 투석 간에 더 감소되어 있으며 혈액
투석 중에 더 높다. 복막투석 환자에서는 이러한 혈액학적 변화와
대뇌 산소화의 변화는 덜 두드러지는데, 이것은 혈액투석의 인위적
인 대뇌 효과로 제시될 수 있다(Prohovnik, 2007).

3. 백질병변

백질병변은 축삭돌기와 수초의 소실에 의한 대뇌 백질의 비특이적
인 변화로 기술된다. 대개 이것은 허혈성 손상과 관련이 있으며, 자

기공명영상의 T2 강조영상에서 고강도 신호로 나타난다. 백질병변은 치매, 거동장애, 뇌졸중 발생의 위험인자로, 문헌에는 일차적으로 나이와 관련된 현상이라고 기술되었다. 만성 신질환이 없는 환자에서 백질병변은 인지기능 저하 및 우울증의 유병률과 강도 증가와 연관이 있다.

몇 개의 연구를 통해 혈액투석 환자에서 이러한 형태의 구조적 뇌손상이 흔하다고 알려졌다; 3개월 이상 혈액투석을 시행한 환자에서 이러한 소견은 보편적으로 나타난다. 인지기능 저하에서 중증도는 백질 손상 범위와 양에 비례하며, 이것은 결국 투석 중 심혈관계의 불안정성 정도와 비례한다(Eldehini, 2014).

C. 뇌기능에 영향을 주는 호르몬 이상

1. 요독성 뇌증

뇌증은 치료받지 않은 요독증에서 나타나는 대표적 증상이다. 초기 임상증상은 미미하다; 정서적으로 무뎌지고 화를 잘 내며 다른 사람과 좋은 관계를 유지하기 힘들어진다. 이 시기에 공식적인 평가를 할 경우 인지 또는 정신운동행동이 고르지 않게 나타난다. 사건-연관성 뇌 유발전위(자극에 의해 유발된 평균 뇌전도 파형)도 비정상적일 수 있다. 요독증이 진행하면 피로감은 지남력장애, 착란, 섬망, 혼미, 그리고 마지막으로 혼수로 전환된다. 여기에 떨림, 근간대경련(myoclonus), 퍼덕이기 진전(astrexis)과 같은 운동기능 이상을 동반되기도 한다. 요독성 뇌증의 대표적인 증상들은 주기적 투석 시행을 할 경우 1주일 내에 호전될 것이다; 그렇지 않다면 반드시 다른 진단이나 추가적인 진단을 해야 한다.

2. 대사성 및 전해질 원인

(만성 신질환 환자에서 미네랄-골대사 질환 자체 또는 치료와 관련되어 종종 발생하나) 어떤 원인에 의해 유발되었든 고칼슘혈증은 급성 착란이나 혼수의 형태로 나타날 수 있다. 심한 저나트륨혈증 또는 고나트륨혈증에서도 주로 신경학적 이상이 나타난다. 뇌위축이 있는 투석 환자의 경우 비정상적인 장성(tonicity)의 결과 심한 뇌부종이 생기는 것을 종종 잘 버텨낸다. 당뇨병 환자의 경우 저혈당은 부적절한 혈당치료의 결과 또는 잔여신기능의 추가적인 감소로 인슐린 대사가 저하되면 발생할 수 있다. 당뇨병이 없는 환자에서도 저혈당이 발생할 수 있는데, 이것은 고농도 포도당을 포함한 투석액에 노출된 후 이에 대한 반응으로 고인슐린혈증이 발생하거나 또는 포도당이 포함되지 않은 투석액에 대한 저혈당 반응으로 나타날 수 있다.

급성 알루미늄 중독은 초조, 착란, 발작, 근간대경련성 수축, 혼수와 같은 특징을 보이는 급성 신경중독 증후군으로 나타날 수 있다. 덜 엄격한 수질 기준이 적용되고 알루미늄이 포함된 인 결합제를 많이 사용했던 과거에 비해 최근에는 드물게 나타난다. 하지만 지금도 투석액이 알루미늄에 심하게 오염되거나 데페록사민 치료를 하는 과정에서 급성 알루미늄 중독이 나타날 수 있다. 이 경우 혈장 알루미늄 농도는 대개 500 mcg/L (19 mcmol/L)보다 높고, 전형적인 뇌파 변화(서파 또는 델타파의 활동이 다발성으로 분출, 종종 극파를 동반)가 관찰된다. 알루미늄 중독과 관련된 더 자세한 내용은 36장의 미네랄-골대사 질환에 있다.

3. 감염 및 염증

전신적, 국소적 감염과 염증은 모두 투석 환자의 뇌에 영향을 끼칠 수 있다. 투석 환자에서 패혈증은 특유의 발열반응 없이 나타나는 경우가 흔하며(특히 노인 환자에서), 초기 임상증상으로 의식의 둔화가 나타날 수 있다. 투석 환자는 요독증 및 일부 기저 질환에 대한 면역억제제 치료 결과 면역기능이 저하되어 있다. 또한 이들은 넓은 의미의 뇌염 및 수막염 발생의 고위험군이라 할 수 있는데, 특히 결핵성 뇌수막염처럼 서서히 증상이 나타나기도 한다.

내독소혈증은 혈액투석에 의해 유발되는 뇌손상의 병태생리에서 중요한 기전 중 하나이다. 내독소혈증은 투석을 시행 중인 말기 신부전 환자에서 잘 설명되는데, 이것은 전신적인 염증유발상태(proimflammatory)를 유도한다(McIntyre, 2011). 이 경우 소화관의 관류저하 및 장의 투과도 증가가 나타나며 결과적으로 전신 순환계로 박테리아와 내독소가 유입된다. 그에 따른 순환 스트레스의 수준은 내독소혈증의 중증도와 관련이 있다. 혈액투석 환자는 만성적인 내독소혈증 상태로, 매 투석시 장간막 허혈이 반복되면서 급성으로 악화될 수 있다. 또한 내독소의 반복적인 위해는 혈액투석에 의해 유발되는 대뇌 관류를 악화시켜 이차적으로 백색 피질하 부위의 허혈성 뇌손상을 야기할 수 있다.

D. 급성 일과성 기능 저하

1. 투석 불균형 증후군(Dysequilibrium syndrome)

진행된 요독증을 빠르게 교정하는 경우 투석 종료시점 또는 시작 직후에 종종 신경학적 기능 이상을 보이는 특징적인 증후군이 발생할 수 있다. 투석 불균형 증후군은 주로 혈액투석에서 발생하나 복막투석에서도 발생할 수 있다. 증상이 경미한 경우 초조, 두통, 오심, 구토에 국한되나, 심한 경우 혼돈이나 심각한 발작으로 나타나게 된다. 투석 불균형 증후군은 투석 중 혈액과 뇌 사이에 삼투압 변화의 속도차로 뇌부종이 발생하여 유발된다고 알려져 있으나, 급격한 산혈증 교정에 따른 뇌의 pH 변화 역시 중요한 역할을 한다. 이것은 주로 이전에 투석을 받지 않았던 환자에서 발생하지만, 드물게는 만성 투석치료 중인 환자에서 발생하기도 한다. 첫 투석시 요독증이 진행된 환자에서 과도하게 시간을 늘린 경우, 특히 고효을 투석기를 사용했을 때 불균형 증후군이 발생할 가능성이 더 높다. 첫 투석은 비교적 짧게 시행하여 높은 농도의 혈액 요소질소를 수일에 걸쳐 천천히 감소시켜야 한다. 이 때 통상적으로 항경련제를 사용하는 것은 피해야 한다.

2. 장성(tonicity)에 영향을 끼치는 다른 요인들

삼투압을 결정하는 다른 물질, 즉 포도당과 소디움이 빠르게 이동하는 경우에도 갑작스런 의식 둔화에 영향을 끼칠 수 있다. 이러한 손상을 최소화하기 위해 포도당 농도를 교정하고 환자별로 투석액 전도도(conductivity)를 따로 설정하는 등 추가적인 노력을 기울일 필요가 있다.

3. 투석에 의한 대뇌 관류 및 산소화 감소

투석 중 혈압을 일정하게 유지하지 못하는 경우 갑작스런 의식 저하가 유발된다. 투석 중 저혈압의 진단과 치료는 이 책 12장에 자세히 기술되어 있다. 투석 중 저혈압이 발생하는 경우 이를 즉각적으로 인지하고 정확하게 교정하는 것은 정상적인 기능을 회복하고 뇌졸중 유역면적(watershed area cerebral infarct)의 위험을 낮춘다는 측면에서 중요하다. 이러한 사건들은 만성적인 무증상 뇌백질 손상을 가속화시킨다는 측면에서 중요성이 강조된다.

4. 원추형(Coning)

갈고리이랑탈출(uncal herniation)과 소뇌편도탈출(cerebellar tonsillar herniation)은 다른 병리 이상이 동반되지 않아도 발생할 수 있다. 이는 투석 시 유발되는 심한 두통과 의식 상태 저하로 나타나며, 결과적으로 사망까지 이르게 된다. 이것은 원추형 소인을 가진 선천적 이상(예를 들면 키아리 기형―대공(foramen magnum)을 통해 부분적으로 마름뇌 탈출(hidbrain herniation)이 발생, 종종 척수갈림증에서 관찰)이거나 뇌수술 후에 더 흔하게 나타난다. 또한 뇌척수액 우회로와 단락 기능 이상은 투석에 의한 뇌줄기(brainstem) 탈출의 위험성을 증가시킬 수 있다. 이 경우 치료에 있어서 한외여과 속도를 제한하고 혈장 대비 투석액의 장성을 면밀하게 조절하는 것이 중요하다.

5. 비경련 간질지속상태(Nonconvulsive status epilepticus)

간질지속상태는 착란이나 심한 의식상태 저하로 나타날 수 있다. 확실한 경련성 움직임 없이 발생하는 경우(Iftihar, 2007), 치명적인 대뇌병변(비록 영상검사 정상이더라도)이나 급성 심혈관계 기능부전에 의한 허탈과 구분이 어려울 수 있다.

비경련 간질지속상태의 전형적인 뇌파검사는 3 Hz의 광범위한 극서파복합체(spike-and-wave complex) 또는 초당 4개를 초과하는 전신 또는 국소적 극파(spike), 예파(sharp-wave)와 극서파복합체가 반복는 형태로 나타난다. 음주, 약물금단, 감염, 저산소혈증, 뇌혈관계 사고, 월경, 시클로스포린 A 종양, 항생제로 유발된 신경독성 등의 사건이 비경련 상태를 유발할 수 있다. 신기능이 저하된 경우 경련을 유발할 수 있다고 알려진 항생제는 페니실린, 세팔로스포린, 이미페넴/실라스타틴, 플루오로퀴놀론이다. 치료는 경련 유발요인을 조절하고 급성 경련에 대한 표준화된 항경련제를 사용하는 것이다.

E. 급성 둔감, 투석 불균형 증후군 및 만성 치매의 감별

이 경우 감별할 질환의 범위가 넓다. 표 40.1은 급성 둔감이 발생한 경우 감별해야할 질환에 대한 목록이다. 투석 불균형 증후군과 감별할 질환은 표 40.2에, 만성 치매와 감별할 질환은 표 40.3에 기술하였다. 급성 둔감에 대한 치료적 접근은 그림 40.1에, 만성 둔감에 대한 접근은 그림 40.2에 표시하였다.

F. 간질경련(epileptic seizures)의 진단과 치료

1. 원인

투석 환자에서 발작은 드물지 않다. 진행된 요독성 뇌증에서 전신 발작은 내제되어 있다. 또한 심한 투석 불균형 증후군의 증상이 발작으로 나타날 수 있다. 표 40.4는 투석 환자에서의 발작과 관련하여 발생원인을 기술하였다. 두개내 출혈은 흔히 초점 발작을 유발하는 반면, 대부분의 다른 질환은 전신 발작을 초래한다.

발작은 알루미늄 뇌증과 심한 고혈압에서 모두 특징적으로 나타난다. 신기능이 저하된 소아에서 발작의 발생률은 성인보다 높다.

TABLE 40.1	유지 투석 환자에서 급성 둔감과 감별이 필요한 질환들

요독성 뇌증

약물 중독 (신장으로 배설되는 약제)
    항생제
    항바이러스제
    아편제제
    항경련제

중추 신경계 감염
    수막염
    뇌염

심내막염
고혈압성 뇌병증

출혈
    거미막밑 출혈
    경막밑 출혈
    두개내 출혈

급성 알루미늄 중독(구연산 동반 섭취, 심하게 오염된 투석액)
베르니케 뇌병증(구토, 식사 섭취가 불량한 환자)

TABLE 40.2	투석 불균형 증후군과 구분이 어려운 상태들

출혈
   거미막밑 출혈
   경막밑 출혈
   두개내 출혈
대사성 질환
   고삼투압 상태
   고칼슘혈증
   저혈당
   저나트륨혈증
뇌경색
저혈압
   과도한 한외여과
   부정맥
   심근경색
아나필락시스
알루미늄 중독 (아급성)

TABLE 40.3	투석 환자에서 만성 치매와 감별이 필요한 질환들

특발성 노년전치매
혈관성 치매
우울증
만성 경막하 혈종
약물 중독
대사성 질환
   고칼슘혈증 (삼차성 부갑상샘 기능항진증 또는 의인성)
   저혈당에 의한 뇌손상
저나트륨혈증에 의해 이차적으로 발생한 탈수초 증후군
요독증 (불충분한 투석)
수두증 (아마도 거미막하 출혈에 의해 이차적으로 발생한)
빈혈
티아민 결핍 (만성 베르니케-코르사고프 증후군)
만성 감염
알루미늄 뇌증 (투석 치매)

투석 전 저칼슘혈증이 동반된 경우 투석을 통해 산증이 빠르게 교정되고 이온화된 칼슘의 농도가 급격히 감소하게 되면 투석 중 또는 투석 직후 발작이 유발될 수 있다. 저칼슘혈증이 관찰되는 경우 (종종 원인이 되는) 저마그네슘혈증이 동반되었는지 반드시 확인해야 한다. 포도당이 불포함된 투석액을 사용하는 경우 저혈당이 발생할 수 있다.

발작은 '뇌전증을 유발하는' 다양한 약제를 복용하는 환자들에게 더 자주 발생하는 경향이 있다. 페니실린과 세팔로스포린 계열의 항생제를 고농도로 사용하거나 만성 신질환 환자에서 용량 조절 없이 투여한 경우 흔히 유발약제로 작용한다. 다른 뇌전증 유발 약

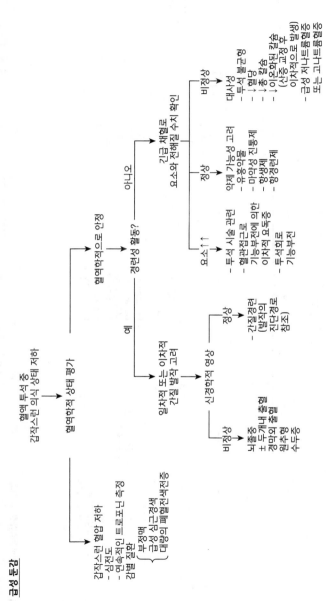

그림 40.1 급성두감의 평가와 치료

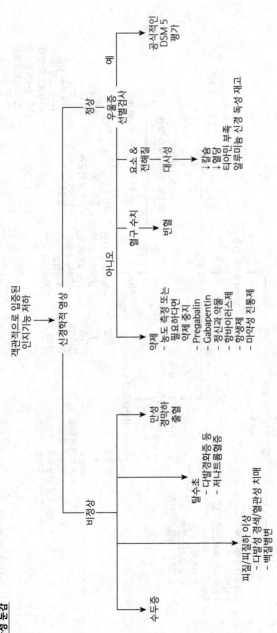

그림 40.2 만성 통증의 평가와 치료

TABLE 40.4 투석 환자에서 발작

원인
투석 불균형 증후군
고혈압성 뇌증
두개내 출혈
약제로 유발된 경련 역치 감소
알코올 금단
대사성
  저혈당
  저칼슘혈증
  복막투석에 의한 고삼투질농도
  고나트륨혈증(혈액투석기 기능부전에 의한 돌발적 사고) 또는 저나트륨혈증
심한 저혈압
저산소증
부정맥
요독성 뇌증(투석 환자에서 드물게 발생)
독소(카람볼라 섭취)
아나필락시스
알루미늄 뇌증
공기 색전증

예방
경련에 취약한 하위 집단을 인지
  투석 전 혈청요소질소 > 130 mg/dL (46 mmol/L)
  심한 고혈압
  이전의 발작 질환
  알코올 중독
  투석 전 산증을 동반한 저칼슘혈증(< 6 mg/dL, 1.5 mmol/L)
초기 투석시 혈류속도, 투석 시간 및 한외여과 속도를 제한
투석액 소디움 농도를 혈청 소디움 농도와 같거나 높게 유지
저칼슘혈증 환자에서 칼슘 농도가 3.5 mEq/L (1.75 mM) 또는 4.0 mEq/L (2.0 mM)인 투석
액 사용; 필요하다면 투석 중 칼슘 주사 투여
적혈구 생성 자극제 투여 중에는 세심한 혈압 조절이 필요
에탄올과 '경련을 유발할 수 있는' 약제에 대한 노출을 제한
  페니실린
  플루오로퀴놀론
  시클로스포린
  메페리딘(Meperidine) (데메롤(Demerol))
  테오필린
  메토클로프라미드(metoclopramide)
  리튬

치료
투석 중지
기도 유지
혈액을 채취하여 혈당, 칼슘, 다른 전해질 농도를 확인
저혈당이 의심된다면 포도당 주사제를 투여
다이아제팜 또는 로라제팜을 투여, 만약 필요하다면 페니토인도 가능
대사성 장애 동반 시 이를 치료

제들은 표 40.4에 기술하였다. 투석 환자에서 카람볼라(star fruit) 섭취(저림, 쇠약, 둔감, 발작)를 포함하여 다양한 종류의 중독이 발생하면 발작이 나타날 수 있다. 카르바마제핀(carbamazepine)을 포함한 몇몇 항경련제는 고효율투석을 통해 제거가 촉진되며 결과적으로 약제의 혈장 농도가 치료역치 이하로 감소되면서 발작이 발생할 수 있다.

2. 진단

투석 환자에서 뇌파검사는 발작을 평가하는데 다소 제한적이다. 신기능이 저하된 환자에서 정상적인 뇌파를 관찰하는 것은 드문데, 가장 흔한 이상 소견은 전위의 감소, 알파 활동의 소실 및 델타파 서행이 주기적, 양측성으로 대개 전두엽에 나타나는 것이다. 뇌파검사를 통해 표 40.4에 기술된 다양한 발작의 원인을 감별할 수 없으며, 알루미늄 중독, 기저 대사성 질환, 투석 과정의 합병증, 구조적 두개내 병변과 같은 원인을 소홀히 않게 조사하는 것이 중요하다.

3. 예방

발작에 취약한 환자는 대개 식별 가능하다(표 40.4 참고). 투석 불균형 증후군의 예방법은 앞서 기술하였다. 저칼슘혈증 환자의 경우 투석 시작 시 칼슘을 주사하고 고칼슘 투석액을 사용할 수 있다. 혈압은 세심하게 조절되어야 한다.

4. 치료

그림 40.3은 발작의 평가와 치료에 대한 알고리즘이다. 발작에 대한 응급처치는 투석을 중지하고 기도를 확보하는 것이다. 즉시 혈액을 채취하여 포도당, 칼슘 및 다른 전해질의 혈청 농도를 확인해야 한다. 저혈당이 의심되면 포도당 주사를 투여한다. 만약 발작이 지속되는 경우 1차 약제로 벤조다이아제핀(benzodiazepine)을 사용하는 것은 적절하다. 난치성 경련 발작의 경우 추가적으로 중증 환자실에서 환자의 심혈관계 상태에 대해 전반적으로 적절히 감시하는 것이 필요하다. 추가적으로 약제를 사용해 볼 수 있다. 페니토인(phenytoin)은 효과적이나, 심장리듬을 적절히 감시하면서 주의 깊게 사용해야 한다. 페니토인은 약제에 의해 서맥, 방실차단 또는 다른 부정맥이 발생하는지 지속적으로 심전도를 감시하면서 초기 부하 용량 10~15 mg/kg를 투여한 뒤 이후 분당 50 mg 이상 투여되지 않는 속도로 천천히 정주한다. 사용 가능한 다른 약제로 발프로에이트(valproate) 주사가 있다.

5. 예방적 약물

일반적으로 반복적 경련에 대한 예방적 치료로 페니토인, 카르바마제핀(carbamazepine), 발프로산 나트륨(sodium valproate)을 투여하는 것은 효과적이다. 투석 뇌증과 관련하여 벤조다이아제핀, 특히 클로나제팜(clonazepam)을 투여하는 것이 가장 반응이 좋다.

발작

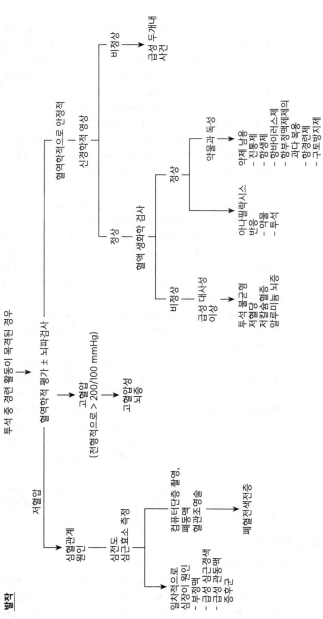

투석 중 경련 활동이 목격된 경우

저혈압 — 혈역학적 평가 ± 뇌파검사 — 혈역학적으로 안정적

저혈압

심혈관계 원인

심전도 심근효소 측정

일차적으로 심장이 원인
- 부정맥
- 급성 심근경색
- 급성 관동맥 증후군

컴퓨터단층 촬영, 폐동맥 혈관조영술

폐혈전색전증

고혈압 (전형적으로 > 200/100 mmHg)

고혈압성 뇌증

혈역학적으로 안정적

신경학적 영상

비정상 — 급성 두개내 사건

정상 — 혈액 생화학 검사

비정상 — 급성 대사성 이상

전해질 불균형
저혈당 혈증
저칼슘 혈증
알루미늄 뇌증

정상

아나필락시스 반응
- 약물
- 투석

약물과 독성

약제 남용
- 진통제
- 항생제
- 항바이러스제
- 항부정맥제제외
- 과다 복용
- 항경련제
- 구토방지제

그림 40.3 발작의 평가와 치료

a. 페니토인

페니토인의 흡수는 느리고 일정하지 않다. 간에서 대사는 농도에 의존적이며 포화될 수 있고 분포와 제거가 다양하게 나타난다. 신기능이 저하된 경우 페니토인과 단백 결합이 감소되어 있으며 분포 면적이 증가되어 있다. 혈청 총 페니토인 농도에 관계없이, 일반인에 비해 요독환자에서 유리된 활성형 약물의 농도가 높게 나타난다. 대부분 검사실은 혈청 총 페니토인 농도를 측정하기 때문에, 신기능이 저하된 환자에서 총 페니토인 농도가 낮더라도 치료농도 이하(subtherapeutic)라고 판단해서는 안된다. 안구 진탕과 같은 소견을 보이는 경우 약을 증량해서는 안된다. 또한 경련은 페니토인 과다에서도 발생할 수 있으며, 소량씩 증량하더라도 부적절하게 혈청 약물 농도를 크게 증가시킬 수 있다. 약제는 소량씩 증량해야 하며, 약물 농도가 안정 상태에 이를 때까지 충분히 기다려야 한다. 치료에 반응하지 않는 요독증 환자의 경우 유리된 혈청 페니토인 농도를 자주 측정해야 한다.

b. 기타 약제

(진정 상태의 위험이 적고 비교적 치료영역이 넓으며 다양한 약제 조합의 일부로써) 다른 새로운 항경련제의 사용 역시 적합할 수 있다. 이러한 약제의 투석 제거율은 대부분 환자에 근거한 평가를 엄격하게 적용하지 못했다. 이것은 급성 신손상의 치료와 추가적인 투석/지속적 신대체요법을 추가하는 경우 특히 그러하다. Up-to-date 용량조절 가이드라인과 출처를 참고할 것을 적극적으로 추천한다. 표 40.5는 투석 환자에서 이러한 약제 사용의 일차적인 지침으로 제시되었다.

카르바마제핀, 에토석시미드(ethosuximide), 발프로산의 경우 투석 환자에게 통상적 용량의 75~100%를 투여한다. 요독 환자에서 발프로산의 단백 결합은 감소될 수도 있다. 카르바마제핀은 투석을 통해 잘 제거되지 않는다. 발프로산은 고유량 투석기를 사용하는 경우 투석을 통해 제거된다. 에토석시미드는 투석을 통해 상당량 제거되며, 투석 후 추가적인 약제 투여가 필요할 수 있다. 프리미돈(primidone)은 신장을 통해 40 % 정도 배설되며, 투석을 통해 중간 정도로 제거된다. 투석 환자에서 프리미돈을 사용하는 경우 특별한 주의가 필요하다. 약제를 상당량 줄여서 투여할 필요가 있으며 투석 후 약제 보충이 필요할 수도 있다. 페노바비탈(phenobarbital)은 통상적인 사용량의 75~100%를 투여한다. 페노바비탈은 투석을 통해 제거될 수 있으며, 투석 후 약제 보충이 필요하다. 감마아미노뷰테릴산 아미노전이효소 억제제(γ-aminobutyric acid-transaminase inhibitor)인 비가바트린(vigabatrin)은 신장을 통해 배설된다; 투석 환자에서 다량의 약제 감량이 필요하다(표 40.5 참고).

G. 만성적 신경학적 상태

1. 신경 인지기능 저하와 치매

피질 기능의 감소와 치매는 투석 환자에서 흔히 관찰되며 기억력 감소와 인지기능 저하라는 특징적인 형태로 나타난다. 이것은 동반 질환의 부담이 크고 치매 발생의 잘 알려진 위험인자를 모두 가진

	TABLE 40.5 투석 환자에서 사용되는 항경련제의 약물 역동학

Drug	Renal Excretion (%)	Nonuremic Dosage Range (mg/d)	Usual Dosage for ESKD Patients (% of nonuremic dose)	Plasma Half-life (hr) Nonuremic Patients	ESKD Patients	Removed by Hemodialysis	Notes
Carbamazepine	3	600–1,600	100	10–20	Same[a]	No	NU–TPL = 4–12 mg/L
Clonazepam	<1	0.5–20.0	100	17–28	Same[a]	No	
Diazepam	<1	5–10 (IV)[b]	?50	20–70	Same[a]	No	Active metabolites may accumulate in renal failure
Ethosuximide	>30	750–2,000	100	50–60	Same[a]	Yes	NU–TPL = 40–100 mg/L
Phenobarbital	10–40	60–200	75	100	120–160	Yes	NU–TPL = 10–20 mg/L
Phenytoin	<5	300–600	100	10–30	Same[a]	±	NU–TPL = 10–20 mg/L ESKD–TPL = 4–10 mg/L due to decreased protein binding
Primidone	40[c]	500–2,000	Caution	5–15	Same[a]	Yes	Avoid in ESKD patients
Valproic acid	<4	750–2,000	75–100	6–16	Same[a]	±	NU–TPL = 50–120 mg/L
Vigabatrin	50	2,000–4,000	25	7	14	Unknown	New drug; little experience in dialysis patients

ESKD, end-stage kidney disease; ESKD-TPL, therapeutic plasma concentration in dialysis patients; NU–TPL, therapeutic plasma concentration in nonuremic subjects.
[a]약물 역동학들을 고려하여 추정
[b]초기 용량
[c]Phenylethylmalonamide (PEMA)와 phenobarbital로 대사되면 본 약물과 대사체 모두 항경련작용을 함. Primidone과 PEMA는 변하지 않고 배설되고, phenobarbital은 신장을 통해 배설됨.

노인 인구가 우세하기 때문으로 어느 정도 설명된다. 광범위한 죽상판(atheromatous plaque)은 투석 환자에서 흔히 발견되는데, 이로 인해 다발성 경색에 의한 치매에 취약해진다. 부검 시 이 환자의 기저핵(basal ganglia), 시상(thalamus), 내포(internal capsule), 뇌교(pons), 소뇌(cerebellum)에서 다발성 열공성 뇌경색이 관찰된다. 이러한 환자들은 임상적으로 지적, 신경학적 기능의 단계적 쇠퇴가 점진적으로 진행하며 경색 부위에 따라 다양한 신경학적 증상을 나타낼 수 있다. 항응고제 치료의 합병증으로 나타나는 만성 경막하 혈종은 가성치매, 졸음, 착란과 같은 형태로 나타날 수 있다는 점을 명심하고 진단해야 한다. 이것은 적절한 신경학적 영상검사를 통해 진단된다. 알루미늄과 철분이 뇌에 침착된 상태로 발견될 수 있으며, 이것은 피질 기능의 점진적인 저하와 관련될 수 있다. 약물 중독과 같은 대사성 질환은 간단한 검사실 검사와 꼼꼼한 약제 복용력 확인을 통해 배제할 수 있다. 마지막으로, 티아민(비타민 B_1) 부족은 대만 환자 그룹에서 보고되었다(Hung, 2001).

2. 무증상 인지기능 장애와 우울증

무증상 요독성 뇌증은 만성 투석 환자에서 투석량이 불충분한 경우 나타날 수도 있다. 심한 우울증(그리고 종종 불안감)은 인지기능을 손상시킬 수 있으나, 이것은 상세하고 주기적인 신경심리학적 평가를 시행하는 경우에만 발견될 수 있다.

그러나 더 흔한 양상은 광범위한 피질하 백질(subcortical white matter) 뇌손상의 결과이다. 백질 병변은 치매, 거동 장애 및 뇌졸중 발생의 위험인자로 알려져 왔으며, 가속화되는 혈관 나이를 대표한다. 이것은 투석 환자에서 흔하며 다른 형태의 뇌손상처럼 염증, 고혈압, 혈관 질환과 관련이 있다. 피질하 손상의 이러한 유형은 정확히 뇌의 혈관분수령 부위(vascular watershed area)에서 발생하며, 투석 중 가끔 발생하는 관류저하는 이곳에 가장 큰 영향을 끼칠 것으로 예상된다. 혈액투석 환자에서 인지기능 소실을 전반적으로 평가한 몇몇 연구 결과에 따르면 기억과 어휘(대뇌 피질의 조절) 능력은 상태적으로 잘 보존되어 있으나 의사결정 및 수행능력과 관련된 일차적인 피질하 기능은 상당히 소실되어 있다고 보고하였다.

최근 피질하 무증상 허혈성 백질 변화는 대뇌 혈류순환의 차단, '정서적 균형(thymic balance)'의 소실, 우울증의 임상증상 발현과 관련이 있다는 사실이 알려지면서 잠재적으로 더 많은 영향을 미치고 있다고 최근 인식되고 있다. 이러한 정황 데이터는 투석 시작부터 첫 6개월 기간에 집중되어 우울증에 대한 새로운 생물학적 기초에 대한 가능성과 혈액투석 환자에서 사회적 의존도 증가라는 문제를 야기한다.

II. 수면과 관련된 문제들

투석 환자를 대상으로 한 설문조사 결과 수면 관련 문제를 한 개 이상 가진 환자가 40~50%를 차지하였으며, 수면장애 클리닉 연구에 의하면 50% 이상의 환자가 수면다원검사를 통해 객관적으로 입증되는 수면장애를 동반한다고 한다. 투석 환자는 불안 또는 우울증에 관계없이 종종 '불면'을 호소한다. 그들은 잠들기 어렵거나 자는 상태를 유지하는 것이 어렵다고 하며, 밤에 특별한 이유 없이 여러번 깬다고 자주 호소한다. 과도한 주간 수면도 종종 불평의 원인이 된다. 낮에 병원에 와서 투석을 받는 동안 많은 환자들이 빠르게 잠드는 모습을 흔히 볼 수 있다. 만성적인 주간 수면은 인지기능에 영향을 끼치고 일상적인 활동을 방해하며 삶의 질 저하를 야기할 수 있다. 또한 주간 수면은 환자의 근로능력을 방해할 수 있으며 운전이나 중장비를 다루는 동안 환자가 위험에 처할 수도 있다.

A. 수면 무호흡

수면 무호흡은 투석 환자들이 수면과 관련하여 호소하는 증상의 50~75%를 차지한다. 수면 무호흡은 폐쇄형, 중추형, 혼합형으로 분류된다. 폐쇄 수면 무호흡은 수면 중 호흡노력(respiratory effort)이 유지되는 상태에서 상기도의 허탈이 나타나는 아주 흔한 내과적 질환이다. 대개 이것은 수면 중 시끄럽게 코를 골거나 헐떡거리거나 숨을 몰아쉬는 것과 관련이 있다. 수면 무호흡은 정상적인 30~60대 남성에서는 4%, 여성에서는 2%에서 발생한다고 알려져있다. 요양원에 입소한 노인의 최대 81%에서 수면 무호흡이 관찰된다. 폐쇄 수면 무호흡은 사망률과 이환률 증가와 관련이 있다고 알려져 있다. 이것은 졸음에 의한 사고 뿐 아니라 (종종 교감신경 과부하와 같은) 심혈관계 및 뇌혈관계 질환의 병태생리학적 변화와 더 밀접하게 관련되어 있다. 상기도 폐쇄는 크게 상기도 부종과 코인두의 충혈/뒤틀림에 의해 생기는 것처럼 보인다. 투석 환자는 폐쇄 수면 무호흡을 보일 수 있으나 종종 중추 수면 무호흡을 동반하기도 한다. 중추 수면 무호흡의 경우 호흡노력과 기류가 존재하지 않는데, 이것은 호흡 중추의 기능부전을 나타낸다. 복합형의 경우 중추형과 폐쇄형이 동반된 것으로, 투석 환자에서 드물지는 않다.

B. 하지불안 증후군(Restless leg syndrome, RLS) 및 수면 중 주기적 다리 움직임(Periodic leg movement in sleep, PLMS)

1. 하지불안 증후군

말기 신부전 환자들이 가장 많이 호소하는 불평 중 하나는 하지불안 증후군이다. 이것은 객관적인 검사로 확인되지 않는 주관적인 질병이다. 환자들은 흔히 하지(특히 장딴지) 심부 근육을 자극하는 불쾌한 느낌으로 묘사한다. 이 증상은 환자가 자신의 발과 다리를 움직일 때만 해소된다. 전형적으로 증상은 쉬고 있을 때, 주로 잠들기 몇시간 전에 나타난다. 하지불안 증후군은 잠들기까지 시간을 상당 기간 지연시킬 수 있다.

2. 수면 중 주기적 다리 움직임

수면 중 주기적 다리 움직임은 나이에 따라 발생률이 증가하며 노년층에서 흔히 발생하는 수면 장애이다. 대개 증상은 발의 배굴(dorsiflextion) 또는 하지의 운동이 2~4초간 지속되고, 이것이 매 20~40초 간격으로 수차례 반복되는 양상으로 나타난다. 이 증상은 보통 non-REM 수면의 3단계 중 첫 단계에서 일어난다. 이런 움직임은 잠시 잠이 깨는 결과를 초래하고 수면의 질이 저하되거나 주간 피로를 느끼는 원인이 되기도 한다. 하지불안 증후군을 호소하는 환자의 약 80%에서 수면 중 주기적 다리 움직임이 나타난다. 이는 말기 신부전 환자에서 아주 높은 비율로 발견된다. 수면 중 주기적 다리 움직임을 동반한 환자 중 투석 환자는 일반인보다 시간 당 움직이는 횟수가 훨씬 더 많았다. 45명의 투석 환자를 대상으로한 연구에 따르면 전체의 71%에서 심각한 수면 중 주기적 다리 움직임, 즉 하룻밤 사이에 1,500번 이상의 다리 움직임이 관찰되었다. 수면 중 주기적 다리 움직임의 대부분은 반복적인 각성과 관련이 있었으며, 결과적으로 수면의 질이 저하되며 만성적인 주간 피로와 사망률 증가를 초래하였다. 수면 무호흡이 존재하고 동시에 수면 중 주기적 다리 움직임(수면 중 1시간에 35회 이상)의 지표가 높은 경우 사망률 증가와 관련이 있다. 이것이 인과관계에 의한 것인지, 단지 연관되어 있는지는 아직 불분명하며, 이에 대한 치료를 시행하는 경우 생존률이 증가할지는 확인되지 않았다.

3. 진단

a. 병력

설문지나 짧은 면담을 통해 수면에 대한 병력 청취를 쉽게 할 수 있다. 환자 및 환자와 잠자리를 같이하는 사람들을 대상으로 야간 수면의 양과 질, 잠에서 깨는 횟수, 자고 나면 원기회복이 되는지, 코골이, 숨을 가쁘게 쉬는지, 수면 무호흡이 있는지, 자거나 깰 때 다리 움직임(발차기)이 있는지, 주간 피로, 부적절한 낮잠에 대해 질문해야 한다. 지나친 자극과민성과 관련된 약제와 사회적 습관(예를 들면 무절제한 카페인 섭취)에 대해서도 검토해야 한다.

b. 수면다원검사(Polysomnography)

수면 무호흡과 수면 중 주기적 다리 움직임과 같은 수면 관련 질환은 일반적인 진단용 수면다원검사를 통해 쉽게 확인할 수 있다. 이러한 검사들은 대개 특별한 장비를 갖춘 검사실에서 시행된다. 일반적으로 수면다원검사는 수면 중인 환자를 대상으로 뇌파검사, 안구전위도검사, 근전도, 심전도를 동시에 시행하며 이와 함께 호흡음, 호흡노력, 기류, 산소 포화도, 다리의 움직임을 감시한다.

4. 수면 무호흡의 치료

a. 약물 치료

폐쇄 수면 무호흡에서 약물 치료는 효과적이지 않다고 알려져 있다. 폐쇄
수면 무호흡에서 벤조다이아제핀을 비롯한 중추신경제 억제제는 금기인
데, 이러한 약제는 무호흡 시간을 연장하고 산소 포화도를 악화시키며 잠
에서 깨는 횟수를 증가시켜 낮 시간의 피로감 악화를 초래하기 때문이다.

b. 야간 투석

야간 혈액투석과 자동복막기를 사용한 야간 복막투석은 모두 수면 무호
흡을 호전시킨다고 보고되었다(Tang, 2006). 아직 기전이 밝혀지지 않
았으나, 야간 한외여과를 통해 체액조절상태를 개선하여 (자기공명영상
에서) 상기도 부종을 호전시키고 폐쇄 수면 무호흡에도 영향을 끼친다
(Elias, 2013).

c. 지속적 기도 양압 환기장치(continuous positive airway pressure)

지속적 기도 양압 환기장치는 입이나 콧구멍으로 양압을 주입하는 장치
로 구성되어 있는데, 양압을 시행하면 상기도가 열리면서 효과적으로 폐
쇄를 방지할 수 있다. 이것은 수면 무호흡의 원인에 상관없이 투석 환자
의 수면 무호흡에 대한 효과적인 치료로 생각된다. 그러나 폐쇄 수면 무
호흡 치료를 위해 지속적 기도 양압 환기장치를 사용하는 경우 순응도 저
하가 문제가 된다.

d. 산소 공급

최근 몇몇 연구 결과에 의하면 중추 수면 무호흡의 경우 저유속 산소를
공급하는 것이 효과적이라고 밝혀졌다. 하지만 폐쇄 수면 무호흡이 동반
된 경우 저유속 산소 공급은 무호흡 지속 시간을 늘리는 결과를 초래할
수 있다.

e. 수술

폐쇄 수면 무호흡의 치료를 위해 다양한 수술이 시행되었다. 이들은 대개
수술을 통해 목젖과 연구개를 축소 또는 제거하는 과정을 포함한다. 폐쇄
수면 무호흡의 경우 전체 수술 성공률이 50%에 이른다.

5. 하지불안 증후군/수면 중 주기적 다리 움직임의 치료

a. 보존적 치료

철분 보충은 일반인에서 효과적이나, 투석 환자에서는 철분 상태에 대한
지속적인 추적 관찰로 인해 아주 드물게 문제가 된다. 그럼에도 불구하
고 철결핍은 피해야 한다. 일반적인 권고사항인 카페인, 알코올, 니코틴
을 자제하는 것은 종종 도움이 된다. 규칙적인 스트레칭, 마사지와 온욕
또는 냉수욕을 통해 증상 호전을 기대할 수 있다. 하지불안 증후군에 의한
만성적 불면으로 기분 장애가 악화되면 질이 낮은 수면 주기가 지속될 수
있다.

b. 약물 치료

많은 전문가들은 위 질환의 횟수 및 강도를 감소시키는 도파민 전구체나

L-dopa와 같은 작용약을 최선의 치료법으로 생각하고 있다. 클로나제팜과 같은 벤조다이아제핀을 수년간 사용했는데, 이러한 약들이 실제로 하지 운동 횟수를 감소시키는 것인지, 단순히 잠에서 깨는 것을 억제시키는 것인지에 대해서는 논란이 있다. 로피니롤(ropinirole)과 같은 서방형 도파민 작용약은 최근 많이 사용되고 있는데, 말기 신부전 환자에서는 주의해서 사용해야 한다.

d. 이식

수면 무호흡, 하지불안 증후군, 수면 중 주기적 다리 움직임 모두 신장 이식 후 완전히 소실되었다고 알려져 있다.

III. 말초 신경병증

A. 요독성 신경병증

요독성 신경병증은 원위부에 양측성으로 나타나는 운동 및 감각 혼합성 다발 신경병증이다. 대개 상지보다는 하지를 잘 침범한다. 임상 증상으로 발의 감각이상, 통증을 동반한 이상감각, 운동 실조(ataxia), 쇠약을 나타낸다. 위치감각과 진통감각의 역치는 많은 경우 손상되어 있으며, 생리학적 검사에서 운동신경 전도와 감각활동 전위의 둔화가 관찰된다. 이것은 요독환자에서 1개 이상의 독소가 잔류되고 투석으로 충분히 제거되지 않아 발생한다고 생각된다. 당뇨병을 동반한 경우 장애를 초래하는 신경병증이 빠르게 발생할 수 있으며, 이에 각각의 요소가 기여한 정도를 밝히는 것은 어려울 수 있다.

효과적인 투석을 시행하는 경우 요독성 신경병증이 흔히 나타나지 않지만, 투석 환자의 50% 이상에서 잠재적인 임상적 특징을 발견할 수 있었다. 순차적인 전기생리학적 감시는 투석 스케줄의 적합성을 판단하기 위해 사용되나 일상적으로 사용되지 않는다. 말초 신경병증의 임상적 증상이 나타난다면 요소 역동학 모형화를 통해 투석 적절도를 주의깊게 평가해야 한다. 중분자 물질의 제거를 증가시키기 위해 고유량 투석막을 사용하거나 혈액투석여과로 전환하는 것이 도움이 될 수 있다. 투석을 더 자주 하는 것, 특히 주 6회 야간 혈액투석을 시행하는 것은 신경병증을 호전시킬 수 있으나 이에 대한 확실한 데이터는 아직 알려지지 않았다. 성공적인 신이식이 신경병증을 가장 확실하게 호전시킬 수 있는 방법이다.

1. 감별진단

요독성 신경병증은 기저 질환(예: 아밀로이드증 또는 당뇨병)에 의해 말초 신경장애가 초래될 수 있는 다른 질환들과 구분해야 한다. 표 40.6은 진단시 감별해야할 질환에 대한 간추린 목록이다. 일본의 고령의 투석 환자를 대상으로 한 연구에 따르면 피리독신 보충 시 말초 신경병증이 호전된다고 하였다; 하지만 이는 잘 통제된 연구가 아니며 5-인산 피리독살(pyridoxal 5'-phosphate)의 기저 농도가 감소되지 않았다(Moriwaki, 2000).

B. 단발 신경병증(손목굴 증후군, carpal tunnel syndrome)

오랜 시간 누운 자세로 혈액투석 치료를 받게 되면 종종 척골신경 및 비골신경 마비가 발생한다. 하지만 더 흔한 신경병증은 손목굴 증후군인데, 이것은 손목의 좁은 손목굴 부위를 정중신경이 통과할 때 압박되면서 발생한다. 또 투석 기간이 증가할수록 유병률이 증가하는데, 10년 이상 투석 치료를 받은 환자에서 손목굴 증후군의 유병률은 73%로 높게 보고된다. 손목굴 증후군의 발생시 다양한 병태생리가 작용한다. 베타2 마이크로글로불린 아밀로이드가 손목굴에 축적되면 정중신경 통과시 이를 압박할 수 있다; 하지만 모든 조직생검에서 아밀로이드가 발견되는 것은 아니다. 어떤 환자들은 혈액투석을 시행할 때 증상 악화를 호소하는데, 이것은 동정맥루 부위에 스틸증후군(steal syndrome)이 발생하여 정중신경의 허혈을 일으키기 때문으로 생각된다. 또한 투석 간 세포외액량이 증가하면 부종에 의해 정중신경 압박이 초래될 수 있다.

1. 증상

대부분의 환자들은 증상이 나타난 손가락의 저림, 따끔거림, 화끈거림 혹은 핀과 바늘로 찌르는 듯한 느낌을 호소한다. 손이 뻣뻣하고 부어 있다고 느끼기도 한다. 대개 증상은 정중신경의 분포(엄지, 검지, 중지 및 약지의 요골 부위)에서 나타남에도 불구하고, 환자는 종종 전체의 감각장애를 호소하기도 한다. 쑤시는 듯한 통증은 아랫 팔까지 나타나기도 한다. 증상은 흔히 밤이나 투석 중 악화되며 손목을 구부리고 펴는 동작을 반복하면 악화될 수 있다. 그것은 오래 수명을 유지하고 있는 동정맥루가 있는 팔에서 더 흔하게 나타난다. 그러나 일부 환자에서는 동정맥루나 인조혈관이 없는 팔에서 증상이 나타나기도 한다.

2. 이학적 검사

초기에는 객관적인 감각이나 근력의 저하가 나타나지 않는다. 증상은 흔히 손목굴의 손바닥 쪽 부위를 가볍게 두드리거나(Tinel sign) 손목을 1분간 구부린 상태로 유지할 때(Phalen sign) 유발될 수 있

TABLE 40.6	요독성 다발 신경병증의 주요 감별 진단

당뇨병
에탄올 남용
아밀로이드증
영양실조
다발동맥염
홍반루푸스
다발골수종
티아민 결핍

다. 더 진행된 경우 가벼운 촉각, 침통각(pinprick), 온도감각 또는 두점식별(two-point discrimination)과 같은 지각이 정중신경의 분포 범위에서 저하될 수도 있다. 짧은 엄지 벌림근이 약해질 수 있으며, 장기화되는 경우 엄지두덩위축(thenar atrophy)이 유발될 수 있다.

3. 진단

손목굴 증후군과 감별 진단을 시행해야하는 질환으로 하부경추 척추관절 강직증, 흉곽출구 증후군, 감각 운동의 다발 신경병증 또는 단발 신경병증, 동정맥루 환자에서의 요골동맥 스틸증후군이 있다. 손목굴 증후군의 초기 상태를 제외하고, 대개 근전도검사와 신경전도검사를 통해 손목굴 증후군을 확진할 수 있다.

4. 치료

증상이 나타난 손목을 중립 자세로 부목을 대어 고정하는 것, 특히 밤과 투석 중에 시행하는 것은 일시적으로 증상을 완화시킬 수 있다. 만약 부목이 효과적이지 못하거나 부목 상태를 못 견뎌하는 경우 수근관에 미세 결정의 코티코스테로이드 에스터(corticosteroid ester)를 주입해 볼 수 있으며, 이 경우 30%에서는 영구적인 증상 완화를 기대할 수 있다. 만약 주사 후 증상이 개선되지 않거나 객관적인 감각 또는 운동신경 기능의 상실이 있는 경우 수술적으로 수근관을 감압해 볼 수 있다. 이 경우 약 90% 이상에서 호전을 기대할 수 있으나, 흔히 2년 내에 증상이 재발된다.

IV. 손가락 굽힘 구축(Flextion contracture)

베타2 마이크로글로불린 아밀로이드는 손의 굽힘힘줄(flexor tendon)을 따라 침착될 수도 있다. 이것은 손가락의 굽힘힘줄끼리 서로 들러붙게 하여 손바닥 피하 부분에 연조직 덩어리를 만들고, 되돌릴 수 없는 손가락 굽힘 구축을 야기한다. 수술적으로 굽힘힘줄의 피복 주위에 침착된 아밀로이드를 제거하면 엄지손가락을 최대로 굽힐 수 있으나, 많은 경우 몇 년 내에 재발한다.

V. 고리뼈-경추 척추병증(Atlanto-cervical spondylopathy)

장기간 투석을 시행하는 환자에서 베타2 마이크로글로불린에서 유래된 파괴적인 아밀로이드증에 의해 발생하여 점차적으로 진행하는 목의 불안정과 척수압박이 보고되고 있다. 이것은 자기공명영상으로 확인할 수 있다. 심각한 장애를 방지하기 위해 초기 감압시행은 필수적이다. 방사선 사진에서 추간판 공간의 협착과 눈에 띄는 골극 형성 없이 척추뼈 종판의 미란이 관찰된다. 하부 경추는 가장 잘 침범되는 부위로, 흉추나 요추에서도 유사한 변화가 관찰된다. 베타2 마이크로글로불린 아밀로이드의 낭성 침착은 치아돌기와 상부 경추의 추체에서 관찰될 수 있다. 또한 치아돌기 주변에서 '가성종양'이라고 불리는 베타2 마이크로글로불린 아밀로이드의 연조직 덩어리를 볼 수 있다. 파괴적인 척추관절병증의 초기 증상은 통증이며 경추를 침범했을 때 전형적으로 목의 통증으로 나타난다. 그러나 방사선학적 이상 소견을 보이는 환자의 대부분은 목의 통증이 없다. 비록 신경학적 손상이 드물게 발생하지만, 심각한 척수병증은 특히 20년 이상 혈액투석을 시행한 환자에서 보고되었다. 심하게 파괴된 척추관절병증의 경우 자기공명영상을 통해 척추골수염과 감별해야 한다.

VI. 만성 통증의 치료

유지 투석 환자에서 만성 통증의 치료는 쉽지 않은 문제이다. 진통제 종류와 선택에서 표준화된 단계적 증량법은 부정확할 수 있다. 약 종류, 용량, 투여 간격이라는 측면에서 수용하기 힘든 부작용 없이 지속적이고 효과적인 진통제를 찾아내는 것은 어렵다. 약제가 투석을 통해 간헐적으로 제거된다는 점도 고려해야 한다. 이러한 측면에서 균형을 이루기까지 상당한 시행착오를 흔히 경험하게 되며, 투석 환자를 치료해 본 경험이 있는 통증완화 전문가팀을 운영하는 것이 바람직하다. 선택적 신경차단술, 국소 마취 및 관절강 내 약물 주사와 같은 추가적인 방법을 통해 좁은 치료 약물농도를 갖기에 유해할 수 있는 약물을 최소한으로 사용하고 통증 조절을 최적으로 할 수 있다.

간단한 진통제(예를 들면 파라세타몰(paracetemol), 미국에서는 아세트아미노펜(acetaminophen)으로 불림)를 규칙적으로 복용하는 것은 만성 통증의 치료의 기본이다. 비스테로이드 소염제는 무뇨 환자에서 적절하게 사용될 수 있으나, 신기능이 어느 정도 남아있는 경우 갑자기 잔여신기능이 소실될 위험에 대해 신중히 고려해야 한다. 비스테로이드 소염제를 사용하는 경우 이부프로펜(ibuprofen)과 같이 효능이 낮은 약제를 효과가 나타나는 최소 용량으로 사용하는 것이 낫다. 투석 환자에서 마약성 진통제는 축적이 잘 된다는 특성이 있으며, 이는 투석을 통해 현저하게 배설되기에 투석 중 급성 통증이 발생할 수 있다. 코데인(codein)과 같이 비교적 약한 약제를 사용하는 경우에도 심한 의식 둔화와 호흡부전이 발생할 수 있다. 하지만 마약성 진통제는 적절한 통증 완화를 위해 자주 필요하다. 일반적으로 용량 조절 보다는 투여 간격을 늘리고, 서방형 제제의 사용을 피하며, 약효가 떨어지기 전 약제를 보충하는 탑-온 투약법(top-up dose)은 제한할 필요가 있다. 경피용 패치는 펜타닐(fentanyl)과 같이 간으로 배설되는 약제의 경우 유용하다. 처음에는 반드시 가장 적은 용량의 제형을 선택해야 한다. 통증조절 알고리즘에서 다음 단계로 넘어가기 전 어떤 약제든 관계없이 항정상태(steady state)에 도달할 때까지 충분히 기다리는 것이 필요하다. 난치성 통증, 특히 신경병적 요소를 포함하는 경우 종종 항우울제(예: 삼환계 항우울제)나 항경련제(예: 가바펜틴(gabapentin))와 같은 진통 보조제의 사용을 고려한다. 과도한 진정작용이나 삶의 질 저하와 같은 문제 없이 이 약제를 사용하는 것은 매우 힘들 수 있다. 이 경우 가능한 최소한의 용량으로 시작해야 하며 아주 조심스럽게 증량해야 한다. 이 약제들은 가능한 병용투여를 피한다. 마지막으로, 통증 조절에 있어서 비약물학적 접근법을 무시하지 말아야 한다. 환자들이 의사결정과정에 긴밀하게 참여할 수 있도록 해야하며, 문제를 설명하고 기대를 감당하려는 노력을 보여야 한다. 정신과 개입과 같은 추가적인 중재는 충분히 검토한 후 제공되어야 한다.

References and Suggested Readings

Apostolou T, Gokal R. Neuropathy and quality-of-life in diabetic continuous ambulatory peritoneal dialysis patients. *Perit Dial Int.* 1999;19(suppl 2):S242–S247.

Arnold R, et al. Effects of hemodiafiltration and high flux hemodialysis on nerve excitability in end-stage kidney disease. *PLoS One.* 2013;8:e59055.

Benz RL, et al. Potential novel predictors of mortality in end-stage renal disease patients with sleep disorders. *Am J Kidney Dis.* 2000;35:1052–1060.

Benz RL, Pressman MR, Wu X. Periodic limb movements in sleep revealed by treatment of sleep apnea with continuous positive airway pressure in the advanced chronic kidney disease population. *Clin Nephrol.* 2011;76:470–474.

Chang JM, et al. Fatal outcome after ingestion of star fruit (Averrhoa carambola) in uremic patients. *Am J Kidney Dis.* 2000;35:189–193.

Davison SN. Pain in hemodialysis patients: prevalence, cause, severity, and management. *Am J Kidney Dis.* 2003;42:1239–1247.

Dharia SM, Brown LK, Unruh ML. Recognition and treatment of obstructive sleep apnea. *Semin Dial.* 2013;26:273–277.

Diaz A, Deliz B, Benbadis SR. The use of newer antiepileptic drugs in patients with renal failure. *Expert Rev Neurother.* 2012;12:99–105.

Edmunds ME, Walls J. Pathogenesis of seizures during recombinant human erythropoietin therapy. *Semin Dial.* 1991;4:163.

Eldehni MT, McIntyre CW. Are there neurological consequences of recurrent intradialytic hypotension? *Semin Dial.* 2012;25:253–256.

Eldehini MT, Odudu A, McIntyre CW. Randomized clinical trial of dialyzate cooling and effects on brain white matter. *J Am Soc Nephrol.* 2014, in press.

Elias RM, et al. Relationship of pharyngeal water content and jugular volume with severity of obstructive sleep apnea in renal failure. *Nephrol Dial Transplant.* 2013;28:937–944.

Forsberg U, et al. Microemboli, developed during haemodialysis, pass the lung barrier and may cause ischaemic lesions in organs such as the brain. *Nephrol Dial Transplant.* 2010;25:2691–2695.

Glenn CM, et al. Dialysis-associated seizures in children and adolescents. *Pediatr Nephrol.* 1992;6:182.

Hanly PJ, et al. Daytime sleepiness in patients with CRF: impact of nocturnal hemodialysis. *Am J Kidney Dis.* 2003;41:403–410.

Hung SC, et al. Thiamine deficiency and unexplained encephalopathy in hemodialysis and peritoneal dialysis patients. *Am J Kidney Dis.* 2001;38:941–947.

Iftikhar S, Dahbour S, Nauman S. Nonconvulsive status epilepticus: high incidence in dialysis-dependent patients. *Hemodial Int.* 2007;11:392–397.

Kang HJ, et al. Does carpal tunnel release provide long-term relief in patients with hemodialysis- associated carpal tunnel syndrome? *Clin Orthop Relat Res.* 2012;470:2561–2565.

Kavanagh D, et al. Restless legs syndrome in patients on dialysis. *Am J Kidney Dis.* 2004;43:763–771.

Kiley JE. Residual renal and dialyser clearance, EEG slowing, and nerve conduction velocity. *ASAIO J.* 1981;4:1.

Lass P, et al. Cognitive impairment in patients with renal failure is associated with multiple-infarct dementia. *Clin Nucl Med.* 1999;24:561–565.

Marsh JT, et al. rHuEPO treatment improves brain and cognitive function of anemic dialysis patients. *Kidney Int.* 1991;39:155.

McIntyre CW. Recurrent circulatory stress: the dark side of dialysis. *Semin Dial.* 2010;23:449–451.

McIntyre CW, et al. Circulating endotoxemia: a novel factor in systemic inflammation and cardiovascular disease in chronic kidney disease. *Clin J Am Soc Nephrol.* 2011;6:133–141.

Molnar MZ, Novak M, Mucsi I. Management of restless legs syndrome in patients on dialysis. *Drugs.* 2006;66:607–624.

Moriwaki K, et al. Vitamin B6 deficiency in elderly patients on chronic peritoneal dialysis. *Adv Perit Dial.* 2000;16:308–312.

Nakatani T, et al. Silent cerebral infarction in hemodialysis patients. *Am J Nephrol.* 2003;23:86–90.

Nicholl DD, et al. Diagnostic value of screening instruments for identifying obstructive sleep apnea in kidney failure. *J Clin Sleep Med.* 2013;9:31–38.

Novak M, et al. Diagnosis and management of sleep apnea syndrome and restless legs syndrome in dialysis patients. *Semin Dial.* 2006;19:210–216.

Novak M, et al. Diagnosis and management of insomnia in dialysis patients. *Semin Dial.* 2006;19:25–31.

Nicholl DD, et al. Diagnostic value of screening instruments for identifying obstructive sleep apnea in kidney failure. *J Clin Sleep Med.* 2013;9:31–38.

Odudu A, Francis ST, McIntyre CW. MRI for the assessment of organ perfusion in patients with chronic kidney disease. *Curr Opin Nephrol Hypertens.* 2012;21:647–654.

Okada H, et al. Vitamin B6 supplementation can improve peripheral neuropathy in patients with chronic renal failure on high-flux hemodialysis and human recombinant erythropoietin. *Nephrol Dial Transplant.* 2000;16:1410–1413.

Pressman MR, Benz RL. Sleep disordered breathing in ESRD: acute beneficial effects of treatment with nasal continuous positive airway pressure. *Kidney Int.* 1993;43:1134–1139.

Prohovnik I, et al. Cerebrovascular effects of hemodialysis in chronic kidney disease. *J Cereb Blood Flow Metab.* 2007;27:1861–1869.

Santoro D, et al. Pain in end-stage renal disease: a frequent and neglected clinical problem. *Clin Nephrol.* 2013;79 (suppl 1):S2–S11.

Silver SM. Cerebral edema after hemodialysis: the "reverse urea effect" lives. *Int J Artif Organs.* 1998;21:247–250.

Tang S, et al. Alleviation of sleep apnea in patients with chronic renal failure by nocturnal cycler-assisted peritoneal dialysis compared with conventional continuous ambulatory peritoneal dialysis. *J Am Soc Nephrol.* 2006;17:2607–2616.

Tucker KL, et al. High homocysteine and low B vitamin predict cognitive decline in aging men: the Veterans Affairs Normative Aging Study. *Am J Clin Nutr.* 2005;82:627–635.

사구체 여과율(GFR)과 크레아티닌 배설량을 평가하는 도구

I. 체표면적에 따른 사구체 여과율(GFR) 표준화 *

사구체 여과율을 체형에 맞게 조정할 때 사용할 적절한 크기의 분모는 논란의 여지가 있지만, 전통적으로 사구체 여과율은 성인에서 체표면적으로 표준화한다—일반적으로 체표면적의 $1.73 m^2$ 당(20세기초 성인의 평균 체표면적). 체표면적은 대개 Gehan과 George (1970)이 키와 체중만으로 제안한 공식으로 계산한다. 이 공식은 나이와 성별에는 영향을 받지 않는다. 이 계산을 하기 위해 많은 웹 계산기를 이용할 수 있다.

$$BSA = 0.0235 \times W^{0.51456} \times H^{0.422446}$$

여기에서 W는 체중(Kg), H는 키(cm)를 의미한다.

체표면적으로 사구체 여과율을 표준화하면, 젊은 성인 남자와 여자에서 사구체 여과율/$1.73m^2$ 은 비슷하여 110~120 mL/min 정도의 범위가 된다. 2살이하의 소아에서도 또한 사구체 여과율/$1.73 m^2$은 110~120 mL에 근접한다.

예: 체표면적 $1.73 m^2$으로 사구체 여과율을 표준화하는 방법:

사구체 여과율을 100 mL/min으로 가정해 보자

체표면적이 $1.5 m^2$이라고 하면 100을 1.73/1.50에 곱한다.

사구체 여과율/$1.73 m^2$ = **115 mL/min**

체표면적이 $2.0 m^2$이라고 하면 100을 1.73/2.0에 곱한다.

사구체 여과율/$1.73 m^2$ = **86 mL/min**

위에서 보여준 예는 사구체 여과율을 100 mL/min으로 계산하였다. 첫 번째 예는 체표면적은 $1.5 m^2$이고 두 번째 예는 체표면적이 $2.0 m^2$이다. 따라서 체표면적으로 표준화한 사구체 여과율은 체구가 작은 사람에서는 115 mL/min/$1.73 m^2$이며 체구가 큰 사람에서는 86 mL/min/$1.73 m^2$이 된다.

II. IX공식*을 이용한 추정 크레아티닌 청소율(eCrCl) 계산

24시간 크레아티닌 배설률을 예측하기 위한 새로운 공식이 개발되었고, Ix (2011)가 유효성을 검증하였다. 이것은 다수의 대규모 데이터베이스를 통해서 유효성이 입증되었고 또한 isotope dilution mass spectrometry(IDMS)-보정 분석 방법을 사용해서 측정된 크레아티닌

*Text in I and II cited with permission from MacGregor MS, Methven S. Assessing kidney function. In: Daugirdas JT, ed. Handbook of Chronic Kidney Disease Management. Philadelphia, PA: Lippincott Williams & Wilkins; 2011.

을 근거로 한다.

새로운 Ix 공식은 다음과 같이 계산할 수 있다

크레아티닌 배설률은 mg/24h이며 혈청 크레아티닌(SCr)은 mg/dL인 경우,

eCrCl=[24시간 배설률(mg/day) / 1440] / (0.01 × SCr)

여기에서

24시간 배설률(mg)=880 − [6.2 ×나이+ 12.5 × (체중 kg)
+ (35, 흑인의 경우) − (380, 여성의 경우)

혈청 크레아티닌을 mcmol/L으로 측정할 경우 :

eCrCl =[(24시간 배설률 mcmol/day) / 1440] / (0.001 ×SCr)

24시간 배설률(mcmol) = 8.84 ×[880 − 6.2 ×나이 + 12.5
×(체중kg) + (35, 흑인의 경우) − (380, 여자의 경우)]

Ix (2011)에 의한 새로운 공식에서는 연령 보정이 Cockcroft-Gault 공식보다는 덜 엄격하며, 여성에 대한 보정은 Cockcroft-Gault 공식에서 흔히 사용되는 0.85 보다 더 심하다. 체중은 크레아티닌 청소율에 Ix와 Cockcroft-Gault 공식에 모두 포함되어 있는데, 이 공식의 결과가 체표면적을 보정하지 않은 '원시' 크레아티닌 청소율이기 때문이다.

III. 추정 사구체 여과율(eGFR)을 계산하기 위한 CKD-EPI 방정식

참고: SCr이 mg/dL로 입력될 때 사용하도록 설계됨.
SCr 을 mcmol/L에서 mg/dL로 전환하려면, 0.0113을 곱한다.

흑인 미국 여성

혈청 크레아티닌 (SCr) < = 0.7 일때,

$eGFR/1.73\ m^2 = 166 \times (SCr/0.7)^{-0.329} \times 0.993^{나이}$

혈청 크레아티닌 (SCr) > 0.7 일때,

$eGFR/1.73\ m^2 = 166 \times (SCr/0.7)^{-1.209} \times 0.993^{나이}$

흑인 미국 남성

혈청 크레아티닌 (SCr) <= 0.9 일때,

$eGFR/1.73\ m^2 = 163 \times (SCr/0.9)^{-0.411} \times 0.993^{나이}$

혈청 크레아티닌 (SCr) > 0.9 일때,

$eGFR/1.73\ m^2 = 163 \times (SCr/0.9)^{-1.209} \times 0.993^{나이}$

백인 혹은 다른 인종의 여성

혈청 크레아티닌 (SCr) <= 0.7 일때,

$eGFR/1.73\ m^2 \times 144 \times (SCr/0.7)^{-0.329} \times 0.993^{나이}$

혈청 크레아티닌 (SCr) > 0.7 일때,

eGFR/1.73 m^2 × 144 × (SCr/0.7)$^{-1.209}$ × 0.993^{나이}

백인이나 다른 인종의 남성

혈청 크레아티닌 (SCr) <= 0.9 일때,

eGFR/1.73 m^2 × 141 × (SCr/0.9)$^{-0.411}$ × 0.993^{나이}

혈청 크레아티닌 (SCr) > 0.9 일때,

eGFR/1.73 m^2 × 141 × (SCr/0.9)$^{-1.209}$ × 0.993^{나이}

IV. 예상 24시간 크레아티닌 배설률(그림 A.1)

V. CORCORAN-SALAZAR 공식

이 공식은 Cockcroft-Gault 공식이 변형된 것이고 비만한 사람들의 크레아티닌 청소율을(체표면적으로 표시되지 않음) 측정하기 위해 사용될 수 있다(그림 A.2).

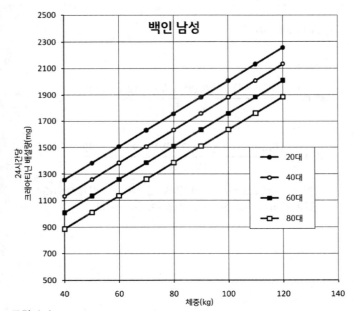

그림 A.1 새로운 lx 공식 (lx, 2011)에 따른 백인에서의 예상 24시간 크레아티닌 배설률. 흑인 미국 남성이나 여성에서는, 35mg/24h을 추가한다(augirdas JT의 허락으로 복사함, *만성 신질환 관리 핸드북*. Philadelphia, PA: Lippincott Williams & Wilkins; 2011).

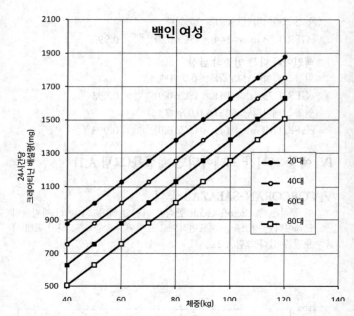

그림 A.1 (continued)

남성:

$$eCrCl = \frac{(137-나이) \times [(0.285\ 3\ W) + (12.1\ 3\ H^2)]}{51 \times SCr}$$

여성:

$$eCrCl = \frac{(146-나이) \times [(0.287\ 3\ W) + (9.74\ 3\ H^2)]}{60 \times SCr}$$

여기에서 eCrCl = 추정 크레아티닌 청소율, W = 실제 체중(Kg),
H = 키(m), 그리고 SCr = 혈청 크레아티닌(mg/dl)

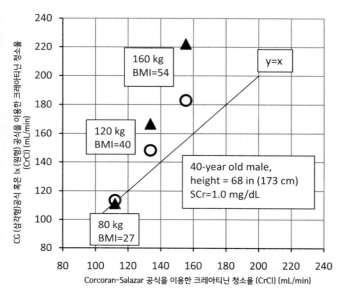

그림 A.2 40대 남성 3군에서 모두 1.0mg/dl (88.4mcmol/L)의 혈청 크레아티닌을 가지며 키가 모두 같지만 체중이 80, 120, 160kg 인 3개의 크레아티닌 청소율(CrCl) 추정 공식의 차이. Cockcroft-Gault (CG) 과 Ix 공식 모두 매우 비만인 환자에서는 크레아티닌 청소율(CrCl)을 과대평가하는 경향이 있다. (Daugirdas JT의 허락으로 복사함, *만성 신질환 관리 핸드북*. Philadelphia, PA: Lippincott Williams & Wilkins; 2011.)

References and Suggested Reading

Cockcroft DW, Gault MH. Prediction of creatinine clearance from serum creatinine. *Nephron.* 1976;16:31–41.

Gehan E, George SL. Estimation of human body surface area from height and weight. *Cancer Chemother Rep.* 1970;54:225–235.

Ix JH, et al; for the Chronic Kidney Disease Epidemiology Collaboration. Equations to estimate creatinine excretion rate: the CKD Epidemiology Collaboration. *Clin J Am Soc Nephrol.* 2011;6:184–191.

Levey AS, et al; for the Chronic Kidney Disease Epidemiology Collaboration. A new equation to estimate glomerular filtration rate. *Ann Intern Med.* 2009;150:604–612.

Salazar DE, Corcoran GB. Predicting creatinine clearance and renal drug clearance in obese patients from estimated fat-free body mass. *Am J Med.* 1988;84:1053–1060.

영양 척도

I. 이상적인, 지방을 제외한 , 중앙 표준의, 그리고 조정된 체중

A. 이상적인 체중 공식(kg)

1. Devine 방법(1974):
남성 : 50 + 2.3kg (5피트 이상 각 인치당)
여성 : 45.5 +2.3kg (5피트 이상 각 인치당)

2. Robinson 방법(1983):
남성 : 52 + 1.9g (5피트 이상 각 인치당)
여성 : 49 + 1.7g (5피트 이상 각 인치당)

B. 조정 체중(kg) 널리 사용되는 조정 체중을 계산하는 2가지 방법이 있다.

1. KDOQI 방법:

첫 번째로, KDOQI에서 권유하는 단백질과 칼로리를 사용한다 :

adjBW = edfreeBW + (stdBW - edfreeBW) × 0.25,

edfreeBW는 부종없는 실제 체중을 의미하고, stdBW는 표 B.1(아래)와 표 B. 2에 명시된 중앙 표준 체중이다.

표 B.1 나이, 키, 골격크기에 따른 (조정체중 계산에 사용됨) 미국의 남성과 여성의 중앙 표준 체중

키		중앙 표준 체중 (kg)						이상적인 체중 (kg) (Robinson)
		나이 25-54			나이 55-74			
		골격 크기[a]						
In	cm	S	M	L	S	M	L	
		남성						
62	157	64	68	82	61	68	77	55.8
63	160	61	71	83	62	70	80	57.7
64	163	66	71	84	63	71	77	59.6
65	165	66	74	84	70	72	79	61.5
66	168	67	75	84	68	74	80	63.4
67	170	71	77	84	69	78	85	65.3
68	173	71	78	86	70	78	83	67.2
69	175	74	78	89	75	77	84	69.1

(Continued)

표 B.1 나이, 키, 골격크기에 따른 (조정체중 계산에 사용됨) 미국의 남성과 여성의 중앙 표준 체중. (continued)

키		중앙 표준 체중 (kg)						이상적인 체중 (kg) (Robinson)
		나이 25-54			나이 55-74			
		골격 크기[a]						
In	cm	S	M	L	S	M	L	
70	178	75	81	87	76	80	87	71
71	180	76	81	91	69	84	84	72.9
72	183	74	84	91	76	81	90	74.8
73	185	79	85	93	78	88	88	76.7
74	188	80	88	92	77	95	89	78.6
여성								
58	147	52	63	86	54	57	78	45.6
59	150	53	66	78	55	62	78	47.3
60	152	53	60	87	54	62	78	49
61	155	54	61	81	56	64	79	50.7
62	157	55	61	81	58	64	82	52.4
63	160	55	62	83	58	65	80	54.1
64	163	57	62	79	60	66	77	55.8
65	165	60	63	81	60	67	80	57.5
66	168	58	63	75	68	66	82	59.2
67	170	59	65	80	61	72	80	60.9
68	173	62	65	76	61	70	79	62.6
69	175	63	68	79	62	72	85	64.3
70	178	64	70	76	63	73	85	66

[a]표 B.2에 명시된 골격크기
NHANES I 과 NHANES II 혼합 데이터에서 파생된 중앙 표준 체중에 대한 데이터(Frisancho, 1984).
이상적인 체중은 Robinson 에 따라 계산됨(1983).
(Reproduced with permission from Daugirdas JT. *Handbook of Chronic Kidney Disease Management.* Philadelphia, PA: Lippincott Williams & Wilkins; 2011.)

2. **이상적인 체중을 기준으로 함:** 약물 용량에 일반적으로 사용되는 다른 버전:

조정 체중 = IBW + 0.4 × (edfreeBW − IBW),

IBW는 위에 언급한대로 Devine이나 Robinson 에 따라 계산된 이상적인 체중이다.

표 B.2 팔꿈치 너비로 계산된 골격크기(cm)

나이 (y)	골격 크기		
	소	중	대
남성			
18-24	≤6.6	>6.6 그리고 <7.7	≥7.7
25-34	≤6.7	>6.7 그리고 <7.9	≥7.9
35-44	≤6.7	>6.7 그리고 <8.0	≥8.0
45-54	≤6.7	>6.7 그리고 <8.1	≥8.1
55-64	≤6.7	>6.7 그리고 <8.1	≥8.1
65-74	≤6.7	>6.7 그리고 <8.1	≥8.1
여성			
18-24	≤5.6	>5.6 그리고 <6.5	≥6.5
25-34	≤5.7	>5.7 그리고 <6.8	≥6.8
35-44	≤5.7	>5.7 그리고 <7.1	≥7.1
45-54	≤5.7	>5.7 그리고 <7.2	≥7.2
55-64	≤5.8	>5.8 그리고 <7.2	≥7.2
65-74	≤5.8	>5.8 그리고 <7.2	≥7.2

NHANES 1과 NHANES 2 데이터의 미국 인구에서 인용함.
Frisancho (1984)의 데이터.
(Reproduced with permission from Daugirdas JT. *Handbook of Chronic Kidney Disease Management.*
Philadelphia, PA: Lippincott Williams & Wilkins; 2011.)

C. 지방제외 체중(kg):

1. Janmahasatian (2005):

남성: 9270 × 체중(kg) / (6680 + 216 × BMI)
여성: 9270 × 체중(kg) / (8780 + 244 × BMI)

II. 체표면적 공식

SA = 표면적, W = 투석후의 체중(kg), H = 키(cm)

A. Gehan and George (1970). 이 공식은 모든 환자에서 사용될 수 있는데, 특히 18세 미만의 환자에서 사용되어야 한다.

$$SA = 0.0235 \times W^{0.51456} \times H^{0.422446}$$

B. Dubois and Dubois (1916). (소아나 비만 환자에서는 Gehan and George 공식만큼 좋지 않다).

$$SA = 0.007184 \times W^{0.425} \times H^{0.725}$$

III. 총 체수분의 인체계측 공식(그림 B.1와 B.2)

TBW = 전체 체수분, W = 투석 후 체중(kg), H = 키(cm).

A. Watson (1980).
TBW_남성 = $2.447 - 0.09516 \times$ 나이 $+ 0.1074 \times H + 0.3362 \times W$
TBW_여성 = $0 - 2.097 + 0.1069 \times H + 0.2466 \times W$

B. Morgenstern (2006).
19세 미만 환자에서 사용된다.
HW = $H \times W$
TBW_남성 = $0.10 \times (HW)^{0.68} - 0.37 \times W$
TBW_여성 = $0.14 \times (HW)^{0.64} - 0.35 \times W$

C. Hume and Weyers (1971):
TBW_남성 = $(0.194786 \times H) + (0.296785 \times W) - 14.012934$
TBW_여성 = $(0.344547 \times H) + (0.183809 \times W) - 35.270121$

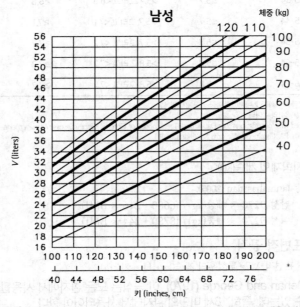

그림 B.1 체중과 키의 함수를 이용해서 남성의 총 체수분 요소 (V)를 계산함. 사용하기 위해서, 가로축에서 키를 찾고, 대략의 체중 선에 도달할때까지 올라가서, 수직축에서 V를 읽는다. 요소 모형화에서는, 투석 후 체중을 사용한다. 모형화된 V는 보통 인체계측적으로 측정된 V의 90% 정도이다. 그 값은 위에서 설명한 Hume과 Weyer 공식으로 계산된다. (Reprinted from Daugirdas JT, Depner TA. A nomogram approach to hemodialysis urea modeling. *Am J Kidney Dis.* 1994;23:33-40, with permission from Elsevier.)

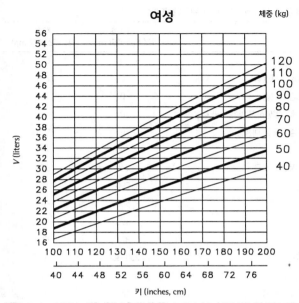

그림 B.2 체중과 키의 함수를 이용해서 여성의 총 체수분 요소 (V)를 계산함. 사용하기 위해서, 가로축에서 키를 찾고, 대략의 체중 선에 도달할때까지 올라가서, 수직축에서 V를 읽는다. 요소 모형화에서는, 투석 후 체중을 사용한다. 모형화된 V는 보통 인체계측적으로 측정된 V의 90% 정도이다. 그 값은 위에서 설명한 Hume과 Weyer 공식으로 계산된다. (Reprinted from Daugirdas JT, Depner TA. A nomogram approach to hemodialysis urea modeling. *Am J Kidney Dis.* 1994;23:33-40, with permission from Elsevier.)

IV. 선택된 식이 성분 표

A. 칼륨
   표 B.3에서 B.8까지

B. 인
   표 B.9에서 B.11까지

표 B.3 소금, 소금 대용품과 베이킹 파우더의 칼륨 함량

상품	나트륨 (¼ 티스푼당 mg)	칼륨 (¼ 티스푼당 mg)
소금이 없는 것	0	650
Morton's 소금 대용품	0	610
Adolph 소금 대용품	0	600
McCormick's 양념하지 않은 소금 대용품	0	585
Diamond 결정 소금 대용품	0	550
Co-Salt	0	495
Morton's 저염도 소금	245	375
식탁용 소금	590	0
바다 소금	560	0
소금 만	390	0
Lessalt	310	170
베이킹 소다	250-300	0
베이킹 파우더[a]	80	0
MSG(글루탐산소다)	125	0

[a]베이킹 파우더는 많은 종류가 있고 나트륨 함량도 매우 다르다.
(Reproduced with permission from Daugirdas JT. *Handbook of Chronic Kidney Disease Management*. Philadelphia, PA: Lippincott Williams & Wilkins; 2011.)

표 B.4 칼륨이 높다고 고려되는 음식들의 칼륨 함량

음식	일반 용량	칼륨	함량
바나나	작은 것 1개, 6-7 인치	360 mg	9.3 mmol
멜론	1접시	420 mg	11 mmol
오렌지쥬스	얼린, 물과 섞인 ½ 컵	240 mg	6.1 mmol
말린 자두	말린, 요리하지 않은 것 5개	350 mg	8.9 mmol
아보카도	날것, ½ 컵 분량	350 mg	9.0 mmol
감자	껍질 제거된 구운것, 2.25-3 인치 크기	920 mg	23 mmol
감자	껍질 제거하지 않은, 구운 것 2.25-3 인치 크기	510 mg	13 mmol
시금치	1 컵 분량으로 요리된 것	840 mg	21 mmol

(Continued)

음식	일반 용량	칼륨	함량
양배추	1 컵 분량으로 요리된 것	490 mg	13 mmol
브로콜리	1 컵 분량으로 요리된 작은 송이	290 mg	7.4 mmol
우유	1 컵, 전유	350 mg	8.9 mmol
요거트	저지방 우유 1 컵으로 만든 것, 다양한 과일 포함	440 mg	11 mmol
말린 콩	1 컵 분량으로 요리된 것, 대부분의 품종	880 mg	23 mmol

(Reproduced with permission from Daugirdas JT. *Handbook of Chronic Kidney Disease Management*. Philadelphia, PA: Lippincott Williams & Wilkins; 2011.)

표 B.5 250g 당 칼륨 함량 (약 1컵)

mg	125-249	250-374	375-499	500-624	>625
mmol	3.2-6.39	6.4-9.59	9.6-12.79	12.8-15.99	>16.0
각 열에서 함량이 낮은 것부터 높은 것으로 나열함 (위에서 아래로)	냉동 혹은 통조림 블루베리	생 사과	생 딸기	생 구스베리	생 멜론
	통조림 사과, 배	생 파인애플	통조림, 생 자두	생 pummelo, 선인장 열매	생 구아바
	통조림 오렌지	냉동 대황 (장군풀)	생 망고	생 멜론, 꿀	생 대황 (장군풀)
	과일 샐러드	생 배, 갯복숭아나무 열매	생 블랙베리	생 무화과	생 구아바
	크랜베리	냉동 혹은 통조림 체리	생 여지 (여주열매)	생 파파야	생 키위
		통조림 살구 혹은 복숭아	생 체리	생 살구	생 건포도
		생 레몬	생 오렌지		생 시계꽃 열매

(Continued)

표 B.5 250g 당 칼륨 함량 (약 1컵) (continued)

mg	125-249	250-374	375-499	500-624	>625
mmol	3.2-6.39	6.4-9.59	9.6-12.79	12.8-15.99	>16.0
		그레이프 프루트	생 멜론, 카사바		바나나
			복숭아		아보카도
			포도		요리한 질경이
			생 능금, 모과		생 빵나무 열매
					생 타마린드 (콩과)
					생 단감
					건포도
					말린 건포도, 복숭아, 살구

Nutritiondata.com 에서 발췌, USDA 국가 영양 데이터베이스에 근거함.

표 B.6 과일과 야채주스의 칼륨 함량

과일 주스	컵당 mg (~240 mL)	240ml 당 mmol
크랜베리	195	5.0
사과	275	7.0
그레이트프루트	400	10
오렌지	465	12
토마토	500	13

(Reproduced with permission from Daugirdas JT. Handbook of Chronic Kidney Disease Management. Philadelphia, PA: Lippincott Williams & Wilkins; 2011.)

표 B.7 야채의 칼륨 함량

저칼륨 함유	고칼륨 함유
아스파라거스	아티초크
콩 (그린빈스, 강낭콩)	죽순
양배추	콩, 렌틸콩
당근	근대
꽃양배추	브로콜리, 방울양배추
샐러리	배추
옥수수	콜라비
오이	버섯
가지	파스닙
케일	감자 , 고구마
상추	늙은 호박
혼합 야채	순무
아욱	시금치
양파	서양호박
완두	토마토
피망	
무	
대황(장군풀)	
애호박	
미나리	
마름	
서양호박	

(Modified from the U.S. National Kidney Foundation Web site. Reproduced with permission from Daugirdas JT. Handbook of Chronic Kidney Disease Management. Philadelphia, PA: Lippincott Williams & Wilkins; 2011.)

표 B.8 과일과 야채 외의 음식에서의 칼륨 함량

저칼륨 함유	고칼륨 함유
쌀(밥)	통밀 파스타와 빵
국수	겨를 포함한 시리얼
파스타	우유, 요거트, 치즈
정제된 빵	견과류와 씨앗
초콜렛이나 고칼륨 함유 과일이 없는 파이	일부 무염 수프나 수프거리
땅콩이나 초콜렛이 없는 과자	소금 대용품

(Reproduced with permission from Daugirdas JT. Handbook of Chronic Kidney Disease Management. Philadelphia, PA: Lippincott Williams & Wilkins; 2011.)

표 B.9 단백질이 풍부한 흔한 식품의 단백질 g 당 인 포함량 (mg)

단백질 함량범위 (g당 인mg)	식품과 인 포함값
<5.0	달걀 흰자 (1.4)
5.1–7.0	대구 (6.0) 닭, 요리하면 검어지는 고기 (6.5) 새우 (6.5)
7.1–10.0	칠면조 (7.1) 소고기, 안심 (8.3) 야생 토끼 (7.3) 소고기, 허벅다리 바깥쪽 살 (8.5) 닭, 흰살 고기 (7.4) 돼지 (8.9) 염소 (7.4) 랍스터 (9.0) 양, 다리 (7.4) 사슴, 엉덩이살 (9.1) 식용 게 (7.8) 통조림 참치 (9.2) 갈은 소고기, 95% 살코기 (7.8) 갈은 소고기, 80% 살코기 (9.6) 소고기, 가슴살 (8.1) 해덕 (10.0) 참치, 황다랑어 (8.2)
10.1–11.9	큰 넙치 (10.7) 코티지 치즈, 2% 저지방 (10.9) 양식 연어 (11.4)
12–14.9	메기 (13.0) 바삭바삭한 땅콩 버터 (13.0) 달걀 (13.2) 알래스카 킹크랩 (14.5) 부드러운 땅콩 버터 (14.5)
15.0–20.0	땅콩 (15.0) 통조림 연어 (15.8) 얼룩덜룩한 강낭콩 (16.3) 견과류 (16.4) 간, 소고기, 닭 (17.5) 일반 두유, 영양소 첨가하지 않음 (17.9)
>20.0	체다 치즈 (20.6) 스위스 치즈 (21.3) 아몬드 (25.3) 2% 저지방 우유 (27.6) 미국 치즈 (30.7) 캐슈 (32.3)

(Data from: Pennington JAT, Douglas JS, eds. Bowes & Church Food Values of Portions Commonly Used. 18th ed. Baltimore, MD: Lippincott Williams & Wilkins; 2005.
Reproduced with permission from Daugirdas JT. *Handbook of Chronic Kidney Disease Management*. Philadelphia, PA: Lippincott Williams & Wilkins; 2011.)

표 B.10 유기 혹은 무기 인산염 을 많이 함유한 식품

유기 인산염	무기 인산염
일상 식품	음료
견과류와 씨앗	콜라, '후추' 스타일 탄산음료, 과일 펀치, 맛을 낸 물, 플라스틱 병에 들은 아이스 홍차, 플라스틱 병에 들은 과일 음료, 에너지 음료, 다이어트 쉐이크, 병에 든 커피음료, 액상 비우 크림 유
초콜렛	*가공된 육류*
육류	'강화된' 육류제품, 자생 냉동 칠면조, 소세지, 런천미트, 재가공된 육류(치킨너겟), 핫도그
어류	*첨가제를 포함한 유제품*
달걀	가공치즈제품, 반반섞인 혼합물, 연유, 푸딩, 우유 거품
콩류 (대두, 땅콩, 완두, 콩, 렌틸콩)	*칼슘-인산염* *강화 제품*
통밀 시리얼	주스, 아침 시리얼, 시리얼바, 단백질바, '인스턴트' 뜨거운 시리얼, 미네랄 보충제
	냉동, 냉장 *베이커리 식품*
	비스킷, 초승달 모양의 롤, 롤, 케이크, 데니쉬, 치즈케이크
	비타민 또는 골다공증 미네랄 *보충제에 있는 칼슘이나* *마그네슘 인산염*

(Data from Murphy-Gutekunst L. Hidden phosphorus in popular beverages: Part 1. J Ren Nutr. 2005;15:e1-e6. Murphy-Gutekunst L, Barnes K. Hidden phosphorus at breakfast: Part 2. J Ren Nutr. 2005;15:e1-e6. Reproduced with permission from Daugirdas JT. *Handbook of Chronic Kidney Disease Management*. Philadelphia, PA: Lippincott Williams & Wilkins; 2011.)

표 B.11 특수 식품과 보충제

회사	식품과 식품분석
Ross Nutrition www.abbottnutrition.com	Suplena 8 온스 캔 함량: 425 칼로리 나트륨 185 mg 단백질 10.6 g 인산염 165 mg 칼륨 265 mg
5Nestle Nutrition www.nestlenutritionstore.com	Resource Benecalorie 1.5 온스 1통 함량: 330 칼로리 나트륨 15 mg 단백질 7 g 인산염 55 mg 칼륨 0 mg
Ener-G foods www.ener-g.com	모든 저단백 빵, 파스타, 밀가루, 시리얼, 달걀 제품군 가게와 웹사이트에서 확인 가능
Med Diet, Inc www.med-diet.com	저단백 빵, 쿠키, 베이킹 믹스와 양념 온라인으로만 확인 가능
Maddy's low-protein store www.dietforlife.com	모든 저단백 과자, 시리얼과 베이커리 식품군 온라인으로만 확인 가능
Cambrooke Foods www.cambrookefoods.com	모든 저단백 빵, 파스타, 육류 제품과 치즈제품 온라인으로만 확인 가능

(Reproduced with permission from Daugirdas JT. *Handbook of Chronic Kidney Disease Management*. Philadelphia, PA: Lippincott Williams & Wilkins;- 2011.)

요소 역동학 모형화

I. K_0A, Qb, Qd에서 투석기 혈액 수분 청소율 계산하기

1단계 : 업계에서 보고된 기계 외 K_0A 에서 기계 내 K_0A 계산한다.

기계 내 K_0A = 0.574 × 기계 외 K_0A

2단계 : 투석액 속도가 500 mL/min 이하이면 체내 K_0A를 낮게 조정한다(투석액이 섬유다발로 침투하기 어렵다). 제조사들은 투석액 유량이 높을 때 투석액이 섬유다발을 더 잘 통과하도록 개선시켰기 때문에, Qd를 500 mL/min 이상으로 조정하는 것은 더 이상 권고하지 않는다. Qd가 500 mL/min 미만일 때, 아래의 공식을 적용하면, 기계 내 K_0A의 효율을 저하시킨다. Qd 가 350 mL/min 미만일 때는 K_0A가 상당히 감소할 수 있다: 필요한만큼 조정하는 것을 정량화시키는 데 도움이 되는 데이터가 거의 없다. Qd값이 매우 낮을 때, 아래의 공식에서 미세한 조절은 K_0A의 감소를 모두 계산하지 않는다.

기계 내 K_0A = 기계 내 K_0A × (1 + 0.0549 × (Qd − 500) / 300);

3단계 : 계산된 기계 내 K_0A, Qb, Qd에서 확산된 혈액 수분 청소율(Kdifw)을 계산한다.

Z = exp $[K_0A$ / (0.86 × Qb) × (1 - 0.86 × Qb / Qd)]

Kdifw = 0.86 × Qb × (Z - 1)/(Z - 0.86 × Qb / Qd)

4단계 : 투석기 청소율 (Kd)를 구하기 위해 확산 청소율에 전도 청소율을 더한다.

Qf = Wtloss kg x 1000/Td_분

Kd = [1 - Qf/(0.86 × Qb)] × Kdifw + Qf

4 단계에서, ml/min에서 Qf의 부호는 양의 값, 즉 > 0이다.

그림, 3.6에서 보이는 값은 상기 공식을 이용해서 나온 값이다. 한외여과 값(Qf) 11.7 mL/min (4시간동안 약 2.8 L 체중감소)이 사용되었다. 그림3.6의 가로축에 있는 모든 혈류속도가 실제 혈류속도라고 가정하였고, 펌프전 압력이 높을 때, 펌프 부분이 납작해져서 튜브가 폐쇄되어도 혈류속도가 감소하지 않는다고 가정하였다.

II. 표준 Kt/V (stdKt/V)를 계산하는 법

Solute Solver같은 요소 역동학 프로그램을 이용하여 계산할 수 있는데,

Solute solver는 비영리단체(Daugirdas, 2012) 또는 HDCN의 웹 기반 계산기(웹 참고)에서 무료로 사용할 수 있다. 계산 공식을 이용하여 간단하게 접근하는 것은 다음과 같다:

1단계 : spKt/V를 구한다.

URR, 체중 변화, 투석 시간을 3장에서 언급한 Daugirdas Kt/V 계산 공식에 대입하거나 그림 3.14에 표시된, 이 공식에서 파생된 계산 도표를 이용할 수 있다. 주 3회 이상 투석하는 경우, Daugirdas Kt/V의 요소 생성 계수를 빈도와 투석간격을 맞추기 위해 이상적으로 수정해야 한다. 다른 방법으로는, 요소 모형화 프로그램을 이용해서 spKt/V를 구할 수 있다.

2단계 : eKt/V를 구한다.

3장에서 언급한 수정된 Tattersall 공식을 이용하여 구한다.

3단계 : 고정된 용적의 stdKt/V(S) 를 얻기 위해 Leypoldt 공식을 이용한다.

$$S = \frac{10080 \times \dfrac{1-e^{-eKt/V}}{t}}{\dfrac{1-e^{-eKt/V}}{eKt/V} + \dfrac{10080}{N \times t} - 1}$$

S= 고정된 용적 std Kt/V ; eKt/V = 평형 Kt/V ;
N = 주 투석 횟수, t= 투석 시간 (분)

4단계 : FHN 공식을 이용해서 체액 제거에 대한 stKt/V 고정 용적 값(S)을 조정한다(Daugirdas, 2010c)

stdKt/V = S/[1 - (0.74/F) × UF_주/V]

S는 Leypoldt 공식에서 계산된 간편화된, 고정 용적이다. F 는 주당 투석 횟수, UF_주는 투석사이의 주간 체액 증가(L), V는 계산된 요소 용적으로, 이는 Watson 용적의 90% 정도로 할 수 있다.

예시: S = 2.0, F = 주 3회, UF_주 = 10 L, V =35L

stdKt/V = 2.0 / [(1 - (0.74/3.0) × 10/35)
　　　　 = 2.0 / (1 - 0.247 × 0.286)
　　　　 = 2.0 / (1 - 0.070)
　　　　 = 2.0 / 0.93 = 2.15

용적을 적용하고 나면, stdKt/V는 2.0 이 아닌, 2.15 가 된다. 이전의 KDOQI 2006에서 권고된 stdKt/V의 최소값은 2.0 은 용적이 적용된 stdKt/V 가 사용되면 2.15가 되어야 한다 ; 2.15 값은 공식적인 요소 역동학 모형화를 사용하여 계산된 stdKt/V 의 값에 매우 근접하게 일치하므로 사용해야 한다(Daugirdas, 2010c).

III. 체표면적 정규화된 stdKt/V 를 계산하는 법

1단계 : 지역 인구에 대한 중위 V/S 비율을 계산한다. V는 Watson공식을 사용하여 계산된 전체 수분양이고, S는 Gehan and Goerge 공식이나 Dubois 공식을 이용한 (부록 B) 체표면적이다. 이 변수를 "M"이라고 한다. 미국 인구의 경우, V가 Watson을 이용한 값이고, S가 Dubois를 이용한 값이면 이 값은 성인에서 20.0에 가깝다 (Ramirez, 2012). V는 Morgenstern 공식을 이용하고, S는 Gehan George 공식을 이용한 경우, 중간 값 비율은 아이에서는 17.5에 가깝다(Daugirdas, 2010b).

M = V/S의 중간값 비율

2단계 : 공식에서 환자를 위한 조정계수를 계산한다.

"M"을 계산하는데 사용된 같은 공식을 이용하여 V, S 를 계산한다. 조정 계수는 간단하게 (V/S)/M 이다.

SAN-stdKt/V = (V/S)/M × stdKt/V

더 많은 정보는 Ramirez (2012) 논문을 참고하면 된다. 목표 SAN-std Kt/V 는 의견에 기초한 것이고 아마도 최소 2.2가 적당하다고 한다. 2.5, 2.4의 값은 각각 HEMO 연구에서 많은 투석량을 시행한 여자 환자, 일반용량의 투석을 시행한 남자환자의 평균값이다(Daugirdas, 2010a).

References and Suggested Readings

Daugirdas JT, et al. Solute-solver: a Web-based tool for modeling urea kinetics for a broad range of hemodialysis schedules in multiple patients. *Am J Kidney Dis.* 2009;54:798–809.

Daugirdas JT, et al. Can rescaling dose of dialysis to body surface area in the HEMO study explain the different responses to dose in women versus men? *Clin J Am Soc Nephrol.* 2010a;5:1628–1636.

Daugirdas JT, et al. Dose of dialysis based on body surface area is markedly less in younger children than in older adolescents. *Clin J Am Soc Nephrol.* 2010b;5:821–827.

Daugirdas JT, et al; Frequent Hemodialysis Network Trial Group. Standard Kt/Vurea: a method of calculation that includes effects of fluid removal and residual kidney clearance. *Kidney Int.* 2010c;77:637–644.

Daugirdas JT,et al; FHN Trial Group. Improved equation for estimating single-pool Kt/V at higher dialysis frequencies. *Nephrol Dial Transpl.* 2013;28:2156–2160.

Daugirdas JT. Dialysis dosing for chronic hemodialysis: beyond Kt/V. *Semin Dial.* 2014;27:98–107.

Depner TA, et al. Dialyzer performance in the HEMO study: in vivo K0A and true blood flow determined from a model of cross-dialyzer urea extraction. *ASAIO J.* 2004;50:85–93.

Leypoldt JK, et al. Predicting treatment dose for novel therapies using urea standard Kt/V. *Semin Dial.* 2004;17:142–145.

Ramirez SP, et al. Dialysis dose scaled to body surface area and size-adjusted, sexspecific patient mortality. *Clin J Am Soc Nephrol.* 2012;7:1977–1987.

Web References

Solute solver: http://www.ureakinetics.org (suggest that users start with the "lite" version).

For an stdKt/V calculator see http://www.hdcn.com/calcf/ley.htm. Accessed 7 July 2014.

분자량과 전환 표

I. 표 D.1

표 D.1 분자량과 전환 표

선택된 물질의 분자량 (MW)	
물질	MW
아세틸살리실산(아스피린)	180
알부민	68,000
베타 2 마이크로글로불린	11,600
콜레스테롤	386
크레아티닌	113
덱스트로오즈(글루코즈 1수화물)	198
에탄올	46
에틸렌 글라이콜	62
포도당	180
혈색소	68,800
이소프로필 알코올(이소프로판올)	60
경쇄	23,000
리튬	7
메탄올	32
미오글로빈	17,800
부갑상샘 호르몬	9,500
페노바비탈	232
테오필린	180
중성지방	886
요소	60
"요소질소"(혈청)	28
반코마이신	1,486
비타민 B_{12}	1,355
비타민 D_3(25-D_3)	402

II. 무게, 원자가, 중량 몰 농도사이의 전환

A. 물질의 1 mEq 혹은 1 mmol에서 mg 의 수

물질	1 mEq	1 mmol
나트륨	23	23
칼륨	39	39
칼슘	20	40
마그네슘	12	24
리튬	7	7
탄산염	61	61
염소	35.5	35.5
질소		14
인		31
탄소		12

B. mg을 mEq 혹은 mmol로 전환

1. 나트륨, 칼륨, 염소, 탄산염

1 g 염화나트륨	= 1,000 mg/(23 + 35.5) mg
	= 17 mEq or mmol of 나트륨
1 g 나트륨	= 1,000 mg/23 mg
	= 43 mEq or mmol 나트륨
1 g 염화칼륨	= 1,000 mg/74.5 mg
	= 14 mEq or mmol 칼륨
1 g 칼륨	= 1,000 mg/39 mg
	= 26 mEq or mmol 칼륨
1 g 탄산수소나트륨	= 1,000 mg/84 mg
	= 12 mEq or mmol 나트륨
	= 12 mEq or mmol 탄산염

2. 칼슘 (mg/dL 를 mmol/L로 전환)

	= 10 mg/dL
	= 100 mg/L
	= 100/20 mmol/L,(20 mg = 1 mEq이므로)
	= 5 mEq/L
	= 5/2 mmol/L (2 mEq = 1 mmol이므로)
	= 2.5 mmol/L

3. 마그네슘 (mg/dL 를 mmol/L로 전환)

	= 2.4 mg/dL
	= 24 mg/L
	= 24/12 mEq/L (12 mg = 1 mEq 이므로)
	= 2 mEq/L
	= 2/2 mmol/L (2 mEq = 1 mmol 이므로)
	= 1 mmol/L

4. 인 (mg/dL 를 mmol/L로 전환)

	= 2.5 - 4 mg/dL
	= 25 - 40 mg/L
	= (25/31 - 40/31) mmol/L (1 mmol = 31 mg 이므로)
	= 0.8 - 1.3 mmol/L

P값은 mEq/L로 표현될 때 pH의 변화에 따라 값이 변하기 때문에, mEq/L 단위는 임상에서 일상적으로 사용되지 않는다.

국문

영문

A

B